EL ORDENAMIENTO TRIBUTARIO Y PRESUPUESTARIO LOCAL

ANÁLISIS INTERNO Y DE ADECUACIÓN AL DERECHO DE LA UE

2ª Edición

TIRANT TRIBUTARIO

Directores:
JUAN LÓPEZ MARTÍNEZ
Catedrático de Derecho Financiero y Tributario de la Universidad de Granada

JOSÉ MANUEL PÉREZ LARA
Profesor Titular de Derecho Financiero y Tributario de la Universidad de Granada

Consejo científico:
ANTONIA AGULLÓ AGÜERO
Catedrática de Derecho Financiero y Tributario de la Universitat Pompeu Fabra

IGNACIO CORRAL GUADAÑO
Director de la Escuela de Hacienda Pública

RAFAEL FERNÁNDEZ MONTALVO
Magistrado del Tribunal Supremo

AMPARO NAVARRO FAURE
Catedrática de Derecho Financiero y Tributario de la Universidad de Alicante

Procedimiento de selección de originales, ver página web:
www.tirant.net/index.php/editorial/procedimiento-de-seleccion-de-originales

EL ORDENAMIENTO TRIBUTARIO Y PRESUPUESTARIO LOCAL

ANÁLISIS INTERNO Y DE ADECUACIÓN AL DERECHO DE LA UE

2ª Edición

Directoras:

SATURNINA MORENO GONZÁLEZ
Mª ESTHER SÁNCHEZ LÓPEZ

Autores:

PEDRO JOSÉ CARRASCO PARRILLA
EDUARDO COSTA CASTELLÁ
Mª DEL MAR DE LA PEÑA AMORÓS
PABLO DE MORA NAVARRO
FERNANDO FERNÁNDEZ MARÍN
ANDRÉS GARCÍA MARTÍNEZ
JOSÉ GERARDO GÓMEZ MELERO
JOSÉ ÁNGEL GÓMEZ REQUENA
ANTONIO LÓPEZ DÍAZ
SATURNINA MORENO GONZÁLEZ
Mª DEL CARMEN PASTOR DEL PINO
GEMMA PATÓN GARCÍA
LUIS MARÍA ROMERO FLOR
MARÍA ESTHER SÁNCHEZ LÓPEZ
ANTONIO VILLAESCUSA SORIANO

tirant lo blanch
Valencia, 2023

© Saturnina Moreno González,
María Esther Sánchez López (Dirs.)

© TIRANT LO BLANCH
EDITA: TIRANT LO BLANCH
C/ Artes Gráficas, 14 - 46010 - Valencia
TELFS.: 96/361 00 48 - 50
FAX: 96/369 41 51
Email: tlb@tirant.com
www.tirant.com
Librería virtual: www.tirant.es
DEPÓSITO LEGAL: V-2047-2023
ISBN: 978-84-1169-441-4

Si tiene alguna queja o sugerencia, envíenos un mail a: atencioncliente@tirant.com. En caso de no ser atendida su sugerencia, por favor, lea en www.tirant.net/index.php/empresa/politicas-de-empresa nuestro procedimiento de quejas.

Responsabilidad Social Corporativa: http://www.tirant.net/Docs/RSCTirant.pdf

ÍNDICE

Primera parte
EL ORDENAMIENTO TRIBUTARIO LOCAL. ANÁLISIS INTERNO Y DE ADECUACIÓN AL DERECHO DE LA UE

Capítulo I
Introducción al sistema tributario local: principios y reglas de establecimiento y ordenación de los tributos locales
LUIS MARÍA ROMERO FLOR

Capítulo II
Aspectos internacionales y europeos de la tributación local
SATURNINA MORENO GONZÁLEZ

Capítulo III
El Impuesto sobre Bienes Inmuebles: hecho imponible, supuestos de no sujeción, exenciones y sujetos pasivos
M^a DEL MAR DE LA PEÑA AMORÓS

Capítulo IV
El Impuesto sobre Bienes Inmuebles: liquidación, gestión y revisión
Mª DEL CARMEN PASTOR DEL PINO

Capítulo V
Impuesto sobre Actividades Económicas
Andrés García Martínez

Capítulo VI
Impuesto sobre vehículos de tracción mecánica
GEMMA PATÓN GARCÍA

Capítulo VII
Impuesto sobre el Incremento de Valor de los Terrenos de Naturaleza Urbana
PEDRO JOSÉ CARRASCO PARRILLA

Capítulo VIII
El Impuesto de Construcciones, Instalaciones y Obras
José Gerardo Gómez Melero

Capítulo IX
Las tasas y precios públicos en el ámbito local
María Esther Sánchez López

Capítulo X
Las contribuciones especiales en la hacienda local
Fernando Fernández Marín

Capítulo XI
Los procedimientos tributarios en el ámbito local: gestión, inspección, recaudación, infracciones y sanciones
PABLO DE MORA NAVARRO

Capítulo XII
La revisión en vía administrativa de los actos tributarios en el ámbito local
EDUARDO COSTA CASTELLÁ

Segunda parte
EL ORDENAMIENTO PRESUPUESTARIO LOCAL. ANÁLISIS INTERNO Y DE ADECUACIÓN AL DERECHO DE LA UE

Capítulo XIII
Estabilidad presupuestaria y sostenibilidad financiera de las entidades locales
Antonio López Díaz

Capítulo XIV
El régimen presupuestario de las entidades locales
Antonio Villaescusa Soriano

Capítulo XV
El régimen jurídico del endeudamiento de las entidades locales
José Ángel Gómez Requena

PRESENTACIÓN

La presente obra colectiva constituye la segunda edición del excelente trabajo realizado sobre un tema complejo, cambiante y siempre actual, como es el ordenamiento tributario y presupuestario de las Entidades Locales.

La temática es abordada por profesionales de la Hacienda Local y profesores universitarios de manera profunda y rigurosa, a fin de permitir una visión completa de las distintas cuestiones que plantea en nuestros días el sistema tributario y presupuestario local, de utilidad para estudiosos y profesionales encargados de aplicar e interpretar esta normativa.

La obra consta de dos grandes bloques que, como no podía ser de otra manera, ponen de relieve la íntima conexión entre ingreso y gasto público, la cual se manifiesta en todos los niveles de nuestra Hacienda. En este sentido, y en lo que se refiere concretamente a la Hacienda Local, cualquier estudio que se realice tiene que partir necesariamente de dos datos fundamentales. De un lado, el principio de suficiencia financiera contenido en el art. 142 de la Constitución, principio propio por el que se rige este nivel de Hacienda, encontrándose los tributos propios entre los recursos fundamentales al servicio del principio mencionado. De otro, el art. 135 de la Constitución, en el que se proclaman los principios de estabilidad presupuestaria y sostenibilidad financiera de las administraciones públicas, que se traducen en exigencias específicas para las Entidades Locales.

En esta línea, por una parte, se ha procedido al análisis de los tributos locales más relevantes. Temas que no solamente se han abordado con espíritu crítico y profunda rigurosidad, como demuestra la profusa inclusión de bibliografía y jurisprudencia en cada uno de los capítulos, sino que, además, han sido complementados con el estudio de otros que se han considerado fundamentales para la comprensión del sistema tributario local; y ello, no solamente desde un punto de vista teórico sino eminentemente práctico. Estudio que se acompaña con el relativo a los procedimientos tributarios en el ámbito local, la revisión en vía administrativa de los actos tributarios emanados en el ámbito local, así como de la importante visión relativa a los aspectos internacionales y europeos de la tributación local. Se presta atención a la incidencia de los tratados internacionales y, en especial, de los convenios para evitar la doble imposición. Desde la óptica del Derecho de la UE, se abordan los efectos de las libertades fundamentales, de la prohibición general de ayudas de Estado y de distintas directivas comunitarias.

Por otra parte, en relación con el gasto público de las Haciendas Locales, se analiza la incidencia de los principios de estabilidad presupuestaria y sostenibilidad financiera sobre las entidades locales; principios que se han traducido en una exigencia de equilibrio presupuestario que impide a estos entes incurrir en déficit estructural, extremo que repercute de forma indefectible sobre las decisiones de gasto y endeudamiento de tales entidades. Referencia obligada en la segunda edición de esta obra es la relativa a la suspensión de las reglas fiscales y su impacto sobre las haciendas locales.

Nos encontramos, pues, ante un tema de constante atención y en continua evolución, como refleja la doctrina constitucional y jurisprudencia recientes relacionada con la tributación local. A partir del análisis del ordenamiento local, tanto desde la perspectiva del ingreso como del gasto, los autores llevan a cabo un esfuerzo de identificación de los problemas más relevantes intentado aportar, asimismo, criterios de clarificación de estos, a través de las opiniones doctrinales, así como de las decisiones administrativas y jurisprudenciales existentes en la materia. Y, en todo caso, ofreciendo las herramientas necesarias para afrontar los problemas que continuamente va planteando la normativa local.

Agradecemos a la editorial Tirant lo Blanch haber aceptado la publicación de la segunda edición de la presente obra colectiva. Finalmente, queremos dejar constancia de nuestra más sincera gratitud a quienes con tanto esfuerzo e ilusión han contribuido a que este estudio haya visto finalmente la luz esperando que la misma responda a las expectativas de los profesionales, académicos y funcionarios de la Administración local.

Albacete, enero de 2023

ABREVIATURAS

AAPP	Administraciones Públicas
AEAT	Agencia Estatal de la Administración Tributaria
Ap.	Apartado
Art.	Artículo
Arts.	Artículos
ATC	Auto del Tribunal Constitucional
BICE	Bien Inmueble de Características Especiales
BOCG	Boletín Oficial de las Cortes Generales
BOE	Boletín Oficial del Estado
CCAA	Comunidades Autónomas
CCLL	Corporaciones Locales
CDI	Convenio para evitar la doble imposición internacional
CE	Constitución Española
CE	Comunidad Europea
CEAL	Carta Europea de la Autonomía Local
CNAL	Comisión Nacional de la Administración Local
DA	Disposición Adicional
DGCHT	Dirección General de Coordinación con las Haciendas Territoriales
DGT	Dirección General de Tributos
DO	Diario Oficial
DOUE	Diario Oficial de la Unión Europea
DT	Disposición Transitoria
EELL	Entidades Locales
EEUU	Estados Unidos
EM	Estado Miembro
EP	Establecimiento permanente
FFJJ	Fundamentos Jurídicos
FJ	Fundamento Jurídico
FMI	Fondo Monetario Internacional
GEI	Gases de Efecto Invernadero

IAE	Impuesto sobre Actividades Económicas
IBI	Impuesto sobre Bienes Inmuebles
ICIO	Impuesto sobre Construcciones, Instalaciones y Obras
IDMT	Impuesto sobre determinados medios de transporte
IGAE	Intervención General de la Administración Estatal
IIVTNU	Impuesto sobre el Incremento de Valor de los Terrenos de Naturaleza Urbana
IP	Impuesto sobre el Patrimonio
IRNR	Impuesto sobre la Renta de No Residentes
IRPF	Impuesto sobre la Renta de las Personas Físicas
IS	Impuesto sobre Sociedades
IVA	Impuesto sobre el Valor Añadido
IVTM	Impuesto sobre Vehículos de Tracción Mecánica
LEC	Ley 1/2000, de 7 de enero, de Enjuiciamiento Civil.
LGT	Ley 58/2003, de 17 de diciembre, General Tributaria.
LRHL	Ley 39/1988, de 28 de diciembre, Reguladora de las Haciendas Locales.
LIRPF	Ley 35/2006, de 28 de noviembre, del Impuesto sobre la Renta de las Personas Físicas.
LJCA	Ley 29/1998, de 13 de julio, de la Jurisdicción Contencioso-Administrativa.
LMMGL	Ley 57/2003, de 16 de diciembre, de Medidas para la Modernización del Gobierno Local.
LO	Ley Orgánica
LOEPSF	Ley Orgánica 2/2012, de 27 de abril, de Estabilidad Presupuestaria y Sostenibilidad Financiera.
LRBRL	Ley 7/1985, de 2 de abril, Reguladora de las Bases del Régimen Local.
LTPP	Ley 8/1989, de 13 de abril, de Tasas y Precios Públicos.
MC	Modelo de Convenio
MPMP	Marcos Presupuestarios a Medio Plazo
NIF	Número de Identificación Fiscal
OCDE	Organización para la Cooperación y el Desarrollo Económico
ONU	Organización de las Naciones Unidas
PEC	Pacto de Estabilidad y Crecimiento
PIB	Producto Interior Bruto
RD	Real Decreto
RD	Ley Real Decreto-Ley
RD	Leg Real Decreto Legislativo
Rec.	Recurso

RGR	Real Decreto 939/2005, de 29 de julio, por el que se aprueba el Reglamento General de Recaudación.
RGRV	Real Decreto 520/2005, de 13 de mayo, por el que se aprueba el Reglamento general de desarrollo de la Ley 58/2003, de 17 de diciembre, General Tributaria, en materia de revisión en vía administrativa.
RLTGG	Remanente Líquido de Tesorería para Gastos Generales
RPGI	Real Decreto 1065/2007, de 27 de julio, por el que se aprueba el Reglamento General de las actuaciones y procedimientos de gestión e inspección tributaria y de desarrollo de las normas comunes de los procedimientos de aplicación de los tributos.
RTEAC	Resolución del Tribunal Económico-Administrativo Central
SAN	Sentencia de la Audiencia Nacional
SEC95	Sistema Europeo de Cuentas Nacionales y Regionales
SSTC	Sentencias del Tribunal Constitucional
SSTJUE	Sentencias del Tribunal de Justicia de la Unión Europea
SSTS	Sentencias del Tribunal Supremo
SSTSJ	Sentencias del Tribunal Superior de Justicia
STC	Sentencia del Tribunal Constitucional
STS	Sentencia del Tribunal Supremo
STSJ	Sentencia del Tribunal Superior de Justicia
STJCE	Sentencia del Tribunal de Justicia de las Comunidades Europeas
STJUE	Sentencia del Tribunal de Justicia de la Unión Europea
TC	Tribunal Constitucional
TCE	Tratado de la Comunidad Europea
TEAC	Tribunal Económico-Administrativo Central
TEAR	Tribunal Económico-Administrativo Regional
TFUE	Tratado de Funcionamiento de la Unión Europea
TG	Tribunal General
TJUE	Tribunal de Justicia de la Unión Europea
TPI	Tribunal de Primera Instancia
TRLCI	Real Decreto Legislativo 1/2004, de 5 de marzo, por el que se aprueba el Texto Refundido de la Ley del Catastro Inmobiliario.
TRLRHL	Real Decreto 2/2004, de 5 de marzo, por el que se aprueba el Texto Refundido de la Ley Reguladora de las Haciendas Locales.
TS	Tribunal Supremo
TSJ	Tribunal Superior de Justicia
TUE	Tratado de la Unión Europea
UE	Unión Europea
UEM	Unión Económica y Monetaria

Primera parte
EL ORDENAMIENTO TRIBUTARIO LOCAL. ANÁLISIS INTERNO Y DE ADECUACIÓN AL DERECHO DE LA UE

Capítulo I

INTRODUCCIÓN AL SISTEMA TRIBUTARIO LOCAL: PRINCIPIOS Y REGLAS DE ESTABLECIMIENTO Y ORDENACIÓN DE LOS TRIBUTOS LOCALES

LUIS MARÍA ROMERO FLOR
Profesor Titular de Universidad
Centro Internacional de Estudios Fiscales (CIEF)
Universidad de Castilla-La Mancha

SUMARIO: 1. APROXIMACIÓN A LA ORGANIZACIÓN DE LA ADMINISTRACIÓN LOCAL. 2. AUTONOMÍA Y SUFICIENCIA «FINANCIERA» DE LAS HACIENDAS LOCALES. 3. ALCANCE, CONTENIDO Y LÍMITES DEL PODER TRIBUTARIO DE LAS ENTIDADES LOCALES. 4. SISTEMA Y ENUMERACIÓN DE LOS RECURSOS DE LAS ENTIDADES LOCALES. 5. LA POTESTAD DE IMPOSICIÓN Y DE ORDENACIÓN DE LOS TRIBUTOS LOCALES: LAS ORDENANZAS FISCALES. 6. BIBLIOGRAFÍA.

1. APROXIMACIÓN A LA ORGANIZACIÓN DE LA ADMINISTRACIÓN LOCAL

La existencia en España de zonas con particularidades históricas, culturales y lingüísticas convirtió la organización territorial del Estado en una las cuestiones más conflictivas e importantes a la que las Cortes Constituyentes se tuvieron que enfrentar. La solución a dicho problema encontró respuesta en el Título VIII, Capítulo Primero, artículo 137 de la Constitución Española (en adelante CE)[1] al reconocerse de manera expresa la autonomía no sólo de nacionalidades y regiones, sino también de Municipios y Provincias *«para la gestión de sus respectivos intereses»*[2], asentando el principio de autonomía política para estos Entes territoriales en los artículos 140 y 141 de la CE [3], respectivamente.

Como puede observarse, la Carta Magna quiso destacar, desde el primer momento que, ante todo, estas Administraciones locales son Entes dotados de autonomía; sin embargo, a diferencia de lo que acontece en la regulación de las Comunidades Autónomas, no menciona en ninguno de sus preceptos cuáles van a ser los poderes de los que pueden disponer, ni las competencias que pueden asumir, ni los controles de que pueden ser objeto o el sistema de relaciones con las restantes Administraciones públicas; o dicho de otra manera, no desarrolló el contenido y alcance de la mencionada autonomía local, remitiendo al legislador ordinario, tanto Estatal como de las Comunidades Autónomas[4], la regulación concreta del régimen local y el ámbito de

---

[1]   Según el artículo 137 CE *«el Estado se organiza territorialmente en Municipios, en Provincias y en las Comunidades Autónomas que se constituyan. Todas estas Entidades gozan de autonomía para la gestión de sus respectivos intereses»*. Este precepto, como afirma PAREJO ALFONSO, contiene dos aspectos diferenciables: de un lado fija las instancias territoriales que integran la estructura orgánica del Estado; y, de otro, proclama la autonomía de cada una de dichas instancias para la gestión de sus respectivos intereses. L. Parejo Alfonso. *Garantía institucional y autonomías locales*, IEAL, Madrid, 1981, pág. 115.

[2]   Sobre este particular, la Sentencia del Tribunal Constitucional (en lo sucesivo STC) 4/1981, de 2 de febrero señala que *«de aquí que el artículo 137 de la Constitución delimite el ámbito de estos poderes autónomos, circunscribiéndolos a la "gestión de sus respectivos intereses", lo que exige que se dote a cada Ente de todas las competencias propias y exclusivas que sean necesarias para satisfacer el interés respectivo»*. Conforme, pues, con la Carta Magna, la autonomía que garantiza para cada Entidad lo va a ser en función del criterio del respectivo interés: interés de la Comunidad Autónoma, del Municipio, de la Provincia.

[3]   El artículo 140 CE insiste en que *«la Constitución garantiza la autonomía de los Municipios»*, los cuales *«gozarán de personalidad jurídica plena. Su gobierno y administración corresponde a sus respectivos Ayuntamientos, integrados por los Alcaldes y los Concejales [...] elegidos por los vecinos del municipio mediante sufragio universal, igual, libre, directo y secreto»*. Por su parte, el artículo 141 CE establece que *«la Provincia es una Entidad local con personalidad jurídica propia, determinada por la agrupación de municipios y división territorial para el cumplimiento de las actividades del Estado»*, estando encomendado su gobierno y administración a Diputaciones u otras Corporaciones de carácter representativo; además de poder crearse agrupaciones de municipios diferentes de la provincia; y en donde en los archipiélagos, las islas tendrán también su administración propia, en forma de Cabildos o Consejos insulares.

[4]   Sobre la cuestión de qué legislador, el del Estado o los de cada Comunidad Autónoma, puede proceder a esa regulación, el Tribunal Constitucional entendió en la Sentencia 32/1981, de 28 de julio, que el régimen local, es decir, la regulación normativa de la Administración local, forma parte del régimen jurídico de las Administraciones Públicas, cuyas bases corresponde establecer al Estado, al afirmar textualmente que *«La garantía constitucional [de la autonomía local] es de*

competencias propios de estas Entidades para, como hemos indicado, *«la gestión de sus respectivos intereses»*.

En desarrollo de lo expuesto, la Ley Reguladora de las Bases de Régimen Local (en lo sucesivo LRBRL)[5] junto con la Carta Europea de Autonomía Local (en adelante CEAL)[6], van a ser las normas encargadas de establecer un régimen básico común de autonomía local, garantizando la misma tanto para las entidades locales territoriales (que son el Municipio[7], la Provincia[8] y la Isla en los archipiélagos Balear y Canario[9]), como a otras entidades no calificadas como de territoriales (como son las de ámbito territorial superior al municipio[10] instituidas igualmente por las autonomías de conformidad con la LRBRL y los Estatutos de Autonomía correspondientes, las Áreas Metropolitanas[11]

---

carácter general y configuradora de un modelo de Estado, y ello conduce, como consecuencia obligada, a entender que corresponde al mismo la fijación del principio o criterios básicos en materia de organización y competencia [de las entidades locales]». Ello no supone de por sí desapoderar a las Comunidades Autónomas de su potestad legislativa sobre el régimen local, ya que el Estado sólo puede regular las bases de esta materia, con las limitaciones de orden material y formal que tiene este tipo de competencia legislativa.

5   Ley 7/1985, de 2 de abril, Reguladora de las Bases de Régimen Local.

6   La Carta Europea de Autonomía Local, de 15 de octubre de 1985, está constituida como un instrumento jurídico del Consejo de Europa que tiene como objetivo reconocer, promover y garantizar un estándar común y uniforme del principio de autonomía local en todos los Estados Miembros integrantes de dicha Organización Supranacional.

7   Los Municipios, conforme al artículo 1 LRBRL, son las Entidades locales *«básicas de la organización territorial del Estado y cauces inmediatos de participación ciudadana en los asuntos públicos, que institucionalizan y gestionan con autonomía los intereses propios de las correspondientes colectividades»*; por lo que, de acuerdo con el artículo 11 LRBRL, van a tener *«personalidad jurídica y plena capacidad para el cumplimiento de sus fines»*, contando entre sus elementos constitutivos *«el territorio, la población y la organización»*.

8   El apartado primero del artículo 31 LRBRL nos indica que la Provincia *«es una Entidad local determinada por la agrupación de municipios»*, igualmente, *«con personalidad jurídica propia y plena de capacidad para el cumplimiento de sus fines»*.

9   De igual manera, y en virtud del artículo 1 LRBRL, las Islas Baleares y Canarias gozan de autonomía para la gestión de sus correspondientes intereses.

10 Como es el caso de las Comarcas u otras Entidades que agrupen a varios Municipios, cuyas características determinen intereses comunes precisados de gestión propia, o demanden la prestación de servicios en dicho ámbito (artículo 42.1 LRBRL).

11 Las Comunidades Autónomas, de acuerdo con sus respectivos Estatutos, y previa audiencia de la Administración del Estado y de los Ayuntamientos y Diputaciones afectadas, pueden establecer Áreas Metropolitanas, cuya creación, modificación y supresión se llevará a cabo mediante ley (artículo 43 LRBRL). Dichas Áreas Metropolitanas son Entidades locales supramunicipales con personalidad jurídica propia y plena capacidad para el ejercicio de sus competencias, integradas por Municipios de grandes aglomeraciones urbanas entre cuyos núcleos de población existan vínculos urbanísticos, económicos y sociales, que hagan necesaria la planificación

y las Mancomunidades de Municipios[12]) a las que el legislador puede otorgar también las potestades propias de aquéllas.

Así, y con la finalidad de equiparar el *status*[13] básico de las entidades locales al de las Administraciones del Estado y de las Comunidades Autónomas, se les va a conceder a los Municipios, Provincias e Islas[14] el ejercicio de potestades reglamentarias, de autoorganización, tributarias y financieras, de programación o planificación, expropiatorias y de investigación, deslinde y recuperación de oficio de sus bienes, de ejecución forzosa y sancionadora, de revisión de oficio de sus actos y acuerdos, la presunción de legitimidad y la ejecutividad de sus actos, y las prelaciones y preferencias y demás prerrogativas reconocidas a la Hacienda pública para los créditos de la misma, sin perjuicio de las que corresponda a las Haciendas del Estado y de las Comunidades Autónomas, así como la inembargabilidad de sus bienes y derechos en los términos previstos en las leyes.

---

conjunta y la coordinación de determinados servicios y obras; constituyéndose como división territorial óptima para esa planificación conjunta y gestión coordinada de obras y servicios.

[12] Las Mancomunidades son Entidades locales de carácter asociativo, a las que el artículo 44 LRBRL reconoce el derecho a asociarse con otros Entes locales para la ejecución en común de obras y servicios determinados de su competencia; Mancomunidades que tendrán personalidad y capacidad jurídica para el cumplimiento de sus fines específicos, y que se rigen por sus Estatutos propios, los cuales han de regular su objetivo y competencia, órganos de gobierno y recursos, plazo de duración y demás extremos necesarios para su funcionamiento.

[13] SANTAMARÍA PASTOR concibe a la autonomía como un *status* integrado por potestades públicas superiores diversificadas (potestad normativa, potestad de autotutela, potestad tributaria, etc.) para llevar a cabo *«la gestión de sus respectivos intereses»*, de acuerdo con el artículo 137 CE. J.A. Santamaría Pastor. *Fundamentos de Derecho Administrativo*, I, Centro de Estudios Ramón Areces, Madrid, 1988, págs. 261 y siguientes.

[14] Apartado primero del artículo 4 LRBRL, en calidad de Administraciones Públicas y dentro del ámbito de sus competencias.
Respecto de las Comarcas, Áreas Metropolitanas y demás Entidades locales (salvo las mancomunidades), señala el párrafo segundo del mismo precepto que les serán de aplicación esas mismas potestades y prerrogativas, cuando las leyes de las Comunidades Autónomas concreten cuáles de dichas potestades pueden ejercer; por tanto, si no se prevé expresamente por la legislación autonómica correspondiente, Comarcas y Áreas Metropolitanas no podrán disponer de las mismas, y en todo caso, si se produce tal previsión normativa, podrán ejercer solamente aquéllas en concreto que se les atribuyan en cada caso, y no otras.
Por lo que respecta a las Mancomunidades, excluidas de ese segundo párrafo, añade el apartado tercero del artículo 4 LRBRL que les corresponde la prestación de los servicios o la ejecución de las obras de su competencia, y las potestades que prevean sus estatutos de las señaladas en el apartado primero de dicho artículo 4 LRBRL; en defecto de tal previsión, les corresponderán todas las potestades enumeradas en él, siempre que sean precisas para el cumplimiento de su finalidad, y de acuerdo con la legislación aplicable a cada una de esas potestades, tanto si las ejercen por previsión estatutaria como si no es así.

Por último, por lo que se refiere a las competencias de las Entidades locales territoriales, y con el objetivo de hacer efectiva su autonomía garantizada constitucionalmente, se establece un régimen básico de competencias para los Municipios, Provincias e Islas, que debe ser completado por la legislación sectorial en cada materia; legislación sectorial (estatal y autonómica) que debe asegurar a todos estos entes locales *su derecho a intervenir en cuantos asuntos afecten directamente al círculo de sus intereses, atribuyéndoles las competencias que proceda en atención a las características de la actividad pública de que se trate, y a la capacidad de gestión de la Entidad local, de conformidad con los principios de descentralización, proximidad, eficacia y eficiencia, y con estricta sujeción a la normativa de estabilidad presupuestaria y sostenibilidad financiera*[15].

Además, para el cumplimiento de sus fines las Entidades locales tendrán plena capacidad jurídica en el ámbito de sus respectivas competencias, de acuerdo con la Constitución y las leyes para realizar cualquiera de las siguientes actuaciones: adquirir, poseer, reivindicar, permutar, gravar o enajenar toda clase de bienes; celebrar contratos, establecer y explotar obras o servicios públicos; obligarse; interponer los recursos establecidos, así como ejercitar las acciones previstas en las leyes[16].

Por tanto, y en base a lo anteriormente aseverado, las competencias de las Entidades locales, en general, pueden ser propias o atribuidas por delegación. Empezando por las primeras, éstas sólo podrán ser determinadas por ley, ejerciéndose en régimen de autonomía y bajo su propia responsabilidad, y atendiendo siempre a la coordinación debida con las demás Administraciones públicas en su programación y ejecución[17].

Las competencias atribuidas, por su parte, se ejercerán en los términos que señale la delegación, la cual puede prever técnicas de dirección y control de oportunidad que, en todo caso, habrán de respetar la potestad de autoorganización de los servicios de la Entidad local. Además de lo anterior, las Provincias y las Islas podrán realizar la gestión ordinaria de servicios propios de la Administración autonómica, de conformidad con los Estatutos de Autonomía y la legislación de las Comunidades Autónomas[18].

---

[15] Todo ello en virtud del apartado primero del artículo 2 LRBRL. Ahora bien, se trata de principios muy generales y abstractos, que sólo en caso de manifiesta inobservancia pueden conllevar un juicio de ilegitimidad de las leyes que distribuyen competencias entre las entidades locales y otras Administraciones. *Vid.*, por ejemplo, la STC 51/2004, de 13 de abril que declara la inconstitucionalidad de un precepto legal de Cataluña por vulneración de la autonomía local en materia urbanística.

[16] Según el artículo 5 LRBRL.

[17] De conformidad con el artículo 4 CEAL y los apartados primero y segundo del artículo 7 LRBRL.

[18] Artículos 7 y 8 LRBRL.

2. AUTONOMÍA Y SUFICIENCIA «FINANCIERA» DE LAS HACIENDAS LOCALES

Como es sabido, nuestra Carta Magna consagra el principio de autonomía local[19] en varios de sus preceptos[20], pero por el contrario no establece un modelo definido de gobierno, de administración ni, por supuesto, de Hacienda local[21].

Es por ello que la plena y efectiva autonomía de gestión local requiere, como componente innato de ella (en tanto que parcela de la misma), de una cierta autonomía financiera[22] para dichas Corporaciones (aunque la misma no se recoja de forma expresa a nivel constitucional[23]), de manera tal que no las haga depender en exclusiva de los

---

[19]   La CEAL define esa autonomía local, fija su alcance y sienta el principio de subsidiariedad al respecto al indicar, en el apartado primero de su artículo 3 que, «*por autonomía local se entiende el derecho y la capacidad efectiva de las Entidades locales de ordenar y gestionar una parte importante de los asuntos públicos, en el marco de la ley, bajo su propia responsabilidad y en beneficio de sus habitantes*». Según la jurisprudencia constitucional, entre otras la anteriormente reseñada STC 32/1981, de 28 de julio, la autonomía local es un componente esencial del orden jurídico-político establecido en la Constitución, a través del cual se realiza una «*distribución vertical del poder*», que tiene por finalidad permitir la participación en la gestión de los asuntos públicos de los diferentes niveles de gobierno.

[20]   Partiendo de su establecimiento general para todos los Entes públicos, al recoger el artículo 137 CE la distribución territorial del Estado; así como respecto a la autonomía política o de gestión para Municipios y Provincias sobre sus correspondientes intereses en los artículos 140 y 141.2 CE.

[21]   Aunque lo que sí estableció son algunos principios básicos o fundamentales con el objetivo de reconocer y garantizar la autonomía de las Corporaciones locales, para que de este modo puedan gestionar sus propios intereses generales, tales como el reconocimiento a los Entes locales como núcleos estructurales «*insuprimibles*» de la organización territorial del Estado, y garantía de su autonomía para la gestión de sus respectivos intereses; la atribución a sus respectivas Corporaciones representativas del gobierno y administración municipal (Ayuntamiento) y provincial (Diputación); la necesidad de una norma legal para atribuir competencias a dichas Corporaciones; el reconocimiento constitucional de la suficiencia financiera para el desempeño de esas funciones legalmente atribuidas, nutriéndose fundamentalmente de tributos propios y de participaciones en los del Estado y Comunidades Autónomas. Y, finalmente, la potestad para establecer y exigir tributos de acuerdo al ordenamiento jurídico imperante al respecto, Constitución y normas legales estatales y autonómicas. *Cfr.* G. Casado Ollero. «La participación en los tributos del Estado y de las CC.AA. Autonomía. Suficiencia Financiera. Coordinación», *Tributos Locales*, núm. 19, 2002, pág. 17. De forma casi similar, M.A. Collado Yurrita y E. Giménez-Reyna. «La nueva hacienda local española», *Cuadernos Civitas*, 1990, págs. 17 y 18.

[22]   En palabras de FERREIRO LAPATZA, «*Autonomía financiera significa, en efecto y en esencia, recursos propios y capacidad de decisión sobre el empleo de estos recursos*». J.J. Ferreiro Lapatza. «Análisis constitucional de la nueva ley reguladora de las Haciendas Locales», *Revista de Hacienda Autonómica y Local*, núms. 55-56, 1989, pág. 19.

[23]   Un gran inconveniente que ha entorpecido la tarea de construcción de un concepto de autonomía tributaria local lo constituye el hecho de que nuestra Constitución no se haya referido expresamente a la autonomía tributaria de los Entes locales, pues en su artículo 137 lo único que hace es reconocer con carácter general la autonomía a los Municipios, Provincias y Comunidades Autónomas; pero sin

recursos que le concedan otros Entes a la hora de lograr sus propios objetivos, ni de la autorización de los mismos para decidir los gastos públicos a efectuar.

Si bien la Constitución sólo contempla la autonomía local desde el punto de vista de los ingresos[24], no hay inconveniente en admitir que consagra también la autonomía para determinar y ordenar los gastos necesarios para el ejercicio de las competencias anteriormente referidas, la cual se manifiesta y ejerce mediante la elaboración, aprobación y ejecución por los Entes locales de sus propios presupuestos[25].

Por tanto, dicha autonomía financiera local a la que nos estamos refiriendo entraña dos exigencias: por un lado, la plena disponibilidad por las Corporaciones locales de sus ingresos, sin condicionamientos indebidos y en toda su extensión, para poder ejercer sus competencias; y por el otro, la capacidad de decisión sobre el destino de sus fondos.

Ahora bien, para garantizar dicha autonomía local resulta esencial respetar el principio de suficiencia financiera[26], entendido en relación a las funciones, actividades, competencias y servicios que la Constitución y la ley atribuye a las Corporaciones locales,

---

embargo, así como en su artículo 156 reconoce expresamente autonomía financiera a las Comunidades Autónomas, cuando se refiere a los Municipios solamente garantiza de nuevo la autonomía de los mismos, pero de una forma general. También, a nivel de Ley ordinaria, el artículo 1601.1 LRBRL, y de acuerdo con la garantía de la autonomía de los Municipios proclamada por la Constitución en sus artículos 137 y 140, pero sin llegar a definirla, dispone que *«las Entidades Locales tendrán autonomía para establecer y exigir tributos»*.

Por su parte, RUIZ GARCÍA destaca cómo el concepto de autonomía tributaria local se ha visto, a su vez, condicionado por las variaciones significativas que presentan las Entidades a que se refiere la autonomía. Estas variaciones se presentan *«no sólo en su potencialidad y su estructura económica, sino incluso en el aspecto físico»*. J.R. Ruiz García. «Algunas consideraciones sobre la autonomía tributaria local», *Revista Española de Derecho Financiero*, núm. 46, 1985, pág. 232.

[24] En la vertiente de los ingresos, como aspecto o elemento principal de esa autonomía financiera local, encontramos la autonomía tributaria reconocida coherentemente con la referencia que en el artículo 142 CE se hace a los *«tributos propios»* de las Haciendas locales, y en el artículo 133.2 CE al poder o función tributaria local. Pero además, encontramos un inequívoco reconocimiento en la CEAL que dedica un extenso artículo 9 a *«los recursos financieros de las Entidades locales»*, con diversas referencias (garantistas de la autonomía local) a los *«ingresos patrimoniales»* (apartado 3), a los *«procedimientos de compensación»* (apartado 5), a las *«subvenciones»* (apartado 7) y al *«acceso [...] al mercado nacional de capitales»* (apartado 8).

[25] Conforme al régimen presupuestario establecido en el Título VI (artículos 162 y siguientes) del Real Decreto Legislativo 2/2004, de 5 de marzo por el que se aprueba el Texto Refundido de la Ley Reguladora de las Haciendas Locales (en lo sucesivo TRLRHL).

[26] Específica y expresamente formulado tanto en el artículo 142 CE, al indicar que *«las Haciendas Locales deberán disponer de los medios suficientes para el desempeño de las funciones que la ley atribuye a las Corporaciones respectivas y se nutrirán fundamentalmente de tributos propios y de participación en los del Estado y de las Comunidades Autónomas»*; como en el artículo 9.1 CEAL al señalar que *«las Entidades locales tienen derecho, en el marco de la política económica nacional, a tener recursos propios suficientes de los cuales pueden disponer libremente en el ejercicio de sus competencias»*.

de modo que los medios financieros o recursos disponibles sean bastantes, adecuados, suficientes en definitiva, para cubrir el desempeño del conjunto de tareas legalmente atribuidas[27].

Por tanto, el principio de suficiencia financiera es, por definición, de contenido relativo[28], pues depende de las competencias y funciones que se atribuyan a las Entidades locales y del nivel o estándar de prestación de los servicios locales que legalmente se establezcan[29], por lo que dentro del *«contenido inherente a cada competencia»*[30] estará la capacidad de disponer de los medios financieros necesarios y suficientes para su desarrollo y ejecución; o dicho en otros términos, la suficiencia financiera se sitúa en el contenido inherente de cada competencia material atribuida a la Entidad local[31].

Dicha suficiencia ha de medirse en cada momento en relación a unos servicios públicos dados y a unas responsabilidades públicas determinadas, y habrá de ser asimismo

---

[27]   Por eso establece el artículo 9.2 CEAL que *«los recursos financieros de las Entidades locales deben ser proporcionales a las competencias previstas por la Constitución o por la Ley»*. También el Tribunal Constitucional ha insistido en la importancia de este principio de suficiencia, reconociéndolo literalmente en la STC 233/1999, de 16 de diciembre, resumiendo la jurisprudencia anterior, al indicar que *«[...] el principio de suficiencia financiera, tal y como se desprende de la dicción del artículo 142 CE., y hemos enunciado en anteriores pronunciamientos, implica la necesidad de que los Entes Locales cuenten con fondos suficientes para cumplir con las funciones que legalmente le han sido encomendadas (SSTC 179/1985, de 19 de diciembre; 237/1992, de 15 de diciembre; 331/1993, de 12 de noviembre; 166/1998, de 15 de julio), esto es, "para posibilitar y garantizar, en definitiva, el ejercicio de la autonomía constitucionalmente reconocida (artículos 137, 140 y 141 CE.)" (SSTC 96/1990, de 24 de mayo; 331/1993, de 12 de noviembre (anteriormente citada); ATC 382/1993, de 1 de diciembre); pero no impide ni descarta que dichos fondos superen le cifra precisa para cubrir las necesidades del Municipio o, dicho de otro modo, no se opone a que exista superávit presupuestario»*. En idéntico sentido, SSTC 201/1988, de 27 de octubre, 68/1996, de 4 de abril, 48/2004, de 25 de marzo, entre otras.

[28]   En este sentido, el principio de suficiencia se caracteriza por su relatividad o, lo que es lo mismo, la suficiencia, como ha dicho CALVO ORTEGA, lo es en relación con unos servicios públicos dados y unas responsabilidades públicas también determinadas, sólo adquiere sentido referida a una cuantía de gasto público estimada necesaria. R. Calvo Ortega. «Principios tributarios y reforma de la Hacienda municipal», en *La Reforma de las Haciendas Locales*, Tomo I, Lex Nova, Valladolid, 1991, pág. 63. *Cfr.*, entre otros muchos, C. Palao Taboada. *La Hacienda regional y el proyecto de Constitución*, Universidad de Zaragoza, 1978, pág. 11. G. Casado Ollero. «La participación en los tributos del Estado y de las CC.AA. Autonomía. Suficiencia Financiera. Coordinación», *op. cit.* pág. 23.

[29]   Pero no resulta fácil precisar a qué nivel de calidad del servicio debe juzgarse la suficiencia. Con acierto, SIMÓN ACOSTA señala que *«mientras no se determine el nivel o modo en que debe prestarse el servicio o ejercerse la función, no puede entrarse en la medición de su coste»*. E. Simón Acosta. «El principio de suficiencia financiera local», en *Autonomía y Financiación de las Haciendas Municipales*, Instituto de Estudios Fiscales, Madrid, 1982, págs. 478.

[30]   SSTC 42/1981, de 22 de diciembre y 80/1985, de 4 de julio.

[31]   *Cfr.* G. Casado Ollero. «La participación en los tributos del Estado y de las CC.AA. Autonomía. Suficiencia Financiera. Coordinación», *op. cit.*, pág. 23.

obtenida o garantizada mediante al triple esfuerzo del Estado, de la respectiva Comunidad Autónoma y del propio Ente local.

Efectivamente, si constitucionalmente sus principales fuentes de recursos son tributos propios y participaciones en los ajenos, cuando el Estado o la Comunidad Autónoma donde se integre una Entidad local establezcan y regulen, en su caso, esos tributos propios de los que han de disponer, así como la distribución de esas participaciones en sus respectivos ingresos tributarios, han de hacerlo mediante una ley que no cercene ni coarte su suficiencia financiera[32] y, aún más, su autonomía misma, permitiéndoles en primer lugar, ejercer por ellas el establecimiento y exacción de sus propios tributos de acuerdo a sus intereses y exigencias[33]; así como, en segundo lugar, ver complementadas con esas participaciones trasferidas, sus necesidades de ingresos para lograr esa suficiencia de recursos, además de forma incondicionada para plasmar igualmente su autonomía financiera[34].

---

[32] Como indica AGULLÓ AGÜERO, la autonomía financiera local exige la garantía de la inalterabilidad de su respectivo régimen, que ni el Estado ni las Autonomías puedan establecer unilateralmente detracciones coactivas que alteren la estructura constitucional de sus ingresos y coarten su autonomía de gasto. A. Agulló Agüero. «La Hacienda de las Provincias y Entidades supramunicipales y del ámbito inferior al Municipio en la ley 39/88», *Palau*, núm. 8, 1989, Págs. 91 y 92.

[33] El propio Tribunal Constitucional reconoce que la autonomía financiera de los Entes territoriales *«forma parte»* de la *«autonomía para la gestión de sus propios intereses, de acuerdo con el artículo 137 CE»* (STC 63/1986, de 21 de mayo); declarando en la STC 221/1992, de 11 de diciembre, que a pesar de que *«en lo relativo a las Haciendas Locales es el principio de suficiencia el formulado expresamente por el artículo 142 CE. [...] la autonomía territorial, en lo que a las Corporaciones Locales se refiere, posee también una proyección en el terreno tributario, pues estos Entes habrán de contar con tributos propios y sobre los mismos deberá la ley reconocerles una intervención en su establecimiento o en su exigencia, según previenen los artículos 140 y 133.2º de la Norma fundamental».*

[34] El Tribunal Constitucional ha recordado, en la STC 4/1981 (anteriormente citada), que la Constitución pone en la suficiencia y no en la autonomía al expresar que *«la Constitución no garantiza a las Corporaciones locales una autonomía económica-financiera en el sentido de que dispongan de medios propios (patrimoniales y tributarios) suficientes para el cumplimiento de sus funciones. Lo que dispone es que estos medios serán suficientes, pero no que hayan de ser en su totalidad propios, así lo expresa con toda claridad el artículo 142 de la Constitución al decir que las Haciendas locales deberán disponer de los medios suficientes para el desempeño de las funciones que la Ley atribuye a las Corporaciones locales respectivas y que se nutrirán fundamentalmente de tributos propios y de la participación en los del Estado y Comunidades Autónomas. En consecuencia, dadas las diversas fuentes que nutren a las Haciendas locales, así como su complementariedad, es aquí plenamente explicable la existencia de controles de legalidad, tanto en relación con la obtención y gestión de ingresos de carácter propio como con la utilización de los procedentes de otras fuentes».* En la misma línea, la STC 90/1990, de 24 de mayo (anteriormente citada).
En este sentido, LASARTE ÁLVAREZ viene a señalar que *«lo que garantiza el artículo 142 no es la autonomía financiera, sino la suficiencia financiera de las Haciendas locales, que es cosa diferente, aunque la autonomía deba basarse en la suficiencia financiera y conducir a la misma».* J. Lasarte Álvarez. «Potestad legislativa y poder tributario de las Comunidades Autónomas», *Revista Española de*

3. ALCANCE, CONTENIDO Y LÍMITES DEL PODER TRIBUTARIO DE LAS ENTIDADES LOCALES

De lo hasta ahora expuesto se deduce que las Corporaciones locales gozan de autonomía, y que para ello se requiere una solidez financiera, siendo las dos fuentes más importantes de recursos financieros de las Corporaciones locales[35] aquellas que procedan de tributos propios y de participación en los tributos del Estado y de las Comunidades Autónomas.

Dos ideas pueden extraerse rápidamente: una, que los ingresos más importantes de las Haciendas locales deberán de ser de naturaleza tributaria; y otra, que tanto el Estado como las Comunidades Autónomas vienen obligados a actuar en este sentido o, en su caso, permitir que así sea. Sin embargo, para completar estas ideas se hace necesario desarrollar la cuestión de quién puede ser titular del poder tributario[36], entendiendo por tal la potestad para establecer, aplicar y recaudar los tributos[37].

En este sentido, va a ser el Estado el único ente público al que nuestra Carta Magna[38] atribuye un poder tributario originario, mientras que el poder tributario de las Comunidades Autónomas y Corporaciones locales no puede calificarse como tal, dado que éstos

---

Derecho Financiero, núm. 22, 1979, pág. 216. Por su parte, MARTÍN QUERALT expresa que «*se margina cualquier duda que aún pudiera quedar al intérprete de la Constitución acerca de la diferente posición constitucional que ocupan las Comunidades Autónomas y los Entes locales. Es cierto que la autonomía se predica de ambos tipos de Entes, pero no lo es menos que la diferenciación, aunque solo sea ratione materiae, es también clara. Si bien es cierto que la Constitución no ha formulado expresis verbis tal diferenciación, no lo es menos que de una interpretación sistemática de la misma no es difícil concluir en que la posición que ocupan ambos tipos de Entidades es distinta*». J. Martín Queralt. «La autonomía municipal en la jurisprudencia del Tribunal Constitucional», *Revista Española de Derecho Financiero*, núm. 35, 1982, pág. 469.

[35]   La CE no establece una lista cerrada de recursos locales. Lo único que impone es la existencia (necesaria y no suprimible) de dos recursos financieros fundamentales que habrán de garantizar la suficiencia financiera local.

[36]   Conforme al tenor literal del precepto 137 CE, anteriormente transcrito, se puede entender que los titulares del poder tributario en España son el Estado, las Comunidades Autónomas, los Municipios, las Provincias y demás Entidades locales reguladas en la legislación de régimen local, en donde todos ellos habrán de adecuar su ejercicio no sólo a su ámbito territorial, sino también, a los valores, principios y objetivos constitucionales, respetando el orden de distribución competencial establecido en la propia Constitución.

[37]   Siguiendo a RODRÍGUEZ BEREIJO, para llevar a cabo el estudio del poder tributario de las Corporaciones locales partimos de un concepto más amplio del mismo que abarca una serie de atribuciones que van desde el establecimiento o regulación de la materia financiera, a través de normas legales o reglamentarias, hasta la aplicación de las mismas. A. Rodríguez Bereijo. *Introducción al Estudio del Derecho Financiero*, IEF, Madrid, 1976, págs. 228 y siguientes.

[38]   En concreto, a través de los artículos 133.1 CE al indicar que «*la potestad originaria para establecer los tributos corresponde exclusivamente al Estado, mediante ley*», y del artículo 149.1.1º.14 CE cuando establece que «*el Estado tiene competencia exclusiva sobre [...] Hacienda general y Deuda del Estado*», expresión que

sólo «*podrán establecer y exigir tributos de acuerdo a la Constitución y las leyes*»[39]; siendo el poder autonómico calificado habitualmente como de segundo grado[40], frente al poder tributario local claramente derivado, al tener que respetar límites constitucionales (entre los que destaca la ausencia de capacidad legislativa) y legales, que vendrán establecidos[41] en una ley ordinaria estatal (principalmente el TRLRHL) o, en su caso, regional[42].

Además, nuestro sistema jurídico constitucional sólo ha permitido que dos de los tres Entes públicos, a los cuáles se les reconoce poder tributario por esa norma suprema, tengan la facultad normativa de poder dictar leyes tributarias[43] a través de sus respectivos órganos legislativos: el propio Estado a través de las Cortes Generales, y las Comunidades Autónomas a través de sus Parlamentos regionales.

En este sentido, si las Corporaciones locales no pueden dictar leyes (sino sólo normas reglamentarias), en principio no podrían establecer tributos propios *ex novo*[44] ni

---

parece suficientemente significativa de la atribución al Estado del poder financiero que sea necesario para cubrir las necesidades económicas que derivan del ejercicio de esas competencias exclusivas.

[39] Artículo 133.2 CE. Para GONZÁLEZ PUEYO, esta potestad tributaria es meramente nominal, ya que si los tributos se establecen, a tenor del artículo 133.1 CE, mediante Ley, y dado que las Corporaciones locales carecen de poder legislativo «*no podrán establecer sus tributos propios, sino tan sólo declarar su vigencia*». J.M. González Pueyo. *Manual de ingresos locales tributarios y no tributarios*, Instituto Nacional de Administración Pública, Madrid, 1990, pág. 21.

[40] El fundamento del poder financiero de las Comunidades Autónomas está en el reconocimiento constitucional (artículo 137 CE) de la «*autonomía para la gestión de sus respectivos intereses*», así como en la «*autonomía financiera para el desarrollo y ejecución de sus competencias con arreglo a los principios de coordinación con la Hacienda estatal y de solidaridad entre todos los españoles*» (artículo 156.1 CE). Sin embargo, aunque la Constitución señala los recursos fundamentales de los que las Comunidades Autónomas se van a nutrir (artículo 157 CE), atribuye al legislador estatal la función de concretar el sistema de distribución de competencias financieras y tributarias entre el Estado y las Comunidades Autónomas, de manera que no define directamente un sistema de financiación autonómico cerrado, sino que la configuración última del mismo debe hacerse por las leyes estatales dictadas al amparo de los citados preceptos constitucionales, lo que ha llevado a cabo la Ley Orgánica 8/1980, de 22 de septiembre, de Financiación de las Comunidades Autónomas (en lo sucesivo LOFCA), pudiéndose considerar de esta forma como un poder originario de segundo grado.

[41] Según reza el artículo 106.1 LRBRL.

[42] En este sentido, L.M. Cazorla Prieto. *Poder tributario y Estado Contemporáneo*, IEF, Madrid, 1981, pág. 176 y J. Ramallo Massanet. «Incidencia de la Constitución Española de 1978 en materia de fuentes normativas de las Comunidades Autónomas», en *Hacienda y Constitución*, IEF, Madrid, 1979, pág. 79.

[43] Como de todos es sabido, el principio de legalidad es primordial en cuanto al establecimiento y la regulación de los elementos esenciales, básicos y fundamentales de los tributos, al exigir el apartado tercero del artículo 31 CE que «*sólo podrán establecerse prestaciones personales o patrimoniales de carácter público con arreglo a la ley*».

[44] *Vid.*, entre otros, J.M. González Pueyo. *Manual de ingresos locales tributarios y no tributarios, op. cit.* Pág. 21, o J.R. Ruiz García. «Algunas consideraciones sobre la autonomía tributaria local», *op. cit.* pág. 240.

regular sus elementos esenciales directa y libremente, como se les reconoce, al exigirse normas de tal rango para ello; circunstancia que lleva a una aparente contradicción entre los artículos 31.3 y 133.2 CE, que se soluciona de la siguiente manera: será el propio TRLRHL (ley Estatal), el que regule la totalidad de los elementos esenciales de todos los tributos que en él se establecen[45], determinado qué tributos son de exacción obligatoria y cuáles otros son de exacción potestativa o voluntaria.

Por tanto, el poder tributario derivado[46] de las Entidades locales se va a concretar de la siguiente forma: En primer lugar, las Entidades locales vendrán obligadas a exigir los tributos que el TRLRHL determine y establezca como de exacción obligatoria[47], en donde las Entidades locales podrán graduar la presión fiscal, incrementando o reduciendo los tipos de gravamen (dentro de los tipos mínimo y máximo establecidos en el TRLRHL). En segundo lugar, los Ayuntamientos podrán aplicar o no, asimismo, determinados beneficios fiscales previstos en el TRLRHL. Y, finalmente, las Entidades locales podrán decidir libremente el establecimiento de aquellos tributos que el TRLRHL establezca con carácter de exacción potestativa[48] o voluntaria, por lo que en estos casos deberán ajustarse a lo previsto en el TRLRHL, que regula los elementos esenciales de cada uno de los tributos; por tanto, en esta regulación prevista en el TRLRHL se deja también margen de maniobra a las Entidades locales, al igual que pasa con los tributos de exacción obligatoria.

---

[45]   Reserva de Ley que, de acuerdo con nuestra Constitución, hay que entenderla con PÉREZ ROYO, en el sentido de que la Ley debe regular al menos todos aquellos elementos que afecten a la identidad o a la intensidad de la prestación. F. Pérez Royo. «Fundamento y ámbito de la reserva de Ley en materia tributaria», *Hacienda Pública Española*, núm. 14, pág. 223. Como ha indicado la STC 6/1983, de 4 de febrero, *«la creación ex novo de un tributo y la determinación de los elementos esenciales o configuradores del mismo pertenecen siempre al plano o nivel de la Ley y no pueden dejarse nunca a la legislación delegada y menos todavía a la potestad reglamentaria»*.

[46]   En la Sentencia 19/1987, de 17 de febrero, el Tribunal Constitucional se centra, al margen de determinar el fundamento del principio de reserva de Ley tributaria, en dos cuestiones muy importantes: conciliar el respeto al poder tributario local con la uniformidad que implica el principio de legalidad; y, además, delimitar el contenido material de la reserva de Ley tributaria al prohibir que un elemento esencial del tributo, cual es el tipo de gravamen, sea establecido de forma exclusiva por una norma proveniente de un Municipio, obviamente de rango inferior a Ley. Así, se afirma que *«esta potestad tributaria de carácter derivado no podrá hacerse valer en detrimento de la reserva de Ley [...] las leyes reclamadas por la Constitución no son, por lo que la las Corporaciones locales se refiere, meramente habilitadoras para el ejercicio de una potestad tributaria que originariamente sólo corresponde al Estado. Son también leyes ordenadoras»*.

[47]   Tales como el Impuesto sobre Bienes Inmuebles (en adelante IBI), Impuesto sobre Actividades Económicas (en lo sucesivo IAE) e Impuesto sobre Vehículos de Tracción Mecánica (en adelante IVTM).

[48]   No sólo nos estamos refiriendo al Impuesto de Construcciones, Instalaciones y Obras (en los sucesivo ICIO) o al Impuesto sobre el Valor de los Terrenos de Naturaleza Urbana (en adelante IVTNU), sino además a las tasas y contribuciones especiales.

Como fácilmente puede observarse, la posición que tienen las Entidades locales en nuestro sistema a la hora de establecer y regular sus propios tributos, serán mucho más restrictivos y limitados en su ejercicio que la reconocida a los otros Entes de mayor ámbito territorial[49], resultado del diseño constitucional de su poder financiero y tributario.

Por tanto, y partiendo de la consideración de que el sistema tributario local forma parte del sistema tributario general del Estado[50], no cabe duda alguna de que al referido sistema tributario local le son de aplicación los principios generales o de justicia tributaria que se predican respecto del sistema tributario en su conjunto[51] y que como de todos es sabido, son los principios de capacidad económica, justicia, igualdad, progresividad y no confiscatoriedad, lo cual nos permite realizar las dos observaciones siguientes:

En primer lugar, que la efectividad de los principios generales enunciados ha de pronunciarse en relación con el sistema tributario en su conjunto, y no, necesariamente, en relación con cada uno de los sistemas tributarios específicos, individualmente considerados.

Y, en segundo lugar, debe hacerse constar que los principios generales que se contemplan no tienen por qué proyectarse directamente sobre cada una de las figuras tributarias individualmente consideradas, sino que su efectividad en relación a éstas se canaliza a través del sistema tributario en su conjunto.

Pero es que además, junto a estos principios constitucionales generales, también operan en el ámbito del sistema tributario local otros principios, en este caso específicos, que se predican, exclusivamente, respecto del referido sistema, y cuya finalidad principal va a ser la de acentuar el marcado carácter territorial de los tributos locales, en consonancia con la naturaleza intrínseca de los respectivos entes titulares de los mismos.

El desarrollo de estos principios lo realiza el artículo 6 TRLRHL, y son los siguientes:

En primer lugar, no someter a gravamen bienes situados, actividades desarrolladas, rendimientos originados ni gastos realizados fuera de la respectiva Entidad.

En segundo lugar, no gravar, como tales, negocios, actos o hechos celebrados o realizados fuera del territorio del municipio impositor, ni el ejercicio o la transmisión de

---

49   Precisamente, en atención a las exigencias del principio de reserva de ley, la STC 150/1990, de 4 de octubre admitió la posibilidad de que las Comunidades Autónomas establecieran libremente recargos sobre los tributos estatales, mientras que la STC 179/1985, de 19 de diciembre (anteriormente citada) declaró inconstitucional esa misma posibilidad en favor de los Ayuntamientos.

50   Entendido éste en sentido amplio, esto es, el sistema tributario integrado por aquél y por los específicos del Estado y de las Comunidades Autónomas.

51   Tales principios generales tienen su formulación positiva en el artículo 31.1 CE, de conformidad con el cual «*todos contribuirán al sostenimiento de los gastos públicos de acuerdo con su capacidad económica mediante un sistema tributario justo inspirado en los principios de igualdad y progresividad que, en ningún caso, tendrá alcance confiscatorio*».

bienes, derechos y obligaciones que no hayan nacido o hubieran de cumplirse en dicho territorio.

Y en tercer lugar, no implicar obstáculo alguno para la libre circulación de personas, mercancías, servicios y capitales, ni afectar de manera efectiva a la fijación de la residencia de las personas o la ubicación de las empresas y capitales dentro del territorio español, sin que ello obste para que las Entidades locales puedan instrumentar la ordenación urbanística de su territorio[52].

Por último hay que decir que, a diferencia de los principios generales o de justicia tributaria, estos principios específicos del sistema tributario local se deben cumplir por todos y cada uno de los tributos que lo integran. No obstante, teniendo en cuenta el ámbito de autonomía normativa en materia tributaria de los Entes locales, y que el propio TRLRHL regula en profundidad el sistema tributario local, queda garantizado de antemano el cumplimiento de los mismos. O dicho en otros términos, por una parte, el propio TRLRHL diseña y regula íntegramente el sistema tributario local, actuación ésta en la que dichos principios ya han sido tenidos en cuenta, garantizándose de antemano su efectividad; y, por otra parte, en aquellas categorías tributarias en las que la regulación del TRLRHL es más abierta, y en las que el poder tributario derivado de las Entidades locales adquiere más intensidad, como son las tasas y las contribuciones especiales, la propia naturaleza de éstas y la conformación de sus respectivos hechos imponibles garantiza, en gran medida, la efectividad de los principios que se contemplan.

4. SISTEMA Y ENUMERACIÓN DE LOS RECURSOS DE LAS ENTIDADES LOCALES

Tradicionalmente, se ha venido apuntando que la evolución histórica y normativa del régimen de la Hacienda local ha puesto de manifiesto la endémica situación de recursos disponibles para los Entes locales[53], pues la dependencia frente a las transferen-

---

[52]   Como se puede observar, lo que en realidad hace el TRLRHL es trasladar al ámbito local los principios de territorialidad y de neutralidad (o no obstáculo a la libre circulación) que la Constitución predica de las medidas tributarias que adopten las Comunidades Autónomas en su artículo 157.

[53]   La Exposición de Motivos de la Ley 39/1988, de 28 de diciembre, Reguladora de las Haciendas Locales recordaba que la evolución histórica de la Hacienda local española *es la crónica de una institución histórica afectada por una insuficiencia financiera endémica*. Por su parte, SOLÉ VILLALONGA advierte de la trayectoria de insuficiencia de medios, al decir que *las Corporaciones locales vienen aquejadas en España, tradicionalmente, de una financiación muy escasa. Y al decir muy escasa no me refiero a cifras absolutas, sino comparativas*. G. Solé Villalonga. «El orden constitucional y el sistema fiscal», en *Constitución y Economía*, Centro de Estudios de Comunicación Económica, Madrid, 1978, pág. 126.

cias y subvenciones de otros entes resulta indispensable para la correcta nivelación del presupuesto local.

Como ya hemos tenido oportunidad de señalar, el artículo 142 CE prevé la forma en que se financiarán las Haciendas Locales, regulando que *«deberán disponer de los medios suficientes para el desempeño de las funciones que la Ley atribuye»* a las mismas, nutriéndose fundamentalmente[54], a estos efectos, de los *«tributos propios y de participación en los del Estado y de las Comunidades Autónomas»*.

En este sentido, es el apartado primero del artículo 2 del TRLRHL el que, con mayor concreción[55], diseña una relación general de los distintos recursos financieros de las Entidades locales, al establecer una enumeración sistemática de las distintas fuentes de financiación, entre los que se encuentran: a) Los ingresos procedentes de su patrimonio y demás de Derecho privado. b) Los tributos propios clasificados en tasas, contribuciones especiales e impuestos y los recargos exigibles sobre los impuestos de las Comunidades Autónomas o de otras Entidades locales. c) Las participaciones en los tributos del Estado y de las Comunidades Autónomas. d) Las subvenciones. e) Los percibidos en concepto de precios públicos. f) El producto de las operaciones de crédito. g) El producto de las multas y sanciones en el ámbito de sus competencias. h) Las demás prestaciones de derecho público.

Pero es necesario destacar que los Municipios no son las únicas Entidades locales cuya hacienda está constituida por todos estos recursos.

Así, y por lo que respecta a las Provincias y a las Entidades inframunicipales (de ámbito inferior al municipio)[56] únicamente van a contar con los que expresamente les reconoce el TRLRHL o sus respectivas normas de creación. En concreto, la estructura del sistema de recursos de la Provincia es similar al diseñado para los Municipios, estando constituidos[57] por recursos tributarios[58], participación en los tributos del Estado,

---

[54] Es necesario destacar que el término *«fundamentalmente»*, aparte de otras cosas, significa que en el artículo 142 CE no se efectúa una enumeración o lista cerrada de los recursos financieros que componen o pueden componer las Haciendas Locales.

[55] Dentro del marco de lo dispuesto por el artículo 142 CE, y siempre de acuerdo con el bloque normativo anteriormente expuesto.

[56] Un estudio completo sobre este particular puede encontrarse en A. Agulló Agüero. «La Hacienda de las Provincias y Entidades supramunicipales y del ámbito inferior al Municipio en la ley 39/88», *op. cit.* Págs. 85 a 102.

[57] Artículos 131 a 149 TRLRHL.

[58] Tales como tasas por la prestación de servicios o la realización de actividades de su competencia, y por la utilización privativa o el aprovechamiento especial de bienes de dominio público provincial; contribuciones especiales por la realización de obras o por el establecimiento o ampliación de servicios; y un recargo provincial sobre el IAE.

subvenciones[59], precios públicos[60] y recursos otorgados por la Comunidad Autónoma o los Municipios para la gestión de los servicios de estos entes por parte de la Provincia.

Por su parte, los recursos de las Entidades locales supramunicipales serán los que se establezcan en sus respectivas normas de creación y en sus disposiciones de desarrollo, siéndoles de aplicación lo dispuesto en el TRLRHL[61] respecto a los recursos de los Ayuntamientos. En este sentido, las Áreas Metropolitanas pueden establecer tasas, contribuciones especiales, recargo sobre el IBI, subvenciones y precios públicos; las Mancomunidades y demás Entidades municipales asociativas pueden establecer tasas, contribuciones especiales, aportaciones de los Municipios mancomunados y precios públicos; y las Comarcas sólo pueden exigir tasas, contribuciones especiales y precios públicos, al tener prohibido exigir cualesquiera de los impuestos y recargos previstos en el TRLRHL.

5. LA POTESTAD DE IMPOSICIÓN Y DE ORDENACIÓN[62] DE LOS TRIBUTOS LOCALES: LAS ORDENANZAS FISCALES

Antes de empezar, es conveniente recordar que debido a la ausencia de poder legislativo de los Entes locales, su potestad tributaria es derivada, por lo que se concreta en el ejercicio de las potestades que la Constitución y las leyes (más concretamente la LRBRL y el TRLRHL) les confieren respecto al establecimiento de los tributos, la aplicación de los tipos impositivos (dentro de los límites señalados por aquéllas), los incentivos fiscales y, sobre todo, en el desarrollo reglamentario, mediante las oportunas Ordenanzas fiscales.

En este sentido, las Ordenanzas fiscales pueden definirse como las normas jurídicas de valor y fuerza reglamentaria dictadas por el pleno de la Corporación local[63] para

---

[59] Acordadas por el Estado y las Comunidades Autónomas destinadas a financiar los planes provinciales de cooperación a las obras y servicios de competencia municipal.

[60] Por la prestación de servicios o la realización de actividades de su competencia.

[61] En particular, artículos 150 a 156 TRLRHL.

[62] La expresión «imposición y ordenación» de los tributos locales utilizada por el TRLRHL hace referencia a diferentes aspectos en que se concreta el poder tributario de las Entidades locales dentro de los límites señalados por la Ley, como consecuencia del principio de reserva de Ley en materia tributaria. Así, por potestad de imposición podemos entender aquella posibilidad de actuación atribuida por el ordenamiento jurídico a las Entidades locales para establecer un tributo en su término municipal, dentro de los límites señalados por la Ley. Por su parte, la potestad de ordenación hace referencia a la posibilidad del Ente local de regular sus tributos ejerciendo su potestad reglamentaria dentro de los límites señalados por la Ley.

[63] En este sentido, entre otros, R. Calvo Ortega. «Las Ordenanzas fiscales», en *La reforma de las Haciendas Locales*, Tomo I, Lex Nova, Valladolid, 1991, pág. 87; también J. Pagés I Galtès. «La Ordenanza fiscal: concepto y clases», *Tributos Locales*, núm. 59, 2006.

ejercer sus competencias en materia tributaria, ya sea regulando de forma singular los distintos y concretos tributos propios de la Entidad local, ya sea regulando los aspectos formales del conjunto de tributos gestionados por la Entidad local.

Por tanto, la potestad reglamentaria de las Entidades locales en materia tributaria se va a ejercer, en principio, a través de dos tipos[64] de Ordenanzas fiscales: por una parte, Ordenanzas fiscales generales, que contendrán las normas tributarias generales reguladoras de la gestión, inspección, liquidación y recaudación de sus propios tributos; y por otra, cabe la posibilidad también de Ordenanzas fiscales que contienen normas que regulan específicamente estos tributos.

En la primera modalidad, cuando se trata de la Ordenanza fiscal general[65] de aplicación de los tributos locales, se permite a los Entes locales ejercer la potestad reglamentaria en orden a la adaptación de las previsiones de la normativa estatal[66] sobre la gestión, liquidación, inspección y recaudación de los tributos locales al régimen de organización y funcionamiento interno propio de cada una de ellas, bien en las Ordenanzas fiscales reguladoras de los distintos tributos locales, bien mediante la aprobación de Ordenanzas fiscales específicamente reguladoras de aquellas materias.

Por su parte, respecto de la segunda modalidad posible, las Ordenanzas fiscales específicas reguladoras de los propios tributos, hemos de partir de los dos tipos de tributos diferentes (de exigencia obligatoria o de carácter potestativo o voluntario) contemplados en el artículo 59.1 TRLRHL, para conocer la extensión de la potestad reglamentaria de los Entes locales.

Efectivamente, para que las Entidades locales puedan exigir tributos de carácter potestativo[67], deben acordar de forma obligatoria la imposición y llevar a cabo su or-

---

[64] Junto a ambos tipos, cabe una tercera modalidad de estos reglamentos locales pues en virtud del apartado 2 del artículo 106 LRBRL se le atribuye a las Corporaciones locales la competencia para dictar disposiciones interpretativas y aclaraciones en materia de tributos propios.

[65] RUBIO DE URQUÍA plantea su conveniencia en J.I. Rubio de Urquía. «¿Conviene la aprobación de una Ordenanza fiscal general tributaria?», *Tributos Locales*, núm. 39, 2004.

[66] El apartado 3 del artículo 15 TRLRHL permite a los Entes locales ejercer la potestad reglamentaria referida en el apartado 2 del artículo 12 del mismo cuerpo legal, respecto de la Ley 58/2003, de 17 de diciembre (*Tol 327.278*), General Tributaria (en lo sucesivo LGT) y demás leyes reguladoras de la materia y disposiciones dictadas para su desarrollo. Sin embargo, y en virtud de la Disposición Adicional Cuarta de la LGT que señala que *«las entidades locales, dentro del ámbito de sus competencias, podrán desarrollar lo dispuesto en esta ley mediante la aprobación de las correspondientes Ordenanzas fisacles»*, parece quedar ampliado considerablemente el ámbito de la potestad reglamentaria de las Entidades locales, que quedan habilitadas dentro del ámbito de sus competencias para desarrollar directamente la LGT, lo que puede suponer o una derogación tácita o una ampliación del artículo 12.2 TRLRHL, pues este sólo se refería a «adaptar» y no a «desarrollar».

[67] Nos estamos refiriendo no sólo al ICIO o IVTNU, sino además a todas las tasas y contribuciones especiales ya que precisarán de una regulación genérica que las Entidades locales deberán especificar en sus respectivas Ordenanzas o en los acuerdos de imposición y ordenación.

denación[68] de manera simultánea. Ello significa que cuando una Entidad local decida acordar la imposición de un tributo de carácter potestativo, deberá aprobar, asimismo, la correspondiente Ordenanza fiscal reguladora del mismo[69].

Respecto de los impuestos de exacción obligatoria[70], la potestad normativa es parcial[71], en donde si los Ayuntamientos deciden hacer uso de las facultades que la Ley les confiere en orden a la fijación de los elementos necesarios para la determinación de las respectivas cuotas tributarias, deben acordar expresamente el ejercicio de tales facultades y aprobar simultáneamente las oportunas Ordenanzas fiscales[72], expresando la fecha de su aprobación y el comienzo de su aplicación; pero si no se desea ejercer la facultad legal, estos impuestos se aplicarán con arreglo a las magnitudes y cuotas fijadas como mínimas en el TRLRHL, por lo que sólo será necesaria la Ordenanza cuando se modifica la cuantía de la obligación tributaria a través del aumento del tipo de gravamen en el caso del IBI, o a través del establecimiento de un coeficiente sobre las cuotas en los supuestos del IAE y del IVTM[73].

---

[68] Así resulta claramente del artículo 15.1 TRLRHL cuando declara que *«salvo en los supuestos previstos en el artículo 59.1 de esta ley, las entidades locales deberán acordar la imposición y supresión de sus tributos propios, y aprobar las correspondientes Ordenanzas fiscales reguladoras de los mismos»*.

[69] Como es sabido, los tributos voluntarios no pueden ser exaccionados aplicando, exclusivamente, las disposiciones legales reguladoras de los mismos contenidas en el TRLRHL.

[70] Como sabemos son los previstos en el artículo 59.1 TRLRHL, es decir el IBI, el IAE y el IVTM, y respecto de los cuales deben exigirse por los Ayuntamientos *«sin necesidad de acuerdo de imposición»*, como establece el artículo 38.1 TRLRHL.

[71] En el sentido de que la efectividad de la potestad reglamentaria del Ente local en relación con estos tributos obligatorios es muy escasa, ya que no es necesario para su exacción la aprobación de la correspondiente Ordenanza fiscal. *Cfr*: J.I. Rubio de Urquía y S. Arnal Suria. *Ley Reguladora de las Haciendas Locales*, Publicaciones Abella, Madrid, 1989, pág. 117.

[72] El artículo 15.2 TRLRHL regula la potestad de imposición y ordenación de los tributos locales de exacción obligatoria al indicar que *«respecto de los impuestos previstos en el artículo 59.1, los ayuntamientos que decidan hacer uso de las facultades que les confiere esta ley en orden a la fijación de los elementos necesarios para la determinación de las respectivas cuotas tributarias, deberán acordar el ejercicio de tales facultades, y aprobar las oportunas Ordenanzas fiscales»*.

[73] Creemos, siguiendo la opinión de CALVO ORTEGA, que las Entidades locales pueden establecer Ordenanzas fiscales en todo caso, porque esta facultad deriva de una potestad permanente atribuida por la Constitución cuando les garantiza la autonomía; pero además porque en estos supuestos, junto a los aspectos necesarios para la fijación de las cuotas tributarias, las Ordenanzas fiscales han de contener otros aspectos referentes a la determinación de las fechas de aprobación y del comienzo de vigencia. Pero es más, porque la regulación de los impuestos obligatorios por las leyes y reglamentos estatales no es tan exhaustiva como para que no exista por parte del Ente local necesidad de regular determinados aspectos de estos tributos, como son el procedimiento de declaración y los períodos de pago. R. Calvo Ortega. «Las Ordenanzas fiscales», *op. cit.*, pág. 88. En el mismo sentido, S. Mazorra Manrique de Lara. «Las Ordenanzas fiscales. Criterios para su elaboración», en *Tratado de Derecho Financiero y Tributario Local*, Marcial Pons, Madrid, 1993, págs. 121 y 122.

El contenido de las Ordenanzas fiscales reguladoras de los tributos propios de las Entidades locales va a depender de la potestad de ordenación conferida a los mismos por el TRLRHL, la cual, como hemos tenido oportunidad de observar en el apartado anterior, es diferente según se trate de tributos locales de carácter obligatorio o potestativo.

Así, por lo que se refiere al contenido de las Ordenanzas fiscales reguladoras de los tributos de carácter potestativo ha de considerarse un contenido mínimo[74] e imprescindible para la validez de las mismas, sin que ello quiera decir que en estos supuestos las Entidades locales puedan regular libremente los elementos esenciales de estos tributos, sino que aquéllas deben concretar para cada caso, por vía de desarrollo, los elementos configurados de forma genérica por el TRLRHL[75].

En cuanto al contenido de las Ordenanzas reguladoras de los tributos de carácter obligatorio, además de contener[76] «los elementos necesarios para la determinación de las cuotas tributarias de los respectivos impuestos», han de contener el señalamiento de «las fechas de su aprobación y el comienzo de su aplicación», por lo que no pueden regular los demás aspectos sustantivos del tributo de que se trate, ya que quedan fuera del ámbito de la potestad normativa de las Corporaciones locales[77]; o dicho de otra manera, los demás aspectos sustantivos pueden contenerse en las Ordenanzas siempre y cuando no figuren de manera distinta a la recogida en el propio TRLRHL, sin perjuicio, claro está de la necesidad de regulación de aquellos aspectos relativos a la gestión tributaria de estos impuestos que no han sido previstos en la Ley ni en las normas reglamentarias.

---

[74] Como se desprende del precepto contenido en el artículo 16.1 TRLRHL, que textualmente establece que estas Ordenanzas «contendrán al menos: a) la determinación del hecho imponible, sujeto pasivo, responsables, exenciones, reducciones y bonificaciones, base imponible y liquidable, tipos de gravamen o cuota tributaria, período impositivo y devengo. b) Los regímenes de declaración e ingreso. c) Las fechas de su aprobación y del comienzo de su aplicación».

[75] Además, RUBIO DE URQUÍA y ARNAL SURIA consideran que cuando la Ordenanza no incluye los elementos esenciales a que hace referencia el artículo 16.1 TRLRHL, la misma quedaría viciada de nulidad, pudiendo ser objeto de recurso contencioso-administrativo. J.I. Rubio de Urquía y S. Arnal Suria. Ley Reguladora de las Haciendas Locales, op. cit., págs. 118 y 119. Sin embargo, como afirma CALVO ORTEGA, a lo que obliga el TRLRHL es que a estas Ordenanzas repitan todos los elementos esenciales de estos tributos que ya han sido fijados por la Ley y que, por tanto, no pueden ser modificados por la Ordenanza fiscal, ya que cuando se decide el establecimiento de uno de estos tributos se opta además por la aceptación y recepción de un bloque jurídico, de tal manera que si la Ordenanza no hace referencia a los elementos esenciales serían aplicables aquellos establecidos y regulados por el TRLRHL, como consecuencia del juego del principio de preferencia de Ley. R. Calvo Ortega. «Las Ordenanzas fiscales», op. cit., págs. 95 y 96. En el mismo sentido, S. Mazorra Manrique de Lara. «Las Ordenanzas fiscales. Criterios para su elaboración», op. cit., págs. 123 y 124.

[76] A tenor de lo dispuesto en el artículo 16.2, párrafo primero, del TRLRHL.

[77] S. Mazorra Manrique de Lara. «Las Ordenanzas fiscales. Criterios para su elaboración», op. cit., págs. 122 y 123.

Finalmente, tanto si se trata de la Ordenanza fiscal que regula un tributo potestativo, como si por el contrario, nos encontramos ante la que rige para un impuesto obligatorio, los acuerdos de modificación[78] de dichas Ordenanzas deben contener la nueva redacción de las normas afectadas y las fechas de su aprobación y del comienzo de su aplicación.

El procedimiento para la elaboración, tramitación y aprobación de una Ordenanza fiscal consta de dos fases (una primera etapa de aprobación provisional y la segunda de aprobación definitiva) y cinco trámites[79] (acuerdo provisional, exposición al público y reclamaciones, acuerdo definitivo, publicación y entrada en vigor).

Empezando por la primera etapa del procedimiento, las primeras actuaciones simultáneas que tiene que llevar a cabo la Entidad local consisten en la adopción del acuerdo provisional de imposición del tributo correspondiente y en la aprobación de la Ordenanza fiscal o su modificación, en su caso; cuya iniciativa corresponderá al Presidente de la Corporación[80], que será el encargado de dictar una resolución ordenando que se inicien los trámites correspondiente para ello; requiriéndose para su aprobación la mayoría absoluta del número legal de miembros de la Corporación para la adopción de los acuerdos de imposición y ordenación de los recursos propios de carácter tributario[81].

Siguiendo con la exigencia del artículo 17.1 TRLRHL, la segunda actuación que se ha de llevar a cabo consiste en la exposición en el tablón de anuncios de la Entidad local, por plazo de treinta días, como mínimo, para examen del expediente[82] por los interesados[83] y presentación de las reclamaciones que estimen oportunas.

Además, para darlo a conocer y facilitar su acceso, el apartado segundo del artículo 17 TRLRHL exige obligatoriamente que el anuncio de exposición se publique en el Boletín Oficial de la Provincia o, en su caso, en el de la Comunidad Autónoma unipro-

---

[78]   Artículos 16.1, párrafo tercero y 16.2, párrafo tercero del TRLRHL.

[79]   En donde la omisión de cualquiera de ellos provoca la nulidad de los acuerdos adoptados.

[80]   Potestad que le viene atribuida por los artículos 21.1, letra a) y 34.1, letra a) de la LRBRL, al señalar que es competencia del Alcalde y del Presidente de la Diputación respectivamente, dirigir el gobierno y la administración municipal o provincial.

[81]   *Cfr.* el artículo 47.3 h) LRBRL.

[82]   Ello quiere decir, siguiendo a MAZORRA MANRIQUE DE LARA, que ha de exponerse, no sólo el texto del acuerdo, sino también el de la correspondiente Ordenanza fiscal y su modificación, en su caso, así como todas las actuaciones previas al acto de aprobación del acuerdo que se hubieran llevado a cabo. S. Mazorra Manrique de Lara. «Las Ordenanzas fiscales. Criterios para su elaboración», *op. cit.*, pág. 128.

[83]   A estos efectos, el artículo 18 TRLRHL especifica que tendrán la condición de interesados todos aquellos que tuvieran un interés directo o resulten afectados por tales acuerdos y los Colegios Oficiales, Cámaras Oficiales, Asociaciones y demás Entidades legalmente constituidas para velar por los intereses profesionales, económicos o vecinales, cuando actúen en defensa de los que les son propios.

vincial. Además, de manera especial, se exige a las Diputaciones provinciales, a los órganos de gobierno de las Entidades supramunicipales y a los Municipios con población superior a 10.000 habitantes, que publiquen los anuncios de exposición en un diario de los de mayor difusión de la Provincia, o de la Comunidad Autónoma uniprovincial respectiva.

Finalizado el período de exposición pública de los acuerdos y la Ordenanza provisional, comienza la fase del procedimiento de aprobación de las Ordenanzas fiscales, debiéndose distinguir dos situaciones diferentes, en función de que haya habido o no reclamaciones en el plazo de exposición pública.

Si no ha habido reclamaciones, se entiende (en virtud del artículo 17.3 TRLRHL) que el acuerdo ha sido aprobado definitivamente de forma automática. Sin embargo, en el supuesto de que existan reclamaciones al acuerdo provisional, éstas se deben considerar y responder, aceptándolas o denegándolas, e integrándolas en el acuerdo de aprobación definitiva, que inexcusablemente requerirá la adopción de un nuevo acuerdo de forma expresa por mayoría absoluta del número legal de miembros de la Corporación.

Con ello llegaríamos a la última actuación en este procedimiento de aprobación de las Ordenanzas fiscales, que no es otra que la publicación[84] en el Boletín Oficial de la Provincia correspondiente o, en su caso, en el de la Comunidad Autónoma uniprovincial respectiva, debiendo contener el texto íntegro del acuerdo definitivo de que se trate, así como el texto íntegro de la Ordenanza fiscal correspondiente o su modificación en su caso. Además, las Diputaciones más los Consejos o Cabildos Insulares y las demás Entidades locales cuya población sea superior a 20.000 habitantes, vienen obligados por el apartado 5 del artículo 17 TRLRHL a editar, en todo caso, el texto íntegro de las Ordenanzas fiscales reguladoras de sus tributos dentro del primer cuatrimestre del ejercicio económico correspondiente. Igualmente, ahora ya cualquiera de las Entidades locales en general, estarán obligadas a expedir copias[85] de las Ordenanzas fiscales publicadas a todas aquellas personas que así se lo demanden o soliciten.

Respecto a la aplicación temporal de las Ordenanzas fiscales, su entrada en vigor[86] puede producirse el mismo día de su publicación o en una fecha posterior fijada por la propia

---

[84]   Según exige el artículo 17.4 TRLRHL, tanto los acuerdos definitivos como los textos definitivos de las Ordenanzas fiscales o sus modificaciones habrán de ser publicados siempre, ya se trate de aprobación expresa de dichos acuerdos, ya se trate de conversión automática a definitiva de los acuerdos provisionales.

[85]   La expedición de copias tiene como finalidad primordial favorecer el conocimiento de las Ordenanzas fiscales y facilitar el cumplimiento de las obligaciones tributarias que generan.

[86]   A tenor del último inciso del artículo 17.4 TRLRHL que establece que las Ordenanzas fiscales no pueden entrar en vigor *«hasta que se haya llevado a cabo»*. Sin embargo, para CALVO ORTEGA, dicha expresión no impide que se establezca una fecha posterior. R. Calvo Ortega. «Las Ordenanzas fiscales», *op. cit.*, pág. 101.

Ordenanza, y (conforme al apartado primero del artículo 19 TRLRHL) regirán durante el plazo[87], determinado o indefinido, previsto en las mismas, sin que quepa contra ellas otro recurso que el contencioso-administrativo[88], que se puede interponer a partir de su publicación en el Boletín Oficial de la provincia, o, en su caso, de la Comunidad Autónoma uniprovincial, en la forma y plazos que establecen las normas reguladoras de dicha Jurisdicción.

Por último, señalar que en los casos de resultar anulados o modificados por resolución judicial firme los acuerdos locales o el texto de las Ordenanzas fiscales, la Entidad local viene obligada a adecuar a los términos de la sentencia todas las actuaciones que lleve a cabo con posterioridad a la fecha en que aquélla le sea notificada[89].

6. BIBLIOGRAFÍA

Agulló Agüero. A. «La Hacienda de las Provincias y Entidades supramunicipales y del ámbito inferior al Municipio en la ley 39/88», *Palau*, núm. 8, 1989

Alonso González, L.M. «Jurisprudencia constitucional en materia de haciendas locales», *Tratado de Derecho Financiero y Tributario Local*, Marcial Pons, Madrid, 1993

Bigas Turu, J. «La financiación de las Haciendas Locales», *Revista de Hacienda Autonómica y Local*, núm. 50, 1987

Casado Ollero. G. «La participación en los tributos del Estado y de las CC. AA. Autonomía. Suficiencia Financiera. Coordinación», *Tributos Locales*, núm. 19, 2002

Calvo Ortega. R. «Principios tributarios y reforma de la Hacienda municipal» en *La Reforma de las Haciendas Locales*, Tomo I, Lex Nova, Valladolid, 1991

    – «Las Ordenanzas fiscales» en *La Reforma de las Haciendas Locales*, Tomo I, Lex Nova, Valladolid, 1991

Cazorla Prieto. L.M. *Poder tributario y Estado Contemporáneo*, IEF, Madrid, 1981

Collado Yurrita. M.A. y Giménez-Reyna. E. «La nueva hacienda local española», *Cuadernos Civitas*, 1990

---

[87] Como el resto de las normas tributarias y de las normas jurídicas en general, pueden cesar en su vigencia, porque haya transcurrido el tiempo prefijado en las mismas, o porque se produce su derogación expresa o tácita.

[88] En consonancia con lo dispuesto en el artículo 113.1 LRBRL. Conviene advertir que, al amparo del artículo 26 de la Ley 29/1998, de 13 de julio, reguladora de la Jurisdicción Contencioso-administrativa, además de la impugnación directa de las Ordenanzas, cabe la de los actos que se produzcan en aplicación de las mismas (recurso indirecto contra reglamentos, compatible con el recurso directo), si bien se han establecido concretas limitaciones para estos casos, en el sentido de prohibir la invocación como fundamento del recurso de supuestos vicios o irregularidades en el procedimiento de gestación de la Ordenanza.

[89] No obstante, en virtud del artículo 19.2 TRLRHL, salvo que expresamente lo prohibiera la sentencia, se mantendrán los actos firmes o contenidos dictados al amparo de la Ordenanza que posteriormente resulte anulada o modificada.

Fernández Pavés, Mª.J. «La potestad normativa local en materia tributaria: las ordenanzas fiscales», en *La potestad normativa local: autoorganización, servicios públicos, tributos, sanciones y relaciones sociales*, Centro de Estudios Municipales y de Cooperación Interprovincial, Granada, 2008

Ferreiro Lapatza. J.J. «El marco constitucional de las Haciendas Locales», en *Manual de Derecho tributario local*, Generalitat de Catalunya, Barcelona, 1987

- «Análisis constitucional de la nueva ley reguladora de las Haciendas Locales», *Revista de Hacienda Autonómica y Local*, núm. 555-556, 1989

- «Principios generales de la Hacienda local y competencias de las Comunidades Autónomas», *Palau14*, núm. 7, 1989

González Pueyo. J.M. *Manual de ingresos locales tributarios y no tributarios*, Instituto Nacional de Administración Pública, Madrid, 1990

González Sánchez. M. «Reflexiones sobre la autonomía o suficiencia financiera de las Corporaciones Locales en la Constitución», *Revista de Estudios de Administración Local y Autonómica*, núm. 229, 1986

Lasarte Álvarez. J. «Hacienda local: ¿autonomía o suficiencia?», *Revista de las Cortes Generales*, núm. 12, 1987

- «Potestad legislativa y poder tributario de las Comunidades Autónomas», *Revista Española de Derecho Financiero*, núm. 22, 1979

Martín Queralt. J. «La autonomía municipal en la jurisprudencia del Tribunal Constitucional», *Revista Española de Derecho Financiero*, núm. 35, 1982

Mazorra Manrique de Lara. S. «Las Ordenanzas fiscales. Criterios para su elaboración», en *Tratado de Derecho Financiero y Tributario Local*, Marcial Pons, Madrid, 1993

Pagés I Galtès. J. «La Ordenanza fiscal: concepto y clases», *Tributos Locales*, núm. 59, 2006.

Palao Taboada. C. *La Hacienda regional y el proyecto de Constitución*, Universidad de Zaragoza, 1978

Parejo Alfonso. L. *Garantía institucional y autonomías locales*, IEAL, Madrid, 1981

Pons Mestres. M. «El principio de suficiencia como principio constitucional propio de la Hacienda Local», en *Financiación de los Entes Locales*, Marcial Pons, Madrid, 2001

Ramallo Massanet. J. «Incidencia de la Constitución Española de 1978 en materia de fuentes normativas de las Comunidades Autónomas», en *Hacienda y Constitución*, IEF, Madrid, 1979

Ramallo Massanet. J. y Zornoza Pérez. J. «Autonomía y suficiencia en la financiación de las Haciendas locales», *Revista de Estudios de Administración Local y Autonómica*, núm. 259, 1993

Rodríguez Bereijo. A. *Introducción al Estudio del Derecho Financiero*, IEF, Madrid, 1976

Rubio de Urquía. J.I. «¿Conviene la aprobación de una Ordenanza fiscal general tributaria?», *Tributos Locales*, núm. 39, 2004

Rubio de Urquía. J.I. y Arnal Suria. S. *Ley Reguladora de las Haciendas Locales,* Publicaciones Abella, Madrid, 1989

Ruiz García. J.R. «Algunas consideraciones sobre la autonomía tributaria local», *Revista Española de Derecho Financiero*, núm. 46, 1985

Santamaría Pastor. J.A. *Fundamentos de Derecho Administrativo*, I, Centro de Estudios Ramón Areces, Madrid, 1988

Simón Acosta. E. «El principio de suficiencia financiera local», en *Autonomía y Financiación de las Haciendas Municipales*, Instituto de Estudios Fiscales, Madrid, 1982

Solé Villalonga. G. «El orden constitucional y el sistema fiscal», en *Constitución y Economía*, Centro de Estudios de Comunicación Económica, Madrid, 1978

Capítulo II

ASPECTOS INTERNACIONALES Y EUROPEOS DE LA TRIBUTACIÓN LOCAL

SATURNINA MORENO GONZÁLEZ
Catedrática de Derecho Financiero y Tributario
Universidad de Castilla-La Mancha
Centro Internacional de Estudios Fiscales

SUMARIO: 1. INTRODUCCIÓN. PRINCIPIO DE TERRITORIALIDAD EN LA TRIBUTACIÓN LOCAL Y PRIMACÍA DE LAS NORMAS DE DERECHO INTERNACIONAL. 2. INCIDENCIA DE LOS CONVENIOS DE DOBLE IMPOSICIÓN SOBRE LA IMPOSICIÓN LOCAL. 2.1. Cuestiones previas. 2.2. El artículo 2 del Modelo de Convenio de la OCDE. 2.3. Los impuestos locales en los convenios de doble imposición suscritos por España. 2.4. Efectos de los convenios de doble imposición sobre los impuestos locales. 3. LA INCIDENCIA DEL DERECHO DE LA UE SOBRE EL PODER TRIBUTARIO DE LAS ENTIDADES LOCALES. 3.1. Incidencia de las libertades comunitarias. 3.1.1. *Consideraciones previas.* 3.1.2. *La evolución de la exención del IAE ex art. 82.1.c) TRLRHL.* 3.2. Incidencia de la prohibición general de ayudas de Estado. 3.2.1. *Aproximación general al régimen comunitario de control de ayudas de Estado.* 3.2.2. *Ayudas de Estado y tributos locales: exenciones y beneficios fiscales en el IBI, IAE e ICIO.* 3.2.2.1. Las bonificaciones en la cuota del IBI y del IAE a favor de las cooperativas. 3.2.2.2. La exención a favor de la Iglesia Católica en el ICIO. 3.2.2.3. La exención en el IBI de los bienes inmuebles propiedad del Estado, de las Comunidades Autónomas o de las Entidades Locales. 3.3. La incidencia sobre la tributación local de las directivas comunitarias. 3.3.1. *Las directivas comunitarias sobre armonización tributaria.* 3.3.2. *Tributos locales, servicios de telecomunicaciones y "Directiva autorización".* 4. BIBLIOGRAFÍA.

1. INTRODUCCIÓN. PRINCIPIO DE TERRITORIALIDAD EN LA TRIBUTACIÓN LOCAL Y PRIMACÍA DE LAS NORMAS DE DERECHO INTERNACIONAL

Como es sabido, el sistema tributario local es un sistema básicamente territorial, es decir, la regulación y aplicación de los tributos locales está condicionada por el espacio territorial limitado en el que las entidades locales pueden ejercer sus competencias tributarias y al que deben vincularse los presupuestos de hecho de sus tributos propios[1]. Pese a ello, la regulación y aplicación de tales tributos está condicionada por la posible incidencia de los tratados internacionales —especialmente por los convenios para evitar la doble imposición en materia de impuestos sobre la renta y el patrimonio (en lo sucesivo, CDI)— y por los límites impuestos por el Derecho de la Unión Europea (en adelante, UE).

En el caso español, los tratados o convenios que impliquen obligaciones financieras para la Hacienda Pública requieren previa autorización de las Cortes [art. 94.1.d) CE]. Una vez publicados en el BOE pasan a formar parte del ordenamiento interno y sólo podrán derogarse a través de los procedimientos previstos en el propio tratado o de acuerdo con las normas generales del Derecho internacional (art. 95 CE), lo que les dota de preeminencia sobre la legislación interna, incluidas las leyes posteriores al convenio (art. 96 CE).

El Derecho de la UE reviste, no obstante, mucha más complejidad desde la perspectiva de la teoría de fuentes. A nuestros efectos basta con recordar que este ordenamiento supranacional "se apoya en una *summa divisio* entre normas originarias y derivadas"[2]. Las primeras se identifican sustancialmente con los tratados constitutivos y las normas convencionales que los han ido modificando a lo largo del tiempo. Las segundas (reglamentos, directivas, decisiones, recomendaciones y dictámenes) se cualifican esencialmente por tratarse de un conjunto de instrumentos jurídicos con fundamento en las normas constitutivas, a través de los cuales se articula el principio de atribución de competencias[3], esencia misma del modelo de la Unión, que otorga al sistema institucional

---

[1]   *Vid.* A. García Prats, "Aspectos internacionales de la tributación local", en *Tributos Locales y Autonómicos*, Thomson-Aranzadi, Navarra, 2006, pág. 425.

[2]   Cfr. A. Mangas Martín y D. J. Liñán Nogueras, *Instituciones y Derecho de la Unión Europea*, Tecnos, 6ª edición, Madrid, 2020, pág. 377.

[3]   Explicitado en el art. 5.2 del Tratado de la Unión Europea (en adelante, TUE), en cuya virtud la UE actúa dentro de los límites atribuidos por los Estados para conseguir los objetivos determinados por los Tratados. La atribución de competencias debe ser expresa, ya que toda competencia no atribuida a la Unión en los Tratados queda en manos de los Estados miembros. Además, el ejercicio de tales competencias se rige por los principios de subsidiariedad (art. 5.3 TUE) y proporcionalidad (art. 5.4 TUE). Asimismo, Protocolo nº 2 sobre la aplicación de los principios de subsidiariedad y proporcionalidad.

de la Unión los poderes jurídicos necesarios para la consecución de los fines y objetivos establecidos en las normas originarias.

El principio de primacía del Derecho de la UE sobre las normas de los Estados miembros, de construcción jurisprudencial, significa que el Derecho de la UE (originario y derivado) predomina sobre las normas de los Estados miembros[4]. Por consiguiente, todas las autoridades nacionales (administrativas y judiciales) están obligadas a dejar inaplicadas las normas, posteriores o anteriores, que contradigan una norma obligatoria de la UE sin solicitar o esperar su previa derogación por el legislador o mediante cualquier otro procedimiento constitucional[5]. Junto al principio de primacía, el principio de efecto directo otorga a los particulares la posibilidad de invocar las disposiciones de la UE ante las autoridades nacionales sin necesidad de que exista un acto previo de recepción en el ordenamiento interno[6], siempre que la norma sea lo suficientemente clara, precisa e incondicional (y, tratándose de una Directiva, que no haya sido transpuesta de forma adecuada en el plazo fijado al Derecho interno)[7]. La primacía y la eficacia directa del Derecho de la UE se complementan con la obligación de interpretar el Derecho nacional de la manera más conforme con el Derecho de la UE[8], atendiendo a sus principios y objetivos[9].

En línea con las observaciones anteriores, el Texto Refundido de la Ley Reguladora de las Haciendas Locales (en adelante, TRLRHL) hace referencia continua a la incidencia de los tratados y convenios internacionales sobre la regulación y aplicación de los tributos locales. Así, el art. 1.3 TRLRHL destaca la incidencia de los aspectos internacionales sobre la tributación local cuando advierte que esta Ley "se aplicará sin perjuicio de los tratados y convenios internacionales". Por tanto, en el ejercicio de sus competencias tributarias, las entidades locales deben también respetar la primacía de los convenios internacionales y las normas de Derecho internacional.

Paralelamente, el art. 9.1 TRLRHL establece que no podrán reconocerse otros beneficios fiscales en los tributos locales que los expresamente previstos en las normas con rango de ley "o los derivados de la aplicación de los tratados internacionales". Sin entrar

---

4. STJUE de 15 de julio de 1964, *Costa/ENEL*, 6/64; STJUE de 9 de marzo de 1978, *Simmenthal*, 106/77.

5. SSTJUE de 22 de junio de 1989, *Costanzo*, 103/88; de 19 de noviembre de 2009, *Filipiak*, C-314/08; y de 5 de octubre de 2010, *Elchinov*, C-173/09.

6. STJUE de 5 de febrero de 1963, *Van Gend en Loos*, 26/62.

7. STJUE de 19 de enero de 1982, *Becker*, 8/81.

8. STJUE de 13 de noviembre de 1990, *Marleasing*, C-106/89.

9. Para un análisis más detallado de los principios fundamentales del ordenamiento de la UE y su concreción en el ámbito tributario *vid*. F. M. Carrasco González, "Fiscalidad de la Unión Europea y su impacto en el Derecho tributario español", en F. Pérez Royo (Dir.), *Curso de Derecho Tributario. Parte Especial*, Tecnos, Madrid, 14ª edición, 2020, págs. 1122-1126.

ahora a debatir sobre la naturaleza de las limitaciones al ejercicio del poder tributario interno contenidas en los CDI, ni sobre la corrección técnica del art. 9.1 TRLRHL, lo cierto es que en él se reconoce la primacía de las normas internacionales frente a las normas internas, incluso en relación con los beneficios fiscales (art. 133.3 CE), señalando expresamente a las normas internacionales como fuente normativa de tales beneficios, con independencia del mecanismo técnico empleado para obtener ese resultado[10].

A modo de concreción de esa declaración general, el art. 82.1.h) TRLRHL reconoce la exención subjetiva del Impuesto sobre Actividades Económicas (IAE) de aquellos sujetos pasivos a los que sea de aplicación la exención en virtud de tratados o convenios internacionales. De forma parecida, el art. 105.2.g) TRLRHL reconoce la exención del Impuesto sobre el Incremento de Valor de los Terrenos de Naturaleza Urbana (IIVTNU) a las personas o entidades a cuyo favor se haya reconocido la exención en los tratados o convenios internacionales.

Como ya se ha advertido, el principio de territorialidad en materia de tributación local condiciona el ejercicio de las competencias tributarias por parte de las entidades locales. En virtud del art. 6 TRLRHL, los tributos que establezcan las entidades locales no someterán a gravamen bienes situados, actividades desarrolladas, rendimientos originados ni gastos realizados fuera del territorio de la respectiva entidad; ni gravarán, como tales, negocios, actos o hechos celebrados o realizados fuera del territorio de la entidad impositora, ni el ejercicio o la transmisión de bienes, derechos u obligaciones que no hayan nacido ni hubieran de cumplirse en dicho territorio. Tampoco implicarán obstáculo alguno para la libre circulación de personas, mercancías o servicios y capitales, ni afectar de manera efectiva a la fijación de la residencia de las personas o la ubicación de empresas y capitales.

Ahora bien, el carácter territorial limitado del ejercicio de las competencias tributarias de las entidades locales no impide que su desenvolvimiento pueda verse condicionado por exigencias derivadas de tratados internacionales o del Derecho de la UE. En efecto, el ejercicio territorial de las competencias tributarias locales exige encontrar un punto de conexión específico para las entidades y sujetos extranjeros[11]. Además, aun

---

[10] *Vid.* A. Martín Jiménez, "Artículo 2. Impuestos cubiertos por el Convenio", en *Comentarios a los Convenios para evitar la doble imposición y prevenir la evasión fiscal concluidos por España: análisis a la luz del modelo de convenio de la OCDE y de la legislación y jurisprudencia española*, Instituto de Estudios Económicos de Galicia, A Coruña, 2004, pág. 148.

[11] Por ejemplo, en relación con el IAE, el punto de conexión está conformado por el mero ejercicio, en territorio nacional, de actividades empresariales, profesionales o artísticas, se ejerzan o no en local determinado y se hallen o no especificadas en las tarifas del impuesto (art. 78.1 TRLRHL). Así pues, para determinar la sujeción al IAE es irrelevante la nacionalidad del sujeto pasivo y su condición de residente o no residente en territorio español. El aspecto esencial es verificar que la actividad se realiza dentro del territorio nacional, o fuera del mismo, en cuyo caso las operaciones no quedarían

cuando la entidad local pueda, en principio, someter a tributación a la persona o entidad extranjera que realiza el presupuesto de hecho gravado por el tributo municipal por concurrir el punto de conexión necesario para ello, la carga tributaria efectiva de aquéllos puede verse modulada por aplicación de un convenio para evitar la doble imposición e incluso por la aplicación de otros convenios internacionales con incidencia tributaria[12].

---

sujetas al Impuesto. A este respecto pueden consultarse, entre otras, resoluciones de la DGT de 25 de julio de 2002 (nº 1129-02), 16 de mayo de 2005 (nº V0860-05), 19 de febrero de 2008 (V0367-08), 12 de abril de 2010 (V0686-10), 1 de junio de 2010 (nº V1224-10), 14 de octubre de 2011 (V2453-11), 17 de enero de 2012 (nº V0057-12), 10 de julio de 2014 (V1832-14) y 4 de mayo de 2017 (V1057/2017). Asimismo, la sentencia del Tribunal Superior de Justicia (TSJ) de Madrid de 24 de octubre de 1996 (rec. nº 252/1995) considera que las actividades de producción de energía eléctrica se entienden ejercitadas en el término municipal en que radique la central eléctrica. Por ello, si la actividad de producción eléctrica se realiza en centrales sitas en territorio portugués (aun cuando parte de las presas y aguas del embalse se encuentren en términos municipales españoles), no cabe entender sujeta la actividad al IAE, por realizarse el hecho imponible fuera del territorio español y de aplicación del impuesto.

[12] En este trabajo nos centraremos en la incidencia que sobre la imposición local tiene la posible existencia de un CDI. No obstante, debe llamarse la atención sobre la importancia que en sede de tributación local tiene el Acuerdo entre el Estado Español y la Santa Sede sobre Asuntos Económicos, firmado el 3 de enero de 1979 y en vigor desde el 4 de diciembre de 1979 (BOE nº 300, de 15 de diciembre de 1979). El artículo IV.1 del Acuerdo establece que la Santa Sede, la Conferencia Episcopal, las Diócesis, las parroquias y otras circunscripciones territoriales, las órdenes y congregaciones religiosas y los institutos de vida consagrada y sus provincias y sus casas tendrán derecho, entre otras, a las siguientes exenciones: 1) Exención total y permanente de la contribución territorial urbana (actual Impuesto sobre Bienes Inmuebles) de los siguientes inmuebles: los templos y capillas destinados al culto, y asimismo, sus dependencias o edificios y locales anejos destinados a la actividad pastoral; la residencia de los obispos, de los canónigos y de los sacerdotes con cura de almas; los locales destinados a oficinas, la curia diocesana y a oficinas parroquiales; los seminarios destinados a la formación del clero diocesano y religioso y las universidades eclesiásticas en tanto en cuanto impartan enseñanzas propias de disciplinas eclesiásticas; los edificios destinados primordialmente a casas o conventos de las órdenes, congregaciones religiosas e institutos de vida consagrada. 2) Exención total y permanente de los impuestos reales o de producto, sobre la renta y sobre el patrimonio [como se verá más adelante, el Tribunal Supremo en distintas sentencias ha considerado que el Impuesto sobre Construcciones, Instalaciones y Obras, regulado en los artículos 100 a 103 TRLRHL, está incluido entre los impuestos reales o de producto a que hace referencia el artículo IV del Acuerdo, extremo confirmado por el apartado primero de la Orden Ministerial de 5 de junio de 2001]. Esta exención no alcanzará a los rendimientos que pudieran obtener por el ejercicio de explotaciones económicas ni a los derivados de su patrimonio, cuando su uso se halle cedido, ni a las ganancias de capital, ni tampoco a los rendimientos sometidos a retención en la fuente por impuestos sobre la renta. 3) Exención de las contribuciones especiales y de la tasa de equivalencia, en tanto recaigan estos tributos sobre los bienes enumerados en el apartado 1. El artículo V del Acuerdo prevé que las asociaciones y entidades religiosas no comprendidas entre las enumeradas en el artículo IV de mismo y que se dediquen a actividades religiosas, benéfico-docentes, médicas u hospitalarias o de asistencia social tendrán derecho a los beneficios fiscales que el ordenamiento jurídico-tributario del Estado español prevé para las entidades sin fin de lucro y, en todo caso, los que se conceden a las entidades benéficas privadas.

Además de la controversia suscitada por el ICIO, la aplicación del Acuerdo al IIVTNU ha generado dudas, ya que dicho Acuerdo establece la exención de la tasa de equivalencia del impuesto municipal vigente en la fecha de la firma del Acuerdo. Al respecto, la STS de 16 de junio de 2000 (rec. cas. en interés de la ley nº 6960/1999) fija doctrina legal, considerando que la exención en el IIVTNU para la Iglesia Católica y entidades religiosas comprendidas en los artículos IV y V del Acuerdo con la Santa Sede sólo puede ser reconocida en aquellos supuestos en que se acredite que el bien transmitido está afecto a actividades o finalidades religiosas, entre ellas las de culto, sustentación del clero, sagrado apostolado y ejercicio de la caridad, benéfico-docentes, médicas y hospitalarias o de asistencia social. Si el beneficio deriva de la aplicación de la normativa sobre entidades sin ánimo de lucro, la exención se condicionará a que se acredite que el bien esté afecto a la persecución y cumplimiento de fines de asistencia social, cívicos, educativos, culturales, científicos, deportivos, sanitarios, de cooperación para el desarrollo, de defensa del medio ambiente, de fomento de la economía social o de la investigación, de promoción del voluntariado social, o cualesquiera otros fines de interés general, como los de culto, sustentación del clero, sagrado apostolado y ejercicio de la caridad.

Por último, repárese en que sólo las exenciones para con la Iglesia Católica derivan de un tratado internacional. Las exenciones previstas para el resto de las confesiones religiosas proceden de acuerdos o convenios de cooperación con dichas iglesias, confesiones y comunidades religiosas que son aprobadas e incorporadas al ordenamiento jurídico mediante Ley. A este respecto, cabe mencionar la sentencia del Tribunal Constitucional (STC) 207/2013, de 5 de diciembre, por la que se declara la inconstitucionalidad de una Ley Foral Navarra que limita la exención a favor de la Iglesia Católica y de otras asociaciones religiosas no católicas en la contribución territorial a los bienes que están destinados al culto, por violación del art. 45.3 de la Ley Orgánica 13/1982, de 10 de agosto, de reintegración y amejoramiento del régimen foral de Navarra, en relación con el art. 2.1 c) de la Ley 28/1990, de 26 de diciembre, por la que se aprueba el convenio económico entre el Estado y la Comunidad Foral de Navarra, y por violación de la competencia exclusiva del Estado en la regulación de las condiciones básicas en el ejercicio del derecho fundamental a la libertad religiosa en su vertiente externa y colectiva. En el mismo sentido, STC 13/2018, de 8 de febrero, por la que se declara la inconstitucionalidad de una norma foral de las Juntas Generales de Gipuzkoa que suprime la exención aplicable en el Impuesto de Transmisiones Patrimoniales y Actos Jurídicos Documentados a los bienes y derechos destinados a actividades religiosas o asistenciales, por vulnerar la competencia exclusiva del Estado en la materia (FFJJ 3º y 4º).

Por otra parte, la Convención de Viena sobre Relaciones Diplomáticas, de 18 de abril de 1961 (en vigor desde el 24 de abril de 1964), en su artículo 34, exime a los agentes diplomáticos del pago de todos los impuestos y gravámenes personales o reales, nacionales, regionales o municipales. No obstante, se excluyen de esta exención total, entre otros, "los impuestos y gravámenes sobre los bienes inmuebles privados que radiquen en el territorio del Estado receptor, a menos que el agente diplomático los posea por cuenta del Estado acreditante y para los fines de la misión". Asimismo, el art. 23 del Convenio establece la exención de todos los impuestos y gravámenes nacionales, regionales o municipales sobre los locales de la misión de que sean propietarios o inquilinos el Estado acreditante y el jefe de la misión, excluyendo aquellos impuestos o gravámenes que constituyan el pago de servicios particulares prestados. Esta exención no afecta a los impuestos y gravámenes que conforme a las disposiciones legales del Estado receptor estén a cargo del particular que contrate con el Estado acreditante o con el jefe de la misión. Sin perjuicio de lo establecido en el Convenio, deben tenerse en cuenta las exenciones y beneficios fiscales a favor de representaciones diplomáticas, oficinas consulares, agentes diplomáticos y funcionarios consulares de carrera acreditados en España, organismos internacionales con sede u oficina en España y sus funcionarios o miembros con estatuto diplomático, contenidas en los artículos 62.1.e) y art. 93.1 b) TRLRHL, en materia de IBI e IVTM.

Por otra parte, el Derecho de la UE condiciona sensiblemente el ejercicio territorial de las competencias tributarias locales. Como se verá a lo largo de este trabajo, el ordenamiento de la UE impone el mantenimiento de unas condiciones de neutralidad en el ejercicio de los derechos derivados de las libertades fundamentales que condiciona el establecimiento de determinados tributos, así como la modulación de su régimen jurídico, especialmente en materia de exenciones y bonificaciones fiscales. Del mismo modo, la prohibición general de ayudas estatales a favor de determinadas empresas impuesta por el ordenamiento de la UE con la finalidad de no falsear la competencia ni distorsionar el mercado interior deja sentir toda su incidencia sobre la tributación local, cuestionando las exenciones y bonificaciones fiscales establecidas en distintos tributos municipales a favor de una o varias empresas. Por otra parte, las disposiciones normativas tendentes a armonizar diferentes aspectos de las legislaciones nacionales para avanzar en la consecución del mercado interior han afectado notablemente la regulación de distintos tributos locales, llegando, en algunos casos, a tener unos efectos considerables en términos recaudatorios.

2. INCIDENCIA DE LOS CONVENIOS DE DOBLE IMPOSICIÓN SOBRE LA IMPOSICIÓN LOCAL

2.1. CUESTIONES PREVIAS

Los convenios de doble imposición son tratados internacionales de carácter bilateral firmados por los Estados para evitar la doble imposición internacional como consecuencia del ejercicio simultáneo del poder tributario por parte de dichos Estados sobre una misma renta o sobre un mismo patrimonio. Con carácter general, los convenios de doble imposición afectan a la imposición sobre la renta y a la imposición sobre el patrimonio. A pesar de su carácter bilateral, los CDI suelen tener una estructura básica similar, basada en los Modelos de Convenio, tanto de la OCDE[13] como de la ONU[14].

En el momento de redactar estas líneas, España tiene rubricados 104 convenios para evitar la doble imposición, de los que se encuentran en vigor 99. Los otros cinco (Bahrein, Montenegro, Namibia, Perú y Siria) están en distintas fases de tramitación. Además, se han renegociado los CDI con Austria, Bélgica, Canadá, China, Finlandia, India, Japón, México, Reino Unido y Rumanía.

Uno de los fines principales de los CDI es evitar la doble imposición internacional. Es frecuente que dos soberanías fiscales distintas pretendan hacer tributar al mismo

---

[13] *Model Tax Convention on Income and on Capital 2017*, Full Version of 25 April 2019.

[14] *United Nations Model Double Taxation Convention between Developed and Developing Countries*, 2021.

tiempo a una determinada persona, renta, bien o transacción, generando o pudiendo generar supuestos de doble imposición internacional. Para evitarlo, los CDI contienen una serie de reglas que tratan de determinar, en esencia, en relación con qué rentas o bienes el Estado de la fuente puede exigir tributos limitada o ilimitadamente, o de forma exclusiva; y, por otro, las medidas a aplicar por el Estado de la residencia para evitar la doble imposición en relación con aquellas rentas que se sometan a gravamen por el Estado de la fuente. Junto a dichas reglas de distribución de la potestad tributaria, los CDI contienen distintos preceptos dedicados a evitar el fraude y la evasión fiscal, a cooperar administrativamente a través del intercambio de información y asistencia mutua interestatal, al tiempo que establecen técnicas de solución de conflictos interpretativos y de calificación fiscal mediante acuerdos amistosos entre los dos Estados contratantes[15].

2.2. EL ARTÍCULO 2 DEL MODELO DE CONVENIO DE LA OCDE

Los CDI que siguen el Modelo de Convenio de la OCDE (y de la ONU) se aplican con carácter general a la imposición sobre la renta y sobre el patrimonio, incluyendo *a priori* los impuestos locales que merezcan dicha calificación. En este sentido, el MC OCDE dedica el art. 2 a precisar los impuestos comprendidos en el convenio. Dicho precepto tiene una vocación expansiva, es decir, pretende extender lo más posible su ámbito de aplicación (de modo que abarque los impuestos sobre la renta y sobre el patrimonio exigidos no sólo por las autoridades centrales, sino también por otras subdivisiones políticas)[16],

---

[15] Aunque queda fuera del objeto de este trabajo, es preciso apuntar el fuerte impacto sobre el contenido de los CDI de la Convención para aplicar las medidas relacionadas con los tratados fiscales para prevenir la erosión de las bases imponibles y el traslado de beneficios (comúnmente conocido como "Instrumento Multilateral"). Este Convenio Multilateral es el resultado de la acción 15 del Plan BEPS (*Base Erosion and Profit Shifting*), auspiciado por la OCDE y el G20. Constituye un tratado internacional multilateral mediante el cual se pretende implementar los estándares acordados en el Plan BEPS que exigen una reforma de los CDI anteriores. El Instrumento Multilateral fue publicado el 24 de noviembre de 2016. Desde entonces, hasta el 16 de diciembre de 2022, ha sido firmado por 100 países y ratificado por 89, por lo que ya ha entrado en vigor en estos últimos. España publicó el instrumento de ratificación el 22 de diciembre de 2021 (BOE nº 305), entrando en vigor con carácter general el 1 de enero de 2022. El Instrumento multilateral no es un convenio multilateral para evitar la doble imposición. Se trata de una herramienta, técnicamente compleja, que permite actualizar de forma rápida, flexible y coordinada la red global de CDI, sin necesidad de un proceso de negociación y ratificación individual. El Instrumento Multilateral no afecta a toda la red convencional, sino solo a aquellos convenios que previamente hayan sido seleccionados por los Estados parte del Instrumento y siempre que se produzca consentimientos cruzados entre tales Estados. Para un análisis más detallado, *vid.*, F. M. Carrasco González, "Las fuentes, típicas y atípicas, de la fiscalidad internacional", en S. Moreno González y F. J. Nocete Correa (Dirs.), *Introducción a la fiscalidad internacional*, Atelier, Barcelona, 2020, págs. 57-59.

[16] *Vid.* Párrafo 1 de los Comentarios al art. 2 MC OCDE 2017.

así como evitar la necesidad de firmar un nuevo convenio cada vez que se modifique la legislación interna de los Estados contratantes.

No obstante, esa afirmación inicial debe ser convenientemente matizada en un triple sentido:

En primer lugar, no todos los CDI siguen las reglas del MC OCDE (o de la ONU), por lo que en último término debe estarse a lo que disponga cada convenio de doble imposición que resulte aplicable al caso concreto.

En segundo lugar, con independencia de que se siga o no el MC OCDE, la conclusión que se alcance sobre la inclusión o exclusión de los impuestos locales sobre la renta y el patrimonio del ámbito objetivo de aplicación del CDI depende de una interpretación conjunta de los diferentes apartados que conforman el art. 2 del MC OCDE, si bien la correlación entre los diversos párrafos del art. 2 no se establece de forma coherente en los Comentarios al MC OCDE, lo que genera algunas dudas interpretativas. En efecto, si se analiza la estructura general del art. 2 MC OCDE se observa que el primer apartado (art. 2.1) realiza una delimitación inicial del ámbito objetivo de aplicación del convenio, el segundo apartado (art. 2.2) contiene la definición de impuesto sobre la renta y sobre el patrimonio, el apartado tercero (art. 2.3) contiene una lista de los impuestos afectados al momento de la firma del convenio y, por último, el apartado cuarto (art. 2.4) contiene una cláusula orientada a garantizar la vigencia indefinida del convenio, evitando que las modificaciones realizadas en la legislación interna de uno de los Estados contratantes lo haga inaplicable; en concreto, señala este precepto que el convenio se aplicará a los impuestos de naturaleza idéntica o análoga que pudieran establecerse con posterioridad a la fecha de la firma del mismo y que se añadan a los actuales o les sustituyan, recogiéndose la obligación de las autoridades competentes de los Estados contratantes de comunicarse las modificaciones significativas introducidas en sus respectivas legislaciones fiscales[17].

Pues bien, en un buen número de convenios suscritos por España, el art. 2.1 menciona a los impuestos sobre la renta y sobre el patrimonio (o exclusivamente a los impuestos sobre la renta) exigidos por las entidades locales, pero tales impuestos no figuran en la lista del art. 2.3 del convenio; en otros convenios la situación es justo la contraria, esto es, el art. 2.1 no incluye un párrafo relativo a las subdivisiones políticas y a las entidades locales, pero en el art. 2.3 se contiene, bien una mención genérica a los impuestos locales sobre la renta y, en su caso, sobre el patrimonio, bien una referencia a impuestos locales

---

[17] La modificación más relevante que se ha producido en el art. 2 MC OCDE afecta a su apartado 4º. En el año 2000 este precepto fue reformado para eliminar la obligación de las autoridades competentes de notificar anualmente a las autoridades del otro Estado los cambios producidos en la legislación tributaria. Por tanto, a partir de ese momento, la obligación se limita a la notificación de los cambios significativos, sin que se exija periodicidad alguna.

concretos; en fin, otro grupo de CDI no contiene ninguna mención a los impuestos locales, ni en el art. 2.1, ni en el listado del art. 2.3. En definitiva, la conclusión a la que se llegue en cualquiera de estos supuestos será "el resultado de un proceso deductivo que requiere tomar en consideración de forma conjunta los cuatro párrafos del artículo"[18].

Por último, en el caso particular de España, se plantean problemas añadidos en la concreción de los impuestos locales establecidos con posterioridad a la firma del convenio y que deben entenderse subsumidos en su ámbito objetivo de aplicación, pues, como se verá, en ocasiones estos impuestos locales han venido a sustituir a impuestos estatales en vigor en el momento de la firma del convenio.

Entrando en el análisis sucinto de los diferentes apartados del art. 2 del MC OCDE, el art. 2.1 define el ámbito objetivo de aplicación del convenio, señalando que éste es aplicable a los "impuestos sobre la renta y el patrimonio exigibles por cada uno de los Estados contratantes, sus subdivisiones políticas o sus entidades locales, cualquiera que sea el sistema de su exacción". Como aclaran los Comentarios al art. 2 MC OCDE, es indiferente la autoridad por cuenta de la cual los impuestos son percibidos; que el impuesto sea exigido por el Estado central, una de sus subdivisiones políticas o entidades locales (Estados federados, regiones, provincias, cantones, distritos, departamentos, distritos, *Kreise*, municipios o mancomunidades de municipios); y que la exacción del impuesto se produzca por ingreso directo o por retención en la fuente, en forma de recargos o de impuestos complementarios, etc.[19].

De acuerdo con el ámbito objetivo definido por el MC OCDE, los impuestos del sistema tributario español aplicables en el territorio de régimen financiero común que han de quedar sometidos a un convenio que siga el dictado del mencionado Modelo son el Impuesto sobre la Renta de las Personas Físicas (IRPF), el Impuesto sobre Sociedades (IS), el Impuesto sobre la Renta de No Residentes (IRNR) y el Impuesto sobre el Patrimonio (IP). También será aplicable a los tributos de idéntica denominación de los territorios forales (Navarra y los del País Vasco), en tanto que estos han de ser considerados subdivisiones políticas a efectos del MC OCDE.

De forma similar, la aplicación del convenio abarcaría, en principio, a los impuestos locales que recaigan sobre la renta y el patrimonio. A falta de la clarificación convencional de lo que constituye un "impuesto local sobre la renta y el patrimonio", su determinación deberá hacerse por remisión a la normativa interna de los respectivos Estados contratantes.

En el caso de España, atendiendo a la naturaleza de cada uno de los diferentes impuestos locales regulados en el TRLRHL, quedarían incluidos dentro de la noción "im-

---

[18]   A. Martín Jiménez. ob. cit., pág. 142.

[19]   Párrafo 2 de los Comentarios al art. 2 MC OCDE 2017.

puesto local sobre la renta y el patrimonio", el Impuesto sobre el Incremento del Valor de los Terrenos de Naturaleza Urbana (IIVTNU)[20], como impuesto local que somete a tributación una manifestación específica de obtención de renta; el Impuesto sobre Bienes Inmuebles (IBI)[21] y el Impuesto sobre Vehículos de Tracción Mecánica (IVTM)[22], como impuestos locales que gravan la titularidad de determinados elementos patrimoniales. Respecto al ICIO, sin entrar en la controversia suscitada en relación a su naturaleza jurídica de tasa o impuesto[23], lo cierto es que, atendiendo a la estructura del tributo y, en particular, a los obligados tributarios principales, así como al propio tenor del art. 100.1 TRLRHL, cabe considerarlo como un impuesto indirecto, por cuanto recae sobre el gasto en el que se incurre con ocasión de una construcción, instalación u obra[24]; motivo por el cual queda fuera del ámbito objetivo de aplicación de los CDI.

No obstante, la aplicación de los CDI al Impuesto sobre Actividades Económicas es una cuestión más espinosa, dada la configuración legal de su presupuesto de hecho y la inexistencia de concreción a nivel convencional de los impuestos que tienen la consideración de "impuestos locales sobre la renta". De acuerdo con el art. 78.1 TRLRHL, el hecho imponible del IAE está constituido "por el *mero ejercicio* en territorio nacional de actividades empresariales, profesionales o artísticas, se ejerzan o no en local determinado y se hallen o no especificadas en las tarifas del impuesto". Atendiendo a la definición del hecho imponible, un sector de la doctrina defiende la imposibilidad de considerar el IAE como un impuesto que grave la renta obtenida por el contribuyente, puesto que su exigencia se desvincula de la obtención de beneficios e incluso de la propia obtención de renta en el ejercicio de la actividad económica[25]. Sin embargo, algunas voces incluyen el

---

[20]   El art. 104.1 TRLRHL dispone que el IIVTNU es un tributo directo que grava el incremento de valor que experimenten los terrenos de naturaleza urbana y se ponga de manifiesto a consecuencia de la transmisión de la propiedad de los terrenos por cualquier título o de la constitución o transmisión de cualquier derecho real de goce, limitativo del dominio, sobre los referidos terrenos. Por tanto, se trata de un tributo municipal sobre las ganancias patrimoniales inmobiliarias que debe incluirse dentro del concepto de "impuesto sobre la renta".

[21]   El art. 60 TRLRHL señala que el IBI "es un tributo directo de carácter real que grava el valor de los bienes inmuebles". Su hecho imponible, conforme expresa el art. 61 TRLRHL es la titularidad de determinados derechos sobre los bienes inmuebles rústicos y urbanos y sobre los inmuebles de características especiales.

[22]   El art. 92 TRLRHL dispone que el IVTM "es un tributo directo que grava la titularidad de los vehículos de esta naturaleza, aptos para circular por las vías públicas, cualesquiera que sean su clase y categoría".

[23]   Cfr. D. Marín-Barnuevo Fabo, "El impuesto sobre construcciones, instalaciones y obras", *Los Tributos Locales*, Thomson-Civitas, 2ª edición, Madrid, 2010, págs. 511 y ss.

[24]   SSTS de 19 de marzo de 2001 (rec. cas. nº 1142/2000), FJ 8º; y 30 de marzo de 2022 (rec. cas. nº 5658/2020), FJ 2º, entre otras.

[25]   Cfr. F. García-Fresneda Gea, "El Impuesto sobre Actividades Económicas y el principio de capacidad económica", *Revista Española de Derecho Financiero*, nº 105, 2000, pág. 43. También, C. Checa Gon-

IAE dentro de los que gravan la renta, ya que, si bien el objeto material del tributo —siguiendo la definición del hecho imponible— sería la capacidad económica manifestada a partir de la mera realización de una actividad económica, el objeto-fin del IAE sería el rendimiento que puede generar tal actividad, tal y como dispone la base cuarta del art. 85.1 TRLRHL (que limita al 15% del beneficio medio presunto la cuantía de las cuotas del IAE)[26].

Como regla general, la doctrina administrativa (la extinta Dirección General de Coordinación con las Haciendas Territoriales —DGCHT— primero, y la Dirección General de Tributos —DGT— después) realiza una interpretación favorable a incluir el IAE en el alcance objetivo de los CDI, particularmente en aquellos casos en los que el convenio menciona expresamente a "los impuestos locales sobre la renta" entre los impuestos incluidos en su ámbito objetivo de aplicación[27]. Sin embargo, la respuesta de los tribunales a esta cuestión es más confusa. En contra de considerar el IAE un impuesto sobre la renta a efectos convencionales se han pronunciado las sentencias del TSJ de Madrid de 24 de octubre de 1996 —CDI España-Portugal de 1968— (rec. nº 252/1995) y 3 de febrero de 2000 —CDI España-Alemania 1966— (rec. nº 685/1996); a favor de su calificación como impuesto local sobre la renta incluido en el alcance objetivo del convenio de doble imposición se posicionan las sentencias del TSJ de Madrid de 27 de abril de 1996 —CDI España-Reino Unido 1976— (rec. nº 618/1994) y 20 de octubre de 2000 —CDI España-Suiza 1966— (rec. nº 2417/1998); y la sentencia del Juzgado de lo Contencioso-Administrativo de Tarragona de 10 de julio de 2018 —CDI España-Alemania 2011 (rec. nº 168/2017).

Por otra parte, el apartado 2 del art. 2 pretende ofrecer una definición general de los impuestos a los que resulta de aplicación el convenio. A estos efectos, se consideran impuestos sobre la renta o el patrimonio, "los que gravan la totalidad de la renta o del patrimonio o cualquier parte de los mismos, incluyéndose también los impuestos sobre

---

zález, *Los tributos locales*, Marcial Pons, Madrid, 2000. Asimismo, M. Lucas Durán, "El ámbito objetivo de los convenios para evitar la doble imposición: la idea de «impuesto comprendido» al que se aplica el tratado fiscal", en A. Vázquez del Rey Villanueva y M. Lucas Durán (Coords.), *Cuestiones actuales y conflictivas de la fiscalidad internacional*, Ciss, Madrid, 2022, págs. 47 y 51.

[26] En esta línea, F. Poveda Blanco, "El Impuesto sobre Actividades Económicas. Razones para su inaplazable reforma", *Revista Española de Derecho Financiero*, nº 108, 2000, pág. 575. No obstante, este autor entiende que tampoco cabe excluir un cierto componente patrimonial en el IAE, de modo que desde esta perspectiva también podría quedar encuadrado en los CDI.

[27] En esta línea, resoluciones de la DGCHT de 9 de enero de 1997 (en relación con el CDI España-Alemania), 28 de mayo de 1998 (CDI España-Reino Unido) y 17 de febrero de 1999 (CDI España-Marruecos). Asimismo, resoluciones de la DGT de 22 de noviembre de 2000 (1793-02) —CDI España-Suiza de 1966—; de 31 de octubre de 2003 (1782-03) —CDI España-Francia—; de 3 de junio de 2009 (V1305-09) —CDI España-Bélgica—; de 20 de abril de 2016 (V1747-16) —CDI España-Austria—.

las ganancias derivadas de la enajenación de bienes muebles o inmuebles, los impuestos sobre el importe de sueldos o salarios y los impuestos sobre las plusvalías". Esta definición tiene carácter ejemplificativo de lo que debe entenderse por impuesto sobre la renta o sobre el patrimonio a efectos del convenio, aclarando que este es aplicable no sólo a los impuestos globales sobre la renta o el patrimonio, sino también a impuestos que graven determinadas rentas específicas o determinados elementos del patrimonio, aclaración de particular interés en relación con los impuestos locales.

Nada dice el MC OCDE ni sus Comentarios sobre qué debe entenderse por "impuesto" a efectos del art. 2, por lo que, de acuerdo con la regla interpretativa contenida en el art. 3.2 MC OCDE, su significado deberá concretarse por remisión a la legislación tributaria interna del Estado que aplica el convenio. En nuestro caso, por tanto, deberá estarse a la definición recogida en el art. 2.2.c) de la Ley General Tributaria, teniendo en cuenta, además, las precisiones realizadas sobre dicho concepto por parte de Tribunal Constitucional. En este orden de ideas, no podrían excluirse del ámbito objetivo del CDI aquellas figuras tributarias que, pese a la denominación formal dada por el legislador, deban por su naturaleza ser consideradas auténticos impuestos.

Sin embargo, determinadas figuras, que desde la perspectiva del Derecho interno español tienen naturaleza materialmente tributaria, no se encuentran cubiertas por el MC OCDE; en concreto, las cotizaciones a la Seguridad Social u otras cargas similares cuando exista una relación directa entre la contribución y los beneficios individuales recibidos en contrapartida[28].

Tampoco especifica el art. 2 MC OCDE si el impuesto debe tener carácter ordinario o extraordinario. En este punto, los Comentarios al MC OCDE son bastante confusos pues, aunque dan a entender que no debe excluirse a los impuestos extraordinarios del ámbito de aplicación del MC OCDE, se deja libertad a los Estados contratantes a la hora de resolver esta cuestión[29]. Del mismo modo, ante el silencio del art. 2.2 MC OCDE sobre la inclusión, dentro del término "impuesto", de obligaciones accesorias a la obligación tributaria principal (como intereses y recargos) o sanciones, los Comentarios sugieren, atendiendo a las diferencias existentes en la práctica de los países sobre esta cuestión, resolverla en las negociaciones bilaterales entre los Estados firmantes[30].

Junto a la definición de impuesto sobre la renta y el patrimonio proporcionada por el art. 2.2 MC OCDE, el artículo 2.3 del mismo sugiere incluir la relación de impuestos a los que, en el momento de suscripción del convenio, se aplicarán sus previsiones. Para la OCDE, la lista del art. 2.3 MC OCDE no tiene un valor limitativo, sino que es una

---

[28] *Vid.* Párrafo 3 y párrafo 6.1 de los Comentarios al art. 2 MC OCDE 2017.

[29] Párrafo 5 de los Comentarios al art. 2 MC OCDE 2017.

[30] Párrafo 4 de los Comentarios al art. 2 MC OCDE 2017.

mera ilustración de los párrafos precedentes; si bien, en principio, será una lista completa de los impuestos exigidos en cada Estado en el momento de la firma del convenio. Las evidentes contradicciones que encierra el párrafo 6 de los Comentarios al art. 2 MC OCDE deben superarse, a nuestro juicio, considerando que dicha lista no tiene un carácter cerrado, por dos razones principales. En primer lugar, porque la delimitación de los impuestos incluidos en el ámbito objetivo de aplicación del convenio se realiza en el art. 2.1 MC OCDE, por lo que una lista que no englobe todos los impuestos afectados por el art. 2.1 no puede reducir los efectos de dicho precepto. En segundo lugar, porque, aunque la lista incluya todos los impuestos cubiertos por el CDI, no es posible prever, en el momento de la negociación y firma del convenio, la existencia de impuestos futuros sobre la renta y el patrimonio que modifiquen o sucedan a los incluidos en la lista, razón por la cual se introduce el art. 2.4 MC OCDE con la finalidad de prever futuros cambios en los impuestos inicialmente cubiertos por el tratado[31]. De considerar que la lista del art. 2.3 tiene carácter cerrado, el art. 2.4 sería superfluo.

Así pues, sólo una interpretación conjunta de los diferentes párrafos del art. 2 del correspondiente CDI permitirá alcanzar conclusiones firmes respecto a la aplicación del convenio a los impuestos locales sobre la renta y el patrimonio. Siguiendo a MARTÍN JIMÉNEZ, el concepto del art. 2.2. MC OCDE "tiene la virtualidad de atraer hacia el ámbito de aplicación del CDI impuestos no cubiertos por la lista del art. 2.3 del CDI, pero el art. 2.1 siempre será un límite a estos efectos. Es decir, si un impuesto local sobre la renta vigente en el momento de entrada en vigor del CDI no está mencionado en la lista del art. 2.3 se encontraría dentro del ámbito de aplicación del CDI si está comprendido en la definición del impuesto sobre la renta y el patrimonio del art. 2.2 y si el art. 2.1 no excluye la aplicación del CDI al impuesto local"[32].

2.3. LOS IMPUESTOS LOCALES EN LOS CONVENIOS DE DOBLE IMPOSICIÓN SUSCRITOS POR ESPAÑA

Ni el MC OCDE ni sus Comentarios tienen la consideración de norma de Derecho internacional en sentido estricto. Se trata de simples "recomendaciones" y orientaciones a los Estados a la hora de negociar un CDI. Desde una óptica puramente internacional, el MC OCDE y sus Comentarios constituyen *soft law*, es decir, no son instrumentos jurídicamente vinculantes, aunque puedan llegar a desplegar importantes efectos interpretativos. Por tanto, el elemento esencial a la hora de dilucidar qué concretos impuestos locales sobre la renta o el patrimonio caen en el ámbito de aplicación objetivo del convenio de doble imposición es el propio convenio.

---

[31]   *Vid.*, en el mismo sentido, A. Martín Jiménez, ob. cit., pág. 155; y A. García Prats, ob. cit., pág. 431.

[32]   A. Martín Jiménez, ob. cit., pág. 154.

Aunque España es partidaria, con carácter general, de la aplicación de los CDI a los impuestos locales sobre la renta y sobre el patrimonio, la consulta de los diferentes convenios bilaterales suscritos hasta la fecha por nuestras autoridades nacionales no permiten ofrecer una respuesta univoca a la delimitación de los impuestos afectados por el convenio, lo que no es sino muestra de la diversidad de planteamientos y necesidades del otro Estado contratante, en particular en atención a su concreta estructura territorial u organizativa, así como a su particular posición en la negociación del convenio. Por ello, la delimitación de los impuestos a los que resulta de aplicación el CDI no es homogénea en todos los CDI firmados por España, tampoco por lo que respecta a los impuestos locales.

Pese a la diversidad de situaciones que pueden producirse en la práctica convencional, un análisis detenido de la red española de CDI nos permite clasificar esa variedad de posibles escenarios en cinco grandes categorías:

A) Convenios que incluyen a los impuestos locales sobre la renta y el patrimonio dentro de su ámbito de aplicación

Se trata del grupo más numeroso de CDI firmados por España. La mayoría de estos convenios contiene una mención expresa a las entidades locales en su art. 2.1, así como una referencia explícita, pero genérica, a los impuestos locales sobre la renta y el patrimonio en la lista del art. 2.3[33], lo que exigirá cierto esfuerzo interpretativo para con-

---

[33] Los siguientes CDI mencionan a las entidades locales en el art. 2.1 y contienen una referencia genérica a los impuestos locales sobre la renta y sobre el patrimonio en el art. 2.3: CDI España-Alemania 2011; CDI España-Arabia Saudí 2007; CDI España-Argelia 2002; CDI España-Armenia 2010; CDI España-Austria 1966; CDI España-Azerbaiyán 2014; CDI España-Bélgica 1995; CDI España-Bolivia 1997; CDI España-Bosnia Herzegovina 2008; CDI España-Bielorrusia 2017; CDI España-China 1990; CDI España-Colombia 2005 (el apartado II del Protocolo anexo a este CDI señala que el mismo dejará de aplicarse al impuesto sobre el patrimonio desde el momento en que en cualquiera de los dos Estados contratantes deje de existir un impuesto sobre el patrimonio líquido o neto); CDI España-Costa Rica 2004; CDI España-Croacia 2005; CDI España-Cuba 1999; CDI España-Egipto 2005; CDI España-El Salvador 2008 (el apartado IV del Protocolo a este CDI señala que las disposiciones del art. 2 relativas a los impuestos sobre el patrimonio serán aplicables únicamente en la medida en que ambos Estados contratantes apliquen un impuesto sobre el patrimonio neto); CDI España-Emiratos Árabes Unidos 2006; CDI España-Eslovenia 2001; CDI España-Estonia 2003; CDI España-Finlandia 1968 (y Canje de Notas de 1992); CDI España-Francia 1995; CDI España-Georgia 2010; CDI España-Grecia 2000; CDI España-Indonesia 1995; CDI España-Irán 2003; CDI España-Israel 1999; CDI España-Kazajstán 2009; CDI España-Kuwait 2008; CDI España-Letonia 2003; CDI España-Lituania 2003; CDI España-Macedonia 2005; CDI España-Marruecos de 1978 (sin embargo, este es un convenio particular porque, si bien en la redacción originaria se menciona a los impuestos locales en el art. 2.3, el canje de notas de 13 de febrero de 1983 entre los embajadores de ambos países no menciona de forma expresa a los impuestos locales ni sobre la renta ni sobre el patrimonio); CDI España-Moldavia 2007; CDI España-Nigeria 2009; CDI España-Noruega 1999; CDI España-Países Bajos 1971; CDI España-Panamá 2010; CDI España-Reino Unido 2013; CDI

cretar, respecto a cada Estado contratante, los impuestos locales afectados, atendiendo para ello a la definición de impuesto sobre la renta y sobre el patrimonio proporcionada por el art. 2.2.

Dentro de esta primera categoría de convenios situamos también aquéllos que sólo contienen una mención a las entidades locales en su art. 2.1, pero no incluyen ningún impuesto local en el listado del art. 2.3[34]. En nuestra opinión, también en este caso, para determinar los impuestos cubiertos por el CDI, habrá que acudir a la definición general del impuesto sobre la renta y sobre el patrimonio proporcionada en el art. 2.2 del convenio[35].

Igualmente, es posible situar dentro de este grupo de convenios a aquéllos que no mencionan a las entidades locales en su art. 2.1, pero expresamente aluden en el listado del art. 2.3 a los impuestos locales sobre la renta y el patrimonio[36].

B) Convenios que resultan aplicables solamente a los impuestos locales sobre la renta, excluyendo los impuestos locales sobre el patrimonio

Un buen número de CDI suscritos por España no incluyen al impuesto sobre el patrimonio dentro de su ámbito objetivo de aplicación[37], posiblemente por no disponer

---

España-Rusia 1998; CDI España-Serbia 2009; CDI España-Sudáfrica 2006; CDI España-Suecia 1976; CDI España-Suiza 2011; CDI España-Timor Oriental 1995; CDI España-Uruguay 2009; CDI España-Uzbekistán 2013 (las fechas empleadas se refieren al año de firma del CDI).

[34] Este sería el caso de los CDI España-Chile 2003; CDI España-Chipre 2013; CDI España-Hungría 1984; CDI España-Luxemburgo 1986; y CDI España-Túnez 1982 (en este último, la omisión de los impuestos locales sobre la renta y el patrimonio en el art. 2.3 afecta sólo a España).

[35] En sentido contrario al expuesto, la DGT, en resolución de 28 de enero de 2011 (V0139-11), considera que el CDI entre España y Hungría, de 9 de julio de 1984, no contempla el IAE entre los impuestos incluidos en el Convenio. Aunque la DGT no expone los motivos sobre los que basa su decisión, no cabe descartar que haya tenido en cuenta que el referido Convenio no incluye a los impuestos locales sobre la renta y sobre el patrimonio en el listado del art. 2.3, pese a que el art. 2.1 del citado Convenio incluye expresamente a los impuestos sobre la renta y el patrimonio exigibles por las entidades locales.

[36] En esta situación se encuentran los CDI España-Bulgaria de 1990; y CDI España-Antigua URSS 1985.

[37] Es el caso, por ejemplo, de los suscritos con Albania en 2010, Andorra en 2015, Australia en 1992, Barbados en 2010, Brasil en 1974, Estados Unidos en 1990, Corea en 1994, Filipinas en 1989, Hong Kong en 2011, Irlanda en 1994, Italia en 1977, Jamaica en 2008, Japón en 1974, Malasia en 2006, Malta en 2005, Nueva Zelanda en 2005, Omán en 2014, Pakistán en 2010, Portugal en 1995, República Dominicana en 2011, Senegal en 2006, Singapur en 2011, Tailandia en 1997, Trinidad y Tobago en 2009, Turquía en 2002, y Vietnam en 2005. Los CDI con Arabia Saudí, Croacia y El Salvador establecen en sus respectivos protocolos que las disposiciones relativas a los impuestos sobre el patrimonio se aplicarán únicamente en la medida en que ambos Estados contratantes graven un impuesto sobre el patrimonio (Impuesto sobre el Patrimonio Neto). El CDI con Colombia dispone en su protocolo que el convenio dejará de aplicarse al impuesto sobre el patrimonio desde el momento en que en cualquiera de los dos Estados contratantes deje de existir un impuesto sobre el patrimonio líquido o neto.

el otro Estado contratante, en el momento de la firma, un impuesto sobre el patrimonio en su ordenamiento jurídico interno[38]. En estos casos, desaparecerá la referencia al impuesto sobre el patrimonio tanto en el art. 2.1, como en el art. 2.2 del convenio correspondiente, y en el listado del art. 2.3 se mencionarán tributos locales específicos y/o se contendrá una referencia genérica a los "impuestos locales sobre la renta". Por consiguiente, en principio, el IBI y el IVTM no quedarán afectados por la aplicación del convenio, extendiéndose éste a los impuestos locales sobre la renta[39].

No obstante, en algunos CDI, la genérica referencia al impuesto sobre la renta de las entidades locales contenida en el art. 2.1 no viene acompañada de su incorporación en el listado del art. 2.3. Así ocurre en los convenios firmados con Finlandia (2015), Malasia, Paquistán, Senegal y Tailandia. Como hemos defendido en otro momento de este trabajo, la enumeración del párrafo tercero del art. 2 del convenio tiene carácter ilustrativo y no limitativo, siendo el criterio determinante analizar si el impuesto local sobre la renta está comprendido en la definición de impuesto sobre la renta dada en el art. 2.2 y no excluido de la aplicación del convenio por el art. 2.1.

C) Convenios que solo se aplican a determinados impuestos locales expresamente mencionados en él

El CDI con Corea menciona de forma expresa un único impuesto local al que aquel resulta de aplicación, a saber, el Impuesto sobre el Incremento de Valor de los Terrenos de Naturaleza Urbana. Por tanto, el citado Convenio no resulta aplicable al IAE, ni tampoco a los impuestos sobre el patrimonio estatales o locales.

Por otra parte, el art. 2.3 a) v) del CDI con Costa Rica incorpora una referencia genérica a los impuestos locales sobre la renta y el patrimonio dentro del listado de impuestos actuales del sistema tributario español a los que resulta aplicable el convenio. Sin embargo, el apartado III del protocolo anejo al convenio precisa que, en relación con el art. 2.3 a) v), dentro de los impuestos locales sobre la renta y sobre el patrimonio en España se incluyen el IBI y el IAE, por lo que cabría preguntarse si quedan fuera del ámbito de aplicación del convenio el IIVTNU y el IVTM.

---

[38] Repárese en que Australia, Corea y Japón han formulado reserva al art. 2.1 MC OCDE en lo que se refiere a la aplicación del convenio a los impuestos sobre el patrimonio (párrafo 11 de los Comentarios al art. 2 MC OCDE 2017). Ahora bien, para que la reserva despliegue efectos jurídicos es preciso su incorporación en el texto del CDI que corresponda.

[39] Así ocurre en los CDI España-Albania 2010; CDI España-Andorra 2015; CDI España-Barbados 2010; CDI España-Brasil 1974; España-Cabo Verde 2017; España-Canadá (Protocolo de 2014 que modifica CDI hispano-canadiense de 1976); España-Catar 2017; España-Hong Kong 2011; CDI España-Italia 1977; CDI España-Jamaica 2008; CDI España-Japón 1974; CDI España-Malta 2005; CDI España-Nueva Zelanda 2005; CDI España-Omán 2014; CDI España-Portugal 1995; CDI España-República Dominicana 2011; CDI España-Singapur 2011; CDI España-Trinidad y Tobago 2009; CDI España-Turquía 2002; CDI España-Vietnam 2005.

D) Convenios susceptibles de englobar los impuestos locales sobre la renta y, en su caso, sobre el patrimonio, por aplicación de la cláusula de vigencia permanente del art. 2.4

Algunos de los CDI suscritos por España se firmaron con anterioridad a la entrada en vigor de la Ley 39/1988, de 28 de diciembre, Reguladora de las Haciendas Locales. En relación a estos convenios puede, por tanto, cuestionarse la extensión de sus efectos a los impuestos locales sobre la renta y, en su caso, sobre el patrimonio, puesto que no aparece una referencia expresa a los mismos en el listado del art. 2.3 del convenio, sino a sus antecedentes normativos, tales como la contribución territorial sobre la riqueza rústica y pecuaria, la contribución territorial sobre la riqueza urbana, el impuesto sobre actividades y beneficios comerciales e industriales o el arbitrio de radicación, que han dado lugar, posteriormente, a tributos locales como el IBI y el IAE[40].

Sobre la base de esta evolución puede concluirse que en virtud de la cláusula del art. 2.4 MC OCDE, el IBI y el IAE (sin perjuicio de las reflexiones realizadas más arriba sobre su calificación como impuesto sobre la renta) están también cubiertos por los CDI que mencionan a sus precedentes normativos. Además, la presunción a favor de la extensión de los efectos del convenio a estos impuestos locales se reforzará si: en el art. 2.1 del convenio se incluye una referencia a los impuestos sobre la renta y, en su caso, sobre el patrimonio, exigibles por las "entidades locales"; y/o en el listado de impuestos vigentes en el momento de la firma del convenio, además de la referencia a impuestos concretos, se contiene una mención expresa a "los impuestos locales sobre la renta" o, en su caso, a "los impuestos locales sobre la renta y el patrimonio". Desde esta perspectiva, a nuestro juicio, no plantean grandes problemas interpretativos los CDI suscritos con Italia, Países Bajos y Suecia, puesto que, además de contener la cláusula de vigencia permanente en preceptos análogos al art. 2.4 MC OCDE, incluyen a las "entidades locales" en el art. 2.1, así como una mención genérica en la lista del art. 2.3 a "los impuestos locales sobre la renta" (Italia) o a "los impuestos locales sobre la renta y el patrimonio" (Países Bajos y Suecia). Tampoco suscitan dificultades relevantes los CDI firmados con Brasil y Japón (1974), ya que, aunque no mencionan expresamente a las "entidades locales" en el art. 2.1, sí aluden a los "impuestos locales sobre la renta" en el listado de impuestos incluidos en el ámbito de aplicación del convenio[41].

---

[40] Para un análisis exhaustivo de los antecedentes normativos del IBI y del IAE, *vid*. A. Urquizu Cavallé, "Los Convenios para evitar la doble imposición internacional en la tributación local", *Tributos Locales*, nº 31, 2003, págs. 63 y ss.

[41] El caso del CDI España-Marruecos es especial. El precepto análogo al art. 2.3 MC OCDE incluye una mención a "los impuestos locales sobre la renta y sobre el patrimonio". Sin embargo, en el listado de impuestos actuales a los que resulta aplicable el convenio, contenido en el canje de notas de 13 de febrero de 1983, no se menciona expresamente a los impuestos locales ni sobre la renta ni sobre el patrimonio.

La Dirección General de Tributos ha sido receptiva a la aplicación de los CDI firmados con anterioridad a la Ley 39/1988 a los impuestos locales sustitutivos y, en particular, al IAE. Sin embargo, las resoluciones judiciales han sido más titubeantes[42].

El CDI con Rumanía (1980) suscitó dudas sobre la extensión de sus efectos a los impuestos locales sobre la renta y el patrimonio, porque aunque en el listado de impuestos cubiertos por el convenio se incluían la contribución territorial rústica y pecuaria, la contribución territorial urbana y el impuesto sobre actividades y beneficios comerciales e industriales, no incorporaba una mención genérica a los impuestos locales; además, el art. 2.1 del citado CDI no englobaba a las subdivisiones políticas ni entidades locales dentro de su ámbito de aplicación. En principio, la cláusula del art. 2.4 del convenio permitiría incluir a los impuestos sustitutivos, sin que el cambio de titularidad de los impuestos (de impuestos estatales a impuestos locales) hiciera variar el ámbito objetivo del convenio, puesto que el impuesto local sería un impuesto de naturaleza idéntica o análoga que sustituye al impuesto central. No obstante, esta interpretación favorable a la extensión de la aplicación del convenio a los impuestos sustitutivos, pese a la expresa voluntad del convenio en sentido contrario, podía producir un cierto desequilibrio con respecto a las obligaciones asumidas por los Estados contratantes del CDI, como advirtió un sector de nuestra doctrina[43].

Tras la renegociación del CDI con Rumanía en 2017 (BOE nº 316, de 3 de diciembre de 2020), el art. 2.1 del CDI sigue sin mencionar a las "entidades locales", aunque sí alude expresamente a los impuestos sobre la renta exigibles por subdivisiones políticas o unidades administrativo-territoriales, lo que, a priori, permite interpretar que, dado que los entes locales son también subdivisiones políticas del Estado, los impuestos locales sobre la renta podrían estar cubiertos por dicho convenio. Sin embargo, la inexistencia de mención expresa a las "entidades locales" en el art. 2.1 CDI se acompaña de la desaparición en el art. 2.3 de toda mención a los impuestos locales sobre la renta. La puesta en común de ambos apartados podría llevar a fortalecer la presunción de no extensión del CDI a los impuestos locales sobre la renta. A parecida conclusión podría llegarse tras la renegociación del CDI con la República Popular China en 2019 (BOE nº 76, de 30 de marzo de 2021). Conforme al art. 2.1 del CDI, el convenio se aplica a los impuestos sobre la renta exigibles por cada uno de los Estados contratantes o sus subdivisiones políticas (sin incluir, de nuevo, referencia expresa a las entidades locales). Ello, por sí solo, no impediría interpretar que el citado convenio es aplicable a los impuestos locales

---

[42] *Vid.*, entre otras, resoluciones de la DGT de 22 de noviembre de 2002 (nº 1793-02) en lo que atañe al CDI España-Suiza de 1966; y 16 de abril de 2002 (nº 0598-02) en relación con el CDI España-Reino Unido de 1975. Asimismo, sentencias TSJ de Madrid de 24 de octubre de 1996 (rec. nº 252/1995), 3 de febrero de 1998 (rec. nº 685/1996), 27 de abril de 1996 (rec. nº 618/1994) y 20 de octubre de 2000 (rec. nº 2417/1998).

[43] A. Martín Jiménez, ob. cit., pág. 157; A. García Prats, ob. cit., pág. 441.

sobre la renta por las razones antes apuntadas. No obstante, el art. 2.3 tampoco incluye a los impuestos locales sobre la renta dentro de la enumeración de impuestos a los que es aplicable el tratado en el caso de España. Obsérvese que en el CDI hispano-chino de 1990, los efectos del convenio se extendían a los impuestos locales sobre la renta y el patrimonio por indicación expresa del art. 2, apartados 1 y 3, del CDI.

E) Convenios que no son aplicables a los impuestos locales sobre la renta y sobre el patrimonio

Un ramillete de CDI firmados por España no hace mención a los impuestos exigidos por las entidades locales ni en la delimitación genérica del art. 2.1, ni en el listado de impuestos a los que resulta aplicable el convenio del art. 2.3, existiendo, en consecuencia, una fuerte presunción en el sentido de que los impuestos exigidos por subdivisiones políticas deben considerarse excluidos del convenio, aun cuando éste recoja una definición general de impuesto sobre la renta y sobre el patrimonio análoga a la establecida en el art. 2.2 MC OCDE[44]. En este grupo se incluyen, además de los CDI renegociados con Rumanía y China citados en el apartado anterior, los convenios firmados con Argentina, Australia, República Checa, Ecuador, Estados Unidos, Eslovaquia, Filipinas, India, Irlanda, Japón (CDI renegociado en 2018), México y Venezuela[45].

En la doctrina administrativa encontramos algunas resoluciones que llegan a la misma conclusión. A modo de ejemplo, la resolución de la DGCHT de 31 de julio de 1997 constató que entre los impuestos comprendidos en el CDI entre España e Irlanda no se encontraba el IAE, por lo que la oficina de turismo abierta en territorio español con el objeto de llevar a cabo actividades para promover el turismo en Irlanda, mediante la ordenación de recurso humanos y/o medios de producción a tal fin, realizaba el hecho imponible del mencionado impuesto y no podía considerarse exenta en virtud de un tratado internacional.

Por último, ha de hacerse una breve mención a un supuesto particular, el CDI con Polonia, que en su art. 2.1 no menciona a las entidades locales, ni incluye a los impuestos locales en el listado de impuestos vigentes del art. 2.3. Sin embargo, el protocolo anexo al convenio especifica que este se aplicará a los impuestos sobre la renta y sobre el capital prescindiendo del nivel de la autoridad del respectivo Estado contratante por cuya cuenta fueren establecidos los impuestos. En consecuencia, este convenio debería resultar aplicable a los impuestos locales sobre la renta y sobre el patrimonio.

---

[44] Cfr. A. Martín Jiménez, ob. cit., pág. 147.

[45] Téngase en cuenta que Canadá, Chile y Estados Unidos han formulado reserva al art. 2.1 MC OCDE en lo que se refiere a la aplicación del convenio a los impuestos de las subdivisiones políticas y autoridades locales (párrafo 10 de los Comentarios al art. 2 MC OCDE 2017).

2.4. EFECTOS DE LOS CONVENIOS DE DOBLE IMPOSICIÓN SOBRE LOS IMPUESTOS LOCALES

En términos generales, son dos los principales efectos de la aplicación de los CDI a los impuestos locales:

En primer lugar, los residentes del otro Estado contratante no podrán quedar sometidos a una imposición que contravenga las reglas distributivas del convenio, lo que implica que la imposición local sobre los residentes del otro Estado contratante deba respetar las exigencias derivadas del convenio que resulte aplicable. Esta limitación al ejercicio del poder tributario tiene como principales manifestaciones, en el ámbito de la imposición local, la imposición del patrimonio, la imposición sobre las ganancias de capital y (con las dudas planteadas más arriba) la imposición de las rentas empresariales.

Respecto a la imposición sobre el patrimonio de naturaleza inmueble, la mayoría de los CDI firmados por España (seguidores del MC OCDE) permiten al Estado de la fuente ejercer su potestad tributaria sin limitación alguna impuesta por el convenio, es decir, conforme a la normativa tributaria interna del Estado donde esté ubicado el inmueble (art. 22.1 MC OCDE). Por tanto, con carácter general, se contempla la posibilidad de imposición compartida entre el Estado de situación de los bienes inmuebles y el Estado de residencia del poseedor del patrimonio. En consecuencia, un residente en cualquiera de los Estados con los que España tenga suscrito CDI en vigor que cubra los impuestos locales sobre el patrimonio, en cuanto posea un bien inmueble en territorio español estará sujeto al IBI, y si existe normativa interna en el Estado de residencia que permita también el gravamen, éste último tendrá que aplicar las disposiciones convencionales relativas a la eliminación de la doble imposición.

Sin embargo, la imposición sobre otros elementos patrimoniales de naturaleza mueble podrá mantenerse en el Estado de la fuente si dicho patrimonio constituido por bienes muebles forma parte del activo de un establecimiento permanente (EP) de una empresa del otro Estado contratante (art. 22.2 MC OCDE). El resto de los elementos patrimoniales no podrán someterse a gravamen en el Estado de la fuente, de forma que sólo podrán estar sometidos a imposición en el Estado de residencia del titular de estos (art. 22.4 MC OCDE)[46]. Esta última matización es importante para determinar la aplicación del IVTM a las personas y entidades residentes en el otro Estado contratante que sean titulares de vehículos de tracción mecánica aptos para circular por las vías públicas españolas, ya que, en presencia de un CDI que incluya este impuesto local dentro de su

---

[46] El patrimonio constituido por buques o aeronaves explotados en el tráfico internacional o por embarcaciones utilizadas en la navegación por aguas interiores, así como por bienes muebles afectos a la explotación de tales buques, aeronaves o embarcaciones, se gravará, conforme al art. 22.3 MC OCDE, exclusivamente en el Estado contratante en que resida la sociedad explotadora.

ámbito de aplicación, el tributo no podrá exigirse cuando el vehículo no se encuentre afecto a un EP ubicado en nuestro país.

Por otra parte, las plusvalías derivadas de la transmisión de la propiedad de terrenos de naturaleza urbana han de considerarse, en términos convencionales, ganancias del capital. La mayoría de los convenios suscritos por España establecen que las ganancias derivadas de la enajenación de bienes inmuebles pueden someterse a imposición en el Estado contratante en el que estén situados (art. 13.1 MC OCDE). Se contempla nuevamente la posibilidad de imposición compartida entre el Estado de la fuente y el Estado de residencia del beneficiario de la plusvalía que, de producirse, obligaría a este último a eliminar la doble imposición.

En lo que atañe a la imposición sobre las rentas empresariales, mediando CDI aplicable, la existencia de un EP en terreno español constituye un elemento *sine qua non* para que la exacción pueda mantenerse en España, como Estado de la fuente. La aplicación de un impuesto sobre los beneficios empresariales de los sujetos y entidades residentes en el otro Estado contratante no puede exigirse cuando no posean un EP en España, pues de otro modo se vulneraría lo prescrito en el art. 7.1 MC OCDE. En distintas resoluciones de la DGT, la existencia o inexistencia de un EP, atendiendo a la definición convencional[47], se torna en el criterio básico para dilucidar si el IAE resulta

---

[47] El EP es un concepto autónomo y clásico de la fiscalidad internacional, contenido en los convenios tributarios y elaborado, generalmente, a partir de las definiciones propuestas en los distintos modelos de convenio tributario (principalmente los auspiciados por la OCDE y la ONU). Se trata de un concepto complejo que, además, ha experimentado una importante evolución en los últimos años. A efectos de este trabajo nos limitamos a destacar que el art. 5.1 MC OCDE (2017) recoge la denominada cláusula general de EP. Conforme a dicha cláusula, a efectos convencionales, el término EP "significa un lugar fijo de negocios a través del cual la empresa realiza toda o parte de su actividad". Esta definición de EP se acompaña de una lista ejemplificativa (no exhaustiva) recogida en el art. 5.2 MC OCDE, que incluye las sedes de dirección, sucursales, oficinas, fábricas, talleres y minas, pozos de petróleo o gas, canteras o cualquier otro lugar de extracción de recursos naturales. Por otra parte, el art. 5.4 MC OCDE excluye expresamente de la definición de EP contenida en el art. 5.1, determinados lugares (instalaciones, depósitos de bienes o mercancías y otros lugares fijos de negocio) que se utilicen exclusivamente para una actividad de carácter auxiliar o preparatorio, considerando como tales las actividades de almacenaje, exposición o entrega de bienes o mercancías bien a los clientes, bien a otras empresas con el fin de que sean transformadas por estas últimas; las centrales de compras o de recogida de información para la empresa; las actividades de publicidad, suministro de información, de realización de investigaciones científicas, prestación de asistencia en la ejecución de un contrato de cesión de patente o de conocimientos prácticos; y cualquier combinación de las actividades anteriores. No obstante, dicha exclusión se condiciona a la verificación de que la actividad desarrollada tiene realmente carácter preparatorio o auxiliar, es decir, no es una actividad esencial o significativa para el desarrollo del modelo de negocio de la empresa. Para un análisis más exhaustivo de este concepto y su evolución, *vid.*, S. Moreno González, "Las reglas de reparto de la potestad tributaria en los convenios para evitar la doble imposición", en S. Moreno González y J. Nocete Correa (Dirs), *Introducción a la fiscalidad internacional*, Atelier, Barcelona, 2020, págs. 92-101.

o no exigible a los no residentes (en puridad, residentes del otro Estado contratante) que realicen una actividad económica en nuestro país sometida al IAE, cuando quedan amparados por un convenio que cubre los impuestos locales sobre la renta[48].

En segundo lugar, como se señaló anteriormente, la aplicación del CDI a los impuestos locales resulta relevante para determinar la correcta reacción del Estado de residencia a efectos de eliminar o mitigar la doble imposición internacional generada mediante la aplicación del método o métodos previstos en el art. 23 del MC OCDE. En la medida en que los impuestos locales sobre la renta y el patrimonio queden incluidos dentro de los impuestos comprendidos en el CDI, el Estado de residencia debe tomarlos en cuenta a la hora de aplicar el método de eliminación de la doble imposición que corresponda.

Ahora bien, es obligado recordar que, aun cuando el CDI no extienda sus efectos a los impuestos locales sobre la renta y el patrimonio, los artículos análogos a los arts. 24 (principio de no discriminación), 26 (intercambio de información) y 27 (asistencia a la recaudación) del MC OCDE pueden tener un ámbito de aplicación que vaya más allá de los impuestos comprendidos en el art. 2.

3. LA INCIDENCIA DEL DERECHO DE LA UE SOBRE EL PODER TRIBUTARIO DE LAS ENTIDADES LOCALES

En principio, el Derecho de la UE no tiene en cuenta la organización político-territorial interna de los Estados miembros. El ordenamiento supranacional sólo se ocupa de distribuir y delimitar las competencias entre los Estados miembros y la Unión, a través de los ya mencionados principios de atribución de competencias, subsidiariedad y proporcionalidad, pero no predetermina la estructura interna de los países que la integran.

En este orden de ideas, el TJUE ha declarado de forma reiterada que el ordenamiento de la UE reconoce la libertad de los Estados miembros para organizarse internamente y repartir las competencias (también en materia tributaria) entre sus distintos niveles

---

[48] La resolución de la DGT de 31 de octubre de 2003 (n° 1782-2003) considera que la oficina de representación y el almacén frigorífico para depósito de mercancías sitos en territorio español de una entidad francesa dedicada a la distribución y venta de congelados no pueden considerarse establecimientos permanentes si se limitan a realizar actividades preparatorias y auxiliares, por lo que el IAE no resulta exigible. Igualmente, la resolución de la DGT de 3 de junio de 2009 (n° V1305-09), relativa a la sujeción a IAE de una sociedad residente en Bélgica que deposita en las instalaciones de una sociedad española materias primas de su propiedad para que esta las transforme, concluye la no exigencia de IAE al no existir EP en España, siempre que la sociedad española no asuma otros riesgos o realice funciones diferentes a la fabricación.

de gobierno, siempre que ello no menoscabe la efectividad del Derecho de la UE, ni impida el cumplimiento de las obligaciones impuestas por este último[49].

Por tanto, el Derecho de la UE no impone ni condiciona el modo en que un Estado miembro organiza internamente el ejercicio del poder tributario, ni se opone a que los entes regionales y locales dispongan de potestad tributaria en virtud de la cual puedan establecer y aplicar tributos. Ahora bien, esto no significa que a la UE no le concierna en absoluto esta cuestión. En primer lugar, le atañe en la medida en que esa organización interna suponga una pérdida de efectividad del Derecho de la UE. En segundo lugar, ello no impide que el ordenamiento de la UE afecte al Derecho sustantivo que se está aplicando (a nuestros efectos, el Derecho tributario), sea quien sea el ente o autoridad que tenga atribuida la competencia y la esté ejercitando[50].

Cabe concluir, pues, que el ejercicio de las competencias tributarias locales está condicionado por el ordenamiento de la UE, tanto originario como derivado, del mismo modo que el ejercicio del poder tributario por parte de los Estados miembros, habida cuenta de la supremacía de aquel[51]. Un incumplimiento de tales obligaciones puede llegar a tener consecuencias económicas rigurosas, como la devolución de ingresos tributarios indebidos, la recuperación de las ayudas ilegales e incompatibles de sus beneficiarios, sin olvidar las cuestiones relativas a la responsabilidad patrimonial. Aunque el responsable último ante las instancias europeas en caso de incumplimiento del Derecho de la UE es el Estado en cuanto tal, de acuerdo con el orden constitucional de distribución de competencias, cada Administración es responsable de cumplir internamente con las obligaciones impuestas por el ordenamiento de la UE, lo que conlleva que la Administración General del Estado pueda repercutir total o parcialmente sobre la Administración que corresponda la responsabilidad derivada del incumplimiento del Derecho de la UE en función de su grado de responsabilidad[52].

---

[49] *Vid.*, entre todas, SSTJUE de 12 de junio de 1990, *Comisión/Alemania*, C-8/88, ap. 13; de 10 de noviembre de 1992, *Hansa Fleisch Ernst Mundt GmbH & Co KG/Landrat des Kreises Schleswig-Flensburg*, C-156/91, ap. 23.

[50] F. M. Carrasco González. "Las libertades de la Unión Europea y el ejercicio del poder tributario de los entes regionales", en *Armonización, Coordinación Fiscal y Lucha contra el Fraude*, CEF, Madrid, 2011, pág. 407.

[51] Para un estudio general sobre la incidencia del Derecho de la UE sobre la autonomía fiscal de las regiones y entidades locales *vid.* E. Traversa. *L'autonomie fiscal des régions et des collectivités locales face au droit communautaire. Analyse et réflexion á la lumiére des expériences belge et italienne*, Larcier, Bruxelles, 2010.

[52] La Ley Orgánica 2/2012, de 27 de abril, de Estabilidad Presupuestaria y Sostenibilidad Financiera (LOEPSF), otorga carácter general al principio de responsabilidad por incumplimiento de normas de Derecho de la UE. Este principio permite repercutir a la Administración incumplidora las responsabilidades derivadas de cualquier acción u omisión contraria al ordenamiento europeo que haya realizado en el ejercicio de sus competencias. A partir de estas premisas, y en desarrollo de la disposición

Pues bien, la incidencia del Derecho de la UE sobre el ordenamiento tributario local se produce desde varios aspectos o ángulos, todos ellos complementarios para la consecución de los objetivos de la UE[53]. Por un lado, la consolidación del mercado interior ha llevado al TJUE a reforzar los derechos individuales derivados del ejercicio de las libertades fundamentales, eliminando el tratamiento discriminatorio de los nacionales de otros Estados miembros que pretenden ejercer dichas libertades o eliminando las restricciones injustificadas al ejercicio de estas, incluso por parte de los propios nacionales. Por otra parte, la extensión del concepto de ayuda estatal al ámbito tributario condiciona la utilización del tributo como mecanismo de política económica, fundamentalmente por lo que se refiere al establecimiento de beneficios y exenciones fiscales, circunstancia a la que no han sido ajenos los tributos locales. Finalmente, la acción del ordenamiento de la UE, tanto en el ámbito de la fiscalidad como en otros ámbitos distintos, desarrollada mediante normas de Derecho derivado también deja sentir su influencia, en ocasiones de forma muy relevante, sobre la regulación y aplicación de los tributos locales.

3.1. INCIDENCIA DE LAS LIBERTADES DE LA UE

3.1.1. Consideraciones previas

En principio, la aplicación del régimen de libertades fundamentales de la UE a los entes locales no presenta especialidades reseñables, es decir, las disposiciones de los Tratados reguladoras de las libertades de la UE, así como la interpretación que el TJUE ha efectuado sobre el significado y alcance de estas, son aplicables al poder tributario de regiones y entes locales, al igual que al poder tributario de los Estados miembros.

En una apretada síntesis, puede afirmarse que, en el ámbito de la fiscalidad, las libertades comunitarias de establecimiento y circulación prohíben toda medida tributaria que establezca una diferencia de trato entre residentes y no residentes, cuando ambos se encuentren en situaciones comparables y no exista un motivo de interés general que justifique la discriminación. Igualmente, se prohíben las medidas tributarias que supongan una restricción injustificada o desproporcionada a la libre circulación de bienes, servicios, personas y capitales, desincentivando o disuadiendo el ejercicio de una libertad en otro Estado miembro (e incluso, en el caso de la libre circulación de capitales, los movimientos con terceros países).

---

adicional segunda de la LOEPSF, se aprueba el Real Decreto 515/2013, de 5 de julio, por el que se regulan los criterios y procedimiento general para determinar y repercutir las responsabilidades por incumplimiento del Derecho de la UE.

[53] F. A. García Prats, ob. cit., pág. 450.

Ahora bien, una norma tributaria discriminatoria o que restrinja una libertad fundamental no es de forma directa y automática contraria al ordenamiento de la UE, puesto que tal discriminación o restricción puede estar justificada por algunas de las causas previstas en el propio TFUE o por las denominadas "razones imperiosas de interés general", entre las que destacan la necesidad de garantizar la coherencia del sistema tributario, el riesgo de evasión fiscal, la eficacia de los controles fiscales o el equilibrio del reparto del poder tributario. Es preciso, además, que la restricción sea proporcionada —es decir, sea adecuada para garantizar la realización del objetivo perseguido y no vaya más allá de lo necesario para alcanzarlo— y respete los principios y derechos fundamentales del ordenamiento de la UE, entre ellos, el de seguridad jurídica[54].

En el ámbito de la imposición local es especialmente relevante la reconsideración del alcance territorial de las ventajas y beneficios fiscales a la luz de la jurisprudencia comunitaria. El Tribunal de Justicia de la UE ha sostenido que la limitación del alcance territorial de las ventajas y beneficios fiscales no justifica el mantenimiento de mecanismos tributarios que restrinjan el ejercicio de los derechos asociados a las libertades fundamentales. De hecho, estas exigencias también se han aplicado a los impuestos locales en varias sentencias.

Así, en la sentencia de 26 de octubre de 1999, asunto C-294/97, *Eurowings*, el TJUE enjuició el trato dispar que sufrían en el impuesto sobre actividades económicas alemán los arrendamientos financieros, dependiendo de que se hubieran celebrado con los arrendadores establecidos en Alemania o en otro Estado miembro. Según el TJUE, la norma que reserva una ventaja fiscal a la mayor parte de las empresas que alquilan bienes de arrendadores establecidos en dicho Estado, mientras que priva de ellas en todos los casos a las empresas que alquilan bienes de arrendadores establecidos en otro Estado miembro, provoca una diferencia de trato por razón del lugar de establecimiento del prestador de los servicios prohibida por el art. 49 del TCE (actual art. 56 TFUE).

Es, asimismo, significativa la STJUE de 29 de noviembre de 2001, C-17/00, *Frank de Coster*, que responde a una cuestión prejudicial sobre la conformidad con la libre prestación de servicios de un impuesto municipal belga sobre el uso de antenas parabólicas, creado por una corporación local a través de una ordenanza fiscal, que aplicaba una cuota fija de 5.000 francos belgas por antena, con independencia de su tamaño, y que se devengaba por años naturales completos con independencia de su colocación durante el período impositivo.

El TJUE, tras recordar el significado y alcance de la libre prestación de servicios (arts. 56 a 62 TFUE), observó que la creación de un impuesto sobre las antenas parabólicas tiene como efecto imponer a la recepción de emisiones televisadas difundidas

---

54 *Vid.*, F. M. Carrasco González, "Fiscalidad de la Unión Europea y su impacto en el Derecho tributario español", ob. cit., págs. 1161-1165.

por satélite un gravamen que no recae sobre la recepción de emisiones transmitidas por cable, puesto que este último medio de recepción no está sujeto a un impuesto similar a cargo del destinatario. Advirtió, además, que mientras los organismos de radiodifusión establecidos en Bélgica tenían acceso ilimitado a la distribución por cable en ese Estado miembro, no ocurría lo mismo con las emisiones ofrecidas por organismos de radiodifusión establecidos en otros Estados miembros, que experimentaban límites importantes, por lo que la mayoría de las emisiones de radiodifusión televisada difundidas a partir de dichos Estados miembros sólo podían ser captadas por antenas parabólicas. Por tanto, el resultado era un claro obstáculo a la libre prestación de servicios por parte de los operadores establecidos fuera de Bélgica. El ayuntamiento creador del impuesto invocó en apoyo de la ordenanza fiscal su intención de limitar la proliferación anárquica de antenas parabólicas en su territorio y de preservar de esta forma la calidad del medio ambiente. A este respecto, aunque el Tribunal admitió que la consecución del objetivo de protección invocado tenía entidad suficiente para justificar un obstáculo a la libre prestación de servicios, el citado impuesto iba más allá de lo necesario para alcanzar dicho objetivo, ya que pueden concebirse otros medios distintos del impuesto controvertido menos restrictivos para la libre prestación de servicios, como la adopción de disposiciones reguladoras del tamaño de las antenas, de su localización y de las modalidades de instalación de éstas en el edificio o en las inmediaciones de éste, o de la utilización de antenas colectivas.

Este último asunto pone de manifiesto, como ha advertido GARCÍA PRATS, que, a pesar del ejercicio estrictamente territorial de las competencias tributarias locales, la selección de determinados hechos imponibles o presupuestos de hecho tributarios puede incidir, siquiera de forma indirecta, en el ejercicio de las libertades fundamentales comunitarias, particularmente sobre la libre prestación de servicios[55].

En esta línea cabe recordar que entre los principios reguladores e inspiradores de los tributos establecidos por las entidades locales al amparo del art. 106.1 de la Ley 7/1985, de 2 de abril, Reguladora de las Bases del Régimen Local, se encuentra el de "no implicar obstáculo alguno para la libre circulación de personas, mercancías, o servicios y capitales, ni afectar de manera efectiva a la fijación de la residencia de las personas o la ubicación de empresas y capitales dentro del territorio español, sin que ello obste para que las entidades locales puedan instrumentar la ordenación urbanística de su territorio" [art. 6.c) TRLRHL][56]. Aunque el sentido y alcance de los principios mencionados era originariamente distinto y más limitado, no apreciamos inconveniente en interpre-

---

[55] F. A. García Prats, ob. cit., pág. 451.

[56] Esta exigencia supone la adecuación y proyección al ámbito de las haciendas locales del límite que el art. 157.2 de la Constitución Española establece para el ordenamiento de las Comunidades Autónomas, conforme al cual éstas no podrán en ningún caso adoptar medidas tributarias sobre bienes situados fuera de su territorio o que supongan un obstáculo para la libre circulación de mercancías o servicios.

tar tales principios en clave europea, esto es, en otorgar un alcance no simplemente estatal, sino también comunitario a la exigencia de respeto de las libertades de circulación y de establecimiento.

3.1.2. La evolución de la exención del IAE ex art. 82.1.c) TRLRHL

En el ámbito del IAE la exención fiscal que ha despertado mayor polémica desde la perspectiva de su adecuación a las libertades comunitarias fundamentales es la contenida en el art. 82.1.c) TRLRHL. Con anterioridad a la Ley 11/2021, de 9 de julio, de medidas de prevención y lucha contra el fraude fiscal, este precepto preveía la exención del IAE de:

> "Las personas físicas.
> Los sujetos pasivos del Impuesto sobre Sociedades, las sociedades civiles y las entidades del artículo 35.4 de la Ley 58/2003, de 17 de diciembre, General Tributaria, que tengan un importe neto de la cifra de negocios inferior a 1.000.000 de euros.
> En cuanto a los contribuyentes por el Impuesto sobre la Renta de no Residentes, la exención sólo alcanzará a los que operen en España mediante establecimiento permanente, siempre que tengan un importe neto de la cifra de negocios inferior a 1.000.000 de euros".

Esta exención, de enorme importancia cuantitativa[57], tenía carácter automático y fue respaldada por la Audiencia Nacional[58] y el Tribunal Supremo[59], pese a las duras críticas doctrinales acerca de su constitucionalidad por contravención de los principios de capacidad económica, generalidad e igualdad tributaria.

En términos de tributación de los no residentes, la deficiente redacción del precepto dio lugar a dos posibles interpretaciones en lo que al alcance de la exención se refiere. Así, un sector doctrinal defendió la exención absoluta en el IAE de todas las personas físicas, fueran o no residentes en territorio español, apoyándose en una interpretación literal del primer párrafo del art. 82.1.c) TRLRHL, así como en lo manifestado en la Exposición de Motivos de la Ley 51/2002, que citaba textualmente a "todas las personas físicas"[60].

---

[57] La citada exención se introdujo en la Ley de Haciendas Locales por la Ley 51/2002, de 27 de diciembre. Con ella se buscaba excluir de tributación efectiva por IAE a la mayoría de los sujetos pasivos del impuesto, objetivo que se alcanzó con creces, ya que, según diversas estimaciones, más de un 90% de dichos sujetos pasivos dejaron de tributar por este impuesto. *Vid*. A. Delgado Mercé y M. Rodríguez Serrano. "El Impuesto sobre Actividades Económicas", en *Los Tributos Locales y el Régimen Fiscal de los Ayuntamientos*, Lex Nova-Thomson Reuters, Valladolid, 2014, págs. 79-81.

[58] *Vid*. Sentencias de 30 de marzo de 2006 (nº 141/2005), 21 de febrero de 2007 (nº 1363/2005), 15 de febrero de 2008 (nº 374/2006) y 25 de abril de 2008 (nº 372/2006).

[59] Sentencia de 9 de marzo de 2011 (rec. cas. nº 2996/2007).

[60] Entre otros, F. Poveda Blanco, "La reforma del Impuesto sobre Actividades Económicas. Una revisión crítica", *Tributos Locales*, nº 25, 2003, págs. 19-20; M. B. Villaverde Gómez, "Las novedades en la regulación del Impuesto sobre Actividades Económicas", *Revista Técnica Tributaria*, nº 61, 2003, págs. 141-142; A. Agulló Agüero, "Aproximación crítica a la Ley 51/2002, de 27 de diciembre, de

Frente a esta postura, una segunda posición doctrinal, sobre la base de una interpretación sistemática de los párrafos primero y tercero del art. 82.1.c) y, a su vez, de este artículo con otros preceptos dedicados al impuesto [en especial, art. 88.1.b) TRLRHL], concluyó que la exención de las personas físicas a que se refería el párrafo primero del art. 82.1.c) TRLHL alcanzaba únicamente a quienes fueran contribuyentes por el IRPF, de modo que las personas físicas no residentes en territorio español, contribuyentes por el Impuesto sobre la Renta de No Residentes (IRNR), solo gozarían de la exención en los términos del párrafo tercero del art. 82.1.c)[61]. Esta segunda interpretación fue, asimismo, acogida por la Dirección General de Tributos[62].

Las disparidades que la norma introducía entre sujetos residentes y no residentes, en especial en lo que a las personas físicas se refiere suscitó dudas sobre su sintonía con la jurisprudencia comunitaria relativa al respeto de las libertades comunitarias fundamentales en materia de imposición directa y, en particular, con las exigencias que dimanan de las libertades de establecimiento (arts. 49 a 55 TFUE) y libre prestación de servicios (arts. 56 a 62 TFUE)[63].

En este sentido, con la finalidad de evitar discrepancias con el Derecho de la UE, la Ley 11/2021, de 9 de julio, de medidas de prevención y lucha contra el fraude fiscal,

---

Reforma de la Ley Reguladora de las Haciendas Locales", *Revista de Información Fiscal*, nº 58, 2003, págs. 21 y ss.; A. García Martínez, "El Impuesto sobre Actividades Económicas", en *Los Tributos Locales*, Thomson-Civitas, 2ª edición, Madrid, 2010, págs. 244-256.

[61]   En esta línea S. Aníbarro Pérez, "La reforma del impuesto sobre actividades económicas a la luz de la Jurisprudencia del Tribunal de Justicia de las Comunidades Europeas", *Jurisprudencia Tributaria Aranzadi*, nº 13, 2003 [BIB 2003, 1215]. Para esta autora "la intención del legislador al redactar el precepto ahora examinado fue ciertamente la de declarar exentos, sin más requisitos, únicamente a los contribuyentes por el Impuesto sobre la Renta de las Personas Físicas, y ello porque de otro modo resultarían difícilmente explicables, por inútiles, otras normas que la Ley de reforma también recoge en relación con el IAE, muy en particular la bonificación por inicio de actividad profesional, prevista en el artículo 89.1.b) de la LRHL [actual art. 88.1.b) TRLRHL], en su redacción dada por la Ley 51/2002, que sólo resulta aplicable a las personas físicas, dado que son las únicas que a efectos del impuesto realizan formalmente actividades de carácter profesional, de modo que la previsión de dicha bonificación no tendría sentido, al quedar vacía de contenido, si se hubiera pretendido eximir a todas las personas físicas". En parecidos términos F. A. García Prats, ob. cit., pág. 452; y J. Martín Fernández, y J. Rodríguez Márquez. *Manual de Derecho Financiero y Tributario Local*, Marcial Pons, Madrid, 2009, pág. 167.

[62]   La resolución de la DGT de 7 de mayo de 2003 (nº 616-03) sostuvo que la exención absoluta aplicable a las personas físicas en el pago del IAE, prevista en la letra c) del art. 83.1 [actual art. 82.1 TRLRHL] "se limita a los supuestos en que las personas físicas sean contribuyentes del Impuesto sobre la Renta de las Personas Físicas; si son contribuyentes del Impuesto sobre la Renta de no Residentes, la exención sólo alcanzará a las que operen en España mediante establecimiento permanente siempre que tengan un importe neto de la cifra de negocios inferior a 1.000.000 de euros".

[63]   *Vid*. F. A. García Prats, ob. cit., págs. 453-454.

ha modificado el art. 82.1.c) TRLRHL para considerar exentos del IAE a las personas físicas, en todo caso, sean o no residentes en territorio español[64].

3.2. INCIDENCIA DE LA PROHIBICIÓN GENERAL DE AYUDAS DE ESTADO

3.2.1. *Aproximación general al régimen europeo de control de ayudas de Estado y su proyección en el ámbito tributario*

Las entidades locales también pueden verse condicionadas en su actuación por las normas europeas en materia de ayudas de Estado. En el ámbito tributario, esa incidencia se traduce en la imposición de límites sobre dos aspectos principales: de un lado, el establecimiento por parte del legislador estatal de beneficios fiscales en los diferentes impuestos locales contenidos en la normativa reguladora de las haciendas locales; de otro, el ejercicio, por parte de las entidades locales, de sus limitadas facultades normativas en materia tributaria. Por consiguiente, es pertinente efectuar una aproximación general a dicho régimen y su proyección en el ámbito tributario, para abordar seguidamente los problemas planteados por algunos beneficios fiscales existentes en varios impuestos locales desde la óptica de la prohibición general de ayudas de Estado.

El régimen jurídico de las ayudas de Estado se contiene en los arts. 107 a 109 del TFUE. El Reglamento (CE) nº 2015/1589 del Consejo, de 13 de julio de 2015, desarrolla el art. 108 del TFUE y codifica la práctica existente en relación con las distintas clases de ayudas de Estado y los procedimientos de control que desarrolla la Comisión. Esta regulación vinculante se completa con distintos instrumentos de *soft law* elaborados por la Comisión (comunicaciones, directrices, etc.) que orientan su actuación en la materia.

El control de las ayudas de Estado constituye un elemento clave del Derecho europeo de la competencia. Desde sus orígenes, la UE ha considerado que las ayudas públicas concedidas bajo formas diversas por los Estados miembros a favor de una o varias empresas, en detrimento de sus competidoras, puede suponer un obstáculo para la construcción de un auténtico mercado único, al poner en peligro el principio de libre competencia, pilar sobre el que se asienta el proceso de integración europea. Por ello, la finalidad del régimen jurídico de las ayudas de Estado es proteger la libre competencia

---

[64] Además, con el objeto de reforzar las medidas antielusión previstas en la norma y evitar que pueda ser inaplicada la regla de acumulación de los importes netos de la cifra de negocios correspondientes a los miembros de un grupo mercantil que determina la tributación en el impuesto, se actualizan las referencias normativas para la consideración de grupo de entidades y se aclara que la regla para el cálculo del importe neto de la cifra de negocios se deberá aplicar con independencia de la obligación de consolidación contable.

en el mercado interior, de modo que se garantice el libre acceso al mercado de los agentes económicos y se desarrolle la actividad de todos ellos en igualdad de condiciones.

El artículo 107.1 TFUE contiene el principio general de incompatibilidad de las ayudas de Estado con el mercado interior. De acuerdo con este precepto: "[s]alvo que los Tratados dispongan otra cosa, serán incompatibles con el mercado interior, en la medida en que afecten a los intercambios comerciales entre Estados miembros, las ayudas otorgadas por los Estados o mediante fondos estatales, bajo cualquier forma, que falseen o amenacen falsear la competencia, favoreciendo a determinadas empresas o producciones".

Aunque el art. 107.1 TFUE no ofrece una definición de ayuda estatal ni se refiere a las medidas tributarias como una de sus modalidades, atendiendo a la finalidad de este régimen (preservar la libre competencia en el mercado interior), el TJUE pronto consideró que el concepto de ayuda estatal comprende no sólo las medidas positivas, como las subvenciones, sino también aquellas intervenciones estatales indirectas que mitigan las cargas normalmente incluidas en el presupuesto de una empresa y que produzcan los mismos efectos que las subvenciones, entre las que cabe incluir, los incentivos y ventajas fiscales[65]. El beneficiario de una ayuda debe ser una empresa, pero el TJUE emplea un concepto amplio que abarca a todo sujeto (persona física o jurídica) que realice una actividad económica en un mercado abierto a la competencia, cualquiera que sea su estatuto jurídico y su forma de financiación. La actividad económica puede ejercerse de forma indirecta, siempre que se participe de forma efectiva en la gestión de la entidad controlada. Incluso se consideran empresas a las entidades sin fines lucrativos cuando ofrezcan bienes o prestaciones de servicios en un sector económico abierto a la competencia[66].

Admitido que una medida tributaria puede constituir una ayuda de Estado, el problema reside en averiguar qué requisitos son necesarios para adquirir dicha condición. Con carácter general, se considera que existe una ayuda estatal de naturaleza tributaria cuando la media cumpla cumulativamente los siguientes cuatro requisitos[67]:

En primer lugar, la medida debe ofrecer una ventaja económica que aligere las cargas fiscales que, por lo general, gravan el presupuesto de las empresas. Esta ventaja puede adoptar diferentes formas y, en particular, tratarse de una reducción en la base imponible, de una reducción total o parcial en la cuantía del impuesto, o del aplazamiento,

---

[65] STJUE de 23 de febrero de 1961, *Steenkolenmijnen/Alta Autoridad de la Comunidad Económica del Carbón y del Acero*, asunto 30/59.

[66] STJUE de 10 de enero de 2006, *Cassa di Risparmio di Firenze y otros*, C-222/04. STJUE de 27 de junio de 2017, *Escuelas Pías*, C-74/16.

[67] *Vid.* Comunicación de la Comisión relativa al concepto de ayuda estatal conforme a lo dispuesto en el art. 107.1 TFUE, DOUE C-262, de 19 de julio de 2016.

anulación o reescalonamiento excepcional de la deuda tributaria. Además, las ayudas pueden concederse no sólo a través de disposiciones normativas, sino también como consecuencia de una práctica administrativa. Así, se ha considerado que existe ventaja fiscal cuando se produce una situación de impago continuado y sistemático de impuestos y la Administración tributaria no actúa promoviendo los procedimientos oportunos para recuperar los impuestos debidos[68].

Seguidamente, la ventaja debe ser concedida por el Estado o mediante fondos estatales. La disminución de ingresos fiscales derivada de la concesión de beneficios fiscales equivale al consumo de fondos estatales en forma de gastos fiscales. El término Estado debe ser interpretado en sentido amplio, incluyendo en él las ayudas otorgadas por el gobierno central, por entes territoriales infraestatales (regiones, municipios, etc.) e incluso por organismos públicos y privados dependientes o bajo el control del Estado.

En tercer lugar, la medida debe afectar a la competencia y a los intercambios comerciales entre los Estados miembros. Conforme a la jurisprudencia comunitaria, este requisito se cumple a partir del momento en que la empresa beneficiaria de la ayuda ejerza una actividad económica que sea objeto de intercambio entre los Estados miembros y la medida sea apta para afectar a la competencia, si quiera de forma potencial. No obstante, en algunos casos, de relevancia menor, la Comisión ha considerado que determinadas actividades de impacto exclusivamente local no afectan a los intercambios comerciales entre Estados miembros. Por otra parte, se entiende que las denominadas ayudas *de minimis* no distorsionan la competencia y, por tanto, no es precisa su notificación[69].

Por último, la medida debe ser selectiva en el sentido de favorecer determinadas empresas o producciones. Este requisito está estrechamente vinculado con el primero de los requisitos mencionados (ventaja económica) y, en la práctica, constituye el requisito más difícil de verificar. Conviene aclarar, de forma previa, que las ventajas fiscales de carácter general quedan fuera del ámbito de aplicación del art. 107.1 TFUE, entendiendo por tales aquellas que se encuentran abiertas a todos los agentes económicos que actúan en el territorio de un Estado miembro. En concreto, la Comisión entiende que, siempre que se apliquen a todas las empresas y a todas las producciones, sin distinciones basadas en el tamaño, la ubicación o el sector de actividad, no constituyen ayudas estatales:

---

[68] STJUE de 14 de septiembre de 2004, *Comisión/España*, C-276/02.

[69] Desde el 1 de enero de 2014 hasta el 31 de diciembre de 2023, el Reglamento (UE) n° 1407/2013, de 18 de diciembre [modificado por el Reglamento (UE) 2020/972 de la Comisión, de 2 de julio de 2020] considera que las medidas de ayuda no reúnen todos los requisitos del art. 107.1 TFUE y, por tanto, están exentas de la obligación de notificar establecida en el art. 108.3 TFUE, cuando la ayuda total concedida a una empresa determinada no supere los 200.000 euros durante cualquier período de tres ejercicios fiscales o, si la ayuda es concedida a una empresa que opera en el sector del transporte por carretera, no es superior a los 100.000 euros en idéntico período.

(i) las medidas de pura técnica fiscal, como fijación de tipos impositivos, de normas de depreciación y amortización y de aplazamiento de pérdidas o normas destinadas a evitar la doble imposición o la evasión fiscal; (ii) las medidas destinadas a lograr un objetivo de política económica general mediante la reducción de la carga fiscal asociada a determinados costes de producción. Por otra parte, el hecho de que determinadas empresas o sectores se beneficien más que otros de estas medidas generales no significa que puedan considerarse ayudas de Estado (por ejemplo, los incentivos fiscales destinados a inversiones medioambientales, a la I+D y a la formación y el empleo, de los que solo disfrutan las empresas que lleven a cabo tales inversiones).

Sin embargo, la conclusión puede ser distinta si el incentivo fiscal sólo es aplicable a una o varias empresas, es decir, si es selectivo, siendo éste el elemento que tiene unos perfiles más borrosos de cuantos integran el concepto de ayuda estatal, particularmente al aplicarlo a las medidas de naturaleza tributaria donde "todo sistema de bonificación fiscal tiene por efecto exonerar un conjunto o una categoría de contribuyentes de las obligaciones que comporta el régimen común"[70].

Desde un punto de vista metodológico, para determinar si se está en presencia de una ventaja fiscal selectiva, el TJUE suele seguir la denominada prueba de los tres pasos (*derogation test*)[71]. Conforme a esta prueba, una ventaja fiscal se concibe como una excepción a la aplicación del régimen tributario general, esto es, como una derogación de la norma general, con independencia de la forma en que se instrumente la excepción. Dicha ventaja debe, además, ser selectiva, es decir, favorecer a determinadas empresas o producciones en relación con otras que se encuentren en una situación fáctica y jurídica comparable, habida cuenta del objetivo perseguido por el referido régimen[72]. Ahora bien, la medida fiscal no se considerará selectiva (y, por tanto, no será ayuda estatal) cuando el tratamiento diferenciado esté justificado por la "naturaleza y economía del sistema"[73]. Ello sucederá cuando el tratamiento diferenciado derive directamente de los

---

[70] Conclusiones del Abogado General Sr. Ruiz Jarabo a la STJCE de 19 de mayo de 1999, asunto C-6/97, *Italia/Comisión*, ap. 27.

[71] No obstante, en algunas ocasiones, el Tribunal de Justicia se ha apartado de la aplicación de la referida prueba de los tres pasos a la hora de apreciar la selectividad de la medida. Así sucedió, por ejemplo, en la STJUE de 15 de noviembre de 2011, *Comisión/Gibraltar y Reino Unido*, C-106/09 P y C-107/09 P, en la que se calificó como selectivo un sistema tributario globalmente considerado. Por otra parte, la aplicación de la prueba de derogación plantea problemas en el caso de la denominada fiscalidad asimétrica, esto es, los impuestos que gravan determinados actos o consumos específicos (v. gr., tributos ecológicos), donde es difícil determinar el marco de referencia a partir del cual identificar la ventaja selectiva (SSTJUE de 22 de diciembre de 2008, *British Aggregates Association/Comisión*, C-487/06; 4 de junio de 2015, *Kernkraftwerke Lippe-Ems*, C-5/14; 26 de abril de 2018, *ANGED*, C-233 a 236/16).

[72] STJUE de 8 de noviembre de 2001, *Adria-Wien Pipeline*, C-143/99, ap. 41.

[73] Expresión empleada por primera vez en la STJUE de 2 de julio de 1974, *Italia/Comisión*, 173/73, ap. 33.

principios fundadores o directivos del sistema fiscal del Estado miembro (v. gr. capacidad económica, igualdad), o cuando se trate de medidas cuya racionalidad económica las haga necesarias y funcionales con respecto a la lógica y eficacia del sistema fiscal. En todo caso, sólo se admiten justificaciones basadas en los objetivos inherentes o características intrínsecas del propio sistema fiscal[74] y el principio de proporcionalidad constituye un límite al tratamiento diferenciado amparado por la excepción.

Tradicionalmente, el carácter selectivo de una medida de ayuda puede derivar de la aplicación de distintos criterios. Se suele distinguir entre una selectividad basada en factores sustantivos (selectividad material) y una selectividad fundamentada en aspectos geográficos (selectividad territorial).

En relación con la selectividad material, la Comisión y la jurisprudencia comunitaria interpretan este criterio de manera muy amplia. Se consideran selectivas las ventajas concedidas a favor de una sola empresa[75], las que benefician a ciertas categorías de empresas[76], a ciertas producciones o actividades dentro de un sector de actividad[77], o a un sector completo de actividad[78]. Asimismo, una norma tributaria teóricamente general puede considerarse selectiva *de facto* cuando reduce su ámbito de aplicación mediante el establecimiento de requisitos no vinculados a la finalidad de la medida o cuando la Administración dispone de una amplia potestad discrecional para conceder la ventaja fiscal[79]. En alguna ocasión, la jurisprudencia comunitaria ha afirmado que una medida tributaria incurre en selectividad material en la medida en que establezca un diferente tratamiento fiscal entre residentes y no residentes sin una justificación razonable para ello[80]. En su jurisprudencia más reciente, el TJUE destaca que la técnica normativa empleada no es decisiva para estimar que una medida fiscal es selectiva, de manera que no siempre es necesario que tenga carácter excepcional con respecto a un régimen tributa-

---

[74] Ejemplos de tratos diferenciados justificados son la progresividad de un baremo impositivo sobre los ingresos o los beneficios, el cálculo de las amortizaciones del activo o los métodos de valoración de existencias, las disposiciones establecidas en relación con la recaudación de deudas fiscales, los derivados de las diferencias objetivas entre contribuyentes o las disposiciones destinadas a evitar la doble imposición.

[75] STJCE de 14 de septiembre de 2004, *España/Comisión*, C-276/02.

[76] Por ejemplo, las dedicadas a la producción de bienes corporales frente a las que se dedican a la prestación de servicios, STJCE de 8 de noviembre de 2001, *Adria-Wien Pipeline*, C-143/99.

[77] STJCE de 3 de marzo de 2005, *W. Heiser/Finanzamt Innsbruck*, C-172/03.

[78] Tales como los beneficios fiscales a favor del sector bancario en el marco de un proceso de privatización. SSTJCE de 15 de diciembre de 2005, C-66/02 (*Italia/Comisión*) y C-148/04 (*Unicredito Italiano Spa*).

[79] STJUE de 18 de julio de 2013, *P Oy*, C-6/12.

[80] STJUE de 17 de noviembre de 2009, *Presidente del Consiglio dei Ministri y Regione Sardegna*, C-169/08. STJUE de 15 de noviembre de 2011, asuntos acumulados C-106/09 P y C-107/09 P, *Comisión y España/Reino Unido y Gibraltar*.

rio común o normal. Aunque una medida no tenga formalmente carácter de excepción y se base en criterios que, en sí, tengan carácter general, puede ser selectiva si provoca, de hecho, una discriminación entre sociedades que se encuentran en situaciones comparables con respecto al objetivo perseguido por el régimen tributario de que se trate[81]. Interpretación que contribuye a ampliar el alcance del art. 107.1 TFUE.

En este sentido, la STJUE de 15 de junio de 2006, *Air Liquide,* asuntos acumulados C-393/04 y C-41/05, examinó la compatibilidad con las normas europeas sobre ayudas de Estado de un impuesto municipal belga sobre la fuerza motriz empleada en la actividad económica y que establecía una exención de la que disfrutaban los motores utilizados en las estaciones de gas natural, con exclusión de los motores utilizados por otros gases industriales. El Tribunal de Justicia señaló que, dado que la referida ventaja fiscal no se aplicaba a todos los operadores económicos, sino que se otorgaba a las empresas que realizaban un determinado tipo de actividad (aquéllas que utilizan motores destinados a accionar compresores de gas natural), constituía una ventaja selectiva y, por tanto, una ayuda estatal.

La interpretación de la selectividad territorial ha generado no poca controversia, puesto que llevada a sus últimas consecuencias podría suponer una anulación del reconocimiento constitucional de la autonomía tributaria de los entes infraestatales. El problema se ha planteado porque, durante años, la Comisión identificó el sistema tributario general (marco de referencia desde el que analizar si una medida tributaria es una ayuda estatal) con el territorio del Estado miembro. En distintas decisiones de la Comisión, la autonomía tributaria de la autoridad infraestatal que establecía las medidas fiscales controvertidas no fue considerada un elemento capaz de excluir su calificación como ayuda estatal. Esta postura de la Comisión cuanto menos "inquietaba" a los Estados miembros con una organización territorial descentralizada o federal, pues suponía considerar "selectivas" las medidas tributarias de carácter general aprobadas por las entidades territoriales inferiores al Estado que gozan de autonomía tributaria.

Sin embargo, la STJUE de 6 de septiembre de 2006, *Portugal/Comisión*, C-88/03, relativa a la adaptación del sistema tributario portugués a las particularidades de la región autónoma de las Azores en lo relativo a la reducción de los tipos del impuesto sobre la renta, clarificó la cuestión. En ella, el Tribunal de Justicia ha aclarado qué requisitos deben concurrir para que los territorios que disponen de autonomía tributaria puedan ejercitarla sin necesidad de seguir el régimen tributario aplicable en el resto del Estado y sin que ello suponga una vulneración del artículo 107.1 del TFUE.

El Tribunal de Justicia señala que no siempre el marco de referencia desde el que apreciar la selectividad de una medida fiscal coincidirá con el territorio nacional en su

---

[81] SSTJUE de 15 de noviembre de 2011, asuntos acumulados C-106/09 P y C-107/09 P, *Comisión y España/Reino Unido y Gibraltar;* de 19 de diciembre de 2018, *A-Brauerei, C-374/17,* aps. 32 y 33; y 6 de octubre de 2021, *World Duty Free Group y España/Comisión,* C-51/19 P y C-64/19 P, ap. 61.

conjunto. En efecto, el Tribunal parte de la premisa general de que es posible que un ente regional o municipal goce de una posición legal y fáctica que le haga suficientemente autónomo en relación con el gobierno central del Estado miembro y le permita jugar un papel fundamental en la definición del ambiente político y económico en el que operan las empresas. En tal caso, el marco de referencia para determinar la generalidad o selectividad de la medida fiscal es el territorio en el que la entidad subcentral ejerce su competencia.

A continuación, el Tribunal distingue tres posibles situaciones:

En primer lugar, puede ocurrir que el poder central reserve únicamente la ventaja fiscal para una zona geográfica determinada del Estado. En este caso, es claro que la medida es selectiva, pero podría considerarse compatible sobre la base del art. 107.3.a) y c) del TFUE. Es lo que ha ocurrido con los beneficios fiscales aplicables exclusivamente en las Islas Canarias.

La segunda situación corresponde a un sistema constitucional en el que todas las autoridades de un determinado nivel subcentral tengan atribuida la competencia de aprobar, dentro de los límites de sus atribuciones, ciertas ventajas fiscales para el territorio de su competencia (distribución simétrica del poder tributario). En tal caso, la medida no puede ser selectiva desde una perspectiva geográfica o territorial, puesto que no es posible determinar un nivel impositivo normal que pueda funcionar como parámetro de referencia (lo que no impide que un incentivo fiscal introducido por un ente regional o local pueda ser considerado selectivo desde una óptica material o sustantiva, si no favorece a todas las empresas en una situación comparable). En esta situación se encontrarían las Comunidades Autónomas de régimen común.

Finalmente, en la tercera situación, la más problemática, una autoridad regional o local establece, en ejercicio de facultades suficientemente autónomas del poder central, una ventaja fiscal que es aplicable al conjunto de empresas que se localizan en su territorio (distribución asimétrica del poder tributario). En estos casos, según el TJUE, para que la medida no sea selectiva debe concurrir un grado de autonomía tal que sea el ente autónomo (y no el Estado) el que defina el entorno político y económico en el que se desenvuelven las empresas. Existe suficiente autonomía cuando concurran los siguientes requisitos: 1) autonomía institucional, esto es, la decisión es adoptada por una entidad regional o local con su propio estatuto constitucional, político y administrativo independiente del gobierno central; 2) autonomía procedimental, es decir, la decisión es adoptada por la autoridad regional o local siguiendo un procedimiento en el cual el gobierno central no tenga poder alguno para intervenir directamente en su contenido; 3) autonomía económica o financiera, esto es, la concesión de la ventaja fiscal por parte del ente regional o local no es compensado con subvenciones procedentes de otras regiones o del gobierno central, de modo que debe ser el propio ente regional o local que introduce la medida el que soporte las consecuencias financieras que deriven de ella[82].

Conviene aclarar, no obstante, que aunque en los supuestos de distribución asimétrica del poder tributario el marco de referencia sea el territorio de la entidad infraestatal, esta circunstancia no impide que un incentivo fiscal introducido por un ente subcentral pueda ser considerado selectivo desde una óptica material o sustantiva, si sólo favorece a determinadas empresas ubicadas en su territorio frente a otras, también establecidas en él y que se encuentran en una situación jurídica y fáctica comparable.

Ahora bien, aún en el supuesto en que una determinada ventaja fiscal selectiva se considere ayuda estatal, puede ser considerada compatible con el Derecho de la UE. Ello es debido a que la prohibición general de ayudas de Estado no es absoluta ni incondicional, puesto que el artículo 107 establece, en sus apartados 2 y 3, una serie de excepciones a dicha prohibición, a favor de ciertos tipos de ayudas públicas que, a pesar de que puedan de algún modo falsear la competencia e incidir sobre los intercambios comunitarios, se consideran beneficiosas para corregir determinados fallos o deficien-

---

[82] En el caso de España, la problemática de la selectividad geográfica se ha puesto en relación con la potestad tributaria de los territorios históricos del País Vasco y Navarra. La STJUE de 11 de septiembre de 2008, *Unión General de Trabajadores de la Rioja y otros,* asuntos acumulados C-428/06 a C-434/06, siguiendo la jurisprudencia Azores y Gibraltar, sentó las bases para considerar que concurren los tres requisitos de autonomía institucional, procedimental y económica de tales territorios (si bien, al tratarse de una cuestión prejudicial remite la decisión definitiva al juez nacional). Gozan de autonomía institucional porque cuentan con un estatuto constitucional, político y administrativo propio, reconocido en la Constitución española, en el Estatuto de Autonomía y en el Concierto económico. Por lo que se refiere a la autonomía procedimental, el Tribunal advierte que la obligación de que una entidad infraestatal tome en consideración el interés del Estado al objeto de respetar los límites de las competencias atribuidas a dicha entidad no constituye, en principio, un elemento que menoscabe la autonomía en materia de procedimiento de ésta cuando adopte una decisión dentro de los límites de esas competencias. Del examen del Derecho nacional aplicable se desprende que no cabe concluir que el Gobierno central pueda intervenir directamente en el proceso de adopción de una norma foral para imponer la observancia de principios como el de solidaridad o el de armonización fiscal. En lo que atañe a la autonomía económica y financiera, el Tribunal, tras reconocer la complejidad del método de cálculo del cupo y exponer brevemente su forma de determinación, rechaza la alegación de la Comisión según la cual el coeficiente de imputación está infravalorado y, en consecuencia, los Territorios Históricos contribuyen menos de lo que debieran a las cargas del Estado. A juicio del TJUE, "una infravaloración de dicho coeficiente tan sólo puede constituir un indicio de una falta de autonomía económica de los Territorios Históricos". Ahora bien, debe existir una compensación, es decir, una relación de causa a efecto entre una medida tributaria adoptada por las autoridades forales y los importes puestos a cargo del Estado español. Tras este pronunciamiento, varias sentencias del Tribunal Superior de Justicia del País Vasco de 22 de diciembre de 2008 concluyeron que las medidas fiscales controvertidas no constituyen ayudas de Estado por no ser selectivas [sentencias confirmadas, con posterioridad, por varias sentencias del Tribunal Supremo de 30 de marzo de 2012 (rec. nº 636/2009), 3 de abril de 2012 (rec. nº 1336/2010), 4 de abril de 2012 (rec. nº 648/2009) y 12 de marzo de 2013 (rec. nº 6952/2010)].

cias del mercado o persiguen determinados objetivos económicos o sociales que se consideran de interés común. Ahora bien, tales excepciones deben interpretarse de forma estricta.

Las ayudas enumeradas en el artículo 107.2 del Tratado son compatibles de forma automática con el mercado interior, de modo que la Comisión se limita a verificar si la medida puede realmente incluirse en alguno de los supuestos de excepcionalidad[83]. En cambio, el art. 107.3 TFUE recoge otros tantos supuestos en que las ayudas estatales "pueden ser declaradas compatibles" con el mercado interior, correspondiendo a la Comisión evaluar si concurre alguna circunstancia que haga que la ayuda sea compatible, tarea para la que dispone de un amplio margen de apreciación y que no ha estado exento de controversias con los Estados miembros[84]. El TJUE sólo controla si la Comisión incurre en error manifiesto o en desviación de poder[85]. En ningún caso se autorizan las ayudas que vulneren otras disposiciones del TFUE, como las relativas a las libertades del mercado interior.

---

[83] Según este precepto, "[s]erán compatibles con el mercado interior: a) las ayudas de carácter social concedidas a los consumidores individuales, siempre que se otorguen sin discriminaciones basadas en el origen de los productos; b) las ayudas destinadas a reparar los perjuicios causados por desastres naturales o por otros acontecimientos de carácter excepcional; c) las ayudas concedidas con objeto de favorecer la economía de determinadas regiones de la República Federal de Alemania, afectadas por la división de Alemania, en la medida en que sean necesarias para compensar las desventajas económicas que resultan de tal división. Cinco años después de la entrada en vigor del Tratado de Lisboa, el Consejo podrá adoptar, a propuesta de la Comisión, una decisión por la que se derogue la presente letra".

[84] Conforme a este artículo, "[p]odrán considerarse compatibles con el mercado interior: a) las ayudas destinadas a favorecer el desarrollo económico de regiones en las que el nivel de vida sea anormalmente bajo o en las que exista una grave situación de subempleo, así como el de las regiones contempladas en el artículo 349, habida cuenta de su situación estructural, económica y social; b) las ayudas para fomentar la realización de un proyecto importante de interés común europeo o destinadas a poner remedio a una grave perturbación en la economía de un Estado miembro; c) las ayudas destinadas a facilitar el desarrollo de determinadas actividades o de determinadas regiones económicas, siempre que no se alteren las condiciones de los intercambios en forma contraria al interés común; d) las ayudas destinadas a promover la cultura y la conservación del patrimonio, cuando no alteren las condiciones de los intercambios y de la competencia en la Unión contra el interés común; e) las demás categorías de ayudas que determine el Consejo por decisión, tomada a propuesta de la Comisión". Como consecuencia de la crisis económica derivada del Covid-19, la Comisión ha empleado el art. 107.3 b) TFUE para establecer un marco temporal en el que se definen las condiciones en las que los Estados miembros pueden otorgar ayudas excepcionales a las empresas que tienen problemas financieros después del 31 de diciembre de 2019 derivados del coronavirus. La Comisión ha autorizado que los Estados miembros puedan establecer regímenes de subvenciones o de ventajas o exenciones fiscales, siempre que la medida no exceda determinados importes (muy superiores a la regla *de minimis*) y se cumplan determinados requisitos. Dicho marco temporal ha sido prorrogado sucesivamente hasta el 31 de diciembre de 2023.

[85] STJUE de 12 de diciembre de 2002, *Comisión/Francia*, C-456/00.

A lo largo del tiempo, la Comisión ha ido perfilando las condiciones precisas necesarias para autorizar las ayudas. Para evaluar si una medida de ayuda es compatible con el mercado interior, la Comisión lleva a cabo la denominada prueba de sopesamiento (*balancing test*), que consta de tres fases, las dos primeras centradas en los aspectos positivos de la medida de ayuda y la última en los aspectos negativos. Así, en primer lugar, la Comisión comprueba si la medida de ayuda tiene un objetivo de interés común bien definido. A continuación, analiza si la ayuda está concebida de forma que permita alcanzar dicho objetivo, es decir, si es un instrumento adecuado —porque tiene un efecto incentivador, al modificar el comportamiento de la empresa beneficiaria— y proporcionado. Por último, en la tercera fase, la Comisión evalúa si los efectos negativos sobre la competencia y el mercado interior son limitados, de modo que el balance global sea positivo. Estas pautas de actuación se han recogido, con el fin de proporcionar transparencia, previsibilidad y seguridad jurídica, en distintos reglamentos, directrices, marcos comunitarios, comunicaciones, etc.

En este orden de ideas, el art. 107.3.e) TFUE prevé que el Consejo establezca determinadas categorías de ayudas que pueden ser declaradas compatibles. Esta previsión debe conectarse con el art. 109 TFUE que autoriza al Consejo a aprobar Reglamentos de desarrollo de los arts. 107 y 108 y declarar categorías excluidas de los procedimientos de control. Pues bien, el Reglamento (UE) nº 2015/1588 del Consejo, de 13 de julio de 2015, y el Reglamento (UE) nº 651/2014 de la Comisión, de 17 de junio de 2014, constituyen las normas fundamentales en esta materia. Estas disposiciones normativas declaran compatibles con el mercado interior ciertas categorías de ayudas que, además, no están sujetas a la obligación de notificación, aunque sí se imponen ciertas obligaciones de transparencia y control[86]. Entre esas categorías se incluyen, entre otras, las ayudas con finalidad regional, las ayudas a favor de las PYMES, las ayudas de I+D+i, las ayudas a la formación, las ayudas a favor de la formación y el empleo, las ayudas para la protección de medio ambiente o las ayudas destinadas a reparar perjuicios causados por determinados desastres naturales. En caso de no concurrir los criterios establecidos para considerar aplicable dicho Reglamento, la ayuda deberá ser notificada a la Comisión, que evaluará su compatibilidad sopesando sus efectos positivos y negativos y atendiendo, en su caso, a los marcos, directrices o comunicaciones que corresponda (*soft law*) para apreciar su adecuación, necesidad y proporcionalidad.

Por su parte, el art. 2 del Reglamento nº 2015/1588 autoriza a la Comisión para que apruebe un Reglamento de desarrollo que declare excluidas de la obligación de notificación a las llamadas ayudas *de minimis*, esto es, ayudas concedidas a una misma

---

[86]   STJUE de 21 de julio de 2016, *Dilly's*, C-493/14.

empresa durante un período dado que no supere un determinado importe fijo. Como se ha señalado en otro momento, para el período 2014-2023, se dispensa de la obligación de notificación a las ayudas que no superen los 200.000 euros en tres ejercicios fiscales (salvo en el sector de transporte por carretera, para el que se establece el umbral de 100.000 euros en tres ejercicios fiscales).

Como puede inferirse claramente de cuanto se ha expuesto, la Comisión es el máximo órgano de decisión en esta materia (cuyas decisiones son revisables por el Tribunal General o por el Tribunal de Justicia). Le corresponde analizar si una determinada norma o medida cumple los requisitos para ser considerada ayuda de Estado y, al mismo tiempo, si, pese ser una ayuda estatal, puede calificarse como ayuda compatible con el mercado común por verificarse alguna de las circunstancias a las que se refiere el art. 107.2 y, sobre todo, el art. 107.3 TFUE. Repárese que, según se desprende del art. 108.3 TFUE, todo proyecto de ayuda nueva (ayuda individual o régimen de ayudas) debe ser notificado por los Estados miembros a la Comisión antes de su ejecución, con la finalidad de que ésta efectúe su control y determine si efectivamente se trata de una ayuda estatal y, en caso afirmativo, si es incompatible con el mercado común, o es aplicable alguna de las excepciones previstas en los apartados segundo o tercero del art. 107 TFUE. La ejecución de la ayuda sin haber sido notificada a la Comisión, o habiendo sino notificada, sin esperar a la decisión final en la que se autorice su aplicación, convierte a la medida en una ayuda ilegal. Si, además, dicha ayuda es considerada incompatible con el mercado interior, el Estado miembro afectado deberá proceder a la recuperación de la ayuda concedida, junto con los intereses de demora (calculados conforme a lo dispuesto en la normativa europea, que aplica un tipo de interés compuesto), exigiendo su devolución a los beneficiarios, quienes, de este modo, pierden la ventaja de la que han disfrutado en el mercado frente a sus competidores. Además, el plazo de prescripción aplicable en materia de recuperación de las ayudas es de diez años. El efecto es, no obstante, menos traumático en el caso de las ayudas existentes, ya que, de ser consideradas incompatibles con el mercado interior, el Estado miembro afectado deberá proceder a la modificación o, en su caso, supresión del régimen de ayudas, pero no estará obligado a ordenar su recuperación.

En virtud del principio de autonomía procedimental, la recuperación de las ayudas ilegales e incompatibles con el mercado interior debe efectuarse con arreglo al procedimiento establecido por el Derecho nacional que permita una ejecución inmediata y efectiva de la decisión de la Comisión. Si un Estado no ejecuta la recuperación dentro del plazo establecido en la Decisión de recuperación, siguiendo un procedimiento que reúna los requisitos mencionados, puede ser demandado por la Comisión ante el TJUE, con arreglo al art. 108.2 TFUE, de forma directa, esto es, sin necesidad de seguir la fase administrativa del recurso por incumplimiento previsto en el art. 258 TFUE. Si tras la sentencia declarativa del incumplimiento la Comisión considera que no se han puesto en marcha las medidas nacionales de ejecución adecuadas, ésta podrá someter el asunto al TJUE, después de haber ofrecido al Estado afectado la posibilidad de presentar sus observaciones, para solicitar la imposición de una multa coercitiva o una suma a tanto alzado con el fin de que se cumpla definitivamente la obligación de recuperación (art. 260 TFUE)[87].

3.2.2. Ayudas de Estado y tributos locales: exenciones y beneficios fiscales en el IBI, IAE e ICIO

El sistema tributario español no ha escapado al control de sus normas a la luz del artículo 107 del TFUE, especialmente en el ámbito del impuesto sobre sociedades[88]. Son menos abundantes los casos en los que la medida tributaria fiscalizada constituye un beneficio fiscal contenido en la regulación de un tributo municipal. Pese a ello, es posible mencionar algunos ejemplos.

---

[87] Así, la STJUE de 11 de diciembre de 2012, *Comisión/España*, C-610/10, por falta de recuperación de las ayudas concedidas a un conocido grupo empresarial español, impuso a España una multa de 50.000 euros diarios desde la fecha de la sentencia hasta la ejecución de la recuperación y cumplimiento de la decisión previa del TJUE, a la que añadió una cuantía fija de 20 millones de euros. Por su parte, la STJUE de 13 de mayo de 2014, *Comisión/España*, C-184/11, por la recuperación tardía de ciertos incentivos fiscales concedidos en el País Vasco, impuso a España una multa de 30 millones de euros.

[88] Destacamos los siguientes asuntos: a) crédito fiscal a las empresas del 45% de las inversiones y reducción decreciente de la base imponible durante cuatro ejercicios fiscales a favor de empresas de reciente creación, introducidos por los Territorios Históricos del País Vasco en sus respectivas normas del impuestos sobre sociedades (STJUE de 14 de diciembre de 2006, C-485/03 a C-490/03); b) exención durante diez ejercicios fiscales del impuesto sobre sociedades a favor de las empresas de nueva creación —vacaciones fiscales vascas— (STJUE de 20 de septiembre de 2007, C-177/06); c) amortización fiscal del fondo de comercio financiero [Decisiones de la Comisión de 28 de octubre de 2009, C (2009) 8107 final corr; 12 de enero de 2011, C (2010) 9566; y 15 de octubre de 2014 (SA.35550); en cinco sentencias de 6 de octubre de 2021 (C-51/19 P y C-64/19 P, C-52/19 P, C-53/19 P y C-65/19 P, C-54/19 P y C-55/19 P), el TJUE ha resuelto definitivamente esta cuestión ratificando que la amortización fiscal del fondo de comercio financiero contenida en el antiguo art. 12.5 TRLIS constituye una ayuda estatal ilegal e incompatible con el mercado interior]; d) sistema español de arrendamiento fiscal de buques (*tax lease*) declarado incompatible con el Derecho de la UE por medio de Decisión de la Comisión de 17 de julio de 2013 (DO L-114, de 16 de abril de 2014, págs. 1-47); decisión parcialmente anulada por STJUE de 2 de febrero de 2023, asuntos C-649/20 P, C-658/20 P y C-662/20 P, *Reino de España, Lico Leasing SA, PYMAR SA y otros*; e) tipo de gravamen reducido en el IS a favor de determinados clubes de futbol profesional (STJUE de 4 de marzo de 2021, *Comisión/Fútbol Club Barcelona*, C-362/19 P).

3.2.2.1. Las bonificaciones en la cuota del IBI y del IAE a favor de las cooperativas

Las bonificaciones previstas en el IBI y en el IAE a favor de las cooperativas han estado bajo la lupa de la Comisión Europea en el marco del control de adecuación a las normas sobre ayudas de Estado del tratamiento fiscal de las cooperativas en España.

El punto de partida de este proceso se encuentra en la Decisión de la Comisión de 11 de diciembre de 2002[89], relativa a las medidas ejecutadas por España a favor del sector agrario tras el alza de los precios de los carburantes. Entre las distintas medidas sometidas a examen por la Comisión se encontraban ciertas medidas de apoyo a las cooperativas agrarias contenidas en el Real Decreto-Ley 10/2000, que incorporó modificaciones en la Ley 27/1999, de 16 de julio, de Cooperativas y en la Ley 20/1990, de 19 de diciembre, sobre el Régimen fiscal de las Cooperativas. En virtud de los cambios efectuados, en las operaciones de suministro de gasóleo B a terceros no socios se suprimió el límite máximo del 50% del volumen de operaciones realizadas por cooperativas agrarias con terceros no socios sin que ello implicase la pérdida de la condición de cooperativa fiscalmente protegida establecida en la Ley 20/1990. Además, se modificó la Ley 34/1998, de 7 de octubre, del sector de hidrocarburos, suprimiéndose el requisito de tener que constituir una entidad con personalidad jurídica propia a la que sea aplicable el régimen fiscal general para la distribución de gasóleo B a terceros no socios por las cooperativas agrarias. Por consiguiente, tras la modificación referida, las cooperativas agrarias no perderían su condición de protegidas o, en su caso, de especialmente protegidas, aunque al distribuir carburante superasen el límite del 50% respecto al volumen de operaciones realizadas con no socios. Ello se traducía en la posibilidad de seguir acogiéndose a la aplicación de diferentes beneficios fiscales en diversos impuestos: en el Impuesto sobre Sociedades, además de aplicar la libertad de amortización de los elementos del activo fijo nuevo durante los tres primeros años, en la aplicación de un tipo de gravamen específico del 20% para las operaciones con socios y, en el caso de las cooperativas especialmente protegidas, una deducción en la cuota íntegra del 50%; en el Impuesto de Transmisiones Patrimoniales y Actos Jurídicos Documentados (ITP y AJD), la exención de los actos de constitución, ampliación de capital, fusión y escisión, constitución y cancelación de préstamos incluso los representados por obligaciones, las adquisiciones de bienes y derechos integrados en el fondo de educación y promoción para el cumplimiento de sus fines y las operaciones de adquisición de bienes y derechos destinados directamente al cumplimiento de sus fines sociales y estatutarios; y en los impuestos de actividades económicas y de bienes inmuebles, la aplicación de una bonificación del 95% en la cuota.

---

[89]   Decisión nº 293/2003/CE, DOUE L-111, de 6 de mayo de 2003.

La Comisión consideró entonces que tales beneficios fiscales a favor de las cooperativas agrícolas derivados del Real Decreto-Ley 10/2000 no constituían ventajas fiscales selectivas y, por tanto, no eran ayudas estatales. A su juicio, "los beneficios fiscales de los que disfrutan las sociedades cooperativas han de considerarse en conjunción con las obligaciones que las normas de ajuste técnico producen en las cooperativas". No pueden, por tanto, "considerarse de forma desconectada con el coste fiscal de los retornos en la renta del socio cooperativista en el IRPF que tiene unas características completamente distintas al dividendo de una empresa capitalista. La atenuación en la doble imposición efectuada en la relación sociedad capitalista-socio (dividendo empresarial) no tiene contrapartida en la relación sociedad cooperativa-socio cooperativista (retorno cooperativo), por lo cual el retorno tiene una mayor carga fiscal que el dividendo. El beneficio que pudiera obtener la cooperativa por la deducción en la cuota del impuesto de sociedades queda corregido por la doble imposición con respecto al IRPF que se aplica al socio de la cooperativa y su incremento de tributación por esta vía"[90]. En definitiva, "[l]a fiscalidad de las cooperativas agrarias debe analizarse en su contenido y responde a elementos diferenciadores en cuanto a su estructura, contenido, elementos beneficiosos a la par que obligaciones específicas (dotaciones a fondos obligatorios, tratamiento del capital, doble imposición)"[91].

La Decisión fue recurrida ante el Tribunal de Primera Instancia (en la actualidad, Tribunal General) por la *Asociación de Empresarios de Estaciones de Servicio de la Comunidad de Madrid y Federación Catalana de Estaciones de Servicio*. El Tribunal dictó Sentencia el 12 de diciembre de 2006 (T-146/03), anulando el artículo 1 de la citada Decisión por falta de motivación suficiente. El Tribunal no cuestionó la argumentación elaborada por la Comisión respecto a la inexistencia de una ventaja en el Impuesto sobre Sociedades, pero observó que la Comisión no había expuesto de forma clara e inequívoca las razones por las que los beneficios fiscales aplicables a las cooperativas agrarias en el resto de los impuestos (ITP/AJD, IAE e IBI) no constituían ventajas[92]. Además, a su juicio, la Comisión no incluyó ningún elemento que permitiera negar el carácter selectivo de las medidas por estar basadas en la lógica o naturaleza del sistema[93] (si bien, en el caso de las medidas aplicables en el Impuesto sobre Sociedades dicha motivación no era necesaria, ya que la Comisión había concluido la inexistencia de un beneficio o ventaja económicos).

---

[90]   Ap. 146.

[91]   Ap. 147.

[92]   Ap. 80.

[93]   Aps. 116 a 121.

Así pues, el Tribunal anuló el art. 1 de la Decisión y ordenó la emisión de una nueva, mandato cumplido por medio de la Decisión de 14 de diciembre de 2009[94]. Sin embargo, en esta última Decisión la Comisión cambia drásticamente de postura y declara que las medidas controvertidas constituyen una ayuda estatal ilegal e incompatible con el Derecho de la UE y ordena su recuperación.

La primera cuestión analizada por la Decisión es si las cooperativas pueden considerarse "empresas" a efectos de la aplicación de este mecanismo comunitario de control de las ayudas estatales, a lo que responde afirmativamente recordando que, tal y como se indica en la Comisión sobre el fomento de las cooperativas en Europa[95], estas últimas, también las agrarias, ejercen una actividad económica y, por tanto, están sujetas a la normativa europea sobre competencia y ayudas estatales, así como a sus excepciones, límites y normas *de minimis*[96].

Tras apreciar la concurrencia de los elementos "utilización de recursos del Estado" y "alteración de los intercambios"[97], la Comisión aborda el examen de la presencia de los requisitos de ventaja y de selectividad. Por lo que se refiere al criterio de "ventaja", la Comisión observa que los beneficios fiscales de los que disfrutan las sociedades cooperativas con relación a las sociedades no cooperativas en el Impuesto sobre Sociedades, así como en el ITP y AJD, IAE e IBI, constituyen "ventajas de las que gozan todas las cooperativas protegidas, entre las que se encuentran las cooperativas agrarias, y que normalmente no son aplicables a las sociedades no cooperativas". No obstante, la Comisión precisa que no se incluye entre los privilegios fiscales de dichas cooperativas el tipo reducido del 20% aplicado sobre la base imponible correspondiente a los resultados cooperativos, porque están relacionados con las actividades llevadas a cabo con sus miembros. Por tanto, las cooperativas agrarias se encuentran en una situación financiera más favorable que el resto de los contribuyentes, puesto que mantienen las ventajas fiscales señaladas, aunque aumenten el volumen de las operaciones de gasóleo B a terceros no miembros por encima del 50%, creando una excepción a la ley nacional sobre las coo-

---

[94] Decisión nº 473/2010, DO L-235, de 4 de septiembre de 2010.

[95] Comunicación de la Comisión sobre fomento de las Cooperativas en Europa, COM (2004) 18 final, de 23 de febrero de 2004.

[96] Sin embargo, esta característica podría ser más difícil de apreciar "en las cooperativas de consumo o servicios en la medida en que operaran sólo con socios, ya que en estos casos no se aprecia con tanta facilidad la existencia de una actividad de intervención en el mercado, especialmente si los socios actúan como particulares; esto es, si la cooperativa no actúa como instrumento para la provisión de bienes o servicios utilizados en la actividad empresarial de sus socios". Así lo advierte M. P. Alguacil Marí, "Fiscalidad de cooperativas y ayudas de Estado: parámetros para una reforma", Doc. nº 2/2011, Instituto de Estudios Fiscales, pág. 42, nota nº 126.

[97] No entramos a analizar los argumentos manejados por la Comisión para concluir la presencia de ambos requisitos, puesto que no se aprecian novedades o singularidades dignas de interés en relación con la interpretación tradicional de sendos elementos.

perativas, sin tener que constituir una entidad distinta con personalidad jurídica propia sometida al régimen fiscal general[98]. A diferencia de la Decisión de 2001, la Comisión considera que la ventaja debe examinarse a nivel de cooperativa y no de sus miembros, ya que la cooperativa es la beneficiaria de las bonificaciones fiscales contenidas en los distintos impuestos.

El marco de referencia a partir del cual deben examinarse las medidas controvertidas viene determinado por el objetivo perseguido por cada uno de los impuestos afectados: el objetivo del Impuesto sobre Sociedades es la fiscalidad sobre los beneficios de las empresas; el objetivo del ITP y AJD es la tributación por la transmisión patrimonial y la firma de un acto jurídico documentado; el objetivo del IAE es la tributación por el ejercicio de una actividad económica; y el fin del IBI es la imposición del derecho que se tenga sobre un bien inmueble. Desde este punto de partida, todas las reglas especialmente dirigidas a las cooperativas constituyen una derogación al régimen general y, en la medida en que supongan una menor tributación, pueden considerarse como una ventaja.

Seguidamente, la Comisión analiza si las cooperativas y las sociedades de capitales se encuentran en una situación fáctica y jurídica comparable con respecto a los objetivos perseguidos por estos cuatro impuestos. Tras exponer las principales singularidades de las sociedades cooperativas desde la perspectiva de su estructura, reglas de funcionamiento, gestión y financiación, observa que sólo las cooperativas mutualistas puras no se encuentran en una situación jurídica y de facto comparable a las sociedades lucrativas respecto a la tributación de los beneficios. Sin embargo, cuando una cooperativa lleva a cabo operaciones con no miembros, actúa en el mercado de la misma manera que cualquier otra empresa y se encuentra en una situación fáctica y jurídica comparable respecto al objetivo del impuesto de sociedades. No obstante, la Comisión no explica suficientemente si dentro del término "mutualidad pura" se incluyen, además de las cooperativas que llevan a cabo operaciones comerciales exclusivamente con socios, aquéllas que desarrollan la mayor parte de sus operaciones (más del 50%) con socios, pero también operan con terceros ("mutualidad prevalente"). La cuestión tiene una trascendencia evidente, dado que en la actualidad el modelo predominante en las regulaciones de los distintos países europeos es el segundo, para permitir a las cooperativas competir en el mercado en términos de igualdad con otras formas de empresa, como reconoce la propia Comisión europea en su Comunicación sobre fomento de Cooperativas en Europa[99]. Por ello, compartimos las críticas doctrinales a la consideración de las mu-

---

[98] Ap. 142.

[99] El punto 3.2.4. de la mencionada Comunicación se lee: "Por tanto, la nueva legislación nacional sobre cooperativas debe basarse en la definición, los valores y los principios cooperativos. No obstante, en este contexto los gobiernos deben ser suficientemente flexibles para permitir a las cooperativas competir eficazmente en el mercado en términos de igualdad con otras fórmulas empresariales [...].

tualidades puras como las únicas capaces de merecer un tratamiento fiscal diferenciado, por cuanto implica desconocer el fundamento y demás características diferenciadoras de este tipo de entidades[100].

En definitiva, la postura de la Comisión en la Decisión de 2009 es que cualquier medida favorable a las sociedades cooperativas en el impuesto que grava el beneficio de las sociedades y que suponga un tratamiento diferenciado de los beneficios, tanto en general como los destinados a reservas indivisibles[101], representa una ventaja económica a favor de estas susceptible de calificarse como ayuda estatal. Dado que la Comisión no puede confirmar el carácter mutualista puro de las cooperativas agrarias españolas, las cuales, por definición, no obtendrían beneficios, no puede descartar que las cooperativas y las sociedades de capitales se encuentren, en lo que respecta a las ventajas vinculadas al impuesto, en una situación comparable. Respecto a los beneficios fiscales establecidos en los otros tres impuestos afectados, la Comisión entiende igualmente que las sociedades de capital se hallan en el mismo plano y están en la misma situación que las sociedades cooperativas y, sin embargo, quedan excluidas de dichas ventajas.

Por último, la Comisión descarta la posible justificación de las medidas fiscales cuestionadas por la naturaleza o la economía del régimen, rechazando, sin apenas motivación, los argumentos esgrimidos a favor de la aplicación de dicha excepción. Así,

---

Asimismo, una legislación adecuada puede contribuir a mitigar algunas restricciones inherentes al modelo cooperativo (como las limitaciones para acceder a nuevo capital). Por ejemplo, las cooperativas podrían estar autorizadas a emitir participaciones negociables y remuneradas para los inversores no usuarios, a condición de que se fijen unos límites a la participación de los mismos que garanticen el mantenimiento del carácter cooperativo de la empresa. La Comisión invita a los Estados miembros a basarse en la definición, los valores y los principios cooperativos de la citada Recomendación a la hora de legislar en materia de cooperativas, y a ser también suficientemente flexibles para adaptarse a las necesidades actuales de las cooperativas".

[100] Para I. Merino Jara ("El régimen fiscal de las cooperativas ¿respeta el régimen comunitario de ayudas de Estado", *Revista Vasca de Economía Social*, nº 6, 2010, págs. 37-38), la argumentación empleada por la Comisión "está anclada en el pasado, pues progresivamente se ha ido produciendo [la] liberalización de las operaciones de la cooperativa con terceros y la crisis del principio de mutualidad, sin que, por ello, deban eliminarse toda suerte de medidas fiscales que se vienen aplicando a las cooperativas, en atención a los intereses generales [...]. No estamos de acuerdo con que el funcionamiento mutual sea el único fundamento del especial régimen fiscal de las cooperativas, pero esta es la visión que a día de hoy parece tener la Comisión". M. P. Alguacil Marí, ob. cit., pág. 63, "el principio de exclusividad no es un principio cooperativo comúnmente asumido por la ACI, la doctrina y las legislaciones. La exclusividad no se contempla tampoco en el Estatuto de la Sociedad Cooperativa Europea, y la razón es sencilla: no está establecida con carácter general en las regulaciones de los distintos países europeos. Y ello porque, si bien en determinados casos la cooperativa puede funcionar exclusiva o mayoritariamente con socios, en otros, en cambio, necesita operar con terceros —en ocasiones de forma importante— para poder mantener su competitividad y conseguir su objeto social: prestar servicios a sus socios a un precio mejor que el del mercado".

[101] *Vid.* Ap. 179 de la Decisión.

frente a la alegación según la cual la disminución del 50% del Impuesto sobre Sociedades concedido a las cooperativas está destinada a compensar la doble imposición de los excedentes con cargo a los impuestos de sociedades y de la renta de las personas físicas, la Comisión elude la cuestión afirmando que "no está en condiciones de pronunciarse sobre la exactitud de esta afirmación", y desvía la atención señalando que el simple hecho de que las ventajas fiscales vinculadas a los distintos impuestos y generadas por las dos medidas introducidas por el Real Decreto-Ley 10/2000 hayan sido creadas para garantizar el sostenimiento futuro y la competitividad de las explotaciones agrícolas y ganaderas en una situación de dificultad económica "no permite concluir que todas las ventajas fiscales concedidas por las autoridades españolas de que se trata en la presente Decisión estén justificadas por la naturaleza y economía del sistema fiscal nacional"[102].

La Decisión de 2009 fue recurrida ante el Tribunal General el 6 de abril de 2010, que, sin embargo, desestimó el recurso por cuestiones formales a través del Auto de 23 de enero de 2014, *Confederaciones de Cooperativas Agrarias y Confederación Empresarial Española de la Economía Social*, T-156/10. Del Auto se desprende que las autoridades españolas no habían emitido ninguna decisión de recuperación de las ayudas ilegales, posiblemente por no superar los casos identificados el umbral de la regla *de minimis*. En cualquier caso, la norma controvertida fue modificada, con efectos a partir del 1 de enero de 2011, por la disposición final 42ª de la Ley 2/2011, de 4 de marzo, de Economía Sostenible, permitiendo la distribución de productos petrolíferos a terceros por las cooperativas a condición de que tales operaciones no superen el 50%.

La desestimación del recurso por parte del Tribunal General impidió conocer su criterio sobre dos cuestiones esenciales: de un lado, si es correcto considerar que las cooperativas agrarias que no realizan el 100% de su actividad con sus socios (mutualismo puro) disfrutan de una ventaja, ignorando que cooperativas y sociedades de capital no se encuentran en una situación fáctica y jurídica equivalente; de otro lado, si, aun en el supuesto de aceptar la comparación entre cooperativas y sociedades de capital, el régimen fiscal de las cooperativas estaría justificado por la economía y naturaleza del sistema fiscal español.

A este respecto, es posible extraer algunas conclusiones sobre el tratamiento fiscal singularizado de las cooperativas desde la óptica de las ayudas de Estado a través del análisis de la STJUE de 8 de septiembre de 2011, *Paint Graphos et al.,* asuntos acumulados C-78/08 a C-80/08, que responde a las cuestiones prejudiciales planteadas por la *Corte Suprema di Cassazione* de Italia relativas, en esencia, a si el régimen fiscal aplicable a las cooperativas italianas de producción y de trabajo en el impuesto sobre el beneficio de las personas jurídicas y en el impuesto local sobre el beneficio —en virtud del cual se

---

[102] Ap. 181.

reconoce a estas entidades la exención total o parcial de tributación en ambos impuestos—, constituye una ayuda de Estado a la luz del art. 107.1 TFUE[103].

El Tribunal de Justicia inicia el examen de la cuestión recordando los elementos que integran el concepto de ayuda estatal. A este respecto, resulta llamativo que el Tribunal no aluda expresamente a la necesidad de que exista un beneficio o ventaja económicos, sino que examina la concurrencia de este requisito al hilo del análisis de la existencia de selectividad. Por otra parte, el Tribunal de Justicia entiende que pueden entenderse cumplidos los requisitos de la financiación de la medida por el Estado o mediante recursos estatales, así como la repercusión sobre los intercambios comunitarios y la distorsión de la competencia.

En lo que atañe a la selectividad de la medida controvertida, el TJUE recuerda que la calificación de una medida fiscal nacional como selectiva exige, en primer lugar, identificar el régimen fiscal común o normal aplicable y, a continuación, apreciar el eventual carácter selectivo de la ventaja otorgada por la medida fiscal de que se trate por suponer una excepción al referido régimen común, en la medida en que introduzca diferenciaciones entre operadores económicos que, con respecto al objetivo asignado al sistema fiscal de dicho Estado miembro, se encuentran en una situación fáctica y jurídica comparable. El Tribunal de Justicia entiende que el marco de referencia debe ser el Impuesto sobre Sociedades, dado que la base imponible de las sociedades cooperativas de producción y de trabajo se determina de la misma forma que la de otros tipos de sociedades, en función del importe del beneficio neto resultante del ejercicio de la actividad empresarial al final del período impositivo. La exención de tributación aplicable a tales cooperativas sería la excepción al sistema general, puesto que solo tienen acceso a ella este tipo de entidades, sin que puedan acceder a dicho tratamiento las sociedades con ánimo de lucro[104].

El Tribunal procede seguidamente a analizar si dichas exenciones fiscales son selectivas, favoreciendo a determinadas empresas o producciones en relación con otras empresas que se encuentran en una situación fáctica y jurídica comparable habida cuenta del objetivo perseguido por el régimen del impuesto sobre sociedades, esto es, la impo-

---

[103] Según se desprende del apartado 9 de las conclusiones del Abogado General Jääskinen a estos asuntos, de 8 de julio de 2010, el Decreto del Presidente de la República nº 601, de 29 de septiembre de 1973, en su versión vigente entre 1984 y 1993, establecía en su artículo 11.1 que los rendimientos de las cooperativas de producción y de trabajo y de sus consorcios estarían exentos del impuesto sobre el beneficio de las personas jurídicas y del impuesto local sobre el beneficio, si el importe de las remuneraciones efectivamente abonadas a los socios que aportasen su trabajo de manera continua no era inferior al 60% del importe global de los costes restantes, con excepción de los relativos a las materias primas y suministros. Si el importe de las remuneraciones era inferior al 60%, pero no al 40%, del importe global de los costes restantes, ambos impuestos se reducirían a la mitad.

[104] Aps. 49 a 51.

sición de los beneficios de las sociedades. En su detenido análisis de comparabilidad el Tribunal de Justicia constató el reconocimiento por parte del legislador comunitario de las particularidades de las cooperativas en cuanto a su estructura, funcionamiento, gestión y financiación[105], lo que se traduce en una serie de obligaciones y limitaciones que reducen el margen de beneficio de este tipo específico de sociedad frente al de las sociedades de capital, que pueden adaptarse mejor a las exigencias del mercado. Dicho análisis le lleva a concluir que "en principio, no puede considerarse que las sociedades cooperativas de producción y de trabajo como aquéllas de las que se trata en los litigios principales se encuentren en una situación de hecho y de Derecho comparable a las de las sociedades comerciales, dado que las sociedades cooperativas actúan persiguiendo el interés económico de sus socios y mantienen con éstos una relación no meramente comercial, sino personal particular, en la que los socios están activamente implicados y tienen derecho a un reparto equitativo de los resultados económicos"[106]. Ahora bien, el Tribunal puntualiza que las cooperativas de producción y de trabajo que no respondan a las características inherentes a este tipo de entidades —tal y como son definidas por la normativa comunitaria— no persiguen una verdadera finalidad mutualista, por lo que se encontrarían en una situación comparable a la de las sociedades con ánimo de lucro que no disfrutan de las ventajas fiscales[107].

A la luz de estos criterios, corresponderá al órgano jurisdiccional nacional comprobar si las sociedades cooperativas a las que se refieren los asuntos principales se encuentran, de hecho, en una situación comparable a la de las sociedades con ánimo de lucro sujetas al impuesto sobre sociedades. En caso de respuesta afirmativa todavía sería preciso determinar si las exenciones fiscales de que se trata encuentran justificación en la naturaleza o en la economía general del sistema en el que se inscriben. Corresponde al Estado miembro que invoca dicha excepción justificar su concurrencia. Como es sabido, para que dicha justificación pueda admitirse, es preciso que la excepción a la aplicación del sistema fiscal general derive de los principios fundadores o rectores de dicho sistema, entre los cuales se encuentran los objetivos inherentes al propio sistema tributario, pero no los que sean externos a este.

A este respecto, el Tribunal de Justicia admite que la naturaleza o la economía general del sistema fiscal nacional puede invocarse válidamente para justificar que las sociedades cooperativas que distribuyen a sus miembros todos sus beneficios no sean gravadas como tales, en la medida en que se exige el pago del impuesto a aquéllos. Sin

---

[105] Reglamento (CE) nº 1435/2003 del Consejo, de 22 de julio de 2003, relativo al Estatuto de la sociedad cooperativa europea, DOUE L-2007, 18 de agosto de 2003; Comunicación de la Comisión sobre el fomento de las cooperativas en Europa, COM (2004) 18 final, de 23 de febrero de 2004.

[106] Ap. 61.

[107] Ap. 62.

embargo, matiza que "una medida nacional no puede verse válidamente justificada por la naturaleza o la economía general del sistema fiscal de que se trate si permite la exención del impuesto sobre los beneficios procedentes de intercambios con terceros no socios de la cooperativa o la deducción de importes abonados a estos últimos en concepto de remuneraciones"[108]. Debe velarse, además, por el respeto a la exigencia de coherencia de la ventaja otorgada no solo con las características inherentes del sistema fiscal, sino también con la aplicación de dicho sistema, correspondiendo al Estado miembro de que se trate establecer y aplicar procedimientos de control y vigilancia apropiados para garantizar que las medidas son coherentes con la lógica del sistema y para evitar que las entidades opten por esta forma jurídica específica con el único fin de disfrutar de las ventajas fiscales previstas para este tipo de sociedades[109]. Por último, el Tribunal señala que para que las exenciones fiscales estén justificadas por la naturaleza y economía del sistema deben ser conformes con el principio de proporcionalidad y no exceder de los límites de lo necesario, en el sentido de que el objetivo legítimo perseguido no pueda lograrse con medidas de menor alcance[110].

La sentencia *Paint-Grafos* constituye un pronunciamiento muy importante para las cooperativas y sus asociaciones y ha sido bien recibida por parte de la doctrina especializada, ya que supone la aprobación, por parte de la jurisprudencia comunitaria, de los regímenes fiscales especiales para las cooperativas en los impuestos sobre la renta. Esta afirmación, no obstante, debe ser convenientemente matizada, ya que dicha bendición se condiciona al cumplimiento por parte del régimen fiscal de que se trate de ciertos requisitos analizados desde la óptica de la normativa europea, lo que puede dar lugar a que la aplicación de tales regímenes a ciertas entidades cooperativas u operaciones caiga dentro del concepto de ayuda estatal.

3.2.2.2. La exención a favor de la Iglesia Católica en el ICIO

También ha sido objeto de análisis si la exención a favor de la Iglesia Católica en el ICIO podría constituir una vulneración de la normativa europea en materia de ayudas de Estado[111]. Dejando al margen de nuestro análisis la controversia generada por la

---

[108] Ap. 72.

[109] Aps. 73 y 74.

[110] Ap. 75.

[111] *Vid.*, entre otros, M. A. Félix Ballesta y C. Martínez Félix, "¿Es contraria al Derecho Comunitario la exención del Impuesto sobre Construcciones, Instalaciones y Obras (ICIO), de que goza la Iglesia Católica en España?", *Cuadernos de Integración Europea*, diciembre 2006; y T. Calvo Sales, "La Comisión Europea analiza la posible consideración como 'ayuda de Estado' de la exención de la Iglesia católica en el ICIO", *Tributos Locales*, nº 74, 2007, págs. 9 y ss.

forma de reconocimiento de la exención[112], cabe destacar que la Unión Europea abrió un procedimiento de investigación para determinar si la exención reconocida a favor de la Iglesia Católica, en tanto se extiende a las obras relacionadas con actividades económicas ejercidas en competencia con otros agentes, constituye una ayuda estatal prohibida por el Derecho de la UE. La primera interpelación tuvo lugar en el expediente E-2578/2006 y la respuesta ofrecida por la entonces Comisaria de la Competencia fue que "el artículo IV, apartado 1, letra b), del Acuerdo excluye de las exenciones fiscales los rendimientos obtenidos a través del ejercicio de actividades económicas y comerciales, las instituciones religiosas no pueden quedar exentas del pago del ICIO por lo que se refiere a sus actividades económicas y comerciales. Habida cuenta de que la exención del ICIO se limita a las actividades puramente religiosas, no afecta a 'empresas' en el sentido del Derecho de la competencia. Así pues, no existe ayuda en el sentido del artículo 87, apartado 1, del Tratado CE. Por lo tanto, las autoridades españolas no están obligadas a notificar la medida a la Comisión".

La respuesta de la Comisaria era a todas luces insatisfactoria, ya que la exención del ICIO, tal y como venía aplicándose, afectaba también a actividades puramente mercantiles realizadas por la Iglesia Católica, como es, por ejemplo, la construcción de escuelas privadas, universidades privadas, emisoras de radio privadas, hospitales privados, es decir, una diversidad de explotaciones económicas realizadas en competencia con otras empresas privadas[113]. Por ello, tras nuevas interpelaciones parlamentarias, se inició un segundo expediente (E-0829/07) en el que la Comisión reconoció su error de valoración y admitió que "hay indicios de que la interpretación de la Comisión podría no ser la correcta. En consecuencia, la Comisión pedirá a las autoridades españolas que aclaren el ámbito de aplicación de la exención en cuestión". Poco después se inició un tercer expediente (E-3709/07) en el que la Comisión manifestaba haber recibido la información solicitada y haber puesto en marcha un análisis detallado de la exención

---

[112] Como se ha apuntado en otro momento de este trabajo, la exención no está expresamente regulada en el TRLRHL, sino que deriva de una interpretación judicial del apartado IV.1.B) del Acuerdo entre el Estado español y la Santa Sede de 3 de enero de 1979 sobre asuntos económicos (SSTS de 17 de mayo de 1999, 19 y 31 de marzo de 2001) y de una Orden del Ministro de Hacienda de 5 de junio de 2001, de naturaleza interpretativa. Cfr. D. Marín-Barnuevo Fabo, ob. cit., págs. 553-556.

[113] El Tribunal Supremo abordó en distintas sentencias si el referido beneficio fiscal en el ICIO podía ser aplicable a las construcciones, instalaciones u obras que fueran promovidas por la Iglesia Católica cuando aquéllas no se destinasen a la realización en las mismas de las actividades propias de la Iglesia Católica, sino al ejercicio de actividades económicas. Las sentencias de 17 de febrero (recurso de apelación nº 214/2002) y 3 de marzo de 2003 (recurso de apelación nº 5/2003) se inclinaron por la respuesta negativa. Sin embargo, en sentencia de 3 de octubre de 2003 (recurso de casación nº 5899/1998), el TS apoyó las pretensiones de una comunidad religiosa dependiente de la Iglesia católica, estimando que le era aplicable la exención del ICIO, aunque el inmueble objeto de las obras estaba dedicado a hospital no estrictamente destinado a las actividades propias de la Iglesia católica. En el mismo sentido, STSJ de Cataluña de 1 de junio de 2006 (recurso de apelación nº 10/2006).

con el fin de "evaluar la posible calificación de la susodicha exención como ayuda estatal y su compatibilidad con el mercado único, pero dicha evaluación preliminar todavía no ha concluido". Y, en fin, un cuarto expediente (E-0774/2008) se puso en marcha en abril de 2008 cuando se tuvo conocimiento de que la Comisión Europea, por medio de dictamen motivado, instó, a las autoridades españolas a acabar con la exención del pago del IVA de la Iglesia Católica.

Pues bien, por medio de la Orden EHA/2814/2009, de 15 de octubre, se procedió a modificar la Orden de 5 de junio de 2001, para equiparar el contenido de la exención en el ICIO con el contenido de la exención en el IBI para los inmuebles de la Iglesia Católica. En concreto, se modificó el apartado segundo de la OM de 5 de junio de 2001 que quedaba redactado en los siguientes términos: "La Santa Sede, la Conferencia Episcopal, las Diócesis, las Parroquias y otras circunscripciones territoriales, las Órdenes y Congregaciones Religiosas y los Institutos de Vida Consagrada y sus provincias y sus casas, disfrutan de exención total y permanente en el Impuesto sobre Construcciones, Instalaciones y Obras, para todos aquellos inmuebles que estén exentos de la Contribución Territorial Urbana (actualmente, Impuesto sobre Bienes Inmuebles)".

Así pues, las autoridades españolas, a través de una utilización abusiva de una Orden Ministerial y desconociendo las exigencias derivadas del artículo VI del Acuerdo y el principio de reserva de ley en materia de beneficios fiscales, trataron de solventar el expediente abierto por la Comisión Europea, para lo cual limitan el ámbito de la exención en el ICIO a las construcciones directamente relacionadas con el culto religioso, en los términos previstos en el Acuerdo con la Santa Sede para el IBI[114].

Además, en clave interna, el nuevo criterio contenido en la Orden Ministerial de 15 de octubre de 2009 no contribuyó a apaciguar la polémica sobre la aplicación de la exención. Frente a una interpretación administrativa que ceñía la aplicación de la exención en el ICIO a las obras realizadas en aquellos inmuebles cuya exención en el IBI procediese estrictamente de la aplicación del art. IV.1.A) del Acuerdo, alguna sentencia extendió la exención del ICIO a favor de la Iglesia Católica a toda obra realizada

---

[114] En la respuesta de la Comisaria Europea de la Competencia, de 15 de abril de 2009, a la pregunta parlamentaria P-1628/2009, se afirma: "Las autoridades españolas propusieron modificar la Orden española de 5 de junio de 2001 para eliminar cualquier posible incompatibilidad entre las normas de exención fiscal del ICIO y la legislación sobre ayudas estatales. La propuesta española consiste en limitar el alcance de la exención del ICIO a la propiedad inmobiliaria exenta de la Contribución Territorial Urbana (CTU). Esta exención procede del artículo IV (1) (A) del Acuerdo de 3 de enero de 1979 entre el Estado español y la Santa Sede, que especifica los requisitos de la propiedad inmobiliaria para la exención de la CTU. De esta lista se desprende que la principal finalidad de estos edificios es de carácter plenamente religioso y, por tanto, sin relación con actividad económica alguna. Por esta razón, la Comisión considera que la propuesta española ha resuelto las reservas iniciales de la Comisión sobre el alcance de la exención en cuestión, puesto que solamente cubre los inmuebles cuyo propósito queda fuera del alcance de la legislación sobre ayudas estatales".

en inmuebles que gozasen de exención en el IBI, ya sea por la vía del Acuerdo o por aplicación de lo previsto en la Ley 49/2002, de 23 de diciembre, de Régimen Fiscal de las Entidades sin Fines Lucrativos y de Incentivos Fiscales al Mecenazgo[115]. Por otra parte, la sucesión en el tiempo de dos disposiciones "interpretativas" sobre una misma cuestión que llegan a conclusiones opuestas generó dudas sobre la forma adecuada de aplicación[116].

En esta escena, ya de por sí confusa, irrumpió la sentencia de la Audiencia Nacional de 9 de diciembre de 2013 (nº 402/2013) por la que se declaró la ilegalidad de la totalidad de la Orden Ministerial de 15 de octubre de 2009, por cuanto producía un efecto real de innovación respecto de la Orden anterior de 5 de junio de 2001 y del art. IV.1.B) Acuerdo entre el Estado Español y la Santa Sede sobre Asuntos Económicos de 3 de enero de 1979, al limitar la exención en ellos establecida; e infringía, asimismo, el artículo VI de dicho Acuerdo al haberse procedido a interpretar y modificar el mismo de manera unilateral por el Estado español, en lugar de actuar en su caso de mutuo acuerdo con la Santa Sede. Dicha sentencia fue confirmada en casación por la sentencia del Tribunal Supremo de 19 de noviembre de 2014 (rec. cas. nº 553/2014).

Sin perjuicio de las consecuencias jurídicas que, desde la perspectiva de Derecho interno, ha traído consigo la declaración de ilegalidad de la citada Orden Ministerial de 2009, en clave europea[117], su anulación obligaría, en principio, a dar a la exención fiscal

---

[115] Sobre esta cuestión, cfr. S. Aníbarro Pérez, "La controvertida exención de la Iglesia Católica en el ICIO", *Tributos Locales*, nº 118, diciembre 2014-enero 2015, págs. 67-68.

[116] La STSJ de Madrid de 25 de septiembre de 2013 (nº 1165/2013) defiende la inaplicación de la modificación llevada a cabo en la citada Orden EHA/2814/2009 al caso concreto enjuiciado en atención a que la licencia de obras, de la que deriva la eventual sujeción al ICIO, fue solicitada por la entidad recurrente con anterioridad a la publicación de la citada Orden en el BOE. Entiende del Tribunal que la variación interpretativa producida a través de la Orden de 2009, de estimarse conforme con el ordenamiento jurídico, tiene una clara y directa incidencia en el patrimonio del contribuyente. Siendo ello así, estima que la aplicación de la Orden EHA/2814/2009 a los supuestos de hecho surgidos durante la vigencia de la Orden de 5 de junio de 2001 supone una infracción del principio de irretroactividad de las normas tributarias, consagrado en el artículo 10.2 de la Ley General Tributaria, así como una infracción de los principios de seguridad jurídica y de confianza legítima. En consecuencia, ordena la rectificación de las autoliquidaciones y la devolución de ingresos indebidos.

[117] Tras la sentencia de la Audiencia Nacional, la STSJ de la Comunidad valenciana de 14 de enero de 2014 (rec. nº 60/2013) desestima el recurso de apelación interpuesto por el Ayuntamiento de Moncada frente a una sentencia del Juzgado de lo Contencioso-Administrativo nº 1 de Valencia, que estimó la pretensión de la Congregación Religiosa de los Legionarios de Cristo de aplicar la exención del ICIO con relación a las obras destinadas a un colegio privado de educación infantil y bachillerato. Aunque la citada sentencia no entra a analizar una posible contradicción de la exención con el Derecho de la UE, afirma que "no son parámetros normativos a tener en cuenta la Orden del Ministerio de Hacienda de 5-6-2001 y la Orden EHA/2814/2009 de 15 de octubre", pues ninguna de ellas "se han incorporado válidamente a nuestro Ordenamiento al no resultar del común acuerdo de las partes que suscribieron el Acuerdo internacional de 3 de enero de 1979; por consiguiente contradicen su art.

del ICIO la naturaleza y ámbito de aplicación previsto en la redacción originaria de la Orden de 2001 en relación con el art. IV.1.B del Acuerdo con la Santa Sede, es decir, el carácter de exención incondicionada, resucitando las dudas sobre la posible consideración del beneficio fiscal como una ayuda estatal[118].

Pues bien, la Sentencia del TJUE (Gran Sala) de 27 de junio de 2017, *Congregación de Escuelas Pías Provincia Betania y Ayuntamiento de Getafe*, C-74/16, abordó la compatibilidad de la exención a favor de los inmuebles de la Iglesia Católica en el ICIO con la prohibición general de ayudas de Estado. El órgano jurisdiccional remitente pregunta básicamente si la exención fiscal en el Impuesto sobre Construcciones, Instalaciones y Obras (ICIO) de la que se beneficia una Congregación de la Iglesia Católica por las obras realizadas en un inmueble (salón de actos) destinado al ejercicio de actividades sin una finalidad estrictamente religiosa puede constituir una ayuda estatal prohibida por el Derecho de la UE.

Para responder a esta cuestión el TJUE examina, en primer lugar, si la congregación religiosa puede ser calificada como "empresa" a efectos del art. 107.1 TFUE. En el contexto del Derecho de la competencia, el concepto "empresa" comprende cualquier entidad que ejerza una actividad económica, con independencia de su estatuto jurídico y de su modo de financiación. La clave del asunto reside en determinar si las actividades llevadas a cabo por la citada Congregación son "actividades económicas", entendiendo por tal toda actividad consistente en ofrecer bienes o servicios en un mercado determinado. El hecho de que la oferta de productos y servicios se haga sin ánimo de lucro no impide que la entidad que las lleva a cabo pueda ser considerada como una empresa cuando dicha oferta compita con las de otros operadores con ánimo de lucro.

Seguidamente, el TJUE analiza en qué casos la actividad de enseñanza puede o no constituir una actividad económica. Si dicha enseñanza forma parte de un sistema público de enseñanza y se financia, total o parcialmente, con cargo a fondos públicos no puede calificarse como una "actividad económica", sino como la prestación de un servicio a la población en el ámbito educativo. En cambio, los cursos impartidos en los centros de enseñanza financiados esencialmente con fondos privados que no proceden

---

VI. Además, la Orden EHA/2814/2009 ha sido declarada nula por SAN de 9-12-2013" (FJ 4º). La sentencia, siguiendo las SSTS de 19 de marzo de 2001, 31 de marzo de 2001 y 3 de octubre de 2003, concluye que el ICIO es uno de los impuestos reales a que se refiere el art. IV.1 b) del Acuerdo entre el Estado español y la Santa Sede de 1979 y, conforme a dicho criterio jurisprudencial, desestima el recurso de apelación.

[118] *Vid*. Decisión de la Comisión de 19 de diciembre de 2012 (DO L-166/24, de 18 de junio de 2013), por la que se califica como ayuda estatal ilegal e incompatible con el mercado interior el régimen de exención del impuesto municipal sobre bienes inmuebles concedido a entidades no comerciales por los bienes inmuebles utilizados para fines específicos ejecutado por Italia, recurrida ante el Tribunal General, asuntos T-219/13 y T-220/13, que desestimó los recursos.

del propio prestador de los servicios constituyen servicios, puesto que el objetivo perseguido por tales centros consiste en ofrecer un servicio a cambio de una remuneración (con independencia de que el servicio sea pagado o no por sus beneficiarios). De hecho, no puede descartarse que un mismo centro pueda ejercer diversas actividades, económicas y no económicas, simultáneamente, como sucede en el presente asunto, en el que la congregación desarrolla tres tipos de actividad en el colegio (actividades estrictamente religiosas, enseñanza subvencionada por el Estado español y educación libre si apoyo financiero público), además de prestar a sus alumnos servicios complementarios de restauración y de transporte. El Tribunal afirma que corresponde al órgano jurisdiccional remitente determinar si las actividades pedagógicas desarrolladas por la Congregación revisten o no carácter económico y, en su caso, cuáles de entre ellas tienen tal carácter, si bien advierte que "las actividades de enseñanza de la Congregación no subvencionadas por el Estado español, correspondientes a la enseñanza preescolar, extraescolar y postobligatoria, parecen reunir todos los requisitos (...) para ser calificadas de actividades económicas" (ap. 57). Si, una vez concluida dicha comprobación, se entiende que las actividades de enseñanza de la congregación no subvencionadas por el Estado español constituyen actividades económicas, tendrá todavía "que comprobar si el salón de actos del colegio (...) se dedica a un uso que corresponda exclusivamente a una u otra de tales actividades de enseñanza, o a un uso mixto".

A continuación, el TJUE examina si se cumplen los cuatro requisitos necesarios para que exista una ayuda estatal. La exención del ICIO a favor de la Congregación constituye una ventaja económica que tiene por efecto aliviar las cargas que recaen sobre su presupuesto. Dicha exención no se aplica de forma general y sin distinción a todos los operadores económicos, sino únicamente a institutos pertenecientes a la Iglesia Católica, de modo que es una medida a priori selectiva, sin que se haya aportado dato alguno que permita demostrar que la exención fiscal deriva directamente de los principios fundadores o rectores del sistema tributario español y que sea necesaria para el funcionamiento y eficacia del sistema. La exención es imputable al Estado español, ya que deriva directamente de la Orden de 5 de junio de 2001 adoptada por el Ministerio español de Hacienda y tiene su origen en el Acuerdo de 3 de enero de 1979 celebrado y aplicado por el Estado español, y equivale a la transmisión de fondos estatales al tener como corolario una disminución de los ingresos del Ayuntamiento en la cuantía correspondiente.

Respecto a la necesidad de que la medida afecte a los intercambios comerciales entre Estados miembros y de que falsee o amenace con falsear la competencia, el Tribunal recuerda que, en virtud del Reglamento de minimis, tal afectación no se produce si las ayudas no superan el límite de 200.000 euros en un período de tres años, correspondiendo al órgano jurisdiccional remitente comprobar si se supera dicho umbral, para lo cual sólo podrá tomar en consideración las ventajas de las que haya disfrutado la Congregación en relación con sus eventuales actividades económicas.

Una última cuestión relevante es la relativa a si la exención fiscal constituye una ayuda existente (anterior a la adhesión de España a la UE). El TJUE niega este extremo ya que, aunque la exención total de los impuestos reales en favor de la Iglesia Católica española es anterior a la adhesión del Reino de España a la UE, el ICIO no se introdujo en el ordenamiento español hasta después de la adhesión y la exención fiscal controvertida lo fue mediante la Orden de 5 de junio de 2001.

En definitiva, el TJUE concluye que una exención fiscal como la planteada, en virtud de la cual se beneficia una Congregación de la Iglesia Católica por las obras realizadas en un inmueble destinado al ejercicio de actividades sin una finalidad estrictamente religiosa, puede estar comprendida en el ámbito de la prohibición del art. 107.1 TFUE si tales actividades son de carácter económico y en la medida en que lo sean, extremo que deberá verificar el órgano jurisdiccional remitente.

El Juzgado de lo Contencioso-Administrativo nº 4 de Madrid, que había planteado la cuestión prejudicial, dictó sentencia en la que desestimó el recurso y confirmó la denegación por el Ayuntamiento de Getafe de la solicitud de exención y devolución de ingresos indebidos planteada por Escuelas Pías[119]. La sentencia consideró que en este supuesto la exención tributaria constituye una ayuda estatal y que la congregación religiosa no había probado que se tratase de una ayuda *de minimis*.

La sentencia del TJUE en el asunto Escuelas Pías ha sido criticada por asumir "de manera simplista" la aplicación del artículo 107 TFUE como base jurídica para la resolución de la cuestión relativa al disfrute de la exención en el ICIO por los entes mayores de la Iglesia Católica", sin tomar en consideración la existencia de un conflicto entre tratados internacionales (el Acuerdo con la Santa Sede, de un lado, y el TFUE, de otro) y la existencia de un precepto específico en el Tratado de Funcionamiento de la UE, el artículo 351, destinado a resolver dichos conflictos normativos[120]. La previa valoración

---

[119] Sentencia nº 1/2018, de 8 de enero de 2018, rec. nº 247/2014.

[120] En efecto, el art. 351, primer párrafo, del TFUE reconoce que "[l]as disposiciones de los Tratados no afectarán a los derechos y obligaciones que resulten de convenios celebrados, con anterioridad al 1 de enero de 1958 o, para los Estados que se hayan adherido, con anterioridad a la fecha de su adhesión, entre uno o varios Estados miembros, por una parte, y uno o varios terceros Estados, por otra". No obstante, el párrafo segundo del mismo precepto precisa que "[e]n la medida en que tales convenios sean incompatibles con los Tratados, el Estado o los Estados miembros de que se trate recurrirán a todos los medios apropiados para eliminar las incompatibilidades que se hayan observado. En caso necesario, los Estados miembros se prestarán ayuda mutua para lograr tal finalidad y adoptarán, en su caso, una postura común". A este respecto, B. Pérez Bernabeu, "La exención en el ICIO a favor de la Iglesia Católica como ayuda de Estado. La cuestionable base jurídica utilizada por el TJUE en su pronunciamiento", *Crónica Tributaria*, nº 164, 2017, pág. 126. La citada autora considera que, sobre la base de dicho precepto, el TJUE debería o bien haber llevado a cabo por sí mismo una valoración pormenorizada de las circunstancias del caso, o bien haber remitido el caso al juez nacional para que

sobre la aplicación de este último precepto es esencial para dilucidar la procedencia o improcedencia de la aplicación del art. 107 TFUE.

En cualquier caso, de *lege ferenda,* la eventual incompatibilidad entre los términos de aquél y el Derecho de la UE debería solventarse de forma definitiva. La modificación consensuada del Acuerdo con la Santa Sede constituiría el medio más apropiado[121].

3.2.2.3. La exención en el IBI de los bienes inmuebles propiedad del Estado, de las Comunidades Autónomas o de las Entidades Locales

Con la publicación de la sentencia del Tribunal de Justicia de 9 de octubre de 2014, *Ministerio de Defensa y Navantia S.A./Concello de Ferrol,* C-522/13, se constata un nuevo problema de compatibilidad con las normas comunitarias sobre ayudas de Estado de un beneficio fiscal en el IBI, concretamente el recogido en el art. 62.1.a) TRLRHL a favor de los bienes inmuebles propiedad del Estado, de las CC.AA. o de las entidades locales que estén directamente afectos a la seguridad ciudadana y a los servicios educativos y penitenciarios, así como los del Estado afectos a la defensa nacional.

El Tribunal de Justicia responde a la cuestión prejudicial planteada por el Juzgado de lo Contencioso-Administrativo nº 1 de Ferrol en relación con un litigio entre el Ministerio de Defensa y Navantia S.A., por un lado, y el Concello de Ferrol, por otro, en relación con la exención en el IBI de una parcela de terreno propiedad del Estado —en la que está situada un astillero— cuyo uso se cedió a Navantia (empresa cuyo capital pertenece íntegramente al Estado español) en virtud de un convenio celebrado el 6 de septiembre de 2001.

El Concello de Ferrol percibió la cuota del impuesto relativa a dicha parcela, cuyo importe se elevaba a 590.308,77 euros en 2010, en relación con los ejercicios anteriores al año 2008. Como propietario de dicha parcela y sujeto pasivo a título de contribuyente (ya que a Navantia sólo se le cedió el derecho de uso), el Estado repercutió el importe de dicho impuesto a Navantia, de conformidad con el art. 61.1, letra d) en relación con el art. 63.2 del TRLRHL. En el ejercicio 2008 y siguientes, el Estado y Navantia solicitaron al Concello de Ferrol, sobre la base del art. 62.1.a) del TRLRHL, la exención fiscal del IBI adeudado en relación con la parcela en la que está situado el astillero, solicitud que fue denegada. Dicha denegación fue impugnada ante el Juzgado Contencio-

---

fuera el encargado de proceder a dicha valoración, a fin de dilucidar si España ha incumplido las obligaciones impuestas por el apartado segundo del art. 351.

[121] En fase de pruebas de la presente obra, el Ministerio de Hacienda ha sometido a trámite de información pública el proyecto de Orden Ministerial de 4 de mayo de 2023, por el que se deroga la Orden de 5 de junio de 2021. La medida se justifica en el acuerdo alcanzado, mediante canje de notas de 29 de marzo de 2023, entre el Gobierno español y la Conferencia Episcopal, para la renuncia a la exención en el ICIO.

so-Administrativo nº 1 de Ferrol que, mediante sentencia de 25 de noviembre de 2011, desestimó el recurso. Recurrida la sentencia judicial ante el TSJ de Galicia, éste revocó la sentencia anterior y declaró que procedía conceder la exención fiscal solicitada, devolviendo el asunto al Juzgado remitente. Sin embargo, a juicio de éste último órgano jurisdiccional, la exención fiscal solicitada puede implicar la concesión a Navantia de una ayuda de Estado contraria al art. 107.1 TFUE, en la medida en que se reduciría la carga fiscal normalmente soportada por la empresa (y por sus competidoras privadas en el ámbito de la construcción naval), a través de una pérdida de ingresos para el Concello de Ferrol, reforzando su posición competitiva en los mercados en los que desarrolla sus actividades militares y civiles, con lo que la competencia se falsea potencialmente y se ven afectados los intercambios entre Estados miembros. En estas circunstancias, el órgano jurisdiccional decide suspender el procedimiento y plantear al TJUE si la exención fiscal sobre el IBI de la que se beneficia Navantia es compatible con el art. 107.1 TFUE y si es compatible con el mismo artículo que un Estado miembro pueda establecer una exención fiscal sobre un terreno de su propiedad cedido a una empresa privada de capital íntegramente público en la que ésta suministra bienes y presta servicios que pueden comerciarse entre Estados miembros.

El Tribunal, ciñendo su respuesta a la cuestión planteada[122], analiza en primer término si existe una "ventaja económica" a favor de Navantia. Recuerda, en este sentido, que "una medida mediante la cual las autoridades públicas conceden a determinadas empresas un trato fiscal ventajoso que, aunque no implique una transferencia de fondos estatales, coloca a los beneficiarios en una situación financiera más favorable que la de los demás contribuyentes constituye una ayuda de Estado en el sentido del artículo 107 TFUE, apartado 1". En el caso planteado se deduce de los autos en poder del Tribunal de Justicia que, por un lado, en virtud del convenio de 2001, Navantia está obligada a reembolsar al Estado español el IBI adeudado al Concello de Ferrol en relación con la parcela puesta a su disposición y en la que está situada su astillero (de conformidad con la obligación legal establecida en el art. 63.2 TRLRHL), pero, por otro lado, la exención fiscal controvertida tiene el efecto de que no se realice ningún pago de dicho impuesto, ni al Concello por parte del Estado, ni, en consecuencia, a éste por parte de Navantia, ya que, a través del mecanismo concreto de la cesión del derecho de uso, aplicado por el convenio de 2001, se permite a Navantia eludir la calificación de sujeto pasivo del art. 61.1 del TRLRHL. Entiende, por tanto, el Tribunal que el IBI es un impuesto normalmente adeudado por Navantia y que la exención solicitada constituiría una ventaja económica que tendría por efecto aligerar directamente, sin que sea necesaria ninguna otra intervención, las cargas que normalmente

---

[122] Advierte, no obstante, el Tribunal de Justicia en el apartado 17 de la sentencia que no se ha planteado la cuestión de la compatibilidad con el art. 107 TFUE de la puesta a disposición de una empresa privada, por parte del Estado miembro afectado, de un terreno por un precio simbólico.

gravan el presupuesto de Navantia de no existir tal exención[123]. Rechaza el Tribunal la alegación del Gobierno según la cual los objetivos perseguidos con la exención responden a consideraciones de defensa nacional, puesto que la calificación de "ayuda" en el sentido del art. 107.1 TFUE no tiene en cuenta las causas o los objetivos de las intervenciones estatales, sino los efectos que producen sobre la competencia y los intercambios comerciales en el mercado interior.

A continuación, el Tribunal examina si la ventaja fiscal concedida es selectiva. Para ello, en aplicación del *derogation test*, se ocupa en primer lugar de identificar el régimen jurídico de referencia a efectos de apreciar el eventual carácter selectivo de la medida de exención controvertida. Dicho régimen jurídico general es la sujeción al impuesto de toda posesión o utilización de un terreno, con arreglo a los arts. 60 a 63 del TRLRHL. La excepción a dicha regla general es la exención del impuesto a favor de la utilización de la parcela de terreno en la que se encuentra el astillero de Navantia, en aplicación del art. 62.1 a) del TRLRHL y en virtud del convenio de 2001, en la medida en que éste únicamente establece la cesión a la mencionada empresa del derecho de uso de esa parcela. Advierte el Tribunal, a este respecto, que la exención de los bienes inmuebles del Estado "afectos a la defensa nacional" prevista en el art. 62.1 a) del TRLRHL puede aplicarse a todas las actividades de una empresa como Navantia, sin que deba distinguirse en función de que tengan carácter militar o civil, extremo que incumbe comprobar al Juzgado remitente. Por consiguiente, el Tribunal entiende que se encuentran en una situación fáctica y jurídica comparable a la de Navantia, a la luz del objetivo del gravamen de la posesión o de la utilización de un terreno, no sólo las empresas que poseen o utilizan terrenos con fines incluidos parcialmente en la defensa nacional, sino también las que poseen o utilizan terrenos con fines exclusivamente civiles. A su juicio, "es evidente que, en relación con este último grupo de empresas, Navantia disfruta, en lo que atañe a sus actividades civiles, de una ventaja fiscal a la que no tienen derecho otras sociedades que se encuentran en una situación fáctica y jurídica comparable. Por lo tanto, ha de considerarse que la ventaja fiscal examinada tiene *a priori* carácter selectivo". Finalmente, estudia si esa diferencia de trato fiscal puede verse justificada por la naturaleza y la estructura general del sistema fiscal del Estado miembro de que se trate, extremo que corresponde demostrar al Estado miembro afectado. Sobre este extremo, el Tribunal advierte que el Gobierno español no ha formulado ninguna alegación que pueda demostrar que la exención fiscal solicitada se derive directamente de los principios fundadores o rectores del sistema fiscal español ni que sea necesaria para el funcionamiento y la eficacia de ese sistema fiscal. Además, una exención de los bienes inmuebles del Estado afectos a la defensa nacional no parece tener relación directa con los objetivos del propio IBI. No obstante, entiende que corresponde al órgano jurisdiccional remi-

---

[123] Aps. 23 a 31.

tente comprobar si existe una posible justificación a la luz del conjunto de elementos pertinentes del litigio del que conoce[124].

Igualmente, el Tribunal entiende que puede apreciarse la concurrencia del elemento de imputabilidad de la medida al Estado mediante transferencia de fondos estatales, puesto que la exención fiscal solicitada fue establecida por el Estado español y su aplicación supone una disminución del presupuesto del Concello de Ferrol[125].

Por último, respecto a la incidencia de la exención fiscal en los intercambios comerciales entre los Estados miembros y la competencia, el Tribunal advierte que el sector de la construcción naval es un mercado abierto a la competencia y a los intercambios comerciales entre los Estados miembros en el que Navantia está en situación de competencia con otras empresas. No sólo con las actividades civiles de la empresa, sino también en lo que atañe a sus actividades en el ámbito militar. Así pues, la referida exención fiscal puede afectar a los intercambios comerciales entre los Estados miembros y falsear la competencia.

En definitiva, sobre la base de las consideraciones anteriores, el TJUE responde a la cuestión prejudicial planteada que el art. 107.1 del TFUE "debe interpretarse en el sentido que puede constituir una ayuda de Estado, prohibida con arreglo a dicha disposición, la exención del Impuesto sobre Bienes Inmuebles de una parcela de terreno perteneciente al Estado y puesta a disposición de una empresa de la que éste posee la totalidad del capital y que, en esa parcela, produce bienes y presta servicios que pueden ser objeto de intercambios comerciales entre los Estados miembros en mercados abiertos a la competencia. No obstante, incumbe al Juzgado remitente comprobar si, tomando en consideración todos los elementos pertinentes del litigio del que conoce, apreciados a la luz de los criterios interpretativos aportados por el Tribunal de Justicia, tal exención debe calificarse de ayuda de Estado en el sentido de la citada disposición".

Ante la respuesta del TJUE, el Juzgado remitente denegó la concesión de la exención del IBI a Navantia, al entender que dicha exención constituía una ayuda estatal ilegal e incompatible con el Derecho de la UE[126]. Sin embargo, esta sentencia fue apelada ante el TSJ de Galicia, que la revocó, reconociendo la citada la exención tributaria. El TSJ subrayó que la afectación a la defensa nacional de los terrenos de la parcela litigiosa se producía por ministerio legal y la actividad "privada" de Navantia no había de entenderse como determinante de una suerte de desafectación de destino. Recordó, asimismo, que el sujeto pasivo del IBI de la parcela objeto de litigio era el Estado. Navantia no podía tener la condición de sujeto pasivo pues no era propietario, superficiario, conce-

---

[124] Aps. 32 a 45.

[125] Aps. 48 y 49.

[126] Juzgado de lo Contencioso-Administrativo nº 1 de Ferrol, sentencia de 8 de enero de 2015 (rec. nº 52/2011).

sionario ni usufructuario de los terrenos. Esta última solo habría de responder de dicho tributo por la vía de la repercusión convencional, toda vez que su pago no le correspondía ni como contribuyente, ni como sustituto del contribuyente. Por último, recalcó que "la sentencia del TJUE, sobre el particular, formuló consideraciones de carácter general favorables a la infracción del art. 107.1 TFUE; pero reservando la decisión correspondiente al criterio del Juez sobre el particular, por lo cual (...) aquella declaración de carácter general no puede, sin más, proyectarse a la sentencia y, menos aún, conducir a la denegación de la exención que corresponde al Estado"[127].

Con posterioridad, el Tribunal Supremo, en distintas sentencias recaídas entre 2020 y 2022[128], ha establecido jurisprudencia sobre el alcance y extensión de los artículos 61.2 y 62.1.a) TRLRHL en lo que atañe a la exención de los inmuebles del Estado propiedad del Estado, afectos a la defensa nacional, cuando está cedido su uso a una empresa en virtud de concesión administrativa u otro título que comprenda la posesión. En ellas el Alto Tribunal sostiene que "El IBI es 'un tributo directo de carácter real que grava el valor de los bienes inmuebles' (artículo 60 TRLHL), y cuando el artículo 62.1.a) TRLHL dispone que estarán exentos los 'inmuebles' del 'Estado afectos a la defensa nacional', establece una exención de carácter objetivo, exigiendo únicamente que los inmuebles (1º) sean propiedad del Estado y (2º) estén afectos a la defensa nacional, con independencia de si los mismos son utilizados directamente por el Estado o por una empresa pública, o de si la figura jurídica con la que instrumentaliza su derecho de uso es la concesión demanial. De manera que el objetivo de la prelación de derechos sobre el inmueble objeto de gravamen que establece el artículo 61 TRLHL es, simplemente, individualizar quién es el sujeto pasivo del tributo, que solo puede ser una persona física o jurídica, nunca un inmueble".

Es llamativo, sin embargo, que en estas sentencias el Tribunal Supremo no haga, en sus fundamentos jurídicos, referencia alguna a la sentencia del Tribunal de Justicia de la Unión Europea de 9 de octubre de 2014, asunto C-522/13.

Por otra parte, el asunto Navantia situó en el punto de mira otros beneficios fiscales previstos en el TRLRHL por posible existencia de ayudas de Estado. A modo de ejemplo, las bonificaciones que pueden establecer los ayuntamientos a tenor del art. 74.2 TRLRHL, como la que puede alcanzar hasta el 95% de la cuota íntegra del IBI a favor de inmuebles en los que se desarrollen actividades económicas que sean declaradas de especial interés o utilidad municipal por concurrir circunstancias sociales, culturales,

---

[127] STSJ de Galicia de 16 de julio de 2015 (rec. nº 15049/15), FJ 4º.

[128] SSTS de 17 de septiembre de 2020 (rec. cas. nº 1823/2019 y 2241/2019), 2 de octubre de 2020 (rec. cas. nº 2083/2019), 21 de julio de 2021 (rec. cas. nº. 6157/2020), 9 de febrero de 2022 (rec. cas. nº 1570/2020) y 16 de febrero de 2022 (rec. cas. nº 3126/2019). Está pendiente de resolverse el recurso 7604/2020, admitido por auto del TS de 17 de junio de 2021.

histórico-artísticas o de fomento del empleo que, a criterio del Pleno de la Corporación, justifiquen tal declaración; o la del art. 74.3 (que puede alcanzar hasta el 90% de la cuota íntegra del impuesto) en beneficio de algunos inmuebles de características especiales[129].

3.3. LA INCIDENCIA SOBRE LA TRIBUTACIÓN LOCAL DE LAS DIRECTIVAS COMUNITARIAS

3.3.1. Las directivas comunitarias sobre armonización tributaria

El Derecho de la UE no tiene por objetivo la sustitución de los sistemas tributarios nacionales por otro europeo unificado, ni pretende uniformar la regulación de los distintos tributos nacionales. La armonización fiscal, o la aproximación o acercamiento progresivo de los sistemas fiscales nacionales, no constituye un fin en sí mismo, sino un instrumento al servicio del objetivo económico que justificó la constitución de las Comunidades Europeas (hoy, UE), esto es, el establecimiento y correcto funcionamiento de una unión aduanera y de un mercado interior, en el que se garantiza la libre circulación de mercancías, personas, servicios y capitales, y en el que la competencia no sea falseada a través de ayudas públicas.

El objetivo de convergencia o aproximación normativa pretendido por la armonización fiscal admite diferentes estrategias armonizadoras, entre las cuales destaca la armonización positiva, es decir, la aproximación de las legislaciones fiscales de los Estados miembros por medio de normas comunitarias jurídicamente vinculantes (principalmente directivas).

En líneas generales, puede afirmarse que en el ámbito de la imposición indirecta se han producido avances muy significativos en la armonización positiva de las legislaciones nacionales[130]. Esta circunstancia no debe extrañar, pues el primer objetivo de los Estados miembros fue, junto a la unión aduanera, la eliminación de las perturbaciones que la existencia de disparidades en la estructura de los impuestos indirectos nacionales podía tener sobre la libre circulación de mercancías y el buen funcionamiento del mercado

---

[129] J. I. Gomar Sánchez, "Ayudas de Estado en el IBI (STJUE 9.10.2014, Navantia)", *ECJ Leading Cases*, nº 619, 22.10.2014, disponible en https://ecjleadingcases.wordpress.com/2014/10/22/juan-ignacio-gomar-sanchez-ayudas-de-estado-en-el-ibi-stj/ (consultado el 26/11/2022). En la misma línea, A. Del Blanco García, "El Derecho de la Unión Europea y los sistemas tributarios de los entes territoriales", *Revista de Contabilidad y Tributación*, nº 398, 2016, págs. 56-59.

[130] La principal norma comunitaria en el ámbito del IVA es la Directiva 2006/112/CE, desarrollada por el Reglamento de Ejecución (UE) nº 282/2011. En el ámbito de la armonización de los impuestos especiales destaca la Directiva 2008/118/CE. También la Directiva 2008/7/CE, relativa a los impuestos indirectos que gravan la concentración de capitales.

común. Por otra parte, el proceso de armonización positiva de los impuestos indirectos cuenta con una base jurídica explícita en el Derecho originario (art. 113 TFUE)[131].

Sin embargo, los avances en el proceso armonizador de la imposición directa han sido más modestos, parciales y generados de forma más lenta[132]. Como principales factores explicativos de estas diferentes velocidades cabe destacar, en primer lugar, la ausencia de un título competencial claro que legitime la acción normativa en el ámbito de la imposición directa. A diferencia de los impuestos indirectos, el Derecho originario de la UE no contiene un precepto que sirva de fundamento jurídico explícito a la armonización fiscal en el campo de la imposición directa. Las directivas aprobadas en este último ámbito toman como base jurídica el art. 115 TFUE[133]. Otros factores que explican la dificultad de realizar progresos en la armonización de la fiscalidad directa son el principio de subsidiariedad concretado en el Tratado de Maastricht y la exigencia de unanimidad del Consejo para la aprobación de las directivas que, si bien es una regla aplicable tanto en el ámbito de la imposición indirecta como directa, resulta más difícil de alcanzar en un ámbito de la tributación (imposición directa) fuertemente embridado con la idea de soberanía estatal y único instrumento en manos de los Estados para la realización de sus políticas económicas nacionales tras la unificación monetaria y

---

[131] Este artículo dispone: "El Consejo, por unanimidad con arreglo a un procedimiento legislativo especial, y previa consulta al Parlamento Europeo y al Comité Económico y Social, adoptará las disposiciones referentes a la armonización de las legislaciones relativas a los impuestos sobre el volumen de negocios, los impuestos sobre consumos específicos y otros impuestos indirectos, en la medida en que dicha armonización sea necesaria para garantizar el establecimiento y funcionamiento del mercado interior y evitar distorsiones de la competencia".

[132] Las directivas aprobadas con base en el art. 115 TFUE son: la Directiva 90/434/CEE, de 23 de julio, relativa a un régimen fiscal común aplicable a las fusiones, escisiones, aportaciones de activos y canje de acciones realizadas entre sociedades de Estados miembros diferentes, reemplazada por la Directiva 2009/133/CE del Consejo, de 19 de octubre de 2009; la Directiva 90/435/CEE, de 23 de julio, relativa al régimen fiscal común aplicable a las sociedades matrices y filiales de Estados miembros diferentes, sustituida por la Directiva 2011/96/UE, de 30 de noviembre; la Directiva 2003/49/CE relativa a un régimen fiscal común a los pagos de intereses y cánones; la Directiva 2011/16/UE, de 15 de febrero de 2011, relativa a la cooperación administrativa en el ámbito de la fiscalidad; la Directiva 2010/24/UE, de 16 de marzo de 2010, sobre la asistencia mutua en materia de cobro de los créditos correspondientes a determinados impuestos, derechos y otras medidas; la Directiva 2016/1164 del Consejo, de 12 de julio de 2016, por la que se establecen normas contra las prácticas de elusión fiscal que inciden directamente en el funcionamiento del mercado interior (modificada por la Directiva 2017/952, de 29 de mayo de 2017); la Directiva 2017/1852, de 10 de octubre de 2017, relativa a los mecanismos de resolución de litigios fiscales en la UE; y la Directiva 2022/2523 del Consejo, de 14 de diciembre de 2022, relativa a la garantía de un nivel mínimo global de imposición para los grupos de empresas multinacionales y los grupos nacionales de gran magnitud en la Unión.

[133] Conforme a este precepto: "El Consejo adoptará, por unanimidad con arreglo a un procedimiento legislativo especial, y previa consulta al Parlamento Europeo y al Comité Económico y Social, directivas para la aproximación de las disposiciones legales, reglamentarias y administrativas de los Estados miembros que incidan directamente en el establecimiento y funcionamiento del mercado interior".

los compromisos asumidos en materia de endeudamiento. Sin perder de vista, en este sentido, que la concreta estructura de los sistemas tributarios de los diferentes Estados miembros obedece a objetivos de política nacional divergentes, todo lo cual dificulta alcanzar el pleno consenso en el seno del Consejo.

Pues bien, el efecto de esas directivas sobre los tributos locales es pequeño, debido a que el proceso de armonización fiscal afecta principalmente a impuestos estatales. No obstante, la configuración de algunos tributos locales se ha visto afectada por la aprobación de las directivas comunitarias de armonización fiscal mencionadas[134]. Además, no debe pasarse por alto la incidencia de las directivas comunitarias en materia de cooperación administrativa en el ámbito fiscal (Directiva 2011/16/UE) y de asistencia mutua en materia de recaudación de créditos tributarios (Directiva 2010/24/UE). Estas dos directivas sobre asistencia mutua han sido incorporadas a nuestro Derecho, ampliando el objeto y ámbito de aplicación de la Ley General Tributaria (LGT), para incluir en ella los principios y las normas jurídicas generales que regulan las actuaciones de la Administración tributaria por aplicación en España de la normativa sobre asistencia mutua entre los Estados miembros de la Unión Europea o en el marco de los convenios para evitar la doble imposición o de otros convenios internacionales. Por asistencia mutua se entiende el conjunto de acciones de asistencia, colaboración, cooperación y otras de naturaleza análoga prestadas o recibidas por el Estado español. Así pues, se engloban las actuaciones de asistencia mutua tendentes, no sólo a la recaudación de los créditos tributarios, sino también al intercambio de información o a otros fines previstos en la normativa reguladora de la asistencia mutua[135].

La regulación de los principios y reglas generales aplicables en materia de asistencia mutua constituyen una competencia exclusiva del Estado, al participar de la naturaleza jurídica de las relaciones internacionales (art. 149.1.3º CE).

---

[134] Así, como consecuencia de la transposición de la Directiva 90/434/CEE, la Ley 29/1991, de 16 de diciembre, de adecuación de determinados conceptos impositivos a las directivas y reglamentos de las Comunidades Europeas, modificó determinados aspectos del Impuesto sobre el Incremento del Valor de los Terrenos de Naturaleza Urbana (IIVTNU), para acomodar el tributo a la exigencia de neutralidad para las operaciones de fusión, escisión, aportación de activos y canje de acciones entre sociedades de diferentes Estados miembros. En concreto, el art. 15.1 de la Ley 29/1991 estableció que no se devengará el Impuesto con ocasión de las transmisiones de terrenos de naturaleza urbana derivadas de las operaciones enumeradas en el art. 1 de la Ley (operaciones de fusión, escisión, aportación no dineraria y canje de valores), cuando resulte aplicable a las mismas el régimen tributario establecido en el presente Título (es decir, el régimen fiscal especial para operaciones de reestructuración empresarial).

[135] Art. 1 LGT en redacción dada por el Real Decreto-ley 20/2011, de 30 de diciembre. Este último también introdujo un nuevo Capítulo VI en el Título III de la LGT, en el que se regulan las distintas actuaciones y procedimientos de asistencia mutua.

En las directivas sobre asistencia mutua se percibe una clara preocupación por conseguir un contacto más fluido entre las Administraciones tributarias de los Estados miembros, para lo cual diseñan una estructura organizativa básica que asegure una colaboración más eficaz y rápida, sin perjuicio del necesario respeto a la organización administrativa interna de los Estados miembros. Así, se designa una oficina central de enlace responsable de los contactos con la Comisión y con lo demás Estados miembros en lo que atañe a la asistencia mutua, centralizando tanto el envío como la recepción de solicitudes de asistencia. El art. 5.3 de la LGT atribuye a "la Agencia Estatal de Administración Tributaria las competencias en materia de aplicación de los tributos derivadas o atribuidas por la normativa sobre asistencia mutua", ya se trate de tributos estatales, autonómicos o locales, de modo que cuando una Comunidad Autónoma o una Entidad local requieran que la Administración tributaria de otro Estado miembro les preste asistencia en relación con la liquidación o la recaudación de un tributo, las actuaciones se efectuarán a través de la AEAT. En este orden de ideas, el Real Decreto 1558/2012, de 15 de noviembre, introdujo un nuevo Título VI (actuaciones derivadas de la normativa sobre asistencia mutua) en el Real Decreto 1065/2007, de 27 de julio, por el que se aprueba el Reglamento General de las actuaciones y los procedimientos de gestión e inspección tributaria (RGGI). Entre otras cuestiones, se establece un plazo máximo de tres meses para que el órgano correspondiente remita la información con trascendencia tributaria a la AEAT para que esta pueda, a su vez, remitirla al Estado que la solicita, salvo que la normativa sobre asistencia mutua establezca un plazo inferior a seis meses, en cuyo caso, la información por parte del órgano correspondiente se suministrará en un plazo no superior a la mitad del establecido (art. 204 RGGI).

Este esquema organizativo debería contribuir a un fortalecimiento de los mecanismos internos de colaboración entre las distintas Administraciones territoriales, particularmente en materia de intercambio de información, especialmente importante en un sistema tributario como el español caracterizado por la distribución territorial del poder tributario. En este sentido, si con la oficina central de enlace, ubicada en el seno de la AEAT, se persigue centralizar tanto el envío como la recepción de solicitudes contribuyendo a agilizar y racionalizar la cooperación entre Administraciones tributarias de los Estados miembros, los servicios tributarios territoriales de enlace aportarían una especialización que podría redundar en una mayor operatividad y eficacia del sistema interno de suministro y recepción de información tributaria. Ahora bien, el fomento de la colaboración interna entre Administraciones tributarias, especialmente en materia de intercambio de información, precisa una planificación coordinada de las actuaciones a realizar por las distintas Administraciones, así como la especialización de los recursos humanos y el establecimiento de herramientas o cauces que hagan posible una colaboración fluida y eficaz.

3.3.2. Tributos locales, servicios de telecomunicaciones y "Directiva autorización"

Sin duda, la regulación y aplicación de los tributos locales también se ve afectada por las normas comunitarias tendentes a aproximar las legislaciones de los Estados miembros en ámbitos en principio ajenos a la fiscalidad. Sirva como ejemplo el impacto de la Directiva 2006/123/CE, de 12 de diciembre de 2006, relativa a los servicios en el mercado interior, sobre la regulación de varias tasas locales y, en particular, sobre el ICIO, obligando al legislador estatal a modificar el hecho imponible, los sujetos pasivos y distintos aspectos relativos a la aplicación del impuesto[136].

De hecho, no constituye un exceso afirmar que una de las restricciones más importantes impuestas hasta el momento al poder tributario de las entidades locales por el Derecho de la UE no procede de las directivas de armonización fiscal, sino de la evolución experimentada por la ordenación jurídica de las telecomunicaciones en la Unión Europea, inspirada en la necesidad de establecer un marco legal común en todos los Estados miembros que garantice un tránsito progresivo de un régimen de monopolio o intervención pública a un régimen de liberalización.

El régimen europeo de las telecomunicaciones se ha caracterizado por la aprobación de una sucesión de directivas que los Estados miembros deben transponer a sus respectivos ordenamientos internos. Desde 2002, las redes y servicios de telecomunicaciones electrónicas han estado reguladas principalmente por un paquete de cinco directivas conexas, entre las que se encontraba la Directiva 2002/20/CE, del Parlamento Europeo y del Consejo, de 7 de marzo de 2002, relativa a la autorización de redes y servicios de comunicaciones electrónicos (en adelante, Directiva autorización)[137]. Habida cuenta de las importantes modificaciones realizadas en estas disposiciones a lo largo del tiempo y en aras de una mayor claridad, se procedió a su refundición a través de la Directiva

---

[136] Y que por motivos de espacio sólo podemos dejar apuntada. Para un análisis más detallado remitimos al lector a E. Aragonés Beltrán. "Las repercusiones tributarias de la Directiva de servicios en el ámbito local", *Cuadernos de derecho local*, nº 23, 2010; M. M. Pérez Pérez. "La incidencia de la directiva de servicios en la fiscalidad municipal", en *La función tributaria local*, La Ley, Madrid, 2012; y J. J. Romero Abolafio. "El impacto de la Directiva de Servicios en el ICIO", *Tributos Locales*, nº 114, 2014.

[137] El resto de directivas integradas en este paquete normativo son: Directiva 2002/19/CE del Parlamento y del Consejo, de 7 de marzo de 2002, relativa al acceso a las redes de comunicaciones electrónicas y recursos asociados, y a su interconexión (Directiva acceso); Directiva 2002/21/CE del Parlamento Europeo y del Consejo, de 7 de marzo de 2002, relativa a un marco regulador común de las redes y los servicios de comunicaciones electrónicas (Directiva marco); Directiva 2002/22/CE del Parlamento Europeo y del Consejo, de 7 de marzo de 2002, relativo al servicio universal y los derechos de los usuarios en relación con las redes y los servicios de comunicaciones electrónicas (Directiva de servicio universal); Directiva 2002/58/CE del Parlamento Europeo y del Consejo, de 12 de julio de 2002, relativa al tratamiento de los datos personales y a la protección de la intimidad en el sector de las comunicaciones electrónicas (Directiva sobre la privacidad y las comunicaciones electrónicas).

(UE) 2018/1972/UE, de 11 de diciembre, por la que se establece el Código Europeo de Comunicaciones Electrónicas, que deroga y sustituye a las anteriores a partir del 21 de diciembre de 2020, pero no altera la situación jurídica previa.

El art. 13 de la Directiva autorización disponía: "Los Estados miembros podrán permitir a la autoridad pertinente la imposición de cánones por los derechos de uso de radiofrecuencias, números o derechos de instalación de recursos en una propiedad pública o privada, o por encima o por debajo de la misma, que reflejen la necesidad de garantizar el uso óptimo de estos recursos. Los Estados miembros garantizarán que estos cánones no sean discriminatorios, sean transparentes, estén justificados objetivamente, sean proporcionados al fin previsto y tengan en cuenta los objetivos del artículo 8 de la Directiva [marco]".

En este contexto normativo es en el que el TJUE valoró, a través de dos pronunciamientos, la procedencia de la tasa por utilización privativa o aprovechamiento especial del dominio público local impuesta a las operadoras de telefonía móvil (en adelante, tasa de la telefonía móvil) por parte de centenares de municipios.

Para comprender cabalmente el significado y alcance de sendos pronunciamientos es necesario retrotraernos al momento de inicio de la controversia, situado nuevamente en la publicación de la Ley 51/2002, de 27 de diciembre, de reforma de la Ley Reguladora de las Haciendas Locales. Esta Ley excluyó a los servicios de telefonía móvil del régimen especial de cuantificación de las tasas de dominio público consistente en un 1,5% de los ingresos brutos facturados en el municipio [art. 24.1.c) TRLRHL]. Esta reforma fue el origen de dos posiciones enfrentadas: la de quienes interpretaban que la exclusión de los servicios de telefonía móvil se refería a la tasa por ocupación del dominio público local (posición defendida por los operadores de telefonía móvil); y la que sostenía que la referencia a los servicios de telefonía móvil en el citado artículo confirmaba que este tipo de operaciones realizaban el hecho imponible de la citada tasa[138], si bien la cuantificación de la cuota tributaria debía realizarse conforme al art. 24.1 a) de la Ley de Haciendas Locales, esto es, por el valor que tendría en el mercado la utilidad derivada de dicha utilización privativa o aprovechamiento especial, si los bienes afectados no fuesen de dominio público [defendida por la Federación Española de Municipios y Provincias (FEMP) y por cientos de ayuntamientos]. En septiembre de 2006, la FEMP puso a disposición de todos los municipios españoles dos modelos de ordenanza para la

---

[138] Para C. García Novoa, "no hay fundamento serio para excluir a los suministros de servicios de telefonía móvil del presupuesto de hecho de la tasa por ocupación privativa o aprovechamiento especial del dominio público. No es cierto que la prestación de estos servicios no tenga relación directa con la ocupación del dominio público municipal, ya que los servicios de telefonía móvil operan sobre el vuelo del dominio público de las vías públicas" [Vid. "Capítulo 25. Tasas municipales en relación con las telecomunicaciones (especial referencia a la telefonía móvil)", en *Las Tasas Locales*, Thomson-Civitas, Madrid, 2011, pág. 779].

imposición de la tasa por aprovechamiento especial del dominio público a las empresas de telefonía móvil con su correspondiente estudio técnico-económico. La diferencia entre los dos modelos de ordenanza residía en los parámetros para determinar la cuantía de la tasa: en un caso, la tasa se cuantificaba a partir de los ingresos medios por operaciones de móviles obtenidos por cada operadora en todo el Estado, imputando a cada municipio la parte correspondiente a sus abonados, y aplicando sobre tal base un porcentaje del 1,5%; en otro, se partía del volumen de consumos facturados por llamadas efectuadas y recibidas en el municipio, considerando a tales efectos tanto las llamadas a teléfonos fijos del municipio como a móviles, y aplicaba sobre dicha base un gravamen del 1,5%.

Ante la imposición generalizada de la citada tasa por parte de los ayuntamientos, las empresas operadoras comenzaron a impugnar las ordenanzas y las liquidaciones basadas en las mismas, empleando como principales argumentos la falta de realización del hecho imponible consistente en el aprovechamiento especial del dominio público local, la doble imposición (con la tasa estatal del espacio radioeléctrico o el IAE, según los casos) y la ilegalidad de la forma de cuantificación de la tasa. La sentencia del Tribunal Supremo de 16 de febrero de 2009 (rec. cas. nº 5082/2005) confirmó la posibilidad de exigir la tasa por aprovechamiento del dominio público local a las empresas de telefonía móvil, fueran o no titulares de la red, al entender el Alto Tribunal que la exclusión del régimen especial de cuantificación de la tasa del art. 24.1.c) del TRLHL de los servicios de telefonía móvil no significaba la exclusión para tales servicios del régimen general de cuantificación de la tasa cuando efectivamente se produzca su hecho imponible y afecte al dominio público local, incluido el suelo, subsuelo y vuelo. Consideró que el hecho imponible de la tasa está constituido, no tanto por la utilización privativa del dominio público, como por el aprovechamiento especial del mismo que, indudablemente, lleva a cabo la operadora de telefonía móvil, aunque no sea titular de las redes. Tales empresas verificaban, en opinión del Tribunal Supremo, un aprovechamiento indiscriminado de la red fija de telefonía que hace posible la permanente y efectiva prestación del servicio por parte de aquéllas, dado que en otro caso un importante porcentaje de comunicaciones sería irrealizable, al no poderse realizar la conexión entre teléfonos móviles y fijos. También respaldó el TS en la misma sentencia el método de cálculo de la tasa, señalando que los ayuntamientos disponían de un amplio margen para aplicar los criterios de cuantificación de la citada tasa a la vista de la regulación contenida en el TRLRHL[139]. Por su parte, la Comisión del Mercado de Telecomunicaciones admitió la legitimidad de la tasa, cuestionando únicamente la forma de cuantificación de la misma derivada de los modelos de ordenanzas propuestos por la FEMP[140].

---

[139]   En la misma línea se pronunció la DGT, en contestación de 19 de mayo de 2010 a una consulta vinculante.

[140]   Resolución nº 26/10, aprobada en sesión celebrada el 7 de septiembre de 2010.

Los recursos contra ordenanzas fiscales reguladoras de la tasa seguían llegando al Tribunal Supremo que, a finales de 2010, se preguntó sobre la conformidad de determinados aspectos de su regulación con el Derecho de la UE. Mediante autos de 28 y 29 de octubre y 30 de noviembre, el Alto Tribunal suspendió los procedimientos pendientes y acordó plantear el TJUE las siguientes cuestiones prejudiciales:

"1) ¿El artículo 13 de la Directiva autorización debe interpretarse en el sentido de que se opone a una normativa nacional que permite exigir un canon por derechos de instalación de recursos sobre el dominio público municipal a las empresas operadoras que, sin ser titulares de la red, la usan para prestar servicios de telefonía móvil?

2) Para el caso de que se estime compatible la exacción con el mencionado artículo 13 de la Directiva autorización, las condiciones en las que el canon es exigido por la ordenanza local controvertida ¿satisfacen los requerimientos de objetividad, proporcionalidad y no discriminación que dicho precepto exige, así como la necesidad de garantizar el uso óptimo de los recursos concernidos?

3) Cabe reconocer al repetido artículo 13 de la Directiva autorización efecto directo?".

Estas cuestiones prejudiciales dieron lugar a los asuntos C-55/11, C-57/11 y C-58/11, que se resolvieron, de forma acumulada, en la STJUE de 12 de julio de 2012. En lo que atañe a la primera cuestión, el TJUE consideró que, descartada la posibilidad de calificar la tasa municipal de telefonía móvil como un canon por derechos de uso de radiofrecuencias o números, sólo debía dirimirse si dicha tasa podía considerarse como un canon que grava "los derechos de instalación de recursos en una propiedad pública o privada, o por encima o por debajo de la misma", calificación que excluye su aplicación a las operadoras que no sean titulares de la red[141]. Aunque el TJUE reconoce que en la Directiva autorización no se definen, como tales, ni el concepto de "instalación de recursos" ni el "obligado al pago del canon devengado por los derechos correspondientes a esta instalación", cabe señalar que del art. 11.1, primer guion, de la Directiva marco, se desprende que "los derechos de instalación de recursos en una propiedad pública o privada, o por encima o por debajo de la misma, se conceden a la empresa autorizada a suministrar redes públicas de comunicaciones, es decir, a aquella que está habilitada para instalar los recursos necesarios en el suelo, el subsuelo o el espacio situado por encima del suelo"[142]. Por otra parte, siguiendo las conclusiones de la Abogada General, afirma que los "términos 'recursos' e 'instalaciones' remiten, respectivamente, a las infraestructuras físicas que permiten el suministro de redes y servicios de comunicaciones electrónicas y a su colocación física en la propiedad pública o privada de que se trate"[143]. De ello se desprende que resulta contrario al art. 13 de la Directiva autorización cualquier canon, como la tasa cuestionada, que se pretenda imponer a operadoras que utilicen

---

[141] Ap. 30.

[142] Ap. 31.

[143] Ap. 32.

la red, pero no sean titulares de la misma[144]. Respecto a la tercera cuestión prejudicial planteada por el TS, el TJUE reconoce que el art. 13 de la Directiva autorización cumple todos los requisitos para que produzca efecto directo y, por tanto, los particulares pueden invocarlo directamente frente a los tribunales nacionales[145].

Nada dijo el TJUE en relación con la segunda cuestión prejudicial planteada, habida cuenta de la respuesta dada al primer interrogante. No obstante, en sus conclusiones, la Abogada General señaló que cuantificar la tasa de la telefonía móvil basándose en los ingresos o cuotas de mercado de las empresas resultaba contrario a los requisitos de justificación objetiva, proporcionalidad y no discriminación exigidos en el art. 13 de la Directiva autorización[146]. En su opinión, la forma de cálculo del importe de la tasa no está basada en parámetros relacionados con el objetivo de garantizar un uso óptimo de un recurso escaso, sino en elementos basados en los ingresos brutos obtenidos por una compañía, con la finalidad principal de generar ingresos[147]. Además, la fórmula de cuantificación aplicada por los ayuntamientos, amparada en el valor de mercado del dominio público en el que están instalados los recursos es desproporcionada, al tener en cuenta parámetros como el número de líneas telefónicas fijas instaladas en el municipio en un determinado año, la cuota de mercado del operador de telefonía móvil en el mercado local, o el consumo medio de telefonía móvil por unidad urbana y el número de habitantes. Estos parámetros, a juicio de la Abogada General, no tienen ninguna correlación con el uso concreto hecho por el operador de telefonía móvil de los recursos pertenecientes a otra empresa[148].

Como no podía ser de otro modo, el TS asumió la doctrina del TJUE en las sentencias que siguieron a una primera resolución de 10 de octubre de 2012 (rec. cas. nº 4307/2009). En ellas se casa y anula las sentencias recurridas en cuanto reconocían la legalidad de ordenanzas de telefonía móvil que gravaban a operadoras no propietarias de la red, declarando que tales normas no pueden considerar sujetos pasivos de la tasa a las operadoras que no sean titulares de la red y eliminando del hecho imponible a los aprovechamientos especiales no realizados por los titulares de la red. Sin embargo, el TS fue más allá y asumió también las conclusiones de la Abogada General en relación con la cuantificación de la tasa. Así, en distintas sentencias rechazó "que para la medición del valor de la utilidad se pueda tener en cuenta el volumen de ingresos que cada empresa operadora pueda facturar por las llamadas efectuadas y recibidas en el Municipio, considerando tanto las llamadas con destino a teléfonos fijos como a móviles como

---

[144]   Aps. 34 y 35.

[145]   Aps. 37 a 39.

[146]   Conclusiones de la Abogado General, Sra. E. Sharpton, presentadas el 22 de marzo de 2012.

[147]   Ap. 79 de las conclusiones.

[148]   Aps. 85 y 86 de las conclusiones.

recoge la Ordenanza, y además, utilizando datos a nivel nacional extraídos de los informes anuales publicados por la Comisión del Mercado de las Telecomunicaciones, en cuanto pueden conllevar a desviaciones en el cálculo del valor de mercado de la utilidad derivada del uso del dominio público local obtenido en cada concreto municipio"[149].

La jurisprudencia expuesta ha provocado que la mayoría de los ayuntamientos no exijan la tasa por utilización privativa o aprovechamiento especial del dominio público a las operadoras de telefonía móvil. Los contados ayuntamientos que lo han hecho han tenido distinta fortuna en los Tribunales de Justicia, generando una importante conflictividad[150]. Junto a ello, el Tribunal de Cuentas ha constatado que algunas operadoras de telefonía han realizado modificaciones societarias, segregando la titularidad de las redes de la actividad de prestación de servicios de telefonía, para quedar eximidas de tributación conforme al criterio del TJUE[151], a través de una especie de conflicto en la aplicación de la norma[152], que redunda en la escasa recaudación obtenida por la tasa.

Sin embargo, la sentencia del TJUE de 27 de enero de 2021, *Orange/España*, C-764/18, ha abierto nuevas perspectivas e interrogantes en relación con las tasas locales que gravan a los operadores de telecomunicaciones por la ocupación del dominio público que efectivamente realizan. Esta sentencia responde a dos cuestiones prejudiciales planteadas por el Tribunal Supremo mediante auto de 12 de julio de 2018 (rec. 1637/2017). La primera se refiere a si las limitaciones contenidas por la Directiva autorización (arts. 12 y 13), en la interpretación de estas realizadas por la STJUE de 12 de julio de 2012 en relación con la telefonía móvil, eran extensibles a las empresas prestadoras de servicios de telefonía fija e internet. La segunda, en caso de contestar afirmativamente al primer interrogante, si sería posible imponer a esos operadores titulares de las redes una tasa cuantificada exclusivamente por razón de los ingresos brutos.

El TJUE responde afirmativamente a la primera cuestión, ya que los arts. 12 y 13 de la Directiva autorización no distinguen entre los distintos servicios de comunicaciones electrónicas, ya se trate de telefonía móvil, fija o de acceso a internet; y tampoco cabe extraer diferencia alguna de las definiciones de "redes de comunicaciones electrónicas" y "servicios de comunicaciones electrónicas" contenidas en la "Directiva marco" (Directiva 2002/21/CE).

---

[149] *Vid.*, a título de ejemplo, las SSTS de 15 de octubre de 2012 (rec. cas. nº 1085/2010) y 10 de noviembre de 2014 (rec. cas. 985/2014).

[150] *Vid.* M. Alonso Gil, "La tasa por ocupación del dominio público local exigible a las operadoras de telefonía fija a la luz de la reciente jurisprudencia del Tribunal Supremo", *Tributos Locales*, nº 151, 2021, págs. 106-107.

[151] *Vid.* Informe del Tribunal de Cuentas nº 1417, de 22 de diciembre de 2020, de fiscalización de las tasas y precios públicos de los ayuntamientos de municipios de población superior a 500.000 habitantes, ejercicio 2017, https://www.tcu.es

[152] *Vid.* M. Alonso Gil, ob. cit., pág. 107.

Pero el aspecto más relevante de esta sentencia es la respuesta a la segunda cuestión prejudicial, al concluir que los artículos 12 y 13 de la Directiva autorización "no se oponen a una normativa nacional que impone, a las empresas propietarias de infraestructuras o de redes necesarias para las comunicaciones electrónicas y que utilicen estas para prestar servicios de telefonía fija y de acceso a internet, una tasa cuyo importe se determina exclusivamente en función de los ingresos brutos obtenidos anualmente por estas empresas en el territorio del Estado miembro de que se trate" (ap. 54). Para alcanzar esta conclusión, el TJUE argumenta que "no puede considerarse que la tasa por aprovechamiento del dominio público, impuesta por la Ordenanza fiscal citada, se aplique a las empresas que suministran redes y servicios de comunicaciones electrónicas como contrapartida al derecho de instalar recursos" (ap. 49). "Por consiguiente, el hecho imponible de la tasa por aprovechamiento del dominio públlico, al estar vinculado, conforme a la referida Ordenanza fiscal [nº 22/2014], a la concesión del derecho a utilizar los recursos instalados en el suelo, vuelo o subsuelo del dominio público local, no depende del derecho de instalar tales recursos en el sentido del artículo 13 de la Directiva autorización" (ap. 50), de lo que se infiere que la tasa prevista en la citada Ordenanza fiscal no está incluida en el ámbito de aplicación del artículo 13 de la Directiva autorización (ap. 51).

La consecuencia que deriva de esta sentencia del TJUE es que el legislador nacional puede cuantificar el tributo que deban pagar los operadores titulares de las redes que presten servicios de telefonía fija y acceso a internet en función de sus ingresos brutos, puesto que la tasa —al menos para estos servicios (fijos) y operadores (propietarios de las redes)— no entra en el ámbito de aplicación de la Directiva[153]. Ahora bien, el TJUE guarda silencio sobre si este método de cuantificación puede ser aplicado a las compañías que prestan esos mismos servicios y no son titulares de las redes. El Tribunal Supremo, a partir de la sentencia de 26 de abril de 2021 (rec. cas. 1636/2017), entiende que, si bien el TJUE no se pronunció de forma expresa sobre el tema, porque no se le preguntó expresamente, la lectura de diversos apartados de aquella sentencia conduce a aceptar que el método de cuantificación basado en los ingresos brutos sea aplicable con independencia de que los operadores sean o no propietarios de las redes[154].

---

[153] En este sentido, E. Ortiz Calle, "Nuevas perspectivas de las tasas locales sobre los servicios de telecomunicaciones", *Tributos Locales*, nº 155, 2022, pág. 73.

[154] Doctrina reiterada en sentencias de 29 de abril de 2021 (rec. cas. 735/2018), 4 de mayo de 2021 (rec. cas. 5565/2017), 16 de junio de 2022 (rec. cas. 5105/2020), 4 de octubre de 2022 (rec. cas. 8209/2020), 18 de octubre de 2022 (rec. cas. 2171/2021) y 12 de diciembre de 2022 (rec. cas. 100/2021). La sentencia del TS de 26 de abril de 2021 es criticada por E. ORTIZ CALLE, ob. cit., pág. 75, puesto que "si el recurso de casación versa más sobre el alcance de la jurisprudencia del TJUE que sobre la interpretación del art. 24.1.c) de la LRHL, la ausencia de referencias a la STJUE de 27 de enero de 2021 a la doctrina de la STJUE de 12 de julio de 2012 suscita muchas dudas".

Sin embargo, la sentencia del TJUE en el asunto *Orange/España* suscita el interrogante de en qué situación queda la telefonía móvil tras la sentencia; en particular, si sigue vigente la doctrina del TJUE de 12 de julio de 2012 que impide gravar a las compañías de telefonía móvil que no sean titulares de las redes; y si podría aplicarse a los operadores móviles titulares de las redes el método de cálculo de la tasa basado en los ingresos brutos procedentes de la facturación. Incógnitas que, como han señalado distintos autores, deberían llevar al Tribunal Supremo a plantear las correspondientes cuestiones prejudiciales, para despejar la incertidumbre que sufren las Haciendas Locales y las empresas sujetas a estas tasas[155].

Por último, la sentencia del Tribunal Supremo de 14 de julio de 2022 (rec. cas. 7503/2020) ha establecido que el art. 13 de la Directiva autorización se opone al IAE, epígrafe 761.2, en tanto este último tiene la consideración de "canon" en los términos establecidos en aquel precepto, en cuanto grava a los operadores de telefonía móvil y el gravamen no cumple los requisitos impuestos por dicho art. 13 para que sea conforme con los objetivos perseguidos por la norma europea. Ello supone inaplicar la norma nacional por contravenir el Derecho de la UE.

La fundamentación empleada por el Tribunal Supremo es, en esencia, la siguiente. En primer término, el análisis de la naturaleza y función del IAE con relación al ejercicio de la actividad de telefonía móvil lleva a reconocer que este impuesto debe considerarse como un "canon" a efectos del art. 13 de la citada Directiva, porque grava el mero ejercicio de una actividad económica (telefonía móvil dentro del sector de las telecomunicaciones) de forma específica y diferenciada del resto de actividades. No hay inconveniente en convenir que es un impuesto específico, inequívocamente sectorial, sobre los operadores de telecomunicaciones vinculado directamente al ejercicio de dicha actividad, "pues el pago de las cuotas del IAE correspondientes a los distintos epígrafes de telecomunicaciones relevantes en cada caso se convierte en una exigencia directa (*conditio sine qua non*) para el acceso y desarrollo de la actividad (art. 12 Directiva autorización) —FJ 2º—.

Seguidamente, el TS comprueba si el IAE cumple los requisitos exigidos por el art. 13 de la mencionada Directiva para que pueda considerarse conforme con sus objetivos. De ese precepto y del considerando 32 de la Directiva "se infiere la obligación de los Estados miembros de garantizar que los cánones por uso de radiofrecuencias que pueden imponer no sean discriminatorios, sean transparentes, estén justificados objetivamente, sean proporcionados al fin previsto y tengan en cuenta los objetivos del artículo 8 de la

---

[155] C. Martínez Sánchez, "La compatibilidad del Derecho de la UE de la tasa del 1,5 % a las operadoras de servicios de telecomunicaciones. (Análisis de la STJUE de 27 de enero de 2021, asunto C-764/18), *Revista de Contabilidad y Tributación,* nº 460, 2021, pág. 145. En la misma línea, E. ORTIZ CALLE, ob. cit., pág. 75 y 93.

Directiva marco, entre los que figuran el fomento de la competencia y la promoción del uso eficiente de las radiofrecuencias, garantizando su uso óptimo en un recurso escaso. Se persigue evitar la sobreimposición y procurar la competencia efectiva del sector".

Pues bien, "la introducción del epígrafe 761.2 por Ley 51/2002, estableciendo una nueva tarifa para las empresas de la telefonía móvil, tuvo una finalidad claramente compensatoria, que lejos de atender a los objetivos y fines antes enunciados, estuvo dirigida a procurar una mayor y mejor recaudación a las Haciendas locales. Su fin es estrictamente recaudatorio, resultando ajeno a los objetivos y optimización del sector que el art. 13 de la Directiva autorización exige; (...) su recaudación se destina a cubrir las necesidades de la Administración Local, siendo evidente que le resulta extraño al IAE el garantizar el correcto funcionamiento del mercado interior de las redes y servicios de telecomunicaciones.

No ayuda, desde luego, a la libre y efectiva competencia en el sector de las telecomunicaciones, la introducción del epígrafe 761.2, para telefonía móvil por las evidentes diferencias cuantitativas respecto de otros operadores dentro del sector. Se distingue en la tributación por IAE hasta tres epígrafes distintos de cuantía acusadamente diferenciadas que se refleja en una recaudación muy dispar por cada uno de los epígrafes aplicados. Hasta la introducción del epígrafe se partía de una misma posición fiscal, lo que resulta discriminatorio y sin que aparezca justificado objetivamente la gran diferencia (...), reflejada en la recaudación, entre los distintos operadores, comprobándose, además, el significativo aumento de la carga fiscal respecto de otros operadores como los de telefonía fija. A lo que ha de añadirse la tarifa impuesta, de elevada cuantía también y en exclusividad afectante a la telefonía móvil, que recae sobre un elemento esencial en el despliegue de las redes de telecomunicaciones, como es notorio, e incide en el avance tecnológico, como son las antenas, lo que obstaculiza de forma efectiva el desarrollo del sector, su optimización y la libre e igual competencia, de suerte que el aumento de antenas necesarias para la correcta promoción de la actividad supone una elevación de la cuota tributaria amenazando con ralentizar la evolución del sector" (FJ 4º).

4. BIBLIOGRAFÍA

Agulló Agüero, A. "Aproximación crítica a la Ley 51/2002, de 27 de diciembre, de Reforma de la Ley Reguladora de las Haciendas Locales", *Revista de Información Fiscal*, nº 58, 2003.

Alguacil Marí, M. P. "Fiscalidad de cooperativas y ayudas de Estado: parámetros para una reforma", Doc. nº 2/2011, Instituto de Estudios Fiscales, Madrid.

Alonso Gil, M. "La tasa por ocupación del dominio público local exigible a las operadoras de telefonía fija a la luz de la reciente jurisprudencia del Tribunal Supremo", *Tributos Locales*, nº 151, 2021.

Aníbarro Pérez, S. "La reforma del impuesto sobre actividades económicas a la luz de la Jurisprudencia del Tribunal de Justicia de las Comunidades Europeas", *Jurisprudencia Tributaria*, nº 13, 2003.

Aníbarro Pérez, S. "La controvertida exención de la Iglesia Católica en el ICIO", *Tributos Locales*, nº 118, diciembre 2014-enero 2015.

Aragonés Beltrán, E. "Las repercusiones tributarias de la Directiva de servicios en el ámbito local", *Cuadernos de derecho local*, nº 23, 2010.

Ballarín Espuña, M. "De cómo la tasa de la telefonía móvil acabó en un auto", http://www.idluam. org/blog?p=161

Calvo Sales, T. "La Comisión Europea analiza la posible consideración como 'ayuda de Estado' de la exención de la Iglesia católica en el ICIO", *Tributos Locales*, nº 74, 2007.

Carrasco González, F. "Las fuentes, típicas y atípicas, de la fiscalidad internacional", en S. Moreno González y F. J. Nocete Correa (Dirs.), *Introducción a la fiscalidad internacional*, Atelier, Barcelona, 2020.

Carrasco González, F. "Fiscalidad de la UE y su impacto en el Derecho tributario español", en *Curso de Derecho Tributario. Parte Especial*, Tecnos, 14ª edición, Madrid, 2020.

Carrasco González, F. "Las libertades de la Unión Europea y el ejercicio del poder tributario de los entes regionales", en *Armonización, Coordinación Fiscal y Lucha contra el Fraude*, Thomson-Aranzadi, Navarra, 2012.

Del Blanco García, "El Derecho de la Unión Europea y los sistemas tributarios de los entes territoriales", *Revista de Contabilidad y Tributación*, nº 398, 2016.

Delgado Mercé, A. y Rodríguez Serrano, M. "El Impuesto sobre Actividades Económicas", en *Los Tributos Locales y el Régimen Fiscal de los Ayuntamientos*, Lex Nova-Thomson Reuters, Valladolid, 2014.

Félix Ballesta, M. A., y Martínez Félix, C. "¿Es contraria al Derecho Comunitario la exención del Impuesto sobre Construcciones, Instalaciones y Obras (ICIO), de que goza la Iglesia Católica en España?", *Cuadernos de Integración Europea*, diciembre 2006.

García Martínez, A. "El Impuesto sobre Actividades Económicas", en *Los Tributos Locales*, Thomson-Civitas, 2ª edición, Navarra, 2010.

García Novoa, C. "Capítulo 25. Tasas municipales en relación con las telecomunicaciones (especial referencia a la telefonía móvil)", en *Las Tasas Locales*, Thomson-Civitas, Madrid, 2011.

García Prats, F. A. "Aspectos internacionales de la tributación local", en *Tributos Locales y Autonómicos*, Thomson-Aranzadi, Navarra, 2006.

Gomar Sánchez, J. I. "Ayudas de Estado en el IBI (STJUE 9.10.2014, Navantia)", *ECJ Leading Cases*, nº 619, 22.10.2014, https://ecjleadingcases.wordpress.com/2014/10/22/juan-ignacio-gomar-sanchez-ayudas-de-estado-en-el-ibi-stj/

Lucas Durán, M. "El ámbito objetivo de los convenios para evitar la doble imposición: la idea de «impuesto comprendido» al que se aplica el tratado fiscal", en A. Vázquez del Rey Villanueva y M. Lucas Durán (Coords.), *Cuestiones actuales y conflictivas de la fiscalidad internacional*, Ciss, Madrid, 2022.

Mangas Martín, A., y Liñán Nogueras, D. J. *Instituciones y Derecho de la Unión Europea*, Tecnos, 10ª edición, Madrid, 2020.

Marín-Barnuevo Fabo, D. "El Impuesto sobre Construcciones, Instalaciones y Obras", en *Los Tributos Locales*, Thomson-Civitas, 2ª edición, Navarra, 2010.

Martín Fernández, J., Rodríguez Márquez, J. *Manual de Derecho Financiero y Tributario Local*, Marcial Pons, Madrid, 2009.

Martín Jiménez, A. "Artículo 2. Impuestos cubiertos por el Convenio", en *Comentarios a los Convenios para evitar la doble imposición y prevenir la evasión fiscal concluidos por España: análisis a la luz del modelo de convenio de la OCDE y de la legislación y jurisprudencia española*, Instituto de Estudios Económicos de Galicia, A Coruña, 2004.

Martín Jiménez, A., y Calderón Carrero, J. M. "La jurisprudencia del TJUE: Los efectos del principio de no discriminación y las libertades básicas comunitarias sobre la legislación nacional en materia de imposición directa", en *Convenios Fiscales Internacionales y Fiscalidad de la Unión Europea*, Ciss, Valencia, 2014.

Martínez Sánchez, C. "La compatibilidad del Derecho de la UE de la tasa del 1,5 % a las operadoras de servicios de telecomunicaciones. (Análisis de la STJUE de 27 de enero de 2021, asunto C-764/18), *Revista de Contabilidad y Tributación*, nº 460, 2021.

Merino Jara, I. "El régimen fiscal de las cooperativas ¿respeta el régimen comunitario de ayudas de Estado", *Revista Vasca de Economía Social*, nº 6, 2010.

Moreno González, S. "Las reglas de reparto de la potestad tributaria en los convenios para evitar la doble imposición", en S. Moreno González y J. Nocete Correa (Dirs), *Introducción a la fiscalidad internacional*, Atelier, Barcelona, 2020.

Ortiz Calle, E. "Nuevas perspectivas de las tasas locales sobre los servicios de telecomunicaciones", *Tributos Locales*, nº 155, 2022.

Pérez Bernabeu, B. "La exención en el ICIO a favor de la Iglesia Católica como ayuda de Estado. La cuestionable base jurídica utilizada por el TJUE en su pronunciamiento", *Crónica Tributaria*, nº 164, 2017.

Pérez Pérez, M. M. "La incidencia de la directiva de servicios en la fiscalidad municipal", en *La función tributaria local*, La Ley, Madrid, 2012.

Poveda Blanco, F. "El Impuesto sobre Actividades Económicas. Razones para su inaplazable reforma", *Revista Española de Derecho Financiero*, nº 108, 2000.

Poveda Blanco, F. "La reforma del Impuesto sobre Actividades Económicas. Una revisión crítica", *Tributos Locales*, nº 25, 2003.

Romero Abolafio, J. J. "El impacto de la Directiva de Servicios en el ICIO", *Tributos Locales*, nº 114, 2014.

Traversa, E. *L'autonomie fiscal des régions et des collectivités locales face au droit communautaire. Analyse et réflexion á la lumiére des expériences belge et italienne*, Larcier, Bruxelles, 2010.

Urquizu Cavallé, A. "Los convenios para evitar la doble imposición internacional en la tributación local", *Tributos Locales*, nº 31, 2003.

Villaverde Gómez, M. B. "Las novedades en la regulación del Impuesto sobre Actividades Económicas", *Revista Técnica Tributaria*, nº 61, 2003.

EL IMPUESTO SOBRE BIENES INMUEBLES: HECHO IMPONIBLE, SUPUESTOS DE NO SUJECIÓN, EXENCIONES Y SUJETOS PASIVOS

Mª DEL MAR DE LA PEÑA AMORÓS
Profesora Titular de Derecho Financiero y Tributario
Universidad de Murcia

SUMARIO: 1. REGULACIÓN Y CARACTERES. 2. HECHO IMPONIBLE. 2.1. Elemento jurídico. 2.1.1. *Concesión administrativa sobre los inmuebles o sobre los servicios públicos a que se hallen afectos.* 2.1.2. *Derecho de superficie.* 2.1.3. *Derecho de usufructo.* 2.1.4. *Derecho de propiedad.* 2.2. Elemento objetivo del hecho imponible. 2.2.1. *Concepto de bien inmueble.* 2.2.2. *Clases de bienes inmuebles.* 2.2.2.1. Bienes inmuebles urbanos. 2.2.2.2. Bienes inmuebles rústicos. 2.2.2.3. Bienes inmuebles de características especiales. 2.3. Elemento espacial y temporal. 3. SUPUESTOS DE NO SUJECIÓN. 4. EXENCIONES. 4.1. Exenciones de oficio. 4.2. Exenciones rogadas. 4.3. Exenciones potestativas. 4.4. Exenciones recogidas en la Ley 49/2002. 5. SUJETOS PASIVOS. 6. BIBLIOGRAFÍA.

1. REGULACIÓN Y CARACTERES

El IBI se encuentra regulado en los artículos 60 a 77 del TRLRHL, aprobado mediante Real Decreto Legislativo 2/2004, de 5 de marzo. El artículo 60 señala expresamente que "El Impuesto sobre Bienes Inmuebles es un tributo directo de carácter real que grava el valor de los bienes inmuebles".

De esta forma el primero de sus caracteres es ser un impuesto directo, lo que deja patente las diferencias existentes entre el IBI y la antigua Contribución Territorial Urbana. Ahora bien, qué significa que el impuesto sea directo. Siguiendo lo que la doctrina generalmente entiende por impuesto directo, podemos afirmar que el impuesto grava una manifestación de riqueza que refleja directamente la capacidad económica del sujeto, y que no es otra que la mera tenencia de un patrimonio.

Por otra parte, un impuesto es directo cuando el sujeto pasivo no puede repercutir el importe del mismo a una persona ajena al círculo de obligados, cuestión esta que puede plantear algunas dudas En primer término podemos observar que el artículo 63.2 TRLRHL señala expresamente que el sujeto pasivo tiene la facultad de repercutir la carga tributaria soportada conforme a las normas de derecho común. Además, en el supuesto de bienes demaniales, los ayuntamientos puedan repercutir la totalidad de la cuota líquida a quienes, no reuniendo la condición de sujetos pasivos hagan uso de los mismos mediante contraprestación

Por otra parte, la Ley 24/1994, de 24 de noviembre, de Arrendamientos Urbanos, recoge en su Disposición Transitoria Segunda, dedicada a la regulación de los contratos de arrendamiento celebrados antes de 9 de mayo de 1995, que el arrendador puede exigir al arrendatario el importe total de la cuota del IBI que corresponde al inmueble arrendado. Sobre si esta circunstancia es contraria, o no, al carácter directo del impuesto se han pronunciado distintos autores. Así señala García Novoa[1] que "estamos ante una mera traslación económica admitida jurídicamente, que no supone ni traslación legal y que, por tanto, no excluye en el IBI la condición de impuesto directo". Por su parte García-Monco[2] destaca que lo que ha querido el legislador es establecer una mera traslación del impuesto hacia el inquilino.

Ahora bien a pesar de la posibilidad que existe de repercutir en determinados supuestos la cuantía del tributo a terceros, podemos afirmar que frente a lo que sucedía en el caso de la Contribución Territorial Urbana, la normativa del IBI desde sus inicios hace desaparecer la posibilidad de que el impuesto pueda ser repercutido al inquilino en el supuesto de los arrendamientos, lo que es lógico si tenemos en cuenta cuál es el hecho imponible del mismo, que no es sino la mera tenencia de unos bienes, y en ningún caso se gravan los rendimientos obtenidos de los mismos.

Como segunda característica señala el artículo 60 TRLRHL que estamos ante un impuesto real, que es aquel que tiene por fundamento un presupuesto objetivo cuya naturaleza se determina con independencia del elemento personal de la relación jurídica, y así lo importante en el momento de determinar la capacidad económica sometida a gravamen es el valor que se le otorga a determinados bienes[3].

---

[1]   GARCÍA NOVOA, C. "El Impuesto sobre Bienes Inmuebles. Hecho Imponible. Sujetos pasivos y exenciones", en *Tratado de Derecho Financiero y Tributario Local*, Marcial Pons, Madrid, 1993, pág. 590.

[2]   GARCÍA MONCÓ, A. *El Impuesto sobre Bienes Inmuebles y los valores catastrales*, Lex Nova, Valladolid, 1995, pág. 28.

[3]   GARCÍA MONCÓ, A. *El Impuesto sobre Bienes Inmuebles, op. cit.*, págs. 30 y 31.

A pesar de que no se establece entre los caracteres que aparecen en el artículo 60 debemos reseñar que estamos ante un impuesto obligatorio lo que conlleva que no será necesaria la aprobación de ordenanzas fiscales por parte de los ayuntamientos para su establecimiento y supresión. Este carácter obligatorio obedece a diversas razones, entre las que se encuentran razones de índole supralocal, como son la garantía del principio de igualdad e incluso el cumplimiento del principio de suficiencia que debe cumplir la hacienda local[4]. Por su parte el Tribunal Constitucional[5] señala que el hecho de que determinados impuestos sean obligatorios no es en absoluto casual, sino que obedece a una justificación razonable. En el caso del IBI conviene recordar la trascendencia que tiene en la adecuada gestión de algunos tributos, así como el hecho de ser uno de los que mayor impacto tiene desde el punto de vista de la financiación de los Entes locales.

Por lo que respecta a la materia objeto de gravamen por el IBI señala el propio artículo 60 TRLRHL que se grava el valor de los bienes inmuebles, lo que puede hacernos dudar sobre si hay sobreimposición sobre los contribuyentes que tributan de una parte por este impuesto y de otra por el Impuesto sobre el Patrimonio. Esta cuestión ha sido planteada por diversos autores que consideran que con distinto alcance ambos impuestos gravan lo mismo. Señala Checa González[6] que "si ponemos en relación el IBI con el Impuesto sobre el Patrimonio es evidente que, al menos parcialmente, coinciden sus respectivos objetos imponibles ya que los bienes inmuebles constituyen el objeto imponible del IBI y en parte del Impuesto sobre el Patrimonio". Por su parte Gómez de Lorenzo[7] destaca que "el IBI se trata, además, de un verdadero impuesto sobre el Patrimonio, en cuanto que la capacidad contributiva sometida a gravamen se define en función de la mera titularidad de determinados bienes y concesiones administrativas, considerados en sí mismos y sin tener en cuenta los rendimientos que aquellos puedan producir para determinar su hecho imponible".

El propio Tribunal Constitucional[8] se ha ocupado de la coexistencia de ambos impuestos y de si la misma conlleva o no doble imposición, señalando expresamente que "no puede afirmarse que esa duplicidad de tributación sobre el mismo hecho imponible se produzca, pues, mientras que el Impuesto sobre el Patrimonio es en la actualidad, conforme al artículo 3, párrafo primero de la Ley 19/1991, de 6 de junio, reguladora

---

4   GONZÁLEZ-CUÉLLAR SERRANO, M. L. "El Impuesto sobre Bienes Inmuebles", en D. Marín-Barnuevo. *Los tributos Locales.* Thomson-Civitas, Madrid, 2005, pág. 33.

5   Sentencia del tribunal Constitucional 233/1999, de 16 de diciembre.

6   CHECA GONZÁLEZ, C. *Los tributos Locales. Análisis jurisprudencial de las cuestiones sustantivas más controvertidas.* Marcial Pons, Madrid, 2000, pág. 106.

7   GÓMEZ DE LORENZO, A. *Los impuestos sobre Construcciones, Instalaciones y Obras, Bienes Inmuebles, Vehículos de Tracción Mecánica y Actividades Económicas. Aspectos materiales del Tributario.* Colección Cuadernos Derecho Judicial, CGPJ, Madrid, 1995, pág. 422.

8   Sentencia del Tribunal Constitucional 233/1999, de 16 de diciembre, Fundamento Jurídico 23º.

del tributo, un impuesto de carácter directo y naturaleza personal que grava el patrimonio neto de que sea titular una persona física en el momento del devengo, el IBI es un tributo directo de carácter real que grava, bien la propiedad de bienes inmuebles rústicos o urbanos, bien la titularidad de un derecho real de usufructo o de superficie o de una concesión administrativa sobre los mismos o sobre los servicios públicos que se encuentren afectados".

En efecto existe al menos una identidad en el objeto del tributo, ahora bien algunos consideran que si bien es cierto que existe doble imposición, esta no es importante por la poca presión fiscal del Impuesto sobre el Patrimonio[9]. Efectivamente, teniendo en cuenta tanto la exención que en el Impuesto sobre el Patrimonio existe para la vivienda habitual como la alta cuantía de la reducción a la base imponible para pasar a la liquidable, no son muchos los supuestos en los que existe doble imposición. Ahora bien, eso no supone que no exista ninguno por lo que tal vez en esos supuestos se podía establecer alguna medida para paliar la misma. Así con este fin señala González Sánchez[10] que podía establecerse la deducción de la cuota del IBI en el Impuesto sobre el Patrimonio, logrando así paliar la doble imposición que podría producirse.

En último término en relación con los caracteres debemos afirmar que, a pesar de encontrarnos ante un tributo de titularidad municipal, la gestión del mismo es compartida entre la Administración del Estado y los ayuntamientos. Se reserva el Estado las competencias sobre la gestión catastral, la determinación de las bases liquidables y la elaboración de los padrones, mientras que le corresponden al ayuntamiento aspectos residuales sobre la liquidación, la recaudación y la revisión de los actos dictados en vía de gestión[11].

2. HECHO IMPONIBLE

Señala el artículo 61 TRLRHL que "constituye el hecho imponible del impuesto la titularidad de los siguientes derechos sobre los bienes inmuebles rústicos y urbanos

---

[9] POVEDA BLANCO, F. "El IBI y el ICIO ante la inminente reforma de la Hacienda Local", *Tributos Locales*, núm. 12, 2001, pág. 19.

[10] GONZÁLEZ SÁNCHEZ, M. "El principio de no confiscación y las haciendas locales", en *El sistema económico en la Constitución española*. Ministerio de Justicia, Centro de Publicaciones, Madrid, 1994, pág. 1546.

[11] Señala expresamente el artículo 77 del TRLRHL que serán competencia exclusiva de los ayuntamientos la liquidación y recaudación, así como la revisión de los actos dictados en vía de gestión tributaria de este impuesto, y comprenderán las funciones de reconocimiento y denegación de exenciones y bonificaciones, realización de las liquidaciones conducentes a la determinación de las deudas tributarias, emisión de los documentos de cobro, resolución de los expedientes de devolución de ingresos indebidos, resolución de los recursos que se interpongan contra dichos actos y actuaciones para la asistencia e información al contribuyente.

y sobre los inmuebles de características especiales: a) De una concesión administrativa sobre los propios inmuebles o sobre los servicios públicos a que se hallen afectos; b) De un derecho real de superficie; c) De un derecho real de usufructo; d) Del derecho de propiedad".

2.1. ELEMENTO JURÍDICO

La regulación del hecho imponible, tras la reforma llevada a cabo por la Ley 51/2002, de 27 de diciembre, fija con una mayor precisión técnica cada uno de los presupuestos que dan lugar al nacimiento de la obligación tributaria por este impuesto.

Con carácter general en todos los presupuestos encontramos un disfrute por parte del sujeto del bien inmueble, de este modo el sujeto pasivo no es el propietario únicamente, sino la persona que en virtud del derecho real es titular del disfrute del bien. Hemos de aclarar que estamos ante un *numerus clausus,* pues la titularidad de cualquier otro derecho distinto de los enumerados, no da lugar al nacimiento del hecho imponible del impuesto. De este modo no se hace tributar por la titularidad de los derechos reales de uso y habitación[12], el derecho de uso de la vivienda por uno de los cónyuges en caso de separación matrimonial..., al no admitirse la extensión analógica del hecho imponible. Es unánime la doctrina cuando afirma que hubiese sido más correcto que el hecho imponible del IBI hubiese hecho referencia a los derechos reales de uso y disfrute, de modo que hubiesen podido incluirse todos, y no únicamente los más comunes que son los que señala el precepto.

Sobre los derechos que no existen dudas en cuanto a su exclusión son sobre los derechos de garantía, o de los derechos arrendaticios, de retención, de opción de compra o los derechos de tanteo o de retracto, con independencia de la naturaleza de los mismos.

La reforma de 2002 establece un orden entre los distintos derechos enumerados en el artículo 61.1 TRLRHL, y así recoge el apartado segundo del citado precepto que "la

---

12   GARCÍA MONCO, A. (*El Impuesto sobre Bienes Inmuebles, op. cit.*, pág. 67) considera que en estos casos existe una situación jurídica absolutamente análoga, por lo que no explica su falta de tributación el hecho de que dichas situaciones sean poco habituales, pues de esta forma se provoca una inadecuada técnica legislativa que suprime supuestos únicamente por su escasa entidad y existencia. SIMÓN ACOSTA, E. ("Los impuestos sobre la riqueza inmobiliaria", en *Informe sobre el Proyecto de Ley Reguladora de las Haciendas Locales*, IEF, Madrid, 1988, págs. 89 y 90) afirma que no hay razón teórica ni práctica que justifique la falta de mención de derechos como el de uso y habitación, salvo que se aduzca tal y como hacía la memoria del proyecto a la escasa entidad y existencia de este tipo de derechos. SÁNCHEZ GALIANA, C. Mª (*La fiscalidad inmobiliaria en la Hacienda municipal*. Comares, Granada, 2002, pág. 45) por su parte señala como razón el deseo de simplificar la gestión del impuesto, sin embargo, pone de relieve que la aplicación del criterio puede conducir a que se graven capacidades económicas no reales.

realización del hecho imponible que corresponda de entre los definidos en el apartado anterior por el orden en él establecido determinará la no sujeción del inmueble urbano o rústico a las restantes modalidades en el mismo previstas". De esta forma si sobre un mismo bien concurren un derecho de superficie, un derecho de usufructo y uno de propiedad, el sujeto pasivo del impuesto que realiza por tanto el hecho imponible es el titular del derecho de superficie. En torno a esta prelación destaca González-Cuellar[13] que el orden excluyente no solo se aplica en los supuestos en que también hay una prioridad temporal entre ellos, sino asimismo cuando el titular de un derecho contenido en las letras b, c o d se encuentra una vez constituido su derecho, con un posterior titular de otro derecho mencionado en una letra anterior. Ahora bien, debemos matizar que esta circunstancia no es incompatible con el hecho de que todos los titulares de los derechos mencionados sean considerados titulares catastrales. Así el criterio mantenido por el legislador ha sido someter a gravamen al titular del derecho de contenido económico predominante. No se utiliza por tanto en este impuesto la ponderación en términos porcentuales de los distintos derechos que recaen sobre un mismo bien, tal y como se hace en otros impuestos. Esta falta de ponderación responde, en cierto modo a la necesidad de simplificar el impuesto prescindiendo de atender de manera diferenciada a las diversas titularidades jurídicas que pueden concurrir sobre un único inmueble.

2.1.1. Concesión administrativa sobre los inmuebles o sobre los servicios públicos a que se hallen afectos

El primero de los supuestos es la titularidad de una concesión administrativa sobre los propios inmuebles o sobre los servicios públicos a que se hallen afectos.

La concesión administrativa puede definirse en sentido amplio como el ejercicio de funciones o servicios públicos o el goce y aprovechamiento de bienes públicos por personas privadas[14].

El legislador señala que surgirá el hecho imponible del impuesto cuando se sea titular, bien de una concesión de dominio, bien sobre una concesión de servicios público. La interpretación del concepto de concesión administrativa debe hacerse de forma res-

---

13   GONZÁLEZ-CUÉLLAR SERRANO, M. L. "El Impuesto sobre Bienes Inmuebles", *op. cit.,* pág. 41.

14   Señala el Tribunal Supremo, en Sentencia de 5 de marzo de 2007, que "en derecho administrativo, la concesión administrativa es una institución que agrupa distintas especies de negocios jurídicos presididos por la idea de cesión a un particular de una esfera de actuación originariamente administrativa. El concepto incluye todos aquellos actos de las Administraciones Públicas por los que se faculta a los particulares para la realización o gestión de determinado servicio público o se les atribuye el aprovechamiento específico y exclusivo de bienes de dominio público. La concesión es, por tanto, una institución jurídica completa susceptible de ser considerada como contrato y como derecho real ya que comprende dos modalidades: la de servicio público y la demanial".

trictiva, así por ejemplo no estarán sometidas al impuesto las autorizaciones demaniales, donde la principal diferencia radica en la intensidad y duración del uso que se hace del bien de dominio público[15]. Tampoco se pueden considerar concesiones administrativas y por tanto sujetas al IBI las adscripciones de bienes y derechos patrimoniales de la Administración General del Estado, a los organismos autónomos dependientes de aquélla para su vinculación directa a un servicio público de su competencia, o para el cumplimiento de sus fines públicos[16].

Más complejo resulta definir el otro supuesto de concesión cuya titularidad origina el nacimiento del hecho imponible del IBI que no es otra que la concesión de servicios públicos. En estas concesiones los bienes afectos a las mismas pueden no ser de dominio público, y así señala García-Monco[17] que "cuando existe una concesión sobre servicios públicos a los que están afectos bienes de dominio público, el titular de la concesión no tiene sobre los referidos bienes ninguna facultad que guarde parecido con la propias de un derecho real, quedando el dominio público afectado, bajo la exclusiva titularidad y control de la Administración concedente".

2.1.2. Derecho de superficie

En segundo lugar, se alude a la titularidad de un derecho real de superficie, sobre el que el Código civil no contiene regulación específica limitándose únicamente a mencionarlo en el artículo 1611 in fine, sin embargo, las regulaciones forales sí que regulaban de forma completa este derecho.

El artículo 6.2.c) TRLCI señala que la constitución de un derecho de superficie origina un inmueble a efectos catastrales, lo que trae como consecuencia la asignación de una referencia catastral[18]. Asimismo, el artículo 9 del TRLCI considera titular catastral al titular de un derecho de superficie, y el artículo 16 TRLCI establece entre los actos, hecho o negocios que deben ser objeto de comunicación o declaración ante el Catastro

---

[15] Señala NUÑO DE JUAN DE LEDESMA, J. ("La tributación de las concesiones administrativas en la imposición indirecta", *Revista Tributaria Oficinas Liquidadoras*, núm. 29, 2011, pág. 14) que "los usos comunes o más superficiales del dominio público no suponen un verdadero desplazamiento de facultades a favor del particular y, por tanto, ni merecen la calificación de concesión ni justifican su tributación, al no manifestar ninguna capacidad económica gravable".

[16] En cuanto a otros ejemplos en los que se entiende que no existe concesión administrativa vid. AGUADO FERNÁNDEZ, M. D; PUYAL SANZ, P. "Impuesto sobre Bienes Inmuebles", en *Guía de las Haciendas Locales,* CISS, Valencia, 2006, pág. 125.

[17] GARCÍA MONCO, A. *El Impuesto sobre Bienes Inmuebles, op. cit.*, págs. 69 y 70.

[18] Señala ESPILEZ MURCIANO, M. A. ("El derecho de superficie y el titular catastral", *Catastro,* octubre, 2009, pág. 32) los métodos a seguir cuando se constituye un derecho de superficie sobre un bien inmueble, según el mismo se constituya sobre la totalidad del suelo del viene inmueble o solo sobre una parte del mismo.

Inmobiliario, la constitución, modificación o adquisición de la titularidad del derecho real de superficie. Es importante destacar, tal y como hicimos anteriormente de forma genérica que si el bien inmueble figurará en el Catastro Inmobiliario con dos titulares catastrales, consistentes en los dos derechos que se ejercen sobre un bien inmueble, el del propietario y el del superficiario, será exclusivamente este segundo quien realice el hecho imponible del IBI.

2.1.3. Derecho de usufructo

En tercer lugar, origina el nacimiento del hecho imponible del IBI la titularidad de un derecho real de usufructo. La regulación de este derecho se lleva a cabo en los artículos 467 y siguientes del Código civil. El derecho de usufructo se puede definir como el derecho a disfrutar los bienes ajenos con la obligación de conservar su forma y sustancia, a no ser que el título de su constitución o la ley autoricen otra cosa. De esta forma el usufructuario hace suyos los frutos del bien objeto del usufructo. Es este aprovechamiento de los bienes el que ha sido tenido en cuenta por el legislador en el momento de configurar la titularidad del derecho de usufructo como hecho imponible del impuesto objeto de nuestro análisis.

2.1.4. Derecho de propiedad

En último término se alude al titular del derecho de propiedad. Teniendo en cuenta la naturaleza patrimonial del impuesto será este derecho de propiedad el que con carácter general constituya el hecho imponible del impuesto. Solo cuando se produzca la concurrencia del mismo con alguno de los derechos antes analizados se excluirá el derecho de propiedad como presupuesto jurídico del hecho imponible del impuesto.

Al configurar el hecho imponible, hemos de utilizar un criterio restrictivo de delimitación, por lo que quedaran fuera del hecho imponible los supuestos a los que aludimos a continuación.

En primer término, no se puede asimilar al derecho de propiedad, el derecho de uso y habitación que según señala el artículo 870 del Código civil, es un derecho real que consiste, generalmente, en la facultad de gozar de una parte limitada de las utilidades y productos de una cosa. Esta exclusión se hace dado el escaso número de casos en los que se constituye un derecho de uso, si bien es cierto, que tal y como ya destacamos hubiese sido más correcto aludir a los derechos reales de uso y disfrute de forma genérica.

Tampoco se puede asimilar a la propiedad, el derecho de uso de la vivienda por uno de los cónyuges en caso de separación, a pesar de que el Tribunal Supremo ha considerado en diversos pronunciamientos[19] que nos encontramos ante un auténtico derecho real inscribible en el Registro de la propiedad y oponible a terceros. En este supuesto tal vez podría haber cierta analogía con el derecho de usufructo, pero en derecho tributario no se permite el uso de la analogía para extender la configuración del hecho imponible.

No se puede asimilar en ningún caso al derecho de propiedad el arrendamiento de inmuebles, en virtud del cual el propietario se obliga a dar a otro el goce o uso del mismo por tiempo determinado y precio cierto. Si bien es verdad que la Ley 24/1994, de 24 de noviembre, de Arrendamientos Urbanos, recoge en su Disposición Transitoria Segunda, dedicada a la regulación de los contratos de arrendamiento celebrados antes de 9 de mayo de 1995, que el arrendador puede exigir al arrendatario el importe total de la cuota del IBI que corresponde al inmueble arrendado. Por lo que en último término el que soporta el pago del impuesto es el arrendatario.

Finalmente destaca Aguado Fernández[20] que no se pueden asimilar los supuestos de multipropiedad o aprovechamiento por turnos de determinados bienes inmuebles.

2.2. ELEMENTO OBJETIVO DEL HECHO IMPONIBLE

2.2.1. Concepto de bien inmueble

Señala el apartado 3 del artículo 61 TRLRHL que "a los efectos de este impuesto, tendrán la consideración de bienes inmuebles rústicos, de bienes inmuebles urbanos y de bienes inmuebles de características especiales los definidos como tales en las normas reguladoras del Catastro Inmobiliario". El precepto únicamente alude en relación al objeto del hecho imponible a que los bienes inmuebles pueden ser de tres clases: urbanos, rústicos y de características especiales. Ahora bien, sobre que debemos entender por cada uno de ellos se remite a la normativa del catastro.

El artículo 6.1 TRLCI recoge el concepto de bien inmueble, y así señala expresamente que "tiene la consideración de bien inmueble la parcela o porción de suelo de una misma naturaleza, enclavada en un término municipal y cerrada por una línea poligonal que delimita, a tales efectos, el ámbito espacial del derecho de propiedad de un propietario o de varios pro indiviso y, en su caso, las construcciones emplazadas en dicho ámbito, cualquiera que sea su dueño, y con independencia de otros derechos que recaigan sobre el inmueble".

---

19   Sentencia del Tribunal Supremo de 11 de diciembre de 1992 y Sentencia del Tribunal Supremo del 18 de octubre de 1994.

20   AGUADO FERNÁNDEZ, M. D.; PUYAL SANZ, P. "Impuesto sobre Bienes Inmuebles", *op. cit.*, pág. 127.

Afirma González-Cuellar[21] que el concepto de inmueble a efectos catastrales se determina al margen de la definición del Código civil y del concepto de finca para el Registro de la Propiedad. Aguado Fernández[22] destaca que son cuatro los factores determinantes de la configuración del bien inmueble: el recinto continuo, el derecho de propiedad, el término municipal y la clase de suelo.

El precepto alude a la necesidad de que la porción de suelo o parcela esté cerrada por una línea poligonal, lo que conlleva que no se pueden considerar bienes inmuebles las parcelas discontinuas, ni definir el bien inmueble como la unión de distintas parcelas discontinuas

Es también necesario que la naturaleza del suelo sea la misma, y que la citada parcela esté en un único término municipal. Por tanto, si una parcela está situada en dos términos municipales constituye a efectos catastrales dos inmuebles distintos. Tal afirmación parece contradecirse con lo dispuesto en el artículo 61.4 TRLRHL que establece que "cuando un mismo inmueble se encuentre localizado en distintos términos municipales se entenderá, a efectos del IBI, que pertenece a cada uno de ellos por la superficie que ocupe en el respectivo término municipal". Sin embargo, tal discrepancia no existe dado que el precepto está pensando en los bienes de características especiales, que sí que pueden estar situados en distintos términos municipales[23].

El apartado segundo del propio artículo 6 TRLCI destaca que también tendrán la consideración de bienes inmuebles: los diferentes elementos privativos de los edificios que sean susceptibles de aprovechamiento independiente, sometidos al régimen especial de propiedad horizontal; el conjunto constituido por diferentes elementos privativos mutuamente vinculados y adquiridos en unidad de acto; los trasteros y las plazas de estacionamiento en "pro indiviso" adscritos al uso y disfrute exclusivo y permanente de un titular; los bienes inmuebles de características especiales; el ámbito espacial de un derecho de superficie; el ámbito espacial de una concesión administrativa sobre los bienes inmuebles o sobre los servicios públicos a los que se hallen afectos.

El concepto catastral del bien inmueble no incluye únicamente el suelo, que como veremos será el que determine si estamos ante inmuebles urbanos o rústicos, sino que abarca también a las construcciones[24]. Asimismo delimita negativamente que se en-

---

21   GONZÁLEZ-CUÉLLAR SERRANO, M. L. "El Impuesto sobre Bienes Inmuebles", *op. cit.*, pág. 44.

22   AGUADO FERNÁNDEZ, M. D., "El Impuesto sobre Bienes Inmuebles", *op. cit.,* pág. 104.

23   GONZÁLEZ-CUÉLLAR SERRANO, M. L. "El Impuesto sobre Bienes Inmuebles", *op. cit.*, pág. 44.

24   El artículo 7.4 TRLCI afirma que a efectos catastrales, tendrán la consideración de construcciones: a) Los edificios, sean cualesquiera los materiales de que estén construidos y el uso a que se destinen, siempre que se encuentren unidos permanentemente al suelo y con independencia de que se alcen

tiende por construcción afirmando que no tendrán tal consideración aquellas obras de urbanización o mejora que reglamentariamente se determinen, sin perjuicio de que su valor deba incorporarse al del bien inmueble como parte inherente al valor del suelo, ni los tinglados o cobertizos de pequeña entidad. Esta exclusión se recogía en la anterior regulación únicamente para el supuesto de inmuebles de naturaleza rústica, por ser en ellos donde cobra sentido[25].

2.2.2. Clases de bienes inmuebles

Tras señalar que debemos entender por bien inmueble analizaremos a continuación las tres clases de bienes inmuebles que se someten a gravamen y que son: los rústicos, los urbanos y los de características especiales. Para ello y tal y como señala el propio legislador en el artículo 61.3 habrá que atender a las normas reguladoras del catastro inmobiliario.

El artículo 7.1 TRLCI destaca que el carácter urbano o rústico del inmueble dependerá de la naturaleza de su suelo. De este modo si una construcción se asienta en un suelo rústico, ello supondrá que el inmueble sea rústico. Es por tanto el tipo de suelo el que determina la clase de inmueble, con la distinta tributación que tal clasificación conlleva. Este cambio se produjo en el año 2002, pues hasta ese momento el catastro atribuía naturaleza urbana a diversos tipos de suelos y a distintas construcciones, no existiendo pues una definición de bien inmueble como conjunto de suelo y construcción como hace el texto actual[26].

---

sobre su superficie o se hallen enclavados en el subsuelo y de que puedan ser transportados o desmontados; b) Las instalaciones industriales, comerciales, deportivas, de recreo, agrícolas, ganaderas, forestales y piscícolas de agua dulce, considerándose como tales, entre otras, los diques, tanques, cargaderos, muelles, pantalanes e invernaderos, y excluyéndose en todo caso la maquinaria y el utillaje; c) Las obras de urbanización y de mejora, tales como las explanaciones, y las que se realicen para el uso de los espacios descubiertos, como son los recintos destinados a mercados, los depósitos al aire libre, los campos para la práctica del deporte, los estacionamientos y los espacios anejos o accesorios a los edificios e instalaciones.

[25] AGUADO FERNÁNDEZ, M. D. ("El Impuesto sobre Bienes Inmuebles", *op. cit.*, pág. 107) que "la realización de determinadas obras para poder transformar un terreno secano en un terreno de regadío, no debe llevar a valorar el terreno como secano y añadirle el valor de las obras como si fuera una construcción".

[26] AGUADO FERNÁNDEZ, M. D. ("El Impuesto sobre Bienes Inmuebles", *op. cit.*, pág. 133) afirma que "todas las construcciones que no fueran consideradas bienes inmuebles de naturaleza rústica lo serían como bienes inmuebles de naturaleza urbana y el carácter urbano de las mismas hacía de tal consideración los terrenos sobre los que se asentaban, habiendo sido esta consideración objeto de duras críticas por entender que, inmuebles rústicos con arregla al derecho urbanístico, eran considerados urbanos para poder gravar a los mismos con una carga tributaria superior a la que le correspondía con arreglo a sus características rústicas".

2.2.2.1. Bienes inmuebles urbanos

El apartado segundo del artículo 7 del TRLCI define que se entiende por suelo de naturaleza urbana, aludiendo en primer lugar al clasificado o definido por el planeamiento urbanístico como urbano, urbanizado o equivalente.

En segundo término, son suelo urbano los terrenos que tengan la consideración de urbanizables o aquellos para los que los instrumentos de ordenación territorial y urbanística prevean o permitan su paso a la situación de suelo urbanizado, siempre que estén incluidos en sectores o ámbitos espaciales delimitados[27], así como los demás suelos de este tipo a partir del momento de aprobación del instrumento urbanístico que establezca las determinaciones para su desarrollo. Destaca Varona Alabern[28] que late aquí la tradicional distinción entre suelo urbanizable programado y no programado que se empleaba en el IBI anteriormente. Sin embargo, hay una diferencia, pues mientras el antiguo IBI consideraba al primero urbano y al segundo rústico, salvo que se aprobará un plan de actuación urbanística, el actual considera todo suelo urbano, con el consiguiente incremento en el valor y como consecuencia también en la cuota del impuesto. Se pretende por el legislador diferenciar entre el suelo de expansión inmediata donde el plan delimita y programa actuaciones de aquel otro que carece de tal programación y cuyo desarrollo urbanístico queda pospuesto para el futuro, siendo los dos considerados a efectos catastrales suelos de naturaleza urbana[29].

En torno a esta configuración surge un problema ya que muchos ayuntamientos en época de bonanza económica han aprobado proyectos urbanísticos que convertían suelos rústicos en urbanizables, estando en ese momento los propietarios encantados de tal reconversión ya que los solares urbanizables multiplicaban su valor de manera significativa. Sin embargo, el cambio de circunstancias económicas ha supuesto que se paguen por ese tipo de suelo unos impuestos que podrían clasificarse de exagerados e injustos.

Analizaremos por la importancia que tiene en cuanto a la interpretación de esta cuestión la Sentencia del Tribunal Supremo de 30 de mayo de 2014, que resuelve un recurso interpuesto por el Abogado del Estado en interés de ley contra una Sentencia del Tribunal Superior de Justicia de Extremadura[30].

---

27   Señala el TEAC en Resolución 3215/2012 de 13 de septiembre que la determinación de la naturaleza urbana del suelo a efectos catastrales no se rige por las prescripciones de la Ley del Suelo, sino exclusivamente por la LCI, que no exige, en relación con el suelo urbanizable sectorizado o delimitado, la aprobación de un planeamiento urbanístico que lo desarrolle.

28   VARONA ALABERN, J. E. *El valor catastral: su gestión e impugnación. 4ª Edición, Aranzadi, Pamplona, 2011*, pág. 232.

29   VARONA ALABERN, J. E. *El valor catastral: su gestión e impugnación, op. cit.*, pág. 233.

30   Sentencia del Tribunal Superior de Justicia de Extremadura de 26 de marzo de 2013.

La Sala del TSJ de Extremadura aceptó la nulidad de la valoración al entender que la finca, pese a estar dentro del perímetro que delimita el suelo urbano de Badajoz, era de naturaleza rústica por tratarse de un suelo urbanizable, sin haberse iniciado el proceso de urbanización al no estar aprobado el instrumento de desarrollo. Así considera la mencionada sentencia que la correcta interpretación del artículo 7.2 TRLCI obligaba a concluir que solo pueden considerarse urbanos a efectos catastrales los inmuebles considerados en el Plan General como urbanizables cuando el desarrollo de su actividad de ejecución no dependa del instrumento urbanístico que tiene por finalidad su ordenación detallada. En relación con esta interpretación considera el Abogado del Estado que la doctrina sentada es gravemente dañosa para el interés general y no ajustada a Derecho. Afirma el defensor de la Administración que el artículo 7.2 TRLCI contempla dos situaciones posibles para que el suelo urbanizable pueda ser calificado como inmueble de naturaleza urbana a efectos catastrales:

1º Que se halle incluido en sectores o ámbitos espaciales delimitados.

2º Que, pese a no reunir previamente el carácter de sectorizado o delimitado, se hayan establecido con posterioridad las determinaciones para su desarrollo mediante la aprobación del correspondiente instrumento urbanístico.

Por tanto, exigir, tal y como hace la sentencia el establecimiento de la ordenación detallada del terreno urbanizable, es un exceso[31].

A la vista de todo lo expuesto señala el TS que hay que interpretar que el legislador estatal, en el artículo 7.2.b) controvertido ha utilizado una amplia fórmula para recoger todos los supuestos posibles que con independencia de la concreta terminología urbanística pueda englobar a esta clase de inmuebles. Ahora bien, no cabe sostener, como mantiene el Abogado del Estado, que todo el suelo urbanizable sectorizado o delimitado por el planeamiento general tiene *per se* la consideración catastral de suelo urbano, sin distinguir si se encuentra ordenado o no ordenado, y que el artículo 7 sólo excluye de tal consideración al urbanizable no sectorizado sin instrumento urbanístico aprobado que establezca las determinaciones para su desarrollo. Antes, por el contrario, hay que entender que el legislador catastral quiso diferenciar entre suelo de expansión inmediata donde el plan delimita y programa actuaciones sin necesidad de posteriores tramites de ordenación, de aquel otro que, aunque sectorizado carece de tal programación y cuyo desarrollo urbanístico queda pospuesto para el futuro, por lo que a efectos catastrales sólo pueden considerarse suelos de naturaleza urbana el suelo urbanizable

---

[31] Apoya el Abogado su recurso en la doctrina mantenida por la Resolución del Tribunal Económico Administrativo Central de 13 de septiembre de 2012, según la cual: "el artículo 7.2 TRLCI no exige, a efectos de la consideración como suelo de naturaleza urbana del suelo urbanizable incluido en sectores o ámbitos espaciales delimitados, la aprobación de un instrumento urbanístico que determine su ordenación detallada".

sectorizado ordenado así como el suelo sectorizado no ordenado a partir del momento de aprobación del instrumento urbanístico que establezca las determinaciones para su desarrollo[32]. Antes de ese momento el suelo tendrá, como dice la sentencia recurrida, el carácter de rústico. Si no se aceptara esta interpretación, perdería sentido el último inciso del precepto, cuando dice que "los demás suelos de este tipo a partir del momento de aprobación del instrumento urbanístico que establezca las determinaciones para su desarrollo", porque este momento no puede ser el de sectorización o delimitación del terreno urbanizable, si éste se disocia del de aprobación del instrumento urbanístico de desarrollo.

Esta sentencia pone de manifiesto que se está gravando un bien inmueble por encima de su valor de mercado, con fines únicamente tributarios. Destaca la Circular 27/2014 de la Federación Española de Municipios y Provincias que la sentencia no tiene efectos jurídicos directos sobre las situaciones jurídicas particulares, ni produce la anulación de las ponencias de valores aprobadas a la fecha del fallo ni respecto de los valores catastrales de los bienes inmuebles calculados en su aplicación, que por no haber sido impugnados han adquirido firmeza. Señalando igualmente que tampoco fija doctrina legal dado que como todavía no se ha reiterado el criterio no sienta jurisprudencia. Ahora bien, lo que si podemos afirmar es que hay que retocar la norma por los importantes problemas que genera[33].

En tercer lugar, señala el artículo 7.2 c) TRLCI que se considera suelo urbano el integrado de forma efectiva en la trama de dotaciones y servicios propios de los núcleos de población. Teniendo en cuenta la similitud de este precepto con lo previsto en el

---

[32]   Sobre esta cuestión destaca SERRANO ALBERCA, J. M. ("¿Debe estar sometido al Impuesto sobre Bienes Inmuebles el suelo urbanizable? Comentario a la Sentencia del Tribunal Supremo de 30 de mayo de 2014". *Revista Aranzadi de Urbanismo y edificación,* núm. 32, 2014, pág. 8) que "Es absurdo que un suelo que solamente tiene unas expectativas de ser suelo urbano porque haya sido incluido en sectores del plan general y que, por tanto, no pueda desarrollarse sobre él ninguna actividad urbana, incluido el proyecto de urbanización y por supuesto la construcción, se vea sometido a la consideración de suelo urbano a efectos fiscales que, claro está, representa una valoración catastral muy importante que solo beneficia a los Ayuntamientos pero que perjudica de manera grave al propietario que se encuentra con la obligación de pagar un impuesto sobre un suelo en el que no puede desarrollar actividad alguna".

[33]   La Comisión Técnica de Cooperación Catastral, por unanimidad de todos sus miembros y en aras a una mayor seguridad jurídica acordó proponer la aprobación de una reforma del TRLCI que recoja nuevos criterios de clasificación del suelo de naturaleza urbana y de valoración de los suelos urbanizables que no dispongan un planeamiento de desarrollo, acordes con la sentencia analizada. Asimismo, el defensor del pueblo (Defensor del Pueblo. *La realidad catastral en España.* Madrid, 2012, pág. 159) destaca la necesidad de acomodar la valoración catastral al principio de capacidad económica real, pues valorar con fines tributarios in inmueble por encima de su valor de mercado supone gravar una riqueza ficticia o inexistente.

artículo 12.3 del Texto Refundido de la Ley del Suelo[34] (en adelante TRLS), podemos interpretar tal y como hace el TRLS que esta integración se dará cuando tengan instaladas y operativas, conforme a lo establecido en la legislación urbanística aplicable, las infraestructuras y los servicios necesarios, mediante su conexión en red, para satisfacer la demanda de los usos y edificaciones existentes o previstos por la ordenación urbanística o poder llegar a contar con ellos sin otras obras que las de conexión con las instalaciones preexistentes. El hecho de que el suelo sea colindante con carreteras de circunvalación o con vías de comunicación interurbanas no comportará, por sí mismo, su consideración como suelo urbanizado.

En cuarto lugar, se considera suelo urbano el ocupado por los núcleos o asentamientos de población aislados, en su caso, del núcleo principal, cualquiera que sea el hábitat en el que se localicen y con independencia del grado de concentración de las edificaciones. En torno a este criterio destaca Varona Alabern, la amplitud del criterio que hace relativamente frecuente que aparezcan resultados distintos de los previstos en la legislación urbanística[35]. En este supuesto parece relativizarse el criterio del artículo 7.1 TRLCI que hace depender el carácter del bien de la naturaleza del suelo, ya que son las edificaciones las que sirven de referencia para entender que estamos ante un suelo de naturaleza urbana.

También se considera suelo urbano el ya transformado por contar con los servicios urbanos establecidos por la legislación urbanística o, en su defecto, por disponer de acceso rodado, abastecimiento de agua, evacuación de aguas y suministro de energía eléctrica. Teniendo en cuenta que la legislación urbanística es diferente en las distintas Comunidades Autónomas, no exigiéndose los mismos servicios urbanos en todas, el legislador ha fijado que hay que entender por suelo urbano, destacando que es aquel que disponga de los cuatro servicios públicos que tradicionalmente han constituido los requisitos comunes del suelo urbano. Ahora bien, la jurisprudencia va más allá y hace concurrir esta circunstancia con lo establecido en el artículo 7.2.c) TRLCI. Afirma el Tribunal Supremo[36] que "la mera existencia en una parcela de los servicios urbanísticos exigidos en el artículo 78 TRLS no es suficiente para su clasificación como suelo urbano si aquella no se encuentra enclavada en la malla urbana. Se trata así de evitar el crecimiento del suelo urbano por la sola circunstancia de su proximidad al que ya lo es, con

---

[34] Artículo 12.3. Se encuentra en la situación de suelo urbanizado el que, estando legalmente integrado en una malla urbana conformada por una red de viales, dotaciones y parcelas propia del núcleo o asentamiento de población del que forme parte.

[35] VARONA ALABERN, J. E. (*El valor catastral: su gestión e impugnación, op. cit.*, pág. 235) señala que lo lógico sería que se evitará esta asimetría y se obligará al catastro a amoldarse a la regla urbanística vigente en cada Comunidad Autónoma.

[36] Sentencia de 28 de diciembre de 2012.

exoneración a los propietarios de las cargas que imponen el proceso de transformación de suelos urbanizables"[37].

En último lugar se considera suelo urbano el que esté consolidado por la edificación, en la forma y con las características que establezca la legislación urbanística. En torno a esta cuestión destaca Vicente González[38] que hay que tener en cuenta la definición que las Comunidades Autónomas recogen es sus respectivas legislaciones, que con carácter general se remiten a lo que en el planeamiento se establezca. De este modo el criterio necesario para determinar la existencia de un área consolidada debe partir de una delimitación gráfica de la misma en la que puedan apreciarse las edificaciones existentes y, tras la eliminación de aquellas áreas dedicadas a viales, analizar si los intersticios susceptibles de edificación alcanzan el porcentaje exigido.

2.2.2.2. Bienes inmuebles rústicos

Tal y como ya estudiamos es la naturaleza del suelo la que determina el carácter rústico del inmueble. En el concepto de suelo rústico que recoge en el TRLCI observamos que se hace una delimitación negativa del mismo y así establece el artículo 7.3 del citado texto legal, que se entiende por suelo de naturaleza rústica aquel que no sea de naturaleza urbana, ni esté integrado en un bien inmueble de características especiales. De este modo cuando no concurran los requisitos analizados en el apartado anterior del trabajo, ni nos encontremos ante un bien inmueble de características especiales, tal y como a continuación definiremos, estaremos ante un bien inmueble rústico.

Destaca Varona Alabern[39] que la ley distingue dos clases de bienes rústicos: aquellos que carecen de construcciones o que las poseen de escasa relevancia, como son los tinglaos y cobertizos de poca entidad[40], y aquellos otros sobre cuyos terrenos rústicos se alzan construcciones. El tratamiento de ambos es distinto, así mientras a los primeros que podrían denominarse propiamente rústicos se les aplica la Disposición Transitoria

---

[37] Igual criterio se recoge en las Sentencias del Tribunal Supremo de 3 de febrero de 2003 y 15 de noviembre de 2003.

[38] VICENTE GONZÁLEZ, P. "El suelo urbano", en *Fundamentos de Derecho Urbanístico*. Thomson-Aranzadi, Pamplona, 2007, págs. 399 y 400.

[39] VARONA ALABERN, J. E. *El valor catastral: su gestión e impugnación, op. cit.*, pág. 468.

[40] Señalan MERINO JARA, I. y MANZANO SILVA, E. ("Impuesto sobre Bienes Inmuebles", en CHICO DE LA CÁMARA, P.; GALÁN RUIZ, J. *Los tributos locales y el régimen fiscal de los ayuntamientos,* Lex Nova, Valladolid, 2014, pág. 32) que la referencia a los tinglaos y cobertizos ha de entenderse realizada, básicamente, a los utilizados en explotaciones agrícolas, ganaderas o forestales, que por su carácter ligero y poco duradero de los materiales empleados en su construcción solo sirvan para usos tales como el mayor aprovechamiento de la tierra, la protección de los cultivos, albergue temporal de ganados en despoblado o guarda de aperos e instrumentos propios de la actividad a la que sirven y están afectos.

Segunda del TRLCI que determina el valor catastral capitalizando al 3% el importe de las bases liquidables vigentes para la exacción de la derogada Contribución Territorial Rústica y Pecuniaria; a los segundos se les aplican las reglas de valoración y el procedimiento previsto en la Disposición Transitoria Primera del TRLCI, que incluye unos criterios específicos por los que la construcción se valora de forma análoga a la que se aplicaría si estuviera sobre suelo urbano.

2.2.2.3. Bienes inmuebles de características especiales

La tercera clase de bienes inmuebles son aquellos que se conceptúan como de características especiales, y cuya regulación se encuentra recogida en el artículo 8 del TRLCI. Esta clase de bienes inmuebles se crea mediante la Ley 51/2002, de 27 de diciembre, para dar respuesta a las múltiples cuestiones que se planteaban en cuanto a la valoración de determinado tipo de bienes, así como a resolver las dudas que suscitaba la sujeción o no de ciertos bienes al impuesto[41]. Señala la propia Exposición de motivos que en relación con el hecho imponible, se ha mejorado técnicamente su determinación creando una nueva categoría de inmuebles, la de bien inmueble de características especiales.

Por su parte el Informe para la Reforma de las Haciendas Locales[42] justifica la creación de esta categoría de bienes inmuebles destacando que la misma "puede contribuir a que los bienes que en ella se incluyan puedan, no solo estar más adecuadamente valorados, atendiendo a su especificidad, sino también que, teniendo en cuenta la naturaleza de los mismos, es posible aplicarles tipos impositivos diferenciados, revisiones catastrales con periodicidad adecuada y no necesariamente coincidentes con la del resto de los bienes inmuebles, así como un régimen especial de reducción de la base imponible o la no aplicación del mismo, etc.".

Esta creación fue objeto de críticas por parte de la doctrina que consideraba que la única justificación de su existencia era la posibilidad de aumentar la recaudación al otorgarles a este tipo de bienes un régimen fiscal más duro al que se fija para los urbanos o rústicos[43]. Sin embargo, destaca Varona Alabern[44] que el hecho de que este tipo de

---

41   Señala CALVO VÉRGEZ, J. ("En torno a la discutida categoría de los bienes inmuebles de características especiales en el IBI", *Quincena Fiscal*, núm. 24, 2007, pág. 4) que "no cabe la posibilidad de sostener que sólo deben existir dos categorías de bienes (rústicos y urbanos) ya que es evidente que, a efectos catastrales, hay bienes que no reúnen sus características, lo que hace viable la nueva categoría para encuadrar en ella a determinados bienes singularmente determinados".

42   VARIOS. *Informe sobre la reforma de las Haciendas Locales,* pág. 68.

43   CARBAJO VASCO, D. "Una nota sobre la jurisprudencia del TS que ratifica la categoría de BICES en el IBI", *Tributos Locales,* núm. 92, 2009-2010, pág. 87.
      RUBIO DE URQUÍA, J. L. "Valorando BICES: un entretenimiento como cualquier otro", *Tributos Locales,* núm. 64, 2006, págs. 7 y ss.

44   VARONA ALABERN, J. E. *El valor catastral: su gestión e impugnación, op. cit.*, pág. 244.

bienes pueda ser objeto de una mayor presión fiscal y causa de una mayor recaudación, no significa que éste sea el fundamento de su creación, sino que el mismo hay que encontrarlo en la singularidad de esta clase de bienes y en su falta de idoneidad para subsumirse en las reglas generales de valoración.

El artículo 8.1 TRLCI los define de forma genérica señalando que constituyen un conjunto complejo de uso especializado, integrado por suelo, edificios, instalaciones y obras de urbanización y mejora que, por su carácter unitario y por estar ligado de forma definitiva para su funcionamiento, se configura a efectos catastrales como un único bien inmueble. Tres son, según D'Ocón Espejo[45], las características definitorias de este tipo de bienes: la complejidad, pues supone la unión de elementos diversos y complementarios entre sí, con un sentido final; la unidad, ya que estos bienes representan una estructura viva, en cuanto ligada por una determinada función sectorial; y su funcionalidad con carácter definitivo, pues lo que cuenta no es cada elemento aislado, sino la cohesión entre todos ellos derivada de la función que cumplen de forma definitiva, objetiva y temporalmente.

Sin embargo, el apartado segundo del propio artículo 8 TRLCI limita el concepto anterior estableciendo de modo taxativo los grupos de bienes que pueden pertenecer a esta clase de inmuebles, dejando fuera otros que responderían igualmente a las características descritas. Así establece el precepto los cuatro grupos siguientes: los destinados a la producción de energía eléctrica y gas y al refino de petróleo, y las centrales nucleares; las presas, saltos de agua y embalses, incluido su lecho o vaso, excepto las destinadas exclusivamente al riego; las autopistas, carreteras y túneles de peaje; y los aeropuertos y puertos comerciales.

Esta restricción conlleva que bienes inmuebles que responderían a las características señaladas en el apartado primero no puedan considerarse bienes inmuebles de características especiales al no mencionarse en el apartado segundo[46]. Podemos cuestionarnos si dicha norma puede resultar contraria al principio de igualdad al estar sometidos estos bienes a una mayor presión fiscal, ya que no parece razonable que inmuebles que son análogos no reciban el mismo tratamiento fiscal[47].

---

[45] D'OCÓN ESPEJO, J, "Algunas consideraciones acerca de la delimitación legal del hecho imponible en el IBI de características especiales. El anteproyecto de valoración de los BICES", *Tributos Locales*, núm. 71, 2007, pág. 85.

[46] Así por ejemplo alude ROUANET MOSCARDÓ, J. ("IBI: Impuesto sobre Bienes Inmuebles de características especiales", *La Ley*, núm. 7352, 2010, pág. 1) a los grandes complejos industriales, las grandes instalaciones deportivas, los grandes centros comerciales, las grandes instalaciones hoteleras y los parques temáticos.

[47] Asimismo la Sentencia del Tribunal Supremo de 15 de enero de 2007 destaca que "estamos, por tanto, ante una opción del legislador, que ha querido seleccionar un grupo de bienes, distinguiéndolos de los restantes bienes urbanos o rústicos, al estar revestidos de una especial caracterización, bien por

El artículo 23.2 del Real Decreto 417/2006, de 7 de abril concreta qué tipo de bienes inmuebles se integran en cada uno de los cuatro grupos previsto en el artículo 8.1 TRLCI. Dentro del primer grupo, que califica como Grupo A, se integran los siguientes bienes inmuebles:

En primer lugar, los destinados a la producción de energía eléctrica que de acuerdo con la normativa de regulación del sector eléctrico deban estar incluidos en el régimen ordinario. Ahora bien, sólo se integrarán en este grupo cuando, no estando incluidos en el Grupo B, superen los 10 MW de potencia instalada. En este último supuesto, también formarán parte del inmueble los canales, tuberías de transporte u otras conducciones que se sitúen fuera de las parcelas, incluido el embalse o azud, y que sean necesarias para el desarrollo de la actividad de obtención o producción de energía hidroeléctrica.

Este supuesto fue reformado en su redacción por el Tribunal Supremo[48], al considerar que la expresión que entonces se utilizaba excluía de forma injustificada a todos los bienes destinados a la producción de energía eléctrica en régimen especial, entre los que se encontraban los parques eólicos[49].

En segundo lugar, se incluyen en el grupo A, los destinados a la producción de gas, entendiendo incluida en ésta, tanto la extracción del yacimiento como la regasificación, o actividad de transformación del elemento líquido en gaseoso, así como la licuefacción,

---

su implicación en sectores estratégicos, como es el caso de los destinados a la producción de energía eléctrica y gas y al refino de petróleo, centrales nucleares, presas, saltos de agua y embalses, bien por su adscripción a un servicio público básico como el transporte, autopistas, carreteras y túneles de peaje, aeropuertos y puertos comerciales, sin que ello contravenga el principio de igualdad, al encontrarnos ante supuestos de hecho disímiles". En el mismo sentido se pronuncia la Sentencia del Tribunal Supremo de 20 de septiembre de 2012, en la que señala que existe un fundamento objetivo y razonable por existir situaciones diversas que justifican la desigualdad.

[48] Sentencia de 30 de mayo de 2007.

[49] En relación con los parques eólicos en concreto señala la Sentencia del Tribunal Supremo de 6 de mayo de 2013 que "en todo caso, los parques eólicos tienen las características requeridas por el artículo 8.1 de la Ley del Catastro Inmobiliario, en cuanto constituyen un conjunto que comprende no solo los aerogeneradores y la cimentación necesaria para anclarlos de forma estable al terreno, sino también otros elementos, como zanjas para la conducción del cableado eléctrico de distribución y transporte, zanjas de control entre las distintas turbinas eólicas, el edificio de control, mando y maniobra, la edificación de la subestación (que es interconectada con la aerogeneradores), así como los caminos y pistas de acceso y mantenimiento que se encuentran en la zona de afectación. Por otra parte, carece de sentido tratar de eludir la calificación de BICE bajo la argumentación de que pueden existir parques eólicos sin edificios de control o subestación eléctrica de transformación en ellos o en los que ésta última pertenece a otra entidad y ello porque la inexistencia de edificios no sería causa suficiente de exclusión de la calificación de BICE. Por otra parte, el hecho de que los aerogeneradores puedan ser desmontados para su sustitución o renovación, no impide su consideración como conjuntos unitarios, pues la expresada circunstancia se da en otra clase de BICES, en los que se desmonta y sustituye maquinaria, sin que se produzca por ello una exclusión de tal carácter".

siempre que estas actividades se destinen principalmente al suministro final a terceros por canalización.

En tercer lugar, se incluyen los bienes destinados al refino del petróleo.

En último lugar pertenecen al grupo A las centrales nucleares. En torno a este supuesto se cuestionan Merino Jara y Manzano Silva[50] si forman parte de la central nuclear a efectos de su consideración como BICE el embalse que utiliza para refrigeración[51].

En el segundo grupo, denominado Grupo B, se integran los embalses superficiales, incluido su lecho o fondo, la presa, la central de producción de energía hidroeléctrica, el salto de agua y demás construcciones vinculadas al proceso de producción, así como los canales, tuberías de transporte u otras conducciones que se sitúen fuera de las parcelas y que sean necesarias para el desarrollo de la actividad de obtención o producción de energía hidroeléctrica, siempre que tengan las dimensiones o capacidad de embalse o de desagüe propios de las grandes presas conforme a lo dispuesto en la normativa sectorial. En todo caso, se exceptúan los destinados exclusivamente al riego.

En tercer lugar, el Grupo C lo integran las autopistas, carreteras y túneles cuando, en cualquiera de ellos, se encuentre autorizado el establecimiento de peaje de acuerdo con la legislación sectorial.

En último término el Grupo D lo integran dos grupos de bienes inmuebles: el primero conformado por los aeropuertos, entendiéndose como tales los así definidos por la legislación sectorial. Y en segundo lugar los puertos comerciales. En relación con que debemos entender por puertos comerciales existen dudas en torno a si se incluyen en los mismos los puertos deportivos, las zonas verdes y las zonas de uso público y gratuito. A esta cuestión se refiere el Tribunal Supremo, en sentencia de 27 de junio de 2013 que señala que por puertos comerciales se entiende "los que en razón a las características de su tráfico reúnen condiciones técnicas, de seguridad y de control administrativo para que en ellos se realicen actividades comerciales portuarias, entendiendo por tales las operaciones de estiba, desestiba, carga, descarga, transbordo y almacenamiento de mercancías de cualquier tipo, en volumen o forma de presentación que justifiquen la

---

[50] MERINO JARA, I. y MANZANO SILVA, E. "Impuesto sobre Bienes Inmuebles", *op. cit.,* pág. 34.

[51] Señala la Sentencia del Tribunal Supremo de 29 de noviembre de 2012 que "a la hora de interpretar el artículo 8.2, acerca de que entiende el legislador por 'centrales nucleares', hay que tener en cuenta las circunstancias especiales del presente caso, antes expresadas, en las que se pone de manifiesto que el embalse de Arrocampo fue construido como parte integrante de la Central y absolutamente indispensable para su existencia. Por ello, con absoluto respeto del carácter cerrado de la enumeración de BICES contenida en el precepto legal, antes de acudir a la legislación sectorial para determinar el sentido de la expresión 'centrales nucleares', debemos hallar el mismo en las notas determinantes del concepto legal de BICES, del apartado 1 del artículo 8, en el que expresa el carácter de conjunto complejo de uso especializado, permaneciendo con ese carácter, de forma definitiva como condición indispensable para el funcionamiento".

utilización de medios mecánicos o instalaciones especializadas", pero que a las instalaciones y terrenos que conforman dicha definición, ha de incorporarse todas aquellas instalaciones y terrenos que tienen una vinculación funcional con el uso especializado propio de lo que se entiende por puerto comercial; de ahí que "lo determinante no es la presencia dentro del conjunto de bienes inmuebles singularizados individualmente, sino si existe entre ellos en relación al uso especializado que nos ocupa la vinculación funcional determinante".

2.3. ELEMENTO ESPACIAL Y TEMPORAL

Un mismo bien solo puede encontrarse entre dos términos municipales cuando exista una concesión administrativa, un derecho real de superficie, o bien nos encontremos ante uno de los bienes que configura el legislador como de características especiales. Para estos supuestos establece el artículo 61.4 TRLHL el criterio que supone entender que pertenece a cada uno de ellos por la superficie que ocupe en el respectivo término municipal. De esta forma al determinar las respectivas cuotas se aplicará la normativa de IBI con las modulaciones normativas llevadas a cabo por cada municipio en ejercicio de sus competencias sobre tipos de gravámenes y bonificaciones[52].

El devengo y periodo impositivo del impuesto se regulan en el artículo 75 TRLRHL, según el cual el periodo impositivo coincide con el año natural, y el impuesto se devengará el primer día del período impositivo, es decir el 1 de enero. De esta forma si una persona adquiere la titularidad de un inmueble el 2 de enero no estará obligado al pago del IBI hasta el ejercicio siguiente. Esto supone que los hechos, actos y negocios que deben ser objeto de declaración o comunicación ante el Catastro Inmobiliario tendrán efectividad en el devengo del IBI inmediatamente posterior al momento en que produzcan efectos catastrales.

3. SUPUESTOS DE NO SUJECIÓN

Tras analizar el hecho imponible del impuesto haremos alusión, tal y como hace el propio texto legal a los supuestos de no sujeción que sirven para delimitar el hecho imponible. La inclusión de estos supuestos de no sujeción se introduce a través de la Ley 51/2002, de 27 de diciembre. Se cumple de este modo una de las indicaciones del Informe sobre la Reforma de las Haciendas Locales[53] que establecía la conveniencia de

---

52 GONZÁLEZ-CUÉLLAR SERRANO, M. L. "El Impuesto sobre Bienes Inmuebles", *op. cit.,* pág. 53.

53 VARIOS. Informe sobre la reforma de las Haciendas Locales, FDMP, 2002, pág. 69.

determinar estos supuestos, transformando dos de las exenciones que hasta entonces se recogían en supuestos de no sujeción.

El fundamento de los supuestos de no sujeción, señala González-Cuellar[54], es doble: de un lado se fundamenta en el carácter público y gratuito de su utilización, lo que supone excluir el ejercicio de las facultades propias de cualquier derecho real sobre los bienes; y por otro lado en dichos supuestos se produce una confusión entre el sujeto activo y el sujeto pasivo del impuesto.

Así son bienes no sujetos las carreteras, los caminos, las demás vías terrestres y los bienes del dominio público marítimo-terrestre e hidráulico, siempre que sean de aprovechamiento público y gratuito para los usuarios. La nota que debe concurrir para estar no sujetos es que su aprovechamiento sea público y gratuito. No se alude en ningún caso a que la titularidad de los mismos le corresponda a un Entidad territorial, ya sea el Estado, la Comunidad Autónoma o la Entidad Local[55].

El hecho de que el aprovechamiento sea gratuito conlleva la exclusión de este supuesto de no sujeción a las autopistas de peaje, pues en las mismas sí que se paga por su uso. Pero están, o no, recogidas en este supuesto las autovías financiadas mediante peaje en la sombra. La Audiencia Nacional[56] se ha pronunciado sobre esta cuestión y destaca que para considerar si existe o no un aprovechamiento gratuito es necesario examinar si el concesionario recibe alguna contraprestación por el uso de la autovía ya sea de los usuarios o ya sea de la Comunidad Autónoma, ya que el hecho de que el usuario no abone directamente cantidad alguna por el uso no significa que sea de aprovechamiento gratuito[57]. Así pues, los supuestos de peaje en la sombra no se pueden considerar incluidos en los supuestos de no sujeción dado que su carácter no es gratuito en ningún caso, aunque el precio no lo pague directamente el usuario de la autovía.

---

[54]   GONZÁLEZ-CUÉLLAR SERRANO, M. L. "El Impuesto sobre Bienes Inmuebles", *op. cit.,* pág. 51.

[55]   ARNAL SURIA, S. (*El Impuesto sobre Bienes Inmuebles*, Publicaciones Abella, Madrid, 1991, pág. 69) afirma que los caminos y calles abiertos al público —por ejemplo, en urbanizaciones de iniciativa particular— no estarán sujetos, siempre que su utilización sea libre, aun antes de que se produzca el acto formal de su cesión al Municipio correspondiente. Y, por el contrario, si lo estarán los de uso restringido (el famoso cartelito de "Camino particular. Prohibido el paso"), ni aquellos por cuyo uso se exija alguna clase de contraprestación (autopistas de peaje).

[56]   Sentencia de la Audiencia Nacional de 2 de diciembre de 2008.

[57]   El régimen de peaje en sombra "consiste en el pago, durante el periodo de concesión, de una cantidad que se calcula de la siguiente forma: cantidad a pagar: vehículos-kilómetro por tarifa unitaria". El sistema de financiación por tanto no sólo tiene por objeto cubrir los gastos ocasionados en la realización del proyecto, construcción, explotación y conservación de la autovía, sino que además se establece la obtención de un beneficio por parte de la concesionaria de la explotación que dependerá del número de coches que utilicen la autovía. En definitiva, la Administración a través de la subvención procede a abonar el peaje que correspondería pagar al usuario.

En segundo lugar, son bienes no sujetos los siguientes bienes inmuebles propiedad de los municipios en que estén enclavados: los de dominio público afectos a uso público; los de dominio público afectos a un servicio público gestionado directamente por el ayuntamiento, excepto cuando se trate de inmuebles cedidos a terceros mediante contraprestación; los bienes patrimoniales, exceptuados igualmente los cedidos a terceros mediante contraprestación.

En este supuesto los bienes inmuebles tienen que ser propiedad de los municipios, por lo que sí que están sujetos aquellos que sean propiedad de los organismos autónomos municipales, o de las empresas o sociedades mercantiles del mismo. Además, estarán sujetos aquellos que sean propiedad de las mancomunidades, al ser estos entes con personalidad y capacidad jurídica propia para el cumplimiento de sus fines específicos, y que se rigen por sus propios estatutos[58].

Al aludir a los inmuebles de dominio y uso público incluye las cesiones de usos especiales de la vía pública mediante autorizaciones administrativas, como es el caso de los quioscos.

En el caso de bienes de dominio y servicio público para que se consideren no sujetos deben estar afectos a un servicio público directamente gestionado por un ayuntamiento, o a través de entidades o servicios municipales que tengan adscritos los citados inmuebles a título gratuito. No se incluyen los inmuebles cedidos a terceros mediante contraprestación[59].

En último lugar incorpora la Ley 51/2002, la no sujeción de los bienes patrimoniales, exceptuando aquellos que sean cedidos a terceros mediante contraprestación, con el fin de evitar que se produzca una confusión de derechos, al coincidir en la misma persona deudor y acreedor.

4. EXENCIONES

El artículo 62 TRLRHL es el que recoge el régimen de exenciones en el IBI, pudiendo las mismas clasificarse en cuatro grupos: exenciones que se otorgan de oficio, exenciones rogadas, exenciones de carácter potestativo y exenciones especiales recogidas en la Ley 49/2002, de 23 de diciembre, de régimen fiscal de las entidades sin fines lucrativos.

---

[58]   En este sentido se pronuncia el Tribunal Superior de Justicia de Cataluña, en Sentencia de 23 de septiembre de 1998.

[59]   AGUADO FERNÁNDEZ, M. D. "Impuesto sobre Bienes Inmuebles", *op. cit.*, pág. 152.

4.1. EXENCIONES DE OFICIO

Son aquellas que se aplican con carácter general por la Administración tributaria, siempre que de una manera o de otra se tenga constancia de la concurrencia de los requisitos que se establecen respecto a las mismas en el artículo 62.1 TRLRHL, y que no necesitan solicitud por parte del interesado.

En primer lugar, están exentos los bienes que sean propiedad del Estado, de las Comunidades Autónomas o de las Entidades Locales que estén directamente afectos a la seguridad ciudadana y a los servicios educativos y penitenciarios, así como los del Estado afectos a la defensa nacional. Se alude a que detenten las administraciones la plena propiedad, por lo que, si existe un derecho de usufructo, superficie o una concesión, el bien no se encuentra exento, pues no será el ente público el que realice el hecho imponible.

El legislador establece requisitos en relación con los bienes dedicados a la seguridad ciudadana, a los servicios educativos y penitenciarios de una parte, y por otro a los dedicados a la defensa nacional. En el primer caso se señala que los mismos pueden ser propiedad del Estado, de las Comunidades Autónomas o de las Entidades Locales[60], mientras que en los segundos únicamente se alude a que sean propiedad del Estado[61].

Por otra parte, cuando alude a la afección se hace en distinto grado, pues mientras para el supuesto de bienes dedicados a la seguridad ciudadana, servicios educativos y penitenciarios se exige que estén directamente afectos, en el caso de los de defensa jurídica se exige la mera afección. La matización de que la afección sea directa implica que en estos bienes se desarrollen de forma efectiva las actividades propias y típicas de los servicios, excluyéndose de esa forma de la exención los bienes destinados a otras actividades que, aunque sean necesarias para el ejercicio de aquéllas, no estén directamente relacionadas con las mismas. Sin embargo, la aplicación práctica de lo que se entiende

---

[60]   En torno a si dicha referencia al Estado, la Comunidad Autónoma o la Entidad Local incluye o no a los organismos públicos hay disparidad de criterios. Señala GONZÁLEZ-CUÉLLAR SERRANO, M. L. ("El Impuesto sobre Bienes Inmuebles", *op. cit.,* pág. 59) que si se deben incluir teniendo en cuenta que la Ley de Régimen Jurídico de las Administraciones Públicas y del Procedimiento Administrativo Común lo hace), sin embargo la jurisprudencia reiteradamente ha ido excluyendo la exención para aquellos bienes que son propiedad de organismos públicos tales como entes, organismos autónomos, entidades públicas empresariales... (Sentencia del TSJ de Madrid, de 26 de enero de 1996, Sentencia del TSJ de Castilla León de 11 de julio de 1997, Sentencia del Tribunal Supremo de 6 de octubre de 2000).

[61]   Señala COBO OLIVERA, T. ("Exenciones del impuesto sobre bienes inmuebles de aplicación directa que no necesitan para su aplicación la previa solicitud del sujeto pasivo", *Quincena Fiscal,* núm. 9, 2009, pág. 1) que esta matización elimina la posibilidad de exención de aquellos bienes que siendo propiedad de la Comunidad Autónoma o de las Entidades Locales estén afectos a la defensa nacional por haberse suscrito convenios entre administraciones.

por afección directa ha dado lugar a un gran número de pronunciamientos por parte de los tribunales en muchas ocasiones contradictorios unos con otros. Este carácter casuístico en cuanto a su utilización lleva incluso al Tribunal Supremo[62] a afirmar que "la afección a la finalidad que justifica e impone el beneficio tributario es una cuestión de hecho, que ha de resolverse en cada caso, de acuerdo con la valoración de la prueba y no puede establecerse genéricamente".

En segundo término, se recogen entre las exenciones, los bienes comunales y los montes vecinales, en mano común. El artículo 79 de la Ley de Bases de Régimen Local señala que tienen la consideración de comunales aquellos cuyo aprovechamiento corresponda al común de los vecinos. Por su parte la Ley 55/1980, de 11 de noviembre, en su artículo primero determina que los montes vecinales en mano común son aquellos que, con independencia de su origen, pertenecen a agrupaciones vecinales en su calidad de grupos sociales y no como entidades administrativas y que se aprovechan consuetudinariamente en mano común por los miembros de aquéllas en su condición de vecinos.

En tercer lugar, están exentos los bienes de la Iglesia Católica, en los términos previstos en el Acuerdo entre el Estado Español y la Santa Sede sobre Asuntos Económicos, de 3 de enero de 1979[63], y los de las asociaciones confesionales no católicas legalmente reconocidas, en los términos establecidos en los respectivos acuerdos de cooperación suscritos en virtud de lo dispuesto en el artículo 16 de la Constitución[64]. Están también exentos los bienes de la Cruz Roja Española. En este supuesto la exención se otorga en función de un elemento únicamente subjetivo, no siendo necesario que los inmuebles se encuentren afectos al desarrollo de actividades propias de esta Entidad. Señala Cobo

---

[62] Sentencia de 27 de julio de 2001.

[63] La exención a los bienes de la Iglesia Católica se limita solo a los mencionados expresamente en el artículo 4 del Acuerdo citado anteriormente, y que son los siguientes: a) Los templos y capillas destinados al culto, y asimismo, sus dependencias o edificios y locales anejos destinados a la actividad pastoral; b) La residencia de los Obispos, de los canónigos y de los sacerdotes con cura de almas; c) Los locales destinados a oficinas, la curia diocesana y a oficinas parroquiales; d) Los seminarios destinados a la formación del Clero diocesano y religioso y las universidades eclesiásticas en tanto en cuanto impartan enseñanzas propias de disciplinas eclesiásticas; e) Los edificios destinados primordialmente a casas o conventos de las órdenes, congregaciones religiosas e institutos de vida consagrada.

[64] En relación con los bienes de las asociaciones confesionales no católicas hay que estar a lo dispuesto en las Leyes 24, 25 y 26 de/1992, de 19 de diciembre, en las que se aprueban acuerdos de cooperación del Estado con la Federación de Entidades Religiosas Evangélicas de España, con la Federación de comunidades israelitas de España y con la Comisión Islámica de España respectivamente. Así en las mismas se establece la exención de los siguientes bienes: a) los lugares de culto y mezquitas, y sus dependencias y edificios anejos, destinados al culto, a la asistencia religiosa o a residencia de pastores, imanes y religiosos; b) Los locales destinados a oficinas; c) Los centros destinados a la formación de ministros del culto, cuando impartan únicamente enseñanzas propias de su misión religiosa.

Olvera[65] que la exención se deberá aplicar no solo a la titularidad sino también cuando sobre dichos bienes se ejerza cualquier derecho de los previstos como constitutivos del hecho imponible.

Están asimismo exentos los inmuebles a los que sea de aplicación la exención en virtud de convenios internacionales en vigor y, a condición de reciprocidad, los de los Gobiernos extranjeros destinados a su representación diplomática, consular, o a sus organismos oficiales. Se recogen por tanto dos supuestos: una exención en la que no debe concurrir la nota de reciprocidad, y cuya mención es en cierta forma redundante con lo previsto en el artículo 9.1 TRLRHL; y un segundo supuesto para los inmuebles destinados a la representación diplomática, consular o de organismos oficiales, en los que se establece la nota de la reciprocidad.

Se reconoce exención de oficio a la superficie de los montes poblados con especies de crecimiento lento reglamentariamente determinadas, cuyo principal aprovechamiento sea la madera o el corcho, siempre que la densidad del arbolado sea la propia o normal de la especie de que se trate. Señala Aguado Fernández[66] que nos encontramos ante una exención de carácter objetivo, dado que se produce con independencia de quien sea el titular de dichos inmuebles y que además tiene carácter parcial ya que solo se extiende a la parte de monte poblado con las especies señaladas y no a toda la superficie. Esto puede conllevar que existan supuestos en los que la exención solo recaiga sobre una parte de los bienes.

En último término señala el legislador entre estas exenciones de oficio la que corresponde a los terrenos ocupados por las líneas de ferrocarriles y los edificios enclavados en los mismos terrenos, que estén dedicados a estaciones, almacenes o a cualquier otro servicio indispensable para la explotación de dichas líneas. Es el propio precepto el que aclara que determinados servicios no son indispensables para la explotación de las líneas y así destaca expresamente que "no están exentos, los establecimientos de hostelería, espectáculos, comerciales y de esparcimiento, las casas destinadas a viviendas de los empleados, las oficinas de la dirección ni las instalaciones fabriles".

4.2. EXENCIONES ROGADAS

El artículo 62.2 TRLRHL establece tres exenciones de carácter rogado, es decir de las que precisan para su concesión de una solicitud previa por parte del contribuyente. Debemos poner de manifiesto que la Administración únicamente podrá comprobar si

---

[65]   COBO OLIVERA, T. "Exenciones del impuesto sobre bienes inmuebles de aplicación directa que no necesitan para su aplicación la previa solicitud del sujeto pasivo", *op. cit.,* pág. 13.

[66]   AGUADO FERNÁNDEZ, M. D. "Impuesto sobre Bienes Inmuebles", *op. cit.*, pág. 159.

se cumplen o no los requisitos previstos por la ley para la concesión de la exención, ahora bien, en el caso de que se cumplan, la Administración no puede negar la aplicación de la mencionada exención, es decir cumpliéndose los requisitos la exención se tiene[67].

La primera exención rogada es la que se reconoce a los bienes inmuebles que se destinen a la enseñanza por centros docentes acogidos, total o parcialmente, al régimen de concierto educativo, en cuanto a la superficie afectada a la enseñanza concertada.

El centro ha de ostentar la condición de centro total o parcialmente concertado a la fecha del devengo, es decir a 1 de enero. No coincide esta fecha con los periodos concertados de los centros que suelen darse para cursos académicos, por lo que la concesión será en septiembre, teniendo de este modo derecho a la exención en el periodo siguiente. El segundo requisito supone ostentar la condición de sujeto pasivo del IBI, por lo que tanto titularidad de los bienes como la del centro educativo ha de coincidir en la misma persona o entidad[68]. Finalmente debemos precisar que las finalidades educativas comprenden no solo las docentes, sino también los servicios de comedor escolar, de asistencia sanitaria del alumno y los demás que sean declarados de carácter necesario por la regulación. Señala el propio precepto en último término que esta exención deberá ser compensada por la Administración competente.

También están exentos previa solicitud los bienes declarados expresa e individualizadamente monumento o jardín histórico de interés cultural[69], e inscritos en el Registro General como integrantes del Patrimonio Histórico Español. Esta exención no alcanzará a cualesquiera clases de bienes urbanos ubicados dentro del perímetro delimitativo de las zonas arqueológicas y sitios y conjuntos históricos, globalmente integrados en ellos, sino, exclusivamente, a los que reúnan las siguientes condiciones:

En zonas arqueológicas, los incluidos como objeto de especial protección en el instrumento de planeamiento urbanístico.

En sitios o conjuntos históricos, los que cuenten con una antigüedad igual o superior a cincuenta años y estén incluidos en el catálogo previsto en el Real Decreto 2159/1978, de 23 de junio, como objeto de protección integral.

---

[67] Señala la Dirección General de los Tributos en Consulta de 10 de enero de 1998, que "los beneficios fiscales en el ámbito de los tributos locales se disfrutan siempre que concurran los requisitos legalmente fijados para su aplicación... El derecho a la aplicación de los beneficios fiscales se genera desde que se dan las condiciones necesarias para su disfrute y no desde que se solicitan".

[68] El Tribunal Supremo en Sentencia de 23 de diciembre de 2002 negó la aplicación de la exención a los propietarios de centros docentes concertados cuando estos no ejercen directamente las actividades docentes, sino que los tienen cedidos gratuitamente a una institución para que los utilice para dichos fines.

[69] Tal y como los mismos se definen en el artículo 9 de la Ley 16/1985, de 25 de junio, del Patrimonio Histórico Español.

El propio precepto señala que no estarán exentos los bienes inmuebles antes mencionados cuando estén afectos a explotaciones económicas[70], salvo que les resulte de aplicación alguno de los supuestos de exención previstos en la Ley 49/2002, de 23 de diciembre, de régimen fiscal de las entidades sin fines lucrativos y de los incentivos fiscales al mecenazgo, o que la sujeción al impuesto a título de contribuyente recaiga sobre el Estado, las Comunidades Autónomas o las entidades locales, o sobre organismos autónomos del Estado o entidades de derecho público de análogo carácter de las Comunidades Autónomas y de las entidades locales.

En último lugar se establece una exención de carácter rogado para la superficie de los montes en que se realicen repoblaciones forestales o regeneración de masas arboladas sujetas a proyectos de ordenación o planes técnicos aprobados por la Administración forestal. Esta exención tendrá una duración de 15 años, contados a partir del período impositivo siguiente a aquel en que se realice su solicitud[71]. Igualmente estarán exentos los inmuebles afectados por catástrofes naturales (incendios, lluvias, temporales, inundaciones, sequía, terremotos etc.), regulándose en las normas que las creen los requisitos y el ámbito geográfico de su aplicación. Al igual que la anterior es una exención temporal cuya duración suele circunscribirse a los períodos impositivos en los que se hayan producido los daños ocasionados por las catástrofes.

Recientemente el Real Decreto Ley 4/2022 ha establecido como una medida de apoyo al sector agrario por causa de la sequía la exención de la cuota de IBI para los inmuebles rústicos propiedad de los titulares de explotaciones agrícolas o ganaderas. La Resolución de 24 de marzo de 2022 destaca que esta exención de la cuota no puede ser declarada de forma general a todos los sujetos pasivos, sino que son necesarias tanto la solicitud expresa del beneficiario, como la verificación de las circunstancias que dan derecho a la exención[72].

---

[70] La DGT en Consulta V1771-20 de 3 de junio señala que la afección a una explotación económica de un bien de Patrimonio Histórico Español, y por tanto su consideración como bien no exento en el IBI, es un requisito objetivo que se predica respecto de dicho bien, siendo indiferente quien desarrolla la actividad económica, ya sea el propietario del inmueble o un tercero.

[71] Destaca ADAME MARTÍNEZ, F. ("La fiscalidad ambiental en el ámbito local", en FERNÁNDEZ PAVÉS, M. J. *La función tributaria Local*, La Ley, Madrid, pág. 591) que esta norma persigue fomentar la intervención administrativa en la ordenación de los recursos arbóreos a fin de garantizar su gestión sostenible.

[72] El ámbito territorial de la exención es todo el territorio nacional, y la exención puede afectar a las cuotas de IBI de los inmuebles de naturaleza rústica correspondientes al ejercicio 2022, comprendiendo los recargos legalmente autorizados. Para que las entidades locales puedan conceder la citada exención, los posibles beneficiarios la deben solicitar, acreditando la concurrencia de los siguientes requisitos: los inmuebles de naturaleza rústica, de cuyas cuotas del IBI se solicite la exención, deben estar afectos al desarrollo de explotaciones agrícolas o ganaderas; los titulares catastrales de tales inmuebles, en concepto de propietarios, deben ser también los titulares de las explotaciones agrícolas

4.3. EXENCIONES POTESTATIVAS

En último término recoge el legislador en los apartados 3 y 4 del artículo 62 TRLR-HL dos exenciones potestativas, es decir de las que su establecimiento se decide por voluntad municipal a través de la pertinente ordenanza fiscal. Afirma Trigueros Martín[73] que estos beneficios fiscales no pueden ser invocados directamente por los contribuyentes, en tanto que su efectividad no deriva de la ley, sino que depende de su implantación mediante la consiguiente ordenanza fiscal. Estas exenciones potestativas podrán ser asimismo rogadas si la citada ordenanza así lo establece.

Señala el TRLRHL que las ordenanzas fiscales podrán regular una exención a favor de los bienes de que sean titulares los centros sanitarios de titularidad pública, siempre que estén directamente afectados al cumplimiento de los fines específicos de los referidos centros. La regulación de los restantes aspectos sustantivos y formales de esta exención se establecerá en la ordenanza fiscal. Se refiere el legislador de manera expresa a centros sanitarios de titularidad pública por lo que quedan excluidos de tal exención los de titularidad privada, si bien es cierto que nada señala en cuanto al sistema de gestión del centro sanitario, por lo que podrá el mismo estar gestionado de cualquiera de las formas previstas en la legislación vigente.

En último término podrán los ayuntamientos establecer, en razón de criterios de eficiencia y economía en la gestión recaudatoria del tributo, la exención de los inmuebles rústicos y urbanos cuya cuota líquida no supere la cuantía que se determine mediante ordenanza fiscal. Esta norma responde al principio de economicidad, pues se intenta evitar que se tengan que emitir recibos de un importe insignificante o con unos costes de recaudación superiores a la cuota[74].

4.4. EXENCIONES RECOGIDAS EN LA LEY 49/2002

La Ley 49/2002, de 23 de diciembre, del régimen fiscal de las entidades sin fines lucrativos y de los incentivos fiscales al mecenazgo recoge en el artículo 15 que estarán exentos del Impuesto sobre Bienes Inmuebles los bienes de los que sean titulares, en los

---

o ganaderas; los titulares de tales explotaciones deben haber sufrido en el ejercicio 2021 pérdidas de ingresos en las mismas de, al menos, un 20% con respecto a la media de los años 2018, 2019 y 2020. El porcentaje anterior es de un 30%, si las explotaciones no se encuentran en zonas con limitaciones naturales u otras específicas.

73 TRIGUEROS MARTÍN, M. J. "Las exenciones potestativas y rogadas en los impuestos locales obligatorios" en *Estudios sobre el sistema tributario actual y la situación financiera del sector público,* IEF, Madrid, pág. 1933.

74 TRIGUEROS MARTÍN, M. J., "Las exenciones potestativas y rogadas en los impuestos locales obligatorios", *op. cit.*, pág. 1935.

términos previstos en la normativa reguladora de las Haciendas Locales, las entidades sin fines lucrativos, excepto si los mismos están afectos a explotaciones económicas no exentas del Impuesto sobre Sociedades.

5. SUJETOS PASIVOS

Señala el artículo 63 TRLRHL que son sujetos pasivos, a título de contribuyentes, las personas naturales y jurídicas y las entidades sin personalidad jurídica que constituyan una unidad económica o un patrimonio separado susceptible de imposición, que ostenten la titularidad del derecho que, en cada caso, sea constitutivo del hecho imponible de este impuesto[75]. Podemos destacar que no se produce ya una identificación absoluta entre sujeto pasivo y titular catastral, pues en el catastro pueden aparecer registrados una pluralidad de titulares catastrales[76], y solo uno de ellos será sujeto pasivo del IBI.

Para el supuesto de las herencias yacentes, comunidades de bienes o cualquier otro ente sin personalidad jurídica de los previstos en el artículo 35 LGT, sus copartícipes o comuneros responderán solidariamente de la cuota del impuesto, en proporción a su cuota de participación. Lo mismo sucede en el caso de matrimonios, o en los supuestos de pro indiviso[77], en los que la titularidad se atribuirá en partes iguales, salvo que se justifique otra cuota de participación.

Uno de los problemas en la determinación del sujeto pasivo del impuesto surge en los casos en los que existe una separación, nulidad o divorcio y se produce la atribución del uso de la vivienda a uno solo de los cónyuges. En estos supuestos no se puede considerar como usufructo el uso de tal vivienda[78]. De esta forma en los mismos para que el abono de dicho impuesto pueda ser atribuible al cónyuge que se queda con el uso y

---

[75]   Señala la DGT CV 21-2-18 que cuando concurren el derecho de usufructo y el derecho de propiedad sobre un mismo bien inmueble urbano o rústico, el sujeto pasivo es el titular del derecho de usufructo, aunque su derecho solo recaiga sobre parte del inmueble, sin perjuicio de la facultad de repercutir la carga tributaria soportada sobre el resto de titulares de derechos sobre él.

[76]   *Vid.* artículo 9.1 TRLCI.

[77]   Destaca la DGT en CV 17-12-10 y CV 13-12-11 que los copropietarios (titulares pro indiviso) de un bien inmueble, pueden solicitar la división de la liquidación del impuesto, y para ello, deben facilitar los datos personales y el domicilio de los obligados al pago, así como su cuota de propiedad sobre el inmueble. Además, precisa la DGT en CV 10-12-14 que solo cuando todos los titulares catastrales del bien inmueble lo son por la misma categoría de derecho, tienen todos la condición de sujeto pasivo del IBI y, se puede solicitar por todos, o alguno de ellos, la división de la liquidación tributaria.

[78]   Así se establece expresamente por el Tribunal Supremos en Sentencias de 4 de abril de 1997, y 23 de enero de 1998.

disfrute de la vivienda conyugal, será preciso que se haga constar expresamente en el convenio regulador[79].

El legislador regula expresamente el supuesto de las concesiones sobre bienes inmuebles de característica especiales, señalando que en estos casos cuando la condición de contribuyente recaiga en uno o en varios concesionarios, cada uno de ellos lo será por su cuota, que se determinará en razón a la parte del valor catastral que corresponda a la superficie concedida y a la construcción directamente vinculada a cada concesión. Para esa misma clase de inmuebles, cuando el propietario tenga la condición de contribuyente en razón de la superficie no afectada por las concesiones, actuará como sustituto del mismo el ente u organismo público al que se halle afectado o adscrito el inmueble o aquel a cuyo cargo se encuentre su administración y gestión, el cual no podrá repercutir en el contribuyente el importe de la deuda tributaria satisfecha.

En los supuestos de cambio, por cualquier causa, en la titularidad de los derechos que constituyen el hecho imponible de este impuesto, los bienes inmuebles objeto de dichos derechos quedarán afectos[80] al pago de la totalidad de la cuota tributaria, en régimen de responsabilidad. De esta forma los notarios solicitarán información y advertirán expresamente a los comparecientes en los documentos que autoricen sobre las deudas pendientes por el Impuesto sobre Bienes Inmuebles asociadas al inmueble que se transmite, sobre el plazo dentro del cual están obligados los interesados a presentar declaración por el impuesto, sobre la afección de los bienes al pago de la cuota tributaria y, asimismo, sobre las responsabilidades en que incurran por la falta de presentación de declaraciones, el no efectuarlas en plazo o la presentación de declaraciones falsas, incompletas o inexactas, conforme a lo previsto en el artículo 70 del texto refundido de la Ley del Catastro Inmobiliario y otras normas tributarias.

Los notarios y registradores de la propiedad tienen asimismo la obligación de remitir telemáticamente al Catastro, dentro de los 20 primeros días de cada mes, información relativa a los documentos autorizados por ellos o que hayan generado una inscripción registral en el mes anterior, en los que consten hechos, actos o negocios susceptibles de inscripción en el Catastro Inmobiliario, incluido el cambio de titularidad. En esa información debe consignarse de forma separada la identidad de las personas que hayan incumplido la obligación de aportar la referencia catastral. Asimismo, han de remitir la documentación complementaria incorporada en la escritura pública que sea de utilidad para el Catastro.

---

[79]   VERDESOTO GÓMEZ, M. "Impuestos locales y relaciones familiares", *Quincena Fiscal,* núm. 20, 2011, págs. 10.

[80]   La DGT CV 30-9-19, considera que la afección real en la transmisión es compatible con la hipoteca legal tácita, pero mientras que el derecho de afección se extiende a todas las deudas del IBI pendientes de cobro de ejercicios no prescritos y se exige la declaración de fallido del deudor principal, en la hipoteca legal tácita la garantía solo se extiende a la deuda del IBI correspondiente al año en que se exija el pago y al inmediato anterior, y no se exige la declaración de fallido del deudor principal.

6. BIBLIOGRAFÍA

Adame Martínez, F. "La fiscalidad ambiental en el ámbito local", en Fernández Pavés, M. J. *La función tributaria Local.* La Ley, Madrid.

Aguado Fernández, M. D; Puyal Sanz, P. "Impuesto sobre Bienes Inmuebles", en *Guía de las Haciendas Locales,* CISS, Valencia, 2006.

Arnal Suria, S. *El Impuesto sobre Bienes Inmuebles.* Publicaciones Abella, Madrid, 1991.

Calvo Vérgez, J. "En torno a la discutida categoría de los bienes inmuebles de características especiales en el IBI", *Quincena Fiscal,* núm. 24, 2007.

Carbajo Vasco, D. "Una nota sobre la jurisprudencia del TS que ratifica la categoría de BICES en el IBI", *Tributos Locales,* núm. 92, 2009-2010.

Checa González, C. *Los tributos Locales. Análisis jurisprudencial de las cuestiones sustantivas más controvertidas.* Marcial Pons, Madrid, 2000.

Cobo Olivera, T. "Exenciones del impuesto sobre bienes inmuebles de aplicación directa que no necesitan para su aplicación la previa solicitud del sujeto pasivo". *Quincena Fiscal,* núm. 9, 2009.

D'ocón Espejo, J. "Algunas consideraciones acerca de la delimitación legal del hecho imponible en el IBI de características especiales. El anteproyecto de valoración de los BICES". *Tributos Locales,* núm. 71, 2007.

Espilez Murciano, M. A. "El derecho de superficie y el titular catastral". *Catastro,* octubre, 2009, pág. 32.

García Moncó, A. *El Impuesto sobre Bienes Inmuebles y los valores catastrales,* Lex Nova, Valladolid, 1995.

García Novoa, C. "El Impuesto sobre Bienes Inmuebles. Hecho Imponible. Sujetos pasivos y exenciones", en *Tratado de Derecho Financiero y Tributario Local,* Marcial Pons, Madrid, 1993.

Gómez De Lorenzo, A. *Los impuestos sobre Construcciones, Instalaciones y Obras, Bienes Inmuebles, Vehículos de Tracción Mecánica y Actividades Económicas. Aspectos materiales del Tributario.* Colección Cuadernos Derecho Judicial, CGPJ, Madrid, 1995.

González Sánchez, M. "El principio de no confiscación y las haciendas locales", en *El sistema económico en la Constitución española.* Ministerio de Justicia, Centro de Publicaciones, Madrid, 1994.

González-Cuéllar Serrano, M. L. "El Impuesto sobre Bienes Inmuebles", en D. Marín-Barnuevo. *Los tributos Locales.* Thomson-Civitas, Madrid, 2005, pág. 33.

Merino Jara, I. Y Manzano SilvA, E. "Impuesto sobre Bienes Inmuebles", en Chico De La Cámara, P.; Galán Ruiz, J. *Los tributos locales y el régimen fiscal de los ayuntamientos,* Lex Nova, Valladolid, 2014, pág. 32.

Nuño De Juan De Ledesma, J. "La tributación de las concesiones administrativas en la imposición indirecta", *Revista Tributaria Oficinas Liquidadoras,* núm. 29, 2011, pág. 14.

Poveda Blanco, F. "El IBI y el ICIO ante la inminente reforma de la Hacienda Local", *Tributos Locales,* núm. 12, 2001, pág. 19.

Rouanet Moscardó, J. "IBI: Impuesto sobre Bienes Inmuebles de características especiales". *La Ley,* núm. 7352, 2010.

Rubio De Urquía, J. L. "Valorando BICES: un entretenimiento como cualquier otro". *Tributos Locales,* núm. 64, 2006.

Sánchez Galiana, C. M. *La fiscalidad inmobiliaria en la Hacienda municipal.* Comares, Granada, 2002.

Serrano Alberca, J. M. "¿Debe estar sometido al Impuesto sobre Bienes Inmuebles el suelo urbanizable? Comentario a la Sentencia del Tribunal Supremo de 30 de mayo de 2014". *Revista Aranzadi de Urbanismo y edificación,* núm. 32, 2014, pág. 8.

Simón Acosta, E. "Los impuestos sobre la riqueza inmobiliaria", en *Informe sobre el Proyecto de Ley Reguladora de las Haciendas Locales,* IEF, Madrid, 1988, págs. 89.

Trigueros Martín, M. J. "Las exenciones potestativas y rogadas en los impuestos locales obligatorios" en *Estudios sobre el sistema tributario actual y la situación financiera del sector público,* IEF, Madrid, 1993, Pág. 93.

Varios. Informe sobre la reforma de las Haciendas Locales. FDMP, 2002.

Varona Alabern, J. E. *El valor catastral: su gestión e impugnación.* 4ª Edición, Aranzadi, Pamplona, 2011.

Verdesoto Gómez, M. "Impuestos locales y relaciones familiares". *Quincena Fiscal,* núm. 20, 2011, págs. 10.

Vicente González, P. "El suelo urbano", en *Fundamentos de Derecho Urbanístico.* Thomson-Aranzadi, Pamplona, 2007.

Capítulo IV
EL IMPUESTO SOBRE BIENES INMUEBLES: LIQUIDACIÓN, GESTIÓN Y REVISIÓN

Mª DEL CARMEN PASTOR DEL PINO
Profesora Titular de Universidad de Derecho Financiero y Tributario
Universidad Politécnica de Cartagena

SUMARIO: 1. INTRODUCCIÓN: REVISIÓN CRÍTICA DEL IMPUESTO DESDE SUS ELEMENTOS DE CONFIGURACIÓN TÉCNICA. 2. LA BASE IMPONIBLE. 2.1. El valor catastral: elementos de concreción. 2.2. Determinación de los valores catastrales. Actualización y procedimientos. 3. LA BASE LIQUIDABLE. 3.1. Fundamento de la reducción sobre la base imponible. 3.2. Aplicación de la reducción. 3.2.1. *Supuestos en los que es aplicable.* 3.2.2. *Duración y cuantía de la reducción.* 4. LA CUOTA ÍNTEGRA. 4.1. Los tipos de gravamen. 4.2. Recargo para inmuebles residenciales desocupados. 5. LA CUOTA LÍQUIDA. 5.1. Bonificaciones obligatorias. 5.1.1. *Bonificación para inmuebles que constituyan el objeto de la actividad de las empresas de urbanización, construcción y promoción inmobiliaria.* 5.1.2. *Bonificación para Viviendas de Protección Oficial.* 5.1.3. *Bonificación a favor de los bienes rústicos de las cooperativas agrarias y de explotación comunitaria de la tierra.* 5.2. Bonificaciones potestativas. 5.2.1. *Bonificación de asentamientos de población de especial protección.* 5.2.2. *Bonificación a favor de bienes inmuebles afectados por procedimientos de valoración colectiva.* 5.2.3. *Bonificación a favor de inmuebles de organismos públicos de investigación y de enseñanza universitaria.* 5.2.4. *Bonificación a favor de los inmuebles declarados monumento o jardín histórico de interés cultural afectos a actividades económicas.* 5.2.5. *Bonificación a favor de los inmuebles de especial interés o utilidad municipal por circunstancias sociales, culturales, histórico artísticas o de fomento del empleo.* 5.2.6. *Bonificación a favor de bienes inmuebles de características especiales.* 5.2.7. *Bonificación a favor de las familias numerosas.* 5.2.8. *Bonificación a la energía solar.* 5.2.9. *Bonificación para inmuebles de uso residencial destinados a alquiler de vivienda con renta limitada por una norma jurídica.* 5.2.10. *Bonificación a favor de inmuebles en los que se hayan instalado puntos de recarga para vehículos eléctricos.* 6. GESTIÓN, LIQUIDACIÓN Y REVISIÓN DE ACTOS. 7. REFLEXIÓN FINAL. 8. BIBLIOGRAFÍA.

1. INTRODUCCIÓN: REVISIÓN CRÍTICA DEL IMPUESTO DESDE SUS ELEMENTOS DE CONFIGURACIÓN TÉCNICA

La estructura de liquidación del Impuesto sobre Bienes Inmuebles adolece de una importante complejidad técnica que dificulta el ejercicio de los derechos de los contribuyentes relacionada con el conocimiento y comprensión de sus elementos de cuantificación —en especial con la determinación y valoración de los inmuebles—, y que afecta en consecuencia a la propia capacidad de efectuar su derecho de revisión. Esta complejidad, que deriva de la propia naturaleza del tributo y de su peso dentro de la estructura financiera de los municipios y de la importante función censal que este desempeña respecto del conjunto de la riqueza inmobiliaria, requiere de un estudio detallado de cada uno de estos elementos de cuantificación que desentrañe el motivo de sus particularidades técnicas y de las imbricadas relaciones de gestión y liquidación que se producen en el impuesto.

2. BASE IMPONIBLE

2.1. EL VALOR CATASTRAL: ELEMENTOS DE CONCRECIÓN

El artículo 65 del Real Decreto Legislativo 2/2004, de 5 de marzo, por el que se aprueba el Texto Refundido de la Ley Reguladora de las Haciendas Locales (TRLR-HL) dispone que "la base imponible del Impuesto sobre Bienes Inmuebles (IBI) estará constituida por el valor catastral de los bienes inmuebles, que se determinará, notificará y será susceptible de impugnación conforme a lo dispuesto en las normas reguladoras del Catastro Inmobiliario".

La norma tributaria efectúa de este modo una remisión a la normativa catastral para concretar este criterio de cuantificación del tributo, para especificar todos los aspectos relativos a su notificación, así como para delimitar la forma y plazos de impugnación contra el mismo. Esta remisión general que puede responder a un objetivo de simplificación administrativa acorde con la propia gestión compartida del tributo, conlleva sin embargo una extraordinaria complejidad para los sujetos administrados, complejidad que se manifiesta tanto a la hora de supervisar el conjunto de criterios técnicos que sirven para concretar el valor catastral, como a la hora de emplear las correspondientes vías de revisión contra los distintos actos que delimitan la gestión compartida del impuesto[1]. La normativa catastral, integrada principalmente por el Real Decreto Legislativo

---

[1]   El IBI es un impuesto de gestión compartida entre el Estado y el ente local, correspondiéndole al primero la gestión censal de formación y revisión del padrón catastral y, asignándole al segundo, las funciones tributarias de liquidación y recaudación, así como revisión de los actos dictados en esta vía (art. 77 del TRLRHL). Esta dualidad en la gestión que permite agilizar el desarrollo de un tributo

1/2004, de 5 de marzo, por el que se aprueba el Texto Refundido de la Ley del Catastro Inmobiliario (TRLCI) y por el Real Decreto 417/2006, de 7 de abril, por el que se desarrolla el texto refundido (RCI), constituye por lo tanto la regulación básica de referencia para determinar el primero de los elementos de cuantificación del impuesto.

De acuerdo con lo dispuesto en el art. 65 del TRLRHL, la base imponible del IBI está constituida por el valor catastral de los bienes inmuebles sujetos a gravamen. Analizar el concepto de valor catastral entraña como principal dificultad la inexistencia de una definición normativa previa. Y es que nos encontramos ante un mero valor administrativo que se determina objetivamente con arreglo a los criterios concretos contenidos en las normas reguladoras del Catastro. Esta remisión, que parece lógica si se considera que estamos ante un impuesto que grava el valor de los inmuebles, en tanto elementos patrimoniales y no sus rendimientos, respondería así a la necesidad de disponer de un mecanismo de registro de las características físicas, económicas y jurídicas de los inmuebles, actuando el catastro inmobiliario como un efectivo instrumento de gestión tributaria, aun a costa de prescindir de un "valor real" del inmueble, con las ventajas de practicidad que ello conlleva, pero también con los inconvenientes derivados de la complejidad de su concreción, variación o verdadera imputación.

La normativa vigente establece como elemento de referencia para la determinación de la base imponible del impuesto la del valor catastral, pero las normas catastrales tampoco contienen una definición concreta del referido valor, limitándose tradicionalmente a efectuar aproximaciones mediante el establecimiento de ciertos criterios generales que posteriormente se desarrollan a través de un conjunto de normas técnicas más específicas. Así, en el plano general de aproximación, el TRLCI precisa que el valor catastral de los inmuebles debe integrar el valor catastral del suelo y el de las construcciones (art. 22), o especifica en el art. 23.1 una serie de criterios genéricos que deben ser tenidos en cuenta para su concreción como: a) la localización del inmueble, las circunstancias urbanísticas que afecten al suelo y su aptitud para la producción; b) el coste de ejecución material de las construcciones, los beneficios de la contrata, honorarios profesionales y tributos que gravan la construcción, el uso, la calidad y la antigüedad edificatoria, así como el carácter histórico artístico u otras condiciones de las edificaciones; c) los gastos de producción y beneficios de la actividad empresarial de promoción, o los factores que correspondan en los supuestos de inexistencia de la citada promoción; d) las circunstancias y valores del mercado; y e) cualquier otro factor relevante que reglamentariamente se determine[2].

---

con elevadísimo número de contribuyentes conlleva sin embargo dificultades para estos, derivadas precisamente de ese desdoble de órganos administrativos intervinientes.

2   Puede parecer incompatible la previsión de regulación reglamentaria que se prevé en este último inciso con el principio de reserva de ley tributaria que exige regulación legal de los elementos esenciales del tributo, entre los que se encuentra la base imponible. El Tribunal Constitucional en su sentencia

Tras la alusión a estos criterios generales, el apartado 2 del propio art. 23 señala además determinados límites que debe respetar el valor catastral. Así, no puede superar en ningún caso el valor de mercado, es decir "el precio más probable por el cual podría venderse entre partes independientes un inmueble libre de cargas". Para la concreción de este valor, y dadas las dificultades que ello conlleva, precisa además el precepto que se fijará mediante Orden del ministro de Hacienda, un coeficiente de referencia al mercado (RM) para los bienes de una misma clase[3]. La superación de dicho valor provocará, en definitiva, la nulidad de la valoración[4].

La relación entre valor catastral y valor de mercado ha sido objeto de diversas críticas sustentadas en su escasa operatividad como límite al gestor catastral, dada la poca flexibilidad de los catastros inmobiliarios y sus constantes adaptaciones a los cambios del mercado inmobiliario[5], en las deficiencias de la falta de regulación legal del coeficiente de referencia, o bien en las dificultades de su impugnación. Y es que aunque la existencia de un coeficiente de referencia para la concreción de los valores catastrales puede considerarse como un elemento al alcance del sujeto pasivo del impuesto para hacer valer en cada supuesto concreto el límite del valor de mercado de un bien inmueble frente al valor catastral asignado, el problema se encuentra de nuevo en las dificultades técnicas que entraña la efectiva comprensión por parte de tales sujetos de los elementos

---

233/1999, de 16 de diciembre, señala al respecto "la admisibilidad de la colaboración del reglamento siempre que sea indispensable por motivos técnicos (...), y siempre que la colaboración se produzca en términos de subordinación y complementariedad". Como se prevé en el apartado 3 del propia art. 23 será el reglamento el que establecerá los conceptos, reglas y demás factores determinantes del valor catastral, lo que puede venir justificado por la complejidad técnica del proceso, generando no obstante cierta laxitud de las garantías necesarias para la concreción de un elemento tan relevante como el de la base imponible del impuesto.

3   El coeficiente actualmente vigente es el previsto en la Orden del Ministerio de Economía y Hacienda de 14 de octubre de 1998, que lo deja fijado en el 0,5 y que es aplicable al valor individualizado resultante de la ponencia de valores. De este modo, el valor catastral está situado en el entorno del 50 por ciento del valor de mercado.

4   Así se ha declarado al menos por la jurisprudencia en numerosas sentencias, como la del Tribunal Superior de Justicia de Madrid de 27 de febrero de 2003, o las de la Audiencia Nacional de 26 de febrero de 2002 y de 22 de abril de 2002, o de 18 de febrero de 2004. Así en esta última se señala que "el valor catastral en ningún caso puede exceder del valor de mercado, que constituye un límite al valor catastral, siendo el techo máximo de tal valor y un elemento importante para la garantía de los derechos de los contribuyentes ante los procedimientos de valoración, lo que habilita, incluso, a la utilización de la tasación pericial contradictoria como medio de defensa oportuno para evitar que se rebase el límite establecido, pero no como medio directo de rebatir el propio valor catastral. Esto supone que sea posible determinar la nulidad de los valores catastrales cuando supere dicho límite". En sentido contrario, y respecto a la imposibilidad de emplear la tasación pericial contradictoria en estos supuestos, las resoluciones del TEAC, de 17 de diciembre de 1998 y de 9 de febrero de 2000.

5   Así, MERINO JARA, I., en "Impuesto sobre Bienes Inmuebles", *Cuadernos de Jurisprudencia Tributaria*, Aranzadi, núm. 22, 2001, págs. 59 y 60.

de cuantificación del valor catastral, para lo cual se han de emplear todo un conjunto de normas técnicas de cierta complejidad interpretativa que varían según la naturaleza del bien inmueble de que se trate[6].

El segundo límite establecido en el TRLCI (art. 23.2 *in fine*) es el que afecta a los bienes inmuebles que tienen un precio de venta controlado administrativamente (viviendas de protección oficial), en cuyo caso el valor catastral no podrá superar en ningún caso dicho precio. En torno a esta cuestión resulta evidente que no se puede hablar en estos casos de valor de mercado como referencia límite, dado que el precio está predeterminado por la norma. De existir aquél significaría que los contratantes tienen libertad para decidir el precio de este tipo de viviendas, lo que desnaturalizaría su peculiar régimen jurídico[7]. Resulta destacable la precisión que la normativa vigente realiza de este segundo límite, dada la inexistencia de regulación anterior al respecto y los problemas que ello generaba.

El establecimiento de esos elementos y límites de concreción no ha impedido en cualquier caso el frecuente cuestionamiento del valor catastral como elemento idóneo de concreción de la base imponible del impuesto. De este modo, han sido diversas las críticas vertidas por no cumplir certeramente su función de medición de la capacidad económica derivada de la propiedad inmueble, en la medida en que las revisiones catastrales no han alcanzado una cadencia temporal suficiente o no se han adecuado a la propia evolución del mercado inmobiliario[8], proponiendo así su sustitución por un

---

6   Esta normativa técnica está constituida, principalmente, por las siguientes disposiciones: la Orden de 14 de octubre de 1998, mediante el que se aprueba el coeficiente de referencia al mercado ya referido (RM); el Real Decreto 1020/1993, de 25 de junio, por el que se aprueban las construcciones para determinar el valor catastral de los bienes inmuebles de naturaleza urbana; el Real Decreto 1464/2007, referido a las normas técnicas de los bienes inmuebles de características especiales (BICES); la Orden HAC/3521/2003, de 12 de diciembre, por la que se fija el coeficiente de referencia al mercado (RM) para los bienes inmuebles de características especiales: la Orden EHA/1213/2005, de 26 de abril, por la que se aprueba el módulo de valor M para la determinación de los valores de suelo y construcción de los bienes inmuebles de naturaleza urbana en las valoraciones catastrales; o la Orden EHA/3188/2006, de 11 de octubre, por la que se determinan los módulos de valoración a efectos de lo establecido en el artículo 30 y en la disposición transitoria primera del Texto Refundido de la Ley del Catastro Inmobiliario. Los inmuebles de naturaleza rústica continúan siendo valorados mediante la capitalización del 3 por ciento de las bases liquidables en el ejercicio 1989 para la exacción de la Contribución Rústica y Pecuaria, de conformidad con lo dispuesto en la disposición transitoria segunda del TRLCI.

7   VARONA ALABERN, J. E., *El valor catastral: su gestión e impugnación,* 4ª Edición, Aranzadi, Pamplona, 2011, pág. 167.

8   Así, por ejemplo, desde la Comisión de expertos constituida por Acuerdo del Consejo de Ministros de 10 de febrero de 2017 para la revisión del modelo de financiación local, en su *Informe de la Comisión de Expertos para la revisión del modelo de financiación local,* julio 2017, pág. 26. Disponible en https://www.hacienda.gob.es/CDI/sist%20financiacion%20y%20deuda/informacioneells/2017/

"valor de referencia" que "pudiera servir para garantizar la equidad y evitar las desigualdades en la imposición local y en los tributos que gravan el tráfico de bienes inmuebles,
cuando utilizan el valor catastral como elemento de cuantificación de las bases o de la
cuota"[9].

Ese "valor de referencia" es ya una realidad recogida normativamente e impuesta
como elemento de valoración de inmuebles en la base imponible de los Impuestos sobre
Transmisiones Patrimoniales y Actos Jurídicos Documentados (ITP y AJD), sobre Sucesiones y Donaciones (ISD), e Impuesto sobre Patrimonio (para inmuebles adquiridos
a partir de 1 de enero de 2022), pero no con relación al Impuesto sobre Bienes Inmuebles, para el que se sigue aplicando el valor catastral como elemento de cálculo de la base
imponible del impuesto, y para el que valor de referencia actuará como un elemento
más de la descripción catastral (art. 3.1 del TRLCI)[10].

---

informe_final_comisi%C3%B3n_reforma_sfl.pdf En términos parecidos y anteriormente también
en el *Informe sobre el estudio y propuestas de medidas para la reforma de la financiación de las Haciendas Locales*, IEF, Madrid, 2002, págs. 51 y 52, en donde se proponía como alternativa al mecanismo
de la valoración catastral, un sistema en el que se determinaría la valoración de los inmuebles afectos
al IBI a través del precio declarado de adquisición de dichos bienes, con la correspondiente actualización de valores entre periodos de transmisión y con mecanismos supletorios de adecuación de valores
para bienes que no son transmitidos durante determinado periodo de tiempo Así también por la
Federación Española de Municipios y Provincias que se inclinaba por su sustitución por un valor de
referencia representativo del mercado inmobiliario.

9   *Informe de la Comisión de Expertos para la revisión del modelo de financiación local, ob. cit.,* pág. 26. En
este sentido recomienda la articulación de una Ley General de Valoraciones Patrimoniales, o bien en
caso de que se mantuviera la vigente metodología de determinación del valor catastral, que se efectúe
su actualización recurrente en períodos de tiempo inferiores a los actuales, y con una mayor transparencia, permitiendo a los contribuyentes una real y efectiva posibilidad de impugnación de aquellos.

10   El "valor de referencia" se recoge por primera vez en la Ley 6/2018, de 3 de julio, de Presupuestos
Generales del Estado para el año 2018, que lo introduce en el punto cuatro de su Disposición final
vigésima como elemento de valoración de los inmuebles, quedando así incorporado en la Disposición final tercera del TRLCI, estableciendo también un régimen transitorio para su determinación
en la Disposición transitoria novena del mismo texto. La Ley 11/2021, de 9 de julio, de medidas de
prevención y lucha contra el fraude fiscal y de modificación de diversas normas tributarias, introduce
ciertos cambios en las Disposiciones anteriores. Y así, y con relación a esta última se indica que será
"la Dirección General del Catastro la que determinará de forma objetiva y con el límite del valor de
mercado, a partir de los datos obrantes en el Catastro, el valor de referencia, resultante del análisis de
los precios comunicados por los fedatarios públicos en las compraventas inmobiliarias efectuadas"
(…). "Con el fin de que el valor de referencia de los inmuebles no supere el valor de mercado se fijará,
mediante orden de la Ministra de Hacienda, un factor de minoración al mercado para los bienes de
una misma clase. Con periodicidad anual, la Dirección General del Catastro aprobará, mediante
resolución, los elementos precisos para la determinación del valor de referencia de cada inmueble por
aplicación de los citados módulos de valor medio y de los factores de minoración correspondientes,
en la forma en la que reglamentariamente se determine. Esta resolución se publicará por edicto en
la Sede Electrónica de la Dirección General del Catastro antes del 30 de octubre del año anterior a
aquel en que deba surtir efecto, previo trámite de audiencia colectiva. A este efecto, se publicará un

La posible sustitución del valor catastral por el de mercado podría aumentar desde luego el rendimiento potencial del impuesto, pero originaría por otro lado numerosos problemas al depender la fijación de la base imponible de las fluctuaciones del mercado. El empleo del valor catastral es, en este sentido, mucho más estable, si bien es cierto que el mismo debe ser actualizado con una mayor periodicidad para que no se produzcan graves divergencias con el valor de mercado.

2.2. DETERMINACIÓN Y ACTUALIZACIÓN DE LOS VALORES CATASTRALES

La determinación de un valor catastral exige del desarrollo de un procedimiento administrativo integrado por dos fases: la ponencia de valores y la asignación individual[11].

Tal y como se dispone en la Norma 22 del Real Decreto 1020/1993, de 25 de junio, por el que se aprueban las normas técnicas y el cuadro marco de valores para inmuebles urbanos, las ponencias de valores son "documentos administrativos que recogen los valores del suelo y el de las construcciones, así como los coeficientes correctores a aplicar en el ámbito territorial al que se refieran". En ellos se recogerán, como precisa el apartado 1 del art. 25 del TRLCI, "los criterios, tablas de valoración, planeamiento urbanístico vigente con la determinación del suelo de naturaleza urbana que corresponda y demás elementos precisos para llevar a cabo la fijación de los valores catastrales".

Por su parte el apartado 2 del mencionado precepto recoge una posibilidad no establecida en la Ley de las Haciendas Locales de 1988, y así añade que "las ponencias de valores podrán contener, en los términos que reglamentariamente se establezcan, los elementos y criterios necesarios para la valoración de los bienes inmuebles que, por modificación de planeamiento, adquieran la clase a que se refiere dicha ponencia con posterioridad a sus aprobación, a cuyo efecto establecerán las bandas de valores que, en

---

edicto en el «Boletín Oficial del Estado» en el que se anunciará la apertura del mencionado trámite por un periodo de diez días, durante el cual los interesados podrán presentar las alegaciones y pruebas que estimen convenientes. La citada resolución será recurrible en vía económico-administrativa, o potestativamente mediante recurso de reposición, por los interesados y en el plazo de un mes desde su publicación, sin que la interposición de la reclamación suspenda su ejecución. En los 20 primeros días del mes de diciembre, la Dirección General del Catastro publicará en el "Boletín Oficial del Estado" anuncio informativo para general conocimiento de los valores de referencia de cada inmueble, que, al no tener condición de datos de carácter personal, podrán ser consultados de forma permanente a través de la Sede Electrónica del Catastro".

[11] No se empleará la ponencia de valores en los supuestos del art. 30.2 c) del TRCI, es decir en los supuestos en que "la modificación del planeamiento determine cambios de naturaleza del suelo por incluirlo en ámbitos delimitados, hasta tanto no se apruebe el planeamiento de desarrollo que establezca la edificabilidad a materializar en cada una de las parcelas afectadas, dichos bienes podrán ser valorados mediante la aplicación de los módulos específicos para los distintos usos que se establezcan por orden del ministro de hacienda".

función de tipologías, usos, aprovechamientos urbanísticos y grados de desarrollo del planeamiento y convenientemente coordinados con los del resto de municipios, puedan asignarse a los bienes inmuebles afectados".

Las ponencias de valores no recogen por tanto los valores catastrales individuales, sino los elementos suficientes para poder obtener de su aplicación los específicos de cada inmueble, siendo pues un paso intermedio entre la norma reglamentaria y los valores catastrales individualizados[12].

Sobre la naturaleza jurídica de las ponencias de valores se han mantenido ciertas discrepancias por parte de la doctrina y la jurisprudencia al plantearse si las mismas tenían carácter reglamentario, o por el contrario eran consideradas actos administrativos. En el primer sentido, AGUAYO FERNÁNDEZ y PUYAL SANZ consideran que existen fundamentos doctrinales y jurisprudenciales que defienden su carácter reglamentario. De este modo, caracterizándose el reglamento por su carácter ordinamental, no agotándose por su singularizado cumplimiento o aplicación, las ponencias tendrían plena cabida en este concepto por considerar que su aplicación se mantiene durante todo su periodo de vigencia, sin agotarse por su aplicación sobre uno o varios inmuebles[13]. Pese a estos planteamientos iniciales, los últimos pronunciamientos se inclinan mayoritariamente por defender el carácter de actos administrativos, considerando las ponencias como verdaderos actos resolutorios, generales y definitivos, que una vez aplicados y ejecutados pierden su eficacia[14].

Con relación a su procedimiento de elaboración, y conforme al TRLCI, la competencia la tiene atribuida la Dirección General del Catastro, directamente o a través de convenios de colaboración con cualquier Administración pública, sometiéndose a informe previo facultativo y no vinculante de los Ayuntamientos interesados las calificadas como totales o parciales[15]. Cualquiera que sea el órgano encargado, lo cierto es que

---

[12] La Sentencia de la Audiencia Nacional de 15 de febrero de 2002 señala que las ponencias de valores no asignan valores concretos a las fincas, sino que fijan unos valores básicos por polígonos y calles que, una vez aplicados los coeficientes correctores que corresponden a las particularidades concretas de cada finca, determinarán posteriormente el valor catastral correspondiente a cada una de ellas.

[13] AGUADO FERNÁNDEZ, M. D y PUYAL SANZ; P., "Impuesto sobre Bienes Inmuebles" en *Guía de las Haciendas Locales,* CISS, Valencia, 2006, pág. 206. También en este sentido, la sentencia 464/1998, de 3 de junio, del Tribunal Superior de Justicia de Cataluña, o de 23 de febrero de 2001 del Tribunal Superior de Cantabria.

[14] Así, en las sentencias del Tribunal Supremo de 12 de febrero de 1998, de 29 de junio de 2000, de 20 de noviembre de 2002, de 18 de junio de 2003, o de 14 de marzo de 2007. Entre los autores destaca, VARONA ALABERN, J. E., *ob. cit.,* pág. 195.

[15] Art. 27 del TRLCI. En cuanto a las clases de ponencias de valores el art. 26 del TRCI señala que éstas son de ámbito municipal, salvo cuando circunstancias de carácter territorial, económico, administrativo o de otra índole se justifique una extensión mayor. Dentro de su ámbito territorial las ponencias de valores podrán ser a su vez: totales, parciales o especiales. De esta forma serán totales

las ponencias deben ajustarse a las directrices impuestas para la coordinación nacional de valores, lo que constituye una auténtica salvaguarda en favor del Estado para lograr una uniformidad para todo el territorio nacional[16]. Por lo demás, tal y como prevé el art. 27.3 los acuerdos de aprobación de las ponencias de valores totales o parciales se han de publicar por edictos en el boletín oficial de la provincia, o en el del Estado, cuando se trate de ponencias de valores especiales, o en el de la provincia, según que su ámbito territorial exceda o no del provincial. La publicación de dichos acuerdos debe indicar en todo caso el lugar y plazo de exposición al público de las ponencias a que se refieran, y debe realizarse antes del 1 de julio del año en que se adopten, en caso de ponencias de valores totales, y antes del 1 de octubre, en caso de ponencias parciales y especiales. La necesidad de publicación de estas, al tratarse de meros actos administrativos y no de normas, tal y como ya hemos señalado, no tiene en cualquier caso eficacia constitutiva, respondiendo simplemente al deseo de darles la mayor difusión posible dada su naturaleza plural que afecta a una colectividad de personas.

Vinculada a la necesidad de publicidad de las ponencias se encuentra la posibilidad de su impugnación en vía económico-administrativa, recogida en el art. 27.4 del TRL-CI, puesto que sólo si se atiende a los plazos y a la forma para su publicación pueden ser objeto de revisión con anterioridad y con independencia de la impugnación del tributo[17]. Prevista la revisión de dicho acto son los Tribunales Económico Administrativos del Estado los órganos encargados de su conocimiento, dada la competencia de gestión censal que se le atribuye al Estado en el impuesto. Los motivos de impugnación, que pueden hallarse en cuestiones procedimentales o materiales, podrán ocasionar la nulidad de pleno derecho o la anulabilidad del acto[18], no suspendiéndose en cualquier caso su ejecutoriedad con la interposición del recurso[19]. No obstante, esta previsión

---

cuando se extiendan a la totalidad de los bienes inmuebles de una misma clase; serán parciales cuando se circunscriban a los inmuebles de una misma clase de alguna o varias zonas, polígonos discontinuos o fincas; y finalmente serán especiales cuando afecten exclusivamente a uno o varios grupos de bienes inmuebles de características especiales.

[16] Impuesta por el propio art. 25 del TRLCI.

[17] No debemos olvidar que estamos ante un tributo de gestión compartida entre el Estado y el ente local, sirviéndose éste de la información recogida previamente por aquél. De este modo, tal y como señala la sentencia del Tribunal Superior de Justicia de Murcia de 12 de julio de 1993 respecto al caso que se plantea, resulta imposible subsanar la falta de publicación de las ponencias de valores en los plazos previstos por la normativa, puesto que ello supondría reconocerlas efecto retroactivo con el fin de permitir el cobro de un impuesto que no era exigible a la fecha del devengo.

[18] Así, por ejemplo, la sentencia del Tribunal Superior de Justicia de Cataluña de 23 de julio de 1998 que no aprecia motivo de nulidad en el procedimiento de elaboración de la ponencia de valores, por no seguir el procedimiento legalmente establecido, con respecto a los informes que configuran el expediente administrativo.

[19] Art. 27.4 TRLCI.

normativa justificada en aras del principio de eficacia de la actividad de la Administración pública, sí podría considerarse posible la suspensión de la eficacia de la ponencia, conforme a lo dispuesto en el apartado 10 del art. 233 de la Ley 58/2003, de 17 de diciembre, General Tributaria (LGT), cuando así lo solicitara el interesado, y se justificaran perjuicios de imposible o difícil reparación[20]. Contemplada esta posibilidad, lo complicado será en cualquier caso acreditar estos extremos, al no tratarse de actos de los que derive directamente una deuda tributaria.

Uno de los motivos que puede fundamentar la oposición a las ponencias de valores es precisamente el de su falta de motivación. La motivación de las ponencias debe ser lo suficientemente precisa para que el interesado pueda conocer no sólo el resultado de la actividad administrativa sino también el criterio mismo mantenido como fundamento del acto[21]. De este modo, si bien es cierto que aquéllas disfrutan de la presunción de veracidad de todo acto administrativo, por lo que no es necesaria una prueba que verifique que la valoración no se encuentra fundada y que acredite la viabilidad técnica de los valores catastrales asignables, también lo es que ha de ser racional y suficiente para que el interesado pueda desentrañar el proceso seguido. Cualquiera que pudiera ser la causa que fundamentara la impugnación de las ponencias, lo cierto es que, si como consecuencia de los recursos interpuestos se declarara su invalidez, los valores catastrales y demás actuaciones que derivasen de ellos no serían factibles. Volveremos sobre esta cuestión más adelante.

Publicadas las ponencias de valores (con o sin impugnación), se ha de proceder a la asignación individual del valor a cada sujeto con arreglo a las pautas en ellas establecidas, culminando así el proceso de determinación de los valores catastrales. El art. 29 del TRLCI dispone que los valores catastrales resultantes de la valoración colectiva general o parcial deben ser notificados individualmente a cada sujeto pasivo mediante notificación electrónica, por comparecencia personal o por notificación personal y directa por medios no electrónicos, antes de la finalización del año inmediatamente anterior a aquél en el que deban surtir efecto, teniendo efectividad el 1 de enero del año siguiente a aquél en que se produzca la notificación, pudiendo ser recurridos nuevamente en vía económico-administrativa ante los Tribunales Económico-Administrativos del Estado, y sin que con ello se suspenda su ejecutoriedad en los términos ya vistos. Tal y como manifiesta SÁNCHEZ GALIANA aludiendo a la doctrina sentada por el propio Tribunal Supremo, con ello se trata de evitar que la base imponible (fundada en el valor catastral)

---

20   El precepto se refiere a esa posibilidad en el caso de actos que no tengan por objeto una deuda tributaria o cantidad líquida. Así también PARRA BAUTISTA, J. R y CAMPOS DAROCA, J. M., en *Régimen de impugnaciones en el Impuesto sobre Bienes Inmuebles. Gestión catastral y tributaria*, Bosch, Barcelona, 2008, págs. 109 a 113.

21   Así lo indica respecto a la motivación en general de actos administrativos el Tribunal Supremo en su sentencia de 18 de abril de 1990, o en la de 23 de mayo de 1991.

despliegue su eficacia con carácter retroactivo, dándole opción al sujeto pasivo para que tenga la posibilidad de impugnarla directamente antes que deban surtir efecto dichos valores[22].

Respecto a la motivación de la fijación del valor catastral, cuestión especialmente conflictiva, destacan los términos en que se pronuncia el Tribunal Superior de Justicia de Madrid en su sentencia de 29 de enero de 1999 y que parecen haber acabado con la problemática, al indicar que: "si bien la normativa aplicable impone el deber de notificar formalmente al sujeto pasivo el valor resultante de la ponencias de valores, no obliga a que dicha notificación vaya acompañada de la concreción o especificación de todos y cada uno de los elementos que han determinado el resultado final". De este modo, "los actos de fijación de valores catastrales serán motivados (...), mediante la expresión en cada una de las notificaciones individuales de dichos valores, de la ponencia de la que traigan causa y, en su caso, de los módulos básicos del suelo y construcción, el valor en polígono, calle, tramo, zona o paraje, el valor tipo de las construcciones, la identificación de los coeficientes correctores aplicados y la superficie de los inmuebles a efectos catastrales..."[23].

En cualquier caso, y como señala VARONA ALABERN la existencia de dicha información a través de los correspondientes documentos no supone por sí que deba entenderse motivada la ponencia, siendo preciso que entre la documentación incluida en el expediente y las decisiones adoptadas exista una relación de justificación o explicación razonable[24]. Como podemos suponer, la complejidad técnica de la documentación y el modo en que se publicita dificulta extraordinariamente la impugnación por deficiencias en la motivación que desemboquen en su posible anulabilidad, siendo en los casos de ausencia evidente de ésta cuando puede alegarse claramente la indefensión del interesado que motive de nulidad de la ponencia.

El procedimiento de fijación o determinación de los valores catastrales finaliza con la notificación individualizada del asignado en cada caso, que se realizará en la forma ordinaria prevista por la normativa para la práctica de notificaciones de cualquier acto

---

22 SÁNCHEZ GALIANA, C. M., *La fiscalidad inmobiliaria en la Hacienda Municipal*, Comares, Granada, 2002, pág. 85, haciendo mención a la sentencia del Tribunal Supremo de 16 de septiembre de 2000.

23 El contenido de las ponencias de valores redactadas a partir de 2005 viene referido en la Circular de la Dirección General del Catastro de 15 de diciembre de 2004, en la que se alude a cuatro documentos que se han de incluir en aquéllas: la memoria, los criterios de valoración y listado de zonas de valor; los análisis y conclusiones del mercado inmobiliario de acuerdo con la Norma 23 del Real Decreto 1020/1993; el catálogo de construcciones de acuerdo con la Norma 22.3 del Real Decreto 1020/1993; y la cartografía de la ponencia de valores.

24 VARONA ALABERN, E., *ob. cit.,* pág. 220. También PARRA BAUTISTA, J. R y CAMPOS DAROCA, J. M., *ob. cit.,* pág. 91.

administrativo, aunque habrá que atender a las consideraciones que prevé la normativa para cada tipo de bien inmueble. En cualquier caso, y respecto a la permanencia de ese valor asignado cabe resaltar que lógicamente está condicionado por los posibles cambios que se vayan produciendo para evitar los desfases entre éstos y los de mercado, acudiendo para ello al instrumento de las actualizaciones de valores.

Tal y como indica el art. 32.1 del TRLCI, las leyes de presupuestos generales del Estado pueden actualizar los valores catastrales por aplicación de coeficientes, que podrán ser diferentes para cada uno de los grupos de municipios que se establezcan reglamentariamente o para cada clase de inmuebles. Del mismo modo, se indica en el apartado 2 que las leyes de presupuestos generales pueden actualizar los valores catastrales de los inmuebles urbanos de un mismo municipio por aplicación de coeficientes, en función del año de entrada en vigor de la correspondiente ponencia de valores del municipio. La aplicación de los coeficientes previstos en este caso excluye la de los coeficientes de actualización a que se refiere el apartado anterior.

Los ayuntamientos pueden solicitar la aplicación de los coeficientes previstos en este segundo caso cuando concurran los siguientes requisitos: a) que hayan transcurrido al menos cinco años desde la entrada en vigor de los valores catastrales derivados del anterior procedimiento de valoración colectiva de carácter general; o b) que se pongan de manifiesto diferencias sustanciales entre los valores de mercado y los que sirvieron de base para la determinación de los valores catastrales vigentes, siempre que afecten de modo homogéneo al conjunto de usos, polígonos, áreas o zonas existentes en el municipio. Esta solicitud ha de comunicarse a la Dirección General del Catastro antes del 31 de mayo del ejercicio anterior a aquel para el que se solicita la aplicación de los coeficientes, correspondiéndole al Ministro de Hacienda y Administraciones Públicas apreciar la concurrencia de los requisitos, mediante orden ministerial que se publicará en el Boletín Oficial del Estado con anterioridad al 30 de septiembre de cada ejercicio, en la que se establecerá la relación de municipios concretos en los que resultarán de aplicación los coeficientes que, en su caso, establezca la Ley de Presupuestos Generales del Estado para el ejercicio siguiente (art. 32.2 TRLCI).

Mediante estas operaciones de actualización de los valores se pretende, en definitiva, corregir el efecto de la inflación mediante la aplicación lineal de un coeficiente a los valores de todos los bienes, lo que supone sin embargo en la práctica una revisión encubierta del valor catastral, con el consiguiente incremento anual de la presión fiscal, pudiendo darse el caso de incrementos injustificados y desproporcionados por la falta de motivación expresa requerida al respecto[25].

---

[25]   Así, la Sentencia del Tribunal Supremo de 10 de diciembre de 2001, en donde se alude a la falta de exigencia de esa motivación expresa, "ya que deriva del cumplimiento de una disposición legal".

El modo de realizarlas también genera cierta confusión, y es que a diferencia de las auténticas revisiones colectivas de valores que conllevarían la puesta en marcha de todo el procedimiento administrativo (publicación de las nuevas ponencias de valores y de notificación individualizada de los nuevamente asignados), las actualizaciones no requieren de más actuaciones que las que derivan del simple cálculo numérico de aplicación sobre los valores anteriores del porcentaje previsto cada año por la Ley de Presupuestos Generales del Estado, quedando eximida jurídicamente la notificación individualizada del resultado, con el consiguiente desconcierto que ello puede ocasionar a los titulares, sujetos pasivos, de los correspondientes inmuebles.

Examinado el cauce procedimental ordinario previsto por la normativa catastral para determinar los valores individualizados de cada inmueble, tan solo cabe indicar que el TRLCI prevé particularidades en los procedimientos de valoración catastral según el tipo de inmuebles de que se trate, pudiendo distinguirse así conforme a lo dispuesto en sus arts. 28 a 32 distintos tipos de procedimientos: de valoración colectiva de los bienes de naturaleza urbana, que a su vez pueden ser de carácter general, parcial o simplificado; de determinación del valor catastral de los bienes inmuebles de características especiales; o de valoraciones de bienes inmuebles rústicos, de acuerdo con lo previsto en la Disposición Adicional Primera y la Disposición Transitoria Segunda del TRLCI.

3. LA BASE LIQUIDABLE

3.1. FUNDAMENTO DE LA REDUCCIÓN SOBRE LA BASE IMPONIBLE

El art. 66.1 del TRLRHL regula la base liquidable del impuesto conceptuándola como el resultado de practicar sobre la base imponible la reducción prevista en los arts. 67 a 70.

Es la Ley 53/1997, de 27 de noviembre, de reforma parcial de la Ley de Haciendas Locales, la que la introduce en el esquema de liquidación del impuesto para aquellos bienes inmuebles cuyo valor catastral se hubiese incrementado tras la realización en el municipio de un procedimiento de revisión catastral. El objetivo de la reducción era limitar el impacto que las revisiones de valores habían tenido sobre el contribuyente tras el fuerte incremento de los valores catastrales, como consecuencia de su adecuación a los de mercado, intentando que la subida del impuesto se realizara de forma paulatina durante una serie de años, y no en un único ejercicio[26]. Esta reducción se aplicaría a los

---

[26] Según se comprobó en las primeras ponencias de valores aprobadas conforme a los criterios de valoración previstos en la LRHL de 1990, los nuevos valores catastrales eran muy superiores a los anteriores (incluso más del doble), previéndose entonces como forma de atenuar la subida de las cuotas resultantes, la posibilidad de que los ayuntamientos pudieran fijar tipos de gravamen reducidos durante

inmuebles cuyo valor catastral se incrementase como consecuencia de procedimientos de valoración colectiva de carácter general, en virtud de las ponencias aprobadas con posterioridad a 1 de enero de 1997, sin que afectara a los demás.

El actual TRLRHL recoge la reducción en los términos ya referidos, manteniendo la competencia para su concreción a la Dirección General del Catastro, salvo en aquellos supuestos en los que el valor catastral se incorpore por otro procedimiento que no sea el de valoración colectiva, en cuyo caso le corresponderá a los ayuntamientos[27]. Este reparto competencial justifica que el propio TR prevea que en el primer caso la base liquidable se ha de notificar conjuntamente con la base imponible, incluyendo en la mencionada notificación la motivación de la reducción, que consistirá en indicar el valor base que corresponde al inmueble, el importe de la reducción y la base liquidable del primer año de vigencia del nuevo valor catastral en este impuesto (art. 66.2 TRLRHL). Notificadas las bases conjuntamente, y si no son impugnadas en tiempo y forma ante los órganos económico-administrativos estatales, se entenderán consentidas y firmes, sin que lógicamente puedan ser objeto de nueva impugnación en fase de liquidación municipal (art. 77 TRLRHL).

3.2. APLICACIÓN DE LA REDUCCIÓN

3.2.1. Supuestos en los que es aplicable

Dispone el art. 67 del TRLRHL que la reducción sólo es aplicable de oficio a bienes inmuebles urbanos y rústicos que se encuentren en alguna de estas dos situaciones:

- Inmuebles cuyo valor catastral se incremente como consecuencia de procedimientos de valoración colectiva de carácter general, en virtud de la aplicación de la primera ponencia total de valores aprobada con posterioridad al 1 de enero de 1997, o bien de las sucesivas ponencias totales de valores que se aprueben, una vez transcurrido el periodo de reducción previsto en el art. 68.

---

una serie de años. Se trataba de una opción potestativa que muchos no emplearon, con las consiguientes protestas de los contribuyentes.

[27] Señala el art. 77.3 del TRLHL que esta competencia la tendrán cuando el valor catastral resulte de la tramitación de los procedimientos de declaración, comunicación, subsanación de discrepancias, e inspección catastral. En cualquier caso, y como dispone la Disposición transitoria duodécima del TR, "la determinación de la base liquidable del Impuesto sobre Bienes Inmuebles, atribuida a los ayuntamientos en el apartado 3 del art. 77 de esta ley, se realizará por la Dirección General del Catastro, salvo que el ayuntamiento comunique a dicho centro directivo que la indicada competencia será ejercida por él. Esta comunicación deberá realizarse antes de que finalice el mes de febrero del año en el que asuma el ejercicio de la mencionada competencia".

- Inmuebles situados en municipios para los que se hubieran aprobado una ponencia de valores que haya dado lugar a la aplicación de la reducción destacada, y cuyo valor catastral se altere, antes de finalizar el plazo de reducción, bien por un procedimiento de valoración colectiva de carácter general, parcial; o simplificado, o bien por procedimientos de inscripción mediante declaraciones, comunicaciones, solicitudes, subsanación de discrepancias o inspección catastral.

La enumeración de los supuestos en los que se aplica la reducción se delimita también en un sentido negativo. En un primer momento se especificaba en la norma la no aplicación de la reducción a los bienes inmuebles de características especiales. Esta exclusión, fundamentada quizá por el hecho de que el incremento de valor de estos bienes no dependía de las fluctuaciones de oferta y demanda del mercado[28], queda matizada conforme a la Disposición Adicional 7ª Dos de la Ley 16/2007, de 4 de julio[29], que incorpora el actual apartado 2 del art. 67, previendo la aplicación de la reducción, si bien únicamente "cuando el valor catastral resultante de la aplicación de una nueva ponencia de valores especial supere el doble del que, como inmueble de esa clase, tuviera previamente asignado. En defecto de este valor, se tomará como tal el 40 por ciento del que resulte de la nueva ponencia".

Por lo demás, y como indica el apartado 4 del art. 67, la reducción no se utilizará respecto del incremento de la base imponible de los inmuebles que resulte de la actualización de sus valores catastrales por aplicación de los coeficientes establecidos en la Leyes de Presupuestos Generales del Estado. La corrección inflacionista que persigue en principio esta actualización justificaría su falta de aplicación, lo que ha de relacionarse sin duda con el propio carácter temporal de la reducción.

3.2.2. Duración y cuantía de la reducción

La reducción que minora la base imponible del impuesto tiene carácter temporal. Así, se aplicará durante un periodo de nueve años a contar desde la entrada en vigor de los nuevos valores catastrales. La idea es que, dada la renovación de valores catastrales mediante el procedimiento de valoración colectiva con carácter general, y en todo caso cada 10 años (art. 28.2), se proceda durante los nueve primeros a la mera actualización del valor mediante la aplicación de los coeficientes de corrección previstos en las Leyes de Presupuestos. Llegados a ese punto, y puesto que el valor de mercado habrá aumentado considerablemente en ese periodo, el contribuyente se aplicará la reducción sobre

---

[28]   Así, AGUADO FERNÁNDEZ, M. D y PUYAL SANZ, P., *ob. cit.*, pág. 227.

[29]   Ley 16/2007, de 4 de julio, de reforma y adaptación de la legislación mercantil en materia contable para su armonización internacional con base en la normativa de la Unión Europea, modifica el art. 67 del TRLHL en distintos aspectos.

el nuevo valor asignado, de forma progresiva mediante la aplicación de coeficientes correctores, minorando con ello la subida.

Además del supuesto general, contempla la normativa supuestos especiales en los que el cómputo de los plazos varía. Así, como indica el art. 70 TRLRHL cuando nos encontremos ante un inmueble situado en municipios para los que se hubiera aprobado una ponencia de valores que dé lugar a la reducción, y cuyo valor catastral se altere antes de finalizar el plazo de reducción por la realización de un procedimiento de valoración colectiva de carácter general, se iniciará el cómputo de un nuevo periodo de reducción, extinguiéndose el derecho a la aplicación del resto de la reducción que se venía aplicando. Del mismo modo, y cuando el nuevo valor esté causado por el procedimiento de valoración colectiva de carácter parcial, por procedimientos simplificados de valoración colectiva, o por procedimientos de inscripción mediante declaraciones, comunicaciones, solicitud, subsanación de discrepancias o inspección catastral, no se iniciará el cómputo de un nuevo periodo de reducción, y el coeficiente reductor aplicado a los inmuebles afectados tomará el valor correspondiente al resto de los inmuebles del municipio.

Respecto a la cuantía de la reducción, ésta será el resultado de aplicar un coeficiente reductor, único para todos los inmuebles afectados del municipio, a un componente individual de la reducción, calculado para cada inmueble. El coeficiente reductor es del 0,9 el primer año, disminuyendo anualmente en 0,1 hasta su desaparición. De este modo la reducción será superior en los primeros ejercicios de forma que la subida del impuesto consecuencia de la revisión catastral sea gradual, llegando a la cuantía total a los 10 años, y aumentando un 10 por 100 cada año. El componente individual de la reducción será, en cada año, la diferencia positiva entre el nuevo valor catastral que corresponda al inmueble en el primer ejercicio de su vigencia y su valor base. Dicha diferencia se dividirá por el último coeficiente reductor aplicado cuando concurran se trate de valoraciones que deriven de procedimientos de valoración colectiva de carácter parcial o simplificados de valoración colectiva[30].

En caso de que la actualización de valores catastrales por aplicación de los coeficientes establecidos en las leyes de Presupuestos Generales del Estado determine un decremento de la base imponible de los inmuebles, el componente individual de la reducción será, en cada año, la diferencia positiva entre el valor catastral resultante de dicha actualización y su valor base. Dicha diferencia se dividirá por el último coeficiente reductor aplicado. No obstante, tratándose de bienes inmuebles de características especiales el componente individual de la reducción será, en cada año, la diferencia positiva entre el

---

[30]   La configuración del componente individual de la reducción se ha modificado en los términos expuestos por la *Ley 16/2013, de 29 de octubre, por la que se establecen determinadas medidas en materia de fiscalidad medioambiental y se adoptan otras medidas tributarias y financieras.*

nuevo valor catastral que corresponda al inmueble en el primer ejercicio de su vigencia y el doble del valor a que se refiere el art. 67.2 que, a estos efectos, se tomará como valor base.

A la determinación del valor base se dedica el art. 69 del TRLRHL según el cual con carácter general será la base liquidable del ejercicio inmediato anterior a la entrada en vigor del nuevo valor catastral, sin perjuicio del establecimiento de algunos supuestos especiales de cálculo[31].

Expuestos los términos en que se regula la reducción, tan sólo cabe efectuar una reflexión final evidente: el cálculo de la base liquidable del impuesto, al igual que la imponible, presenta una extraordinaria complejidad técnica, con las consiguientes dificultades que ello ocasiona a los sujetos pasivos que quieran proceder a su impugnación. Ello corrobora nuevamente la prevalencia que el legislador muestra a la facilidad gestora del impuesto sobre la simplicidad y las garantías del contribuyente.

4. LA DETERMINACIÓN DE LA CUOTA ÍNTEGRA

4.1. LOS TIPOS DE GRAVAMEN

Dispone el art. 71 del TRLRHL que la cuota íntegra del impuesto es el resultado de aplicar a la base liquidable el tipo de gravamen previsto en el art. 72. El citado artículo establece un mínimo y un máximo para cada clase de bien inmueble, permitiendo a los ayuntamientos la concreción efectiva del tipo, lo que incluye además la posibilidad de su incremento cuando se den determinadas circunstancias. Se otorga de esta forma una gran discrecionalidad a los ayuntamientos para fijar el tipo de gravamen a aplicar, permitiéndoles su incremento en supuestos concretos, lo que sin lugar a duda responde a la necesidad de hacer efectiva su autonomía local. Mediante el mecanismo de fijación de los límites máximos y mínimos se salvaguarda en cualquier caso el cumplimiento de los principios de igualdad y reserva de ley, garantizando por otro lado el carácter obligatorio del impuesto[32].

---

[31] Así, por ejemplo, como se dispone en el propio art. 69: "Para aquellos inmuebles en los que, habiéndose producido alteraciones susceptibles de inscripción catastral previamente a la modificación del planeamiento o al 1 de enero del año anterior a la entrada en vigor de los valores catastrales resultantes de las ponencias de valores a las que se refiere el artículo 67, aún no se haya modificado su valor catastral en el momento de la aprobación de estas, el valor base será el importe de la base liquidable que de acuerdo a dichas alteraciones corresponda al ejercicio inmediato anterior a la entrada en vigor de los nuevos valores catastrales por la aplicación a los mencionados bienes de la ponencia de valores anterior a la última aprobada".

[32] No debemos olvidar que el IBI es un impuesto de exacción obligatoria, de modo que la inexistencia de un límite mínimo impediría su exigibilidad. El Tribunal Constitucional en su sentencia 17/1997,

Los límites impositivos vienen fijados en el art. 72 del TRLHL, así para los supuestos de bienes inmuebles urbanos el tipo mínimo y supletorio será del 0,4 por 100, mientras el tipo máximo se eleva al 1,1 por 100; para los bienes inmuebles rústicos el tipo mínimo y supletorio es el 0,3 por 100 pudiendo llegar al 0,90 por 100. En último término para los bienes inmuebles de características especiales se establece con carácter supletorio un tipo del 0,6 por 100, siendo el tipo mínimo del 0,4 por 100 y el máximo del 1,3 por 100.

Una vez determinado el tipo permite el legislador incrementar el elegido según concurran algunas de las circunstancias recogidas en el propio precepto, y que son las siguientes: a) que el municipio sea capital de provincia o de Comunidad Autónoma; b) que preste servicios de transporte público colectivo de superficie; c) que preste más servicios que aquellos a los que esté obligado según el artículo 26 de la Ley 7/1985, de 2 de abril; y, d) que los terrenos de naturaleza rústica representen más del 80 por 100 de la superficie total del terreno. En aquellos casos en los que concurren varias de las circunstancias reseñadas el ayuntamiento puede optar por hacer uso del incremento previsto en una sola, en alguna o en todas ellas[33].

El establecimiento de estas circunstancias y no otras ha sido objeto de discusión. Así, a diferencia de lo que sucedía en la anterior regulación, ya no se incluye como criterio para aumentar el tipo de gravamen, la población de derecho de los municipios, pese a ser declarado constitucional[34]. Con respecto al hecho de ser o no capital de provincia para modular el tipo de gravamen y tal y como señala SIMÓN ACOSTA, puede plantearse el hecho de que aunque esta circunstancia pueda manifestar un mayor gasto para el ayuntamiento en cuestión, no debe ser soportado únicamente por los habitantes de dicho término municipal, sino por todos los de la Comunidad Autónoma donde se integra, que también reciben los beneficios derivados de este hecho, debiéndose arbitrar

---

declara inconstitucional el art. 13.1 de la Ley 24/1983, que regulaba la libre fijación del tipo de gravamen de la Contribución Territorial Urbana y Rústica y Pecuniaria por parte de los ayuntamientos, al no existir límites básicos ciertos en la regulación estatal que pudieran garantizar el principio de igualdad y reserva de ley en materia tributaria. Así, destacaba la sentencia, hay que encontrar el punto intermedio para que el principio de reserva de ley no prive a los municipios de cualquier intervención en la ordenación del tributo o en su exigencia para el propio ámbito territorial, pero sin que el legislador pueda abdicar de toda regulación directa en el ámbito parcial que así le reserva la Constitución. Lo que, por otro lado, abriría las puertas de la posible vulneración del principio de legalidad. Con relación a este último aspecto, y la constitucionalidad del margen legal impositivo, entre otras, SSTC 19/1987, 27/1987, 233/1999.

[33]   Los incrementos pueden ser según se trate de bienes urbanos o rústicos de 0,07 y 0,06 puntos porcentuales en el supuesto previsto en la letra a); un 0,07 y 0,05, respectivamente en el de la letra b); 0,06 tanto si son urbanos como rústicos, en el supuesto de la letra c); y, 0,15 para los bienes rústicos, de la letra d).

[34]   SSTC 19/1987, de 17 de febrero y 68/1996, entre otras.

por ello otros mecanismos[35]. También se cuestiona el criterio que atiende al volumen que representa los terrenos de naturaleza rústica, y así DE LA PEÑA VELASCO, entiende que esta circunstancia es totalmente ajena a la naturaleza de los bienes, respondiendo a una mera finalidad recaudatoria para los municipios en los que concurre la misma[36]. Cualquiera que puedan ser los argumentos a plantear, lo cierto es que tal y como ha sostenido el propio Tribunal Constitucional son válidos para graduar el gravamen, aquellos motivos con fundamento justificado y racional (así, STC 19/1987, FJ 4°), que sean abstractos, objetivables y adecuados para atender a las necesidades de financiación ordinarias de los entes locales (SSTC 68/1996, o 233/1999). Y los previstos en la norma, parecen serlo.

Junto a la regulación de los tipos de gravamen en función de la clase de bienes, el legislador prevé en el art. 72.4 la posibilidad de aplicar para los inmuebles urbanos, excluidos los de uso residencial, tipos diferenciados, atendiendo a los usos establecidos en la normativa catastral para la valoración de las construcciones, aplicándose el tipo correspondiente al uso de la edificación o dependencia principal. Estos tipos diferenciados tiene un límite, pudiendo aplicarse, como máximo, al 10 por 100 de los bienes inmuebles urbanos del término municipal que, para cada uso, tengan mayor valor catastral, a cuyo efecto la ordenanza fiscal del impuesto señalará el correspondiente umbral de valor para todos o cada uno de los usos, a partir del cual serán de aplicación los tipos incrementados. Esta posibilidad del establecimiento diferenciado de tipos en atención a sus usos, tal y como está redactada en el precepto, ha sido cuestionada por el margen que se deja a los ayuntamientos en la concreción de esos umbrales de valor "en cada uno de los usos", y las posibles consecuencias sobre los principios de capacidad económica y de seguridad jurídica, proponiendo su establecimiento sobre su uso general, y no para cada uno de ellos[37].

Por lo demás, y con relación a estos tipos diferenciados hay que tener en cuenta que conforme a lo previsto en la Disposición Transitoria 15 del TRLHL, será el Real Decreto 1020/1993, de 25 de junio, por el que se aprueban las normas técnicas de valoración y el cuadro marco de valores del suelo y de las construcciones para determinar el valor catastral de los bienes inmuebles de naturaleza urbana, quién los regule, en tanto no se aprueben las nuevas normas reglamentarias en materia de valoración catastral, aplicándose los previstos en el cuadro de coeficientes del valor de las construcciones recogido en la norma 20 de su anexo.

---

[35] SIMÓN ACOSTA, E., "Los impuestos sobre la riqueza inmobiliaria", en *Informe sobre el Proyecto de Ley Reguladora de las Haciendas Locales, IEF, Madrid, 1988,* pág. 96.

[36] DE LA PEÑA VELASCO, G., "El nuevo sistema impositivo local (comentario de urgencia)", CIIS Comunicación, núm. 72, 1989, pág. 57.

[37] Así, GONZÁLEZ PUEYO, J. M., *Comentarios al Texto Refundido de la Ley Reguladora de las Haciendas Locales,* 2ª edición, La Ley, 2012, págs. 579 y 580.

La DT 15º también alude finalmente a una serie de cuestiones relativas a la identificación de las edificaciones. Y de este modo indica que cuando los inmuebles tienen atribuidos varios usos habrá que diferenciar, de modo que: a) a los inmuebles no sometidos al régimen de propiedad horizontal que estén integrados por varias edificaciones o dependencias se le asignará el uso residencial cuando la suma de las superficies de este uso represente al menos el 20 por 100 de la superficie total construida del inmueble, una vez descontada la destinada a plazas de estacionamiento. En este último supuesto si coincidieran varios usos con la misma superficie, se atenderá al siguiente orden de prevalencia: residencial, oficinas, comercial, espectáculos, ocio y hostelería, industrial, almacén, estacionamiento, sanidad y beneficencia, deportes, cultural y religioso y edificio singular. También se indica en su letra b) que para el caso de inmuebles sometidos al régimen de propiedad horizontal, cuando varios elementos privativos formen parte de un mismo inmueble, que la dependencia principal será la destinada al uso residencial[38].

El art. 72.5 del TRLRHL prevé por último la posibilidad excepcional de establecimiento por los ayuntamientos, en los municipios en los que entren en vigor nuevos valores catastrales de inmuebles rústicos y urbanos resultantes de procedimientos de valoración colectiva de carácter general, y durante un período máximo de seis años, tipos de gravamen reducidos, que no podrán ser inferiores al 0,1 por ciento para los bienes inmuebles urbanos ni al 0,075 por ciento, tratándose de inmuebles rústicos.

4.2. RECARGO PARA INMUEBLES RESIDENCIALES DESOCUPADOS

El art. 72 recoge en el apartado 4 la posibilidad para los ayuntamientos de aplicar a los inmuebles de uso residencial que se encuentren desocupados, un recargo de hasta el 50 por 100 de la cuota líquida del impuesto. Dentro de este límite, los ayuntamientos podrán determina un único recargo o varios en función de la duración del período de desocupación del inmueble. Este recargo se exigirá a los sujetos pasivos del IBI, devengándose el 31 de diciembre y liquidándose anualmente por los ayuntamientos una vez

---

[38] Asimismo establece las reglas para determinar el uso de las dependencias o edificaciones que tengan la consideración de bienes inmuebles y que son los siguientes: a) tendrán asignado el uso almacén-estacionamiento, los garajes y trasteros que se ubican en edificios de uso residencial, así como los edificios destinados exclusivamente a garajes y estacionamiento; b) tendrán uso comercial, los bares musicales, salas de fiesta, discotecas, cines, teatros, restaurantes, bares y cafeterías ubicados en locales comerciales, en edificios destinados a otros usos, así como los locales comerciales en estructuras; c) tendrán asignado el uso ocio y hostelería, los campings; d) tendrán el uso deportivo, los campos de golf; e) tendrán asignado el uso industrial, los silos y depósitos para sólidos, líquidos y gases; f) los edificios o inmuebles monumentales y ambientales o típicos, se clasificarán en el uso correspondiente a la actividad que en ellos se desarrolla, g) las obras de urbanización y las obras de jardinería no se considerarán a efectos de construcciones.

constatada la desocupación del inmueble en tal fecha junto al acto administrativo por el que ésta se declare.

Este recargo por inmuebles desocupados ha suscitado numerosos problemas. El primero de ellos es el de su justificación. Hallándose ésta en la necesidad de facilitar a los ciudadanos una vivienda digna y adecuada (así, al menos, se refleja en la Exposición de Motivos de la Ley 51/2002, que lo introdujo), lo cierto es que esta finalidad extrafiscal digna de elogio no parece conseguirse, al menos directamente, con este gravamen de objetivo recaudatorio, pudiendo haberse empleado otras vías alternativas para ello.

Aunque el precepto lo denomina recargo, realmente tiene una naturaleza distinta, tratándose de un verdadero y distinto gravamen que, como indica POVEDA BLANCO se incardina de forma parasitaria en el IBI[39]. Para ello se aprovecha del sujeto pasivo del impuesto y de su estructura liquidadora, para finalmente y sobre la cuota líquida resultante incorporar el nuevo gravamen, eso sí, potestativo para los ayuntamientos, lo que corrobora su afán claramente recaudatorio. De carácter periódico, su devengo varía respecto al del propio IBI, produciéndose a 31 de diciembre, y exigiéndose junto al acto administrativo que declare el carácter desocupado del inmueble. Deben existir por lo tanto dos actos simultáneos pero distintos, el "administrativo" y el "tributario", ajustados en cada caso a las exigencias de notificación y régimen de recursos, correspondiente.

Pero sin lugar a duda el principal problema que suscita este recargo es el de la delimitación de su propio objeto, es decir el de la concreción de "bien inmueble residencial desocupado con carácter permanente". Para intentar acabar con los numerosísimos problemas que suscitaba la ausencia del desarrollo reglamentario que preveía el precepto antes de esta modificación que aclarara el objeto de recargo, y las múltiples interpretaciones que de la "desocupación" venían haciendo los diferentes ayuntamientos para aplicarlo[40], se introduce mediante el Real Decreto-ley 7/2019, de 1 de marzo de

---

[39] POVEDA BLANCO, J., *Manual de Fiscalidad local,* IEF, Madrid, 2009, pág. 247.

[40] En torno a esta cuestión se encuentran delimitaciones negativas como la prevista en la Ordenanza del Ayuntamiento de Barcelona reguladora de impuesto, que lo consideraba como aquel que no constituya la vivienda habitual de su titular en el caso de que sea persona física, o el domicilio social cuando su titular sea una persona jurídica o un ente del art. 35 LGT; que no esté ocupada por algún miembro de la unidad familiar de su titular, o por descendiente que, aun no formando parte de la misma, le dé derecho a practicar la deducción en concepto de mínimo por descendiente en el IRPF; que no esté afecto a una actividad económica; o que no esté cedido en su uso a terceros por cualquier título. En términos parecidos la Ordenanza del Ayuntamiento de Sevilla. También estaban quienes optaban directamente por aproximarlo al concepto de vivienda que genera imputación de renta inmobiliaria en el IRPF. Así, MARTÍN FERNÁNDEZ, J y RODRÍGUEZ MÁRQUEZ, J., *Manual de Haciendas Locales.* Marcial Pons, Madrid, 2009, pág. 149. En cualquier caso, y como se destaca en la sentencia del Tribunal Superior de Justicia de Andalucía de 14 de enero de 2010, "el Ayuntamiento no puede asumir la potestad reglamentaria atribuida al Gobierno de la Nación", resultando por ello nula aquella atribución. También POVEDA BLANCO, P., *ob. cit.,* pág. 247, o VARGAS JIMÉNEZ, M. R.,

medidas urgentes en materia de vivienda y alquiler, un nuevo párrafo aclaratorio en el artículo 72 del TRLHL. Conforme al mismo, y a estos efectos se indica que "tendrá la consideración de inmueble desocupado con carácter permanente aquel que permanezca desocupado de acuerdo con lo que se establezca en la correspondiente normativa sectorial de vivienda, autonómica o estatal, con rango de ley, y conforme a los requisitos, medios de prueba y procedimiento que establezca la ordenanza fiscal". En todo caso — se añade en el precepto—, "la declaración municipal como inmueble desocupado con carácter permanente exigirá la previa audiencia del sujeto pasivo y la acreditación por el ayuntamiento de los indicios de desocupación, a regular en dicha ordenanza, dentro de los cuales podrán figurar los relativos a los datos del padrón municipal, así como los consumos de servicios de suministro"[41].

De acuerdo con ello, y como señala IRANZO CEREZO, en las distintas normativas autonómicas ya aprobadas y en las que aparecen definidos los conceptos de viviendas deshabitadas o desocupadas "cabe colegir una eficacia inmediata a la que bien podrían acogerse los Ayuntamientos de cara a la aprobación de sus respectivas ordenanzas fiscales reguladoras del recargo en cuestión. En el resto de Comunidades Autónomas en las que tal concepto jurídico aún no esté definido, será su Asamblea Legislativa la que podrá configurarlo, ahora sí, sin necesidad de mediación del Ejecutivo estatal"[42].

Todo ello supone en definitiva que, ante la dificultad o las complicaciones inherentes a la integración del referido concepto, el legislador estatal ha atribuido a los distintos legisladores autonómicos la concreción del referido concepto, abocando a una pluralidad, y a buen seguro, disparidad de soluciones legislativas. Este "reparto de responsabilidades" no resuelve en cualquier caso los problemas de fondo que suscita este recargo, y que se encuentran verdaderamente en la dificultad de enraizar ese gravamen en la función social atribuible a las viviendas, sin que ello suponga una penalización o sobrecarga que pueda desincentivar la propiedad[43].

La fiscalidad inmobiliaria en el ámbito local: cuestiones problemáticas, Comares, 2011 pág. 170, donde se recoge también la argumentación contraria, al considerar cómo podría solventarse la inexistencia reglamentaria con la simple mención en las Ordenanzas de la posibilidad del establecimiento del recargo.

[41]   Modificación introducida por el art. 4.2 del Real Decreto-ley 7/2019, de 1 de marzo de medidas urgentes en materia de vivienda y alquiler.

[42]   IRANZO CEREZO, J. D., "El recargo en el Impuesto sobre bienes inmuebles por la desocupación con carácter permanente de los inmuebles de uso residencial: una regulación inacabada y las múltiples soluciones posibles", *Quincena Fiscal,* núm. 12, 2019, pág. 25.

[43]   Piénsese a modo de ejemplo qué sucedería cuando un contribuyente quiere arrendar un inmueble que tiene desocupado, pero que por las circunstancias económicas actuales no lo arrienda, ¿deberá también pagar el recargo, a pesar de que la finalidad por la que el mismo se estableció por la ley era gravar a aquellos propietarios que adquirieron inmuebles a modo de inversión, permaneciendo estos vacíos la mayor parte del año, por no querer arrendarlos?

Finalmente destaca el precepto que deberá quedar constatada la desocupación del inmueble por parte de los ayuntamientos de acuerdo con los indicios delimitados en las correspondientes Ordenanzas, entre los que pueden encontrarse los servicios de suministros. Como destacan AGUADO FERNÁNDEZ y PUYAL SANZ ello obliga a obtener la información de las compañías suministradoras, pues no sería razonable exigir a los sujetos pasivos que presenten anualmente información sobre los mismos al ayuntamiento para determinar si se aplica o no el recargo, dando lugar en este caso a unos costes de gestión desmesurados para la administración que tampoco resultan factibles[44].

5. LA CUOTA LÍQUIDA DEL IMPUESTO

La cuota líquida del impuesto es el resultado de minorar la cuota íntegra en las bonificaciones previstas legalmente. Estas bonificaciones cuya regulación básica se encuentra recogida en los arts. 73 y 74 del TRLRHL son de dos clases: obligatorias y potestativas, según las mismas se fijen con carácter obligatorio por parte de los ayuntamientos o puedan recogerlas discrecionalmente en sus ordenanzas fiscales. Junto a ellas serán de aplicación las que, conforme a la Disposición Transitoria Tercera del TRLRHL, subsistieran de la anterior regulación, así como las que pudieran venir previstas de forma puntual en otras leyes para hacer frente a situaciones coyunturales o específicas (piénsese, inmuebles del "Proyecto Cartuja 93", u otras).

5.1. BONIFICACIONES OBLIGATORIAS

Previstas en el art. 73 del TRLRHL han de ser aplicadas por los entes locales, previa solicitud de los sujetos. El ente local se limitará pues a especificar en sus ordenanzas fiscales los aspectos sustantivos y formales de cada una de ellas, así como la compatibilidad con otros beneficios fiscales. Son tres.

5.1.1. Bonificación para inmuebles que constituyan el objeto de la actividad de las empresas de urbanización, construcción y promoción inmobiliaria

Prevista en el apartado 1 del art. 73. La finalidad que se persigue con esta bonificación claramente subjetiva, viene referida por la Sentencia del Tribunal Supremo de 8 de abril de 2002, al señalar que la misma "intenta reducir la cuota del IBI que recae sobre los bienes inmuebles, por el hecho de pertenecer a empresas cuya actividad es de urbanización, construcción y promoción inmobiliaria y por no formar parte de su patrimonio permanente, constituyen un verdadero stock de existencia, equivalente al que

---

[44] AGUADO FERNÁNDEZ, D. M. y PUYAL SANZ, P., ob. cit., pág. 277.

en otro tipo de entidades mercantiles, integran las mercancías de almacén, por lo que de no establecerse se estaría penalizando en cierto modo a estas actividades constructivas frente a otro tipo de actividades". En igual sentido afirma MERINO JARA que con esta bonificación se persigue evitar que dichas empresas paguen por la titularidad de bienes pertenecientes a su circulante que, por su naturaleza están destinados a dejar de pertenecer a corto plazo[45].

La bonificación beneficia a aquellas empresas cuya actividad habitual sea la de urbanización, construcción y promoción inmobiliaria[46]. El precepto incluye expresamente la actividad de rehabilitación, reformando de este modo la regulación anterior que no la preveía de forma expresa[47]. Los sujetos que pueden beneficiarse de la bonificación han de ser titulares de los bienes inmuebles en cuestión, bienes que no deben figurar en el inmovilizado de dichas empresas sino en el activo circulante[48].

Estamos ante una bonificación rogada, es decir debe ser solicitada por los interesados. Esta solicitud se debe efectuar antes del inicio de las obras. El plazo máximo de aplicación de la bonificación es de tres periodos impositivos, y comprenderá desde el periodo siguiente a aquel en que se inicien las obras hasta el posterior a su terminación. Para que dicha bonificación pueda disfrutarse es necesario que durante su periodo de vigencia las obras de urbanización o construcción sean efectivas, lo que supone que en caso de paralización de las citadas obras se entenderá que las mismas han finalizado, no pudiéndose disfrutar de ella. Si posteriormente se reanudaran no daría lugar a una nueva bonificación por tres años, sino que se continuaría con la que anteriormente se estaba disfrutando a los efectos del plazo máximo de tres periodos impositivos. Al determinar el plazo máximo alude al legislador a periodos impositivos y no a años naturales, lo que conlleva que aquellas obras de duración inferior a un año, puedan tener derecho a disfrutar de la bonificación durante dos ejercicios siempre que se inicien y acaben en años diferentes[49].

El legislador fija a los ayuntamientos un mínimo y un máximo en el momento de regular la bonificación, que se encuentra entre el 50 y el 90 por 100 de la cuota íntegra, aplicándose de forma supletoria la bonificación máxima, es decir la del 90 por 100, en aquellos ayuntamientos que no hayan aprobado un tipo concreto.

---

45   MERINO JARA, I., *ob. cit.,* pág. 77.

46   Sin embargo, la Sentencia del Tribunal Superior de Justicia de Cantabria de 11 de diciembre de 1998, aplica el concepto de empresa de urbanización, construcción y promoción inmobiliaria a una comunidad de propietarios.

47   El concepto de rehabilitación de inmuebles se encuentra recogido en el art. 20.22 de la Ley 37/1992, de 28 de diciembre, del Impuesto sobre el Valor Añadido.

48   Así, PARRA BAUTISTA, J. R y CAMPOS DAROCA, J. M., *ob. cit.,* pág. 400, precisan como sedes sociales y almacenes, por ejemplo, no podrán ser objeto de bonificación.

49   AGUADO FERNÁNDEZ, D. M y PUYAL SANZ, P., *ob. cit.,* pág. 240.

5.1.2. Bonificación para viviendas de protección oficial

El apartado 2 del art. 73 recoge en segundo lugar una bonificación obligatoria del 50 por 100 de la cuota íntegra del IBI a favor de las viviendas de protección oficial, así como de aquellas que resulten equiparables a ellas conforme a la normativa de la respectiva Comunidad Autónoma[50].

Para poder disfrutar de la bonificación debe ser solicitada por el interesado. No señala el precepto quien es el interesado, por lo que podría entenderse que se trata de una bonificación objetiva a aplicar por quién sea propietario en el momento de la calificación de la vivienda como de protección oficial, sea éste promotor o comprador[51]. En cualquier caso, y si bien es cierto que de la interpretación literal del precepto parece desprenderse el carácter objetivo de la bonificación, teniendo en cuenta además que la ley limita en principio su aplicación a los tres periodos impositivos siguientes a su calificación definitiva como vivienda de protección oficial, sin hacer alusión en ningún caso a si la vivienda ha sido objeto o no de transmisión; también lo es, que la opinión al respecto no es unánime. Así, en contra de esta postura destaca la sentencia 257/2010, de 30 de septiembre, del Juzgado de lo Contencioso-Administrativo de Badajoz, en la que se afirma que "para que una vivienda sea de protección oficial a tales efectos se precisa, no sólo obtener esa calificación, sino cumplir una serie de requisitos, uno de los cuales es que sean usadas en concepto de dueño o como arrendatario persona física (...). Por tanto, parece de sentido común que las viviendas sobre las que versa este recurso, al no poder tener aun la consideración de domicilio habitual, por no haber sido vendidas o alquiladas no pueden beneficiarse de la bonificación".

El plazo de aplicación y disfrute del beneficio es de tres años a partir del siguiente al del otorgamiento de la calificación definitiva, por lo que si la solicitud no se hace durante el primer año se pueden perder periodos de disfrute de la misma, al no computarse desde que se presenta la solicitud sino desde la calificación como vivienda de protección

---

[50] Destaca ALMAGRO MARTÍN, C en "Incentivos fiscales sobre la vivienda en los impuestos sobre la renta y el patrimonio", *Quincena fiscal,* núm. 10, 2009, pág. 9, que "se trata de una forma de beneficiar la vivienda habitual, pues ya sea la que su propietario destina a morada habitual, o la que se ocupa en alquiler, en los casos de viviendas que gocen de la protección oficial nuestro legislador obliga a ocuparlas de forma continuada".

[51] Así, IBÁÑEZ GARCÍA, I., "IBI. La bonificación objetiva para las viviendas de protección oficial", *Quincena Fiscal,* núm. 1, 2011, pág. 32 que señala "la bonificación establecida para las viviendas de protección oficial o equiparables a estas es claramente objetiva pues la Ley de Haciendas Locales otorga la bonificación a las viviendas no a los titulares de las mismas. Refuerza esta interpretación, el hecho de que la exención se limita a los tres periodos impositivos siguientes al del otorgamiento de la calificación definitiva, por lo que si hubieran querido beneficiar exclusivamente a las personas físicas adquirentes de una vivienda de protección oficial, la ley hubiera establecido dicho periodo respecto a los tres periodos impositivos siguientes a la primera adquisición de la vivienda por quien (persona físicas) reúna los requisitos para acceder a este tipo de viviendas protegidas".

oficial. No obstante, en el propio artículo, y junto a esta bonificación que tiene el carácter de obligatoria, se establece otra potestativa a establecer por los ayuntamientos una vez transcurrido el plazo de tres años de la primera, a favor del mismo tipo de viviendas de protección oficial, y así destaca el precepto expresamente que "los ayuntamientos podrán establecer una bonificación de hasta el 50 por ciento en la cuota íntegra del impuesto, aplicable a los citados inmuebles una vez transcurrido el plazo previsto en el párrafo anterior, correspondiendo a la ordenanza fiscal la determinación de la duración y cuantía anual de la bonificación".

5.1.3. Bonificación a favor de los bienes rústicos de las cooperativas agrarias y de explotación comunitaria de la tierra

El apartado 3 del art. 73 alude a la bonificación del 95 por 100 de la cuota íntegra y, en su caso, del recargo exigible por las áreas metropolitanas, a los bienes rústicos de las cooperativas agrarias y de explotación comunitaria de la tierra, en los términos establecidos en la Ley 20/1990, de 19 de diciembre, sobre Régimen Fiscal de las Cooperativas (LRFC). Prevista en el art. 33.4 de esta Ley, contempla además la posibilidad de compensación a los ayuntamientos donde se localizan los inmuebles.

Como las demás de carácter obligatorio, tiene carácter rogado, debiendo ser solicitada por la cooperativa calificada por la LRFC como agraria o de explotación comunitaria de la tierra (arts. 9 y 10), respecto a los bienes de naturaleza rústica de que sean titulares. No indica nada la norma respecto al momento desde el que se tiene derecho a su disfrute, no condicionándola tampoco a un periodo temporal de aplicación,

En cualquier caso, y dado que el objetivo de la bonificación es disminuir la carga fiscal de determinadas cooperativas, las especialmente protegidas, no se entiende el motivo de la extraordinaria concreción de la medida, ni con relación a los sujetos beneficiarios (las cooperativas agrarias y de explotación comunitaria de la tierra), ni respecto a los bienes sobre los que recae (los de naturaleza rústica). La existencia a efectos fiscales de las cooperativas especialmente protegidas, parece responder a la mayor concordancia del objeto de su actividad con los principios cooperativos, siendo por ello merecedoras de una protección más reforzada, pero no se entiende sin embargo la estricta aplicación del beneficio a sólo dos de los tipos de cooperativas que gozan de tal calificación. Al mismo tiempo, no se comprende porque la minoración del gravamen se produce sólo con relación a los bienes de naturaleza rústica, y no respecto a otro tipo de bienes[52].

Por lo demás, la alusión genérica que efectúa el precepto de la LRFC a los bienes de naturaleza rústica de las cooperativas sobre los que se aplicaría la bonificación del IBI parece hacer extensible el beneficio tanto a los bienes inmuebles de propiedad de la coo-

---

[52]   También MARTÍN FERNÁNDEZ, J y RODRÍGUEZ MÁRQUEZ, J. J., *ob. cit.*, págs. 151 y 152.

perativa, como a aquellos otros sobre los que ésta ostente un derecho real de usufructo o superficie, todo ello acorde con el propio art. 63 del TRLRHL que considera sujetos pasivos del impuesto a los titulares de cualquiera de estos derechos. No se aplicará en consecuencia la bonificación a los bienes que la cooperativa lleve en arrendamiento, aunque sí, a los de propiedad de ésta cedidos en arrendamiento a sus socios o a terceros.

5.2. BONIFICACIONES POTESTATIVAS

El art. 74 del TRLRHL recoge las bonificaciones potestativas, es decir, aquellas que pueden discrecionalmente ser aprobadas por parte de los ayuntamientos, teniendo en cuenta los mínimos previstos para poder así cumplir con el principio de reserva de ley aplicable en relación con los beneficios fiscales. Veámoslas.

5.2.1. Bonificación de asentamientos de población de especial protección

Señala el art. 74.1 que se podrá establecer por las ordenanzas municipales una bonificación de hasta el 90 por 100 de la cuota íntegra "a favor de los bienes inmuebles urbanos ubicados en áreas o zonas del municipio que, conforme a la legislación y planeamiento urbanístico, correspondan a asentamientos de población singularizados por su vinculación o preeminencia de actividades primarias de carácter agrícola, ganadera, forestal, pesquera o análogas y que dispongan de un nivel de servicios de competencia municipal, infraestructuras o equipamientos colectivos, inferior al existente en las áreas o zonas consolidadas del municipio, siempre que sus características económicas aconsejen una especial protección". La finalidad perseguida por la bonificación es la de posibilitar a los ayuntamientos el desarrollo de determinadas zonas del municipio en las que se tienen menos infraestructuras, y que están especialmente vinculadas al sector primario, lo que supone en cierta forma un fomento de este tipo de actividades[53].

Deben concurrir una serie de requisitos para que proceda la bonificación. De este modo, debe limitarse a los bienes urbanos, por lo que deberemos encontrarnos ante alguno de los supuestos de suelo de naturaleza urbana recogidos en el art. 7 del TRLCI, además deberán ser inmuebles situados en áreas o zonas singularizadas; debe tratarse de zonas donde existan núcleos residenciales, lo cual no supone que obligatoriamente se restrinja a los inmuebles urbanos de tales usos, sino que simplemente habrán que constatar que en la mencionada zona existe un núcleo de población, si bien este puede ser reducido, de hecho la ley habla de asentamiento de población; tienen que ser zonas ligadas al sector primario,

---

[53] En este sentido Sentencia 1692/2002, de 18 de diciembre del Tribunal Superior de Justicia de la Comunidad Valenciana y Sentencia 412/2002, de 12 de abril del Tribunal Superior de Justicia de Galicia.

y así los residentes en las mismas deberán estar vinculados a estas actividades, bien sean de carácter agrícola, ganadero, forestal o pesquero; y, deben ser zonas cuyo nivel de servicios municipales, equipamientos o infraestructuras sea inferior al existente en áreas o zonas consolidadas del propio municipio. Los ayuntamientos disponen de una gran autonomía local al respecto, puesto que será la ordenanza fiscal la que establezca las características peculiares y ámbito de los núcleos de población, áreas o zonas, las tipologías de las construcciones y usos del suelo necesarios para la aplicación de esta bonificación, y su duración y cuantía, así como los aspectos sustantivos y formales.

Esta bonificación podría utilizarse en aquellos municipios en donde existan terrenos clasificados como urbanos o urbanizables "sectorizados", pero que en realidad tienen un uso agrícola o primario, ya que están pendientes de consolidación y desarrollo[54].

5.2.2. Bonificación a favor de bienes inmuebles afectados por procedimientos de valoración colectiva

Conforme a lo dispuesto en el apartado 2 del art. 74, los ayuntamientos podrán establecer una bonificación cuya finalidad primordial es paliar el incremento de tributación en el IBI que se puede producir cuando se aplica un procedimiento de valoración colectiva de carácter general en un municipio. Así se establece que los ayuntamientos podrán acordar para cada ejercicio, la aplicación a los bienes inmuebles de una bonificación en la cuota íntegra del impuesto equivalente a la diferencia positiva entre la cuota íntegra del ejercicio y la cuota líquida del ejercicio anterior, multiplicado por el coeficiente de incremento máximo anual de la cuota líquida. La duración máxima de esta bonificación no podrá ser superior a tres periodos impositivos, siendo su aplicación de oficio. En último término debemos precisar que la mencionada bonificación será efectiva a partir de la entrada en vigor de los nuevos valores catastrales de bienes inmuebles de una misma clase.

5.2.3. Bonificación a favor de inmuebles de organismos públicos de investigación y de enseñanza universitaria

Se establece en el apartado 2 bis del art. 74 una bonificación potestativa del 95 por 100 de la cuota íntegra a favor de inmuebles de organismos públicos de investigación y de los de enseñanza universitaria. Aunque de la redacción del precepto parece que hay que distinguir entre los organismos de investigación y los de enseñanza universitaria, exigiéndose de los primeros la titularidad pública, y no la de los segundos, cabe indicar que dado que la bonificación fue introducida por la Ley 4/2007, de 12 de abril, por la

---

[54] Así se propone por ejemplo por parte del Defensor del Pueblo de la Región de Murcia al Ayuntamiento de Lorca, por medio de una resolución que resuelve la queja con número de expediente 214/2009.

que se modifica la Ley 6/2001, de 21 de diciembre, General Universitaria, parece quedar limitada a los inmuebles vinculados a los centros públicos que imparten la docencia reglada en ella.

5.2.4. Bonificación a favor de los inmuebles declarados monumento o jardín histórico de interés cultural afectos a actividades económicas

Se prevé en el apartado 2 ter del art. 74 la posibilidad de que los ayuntamientos mediante ordenanza puedan regular una bonificación, de hasta el 95 por ciento de la cuota íntegra del impuesto, a favor de los bienes inmuebles excluidos de la exención a que se refiere el último párrafo de la letra b) del apartado 2 del art. 62 de esta Ley, es decir de los declarados expresa e individualmente, monumento o jardín histórico de interés cultural que estuviesen afectos a explotaciones económicas. Dicha bonificación se contempla desde 2013, por el art. 14.4 de la Ley 16/2012, de 27 de diciembre, por el que se adoptan diversas medidas tributarias dirigidas a la consolidación de las finanzas públicas y al impulso de la actividad económica.

5.2.5. Bonificación a favor de los inmuebles de especial interés o utilidad municipal por circunstancias sociales, culturales, histórico artísticas o de fomento del empleo

Tal y como se dispone en el apartado 2 quáter. del art. 74, los ayuntamientos mediante ordenanza pueden regular una bonificación de hasta el 95 por ciento de la cuota íntegra del impuesto a favor de inmuebles en los que se desarrollen actividades económicas que sean declaradas de especial interés o utilidad municipal por concurrir circunstancias sociales, culturales, histórico artísticas o de fomento del empleo que justifiquen tal declaración. Corresponderá dicha declaración al Pleno de la Corporación y se acordará, previa solicitud del sujeto pasivo, por voto favorable de la mayoría simple de sus miembros.

5.2.6. Bonificación a favor de bienes inmuebles de características especiales

El apartado 3 del art. 74 permite a los ayuntamientos establecer una bonificación de hasta el 90 por 100 de la cuota íntegra a favor de cada grupo de bienes inmuebles de características especiales. La ordenanza debe especificar la duración, cuantía anual y de aspectos sustantivos y formales que deban aplicarse.

5.2.7. Bonificación a favor de las familias numerosas

Se permite a los ayuntamientos establecer una bonificación de hasta el 90 por 100 de la cuota íntegra a favor de aquellos sujetos pasivos que ostenten la condición de familia numerosa (ap. 4 art. 74). Será la ordenanza la que debe especificar la clase y características de bienes inmuebles a los que se aplica la bonificación, así como la duración y cuantía de la misma. La inclusión de este tipo de bonificación supone la subjetivación de un impuesto tradicionalmente objetivo, al atender a las circunstancias personales del sujeto en el momento de cuantificar la deuda tributaria. En aquellos supuestos en los que la vivienda habitual de la familia numerosa tuviera la calificación de vivienda de protección oficial, podría plantearse la posible compatibilidad entre ambas bonificaciones. En este sentido, y dado que la ley no recoge incompatibilidad alguna creemos que de concurrir las circunstancias en cada caso previstas se podrían aplicar conjuntamente, lo que supondría un aumento de la bonificación de la cuota total del impuesto.

5.2.8. Bonificación a la energía solar

Recoge el art. 74 en su apartado 5 que las ordenanzas fiscales podrán regular una bonificación de hasta el 50 por 100 de la cuota íntegra del impuesto para los bienes inmuebles en los que se hayan instalado sistemas para el aprovechamiento térmico o eléctrico de la energía proveniente del sol. Para que se pueda aplicar esta bonificación las instalaciones para producción del calor deberán incluir colectores que dispongan de la correspondiente homologación. En ningún caso el legislador hace alusión a que la energía solar se dedique a consumo propio.

5.2.9. Bonificación a inmuebles de uso residencial destinados a alquiler de vivienda con renta limitada por una norma jurídica

Mediante el Real Decreto-ley 7/2019, de 1 de marzo, de medidas urgentes en materia de vivienda y alquiler, se introduce esta bonificación mediante la cual los ayuntamientos podrán minorar hasta el 95 por ciento en la cuota íntegra del impuesto para los bienes inmuebles de uso residencial destinados a alquiler de vivienda con renta limitada por una norma jurídica.

5.2.10. Bonificación a inmuebles en los que se haya instalado puntos de recarga para vehículos eléctricos

Finalmente, y mediante el Real Decreto-ley 29/2021, de 21 de diciembre, por el que se adoptan medidas urgentes en el ámbito energético para el fomento de la movilidad eléctrica, el autoconsumo y el despliegue de energías renovables, se introduce un último apartado en el precepto para permitir a los ayuntamientos la regulación de una bonificación de hasta el 50 por ciento de la cuota íntegra del impuesto a favor de los bienes inmuebles en los que se hayan instalado puntos de recarga para vehículos eléctricos. La aplicación de esta bonificación estará condicionada a la obtención de la correspondiente homologación de las instalaciones, pudiendo quedar los demás aspectos sustantivos y formales de la misma delimitados por la ordenanza fiscal.

6. GESTIÓN, LIQUIDACIÓN Y REVISIÓN DE ACTOS

Como se ha ido refiriendo a lo largo del Capítulo la atribución de competencias al Estado en lo que a gestión catastral se refiere, y municipal, respecto a cuestiones de liquidación (art. 77 TRLRHL), con las funciones en cada caso contempladas, y sin perjuicio de las fórmulas de colaboración que pudieran adoptarse dentro del marco normativo, se traduce en un complejo procedimiento de actos consecutivos. El IBI se gestiona a través de la información contenida en el Padrón catastral que se forma anualmente y se remite a las entidades gestoras antes del 1 de marzo de cada año. Los datos en él contenidos serán la referencia para las liquidaciones municipales que no se notificarán de forma individual, en los casos de procedimientos de valoración colectiva, en los términos analizados. Esta consecución de actos y la complejidad técnica de la cuantificación del tributo condiciona, como es de suponer, todo el régimen de impugnación del impuesto.

Esa doble gestión catastral y de liquidación exige ahondar en una labor de coordinación entre administraciones, en particular en lo que se refiere al mantenimiento actualizado de las bases de datos catastrales y de intercambio efectivo de información, con ello se podría dar una mayor agilidad al procedimiento posibilitando su mayor concordancia con el valor de mercado, y haciéndolo más transparente a los contribuyentes, lo que desde luego podría redundar en una menor litigiosidad en este ámbito; litigiosidad que, tal y como está configurado el tributo en la actualidad, deriva principalmente de la necesaria impugnación separada, y en momentos temporales diferentes, de la valoración catastral del inmueble y de la liquidación del tributo, de las consecuencias que se derivan de tal gestión dual en el ámbito de la prescripción y suspensión de los actos dictados e impugnados en una u otra vía, o de la concurrencia de sanciones en el ámbito catastral y tributario[55].

7. REFLEXIÓN FINAL

Expuestos los términos en que se cuantifica y gestiona este tributo cabe efectuar una reflexión final. Y es que resulta evidente que la liquidación y gestión del IBI presenta una importante complejidad técnica derivada de sus propios elementos de cuantificación y del reparto competencial de su gestión. Sustentado hasta la fecha el cálculo de su base imponible sobre el concepto de valor catastral se garantiza con ello la homogeneidad de sus elementos de concreción, aunque sin las actualizaciones oportunas y recurrentes pueda quedar limitado para medir la verdadera capacidad económica derivada del inmueble. Toda la estructura de liquidación del impuesto muestra, en definitiva, la

---

[55]   En este sentido, COMISIÓN DE EXPERTOS PARA LA REVISIÓN DEL MODELO DE FINANCIACIÓN LOCAL, *ob. cit.*, pág. 30.

prevalencia del legislador de la facilidad gestora sobre la simplicidad y las garantías del contribuyente.

Junto a la complejidad de las normas técnicas de delimitación del valor catastral y los condicionantes temporales y procedimentales de la gestión compartida, no cabe duda de que las diferencias resultantes del margen de regulación municipal sobre los restantes elementos de cuantificación del impuesto (tipos de gravamen y recargos o bonificaciones) también generan distorsiones sobre el nivel recaudatorio de los entes públicos (con diferencias sustanciales en la carga tributaria) así como sobre los propios mecanismos de control, pudiendo plantearse la necesidad de la revisión de su idoneidad.

8. BIBLIOGRAFÍA

Aguado Fernández, M. D y Puyal Sanz; P., "Impuesto sobre Bienes Inmuebles" en *Guía de las Haciendas Locales*, CISS, Valencia, 2006.

Agulló Agüero, M. A., "La determinación del valor catastral en las Viviendas de Protección Oficial". *Impuestos*, núm. 2, 1994, págs. 20 y ss.

Almagro Martín, C., "Incentivos fiscales sobre la vivienda en los impuestos sobre la renta y el patrimonio". *Quincena fiscal*, núm. 10, 2009, pág. 9.

Comisión de expertos para la revisión del modelo de financiación local., *Informe para la revisión del modelo de financiación local*, julio 2017. Disponible en https://www.hacienda.gob.es/CDI/sist%20 financiacion%20y%20deuda/informacioneells/2017/informe_final_comisi%C3%B3n_reforma_sfl.pdf

Comisión para el estudio y propuesta de medidas para la reforma de la financiación de las haciendas locales., *Informe sobre el estudio y propuestas de medidas para la reforma de la financiación de las Haciendas Locales*, IEF, Madrid, 2002.

De La Peña Velasco, G., "El nuevo sistema impositivo local (comentario de urgencia)", CIIS Comunicación, núm. 72, 1989.

González Pueyo, J. Mª., *Comentarios al Texto Refundido de la Ley Reguladora de las Haciendas Locales,* 2ª edición, La Ley, 2012.

Ibáñez García, I., "IBI: la bonificación objetiva para las viviendas de protección oficial". *Quincena Fiscal*, núm. 1, 2011, pág. 32.

Iranzo Cerezo, J. D., "El recargo en el Impuesto sobre bienes inmuebles por la desocupación con carácter permanente de los inmuebles de uso residencial: una regulación inacabada y las múltiples soluciones posibles", *Quincena Fiscal*, núm. 12, 2019,

López Díaz, A., "El Impuesto sobre Bienes Inmuebles" en Ferreiro Lapatza, J. J. *Tratado de Derecho Financiero y tributario Local.* Marcial Pons, Madrid, 2004.

Martín Fernández J. y Rodríguez Márquez, J. J., *Manual de Haciendas Locales.* Marcial Pons, Madrid, 2009.

Merino Jara, I., "Impuesto sobre Bienes Inmuebles", *Cuadernos de Jurisprudencia Tributaria*, Aranzadi, núm. 22, 2001.

Parra Bautista, J. R. y Campos Daroca, J. M., *Régimen de impugnaciones en el Impuesto sobre Bienes Inmuebles. Gestión catastral y tributaria*, Bosch, Barcelona, 2008.

Poveda Blanco, J., *Manual de Fiscalidad local.* IEF, Madrid, 2009.

Simón Acosta, E., Los impuestos sobre la riqueza inmobiliaria. En *Informe sobre el Proyecto de Ley Reguladora de las Haciendas Locales*, IEF, Madrid, 1988.

Vargas Jiménez, M. R., *La fiscalidad inmobiliaria en el ámbito local: cuestiones problemáticas,* Comares, 2011.

Varona Alabern, J. E., *El valor catastral: su gestión e impugnación. 4ª* Edición, Aranzadi, Pamplona, 2011.

Capítulo V
IMPUESTO SOBRE
ACTIVIDADES ECONÓMICAS

ANDRÉS GARCÍA MARTÍNEZ
Catedrático de Derecho Financiero y Tributario
Universidad Autónoma de Madrid

SUMARIO: 1. INTRODUCCIÓN. 2. REGULACIÓN Y CARACTERIZACIÓN GENERAL DEL IAE. 3. EL HECHO IMPONIBLE. 3.1. La definición legal del hecho imponible. 3.2. La sujeción al impuesto de toda actividad económica. 3.3. El ejercicio de la actividad en territorio nacional. 3.4. Actividades económicas excluidas del hecho imponible del IAE. 3.5. El concepto de actividad económica a efectos del IAE. 3.6. La prueba del ejercicio de la actividad económica gravada. 4. LOS SUPUESTOS DE NO SUJECIÓN AL IAE. 4.1. La virtualidad de los supuestos de no sujeción. 4.2. La venta inhabitual de bienes integrantes del activo empresarial y de bienes de uso particular y privado del vendedor. 4.3. La enajenación de retribuciones en especie. 4.4. la exposición de artículos. 4.5. La venta al por menor aislada. 5. EXENCIONES. 5.1. Introducción. 5.2. Exención de las administraciones públicas. 5.3. Exención por el inicio de la actividad económica. 5.3.1. *Características y finalidad de la exención*. 5.3.2. *El presupuesto de hecho de la exención*. 5.3.2.1. El inicio en territorio español. 5.3.2.2. El inicio de una actividad económica. 5.4. El ámbito temporal de la exención. 5.4.1. *La exención de las personas físicas*. 5.4.1.1. El origen de la exención: la promesa de supresión del IAE. 5.5. La exención de las personas jurídicas y entidades sin personalidad cuyo importe neto de cifra de negocios no alcance el millón de euros. 5.5.1. *Naturaleza y características de la exención*. 5.5.2. *La determinación del importe neto de la cifra de negocios*. 5.5.2.1. El concepto de importe neto de la cifra de negocios. 5.5.2.2. El importe neto de cifra de negocios a considerar desde el punto de vista temporal. 5.5.2.3. El importe neto de la cifra de negocios cuando el sujeto ejerce más de una actividad. 5.5.2.4. El importe neto de la cifra de negocios cuando el sujeto pertenece a un grupo de sociedades. 5.5.2.5. El importe neto de la cifra de negocios en el caso de no residentes que operen en España con establecimiento permanente. 5.5.3. *Obligaciones formales específicas para la aplicación de esta exención*. 5.5.4. *Valoración de la exención desde el punto de vista de su adecuación a los principios materiales de justicia tributaria*. 5.6. Las entidades gestoras de la seguridad social y las mutualidades de previsión social. 5.7. Determinados centros de investigación y establecimientos de enseñanza. 5.8. Las asociaciones y fundaciones de disminuidos físicos, psíquicos y sensoriales. 5.9. La cruz roja española. 5.10. los sujetos pasivos a los que les sea aplicable la exención en virtud de tratados o convenios internacionales. 6. LOS SUJETOS PASIVOS. 6.1. Las personas físicas, las jurídicas y las entidades sin personalidad. 7. LAS TARIFAS DEL IMPUESTO Y LA CUOTA DE TARIFA (CUOTA ÍNTEGRA). 7.1. Concepto y funciones de las tarifas del impuesto. 7.2. La función de ordenación del hecho imponible. 7.2.1. *El carácter omnicomprensivo de las Tarifas*. 7.2.2. *La estructura de las Tarifas, clasificación y ordenación de las actividades*. 7.2.3. *Las facultades que otorga la tributación por la correspondiente rúbrica de las Tarifas.* 7.3. La función de cuantificación del hecho imponible. 7.3.1. *La cuota de tarifa o cuota íntegra.* 7.3.1.1. El concepto de cuota de tarifa y los elementos que la integran. 7.3.1.2. La cuantificación de la cuota de tarifa o cuota íntegra. 7.3.2. *Clases de cuotas de tarifa.* 7.3.2.1. Cuotas mínimas municipales. 7.3.2.2. Cuotas provinciales. 7.3.2.3. Cuotas nacionales. 7.3.2.4. La elección de la clase de cuota. 7.3.3. *Los elementos tributarios.* 7.3.3.1. Concepto y funciones de los elementos tributarios. 8. LA CUOTA LÍQUIDA DEL IAE. 8.1. El concepto de cuota tributaria en el IAE. 8.2. El coeficiente de ponderación por importe neto de cifra de negocios. 8.3. El coeficiente de situación. 8.4. El cálculo de la cuota tributaria. 8.4.1. *Cuotas municipales.* 8.4.1.1. Cuotas municipales integradas por cuota de licencia y cuota de radicación. 8.4.1.2. Cuotas municipales integradas exclusivamente por cuota de licencia. 8.4.1.3. Cuotas municipales integradas exclusivamente por cuota de radicación. 8.4.2. *El caso del recargo provincial sobre el IAE.* 8.4.3. *Cuotas provinciales y nacionales.* 8.5. Las bonificaciones sobre la cuota en el IAE. 8.5.1. *Bonificaciones obligatorias y bonificaciones potestativas.* 8.5.2. *Las bonificaciones obligatorias.* 8.5.2.1. La bonificación para las Cooperativas y sociedades agrarias de transformación. 8.5.2.2. La bonificación por inicio de actividades profesionales. 8.5.3. *Las bonificaciones potestativas.* 8.5.3.1. La bonificación por inicio de actividades empresariales. 8.5.3.2. La bonificación por creación de empleo. 8.5.3.3. Bonificaciones por contribución a la mejora medioambiental. 8.5.3.4. Bonificación por bajo rendimiento neto de la actividad o rendimiento negativo. 8.5.3.5. Bonificación para actividades declaradas de especial interés municipal. 8.5.3.6. Los requisitos formales en el caso de bonificaciones potestativas. 9. PERÍODO IMPOSITIVO Y DEVENGO DEL IMPUESTO. 10. LA GESTIÓN DEL IMPUESTO. 10.1. La gestión compartida del IAE. 11. BIBLIOGRAFÍA.

1. INTRODUCCIÓN

La Ley 51/2002, de 27 de diciembre, de Reforma de la Ley 39/1988, Reguladora de las Haciendas Locales, introdujo, como es sabido, importantes reformas en el Impuesto sobre Actividades Económicas (IAE). Las mismas han quedado incorporadas, en la actualidad, al Real Decreto Legislativo 2/2004, de 5 de marzo, que aprueba el Texto Refundido de la Ley Reguladora de las Haciendas Locales (en adelante, TRLRHL) y han supuesto que una gran mayoría de contribuyentes del IAE dejasen de serlo de forma efectiva, en virtud de la exención subjetiva establecida para las personas físicas y de la exención reconocida a las personas jurídicas y demás entidades del artículo 35.4 de la LGT cuyo importe neto de cifra de negocios no supere el millón de euros anual.

La reforma ha pretendido declarar exentos del impuesto al 92 por 100 de los sujetos pasivos del mismo, así como intentar ajustar el gravamen a los postulados del principio de capacidad económica a través de la toma en consideración para la modulación de la cuota tributaria del importe neto de la cifra de negocios del contribuyente[1]. Las medidas adoptadas a tal fin han desfigurado una figura tributaria que continúa presa en su viejo armazón de retales aprovechados de viejos impuestos, y que se va deshilachando

---

[1]   Cfr., J. M. Lago Montero, "El rumbo del Impuesto sobre Actividades Económicas", TL, núm. 44, 2004, págs. 43 y ss.

conforme resulta aplicada bajo la nueva configuración que le han dado los tijeretazos y remiendos de última hora[2]. Tanto, que puede decirse que la reforma no sólo no ha zanjado el problema que tenía el impuesto con el principio de capacidad económica, sino que ha profundizado en la injusticia del gravamen, afrentando ahora también abiertamente a los principios de generalidad e igualdad en la imposición que, como es sabido, suelen andar de la mano con el de capacidad económica[3].

El impacto que han supuesto las mencionadas exenciones, por una parte, para la propia financiación de la Hacienda municipal y, por otra parte, para los contribuyentes que deben seguir satisfaciendo el IAE, ha acaparado principalmente el debate en torno al Impuesto[4]. Al respecto, uno de los últimos hitos de este debate está constituido, respecto a la financiación de las Haciendas Locales, por el compromiso de ampliar la compensación establecida a favor de éstas por parte del Estado[5]. Respecto a los contribuyentes efectivos del Impuesto, por el planteamiento de una cuestión de inconstitucionalidad sobre la regulación de tales exenciones que, finalmente, ha sido inadmitida por el Auto del Tribunal Constitucional 76/2007, de 27 de febrero[6]. Lo cual, ciertamente, resulta

---

[2]   Como señala F. Poveda Blanco, *El nuevo Impuesto sobre Actividades Económicas*, Deusto, Barcelona, 2003, pág. 14, "el resultado en sus líneas básicas ha sido, permítasenos decirlo, como operar introduciendo el bisturí al monstruo de Frankenstein, sin eliminar remiendos, zurcidos e injertos, pretendiendo obtener con ello una criatura equilibrada y normal".

[3]   Como vaticina J. I. Rubio de Urquía, "El IAE: un impuesto herido de muerte", TL, núm. 26, 2003, pág. 12 y 13, "la supresión parcial del IAE, además de no resolver ni una sola de las 'maldades' que se venían imputando al tributo y de condicionar la 'reforma' de los restantes tributos locales, contaminando burdamente el conjunto del sistema tributario local, ha colocado al tributo en una situación de extrema debilidad e indefensión. En efecto, el IAE transformado adolece, desde cualquier perspectiva, de vulnerabilidad absoluta; y su fenecimiento depende exclusivamente del ánimo combativo de cualquiera de las entidades que permanecen en tributación efectiva. Se está, pues, y he aquí el gran logro de la reforma, ante un impuesto herido de muerte".

[4]   Respecto al impacto de la reforma del IAE sobre la recaudación tributaria en la Hacienda local, como señala la Dirección General de Coordinación Financiera con las Haciendas Locales, *Haciendas Locales en cifras. Año 2010*, Ministerio de Hacienda y Administraciones Públicas, Madrid, 2012, págs. 37 y ss., el IAE representa actualmente sólo el 2,75 por 100 del volumen total de ingresos de los municipios con una cifra de 1.554,09 millones de euros y únicamente el 8,55 por 100 de los ingresos derivados de los impuestos locales. En este sentido, el IAE ha pasado de ser el segundo impuesto local en potencia recaudatoria, tras el IBI, antes de la reforma, a ser el cuarto impuesto local en cifras recaudatorias tras la reforma del mismo.

[5]   En cuanto a los problemas que ha suscitado la compensación a los municipios por la pérdida de recaudación tras el establecimiento de las consabidas exenciones, puede verse el amplio análisis que realiza E. Aragonés Beltrán, "Problemas destacados del IAE", en M. Medina Guerrero; A. Arroyo Gil (Coordinadores), *Las Haciendas Locales: situación actual y líneas de reforma*, serie Claves del Gobierno Local, núm. 4, Fundación Democracia y Gobierno Local, Madrid, 2005, págs. 183 y ss.

[6]   Sobre esta última problemática, el Juzgado Contencioso-Administrativo número 6 de Barcelona planteó una cuestión de inconstitucionalidad contra la reforma introducida en el IAE por la Ley

criticable por el excesivo formalismo del que ha hecho gala en esta ocasión el Tribunal Constitucional[7].

Ello ha dejado quizá en un segundo plano otras medidas introducidas en la regulación del impuesto que, desde nuestro punto de vista, también son merecedoras de la máxima atención. Y ello, porque las mismas profundizan, sin duda, en la autonomía tributaria de los municipios y porque permiten a estos, además, la utilización de este instrumento fiscal para el planteamiento y consecución de determinadas políticas en el campo de la promoción de la actividad empresarial, del empleo o de la protección del medio ambiente.

Nos estamos refiriendo, con ello, en primer lugar, a la posibilidad de que los municipios establezcan el nuevo *coeficiente de situación* previsto en el artículo 87 del TRLRHL, incidiendo a través del mismo de forma decisiva en la cuantificación de la cuota tributaria del impuesto, tanto al alza como a la baja, lo que, como decíamos, profundiza en la autonomía tributaria municipal. En segundo lugar, a la posibilidad reconocida a los municipios de establecer una serie de *bonificaciones* de carácter potestativo previstas en el artículo 88.2 del TRLRHL, lo que, además de modular la autonomía tributaria

---

51/2002 en la que se considera que tal reforma fiscal vulnera los principios de igualdad, generalidad y capacidad económica reconocidos por el artículo 31.1 de la Constitución. Igualmente se cuestiona el órgano jurisdiccional la posible vulneración del principio de neutralidad fiscal y el desproporcionado aumento de la carga tributaria para los contribuyentes que vengan obligados a contribuir efectivamente por el impuesto. Sin embargo, esta cuestión de inconstitucionalidad fue inadmitida por el Tribunal Constitucional mediante el Auto 76/2007, de 27 de febrero de 2007. La razón es que la cuestión de inconstitucionalidad planteada no supera el "juicio de relevancia", esto es, el esquema argumental dirigido a probar que el fallo del proceso judicial depende de la validez de la norma cuestionada. En palabras del Tribunal Constitucional, *"es manifiesto que de la validez del precepto legal cuestionado no depende el fallo que deba recaer en el proceso judicial, pues el acto impugnado en vía contencioso-administrativa es una liquidación del IAE practicada a una entidad, Solema, S.A., que no cumple los requisitos establecidos para el disfrute de ninguna de las dos exenciones establecidas en el art. 83.1.c) LHL. No puede acogerse a la exención otorgada a todas las personas físicas, ya que se trata de una sociedad anónima, ni tampoco a la exención prevista para los sujetos pasivos del IS cuyo importe neto de cifra de negocios sea inferior a un millón de euros, dado que su cifra de negocios supera ese concreto límite legalmente establecido".*

7 Desde nuestro punto de vista, el Tribunal Constitucional ha pecado en esta ocasión de un exceso de formalismo, por cuanto de la lectura del artículo 31.1 de la Constitución no resulta difícil advertir la relevancia de la cuestión planteada para la validez o nulidad de la liquidación que está en el origen del conflicto. Una vez probado el desproporcionado aumento en la cuantía de la liquidación tras la reforma del Impuesto que ha introducido las exenciones cuestionadas, que, precisamente, es lo que provoca la comprensible reacción del contribuyente que da origen al conflicto, ¿puede sostenerse seriamente que dichas exenciones, que alcanzan al 92% de los contribuyentes del IAE declarándolos totalmente exentos del pago del Impuesto, no despliegan, a la luz del artículo 31.1 de la Constitución, virtualidad alguna sobre la liquidación tributaria exigida a uno de los contribuyentes efectivos del Impuesto?

municipal, contribuye a la propuesta y desarrollo de determinadas políticas municipales, dadas las finalidades extrafiscales que persigue el establecimiento de tales bonificaciones.

2. REGULACIÓN Y CARACTERIZACIÓN GENERAL DEL IAE

La regulación del impuesto se halla contenida, esencialmente, en los artículos 78 a 91 del Real Decreto Legislativo 2/2004, de 5 de marzo, que aprueba el Texto Refundido de la Ley Reguladora de las Haciendas Locales. En virtud de la delegación al Gobierno actualmente contenida en el artículo 85 de ese cuerpo normativo, se dictó, primero, el RDLeg 1175/1990, de 28 de septiembre, por el que se aprueban las Tarifas e Instrucción del Impuesto sobre Actividades Económicas y, segundo, el RDLeg. 1259/1991, de 2 de agosto, por el que se aprueban las Tarifas e Instrucción del Impuesto sobre Actividades Económicas para la actividad ganadera independiente. Estas normas legales se complementan, por lo que a la gestión del impuesto respecta, con el RD 243/1995, de 17 de febrero, por el que se dictan normas para la gestión y se regula la delegación de competencias en materia de gestión censal del impuesto. Asimismo, hay que tener presente el RD 1065/2007, de 27 de julio, que aprueba el Reglamento general de las actuaciones y los procedimientos de gestión e inspección tributaria y de desarrollo de las normas comunes de los procedimientos de aplicación de los tributos, especialmente, por lo que atañe a las obligaciones censales, reguladas en el capítulo I del título I del mismo.

El IAE es un impuesto de titularidad municipal, de establecimiento obligatorio para los Ayuntamientos, si bien, de gestión compartida con la Administración tributaria del Estado. Se trata de un impuesto *directo*, porque somete a gravamen el mero ejercicio de ciertas actividades económicas con el propósito de gravar la capacidad económica que de ello deriva, sin que sea posible su traslación jurídica a un tercero; es un impuesto *real*, porque atiende sólo al mero ejercicio de actividades económicas como hecho susceptible de generar un rendimiento económico; *periódico*, ya que el ejercicio de las actividades económicas es susceptible de producirse de forma ininterrumpida en el tiempo por lo que el legislador fija o determina un período impositivo para acotar la realización del hecho imponible y exigir el pago de la obligación tributaria; *censal*, por cuanto su gestión de desarrolla a partir de un censo de contribuyentes que ejercen actividades económicas y que se incluyen en la correspondiente matrícula en función del tipo de actividad que desarrollen.

Tras la nueva configuración dada al mismo, cabe afirmar que el impuesto sobre actividades económicas es un impuesto *progresivo*, dado que todas las cuotas del mismo se ponderarán por la aplicación de una escala progresiva de coeficientes establecidos en función del importe neto de la cifra de negocios, lo cual va a acarrear que, de entre los sujetos pasivos que vengan obligados a pagar el impuesto, paguen más aquellos que más cifra de negocio hayan obtenido. Asimismo, tras su nueva configuración, puede decirse que es un impuesto *sobre las grandes empresas*, dado que en virtud de las nuevas exenciones establecidas, tanto las personas físicas como las pequeñas y medianas empresas van a quedar exentas del pago del mismo, como veremos posteriormente[8].

3. EL HECHO IMPONIBLE

3.1. LA DEFINICIÓN LEGAL DEL HECHO IMPONIBLE

El hecho imponible del IAE está constituido, a tenor de lo dispuesto en el artículo 78.1 del TRLRHL, por *"el mero ejercicio, en territorio nacional, de actividades empresariales, profesionales o artísticas, se ejerzan o no en local determinado y se hallen o no especificadas en las tarifas del impuesto"*.

Lo cual pone de manifiesto el eminente carácter censal del IAE, heredero en este punto de las antiguas Licencias Fiscales, pues lo que se sujeta a gravamen es el mero ejercicio en territorio nacional de una actividad económica, sin consideración alguna, en principio, a las circunstancias que puedan concurrir en tal ejercicio[9].

No es de extrañar, por ello, que algunos autores hayan considerado la función censal atribuida al IAE como la principal circunstancia que puede explicar y, en cierto sentido, justificar la existencia misma del Impuesto[10]. En este sentido, el IAE, aparte de la función típicamente fiscal o recaudatoria, cumpliría una importante función de localización de actividades susceptibles de dar lugar a la realización de hechos imponibles correspondientes a algunos de los impuestos más importantes del sistema, tales como el IVA, el IRPF o el IS, sirviendo de esta manera al control de los mismos[11]. No obstante, la insuficiencia de tal justificación en la función censal ha sido también puesta de mani-

---

8 Para F. Poveda Blanco, *El nuevo Impuesto...*, cit., pág. 39, el IAE es un impuesto "de incorrecta denominación", ya que, "a la vista del ámbito objetivo y subjetivo de aplicación debería llamarse 'Impuesto sobre Ciertas Actividades Económicas de las Grandes Compañías'".

9 Como señala J. I. Rubio de Urquía, *El Impuesto sobre Actividades Económicas*, Publicaciones Abellá, El Consultor de los Ayuntamientos y de los Juzgados, 2ª ed., Madrid, 1993, pág. 60, la lectura de la definición legal del hecho imponible del IAE traslada al lector a la idea que siempre ha tenido el contribuyente común acerca de las Licencias Fiscales, según la cual "éstas tenían la consideración material de auténticas autorizaciones administrativas para el ejercicio de actividades".

10 Así lo destaca J. I. Rubio de Urquía, *El Impuesto...*, cit., pág. 61.

11 Cfr., J. M. Barquero Estevan, *Gestión tributaria y relaciones interadministrativas en los tributos locales*, Montecorvo-UAM, Madrid, 1999, págs. 415 y 416.

fiesto por la doctrina, señalando, al respecto, que en la actualidad las Administraciones tributarias disponen de otras técnicas de censo mucho más directas y eficaces[12].

Lo que en la configuración actual del Impuesto resulta evidente es que el mismo, si bien cumple la mencionada función censal, incide efectivamente desde el punto de vista económico sobre grandes empresas cuyo importe neto de cifra de negocio alcance un millón de euros y, además, esa incidencia, en virtud del índice de ponderación regulado en el artículo 86 del TRLRHL, lo será de forma progresiva en función de cual sea el volumen de tal cifra neta de negocio, lo que claramente pone de manifiesto que el Impuesto desempeña en la actualidad una importante función recaudatoria que es la que en realidad explica su subsistencia[13].

El IAE se exige, por tanto, por el mero ejercicio de una actividad económica en territorio nacional. A tal efecto, a la hora de que el Gobierno establezca las Tarifas del Impuesto, hay que tener en cuenta lo señalado por la Base Cuarta de delegación contemplada en el artículo 85.1 del TRLRHL, a cuyo tenor *las cuotas resultantes de la aplicación de las tarifas no podrán exceder del 15 por ciento del beneficio medio presunto de la actividad gravada, (...)*. Por lo tanto, uno de los principales elementos en la cuantificación de la deuda tributaria de este impuesto, cual es la determinación de las cuotas mínimas derivadas de la aplicación de las Tarifas, se pone en conexión con el beneficio medio presunto de la actividad gravada.

Lo cual pone de manifiesto la conexión que el Legislador ha establecido entre el mero ejercicio de una actividad económica y la obtención de beneficios derivados del mismo, como un índice de capacidad económica suficiente como para someter a gravamen aquel ejercicio[14]. Cierto que este beneficio medio presunto cuyo 15 por 100 no pueden rebasar las cuotas mínimas no está referido a los datos reales, subjetivos, que respecto al beneficio derivado de la actividad obtiene cada contribuyente en particular. Antes bien, se concreta en una estimación y objetivación de cuál sea el beneficio medio de cada sector de actividad entendido en su conjunto. Siendo esto así, se comprenderá

---

[12]   Cfr., R. Calvo Ortega, "Principios tributarios y reforma de la Hacienda municipal", en AA.VV. *La reforma de las Haciendas Locales*, t. I, Lex Nova, Valladolid, 1991, pág. 35.

[13]   Antes de que la Ley 51/2002, de 27 de diciembre, de Reforma de la Ley 39/1988, de 28 de diciembre, Reguladora de las Haciendas Locales, configurase el IAE, en virtud de las nuevas exenciones y del nuevo índice de ponderación introducido en su regulación, como un impuesto que incide económicamente sobre las grandes empresas, apuntaba el profesor J. M. Barquero Estevan, *Gestión tributaria...*, cit., págs. 416 y 417, esta idea de que en la configuración del IAE quizá prima la función recaudatoria sobre la censal como soporte del mismo, lo que se ha visto claramente corroborado por su evolución normativa.

[14]   Como señala J. Ramallo Massanet, "Hecho imponible y cuantificación de la prestación tributaria", REDF, núm. 20, pág. 628, el hecho imponible consistente en el gravamen del ejercicio de una actividad económica es de carácter presuntivo en el sentido de que la mente del Legislador opera con la idea de que el mero ejercicio de la actividad es indicio de la obtención de un beneficio.

fácilmente el porqué este Impuesto ha levantado tantas críticas en la doctrina y el porqué ha sido una constante fuente de conflictos entre la Administración y los contribuyentes[15].

Gran número de estos conflictos han llegado a los tribunales, en numerosas ocasiones, con el único argumento de la vulneración de principios materiales de justicia tributaria como el de capacidad económica, el de igualdad y el de no confiscatoriedad del sistema tributario, lo que, en gran media, ha puesto de manifiesto el rechazo o la no aceptación de este impuesto por parte de aquellos contribuyentes obligados a satisfacerlo[16].

La jurisprudencia del Tribunal Supremo, ante el que han llegado numerosos casos en los que los recurrentes habían planteado, al amparo de los principios materiales de justicia tributaria, el hecho de que la liquidación del IAE que les había sido girada no respetaba el límite del 15% del rendimiento medio presunto de la actividad y, por tanto, alegaban la falta de adecuación del RD 1175/1990 que había fijado las Tarifas del impuesto a la base de delegación contenida en la LRHL, se ha mostrado monolítica al respecto a favor de la legalidad en tal sentido de las Tarifas del impuesto. La sentencia pionera fue la Sentencia del Tribunal Supremo de 2 de julio de 1992, dictada en un recurso directo dirigido contra el RD 1175/1990, en la que el Tribunal examinó si el mismo se ajustaba a la delegación concedida, y sentó su doctrina favorable a tal adecuación por lo que al límite del 15% del rendimiento medio neto presunto de la actividad

---

[15] La literatura crítica sobre la inadecuación del IAE al principio de capacidad económica es muy numerosa; pueden verse, en tal sentido, las exposiciones de S. Aníbarro Pérez, *La sujeción al Impuesto sobre Actividades Económicas*, McGraw-Hill, Madrid, 1997, págs. 183 y ss. Ya vigente el "nuevo IAE", J. M. Lago Montero, "El rumbo...", cit., págs. 43 y ss.; también, el estupendo trabajo de J. Lasarte Álvarez; J. Ramos Prieto, "El Impuesto sobre Actividades Económicas: un tributo local con síntomas de inconstitucionalidad", TL, núm. 97, 2010, págs. 47-114, en el que, destacadamente, llevan a cabo una revisión crítica de la jurisprudencia en torno a la adecuación de las Tarifas del IAE al límite del 15 por 100 del rendimiento medio presunto, poniendo de manifiesto estos autores un hecho de trascendental importancia a estos efectos, cuál es el de la *petrificación* en el tiempo de las cuotas recogidas en las Tarifas, alejadas, por tanto, de la evolución posterior de la situación económica.

[16] Buen ejemplo de ese rechazo social que produjo el impuesto es el caso planteado en la STSJ de Madrid de 27 de abril de 2001 en el que se impugna la liquidación del IAE por la actividad de abogado y por importe de 63.158 pesetas. El recurrente alega, como único motivo de impugnación, la vulneración de los principios constitucionales de justicia tributaria —capacidad económica, igualdad, no confiscatoriedad—. El Tribunal viene a señalar que el carácter objetivo del impuesto no vulnera tales principios, si bien, reconoce el incremento de la presión fiscal que el impuesto representa y la circunstancia de que en casos concretos no se respete en la realidad el límite del 15% del rendimiento medio neto presunto de la actividad. Es sólo una muestra, los casos de impugnación de liquidaciones, prácticamente con el único argumento de la vulneración de los principios materiales de justicia tributaria, se han multiplicado en los años de vigencia del impuesto.

se refería[17]. Numerosas sentencias posteriores del Tribunal Supremo se han aferrado y remitido automáticamente a esta temprana doctrina[18].

3.2. LA SUJECIÓN AL IMPUESTO DE TODA ACTIVIDAD ECONÓMICA

Una característica esencial del hecho imponible del IAE, a tenor de lo señalado en el artículo 78.1 del TRLRHL, es que se sujeta a gravamen el ejercicio de las actividades económicas *se hallen o no especificadas en las tarifas del impuesto*. A las tarifas corresponden dos funciones esenciales, por un lado, clasificar las distintas actividades económicas a efectos de su sujeción al IAE y, por otro lado, fijar la cuota de tarifa que corresponde a cada una de dichas actividades. Dada la función censal que cumple el IAE, resulta clara la necesidad de que todas aquellas actividades que puedan reputarse como económicas a tenor de la definición general que de tal tipo de actividad ofrece el artículo 79 del TRLRHL queden sujetas al impuesto. Sin embargo, la realidad económica es extraordinariamente variada y compleja, además de que se encuentra en constante evolución, de ahí la imposibilidad de catalogar y petrificar en un momento dado el elenco de todas aquellas actividades susceptibles de calificarse como económicas[19]. Buena muestra de ello son las múltiples modificaciones que ha sufrido el RD 1175/1990 que estableció las Tarifas e Instrucción del Impuesto, en muchos casos con la finalidad de tipificar nuevas actividades. Es por ello que la clasificación de las distintas actividades recogidas en las Tarifas aprobadas por el RD 1175/1990 tiene un carácter abierto y ejemplificativo y, de acuerdo con ello, la Regla 8ª de la Instrucción establece el procedimiento a seguir en

---

[17] Señala, al respecto, la STS de 2 de julio de 1992, que *"como dice el Consejo de Estado en su preceptivo informe (y subraya el señor abogado del Estado), 'es obvio que la determinación del beneficio medio de cada actividad resulta de difícil fijación, no sólo por su mismo concepto y por la gran cantidad de actividades a evaluar (prácticamente todas, con la excepción, por el momento, de las que integran los sectores agropecuario y pesquero), sino también por la multiplicidad de datos a manejar y el inevitable desfase temporal de varios de estos. Semejante tarea sólo podía realizarse mediante estudios pormenorizados de la propia Administración y el diálogo con cada uno de los sectores afectados'. Y, en efecto, a la Comisión Técnica de la Administración se unió la Comisión bipartita de ésta y representaciones de la vida local para, finalmente, incluirse la participación y audiencia de los sectores interesados, a través del Consejo General de las Cámaras de Comercio, Industria y Navegación, la Confederación española de Organizaciones Empresariales y los Colegios Profesionales afectados. Es por estos cauces —y no de manera gratuita y arbitraria— como llegaron a establecerse los parámetros económicos de la norma promulgada, lo que excluye cualquier reproche de inconsistencia o superficialidad"*.

[18] En tal sentido, por ejemplo, la STS de 7 de octubre de 2002, en un caso en el que aún acreditándose la existencia de pérdidas, considera el Tribunal que en la aplicación y exigencia del IAE no se ha vulnerado el principio de capacidad económica y de no confiscatoriedad. En la misma línea, STS de 3 de abril de 2002 y STS de 18 de julio de 2003.

[19] Cfr., F. Poveda Blanco, *El Impuesto sobre Actividades Económicas*, 6ª ed., Deusto, Bilbao, 1996, pág. 129.

relación con las actividades no especificadas en las Tarifas. Dichas actividades se clasificarán provisionalmente en el grupo o epígrafe dedicado a las actividades no clasificadas en otras partes (ncop), a las que por su naturaleza se asemejen y tributarán por la cuota correspondiente al referido grupo o epígrafe de que se trate. Si no fuera posible esta clasificación, dichas actividades se clasificarán provisionalmente en el grupo o epígrafe correspondiente a la actividad a la que por su naturaleza más se asemejen, y tributarán por la cuota asignada a ésta[20].

Ello no obstante, la DGCHT en la contestación a la consulta núm. 2023/1997, de 10 de julio, ha especificado que "*la pretensión de la norma delimitadora del hecho imponible no es gravar cualquier tipo de actividad 'económica', sino sólo aquéllas que tienen carácter empresarial, profesional o artístico, cuyo ejercicio presupone su licitud, excluyendo a las que, aun encajando aparentemente en el presupuesto de hecho que integra el referido hecho imponible, son contrarias al ordenamiento jurídico o declaradas por éste ilícitas*".

3.3. EL EJERCICIO DE LA ACTIVIDAD EN TERRITORIO NACIONAL

Otra circunstancia a destacar en la configuración del hecho imponible del IAE es que la referencia que el artículo 78.1 del TRLRHL efectúa a que el mero ejercicio de la actividad económica se realice *en territorio nacional*, por una parte, está excluyendo de tributación por este impuesto el ejercicio de actividades económicas que los residentes en España puedan realizar en el extranjero y, al mismo tiempo, está sujetando a tributación en España el ejercicio de actividades económicas que los no residentes en nuestro país puedan desarrollar en el mismo[21]. A tal efecto, habrá que tener en cuenta, en su caso, lo que puedan disponer los Convenios de Doble Imposición Internacional.

---

[20] Así, la DGCHT en la contestación a la consulta núm. 2510/1998, de 16 de diciembre, en relación con los servicios de tatuado y anillado corporal, señala que "*por el ejercicio de la actividad empresarial de tatuado y anillado corporal el consultante está obligado a tributar por el epígrafe 979.9 ('otros servicios personales ncop') de la Sección 1ª de las mencionadas Tarifas, rúbrica que corresponde en este caso por la aplicación de la Regla 8ª de la Instrucción al no hallarse especificada en las Tarifas dicha actividad*".

[21] Considera, en este sentido, la contestación de la DGCHT a la consulta núm. 1951/1997 de 12 de junio, respecto a una entidad no residente sin establecimiento permanente en España que importa un producto de Estados Unidos y lo vende en España a otra entidad, que "*si la entidad no residente, que importa el producto de Estados Unidos, vende en territorio nacional dicho producto, aunque sea a otra sociedad no residente, está ejerciendo una actividad empresarial en territorio nacional y, por lo tanto, estará sujeta al Impuesto sobre Actividades Económicas*".

3.4. ACTIVIDADES ECONÓMICAS EXCLUIDAS DEL HECHO IMPONIBLE DEL IAE

El artículo 78.2 del TRLRHL va a excluir del ámbito de aplicación del impuesto una serie de actividades que constituyendo en sí actividades económicas por cuanto implican la ordenación por cuenta propia de factores de producción con la finalidad de intervenir en el mercado, sin embargo, por cuestiones de política económica el legislador las va a excluir expresamente del ámbito de aplicación del impuesto, señalando que su ejercicio no dará lugar a la realización del hecho imponible del IAE, estableciendo respecto a las mismas un auténtico supuesto de no sujeción. Se trata, en concreto, de las actividades agrícolas, las forestales y las pesqueras[22].

Asimismo, señala el precepto que sólo la actividad ganadera independiente estará sujeta al impuesto, señalando los criterios que determinan la consideración de *independiente* de la actividad ganadera[23]. Se considerará como tal aquel conjunto de cabezas de ganado que se encuentre en alguno de los casos siguientes:

a) Que paste o se alimente fundamentalmente en tierras que no sean explotadas agrícola o forestalmente por el dueño del ganado.

b) El estabulado fuera de las fincas rústicas.

c) El trashumante o trasterminante.

d) Aquel que se alimente fundamentalmente con piensos no producidos en la finca en que se críe.

3.5. EL CONCEPTO DE ACTIVIDAD ECONÓMICA A EFECTOS DEL IAE

El artículo 79 del TRLRHL define lo que, con carácter general, se entiende por actividad económica a efectos del IAE, remitiendo a las Tarifas del impuesto la definición del contenido de cada una de las actividades en particular. Por lo tanto, consecuentemente con la función censal del impuesto, se incluye en su ámbito de aplicación cualquier tipo de actividad que cumpla las notas definitorias de la actividad económica en general, con independencia de que dicha actividad esté expresamente clasificada y recogida en las Tarifas del impuesto en particular.

---

[22] En este sentido, señala S. Aníbarro Pérez, *La sujeción...*, cit., pág. 41, que se trataría de un supuesto de no sujeción, en el sentido de que el legislador, haciendo uso de su libertad para configurar el presupuesto de hecho de los distintos tributos, ha considerado oportuno restringir el concepto de actividad económica propio del IAE.

[23] Es de notar que es el RD Legislativo 1259/1991, de 2 de agosto, el que aprueba las Tarifas y la Instrucción respecto a la actividad ganadera independiente.

Señala el artículo 79.1 del TRLRHL que *"se considera que una actividad se ejerce con carácter empresarial, profesional o artístico, cuando suponga la ordenación por cuenta propia de medios de producción y de recursos humanos o de uno de ambos, con la finalidad de intervenir en la producción o distribución de bienes o servicios"*.

Con ello, la normativa está recogiendo en el ámbito del IAE una definición que ha sido igualmente acogida en el ámbito de otros tributos, como es el caso, por ejemplo, del artículo 27.1 de la Ley 35/2006, de 28 de noviembre, del Impuesto sobre la Renta de las Personas Físicas (LIRPF), que define lo que se considera actividad económica a efectos del IRPF[24].

El propio artículo 78.2 del TRLRHL ha señalado, a título ejemplificativo, que se consideran actividades empresariales las ganaderas que tengan carácter independiente, las mineras, industriales, comerciales y de servicios. Cabe destacar que la distinción que realiza el artículo 79 entre actividades empresariales, profesionales y artísticas no tiene trascendencia desde el punto de vista de la definición de las notas generales que caracterizan tales actividades como económicas y, por tanto, como sujetas al IAE[25].

3.6. LA PRUEBA DEL EJERCICIO DE LA ACTIVIDAD ECONÓMICA GRAVADA

El artículo 80 del TRLRHL establece que la prueba del ejercicio de las actividades gravadas se efectuará por cualquier medio admisible en derecho y, en particular, por los contemplados en el artículo 3 del Código de Comercio.

En desarrollo del mismo, el artículo 12 del RD 243/1995 establece una serie de medios especialmente adecuados para llevar a cabo la prueba del ejercicio, o no, de las actividades económicas. Entre ellos, destacan las declaraciones tributarias formuladas por el interesado o sus representantes legales, el reconocimiento que el interesado o sus representantes puedan efectuar en actas y diligencias de la Inspección tributaria o en

---

[24] Sin embargo, pese a la extensión en el sistema tributario de este concepto de actividad económica, no puede afirmarse que el elenco de actividades económicas sujetas a unos y otros tributos que las toman en consideración sea coincidente, pues, como ya hemos señalado, la propia normativa del IAE excluye de la consideración de actividad económica a las actividades agrícolas o a las forestales, lo que no sucede a efectos del IRPF o, en su caso, del IS, donde el rendimiento de este tipo de actividades sí está sujeto a estos impuestos. Igualmente, en el ámbito del IRPF se excluye como actividad económica el arrendamiento de inmuebles cuando no concurran una serie de circunstancias, lo que no sucede en el ámbito del IAE.

[25] Como señala A. Menéndez Moreno, *El concepto jurídico tributario de profesional*, IEF, Madrid, 1986, pág. 205, a efectos de la aplicación del correspondiente régimen tributario tiene trascendencia la diferenciación entre las actividades dependientes y aquellas independientes, pero, dada su misma naturaleza económica, no tiene tal trascendencia la diferenciación entre las actividades empresariales, profesionales y artísticas.

cualquier otro expediente tributario, la existencia de anuncios, circulares, muestras, etc., que pongan de manifiesto el ejercicio de una actividad económica, los datos obtenidos de los libros o registros de contabilidad y, en fin, los datos aportados por terceros, tales como Ayuntamientos, Cámaras Oficiales de Comercio, Industria y Navegación, y Colegios y Asociaciones Profesionales.

4. LOS SUPUESTOS DE NO SUJECIÓN AL IAE

4.1. LA VIRTUALIDAD DE LOS SUPUESTOS DE NO SUJECIÓN

El artículo 81 del TRLRHL enumera una serie de supuestos a los que expresamente considera no sujetos al impuesto, es decir, supuestos que no resultan idóneos para hacer surgir la obligación tributaria. Pese a ello, el Legislador ha considerado conveniente recogerlos expresamente en la norma, aclarando que no se encuentran sujetos, precisamente, porque presentan una gran similitud con el presupuesto de hecho del impuesto. De esta forma, el legislador despeja las posibles dudas que respecto a tales supuestos se podrían plantear en la aplicación del impuesto. De este modo, se lleva a cabo una delimitación negativa del ámbito de sujeción al impuesto[26]. Y es que, como se ha señalado en la doctrina, los supuestos de no sujeción quedan fueran del ámbito del hecho imponible, constituyendo actos o hechos irrelevantes a efectos del concreto tributo, no siendo aptos para generar la obligación tributaria[27].

Sin embargo, no puede minimizarse su importancia a la hora de aplicar el impuesto, por la interpretación y delimitación negativa que realizan del propio hecho imponible.

Veamos, por lo tanto, cuales son las actividades cuyo ejercicio ha considerado el legislador que no constituye hecho imponible del IAE.

4.2. LA VENTA INHABITUAL DE BIENES INTEGRANTES DEL ACTIVO EMPRESARIAL Y DE BIENES DE USO PARTICULAR Y PRIVADO DEL VENDEDOR

El primer supuesto de no sujeción contemplado en el artículo 81 del TRLRHL se refiere a *"la enajenación de bienes integrados en el activo fijo de las empresas que hubieran figurado debidamente inventariados como tal inmovilizado con más de dos años de antelación a la fecha de transmitirse, y la venta de bienes de uso particular y privado del vendedor siempre que los hubiese utilizado durante igual período de tiempo"*.

---

[26]   Cfr., S. Aníbarro Pérez, *La sujeción...*, cit., pág. 33.

[27]   Cfr., C. Lozano Serrano, *Exenciones tributarias y derechos adquiridos*, Tecnos, Madrid, 1988, pág. 22.

El mismo obedece a la idea de considerar no sujetas al impuesto las ventas de bienes que realicen determinados sujetos que por ejercer ya con carácter habitual una actividad económica son considerados como empresarios o, en su caso, como comerciantes, cuando dichas ventas tengan un carácter inhabitual por no constituir las mismas el objeto de la actividad que tales empresarios desarrollan.

En este sentido, el precepto menciona en primer lugar la enajenación de bienes integrantes del activo fijo de las empresas. Resulta evidente que la transmisión de tales bienes, por ejemplo, maquinaria afecta al ejercicio de la actividad, un inmueble, etc., no constituye el objeto propio de la actividad del empresario, por lo que tales enajenaciones tienen necesariamente un carácter meramente ocasional[28]. Es por esta última razón por la que quedan excluidas tales operaciones del presupuesto de hecho del IAE[29].

En segundo lugar, el precepto se refiere a las ventas de bienes que hayan sido de uso particular o privado del sujeto que ejerce habitualmente una actividad económica de carácter industrial o comercial. Nuevamente, se trata de ventas inhabituales en relación con el objeto de la actividad realizada por el empresario, razón por la cual no constituyen el hecho imponible del impuesto[30].

Para cerrar la posibilidad que el supuesto pudiera ofrecer al fraude fiscal a través del encubrimiento de una verdadera actividad económica de venta de bienes bajo la apariencia de una venta de elementos del activo empresarial o, en su caso, de bienes de uso particular del empresario o comerciante, el precepto que establece la no sujeción al impuesto exige un requisito temporal mínimo de permanencia de esos bienes en la empresa. Para los bienes que forman parte del activo fijo de las empresas, exige el precepto que los mismos hayan estado debidamente inventariados como tales elementos del inmovilizado durante, al menos, más de dos años de antelación a la fecha de su transmisión[31].

---

[28] En este sentido, la contestación de la DGT a la consulta núm. 1894/2003, de 13 de noviembre, ha señalado que la enajenación de bienes inmuebles integrados en el activo fijo de una empresa arrendadora de los mismos no constituye una actividad sujeta al impuesto. Para este órgano directivo, *"una empresa matriculada en las rúbricas de las Tarifas del Impuesto sobre Actividades Económicas que clasifiquen la actividad de alquiler de bienes inmuebles, no deberá darse de alta en el Grupo 833, 'promoción inmobiliaria' de la Sección Primera por la enajenación de inmuebles que hubieran estado integrados en su activo fijo y hubieran figurado debidamente inventariados como tal inmovilizado con más de dos años de antelación a la fecha de transmitirse"*.

[29] Para J. I. Rubio de Urquía, *El Impuesto...*, cit., pág. 68, uno de los objetivos del precepto es evitar que puedan quedar sujetas al impuesto meras enajenaciones patrimoniales, que no constituyen el objeto del tráfico mercantil de las empresas y que, por lo tanto, no pueden tener la consideración de actividades económicas.

[30] Como señala J. I. Rubio de Urquía, *El Impuesto...*, cit., pág. 68, el precepto excluye del hecho imponible las ventas particulares de bienes de uso privado del vendedor, las cuales no deben tener la consideración de actividades económicas.

[31] Señala, en este sentido, J. I. Rubio de Urquía, *El Impuesto...*, cit., pág. 68, que el segundo objetivo del precepto, por lo que a los bienes del inmovilizado se refiere, es evitar que auténticas operaciones empresariales puedan ocultarse tras la apariencia de enajenaciones patrimoniales.

Como señala la Sentencia del Tribunal Superior de Justicia de Andalucía de 24 de noviembre de 2003, *"el plazo de dos años de permanencia en el inmovilizado empresarial, se convierte en garantía de que la venta de tales activos no constituye una operación habitual de su actividad económica y, por lo mismo, no debe quedar sujeta a gravamen"*.

El establecimiento del requisito temporal de los dos años, tanto para la enajenación de elementos patrimoniales afectos a la empresa, como para la enajenación de bienes de uso particular o privado, cuya finalidad es claramente antifraude, plantea la cuestión de qué tratamiento merecen esas mismas operaciones cuando no se cumple el requisito temporal, es decir, cuando un elemento del activo fijo se enajena antes de que transcurran más de dos años desde su contabilización en el inmovilizado o, en su caso, cuando un bien de uso particular del comerciante se vende antes de que haya transcurrido similar espacio temporal. En este caso, coincidimos con PAGÈS en que la norma está estableciendo la presunción *iuris tantum* de que tales transmisiones o ventas se efectúan en el marco de una actividad económica. Lo cual implica que el sujeto que realice tales operaciones podrá aportar una prueba en contrario que destruya la presunción, basada en el carácter meramente ocasional y no habitual de dichas operaciones, circunstancia que de concurrir, supone el no ejercicio de una actividad económica[32].

Hay que tener en cuenta, en este sentido, que a efectos de contabilizar el plazo de dos años de permanencia de los bienes en el activo fijo empresarial, los mismos deben de hallarse debidamente contabilizados como tales elementos del inmovilizado[33]. En caso de que no pueda acreditarse tal circunstancia no puede apreciarse este supuesto de no sujeción y, en tal sentido, constituye una prueba de grado el libro-inventario del balance que han de llevar las entidades mercantiles[34].

En el caso de los bienes transmitidos que han sido objeto de un uso particular o privado por parte de su titular, el precepto exige que tal uso se haya prolongado, al menos, durante más de dos años con antelación a la transmisión[35]. En este caso el precepto

---

[32] En efecto, para J. Pagès i Galtés, *Manual del Impuesto sobre Actividades Económicas*, Diputación de Barcelona-Marcial Pons, Madrid, 1995, págs. 165 y 166, la única virtualidad que puede tener este precepto reside en el establecimiento del plazo bianual, en cuanto representa una presunción *iuris tantum* a favor del carácter empresarial de esas enajenaciones de elementos patrimoniales del activo o, en su caso, de esas ventas de bienes de uso particular y privado, cuando las mismas se produzcan antes de agotarse el plazo de los dos años.

[33] En este sentido, la STS de 29 de octubre de 2012 considera que no resulta aplicable este supuesto de no sujeción a la venta de unos terrenos por parte de una empresa dedicada a la promoción inmobiliaria puesto que tales terrenos figuraban contabilizados como *existencias* y no se acreditó el uso propio de los mismos por la empresa.

[34] En este sentido, STSJ de Andalucía de 24 de noviembre de 2003.

[35] Para J. I. Rubio de Urquía, *El Impuesto...*, cit., pág. 68, con este precepto la ley pretende evitar que queden fuera de gravamen las actividades auténticas de venta de bienes usados.

plantea la dificultad de determinar desde qué momento comienza el cómputo de ese plazo de dos años y si ese uso particular o privado debe de haberse producido en los dos años inmediatos a la venta. Entendemos, con PAGÈS, que el cómputo del plazo comienza con el uso del bien y que, en principio, el uso del mismo comienza en la fecha de su adquisición, lo que puede quedar documentalmente acreditado en aquellos casos en los que exista un deber de expedir y entregar factura, aunque no siempre, dado que en algunos casos se exime de entregar factura con los requisitos precisos para identificar al adquirente y la operación contratada[36]. Entendemos, asimismo, que el destino del bien para uso particular o privado debe acreditarse, como mínimo, con más de dos años inmediatos de antelación a la fecha de la venta.

4.3. LA ENAJENACIÓN DE RETRIBUCIONES EN ESPECIE

El artículo 81.2 del TRLRHL califica como un supuesto de no sujeción *"la venta de los productos que se reciben en pago de trabajos personales o de servicios profesionales"*.

A través de la enajenación de estos productos sólo se pretende convertir en dinero líquido las retribuciones recibidas en especie de trabajos personales o profesionales, por lo que resulta evidente que tales operaciones no pueden tener la consideración de una actividad económica[37].

4.4. LA EXPOSICIÓN DE ARTÍCULOS

El artículo 81.3 contempla como supuesto de no sujeción al impuesto *"la exposición de artículos con el fin exclusivo de decoración o adorno del establecimiento. Por el contrario, estará sujeta al impuesto la exposición de artículos para regalo a los clientes"*.

En el caso de la exposición de artículos con el exclusivo fin de adornar el establecimiento resulta evidente que falta cualquier finalidad de intervenir en el mercado a efectos de considerar tal actividad como económica. Sin embargo, la exposición de artículos para regalar a los clientes sí supone la realización de una actividad complementaria de la principal y, en tal sentido, sí es una actividad dirigida al mercado[38]. La doctrina ha querido ver la virtualidad de este precepto en el intento del Legislador por resolver el problema de la competencia desleal que se produciría, de no estar sujeta la entrega de tales productos como regalo, entre los empresarios y organismos expositores frente a los comerciantes cuya alta en el IAE ampara la venta de tales productos. En efecto, esta-

---

[36]   Cfr., J. Pagès i Galtés, *Manual del Impuesto...*, cit., pág. 166.

[37]   Cfr., J. I. Rubio de Urquía, *El Impuesto...*, cit., pág. 68 y 69.

[38]   Cfr., J. I. Rubio de Urquía, *El Impuesto...*, cit., pág. 69.

bleciendo que en el caso de exposición y posterior entrega de productos como regalo a los clientes se produce el hecho imponible del IAE, se equipara en el pago del tributo al comerciante que expone y vende sus productos con aquel sujeto que realiza una exposición y entrega de productos a sus clientes, pero con carácter accesorio a otra actividad principal[39].

4.5. LA VENTA AL POR MENOR AISLADA

El último de los supuestos de no sujeción que contempla el artículo 81 del TRL-RHL en su apartado 4 se refiere a la realización de un solo acto u operación aislada cuando se trate de venta al por menor. La razón de la no sujeción estriba en la ausencia de habitualidad en la realización de una operación aislada de venta de un producto concreto realizada por un comerciante minorista. Es decir, en la venta de un producto que no es objeto habitual de la venta minorista desarrollada por el mismo[40].

5. EXENCIONES

5.1. INTRODUCCIÓN

En el ámbito del IAE no todas las exenciones y, en general, beneficios fiscales vienen recogidos en el TRLRHL. Leyes posteriores a este cuerpo normativo pueden recoger exenciones específicas y, asimismo, hay que tener en cuenta las exenciones establecidas en la Ley 49/2002, de 23 de diciembre, de régimen fiscal de las entidades sin fines lucrativos y de los incentivos fiscales al mecenazgo[41]. Ello no obstante, dadas las dimensiones y características de este trabajo, nos vamos a centrar exclusivamente en el estudio de las exenciones contempladas en el Texto Refundido de la Ley Reguladora de las Haciendas Locales.

El artículo 82 del TRLRHL establece un elenco de exenciones del IAE, carente de cualquier criterio sistematizador, algunas de las cuales, introducidas como gran novedad en la regulación del impuesto por la Ley 51/2002 de reforma de la LRHL, son de tal alcance que, como analizaremos, han llegado a modificar la naturaleza misma del

---

[39] Cfr., J. M. García-Agúndez Jiménez, "El nuevo Impuesto Municipal sobre Actividades Económicas", Impuestos, núm. 12/1988, págs. 40 y ss.; T. García Luís, "Impuesto sobre Actividades Económicas", en AA.VV., *La Reforma de las Haciendas Locales*, t. I, Lex Nova, Valladolid, 1991, pág. 501.

[40] Cfr., T. García Luis, "Impuesto...", cit., pág. 475.

[41] El artículo 15.2 de la misma establece que las fundaciones y asociaciones declaradas de utilidad pública, que no tengan ánimo de lucro, así como otro tipo de entidades sin ánimo de lucro están exentas del IAE por las explotaciones económicas a que se refiere el artículo 7 de dicha Ley.

impuesto y han planteado nuevos problemas de adecuación del mismo a los principios materiales de justicia tributaria recogidos en el artículo 31 de la Constitución.

5.2. EXENCIÓN DE LAS ADMINISTRACIONES PÚBLICAS

El artículo 82.1.a) del TRLRHL declara exentos del impuesto al *"Estado, las comunidades autónomas y las entidades locales, así como los organismos autónomos del Estado y las entidades de derecho público de análogo carácter de las comunidades autónomas y de las entidades locales"*[42].

Se trata de una exención subjetiva, por cuanto se establece en atención a las especiales circunstancias que concurren en la personalidad del sujeto y sin consideración a la naturaleza de las actividades que desarrolla; permanente, por cuanto es indefinida en el tiempo, en tanto en cuanto no se derogue o modifique por una norma con rango de ley[43]; total, por cuanto no hace surgir la obligación tributaria, abarcando, en este caso, tanto la obligación de pago del tributo como la obligación formal de efectuar la declaración censal de alta en la matrícula del impuesto[44] y, finalmente, imperativa o no rogada, en el sentido de que la exención se reconoce *ope legis* sin necesidad de que exista una previa solicitud en tal sentido del sujeto pasivo.

En función del carácter subjetivo de la exención, las entidades exentas se benefician de la misma por el conjunto de las actividades que realicen, aunque el contenido de algunas de ellas no sea estrictamente administrativo[45].

---

[42]   La redacción actual de este precepto se introdujo por la Ley 51/2002, de reforma de la LRHL, cuya finalidad ha sido la de adaptar en este punto la LRHL a la Ley 6/1997, de 14 de abril, de Organización y Funcionamiento de la Administración General del Estado (LOFAGE), parcialmente modificada por la Ley 14/2000, de 29 de diciembre, de Medidas Fiscales, Administrativas y del Orden Social. Esta Ley, como es sabido, introdujo el concepto de Organismo Público, como una categoría general, dividido en las dos especies de Organismo autónomo y de Entidad pública empresarial. Pues bien, con la reforma introducida en la redacción de esta norma se ha tratado de sustituir la referencia anterior al *organismo autónomo de carácter administrativo*, por la actual, adaptada a la LOFAGE, de organismo autónomo del Estado o entidades de naturaleza análoga de las Comunidades Autónomas o de los Entes Locales.

[43]   J. I. Rubio de Urquía, *El Impuesto...*, cit., pág. 73, clasifica esta exención entre las que denomina como *permanentes de carácter subjetivo*, que define señalando que son "aquellas de las que gozan por tiempo indefinido determinadas personas o Entidades, en atención a las especiales circunstancias que concurren en su personalidad, y sin consideración alguna de la naturaleza de las actividades que desarrollan".

[44]   J. Pagès i Galtès, *Manual del Impuesto...*, cit., pág. 186 y 187, califica esta exención como total, categoría que define como aquellas exenciones que impiden el surgimiento de la obligación tributaria.

[45]   Cfr., J. I. Rubio de Urquía, *El Impuesto...*, cit., pág. 74.

Como ha señalado GARCÍA LUIS, la justificación de esta exención radica en el carácter público de las actividades que desarrollan este tipo de Entes, lo que explica su extensión a los Organismos autónomos creados por las Administraciones públicas para el desempeño del mismo tipo de funciones[46].

5.3. EXENCIÓN POR EL INICIO DE LA ACTIVIDAD ECONÓMICA

5.3.1. Características y finalidad de la exención

Establece el artículo 82.1.b) del TRLRHL que estarán exentos del impuesto "*los sujetos pasivos que inicien el ejercicio de su actividad en territorio español, durante los dos primeros períodos impositivos de este impuesto en que se desarrolle aquella*". A tal efecto, puntualiza el precepto que "*no se considerará que se ha producido el inicio del ejercicio de una actividad cuando esta se haya desarrollado anteriormente bajo otra titularidad, circunstancia que se entenderá que concurre, entre otros supuestos, en los casos de fusión, escisión o aportación de ramas de actividad*".

La normativa del impuesto prevé también, junto a la exención, una bonificación obligatoria para aquellos sujetos que inicien el ejercicio de una actividad profesional y una bonificación potestativa para aquellos sujetos que inicien el ejercicio de una actividad empresarial y tributen por cuota municipal[47]. La normativa del impuesto hace compatible la exención y estas bonificaciones, coordinando el disfrute por parte del sujeto pasivo de ambos beneficios fiscales, ya que el plazo en el que operan las bonificaciones, que es de cinco años, comienza a computarse una vez transcurrido el plazo de disfrute de la exención.

Con lo cual, ciertamente, puede decirse, en principio, que en la reforma operada en la LRHL por la Ley 51/2002 el legislador ha tenido una especial consideración con esa situación en la que se encuentra, desde un punto de vista económico, el sujeto pasivo que inicia el ejercicio de una actividad gravada por el impuesto. Claro que, el legislador no tenía previsto inicialmente dar una extensión temporal de dos años a la exención, ya que el plazo previsto inicialmente para la misma era sólo de un período impositivo y el

---

[46]   T. García Luis, "Impuesto...", cit., pág. 509 y 510. Este autor también alude, en defensa de la exención, a la ausencia de capacidad económica que manifiesta este tipo de Entes al estar todos sus ingresos afectados a la satisfacción de una serie de actividades previamente determinadas. No estamos, sin embargo, conformes con esta apreciación, puesto que entendemos que los Entes públicos en cuanto perceptores de ingresos manifiestan capacidad económica, aunque tales ingresos deban ser destinados a cumplir los fines públicos que tienen asignados. Otra cosa es que no quepa advertir un ánimo de lucro en la percepción de tales ingresos, pero la ausencia del mismo no es óbice a efectos de considerar realizado el hecho imponible, aunque puede ser un elemento a tener presente a la hora del establecimiento de una exención.

[47]   La bonificación obligatoria está contemplada en el artículo 88.1.b) y la bonificación potestativa en el artículo 88.2.a), ambos del TRLRHL.

mismo se elevó a dos períodos impositivos mediante una enmienda cuando la tramitación parlamentaria del Proyecto de Ley se hallaba ya en el Senado[48].

La finalidad que persigue esta exención es la de incentivar la puesta en marcha de actividades económicas y, por ende, la creación o instalación de nuevas empresas en nuestro territorio. Para ello exime totalmente del pago del impuesto en los dos primeros períodos impositivos del mismo, precisamente, en consideración al mayor coste económico de inversión que para su titular supone el inicio del ejercicio de una actividad económica, en unos momentos donde, además, el riesgo económico también suele ser mayor, dada la necesidad de crearse una cuota de mercado[49].

Se trata, por lo tanto, de una exención objetiva, pues se aplica por igual a todos los sujetos pasivos en función de determinadas circunstancias objetivas, cuales son las del inicio por parte de aquéllos de una actividad económica en el territorio español. Es una exención temporal, pues abarca únicamente a los dos primeros períodos impositivos. Es una exención total respecto al pago del impuesto, sin embargo, los sujetos pasivos que se beneficien de esta exención vienen obligados a presentar las oportunas declaraciones censales de alta en la matrícula del mismo, a tenor de lo dispuesto en el artículo 82.2 del TRLRHL, lo que contribuye, lógicamente, a la función censal que cumple el impuesto y, por ende, al propio control administrativo respecto a la aplicación de la exención[50]. Finalmente, en cuanto a la

---

[48]   Para C. Checa González; I. Merino Jara, *La reforma de la Ley Reguladora de las Haciendas Locales en materia tributaria,* Aranzadi, Pamplona, 2003, pág. 126, la enmienda se produce a petición de la FEMP, ya que la misma puede potenciar la reactivación de la economía. Por el contrario, M. J. Caamaño Rial, "Situación transitoria de las Haciendas locales en el ejercicio 2003: Algunos problemas de la reforma del Impuesto sobre Actividades Económicas", QF, núm. 1/2004, pág. 41, en nota 46, discrepa de estos autores poniendo en duda que la FEMP efectuase tal petición en base a esos motivos, sino que, más bien, la enmienda se introdujo por una cuestión técnica, a fin de hacer factible la aplicación de la exención del artículo 82.1.c) y del coeficiente de ponderación, ambos determinados en función del importe neto de cifra de negocio respecto a aquellas entidades de nueva creación que hubiesen comenzado su actividad.

[49]   Para C. Checa González; I. Merino Jara, *La reforma...,* cit., pág. 127, la exención, además de contribuir a la reactivación de la economía, es especialmente beneficiosa "en un impuesto de las características del IAE, que tradicionalmente ha sido considerado, con acierto, como un desincentivo incluso para el comienzo de las propias actividades, sobre todo para las pequeñas empresas, para las que el pago de este impuesto, como desembolso inicial, podía resultar demasiado elevado".

[50]   Cabe destacar que en un primer momento el RD 1041/2003, de 1 de agosto, por el que se aprueba el Reglamento que regula determinados censos y se modifican otras normas relacionadas con la gestión del IAE, en relación con los sujetos pasivos que resulten exentos del IAE estableció que la presentación de las declaraciones censales en él previstas sustituyesen a las declaraciones específicas del IAE. Estas y otras obligaciones censales han sido unificadas, posteriormente, en el Real Decreto 1065/2007, de 27 de julio, por el que se aprueba el Reglamento General de las actuaciones y los procedimientos de gestión e inspección tributaria y de desarrollo de las normas comunes de los procedimientos de aplicación de los tributos, actualmente en vigor, que dedica si Título II a las obligaciones formales, entre las cuales tienen un papel destacado todas las obligaciones censales de empresarios, profesionales y retenedores, de trascendental importancia para la aplicación del IAE.

caracterización de la exención, a tenor de lo dispuesto en el artículo 82.4 del TRLRHL, se trata de una exención imperativa o no rogada, en el sentido de que los posibles beneficiarios de la misma no vienen obligados a solicitar de la Administración correspondiente el reconocimiento o concesión de la misma[51].

5.3.2. El presupuesto de hecho de la exención

5.3.2.1. El inicio en territorio español

Para la integración del presupuesto de hecho de esta exención por inicio de actividad hay que tener en cuenta que la misma se refiere al inicio de actividades económicas *en territorio español*. Con lo cual, si una entidad o una persona física, que ya esté establecida y venga ejerciendo una actividad económica en el extranjero, adopta la decisión de ejercer también esa misma actividad económica en España, a efectos de la exención, habrá *iniciado* el ejercicio de una actividad económica en territorio español y, por tanto, estaría cumpliendo el presupuesto de hecho de la misma[52].

A estos efectos, hay que tener en cuenta que la referencia al territorio español abarca la totalidad del territorio nacional. Con lo cual, quedarían fuera del presupuesto de hecho de la exención aquellos casos de contribuyentes que ya venían ejerciendo una actividad en algún Municipio dentro del territorio español y que comienzan a realizar esa misma actividad también en el término municipal correspondiente a otro Municipio, aunque ello suponga la apertura de un nuevo local. En este sentido, el hecho de que se tengan que dar de alta en la matrícula del impuesto por el ejercicio en el nuevo Municipio de la actividad que ya venían desarrollando no supone el inicio de una actividad económica a efectos de la aplicación de la exención establecida por tal circunstancia[53].

---

[51]   La Ley 51/2002, de Reforma de la LRHL, configuró esta exención como una exención rogada, al incluirla entre los supuestos previstos en el entonces artículo 83.4 de la LRHL. Posteriormente, la Ley 62/2003, de 30 de diciembre, de Medidas Fiscales, Administrativas y del Orden Social, modificó el artículo 83.4 de la LRHL, en el sentido de excluir esta exención del elenco de exenciones rogadas, que se concederán, cuando proceda, a instancia de parte. Esta redacción del artículo 83.4 de la LRHL es la que ha pasado al actual artículo 82.4 del TRLRHL, por lo que, en conclusión, esta exención perdió su carácter rogado el 1 de enero de 2004.

[52]   La Dirección General de Tributos ha puesto cierto énfasis en señalar esta circunstancia del inicio de actividades económicas en territorio español. Así, en la contestación de la DGT a la consulta núm. 616/2003, de 7 de mayo de 2003, se señala que *"la exención se aplica al sujeto pasivo que inicie una actividad en territorio español, independientemente que sea contribuyente por el Impuesto sobre la Renta de no Residentes, sujeto pasivo del Impuesto sobre Sociedades, sociedad civil, entidad del artículo 33 de la Ley 230/1963, de 28 de diciembre, General Tributaria"*. En el mismo sentido, contestación de la DGT a la consulta núm. 1067/2003, de 30 de julio de 2003.

[53]   En este sentido, respecto a una persona jurídica que se da de alta en el IAE en un Municipio por una actividad que ya venía desarrollando con anterioridad en otro Municipio, señala la contestación de la

5.3.2.2. El inicio de una actividad económica

El *inicio de una actividad económica* en territorio español implica que el sujeto pasivo ejerce por primera vez en España una determinada actividad económica, que es la que se beneficiará de la exención. Ello excluye del ámbito de aplicación de la exención aquel supuesto de *reinicio* de la misma actividad económica tras un lapso de tiempo en el que el sujeto pasivo ha estado dado de baja en la matrícula del impuesto[54]. Asimismo, no estaría amparado por el presupuesto de hecho de la exención el caso de *ampliación de la misma actividad* económica desarrollada por el sujeto pasivo[55]. Como tampoco alcanzaría la exención al caso en el que se produce el fenómeno de *sucesión empresarial*, bien a título universal, bien a título particular, tal como ocurre en los supuestos de fusión, escisión o aportación de ramas de actividad[56].

DGT a la consulta núm. 344/2003, de 5 de marzo de 2003, que *"en tal supuesto, no se produce (con el alta en el nuevo Municipio) el inicio del ejercicio de una actividad 'en territorio español' ya que tal inicio se había producido ya con anterioridad, por lo cual no se producirá respecto del segundo Municipio la circunstancia que permite la aplicación de la exención del artículo 83.1.b) de la Ley 38/1988"*. La jurisprudencia recaída sobre la interpretación de este requisito de inicio de actividad en territorio español respecto a la antigua bonificación existente en el impuesto por tal circunstancia, también ha sido mayoritaria a la hora de descartar que en los supuestos de ampliación de la misma actividad con apertura de nuevos centros en otros Municipios se produzca tal inicio de actividad. Así, la Sentencia del JCA Núm. 1 de la Región de Murcia, de 17 de diciembre de 1999 entendió que *"una vez creada e iniciada la actividad empresarial en un concreto municipio, lo que supone el otorgamiento de la bonificación, la apertura de establecimientos o la realización de la actividad en otros municipios es una ampliación de la empresa ya creada, y por consiguiente, no puede gozar del tratamiento fiscal previsto para la creación de nuevas empresas"*. En igual sentido, STSJ de Murcia de 16 de junio de 2000.

[54] Como señala la contestación de la DGT a la consulta núm. 1501/2003, de 1 de octubre, *"en los supuestos de reinicio de la actividad económica o de sucesión, universal o a título particular, en la titularidad o ejercicio de la actividad económica ejercida en territorio español por otro sujeto pasivo, no procede la exención contemplada en la letra b) del apartado 1 del artículo 83 de la Ley 39/1988"*. En este sentido, la DGCHT en su contestación de 13 de noviembre de 1998 a la consulta núm. 2469, señaló, en relación con la bonificación por inicio de actividad, que no se considera iniciada la actividad en los casos de *"alta y baja en la actividad por imposición de las modificaciones operadas en las Tarifas del impuesto"*. No muy a favor de esta tesis se manifiesta J. Parrondo Aymerych, "La reforma del Impuesto sobre Actividades Económicas", *Estudios Financieros, Revista de Contabilidad y Tributación*, núm. 243, 2003, pág. 17, para el que habría que analizar caso por caso, ya que en su opinión "si tras la baja en la actividad el sujeto pasivo se deshizo de los elementos que empleaba en ella, incluido, por ejemplo, el despido del personal y ahora, mediante la contratación de nuevos elementos personales y materiales, pretende reiniciar el desarrollo de la misma actividad que ejerció en el pasado, cabría considerar la viabilidad de la nueva exención, al deberse tener presente que, en el fondo, lo que la exención está intentando hacer no es otra cosa que fomentar el inicio (en nuestro caso, reinicio) de actividades económicas".

[55] Dentro de este supuesto se incardinaría tanto el caso en que la misma actividad empresarial se extiende a nuevos Municipios donde antes no se ejercía, como el caso en el que se abran nuevos locales en el mismo Municipio en que se venía desarrollando la actividad. En este sentido, ha señalado que el inicio de actividad, a efectos de la antigua bonificación del impuesto por esta causa, no comprende la ampliación en cuanto al ejercicio de la misma actividad, entre otras, la STSJ de Murcia de 16 de junio de 2000.

[56] En este sentido, establece la contestación de la DGT a la consulta núm. 1501/2003, de 1 de octubre de 2003, que *"en el caso del inicio de la actividad, a los efectos de la exención de la letra b) del apartado*

Sin embargo, sí estaría incluido en el presupuesto de hecho de la exención el caso en el que un sujeto que ya venía ejerciendo una actividad económica determinada, inicie en territorio español una actividad económica distinta y diferenciada de la anterior[57]. En efecto, en este caso, sí se produce el inicio de actividad querido por la norma de exención y la misma cumple su finalidad respecto al fomento y reactivación de la economía[58]. Asimismo, entraría dentro del supuesto de hecho de la exención el inicio de una actividad económica por una empresa perteneciente a un grupo de sociedades, aunque alguna otra entidad del grupo ejerza o hubiese ejercido ya anteriormente esa actividad, salvo que se demuestre que se trata de una sucesión empresarial[59].

Dado que la norma de exención no se refiere a la creación de nuevas empresas desde un punto de vista sustantivo, en cuanto nacimiento de nuevas organizaciones de carácter empresarial, sino al inicio de actividades económicas por un sujeto, cabe preguntarse si entraría dentro del presupuesto de hecho de la exención el caso en el que se produce un *cambio en la titularidad* de una empresa mediante la transmisión de la misma a un tercero, que se convierte en el nuevo titular y continúa con el ejercicio de la actividad. En estos casos, aunque el ejercicio de la empresa en sí tenga continuidad, resulta claro que al frente de la misma aparece otro titular respecto al cual podría predicarse su particular inicio en el ejercicio de la actividad económica. La Dirección General de Coordinación de las Haciendas Territoriales, respecto a la bonificación por inicio de actividad contemplada anteriormente en la regulación del impuesto, vino a entender que la actividad se consideraba iniciada en los casos de cambio de titular, aunque no en los supuestos de conversión de la forma jurídica de la entidad o de cambio de denominación de la misma[60].

---

1 del artículo 83 de la Ley 39/1988, se exige que esa actividad económica no se haya desarrollado en territorio español con anterioridad, bien por ese sujeto pasivo, bien por otro al que sucede éste, como ocurre, entre otros supuestos, en los casos de fusión, escisión o aportación de ramas de actividad económica".

[57] Este caso se planteó en la STSJ de la Comunidad Valenciana de 18 de marzo de 2002 respecto a la interpretación del requisito de inicio de actividad en la antigua bonificación existente en el impuesto por esta causa.

[58] En este sentido, M. J. Caamaño Rial, "Situación transitoria...", cit., pág. 42.

[59] En este sentido, señala la STS de 23 de diciembre de 2013 que *"la pertenencia del sujeto pasivo a un grupo de sociedades en el que alguna de las sociedades desarrolle o haya desarrollado la misma actividad no puede constituir un supuesto de exclusión de la exención, salvo que pueda acreditarse que existe una sucesión en la titularidad o ejercicio de la actividad desarrollada por otra sociedad, forme o no parte de ese grupo de sociedades".* Asimismo, siguiendo esta doctrina, STSJ de la Comunidad Valenciana de 23 de enero de 2017 (rec. nº. 2856/2012).

[60] En ese sentido, como señala la DGCHT en su contestación de 13 de noviembre de 1998 a la consulta núm. 2469, *"la bonificación es aplicable en el caso de cambio de titularidad de la actividad. Pero no es aplicable por el cambio de denominación o de la forma societaria de la entidad titular de la actividad, conversión de una sociedad anónima en sociedad limitada o viceversa, etc.".*

Sin embargo, esta interpretación no puede mantenerse actualmente respecto a la exención por inicio de actividad, dado que el artículo 82.1.b) del TRLRHL, a diferencia de lo que establecía el precepto que regulaba la bonificación por inicio de actividad, excluye expresamente que constituya inicio del ejercicio de una actividad el caso en el que la misma se haya desarrollado anteriormente bajo otra titularidad[61]. El fundamento de ello parece entroncar con la finalidad propia de la exención que es la de fomentar el desarrollo de *nuevas* actividades económicas en el territorio español, atendiendo al mayor coste que supone la puesta en marcha inicial de la actividad, lo que no acontece en los casos en los que se produce un cambio en la titularidad de la actividad, lo que supone, desde este punto de vista, un continuismo o sucesión en el ejercicio de una actividad económica ya implantada.

Tampoco los supuestos en los que se produce un *cambio de denominación* de la entidad que venía ejerciendo una actividad económica o un *cambio en la forma jurídica* de la entidad a través de la cual se venía ejerciendo la actividad, como es el caso de una entidad que tenía la forma de sociedad de responsabilidad limitada y se convierte en sociedad anónima, plantean, en principio, problemas a efectos de su exclusión del ámbito de la exención por inicio de actividad, al no apreciarse en los mismos tal inicio, y sí una sucesión en el ejercicio de la actividad[62].

Más problemas pueden plantear, desde el punto de vista de la integración del presupuesto de hecho de esta exención por inicio de actividad, aquellos supuestos en los que no existe una *sucesión jurídica* en tal ejercicio, es decir, no existe un título o relación jurídica en virtud del cual se articule una sucesión entre empresas, sino, por el contrario, la creación *ex novo* de una nueva entidad en la que se integran determinados factores de producción que ya habían estado afectos al ejercicio de esa misma actividad económica, pero desarrollada anteriormente por otra entidad o, incluso, por una persona física[63].

---

[61] Y es que, como hemos explicado en otro lugar, A. García Martínez, "Sucesión de empresas y responsabilidad tributaria. (Comentario a la Resolución del TEAC de 3 de julio de 2003, RG 3155/2002)", *Estudios Financieros. Revista de Contabilidad y Tributación. (Legislación, consultas jurisprudencia)*, núm. 252, 2004, págs. 195 y ss., en este caso se produce una auténtica sucesión jurídica entre empresas, habida cuenta de que la misma se produce en virtud de un título o relación jurídica por la cual el sucesor recibe todo o parte de la empresa.

[62] En este sentido, respecto a la antigua bonificación por inicio de actividad, se pronuncia la DGCHT en la contestación de 25 de marzo de 1998 a la consulta núm. 2280.

[63] Diversos son los casos que pueden plantearse Así, por ejemplo, respecto a la exención por inicio de actividad, se pregunta a la DGT en la consulta núm. 1501/2003, de 1 de octubre, por el caso de constitución de una sociedad en 2003 cuya actividad económica es la misma que la de uno de los socios. En relación con la antigua bonificación por inicio de actividad, en la STSJ de Cataluña de 17 de septiembre de 2002 se plantea el caso de constitución de una sociedad, tres de cuyos socios ya venían ejerciendo la misma actividad a título individual.

En este sentido, a efectos de determinar la responsabilidad tributaria por sucesión de empresa, la Resolución del TEAC de 13 de mayo de 1998 ha llegado a definir la existencia de una *sucesión de facto*, como aquel supuesto en el que "*una empresa cesa en su actividad y desaparece, pero tras ello simplemente se oculta una realidad en virtud de la cual una nueva empresa, con buena parte de los elementos personales y materiales de la anterior, continúa su actividad bajo una apariencia distinta, amparándose en la falta de título jurídico de transmisión precisamente para eludir la asunción de responsabilidades tributarias imputables a la desaparecida*"[64].

Trasladada esta doctrina del TEAC al ámbito de los beneficios fiscales en el IAE, los contribuyentes por este impuesto, en hipótesis, podrían tener la tentación de darse de baja por cese de actividad, liquidar y extinguir la empresa y, paralelamente, constituir una nueva entidad con buena parte de los elementos materiales y personales de la anterior, a fin de que continúe con la actividad económica bajo esta nueva apariencia. Todo ello, con el propósito de que la nueva entidad pueda beneficiarse en este impuesto tanto de la exención por inicio de actividad como, en su caso, de la bonificación en la cuota por el inicio de una actividad empresarial.

La DGT, respecto a la exención por inicio de actividad, de alguna forma ha venido también a recoger la tesis del TEAC respecto a la existencia de una sucesión empresarial de facto en el ejercicio de la actividad económica. El criterio general que este órgano directivo ha mantenido en la contestación a la consulta núm. 1067/2003, de 30 de julio, es que "*en el caso de comienzo de actividad por una sociedad nueva, que no existía antes, si no resulta probada la sucesión, universal o a título particular, en la titularidad o ejercicio de la actividad económica ejercida en territorio español por otro sujeto pasivo, debe aplicarse la exención de inicio de actividad contemplada en la letra b) del apartado 1 del artículo 83 de la Ley 39/1988*".

Por lo tanto, a efectos de determinar si ha existido o no una sucesión en la actividad económica, la DGT centra el problema en una cuestión de prueba, lo que, en última instancia, conduce también a apreciar supuestos de *sucesión empresarial de facto*[65]. Y no

---

[64] Tesis ésta que, como hemos analizado en otro lugar, empieza a abrirse paso también en la jurisprudencia, no sin ciertas críticas y vacilaciones. Sobre ello, vid., A. García Martínez, "Sucesión de empresas...", cit., págs. 196 y ss.

[65] Así, en la contestación de la DGT a la consulta núm. 1067/2003, de 30 de julio, se señala, a efectos de determinar si se ha iniciado el ejercicio de la actividad de "sacrificio y despiece de ganado", que los órganos de gestión o, en su caso, de inspección deberían recabar los datos derivados de la instrucción de los diferentes procedimientos que prueben el inicio o no inicio de la actividad económica en territorio español. Al respecto, indican, a título de ejemplo, "*la adquisición de ganado por importe aproximado de 6.000.000,00 €, es un hecho que debe valorarse en conjunto con otros hechos tales como, entre otros, quién fue el transmitente, si el transmitente ejercía o ejerce la actividad sobre la que se plantea la cuestión, si la adquisición fue aportación de rama de actividad...*". En la contestación de la DGT a la consulta núm. 1501/2003, de 1 de octubre, se señala que respecto a la constitución en 2003 de una

puede olvidarse, en este sentido, que la doctrina administrativa del TEAC y, en algunos casos, la propia jurisprudencia, están utilizando unos criterios muy amplios a la hora de apreciar la existencia de una *sucesión empresarial de facto*[66]. Entre estos criterios o indicios de la existencia de una sucesión empresarial destacan la identidad en cuanto al local donde ambas empresas realizaron sucesivamente su actividad, la similitud en los componentes de las respectivas plantillas de trabajadores o la proximidad entre las fechas de cese y alta en la actividad de ambas empresas[67].

Finalmente, cabe destacar, en cuanto a lo que constituye inicio de la actividad económica, que debe de tratarse del inicio *efectivo* de la misma, por lo que quedarían fuera todas aquellas obras y actividades previas encaminadas a hacer posible el inicio de la futura actividad[68].

5.4. EL ÁMBITO TEMPORAL DE LA EXENCIÓN

El artículo 82.1.b) del TRLRHL establece que la exención comprende los dos primeros *períodos impositivos* en que el sujeto desarrolle su actividad recién iniciada. Teniendo en cuenta la regulación que el artículo 89 del TRLRHL efectúa del devengo del impuesto y del período impositivo, resulta que la aplicación de la exención va a producir una desigualdad de trato entre los contribuyentes del impuesto en función de cual sea el trimestre en el que inicien su actividad[69]. Los contribuyentes que inicien su actividad económica en el primer trimestre del año, se beneficiarán de una exención que, en términos económicos, alcanza a la totalidad de la cuota correspondiente por el IAE a

---

sociedad, cuya actividad económica es la misma que la de uno de los socios, nos encontramos ante un problema de prueba de si ha existido o no sucesión empresarial.

[66]   Cfr., A. García Martínez, "Sucesión de empresas...", cit., pág. 197.

[67]   En este sentido, vid., la STSJ de Baleares de 7 de septiembre de 2001.

[68]   Respecto a una sociedad que quiere ejercer la actividad de organización de carreras de caballos, la Contestación de la DGT de 8 de octubre de 2003 a la consulta núm. 1568/2003, señala que "*la preparación previa de las instalaciones del hipódromo mediante construcción o rehabilitación, para que sea posible realizar adecuadamente la futura actividad, no constituye en sí misma para la entidad consultante ordenación por cuenta propia de medios de producción y de recursos humanos con la finalidad de intervenir en la producción o distribución de bienes o servicios, en el sentido que disponen los artículos 79.1 y 80.1 de la Ley 39/1988, ni marca el inicio de la imposición por el Impuesto sobre Actividades Económicas ni la obligación de darse de alta en el mismo*".

[69]   Como señala F. Poveda Blanco, "La reforma del Impuesto sobre Actividades Económicas. Una revisión crítica", TL, núm. 25, 2003, pág. 18, se corre el riesgo de incurrir en importantes desigualdades entre los contribuyentes que inicien la actividad durante el primer trimestre del año respecto a aquellos que la inicien en los trimestres siguientes, ya que durante el mismo año natural el importe del beneficio fiscal va decreciendo. En el mismo sentido, M. B. Villaverde Gómez, "Las novedades en la regulación del Impuesto sobre Actividades Económicas", RTT, núm. 61, 2003, pág. 130.

satisfacer por el año natural. En cambio, los contribuyentes que inicien su actividad en el segundo trimestre, verán como el valor económico cubierto por la exención alcanza a la cuota reducida proporcionalmente en función del número de trimestres en que se ha ejercido la actividad, es decir, a una cuota que sólo ha tomado en consideración que la actividad se ha ejercido en el segundo, tercero y cuarto trimestre del año. Y así, sucesivamente, hasta llegar al caso extremo de que la actividad se inicie en el último trimestre del año, en cuyo caso el valor económico de la exención correspondiente a ese primer período impositivo queda reducido a la parte proporcional de la cuota correspondiente a ese último trimestre.

La asunción por el artículo 82.1.b) del TRLRHL del criterio del *período impositivo* para acotar el ámbito temporal al que se extiende la exención en vez del criterio del *año natural* es el que, al parecer, motiva este trato desigual[70]. Y ese trato desigual no parece tampoco estar justificado, por lo que entraña una discriminación en la aplicación de este beneficio fiscal respecto al primer año de ejercicio de la actividad[71]. Es de hacer notar, en este sentido, que la antigua bonificación por inicio de actividad prevista en este impuesto no vinculaba el ámbito temporal de la misma literalmente a períodos impositivos sino a años. Claro que algún Tribunal Superior de Justicia, como el de Cataluña, entendió respecto a la aplicación de tal bonificación que la referencia que efectuaba a años de ejercicio de la actividad, en el ámbito del IAE, había que equipararla a períodos impositivos. Con lo cual, se producían las mismas desigualdades en la aplicación de aquella bonificación que estamos viendo que se producen ahora con la novedosa exención por inicio de actividad[72].

Desde mi punto de vista, atendiendo a la finalidad que cumple y que justifica el establecimiento de esta exención, resulta evidente que la misma debería haberse extendido a los dos primeros años de inicio de la actividad. Si la exención persigue reactivar la actividad empresarial, contribuyendo a minorar el coste fiscal que representa el inicio de una nueva actividad económica, el *tiempo* comprendido por la exención se convierte en un elemento fundamental para que aquélla logre su propósito. Con ello, además, se estaría propiciando un trato igualitario a los distintos contribuyentes que puedan beneficiarse de la misma por haber iniciado una actividad económica. Ciertamente, atender al cómputo total de los dos primeros años de ejercicio de la actividad económica puede plantear problemas técnicos en la aplicación de un impuesto que ya tiene definido un período impositivo que concluye en todo caso con el año natural y respecto al cual se establece una reducción proporcional

---

[70] M. B. Villaverde Gómez, "Las novedades...", cit., pág. 130, señala que si se hubiese vinculado esta exención a años naturales en vez de a períodos impositivos se lograría un verdadero efecto igualitario en su aplicación.

[71] F. Poveda Blanco, "La reforma...", cit., pág. 18, considera esta desigualdad como fruto de un error técnico y no como el logro de algún objetivo social, económico o político.

[72] En este sentido, STSJ de Cataluña de 19 de mayo de 2000 y STSJ de Cataluña de 4 de junio de 2003.

de la cuota en función de los trimestres en que se ha ejercido la actividad. Entonces, el problema estriba en cómo computar esos dos años a fin de lograr, efectivamente, el trato igualitario. Los dos años no se pueden computar íntegros de fecha a fecha, porque entonces, teniendo en cuenta la mecánica de reducción de cuotas por trimestres, resultaría que una actividad iniciada, por ejemplo, el 2 de enero de 2005 se beneficiaría de la exención de la cuota correspondiente a todo el año natural de 2005, de 2006 y del primer trimestre de 2007, puesto que los dos años de ejercicio se cumplirían el 1 de enero de 2007. Para evitar este problema, que también entraña una desigualdad, al menos respecto a aquellos contribuyentes que inicien su actividad en el primer día del trimestre natural, lo más lógico sería computar los años por trimestres naturales, haciendo compatible el tiempo de ejercicio de la actividad con la mecánica aplicativa del impuesto. Desde este punto de vista, una actividad iniciada en cualquier día del primer trimestre del año implicaría que se computase íntegro ese primer trimestre a efectos de la aplicación de la exención (es como si la actividad se hubiese iniciado el 1 de enero), puesto que en ese primer año de ejercicio el sujeto obtendría un beneficio por aplicación de la exención equivalente a la totalidad de la cuota a satisfacer por el IAE.

5.4.1. La exención de las personas físicas

5.4.1.1. El origen de la exención: la promesa de supresión del IAE

El artículo 82.1.c) del TRLRHL declara exentos del impuesto a una serie de sujetos pasivos y, entre ellos, en primer lugar a "las personas físicas, sean o no residentes en territorio español". La redacción originaria del precepto señalaba escuetamente que estaban exentas "las personas físicas" y ha sido la Ley 11/2021, de 9 de julio, de medidas de prevención y lucha contra el fraude fiscal, la que ha introducido esa añadido de que "sean o no residentes en territorio español", como veremos seguidamente, para solventar cualquier tipo de duda respecto a la aplicación de la exención a los no residentes.

La exención de las personas físicas constituyó una de las grandes novedades introducidas en la regulación del impuesto por la Ley 51/2002, de reforma de la LRHL, y se enmarca en el propósito anunciado repetidamente por el Gobierno presidido por Aznar de suprimir totalmente el IAE. Propósito éste que no ha llegado a materializarse, habiéndose quedado la reforma de la LRHL a medio camino en este punto, desfigurando en gran medida un impuesto como el IAE, cuya exigencia se mantiene unida al mero ejercicio de actividades económicas, a través de una serie de exenciones de gran alcance, como esta de las personas físicas, cuya justificación desde el punto de vista de los principios materiales de justicia que presiden el reparto de la carga tributaria está claramente en entredicho[73].

---

[73] C. Checa González; I. Merino Jara, *La reforma...*, cit., págs. 110 y 111, manifiestan su negativa sorpresa ante el incumplimiento de la promesa gubernamental de suprimir el impuesto, pues, "no es

En atención a lo que señalaba la propia Exposición de Motivos de la Ley 51/2002 al referirse a las principales modificaciones que afectan al IAE, que "*se exime del pago del impuesto a todas las personas físicas*", así como a la escueta redacción, en su versión originaria, del primer párrafo del artículo 82.1.c) del TRLRHL, que establecía la exención a favor de "*las personas físicas*", la interpretación más plausible del supuesto de exención era la de considerar que todas las personas físicas, sin distinción alguna, estaban exentas del impuesto[74].

A ello no era óbice lo dispuesto en el artículo 82.1.c) del TRLRHL, según el cual, "*en cuanto a los contribuyentes por el Impuesto sobre la Renta de no Residentes, la exención sólo alcanzará a los que operen en España mediante establecimiento permanente, siempre que tengan un importe neto de cifra de negocios inferior a 1.000.000 de euros*". Y ello, porque este precepto, dada su ubicación sistemática, así como la finalidad de la exención prevista para las personas físicas, resulta aplicable a las personas jurídicas y entidades del artículo 35.4 de la LGT que sean no residentes y que ejerzan en España una actividad económica, pero el mismo no va referido a las personas físicas no residentes, ya que éstas en todo caso están exentas[75]. Finalmente, así lo ha aclarado el Legislador en la reciente

---

eso, obviamente, lo que esperábamos del Gobierno, confiados como estábamos en que cumpliría su palabra y sus promesas, reiteradamente manifestadas en los más diversos medios y en los más distintos foros públicos, de terminar de una vez por todas con tan arcaica figura tributaria como es el IAE, tan alejada en su regulación normativa de las exigencias derivadas de los principios constitucionales aplicables y exigibles en la materia tributaria". Al respecto, señala I. Martínez Vidal, "Incidencias de la reforma del IAE en la actividad de promoción inmobiliaria", TL, núm. 50, 2005, pág. 63, que "la auténtica razón fundamental de la Ley de reforma, fue la necesidad de cumplir la promesa electoral hecha en su día por el Gobierno de supresión del IAE, de ahí que la principal novedad de la Ley sea la reforma de este impuesto, encaminada, como también establecía la Exposición de Motivos, a eximir del pago de dicho tributo a la mayor parte de los pequeños y medianos operadores económicos".

[74] En la doctrina científica esta es la interpretación que hacen de forma expresa F. Poveda Blanco, "La reforma del IAE...", cit., págs. 19 y 20; M. B. Villaverde Gómez, "Las novedades...", cit., págs. 141 y 142; A. Agulló Agüero, "Aproximación crítica a la Ley 51/2002, de 27 de diciembre, de Reforma de la Ley Reguladora de las Haciendas Locales", *Revista Información Fiscal*, núm. 58, 2003, págs. 21 y ss., autora ésta que, en base a su carácter absoluto califica el supuesto como de no sujeción más que como de exención; C. M. López Espadafor, *La necesaria reforma del Impuesto sobre Actividades Económicas: su articulación como recurso de las Haciendas locales y su coordinación dentro del sistema tributario español*, Documentos del Instituto de Estudios Fiscales, núm. 15/06, Madrid, 2006, pág. 8. E, implícitamente, la consideración de que todas las personas físicas están exentas, sin excepciones, se advierte también en C. Checa González; I. Merino Jara, *La reforma...*, cit., págs. 128 y 129; J. Calvo Vérgez, "Impuesto sobre actividades económicas: algunos apuntes en torno a su naturaleza a la luz de la modificación introducida por la ley 51/2002, de 27 de diciembre, de Reforma de la Ley Reguladora de las Haciendas Locales", *Revista Información Fiscal*, núm. 59, 2003, págs. 63 y 64.

[75] La Administración tributaria, con fundamento en ese precepto, ha mantenido en alguna ocasión la interpretación de que las personas físicas no residentes no están exentas del Impuesto, pero, por las razones mencionadas, tal interpretación no se sostiene. Sobre ello, cfr., A. García Martínez, "El Impuesto sobre Actividades Económicas", en AA.VV., *Los tributos locales*, 2ª edición, Thomson-

Ley 11/2021, de medidas de prevención y lucha contra el fraude fiscal, al señalar expresamente que están exentas las personas físicas, sean o no residentes en territorio español.

En nuestra opinión y, haciendo una consideración de *lege ferenda*, la exención para las personas físicas debió de haberse configurado en los mismos términos que para las personas jurídicas y las entidades sin personalidad[76]. La exención para las personas físicas hubiese estado un poco más ajustada a los principios materiales de justicia tributaria si se hubiese establecido en función del importe neto de la cifra de negocio, igual que se ha hecho para las entidades. De este modo, tanto las personas físicas como las entidades hubiesen tenido que contribuir de forma efectiva por el impuesto, siempre que su importe neto de cifra de negocio alcanzase el millón de euros. Sólo en el caso de los no residentes, sean personas físicas o jurídicas, que no operasen en España con establecimiento permanente, la contribución efectiva por el impuesto podría prescindir de cual fuese el importe neto de cifra de negocio. Para los no residentes que operasen con establecimiento permanente, en cambio, la exención operaría en los mismos términos que para los residentes.

5.5. LA EXENCIÓN DE LAS PERSONAS JURÍDICAS Y ENTIDADES SIN PERSONALIDAD CUYO IMPORTE NETO DE CIFRA DE NEGOCIOS NO ALCANCE EL MILLÓN DE EUROS

5.5.1. Naturaleza y características de la exención

El artículo 82.1.c) del TRLRHL en su párrafo segundo declara exentos del impuesto a "*los sujetos pasivos del Impuesto sobre Sociedades, las sociedades civiles y las entidades del artículo 35.4 de la Ley 58/2003, de 17 de diciembre, General Tributaria, que tengan un importe neto de la cifra de negocios inferior a 1.000.000 de euros*".

El párrafo tercero del precepto citado señala, asimismo, que "*en cuanto a los contribuyentes por el Impuesto sobre la Renta de no Residentes, la exención sólo alcanzará a los que operen en España mediante establecimiento permanente, siempre que tengan un importe neto de la cifra de negocios inferior a 1.000.000 de euros*".

Esta exención de las personas jurídicas y de las entidades sin personalidad, junto con la exención prevista para las personas físicas, ha constituido una de las grandes novedades de la reforma operada en el impuesto por la Ley 51/2002, encaminadas, como la propia Exposición de Motivos de esta Ley se encargaba de proclamar "*a eximir del pago*

Reuters, Cizur Menor, 2010. De ahí que consideremos un acierto que la ley 11/2021, de 9 de julio, de medidas de prevención y lucha contra el fraude fiscal haya modificado el precepto aclarando que están exentas las personas físicas, sean o no residentes en territorio español.

[76] En este sentido, cfr., F. Poveda Blanco, "La reforma del Impuesto...", cit., pág. 19.

de dicho tributo a la mayor parte de los pequeños y medianos negocios, compatibilizando dicha medida con el objetivo de que el impuesto pase a tomar en consideración, para aquéllos que continúen sujetos al pago del mismo, las concretas circunstancias económicas del obligado al pago"[77].

Se trata de una exención mixta, por cuanto la misma se establece en atención tanto del sujeto, ya que ha de tratarse de una persona jurídica o de una entidad sin personalidad, como de determinadas circunstancias objetivas, en concreto, de cuál sea el importe neto de la cifra de negocios alcanzado por el sujeto en el ejercicio del conjunto de sus actividades económicas. Se trata de una exención total, por cuanto exime de la obligación material de pago del tributo, aunque no de la obligación formal de darse de alta en la matrícula del mismo. Asimismo, es una exención automática o imperativa, en el sentido de que opera en virtud de ley, sin necesidad de una solicitud específica a la Administración competente para su reconocimiento o concesión. Esto no obsta para que los sujetos pasivos del impuesto vengan obligados, en determinados casos, a cumplir determinadas obligaciones de carácter formal encaminadas a poner en conocimiento de la Administración tributaria su importe neto de cifra de negocios.

5.5.2. La determinación del importe neto de la cifra de negocios

5.5.2.1. El concepto de importe neto de la cifra de negocios

El propio artículo 82.1.c) del TRLRHL establece una serie de reglas para la determinación del importe neto de la cifra de negocios y para la aplicación de la exención, así como del coeficiente de ponderación, establecidos ambos en función de aquél.

La primera de estas reglas se refiere al concepto mismo de importe neto de la cifra de negocios y a su determinación. Para ello el artículo 82.1.c) del TRLRHL se remite expresamente al artículo 191 del Texto Refundido de la Ley de Sociedades Anónimas, aprobado por RD Legislativo 1564/1989[78]. Actualmente, esta remisión hay que entenderla efectuada al artículo 35.2, segundo párrafo, del Código de Comercio, que es la norma mercantil que define lo que sea el importe neto de cifra de negocios, señalando que *"la cifra de negocios comprenderá los importes de la venta de los productos y de*

---

[77] Como señala J. M. Lago Montero, "El rumbo del Impuesto...", cit., pág. 43, la reforma de la LHL operada por la Ley 51/2002 se caracteriza esencialmente por dejar fuera de gravamen a más del 90% de los hasta entonces contribuyentes del IAE. Ante ello, se plantea este autor si continúa teniendo sentido un impuesto en el que el 92% de los sujetos pasivos están exentos.

[78] Según señalaba el artículo 191 del TRLSA, *"el importe neto de la cifra de negocios comprenderá los importes de la venta de los productos y de la prestación de servicios correspondientes a las actividades ordinarias de la sociedad, deducidas las bonificaciones y demás reducciones sobre las ventas, así como el Impuesto sobre el Valor Añadido y otros impuestos directamente relacionados con la mencionada cifra de negocios".*

la prestación de servicios u otros ingresos correspondientes a las actividades ordinarias de la empresa, deducidas las bonificaciones y demás reducciones sobre las ventas así como el Impuesto sobre el Valor Añadido, y otros impuestos directamente relacionados con la mencionada cifra de negocios, que deban ser objeto de repercusión"[79].

5.5.2.2. El importe neto de cifra de negocios a considerar desde el punto de vista temporal

La Regla 2ª contemplada en el artículo 82.1.c) del TRLRHL en relación con la aplicación de esta exención, establece cual va a ser, desde un punto de vista temporal, el importe neto de la cifra de negocio a tener en cuenta a efectos de determinar si concurre o no la exención y, por ende, también el importe neto de cifra de negocio a considerar para la aplicación del coeficiente de ponderación establecido en función de este elemento.

Señala dicha Regla 2ª, al respecto, que para los sujetos pasivos del IS y para los contribuyentes del IRNR el importe neto de la cifra de negocios será el correspondiente al período impositivo cuyo plazo de presentación de declaraciones por dichos tributos hubiese finalizado el año anterior al del devengo de este impuesto. Para el caso de las sociedades civiles y de las entidades sin personalidad jurídica del artículo 35.4 de la LGT, el importe neto de la cifra de negocios será el correspondiente al penúltimo año anterior al del devengo de este impuesto. Concluye esta Regla 2ª estableciendo que este importe neto de la cifra de negocio se elevará al año en los casos en los que el período impositivo considerado hubiese tenido una duración inferior al año natural.

La redacción actual de esta regla 2ª del artículo 82.1.c) del TRLRHL no coincide con la redacción inicial contenida en el Proyecto de Ley de reforma de la LRHL remitido por el Gobierno a las Cortes, que tomaba en consideración el importe neto de la cifra de negocio del año anterior al del devengo del IAE. La misma se introdujo en un momento muy avanzado de la tramitación parlamentaria a través de una enmienda en el Senado, a petición de la FEMP, tras el acuerdo sobre la tramitación de este proyecto de ley alcanzado con el Gobierno, que veía peligrar, de otro modo, el correcto y eficaz cobro de los recibos anuales por el impuesto[80].

---

[79]   La redacción de este precepto es obra de la Ley 16/2007, de 4 de julio, de reforma y adaptación de la legislación mercantil en materia contable para su armonización internacional con base en la normativa de la Unión Europea, que, asimismo, derogó el viejo artículo 191 del TRLSA.

[80]   En concreto, a través de la enmienda núm. 228, presentada por el Grupo Parlamentario Popular, en cuya justificación se señala que *"para la determinación de la exención, se sustituye como punto de referencia la cifra de negocios del año anterior al de devengo del IAE por la correspondiente al período impositivo cuyo plazo de presentación de declaraciones por el Impuesto sobre Sociedades y el Impuesto sobre la Renta de No Residentes hubiese finalizado el año anterior al del devengo del IAE. En el caso de*

5.5.2.3. El importe neto de la cifra de negocios cuando el sujeto ejerce más de una actividad

La regla 3ª establecida en el artículo 82.1.c) del TRLRHL en relación con la aplicación de la exención establecida en función del importe neto de la cifra de negocios contempla, en primer lugar, el supuesto de que el sujeto pasivo ejerza más de una actividad económica, señalando que para el cálculo de tal magnitud *"se tendrá en cuenta el conjunto de las actividades económicas ejercidas por él"*. Lo cual resulta acorde con la finalidad perseguida por la exención de dejar libre del gravamen a las pequeñas y medianas empresas, así como con la función del coeficiente de ponderación establecido en el artículo 86 del TRLRHL de modular el gravamen de forma progresiva al volumen de negocio del sujeto pasivo. Para ello, se han de tener en cuenta todas las actividades ejercidas por el sujeto, tanto si su ejercicio se realiza en territorio español como si se realiza en el extranjero.

5.5.2.4. El importe neto de la cifra de negocios cuando el sujeto pertenece a un grupo de sociedades

En segundo lugar, se refiere dicha regla al caso de que la entidad forme parte de un grupo de sociedades en el sentido de que concurra alguna de las circunstancias consideradas en el apartado 1 del artículo 42 del Código de Comercio determinantes de la existencia de control, *con independencia de la obligación de consolidación contable*, estableciendo que en este supuesto *"el importe neto de la cifra de negocios se referirá a las entidades pertenecientes a dicho grupo"*. Especifica el precepto, al respecto, que los casos del artículo 42 del Código de Comercio son los recogidos en la sección 1ª del capítulo I de las normas para la formulación de las cuentas anuales consolidadas, aprobadas por Real Decreto 1159/2010, de 17 de septiembre[81].

---

las sociedades civiles y las entidades a que se refiere el artículo 33 de la Ley General Tributaria, el importe neto de la cifra de negocio será el que corresponda al penúltimo año anterior al de devengo del IAE, todo ello con objeto de agilizar la gestión y la recaudación del impuesto, tal y como ha sido solicitado por la Federación Española de Municipios y Provincias". (Boletín Oficial de las Cortes Generales. Senado. Séptima Legislatura. Serie II: Proyectos de Ley, de 4 de diciembre de 2002, núm. 96, págs. 123 y 124).

[81] Esta redacción actual del precepto es obra de la Ley 11/2021, de 9 de julio, de medidas de prevención y lucha contra el fraude fiscal, que ha hecho especial hincapié en la existencia de un grupo de sociedades a efectos del cálculo del importe neto de cifra de negocios para la exacción del IAE, con independencia de que las sociedades que formen parte de dicho grupo tengan o no la obligación contable de presentar cuentas consolidadas de todo el grupo. Con ello, como veremos seguidamente, el Legislador sale al paso de la doctrina sentada por el Tribunal Supremo en la STS de 6 de marzo de 2018 (rec. nº. 181/2017) y en la STS de 3 de julio de 2018 (rec. nº 574/2017), que establecieron una interpretación más restrictiva de este requisito y, por tanto, más favorable al reconocimiento de la exención, ya que interpretaron que la remisión a la normativa contable que expresamente realiza el

La Dirección General de Tributos había venido interpretado lo dispuesto en la redacción originaria de la regla 3ª del artículo 82.2.c) del TRLRHL respecto a la determinación del importe neto de la cifra de negocios en el caso de entidades que forman parte de un grupo en el sentido de que si el importe neto de la cifra de negocio correspondiente al conjunto de entidades pertenecientes al grupo de sociedades no es inferior al millón de euros, las actividades ejercidas por las entidades integrantes del grupo no están exentas del impuesto en función del importe neto de la cifra de negocios[82].

A tal efecto, como señala la contestación de la DGT a la consulta vinculante núm. 59/2005, de 25 de enero, "*cada entidad integrante calculará el importe neto de la cifra de negocios del período impositivo del Impuesto sobre Sociedades o, en su caso, del Impuesto sobre la Renta de no Residentes, cuyo plazo de presentación de declaración haya finalizado el año anterior al del devengo del Impuesto sobre Actividades Económicas; y con todos los importes referidos, la entidad dominante los sumará en orden a determinar el importe neto de la cifra de negocios correspondiente al conjunto de entidades pertenecientes a dicho grupo, sin que se proceda a ningún tipo de homogeneización, eliminación o ajuste; ya que la norma no hace referencia al importe neto de cifra de negocios del grupo consolidado, sino al importe neto de la cifra de negocios correspondiente al conjunto de entidades pertenecientes al grupo de sociedades*".

Sin embargo, el Tribunal Supremo en la STS de 6 de marzo de 2018 (rec. nº 181/2017) y en la STS de 3 de julio de 2018 (rec. nº 574/2017) interpretó, en contra del criterio seguido por la Administración tributaria, que la remisión del artículo 82.1.c) del TRLRHL a la normativa mercantil implica que solo se tendría en cuenta el importe neto de la cifra de negocios del conjunto de las entidades integrantes del grupo de sociedades cuando éstas viniesen legalmente obligadas a presentar las cuentas consolidadas, pero no en otro caso[83]. Esta interpretación del Tribunal Supremo, más favorable al contribuyente, dado que favorece la aplicación de la exención por importe neto de cifra de negocios, ha tenido un recorrido temporal corto, pues en la Ley 11/2021, de 9 de julio, de medidas de prevención y lucha contra el fraude fiscal, el Legislador ha reformado, como hemos indicado, la redacción originaria del precepto para dejar claro

---

precepto del TRLRHL en este punto implica que solo se tuviese en cuenta el conjunto de los importes netos de cifra de negocios cuando el grupo de sociedades estuviese obligado a presentar las cuentas consolidadas.

[82] En este sentido, contestación de la DGT a la consulta vinculante núm. 1002/2004, de 16 de abril de 2004 y contestación de la DGT a la consulta vinculante núm. 1356/2004, de 28 de junio de 2004.

[83] Como señala la STS de 6 de marzo de 2018, "la remisión contenida en el artículo 82.1.c) 3ª del Texto Refundido de la Ley Reguladora de las Haciendas Locales a «los grupos de sociedades en el sentido del artículo 42 del Código de Comercio» debe interpretarse de forma que solo se comprendan en tal concepto aquellos grupos de entidades cuando actúen como «grupos consolidados», esto es, cuando deban, por obligación legal, formular sus cuentas anuales en régimen de consolidación".

que en los casos de grupos de sociedades se tendrá en cuenta el importe neto de cifra de negocios de todas ellas, con independencia de que vengan obligadas o no legalmente a presentar cuentas consolidadas. En definitiva, se trata de que las grandes empresas sean contribuyentes efectivas del IAE, por lo que lo importante, desde el punto de vista de este Impuesto, es esa circunstancia de encontrarnos ante un grupo empresarial (porque se producen las relaciones de control establecidas en la normativa mercantil) que tenga en conjunto un importe neto de cifra de negocios superior al millón de euros anuales, esto es, cuya actividad económica revista desde un punto de vista material cierta importancia económica, con independencia, por tanto, de las obligaciones formales de consolidación de cuentas o no.

5.5.2.5. El importe neto de la cifra de negocios en el caso de no residentes que operen en España con establecimiento permanente

Finalmente, por lo que a la determinación del importe neto de la cifra de negocios atañe, la regla 4ª del artículo 82.1.c) del TRLRHL se refiere al caso de los no residentes que operen en España con establecimiento permanente, señalando que en este caso "*se atenderá al importe neto de la cifra de negocios imputable al conjunto de los establecimientos permanentes situados en territorio español*".

Para el caso de que una entidad no residente disponga en territorio español de varios establecimientos permanentes, el régimen de tributación en el IRNR establece el gravamen separado de cada uno de ellos, según lo establecido en el artículo 17 del TRIRNR. A tal efecto, señala este precepto que para la consideración de los centros de actividad que el no residente tenga en España como establecimientos permanentes diferenciados, es necesario que los mismos realicen actividades claramente diferenciables y que la gestión de éstas se lleve de modo separado.

Pues bien, en el IAE, a efectos de determinar el importe neto de la cifra de negocios la regla es justo la contraria, es decir, la de la consideración del importe neto de cifra de negocio que hayan tenido todos los establecimientos permanentes situados en España pertenecientes al mismo sujeto pasivo no residente. De forma que si en conjunto el importe neto de cifra de negocio no alcanza el millón de euros, la exención se aplicará a todos los establecimientos permanentes, mientras que, en caso contrario, todos ellos estarán obligados a pagar el impuesto, aplicándose, además, el coeficiente de ponderación en atención al importe de cifra neta de negocios así determinado. Todo ello es coherente con los objetivos perseguidos por la exención.

5.5.3. Obligaciones formales específicas para la aplicación de esta exención

La aplicación de esta exención exige también de los contribuyentes una serie de obligaciones formales tendentes a poner en conocimiento de la Administración estatal encargada de la formación de la matrícula del impuesto el cumplimiento de los requisitos determinantes de la misma. Cabe destacar, en este sentido, que no se trata de una exención rogada que haya de solicitarse de la Administración. Con ello, de alguna manera, se deja en manos de la Administración tributaria estatal el control respecto al cumplimiento de los requisitos determinantes de la exención. Lo cual puede resultar lógico, teniendo en cuenta que a través de este elemento del importe neto de la cifra de negocio se produce en un gran número de casos una vinculación estrecha entre las declaraciones del IS o del IRNR, donde los sujetos pasivos han de reflejar este dato, y el IAE, donde el mismo se ha convertido en un elemento fundamental para la tributación del impuesto[84].

El artículo 82.3 del TRLRHL remite al Ministro de Hacienda para el establecimiento de los supuestos en los que será necesario que el sujeto pasivo del IAE remita una comunicación a la AEAT en la que se haga constar que se cumplen los requisitos para la aplicación de esta exención. Asimismo, el artículo 90.2 establece la obligación a cargo de los sujetos pasivos a los que no les sea aplicable la exención por importe neto de cifra de negocios de comunicar a la AEAT tal magnitud. También deberán los sujetos pasivos del impuesto comunicar a la AEAT cualquier variación en el importe neto de cifra de negocios que implique la modificación respecto a la aplicación o no de la exención o una modificación en el tramo a considerar para la aplicación del coeficiente de ponderación.

El propio artículo 82.3 excluye en todo caso de esta obligación de presentar una comunicación a la AEAT indicando el importe neto de la cifra de negocios a los contribuyentes del IRPF, habida cuenta de la exención establecida para las personas físicas. Por ello, esta obligación de presentar la comunicación indicando el importe neto de la cifra de negocio se extiende desde el punto de vista subjetivo a aquellos sujetos pasivos a los que les pueda resultar de aplicación la exención prevista en el artículo 82.1.c), es decir, personas jurídicas, sociedades civiles, entidades sin personalidad jurídica del artículo 35.4 de la LGT y contribuyentes por el IRNR que operen en España mediante establecimiento permanente[85].

---

[84] Señala el preámbulo de la Orden del Ministro de Hacienda 85/2003, de 23 de enero, que *"dado que el importe neto de la cifra de negocios de los sujetos pasivos del Impuesto sobre Actividades Económicas es conocido en muchos casos por la Administración tributaria a través de la presentación de declaraciones tributarias, sólo se va a exigir la presentación de la comunicación cuando el sujeto pasivo obligado al pago del Impuesto sobre Actividades Económicas no consigne el importe neto de su cifra de negocios en declaración tributaria alguna"*.

[85] En uso de esta habilitación legal, el Ministro de Hacienda ha dictado la Orden 85/2003, de 23 de enero, por la que se determinan los supuestos en los que los sujetos pasivos del Impuesto sobre Actividades Económicas deben presentar una comunicación en relación con el importe neto de su cifra de negocios y se aprueba el modelo de dicha comunicación.

La aplicación de esta exención requiere, como acabamos de ver, la estrecha colaboración de la AEAT a efectos de contrastar cual es el importe neto de la cifra de negocios que corresponde a cada sujeto pasivo del IAE[86]. A tal efecto, la AEAT o bien cuenta ya con ese dato a efectos de las declaraciones presentadas por el sujeto pasivo respecto a otros impuestos, o bien exige que le sea directamente comunicado por el sujeto pasivo en otro caso. Pero el control respecto a la correcta aplicación de la exención y, sobre todo, la correcta aplicación del coeficiente de ponderación del artículo 86 del TRL-RHL, requiere un esfuerzo y forma de gestión del impuesto que desborda los márgenes propios de la formación y actualización de una matrícula que contiene una serie de datos censales sobre contribuyentes y actividades desarrolladas como instrumento de gestión del impuesto[87].

Hay que tener en cuenta que el dato del importe neto de cifra de negocio va a variar cada año respecto a cada uno de los sujetos pasivos del impuesto a los que pueda resultar aplicable o no la exención, así como, en su caso, el coeficiente de ponderación, lo que respecto a un buen número de contribuyentes va a llevar aparejado un mayor esfuerzo de gestión por parte de la AEAT[88].

Es de destacar, además, que con el paso de los años, para el caso de que perviva el impuesto en su configuración actual, bien porque no sea derogado definitivamente, bien porque no sea sustancialmente modificado en cuanto a estas novedosas exenciones, bien porque no sea declarado inconstitucional y expulsado del Ordenamiento o porque

---

[86] En materia de colaboración entre la AEAT y las Entidades locales se ha dado un importante impulso en los últimos años a raíz de la firma de una serie de convenios y protocolos de colaboración entre dicha Agencia y la FEMP. Sobre ello, vid., A. García Martínez, "La colaboración de la AEAT en la aplicación de los tributos locales", *TL*, núm. 88, 2009, págs. 81 y ss.

[87] Alerta, en este sentido, M. J. Caamaño Rial, "Situación transitoria...", cit., pág. 33, de que "en la medida en que se introduzcan nuevos factores que aproximen la tributación a la realidad personal de cada sujeto pasivo; en la medida en que se introduzcan beneficios fiscales que pivoten sobre elementos personales del contribuyente, dicha tributación será, sin duda, más justa y más flexible, pero la fijeza de las cuotas durante el tiempo, que constituye la piedra angular de los tributos de vencimiento periódico y notificación colectiva, se quebrará haciendo imposible o muy dificultosa su gestión mediante padrón o matrícula".

[88] La importancia que en las tareas desarrolladas por la AEAT respecto al IAE ha adquirido el importe neto de la cifra de negocios se pone de manifiesto en el *Documento explicativo sobre la matrícula definitiva del IAE-2005*, elaborado por la Dirección de Informática Tributaria de la AEAT (disponible en su página www.aeat.es), del que destacamos la regla tercera para la determinación de los contribuyentes sujetos y no exentos: *"contribuyentes sujetos y no exentos del IAE en el ejercicio fiscal 2004"*, respecto a la cual se indica que se incluyen las altas durante el año 2004 por inicio de actividad sin exención y las altas presentadas por dejar de disfrutar de una exención, y que se eliminan las bajas del IAE durante el año 2004 por dejar de ejercer la actividad y las bajas por pasar a disfrutar de la exención. Así como la regla cuarta, *"contribuyentes que resulten no exentos como consecuencia del INCN declarado en la declaración del Impuesto sobre Sociedades del ejercicio fiscal 2003"*.

la declaración de inconstitucionalidad, en su caso, se demore en exceso, las labores de gestión se van a ir incrementando sustancialmente. Y ello porque el legislador manifiesta una cierta tendencia a petrificar determinados límites cuantitativos de fundamental importancia en la configuración de beneficios fiscales, por lo que no sería de extrañar que el famoso límite del millón de euros permaneciese inalterado año tras año, posibilitando la lenta pero inexorable ampliación del selecto club de contribuyentes efectivos por el IAE.

5.5.4. Valoración de la exención desde el punto de vista de su adecuación a los principios materiales de justicia tributaria

Desde el punto de vista de su constitucionalidad esta exención introducida en la regulación del IAE por la Ley 51/2002 plantea también serios problemas de adecuación a los principios constitucionales de capacidad económica, igualdad y generalidad tributarias.

La exención ha intentado ser una respuesta al déficit que desde el punto de vista del principio de capacidad económica representa el gravamen de una renta potencial derivada del mero ejercicio de una actividad económica. Gravamen que sólo encontraba como límite general el muy liviano e inconcreto de que las cuotas no podrían superar el 15 por 100 del beneficio medio presunto de la actividad, entendida en su conjunto, es decir, en el sector en el que tal actividad se encuadrase.

Sin embargo, aunque hay que reconocer que el hecho de que un determinado sujeto obtenga en un año un importe neto de cifra de negocio igual o superior a un millón de euros pone de manifiesto una cierta intensidad e importancia en el ejercicio de la actividad económica, a fin de reafirmar la idea presuntiva que preside la configuración del hecho imponible de que el mero ejercicio de una actividad económica genera una renta o beneficio, no supone ello, sin embargo, lejos de lo que parece querer afirmar la Ley 51/2002, que en el gravamen se tome en consideración la concreta capacidad económica de cada contribuyente[89]. Y ello porque la exención se vincula a una cifra de negocios y no a una cifra de ganancias como correspondería a un impuesto que pretendiese gravar la renta o beneficio real del contribuyente[90]. No puede desconocerse, al respecto, que el volumen de operaciones no es homogéneo por sectores de actividad, por lo que el lími-

---

[89] Como señala la Exposición de Motivos de la Ley 51/2002, en relación a las modificaciones en el IAE, se ha perseguido el objetivo de *"que el impuesto pase a tomar en consideración, para aquellos que continúen sujetos al pago del mismo, las concretas circunstancias económicas del obligado al pago"*.

[90] Cfr., J. M. Lago Montero, "El rumbo del Impuesto...", cit., pág. 47, para el que "la empresa A, por encima de esa cifra de negocios, puede tener pérdidas, y no disfrutará de la exención, tributando efectivamente por el IAE. La empresa B, por debajo de esa cifra de negocios, tiene beneficios, grandes o pequeños, pero beneficios, que pueden ser suculentos, y sin embargo disfrutará de la exención".

te del millón de euros determinante de la exención no va a tener el mismo significado aplicado a unos y otros sujetos pasivos del impuesto[91].

El principal reproche desde el punto de vista de los principios materiales de justicia tributaria, generalidad e igualdad en conexión con la capacidad económica, es que en un impuesto cuyo hecho imponible pretende gravar la renta potencial derivada del mero ejercicio de una actividad económica se declare una exención para las entidades en función de un elemento meramente cuantitativo respecto al volumen de operaciones facturado en el ejercicio de la actividad, máxime, cuando ese dato cuantitativo resulta en la actualidad bastante elevado[92]. No parece justificada a la luz de estos principios constitucionales que el ejercicio de la misma actividad económica esté sujeto y no exento del gravamen cuando una entidad obtiene un volumen de negocios anual de 1.000.000 de euros o más y que, sin embargo, esté sujeto y exento cuando otra entidad obtiene un volumen de negocios anual que esté por debajo de esa cifra, por ejemplo, cuando sea de 600.000 euros o similar[93].

No es de extrañar, por ello, que numerosos contribuyentes hayan esgrimido la violación de los principios constitucionales de generalidad e igualdad tributarias en la impugnación de las correspondientes liquidaciones del Impuesto, sin que, no obstante, la jurisprudencia haya acogido sus argumentos[94].

---

[91] Destacaba la Comisión para el estudio y propuesta de medidas para la reforma de la financiación de las Haciendas Locales, *Informe para la reforma de la financiación de las Haciendas locales*, Ministerio de Hacienda-IEF, Madrid, 2002, pág. 73, como uno de los inconvenientes del sistema de exoneración en función del volumen de operaciones o de la cifra de negocios que "*el volumen de operaciones no es homogéneo por sectores de actividad, dependiendo del tipo de bienes y servicios comercializados, y del valor añadido y margen de beneficio de cada sector económico*".

[92] Cfr., J. M. Lago Montero, "El rumbo del Impuesto...", cit., pág. 47.

[93] En esta línea de pensamiento, la STS de 17 de septiembre de 2002, respecto al régimen de tributación en el IAE de los arrendamientos de inmuebles, a los que las Tarifas del Impuesto señalan cuota cero cuando la suma de los valores catastrales de las fincas alquiladas durante el año no supera los 100 millones de pesetas y una cuota variable en función de tal elemento cuantitativo cuando superan esta cifra, señala que "*si los comentados arrendamientos estuvieran sujetos al IAE, deberían tributar todos con independencia del valor catastral de la finca, y no sólo, como señala el RDLeg 1175/1990 (y, por derivación, la comentada Ordenanza 1.4), aquellos en que dicho valor catastral fuese superior a 100.000.000 de pesetas*".

[94] Así, por ejemplo, la STSJ de Castilla-La Mancha de 4 de marzo de 2009, señala que "*no existe vulneración del principio de igualdad, ya que la norma, como recuerda el Abogado del Estado, se limita a dispensar un tratamiento distinto a personas distintas o que se encuentran en distintas circunstancias y, además, lo hace en términos singulares, tomando en consideración dos aspectos razonables para establecer una diferencia de trato en materia tributaria: el primero, el volumen de negocio del sujeto pasivo, y el segundo, el hecho de que sea una persona jurídica*". En el mismo sentido, por ejemplo, STSJ de Andalucía de 27 de febrero de 2009.

La configuración futura del IAE como un elemento del sistema de financiación de las Corporaciones Locales debe caminar en el sentido de convertir al impuesto en un gravamen sobre la renta real derivada del ejercicio de actividades económicas por el sujeto pasivo[95]. La reforma operada en el impuesto por la Ley 51/2002 se ha quedado a medio camino en la consecución de ese objetivo, introduciendo unas exenciones que por su amplitud y su deficiente configuración técnica pugnan abiertamente con los principios materiales de justicia tributaria, por lo que hemos sido muchos los que hemos vaticinado una corta vida del Impuesto en su configuración actual[96].

En definitiva, ello obliga, de cara al futuro, como una necesidad ineludible, a la reforma del Impuesto, habiéndose propuesto dos posibles vías de reforma, o la supresión total del Impuesto, con la consiguiente compensación a las Haciendas Locales, o su sustancial reforma para corregir los defectos de que adolece su actual configuración[97].

Esta última opción es la que ha propuesto el grupo de expertos nombrado por el Gobierno en 2017 para elaborar un informe sobre la reforma del modelo de financiación de las Haciendas locales, abogando por la mejora sustancial del IAE que permita la subsistencia de este impuesto en la Hacienda local, pero con un diseño más conforme a los principios de justicia tributaria[98]. En cambio, el Comité de personas expertas nombradas por el Gobierno en 2022 que han elaborado un *Libro Blanco para la Reforma Tributaria*, ha considerado que el IAE es un impuesto que debe ser suprimido, pues, "*el Comité considera oportuno proponer su eliminación al no corresponder este tributo a una figura propia de un sistema tributario moderno*"[99].

---

[95]   Cfr., J. M. Lago Montero, "El rumbo del Impuesto...", cit., págs. 45 y ss.

[96]   Como señala A. Cayón Galiardo, "La reforma del Impuesto sobre Actividades Económicas", RTT núm. 60, 2003, pág. 21, "en la medida en que la reforma se ha quedado a mitad de camino de lo que se demandaba por la doctrina especializada y también por el hecho de haberle privado de su importante potencial recaudatorio, no será extraño que no resulte convincente para nadie en sus propósitos, de forma que pueda augurarse que se trata sólo de un peldaño más en la escala de modificaciones que habrá de sufrir hasta que el IAE quede convertido en un impuesto local sobre las rentas derivadas de actividades económicas".

[97]   Cfr., J. Suárez Pandiello (Coordinador), *La financiación local en España: Radiografía del presente y propuestas de futuro*, FEMP, Madrid, 2008, págs. 291 y ss., y F. Poveda Blanco, "¿Es posible resucitar el IAE?", *Papeles de Economía Española*, núm. 115, 2008, págs. 119-137.

[98]   Cfr., Informe de la Comisión de Expertos para la reforma del modelo de financiación local, 26 de julio de 2017, Ministerio de Economía y Hacienda, Madrid, 2017 (accesible en: https://www.hacienda.gob.es/CDI/sist%20financiacion%20y%20deuda/informacioneells/2017/informe_final_comisi%C3%B3n_reforma_sfl.pdf), págs. 34 y ss.

[99]   Cfr., Libro Blanco sobre la Reforma Tributaria, Madrid, 2022 (accesible en: https://www.ief.es/docs/investigacion/comiteexpertos/LibroBlancoReformaTributaria_2022.pdf), pág. 467 y ss.

5.6. LAS ENTIDADES GESTORAS DE LA SEGURIDAD SOCIAL Y LAS MUTUALIDADES DE PREVISIÓN SOCIAL

El artículo 82.1.d) del TRLRHL declara exentas del impuesto a "*las entidades gestoras de la Seguridad Social y las mutualidades de previsión social reguladas en la Ley 30/1995, de 8 de noviembre, de ordenación y supervisión de los seguros privados*"[100].

Se trata de una exención subjetiva, pues se reconoce en función del sujeto y abarca, por tanto, al conjunto de las actividades que el mismo desarrolle y que, de acuerdo con lo establecido en el artículo 82.2 del TRLRH, exime también de la obligación de darse de alta en la matrícula del impuesto[101].

La exención no plantea especiales problemas de delimitación en el caso de las Mutualidades de Previsión Social, ya que el artículo 64.1 de la Ley 30/1995 las define como "*entidades aseguradoras que ejercen una modalidad aseguradora de carácter voluntario complementaria al sistema de Seguridad Social obligatorio, mediante aportaciones a prima fija o variable de los mutualistas, personas físicas o jurídicas, o de otras entidades o personas protectoras*". Asimismo, el precepto establece que la indicación de "Mutualidad de Previsión Social" queda reservada en exclusiva para esas entidades, debiendo figurar necesariamente en su denominación.

Mayores problemas se plantean, en cambio, en la aplicación de esta exención, respecto a la delimitación de lo que constituyan las "entidades gestoras de la Seguridad Social"[102].

La jurisprudencia recaída sobre esta exención ha mantenido un criterio flexible en la interpretación de la misma, a fin de que resulte aplicable también a las Entidades y Servicios propios de las Comunidades Autónomas que hayan asumido competencias en la materia[103]. Como de forma paradigmática señala la Sentencia del Tribunal Superior de Justicia de Cataluña de 27 de septiembre de 2001, "*es obvio que una interpretación*

---

[100] La redacción actual del precepto, que no ha sufrido modificaciones en la reforma introducida por la Ley 51/2002, se debe al artículo 18.20º de la Ley 50/1998, de 30 de diciembre, de Medidas Fiscales, Administrativas y del Orden Social.

[101] Como señala la Contestación de la DGCHT a la consulta núm. 2445/1998, de 5 de octubre, "*esta exención al tener carácter subjetivo implica que estas entidades están exentas por todas las actividades que ejerzan, cualquiera que sea la naturaleza de las mismas, y aunque no sean propias de sus fines específicos*".

[102] Vid., en este sentido, la clasificación que de los distintos organismos, sociedades, consorcios, etc, relacionados con la gestión del sistema de Seguridad Social efectúa A. Urquizu Cavallé, "La exención en el Impuesto sobre Actividades Económicas de las Entidades Gestoras de la Seguridad Social", Jurisprudencia Tributaria Aranzadi, núm. 5/2001, págs. 1786 y ss., a efectos del análisis de la posible aplicación o no a los mismos de esta exención en el IAE.

[103] Cfr., A. Urquizu Cavallé, "La exención...", cit., págs. 1784 y ss.; C. Checa González; I. Merino Jara, *La reforma...*, cit., págs. 137 y ss.

exclusivamente literal del artículo 83.1.c) de la Ley 39/1988 llevaría a la conclusión que la misma sólo sería de aplicación a aquellas Entidades Gestoras de la Seguridad Social definidas como tales en el RD 6/1978, de 16 de noviembre, sobre gestión institucional de la Seguridad Social. Pero parece indiscutible, en primer término, que la exención se extiende no sólo a las Entidades Gestoras de la Seguridad Social, tal y como venían previstas en aquella norma preconstitucional, sino que afecta claramente a las Entidades y Servicios propios de las Comunidades Autónomas que, de acuerdo con el bloque constitucional y las correspondientes transferencias, han asumido las mismas competencias".

Para determinar los Centros Sanitarios que, a efectos del IAE, tienen la consideración de Entidades Gestoras de la Seguridad Social, la Sentencia citada señala que "*habrá que atenderse a los conciertos, convenios o acuerdos suscritos con las Entidades que, en cada caso, tengan atribuida la competencia relativa a la prestación de servicios sanitarios a los beneficiarios de la Seguridad Social*". Este criterio, coincidente con el mantenido al respecto por la Subdirección General de Tributos Locales, entiende el Tribunal que "*no supone interpretación analógica de la norma, sino interpretación pertinente de la misma*".

5.7. DETERMINADOS CENTROS DE INVESTIGACIÓN Y ESTABLECIMIENTOS DE ENSEÑANZA

El artículo 82.1.e) del TRLRHL establece una exención a favor de los organismos públicos de investigación y de determinados establecimientos de enseñanza en todos sus grados. Respecto a estos últimos, se declaran exentos, en primer lugar, aquellos costeados íntegramente con fondos del Estado, de las Comunidades Autónomas o de las Entidades Locales. En segundo lugar, aquellos costeados íntegramente por fundaciones declaradas benéficas o de utilidad pública. Finalmente, aquellos que, careciendo de ánimo de lucro, estuvieren en régimen de concierto educativo, incluso si facilitasen a sus alumnos libros o artículos de escritorio o les prestasen los servicios de media pensión o internado y aunque por excepción vendan en el mismo establecimiento los productos de los talleres dedicados a dicha enseñanza, siempre que el importe de dicha venta, sin utilidad para ningún particular o tercera persona, se destine, exclusivamente, a la adquisición de materias primas o al sostenimiento del establecimiento[104].

Respecto a la actividad de investigación la exención se establece a favor de los organismos públicos, por lo que quedarían fuera del ámbito de la misma las actividades investigadoras desarrolladas por el sector privado[105].

---

[104] Este último supuesto, referido a los establecimientos de enseñanza concertados, fue introducido por el artículo 75.4 de la Ley 39/1992, de 29 de diciembre, de Presupuestos Generales del Estado para 1993.

[105] Cfr., C. Checa González; I. Merino Jara, *La reforma...*, cit., págs. 139 y 140.

En cuanto a la actividad de enseñanza, por lo que se refiere a la exención de los establecimientos costeados en forma íntegra por el Estado, las Comunidades Autónomas, las Corporaciones Locales o bien por las fundaciones declaradas benéficas o de utilidad pública, cabe señalar que la exención se extiende a todos los grados de la enseñanza pero que ésta ha de ser enseñanza oficial o reglada[106]. Quedarían fuera del presupuesto de hecho de la exención, por tanto, aquellos centros que no impartan enseñanza reglada u oficial[107].

Por lo que respecta a los centros educativos que, careciendo de ánimo de lucro, estén en régimen de concierto educativo, si ejercen actividades educativas concertadas junto con otras que no lo están, la exención sólo ampara a la enseñanza concertada[108].

Esta exención contemplada en el artículo 82.1.e) del TRLRHL tiene carácter rogado, por lo que, de acuerdo con lo dispuesto en el artículo 82.4 del TRLRHL se concederá, cuando proceda, a instancia de parte. Con ello, la Administración encargada de su concesión, la Administración local si se tributa por cuota municipal y la Administración estatal si se hace por cuota provincial o nacional, puede controlar el cumplimiento de los requisitos determinantes de la misma[109].

5.8. LAS ASOCIACIONES Y FUNDACIONES DE DISMINUIDOS FÍSICOS, PSÍQUICOS Y SENSORIALES

El artículo 82.1.f) del TRLRHL establece una exención a favor de las asociaciones y fundaciones de disminuidos físicos, psíquicos y sensoriales, sin ánimo de lucro, por las actividades de carácter pedagógico, científico, asistenciales y de empleo que para la enseñanza, educación, rehabilitación y tutela de los discapacitados realicen, aunque

---

[106] Como ha destacado la Sentencia del TSJ de Castilla-La Mancha de 27 de septiembre de 1996, "*al referirse el legislador a los establecimientos de enseñanza en todos sus grados, sin duda está pensando en la llamada enseñanza oficial, exigiendo que estén costeados íntegramente con fondos del Estado, de las Comunidades Autónomas o de las Entidades Locales o por Fundaciones declaradas benéficas o de utilidad pública*".

[107] Así lo estableció la DGCHT en la contestación a la consulta de 24 de noviembre de 1992 (citada por C. Checa González; I. Merino Jara, *La reforma...*, cit., pág. 140). De esta opinión, F. García-Fresneda Gea, "Las exenciones en el Impuesto sobre Actividades Económicas", *Quincena Fiscal*, núm. 13/2007. Citamos por la versión digital (BIB 2007/1109), pág. 6 y 7.

[108] En este sentido, Contestación de la DGCHT a la consulta núm. 2003/1997, de 24 de julio de 1997; STSJ de Castilla-La Mancha de 18 de enero de 1996 y STSJ de la Comunidad Valenciana de 15 de julio de 2000.

[109] Algún supuesto ha planteado ciertas dudas, como el caso resuelto en la STSJ de Madrid de 13 de abril de 2010, respecto a la actividad desarrollada por la Universidad Carlos III de Madrid a través de su Estudio Jurídico, decantándose el Tribunal a favor de la exención en este caso, pues la actividad desarrollada de servicio jurídico se incardinaría en la función propia de la Universidad.

vendan los productos de los talleres dedicados a dichos fines, siempre que el importe de dicha venta, sin utilidad para ningún particular o tercera persona, se destine exclusivamente a la adquisición de materias primas o al sostenimiento del establecimiento.

La contestación de la DGT a la consulta vinculante 2073/2021, de 9 de julio de 2021, ha señalado que la exención no resulta aplicable a una sociedad limitada sin ánimo de lucro que presta toda clase de servicios relacionados con la integración de personas con discapacidad intelectual a través del trabajo. Y ello porque se trata de una sociedad limitada y no de una asociación o fundación como requiere el tenor literal del precepto que establece la exención.

Se trata de una exención ordenada al cumplimiento de políticas de atención a los disminuidos físicos, sensoriales y psíquicos, en cumplimiento de lo dispuesto en el artículo 49 de la Constitución.

También, a tenor de lo señalado por el artículo 81.4 del TRLRHL, esta exención tiene carácter rogado, por lo que deberá ser solicitada a la Administración que, tras comprobar el cumplimiento de los requisitos exigidos por la misma, la concederá o denegará, según proceda.

5.9. LA CRUZ ROJA ESPAÑOLA

El artículo 81.2.g) declara exenta del impuesto a la Cruz Roja Española. Se trata de una exención subjetiva por lo que comprenderá todas las actividades desarrolladas por este organismo. En tal sentido, este sujeto pasivo no viene obligado a presentar la declaración de alta en la matrícula del impuesto, según el artículo 82.2 del TRLRHL.

La exención a favor de este organismo se justifica en atención a las actividades asistenciales y sanitarias que le son propias y que el mismo ejerce sin ánimo de lucro. Sin embargo, la posibilidad de que este organismo realice otro tipo de actividades quizá no justifica la exención en función sólo del sujeto y hubiese requerido por parte del legislador alguna referencia al tipo de actividades objetivamente amparadas por la exención[110].

5.10. LOS SUJETOS PASIVOS A LOS QUE LES SEA APLICABLE LA EXENCIÓN EN VIRTUD DE TRATADOS O CONVENIOS INTERNACIONALES

El artículo 82.1.h) del TRLRHL reconoce el derecho a la exención de aquellos sujetos a los que les sea aplicable la exención del impuesto en virtud de Tratados o

---

[110] En este sentido, opinan C. Checa González; I. Merino Jara, *La reforma...*, cit., pág. 143, que la exención debería referirse únicamente a las actividades propias y específicas de esta Entidad, aunque su configuración como beneficio fiscal subjetivo no permite extraer esta conclusión.

Convenios Internacionales. El precepto resulta un tanto superfluo por cuanto, en virtud de lo dispuesto con carácter general para todos los tributos locales en los artículos 1.3 y 9.1 del TRLRHL, lo previsto en dicho texto refundido se aplicará sin perjuicio de los tratados y convenios internacionales y, de acuerdo con ello, no podrán reconocerse otros beneficios fiscales en los tributos locales que los expresamente previstos en las normas con rango de ley o los derivados de la aplicación de los tratados internacionales[111].

La exención del impuesto prevista en Tratados o Convenios internacionales que va a tener una mayor incidencia en la aplicación del mismo va a ser, lógicamente, aquella exención prevista en los Convenios para evitar o corregir la doble imposición internacional[112].

Los sujetos pasivos del impuesto que puedan resultar beneficiados por esta exención no tienen la obligación de darse de alta en la matrícula del impuesto, según el artículo 82.2 del TRLRHL.

6. LOS SUJETOS PASIVOS

6.1. LAS PERSONAS FÍSICAS, LAS JURÍDICAS Y LAS ENTIDADES SIN PERSONALIDAD

De acuerdo con lo dispuesto en el artículo 83 del TRLRHL, *"son sujetos pasivos de este impuesto las personas físicas o jurídicas y las entidades a que se refiere el artículo 35.4 de la Ley 58/2003, de 17 de diciembre, General tributaria siempre que realicen en territorio nacional cualquiera de las actividades que originan el hecho imponible"*.

Los sujetos pasivos del impuesto lo serán, por tanto, las personas físicas, las personas jurídicas y las entidades del artículo 35.4 de la LGT (herencias yacentes, comunidades de bienes, sociedades civiles sin personalidad jurídica) en la medida en que ejerzan una actividad económica en territorio español, sin que importe, a estos efectos, que se trate de un sujeto residente o no residente en España. El dato clave, por lo tanto, para localizar al sujeto pasivo del impuesto estriba en determinar qué persona física o entidad lleva a cabo una ordenación por cuenta propia de factores de producción con la finalidad de intervenir en el mercado.

La condición de sujeto pasivo del impuesto, con la consiguiente alta en la matrícula del mismo por una determinada actividad, tiene efectos en el ámbito exclusivamente

---

[111] Cfr., C. Checa González; I. Merino Jara, *La reforma...*, cit., pág. 143.

[112] Así, por ejemplo, la STSJ de Madrid de 27 de abril de 1996 reconoció el derecho a la exención a una compañía aérea, por estar la misma exenta del pago del impuesto en España en base a lo dispuesto en el artículo 5 del Convenio para evitar la doble imposición suscrito entre España y los Países Bajos el 16 de junio de 1976.

tributario, pues ello no habilita para el ejercicio de tal actividad cuando la normativa administrativa exija otro tipo de requisitos que el sujeto no ha cumplido[113].

7. LAS TARIFAS DEL IMPUESTO Y LA CUOTA DE TARIFA (CUOTA ÍNTEGRA)

7.1. CONCEPTO Y FUNCIONES DE LAS TARIFAS DEL IMPUESTO

Las Tarifas del IAE y la Instrucción para la aplicación de las mismas están reguladas en el Real Decreto Legislativo 1175/1990 para el conjunto de las actividades económicas, salvo para la actividad ganadera independiente, cuyas Tarifas e Instrucción están reguladas en el Real Decreto Legislativo 1259/1991[114]. Ambas normas fueron dictadas en virtud de la delegación legislativa contenida en la LRHL, cuyos términos se contemplan actualmente en el artículo 85 del TRLRHL.

Las Tarifas del IAE cumplen un importante papel en la ordenación y cuantificación del hecho imponible[115]. En primer lugar, respecto a la ordenación del hecho imponible, de acuerdo con lo señalado en la Base 1ª del artículo 85.1 del TRLRHL, delimitan el contenido de las actividades gravadas de acuerdo con las características de los sectores económicos, tipificándolas, con carácter general, mediante elementos fijos que deberán concurrir en el momento del devengo del impuesto. A tal efecto, los epígrafes y rúbricas que clasifican las actividades sujetas se han ordenado en las Tarifas siguiendo

---

[113]   Como señala la DGCHT en la contestación a la consulta núm. 2508/1998, de 16 de diciembre, *"el Impuesto sobre Actividades Económicas no tiene la naturaleza de una 'autorización administrativa' de las actividades gravadas, ya que se ha pretendido establecer una absoluta desvinculación formal del Impuesto respecto del régimen administrativo de las actividades que el mismo grava, de esta forma el Impuesto sobre Actividades Económicas se limita a cumplir una función estrictamente tributaria, sin entrar en la exigencia de requisitos ajenos a dicho tributo"*.

[114]   Hay que señalar, no obstante, que el párrafo primero del artículo único del RD Leg 1259/1991 especifica que las Tarifas referentes a la ganadería independiente contenidas en su Anexo I, se integran en la Sección 1ª (conformando su división 0) de las Tarifas contenidas en el Anexo I del RD Leg 1175/1990. Asimismo, el párrafo segundo del artículo único del RD Leg 1259/1991 establece que las Tarifas referentes a la ganadería independiente se rigen por la Instrucción específica que se incluye en el Anexo II del mismo, así como por la Instrucción que se incluye como Anexo II en el RD 1175/1990. Con lo cual, puede afirmarse que en el IAE existe un único cuerpo de Tarifas, pero que está regulado en dos Reales Decretos Legislativos distintos, así como que a la actividad de ganadería independiente le resulta aplicable con carácter general la Instrucción relativa a la aplicación de las Tarifas que para el resto de actividades se contemplan en el RD Leg 1175/1990.

[115]   Como señala la Regla 1ª de la Instrucción, las Tarifas del IAE comprenden la descripción y contenido de las distintas actividades económicas, clasificadas en actividades empresariales, profesionales y artísticas, así como las cuotas correspondientes a cada actividad, determinadas mediante la aplicación de los correspondientes elementos tributarios regulados en las Tarifas e Instrucción del impuesto.

la Clasificación Nacional de Actividades Económicas y la Clasificación Nacional de Ocupaciones, por medio de tres secciones diferenciadas, en cumplimiento del mandato contenido en la Base 2ª del artículo 85.1 del TRLRHL. Asimismo, las Tarifas perfilan por medio de notas incorporadas a los epígrafes, grupos, agrupaciones o divisiones algunas actividades, beneficios fiscales o facultades inherentes a los mismos[116].

En segundo lugar, respecto a la cuantificación del hecho imponible, las Tarifas contienen la llamada *cuota de tarifa* de cada actividad o, en su defecto, los módulos necesarios para su determinación, pues no en vano el artículo 85.1 del TRLRHL les asigna la función de fijar las cuotas mínimas[117]. En relación con ello establecen las actividades a las que se les asigna *cuota cero* en virtud de su escaso rendimiento económico, en cumplimiento de lo dispuesto en la Base 3ª del artículo 85.1 del TRLRHL. Asimismo, distinguen la categoría municipal, provincial o nacional de las cuotas, de conformidad con lo señalado en la Base 5ª del precepto citado.

En vista de la función que cumplen, pueden definirse las Tarifas del impuesto, con PAGÈS, como "el instrumento legal en cuya virtud, y de acuerdo con la Instrucción (como elemento normativo que es de las Tarifas sin el cual éstas resultan inaplicables), se define el contenido de las actividades sujetas al impuesto y se determina el importe de la cuota municipal, provincial o nacional que se les asigne"[118].

7.2. LA FUNCIÓN DE ORDENACIÓN DEL HECHO IMPONIBLE

7.2.1. El carácter omnicomprensivo de las Tarifas

En el contenido de las Tarifas deberían incluirse todas las actividades económicas, sin embargo, dada la versatilidad y constante cambio de la realidad, esto es irrealizable, por lo que los Reales Decretos reguladores de las mismas suelen sufrir frecuentes modificaciones para la inclusión de actividades que fueron omitidas o que son de nueva creación. A tal fin, el artículo 85.5 del TRLRHL contiene la habilitación para que las Leyes de Presupuestos Generales del Estado puedan modificar las Tarifas, así como la Instrucción para su aplicación, y actualizar las cuotas en ellas contenidas.

---

[116] Destaca J. Pagès i Galtés, *Manual del Impuesto...*, cit., pág. 357, que "la clasificación que verifican las Tarifas de las actividades económicas facilita la predicada función censal del impuesto cuyo principal objetivo es la de ofrecer información a las Administraciones públicas sobre las actividades realizadas por los sujetos pasivos".

[117] Esta *cuota de tarifa* sería, según la definición de la LGT (art. 56.1), la *cuota íntegra*, que estaría determinada en este caso "*según cantidad fija señalada al efecto*".

[118] J. Pagès i Galtés, *Manual del Impuesto...*, cit., pág. 331.

7.2.2. La estructura de las Tarifas, clasificación y ordenación de las actividades

Las Tarifas clasifican y estructuran las actividades económicas en tres grandes secciones. En la sección 1ª se contemplan las actividades empresariales, en la sección 2ª las actividades profesionales y en la sección 3ª las actividades artísticas. Cada una de estas secciones se divide y estructura, a su vez, en divisiones, agrupaciones y grupos, los cuales, a su vez, pueden englobar distintos epígrafes.

Dentro de cada sección, las divisiones diferencian los sectores de la actividad a que se refiere la sección de la que forman parte. Las divisiones están representadas por un solo dígito. Así, por ejemplo, la división 8 de la sección 1ª, "*instituciones financieras, seguros, servicios prestados a las empresas y alquileres*".

Dentro de cada división, las agrupaciones contemplan las distintas actividades por las afinidades que ofrecen entre sí. Las agrupaciones están representadas por dos dígitos, correspondiendo el primero de ellos al de la división en la que se encuadran y el segundo a la agrupación propiamente dicha. Por seguir con el ejemplo que hemos elegido, dentro de la división 8 de la sección 1ª se encuentra la agrupación 86, "*alquiler de bienes inmuebles*".

En cada agrupación cada grupo hace referencia a un concreto tipo de actividad. Los grupos vienen representados por tres dígitos, de los cuales, el primero corresponde a la división, el segundo a la agrupación y el tercero al grupo propiamente dicho. Así, en nuestro ejemplo, dentro de la agrupación 86 de la división 8 de la sección 1ª nos encontramos con el grupo 861, "*alquiler de bienes inmuebles de naturaleza urbana*".

Finalmente, los grupos pueden estar estructurados, a su vez, en epígrafes, correspondiendo en este caso al epígrafe establecer una especialidad dentro de una misma actividad. Los epígrafes vienen representados por cuatro dígitos, correspondiendo el primero de estos dígitos a la división, el segundo a la agrupación, el tercero al grupo y el cuarto, que viene separado de los anteriores por un punto, al epígrafe propiamente dicho. Para concluir con el ejemplo adoptado, dentro del grupo 861 integrado en la agrupación 86 de la división 8 de la sección 1ª se establece el epígrafe 861.1, "*alquiler de viviendas*".

Las Tarifas se complementan con *notas* que se pueden establecer respecto a toda una Sección, respecto a los grupos o respecto a los concretos epígrafes. Las notas constituyen auténticas normas de aplicación de las Tarifas, y se encuentran en la línea de las dos funciones esenciales que cumplen las Tarifas, de ordenación del hecho imponible, por un lado, y de cuantificación del mismo, por otro. Así, por ejemplo, respecto al epígrafe 861.1, "*alquiler de viviendas*", se establece una primera nota que se enmarcaría en la función de ordenar, clasificar y definir las actividades económicas, señalando, al respecto, que tal epígrafe comprende "*el alquiler, con o sin opción de compra, de toda clase de inmuebles destinados a vivienda*". Las Tarifas incluyen una segunda nota al epígrafe en la que se señala que *"los sujetos pasivos cuyas cuotas por esta actividad sean inferiores a 600,12 euros tributarán por cuota cero".*

La Instrucción a las Tarifas del Impuesto, contemplada en el Anexo II del RD Legislativo 1175/1990, comprende una serie de reglas necesarias para la aplicación de las Tarifas y, por ende, de gran relevancia en la aplicación del impuesto[119].

7.2.3. Las facultades que otorga la tributación por la correspondiente rúbrica de las Tarifas

En cuanto a las facultades que otorga el pago de la cuota asignada a cada actividad, la norma general es que el pago de la cuota correspondiente a una actividad faculta, exclusivamente, para el ejercicio de esa actividad, según lo dispuesto en la Regla 4ª de la Instrucción. No obstante, a fin de evitar que tributen determinadas actividades que por sí mismas se realizan como un acto previo e inexcusable para el ejercicio de otras actividades básicas, la Regla 4ª de la Instrucción, en su apartado segundo, establece un amplio elenco de facultades unidas a determinadas actividades básicas, a fin de señalar que el pago de la cuota correspondiente al ejercicio de la actividad básica faculta también para la realización de esas otras actividades económicas conectadas indisolublemente con el ejercicio de la actividad principal o básica[120].

7.3. LA FUNCIÓN DE CUANTIFICACIÓN DEL HECHO IMPONIBLE

7.3.1. La cuota de tarifa o cuota íntegra

7.3.1.1. El concepto de cuota de tarifa y los elementos que la integran

Como hemos señalado, a las Tarifas del impuesto corresponde, además de la función de ordenación del hecho imponible, la función de cuantificarlo. En cumplimiento de esta última función las Tarifas establecen para cada una de las actividades ordenadas y clasificadas en los correspondientes grupos o, en su caso, epígrafes, una determinada cuota. Esta cuota puede ser fija y consistir en un importe que se señala directamente en el correspondiente grupo o epígrafe o puede ser variable, en cuyo caso se determinará

---

[119] Aunque esta Instrucción también es aplicable, con carácter general, a la actividad ganadera independiente, el Anexo II del RD 1259/1991 recoge una Instrucción específica relativa a la aplicación de las Tarifas para esta actividad.

[120] Así, por ejemplo, en el caso de las actividades de construcción, clasificadas en la división 5 de la sección primera de las Tarifas, el pago de la cuota correspondiente, además de para el ejercicio de tal actividad de construcción (regla general), faculta para la adquisición, tanto en el territorio nacional como en el extranjero, de las materias primas y de los artículos necesarios para el desarrollo de la misma.

en función de los elementos que en el correspondiente grupo o epígrafe se hayan previsto[121].

Siguiendo a PAGÈS, puede denominarse esta cuota, derivada directamente de los grupos o epígrafes de las Tarifas, como *cuota de licencia*, para diferenciarla de la que deriva de la aplicación del elemento tributario superficie, según viene regulado en la Regla 14.1.F) de la Instrucción, a la que se puede denominar *cuota de radicación*[122]. La suma de ambas cuotas, la de licencia y la de radicación, dará lugar a la llamada *cuota de tarifa* que, como hemos señalado, de acuerdo con el artículo 56.1 de la LGT, constituye la cuota íntegra del impuesto[123]. En la aplicación de las Tarifas es posible que se den supuestos en los que la cuota de Tarifa esté integrada únicamente por la que hemos denominado *cuota de licencia*, porque no intervenga el elemento tributario superficie, así como casos en los que esté integrada únicamente por la llamada *cuota de radicación*, porque sólo se tenga en cuenta a tal efecto el elemento superficie.

La cuota de tarifa o cuota íntegra constituye el primer eslabón en la determinación de la *cuota líquida* del IAE, pues refleja la magnitud inicial que se va a tomar de base para la aplicación de los coeficientes de ponderación y, en su caso, de situación, establecidos en el TRLRHL, que va a conducir, junto con la subsiguiente aplicación de las bonificaciones, en su caso, a la determinación de la cuota líquida del IAE[124].

7.3.1.2. La cuantificación de la cuota de tarifa o cuota íntegra

La cuota de tarifa, de conformidad con lo dispuesto en la Base primera y cuarta del artículo 85.1 del TRLRHL, debe calcularse teniendo en cuenta, en primer lugar, los elementos tributarios de cada actividad, en la cuantía en que intervengan en ella en el momento del devengo del impuesto y, en segundo lugar, la superficie de los locales en los que se ejerza la actividad. Este último elemento operará, lógicamente, en aquellos casos en los que por ejercerse la actividad en local determinado concurre el elemento superficie.

---

[121]   Como señala J. Pagès i Galtés, *Manual del Impuesto...*, cit., pág. 332, "no se puede afirmar en términos genéricos que el IAE es un impuesto de cuota fija o de cuota variable, pues las Tarifas del IAE utilizan ambos tipos de cuotas para cuantificar el impuesto. Si acaso, lo que se podrá afirmar es que las Tarifas, en cada rúbrica en particular, asignan a la actividad que en ellas se clasifique una cuota fija o una cuota variable" E, incluso, añadimos nosotros, a algunas actividades les asignan tanto una cuota fija como una cuota variable.

[122]   J. Pagès i Galtés, *Manual del Impuesto...*, cit., pág. 335.

[123]   Un esquema general del cálculo de la cuota en el IAE puede verse en J. Lasarte Álvarez; J. Ramos Prieto, "El Impuesto sobre Actividades Económicas...", cit., págs. 59 y ss.

[124]   Recordemos que, de acuerdo con de la definición ofrecida por el artículo 56.5) de la LGT, la *cuota líquida* es el resultado de aplicar sobre la cuota íntegra las deducciones, bonificaciones, adiciones o coeficientes previstos, en su caso, en la Ley de cada tributo.

En cualquier caso, la cuota de tarifa correspondiente a cada actividad no podrá exceder del 15 por 100 del beneficio medio presunto de la actividad gravada.

7.3.2. Clases de cuotas de tarifa

Las cuotas de tarifa se clasifican en la Regla 9ª de la Instrucción atendiendo al ámbito espacial de las mismas en cuotas mínimas municipales, cuotas provinciales y cuotas nacionales.

Esta clasificación tiene una enorme importancia en la aplicación del impuesto, pues las facultades que se derivan del pago de una u otra categoría de cuotas son muy diferentes, así como el procedimiento de liquidación y la Administración competente para recaudar unas y otras.

7.3.2.1. Cuotas mínimas municipales

La Regla 10ª de la Instrucción señala que son cuotas mínimas municipales las que con tal denominación aparecen así específicamente señaladas en las Tarifas, sumando, en su caso, el elemento superficie de los locales en los que se realicen las actividades gravadas, así como cualesquiera otras que las Tarifas no califiquen expresamente como cuotas provinciales o nacionales. Asimismo, señala el precepto, tendrán la consideración de cuotas mínimas municipales aquellas que, por aplicación de lo dispuesto en la Regla 14ª.1.F), su importe esté integrado, exclusivamente, por el valor del elemento tributario superficie.

Como pone de manifiesto POVEDA, en la medida en que el IAE se concibe y actúa como un impuesto de carácter municipal, por su naturaleza y características el concepto de cuota municipal es el que predomina a lo largo de las Tarifas del impuesto, introduciéndose las cuotas provinciales y las cuotas nacionales, excepcionalmente, en aquellos supuestos en los que resultaba imposible reducir al ámbito territorial del Municipio el ámbito espacial superior que presentaba el ejercicio de determinadas actividades[125].

Este carácter esencialmente municipal del impuesto y la normalidad que, en tal sentido, tienen las cuotas municipales sobre las nacionales o provinciales, que presentan un carácter más excepcional, constituye un principio aplicable para resolver aquellos supuestos en los que puedan existir dudas respecto al tipo de cuota elegido por el contribuyente[126].

---

[125] Cfr., F. Poveda Blanco, F., *El nuevo Impuesto...*, cit., pág. 163.

[126] Así lo entendió la Resolución del TEAC de 22 de marzo de 1994, en un caso en el que a la Administración constaban en dos declaraciones de alta presuntamente presentadas por el mismo contribuyente dos opciones distintas de tributación, pues en una constaba la opción por la cuota municipal y en otra por la cuota nacional.

La Regla 10ª.2 de la Instrucción establece las facultades que otorga el pago de las cuotas mínimas municipales. Tal pago faculta para el ejercicio de las actividades correspondientes en el término municipal en el que aquél tenga lugar. Es decir, el alta en la matrícula del impuesto por cuota mínima municipal faculta para el ejercicio de la actividad en el término municipal donde, de acuerdo con lo establecido en la Regla 5ª de la Instrucción, se entienda que el sujeto realiza la actividad. Y ello porque, dado el régimen tan amplio de exenciones, con la persistencia de la obligación de darse de alta en la matrícula del impuesto para los sujetos exentos del pago del mismo, en multitud de casos no va a ser el pago, sino la adscripción censal la que otorgue, a efectos del impuesto, esas facultades de ejercicio de las actividades económicas[127].

El apartado 3 de la Regla 10ª de la Instrucción reitera la regla de que el sujeto pasivo está obligado a satisfacer tantas cuotas mínimas municipales como locales disponga en los que ejerce la actividad. Asimismo, establece que para el caso de que en un mismo local se ejerzan varias actividades, se satisfarán tantas cuotas mínimas municipales como actividades se realicen, aunque el titular de las mismas sea la misma persona o entidad.

Cabe destacar que esta Regla 10ª.3 señala literalmente que las cuotas mínimas municipales a satisfacer por cada local donde se ejerza la actividad, se incrementarán, en su caso, con los coeficientes previstos en los artículos 88 y 89 de la Ley 39/1988. Pues bien, hay que tener en cuenta que tras la reforma introducida en la normativa del impuesto por la Ley 51/2002, la referencia que la Instrucción hace a los coeficientes antiguamente previstos en esos artículos 88 —coeficiente único municipal en función de la población de derecho— y 89 —índices de situación— de la LRHL hay que entenderla actualmente realizada al coeficiente de nueva creación establecido por el actual artículo 86 del TRLRHL en función del importe neto de la cifra de negocios y al *coeficiente de situación* previsto en el actual artículo 87 del TRLRHL, que ha venido a integrar aquéllos dos coeficientes previstos en la regulación anterior que se han visto suprimidos con la reforma[128].

7.3.2.2. Cuotas provinciales

La Regla 11ª.1 de la Instrucción señala que "*son cuotas provinciales las que con tal denominación aparecen expresamente señaladas en las Tarifas*". Con lo cual, no podrá exi-

---

127 Como señala F. Poveda Blanco, *El nuevo Impuesto...*, cit., p. 169, "aunque el texto de la regla de la Instrucción precedente hace constante referencia al pago de cuotas, tras la reforma procurada por la Ley 51/2002, debe ser entendido que el factor desencadenante del derecho a disfrutar las facultades establecidas no es el pago sino la adscripción censal".

128 Señala, F. Poveda Blanco, *El nuevo Impuesto...*, cit., pág. 170, en relación al desfase que la Instrucción presenta respecto al texto de la LRHL tras la reforma de la Ley 51/2002, que "se hace imprescindible que se actualice el texto de la Instrucción eliminando referencias inexactas, expresiones incorrectas y procedimientos inadecuados a la luz del contenido de la Ley sustantiva".

girse por parte de un determinado sujeto pasivo del impuesto que al ejercicio de su actividad se le asigne una cuota provincial cuando en el epígrafe o grupo que le corresponda no se establezca expresamente para tal actividad una cuota provincial, bien sea a título imperativo, si sólo aparece esta modalidad de cuota, bien sea a título opcional, cuando la misma aparece junto a las cuotas mínimas municipales o a las cuotas nacionales.

En las Tarifas se ha limitado el empleo de las cuotas provinciales a la sección 1ª, es decir, que sólo se han establecido en relación con algunas actividades calificadas a efectos de la matrícula del IAE como empresariales. La cuota provincial estará integrada por el importe que derive de las Tarifas del Impuesto en función de los elementos tributarios que concurran en el ejercicio de las actividades económicas para las que están expresamente previstas y, en su caso, por el que corresponda al elemento superficie. Dichas cuotas provinciales se verán incrementadas por la aplicación del coeficiente de ponderación en función del importe neto de la cifra de negocios. Sin embargo, sobre las mismas no se podrá aplicar el coeficiente de situación previsto en el artículo 87 del TRLRHL, que pondera la situación física del local dentro de cada término municipal, que, como vimos, sí es aplicable sobre las cuotas municipales, ni tampoco le será de aplicación el recargo provincial sobre el IAE establecido en el artículo 134 del TRLRHL que se aplica exclusivamente sobre las cuotas municipales.

De acuerdo con lo señalado en la Regla 11ª.2 de la Instrucción, el pago de las cuotas provinciales faculta para el ejercicio de las actividades correspondientes en el ámbito territorial de la provincia de que se trate, sin necesidad de satisfacer cuota mínima municipal alguna.

Cuando para una misma actividad se contemplen en las Tarifas del impuesto distintas categorías de cuota, es decir, por ejemplo, se prevea que se pueda tributar por cuota municipal, provincial o nacional, de acuerdo con lo establecido en la Regla 13ª de la Instrucción, el sujeto pasivo podrá optar por el pago de cualquiera de ellas. Por lo tanto, respecto a la cuota provincial, en el caso de que el sujeto pasivo desarrolle su actividad en más de un Municipio de la misma provincia, éste podrá optar entre tributar por cuota provincial, lo que le facultaría para desarrollar la actividad en todo el ámbito territorial de la provincia, sin tener que satisfacer en ese caso ninguna otra cuota municipal adicional a los Municipios integrados en esa provincia, o puede optar por satisfacer la respectiva cuota municipal en cada uno de los municipios en los que desarrolle la actividad. Evidentemente, esta decisión va a depender de las ventajas en términos de menor coste fiscal que la opción por una posibilidad u otra le reporten, así como de las posibles expectativas que el sujeto tenga en cuanto a la expansión del ejercicio de su actividad a lo largo del período impositivo, que pueden aconsejar la opción por la tributación por cuota provincial pese al inicialmente mayor coste de la misma[129].

---

[129] En este sentido, F. Poveda Blanco, *El nuevo Impuesto...*, cit., pág. 172.

7.3.2.3. Cuotas nacionales

Señala la Regla 12ª.1 de la Instrucción que *"son cuotas nacionales las que con tal denominación aparecen expresamente señaladas en las Tarifas"*.

En consecuencia, la tributación en el IAE por cuota nacional sólo se puede producir cuando expresamente se haya establecido esta posibilidad en el grupo o epígrafe en el que se clasifique la correspondiente actividad. La misma se ha podido establecer con carácter imperativo, cuando sólo se prevé la posibilidad de tributar por cuota nacional, o bien, se ha podido establecer con carácter facultativo, cuando junto a la posibilidad de tributar por cuota nacional se prevé también la de hacerlo por cuota provincial o por cuota municipal. En este último caso, si el contribuyente opta por satisfacer una cuota nacional no tendrá obligación ya de tributar por cuota provincial ni por cuota municipal alguna por el ejercicio de esa misma actividad.

El párrafo 2 de la Regla 12ª de la Instrucción señala las facultades que otorga el pago de la cuota nacional que, como hemos señalado, para acomodar la redacción de la Instrucción a la reforma introducida por la Ley 51/2002, habrá que entenderlo referido a la adscripción censal por cuota nacional. El alta en la matrícula del impuesto por cuota nacional faculta para el ejercicio de las actividades correspondientes en todo el territorio nacional sin necesidad de satisfacer cuota mínima municipal o provincial alguna.

La tributación por cuota nacional, en consecuencia, faculta para la utilización de locales en toda España, sin perjuicio de la tributación por la superficie ocupada por los mismos.

Cuando la tributación por cuota nacional aparezca como opcional para el ejercicio de una determinada actividad, igual que vimos al tratar de las cuotas provinciales, el contribuyente puede optar por tributar por cuotas municipales, provinciales o por cuota nacional, decisión que normalmente se adoptará en función de las ventajas fiscales que una u otra posibilidad le reporten teniendo en cuenta las características concretas que para ese contribuyente representa el ejercicio de su actividad.

7.3.2.4. La elección de la clase de cuota

Como hemos venido señalando, para determinadas actividades contempladas en las Tarifas se establecen más de una clase de cuotas. En estos casos, de acuerdo con lo dispuesto en la Regla 13ª de la Instrucción, el contribuyente puede optar por el pago de cualquiera de ellas, con las facultades propias que la clase de cuota elegida le otorga para el ejercicio de su actividad.

Cuando en las Tarifas del impuesto se asigne una sola clase de cuota a una determinada actividad, no es posible que el contribuyente pueda ya optar, dadas las características subjetivas concurrentes en el ejercicio de la actividad, por tributar de acuerdo con alguna otra modalidad o clase de cuota.

En los casos en los que se establezcan en las Tarifas para una determinada actividad distintas clases de cuota, el contribuyente deberá optar por una de ellas en el impreso correspondiente a la declaración de alta en la matrícula del impuesto. Asimismo, cuando el contribuyente quiera cambiar la opción elegida y pasar a tributar por otra clase de cuota tiene dos posibilidades. La primera de ellas es presentar la correspondiente declaración de variación, dado que, de acuerdo con lo dispuesto en el artículo 6.1 del RD 243/1995 en todo caso se considera variación el cambio de opción que realice el sujeto pasivo cuando las Tarifas tengan asignada más de una clase de cuota. Si el contribuyente utiliza esta primera posibilidad, es decir, presenta una declaración de variación, las facultades correspondientes al nuevo tipo de cuota elegida surtirán efecto a partir del período impositivo siguiente. Esta última circunstancia resta flexibilidad y rapidez al cambio de opción, dado que el mismo sólo comenzará a surtir efecto a partir del siguiente período impositivo. Con lo cual, el contribuyente, a la vista de cómo se vaya desarrollando su actividad durante el año, de utilizar esta posibilidad de la declaración de variación, no podría jugar con las distintas opciones de tributación que las Tarifas le ofrecen para ese año[130].

Por ello, el artículo 6.1 del RD 245/1995, como decíamos, ofrece una segunda opción al contribuyente para modificar la opción realizada respecto al tipo de cuota, consistente en presentar las declaraciones de baja y alta que corresponda, que no tendrán en este caso la consideración de variación. De utilizar esta opción el contribuyente se asegura que las facultades previstas para la clase de cuota elegida le sean de aplicación desde el momento en el que realiza su nueva opción.

---

[130] La jurisprudencia ofrece ejemplos de contribuyentes que, una vez concluido el año, pretenden de la Administración un cambio en la clase de cuota en la que se dieron de alta aplicable a ese año, generalmente, desde una cuota superior —nacional o provincial— a una cuota inferior —municipal—, alegando para ello todo tipo de errores materiales en la cumplimentación de la declaración de alta. Así, en la STSJ de Madrid de 20 de marzo de 2000, un contribuyente que, según lo que figura en el impreso original de la declaración de alta optó por la tributación por cuota provincial, marcando nítidamente la casilla correspondiente, alega, aportando como prueba el ejemplar para el interesado, que la marca se encontraba entre las casillas correspondientes a la opción por cuota provincial y por cuota municipal, siendo sí que la Administración le incluyó en cuota provincial cuando su deseo era tributar por cuota municipal. El Tribunal desestima su pretensión, argumentando que *"resulta innegable la colocación del aspa en el casillero 'provincial' de la declaración original, por lo que la cuota elegida era la provincial y, precisamente por ello la Administración no tenía nada que subsanar ni nada que consultar u opción que comunicar o recabar"*. El Tribunal nos pone sobreaviso de este tipo de maniobras cuando, acto seguido, señala *"este Tribunal ha resuelto en sentido desestimatorio numerosos recursos en los que el contribuyente, habiendo colocado el aspa nítidamente en la casilla 'nacional', afirmaba, a ejercicio pasado, que sufrió error en su declaración y que sólo había actuado en ámbito local. El caso presente es sustancialmente idéntico y procede resolver en el mismo sentido desestimatorio del recurso"*.

De utilizar esta segunda posibilidad, dado el régimen de prorrateo de cuotas por trimestres naturales previsto en el artículo 89 del TRLRHL, el contribuyente tributaría por el tipo de cuota inicialmente elegido hasta el trimestre natural anterior a aquél en el que presente la declaración de baja, pasando a tributar por el nuevo tipo de cuota en el trimestre natural en el que se produce la declaración de alta hasta el final del año natural.

Una vez presentada la correspondiente declaración y ejercida la opción, en el caso de que el contribuyente haya padecido algún tipo de error material en el ejercicio de tal opción, podrá instar de la Administración la rectificación en este sentido de tal declaración. Ello, obviamente, requiere que el contribuyente aporte una prueba suficiente del error padecido[131].

7.3.3. Los elementos tributarios

7.3.3.1. Concepto y funciones de los elementos tributarios

Como ya hemos señalado, las cuotas de tarifa no siempre vienen determinadas en la correspondiente rúbrica mediante el señalamiento de una cantidad concreta, sino que en muchas ocasiones la Tarifa contempla una serie de elementos en función de los cuales será determinable la cuota de tarifa. Pues bien, la Regla 14ª de la Instrucción se ocupa de definir estos elementos tributarios, de las reglas generales o comunes a observar en su aplicación, así como de aquellos elementos de mayor importancia utilizados en las Tarifas.

Cabe destacar que uno de estos elementos tributarios que han desplegado para un buen número de actividades una importancia fundamental en la determinación de la cuota de tarifa fue suprimido por la Ley 51/2002. Nos estamos refiriendo al elemento tributario *número de obreros*[132]. Esta supresión ha sido bien acogida por la doctrina, habida cuenta de que la cuantificación del gravamen en función del número de obreros constituía una medida desincentivadora de la creación de empleo[133].

---

[131] En este sentido, STSJ de Castilla-La Mancha de 14 de noviembre de 1995 y STSJ de Galicia de 29 de enero de 1997.

[132] La Disposición Adicional Cuarta de la Ley 51/2002 ha establecido que las Tarifas e Instrucción del IAE se apliquen teniendo en cuenta una serie de modificaciones que, por lo que ahora nos interesa, suponen que *"en aquellos supuestos en los cuales la cuota de tarifa prevista en el Real Decreto Legislativo 1175/1990 venga determinada, entre otros, por el elemento tributario 'número de obreros', como una cantidad fija a satisfacer por cada obrero, no se aplicará la parte de la cuota correspondiente a dicho elemento tributario"*.

[133] Como señalan C. Checa González; I. Merino Jara, *La reforma...*, cit., pág. 146, "la existencia de dicho elemento para cifrar y concretar la cuota tributaria penalizaba al factor trabajo, lo que conllevaba que no pocas empresas desistiesen de contratar trabajadores, ante el aumento de cuota de IAE que ello

La Regla 14ª de la Instrucción define los elementos tributarios como "*aquellos módulos indiciarios de la actividad, configurados por las Tarifas, o por la presente Regla, para la determinación de las cuotas*".

Los elementos tributarios a aplicar en cada caso para la determinación de la cuota de tarifa que corresponda a las distintas actividades serán los que para cada una de ellas se determinen en la correspondiente rúbrica de las Tarifas, así como, en su caso, el elemento tributario superficie de los locales. A tal efecto, se tendrán en cuenta los elementos tributarios en el momento del devengo del impuesto que, con carácter general, se produce el 1 de enero de cada año, salvo en el caso de declaración de alta en día distinto, en que se produce el día del inicio de la actividad.

Si un mismo elemento tributario es utilizado de forma simultánea en el desarrollo de más de una actividad económica diferenciada, para la determinación de la cuota de tarifa correspondiente a cada una de esas actividades se deberá tener en cuenta que la cuantía a imputar en cada actividad del elemento en cuestión deberá ser el resultado del reparto proporcional a su utilización en cada una de esas actividades[134].

8. LA CUOTA LÍQUIDA DEL IAE

8.1. EL CONCEPTO DE CUOTA TRIBUTARIA EN EL IAE

El artículo 84 del TRLRHL define, con carácter general, la *cuota tributaria* del impuesto como la resultante de aplicar las tarifas y los coeficientes y bonificaciones previstos en la ley y, en su caso, acordados por cada ayuntamiento y regulados en las respectivas ordenanzas fiscales. Se trata, por tanto, de acuerdo con el artículo 56.5 de la LGT, de una *cuota líquida*.

En el caso de actividades que tributen por cuota municipal, la cuota líquida será la resultante de aplicar sobre la cuota de tarifa el coeficiente de ponderación establecido en función del importe neto de cifra de negocios, así como, en su caso, el coeficiente de situación e, igualmente, en su caso, las bonificaciones sobre la cuota establecidas en la normativa del impuesto.

En el supuesto de las actividades que tributen por cuotas provinciales y nacionales, la cuota líquida será el resultado de aplicar sobre la cuota de tarifa el coeficiente de ponderación establecido en función del importe neto de la cifra de negocios y, en su caso, las bonificaciones sobre la cuota establecidas en la normativa del impuesto. En el caso

---

suponía, con el perjuicio que así se causaba en una situación en la que el paro es uno de los problemas más graves de nuestra economía".

[134] Cfr., F. Poveda Blanco, *El nuevo Impuesto...*, cit., pág. 176.

de cuotas provinciales o nacionales no se aplica, por lo tanto, el coeficiente de situación regulado en el artículo 87 del TRLRHL, tal y como dispone el artículo 85.3 de este texto normativo.

8.2. EL COEFICIENTE DE PONDERACIÓN POR IMPORTE NETO DE CIFRA DE NEGOCIOS

Regulado en el actual artículo 86 del TRLRHL ha constituido una de las grandes novedades introducidas en la regulación del impuesto por la Ley 51/2002 y que, sin duda, ha contribuido a cambiar su fisonomía. La función del mismo es ponderar la *cuota de tarifa* en función del importe neto de cifra de negocios obtenido por el sujeto pasivo. A tal efecto, el artículo 86 del TRLRHL establece una escala de coeficientes en función de una serie de tramos de importe neto de cifra de negocios, adoptando una estructura progresiva, que va desde el 1,29, para el tramo más bajo hasta el 1,35 para el más alto. A ello se une la disposición de que para aquellos contribuyentes sin importe neto de cifra de negocio el coeficiente a aplicar será de 1,31.

Dada la estructura progresiva de la escala que establece los coeficientes de ponderación, entendemos que la aplicación de la misma ha de hacerse por tramos y no atendiendo a cantidades globales. Esta estructura progresiva de los coeficientes de ponderación acentúa este carácter en el IAE, si bien, el incremento del coeficiente de un tramo a otro de la escala es extraordinariamente pequeño en relación al aumento en cuanto al importe neto de cifra de negocio de los distintos tramos o escalones, lo cual desdibuja bastante el efecto de la progresividad[135].

En cuanto a la determinación del importe neto de la cifra de negocios, el artículo 86 del TRLRHL se remite a lo establecido sobre la cuestión en el artículo 82.1.c) del mismo texto normativo a efectos de la exención por esta causa[136].

8.3. EL COEFICIENTE DE SITUACIÓN

El actual artículo 87 del TRLRHL regula, a raíz de la reforma de la Ley 51/2002, un nuevo, que no novedoso, *coeficiente de situación*. El mismo ha venido a sustituir al antiguo *coeficiente corrector* previsto en el artículo 88 de la LRHL, establecido con carácter potestativo en función de la población de derecho del Municipio, así como al antiguo

---

[135]   Opina F. Poveda Blanco, *El nuevo Impuesto...*, cit., pág. 69, que resulta absurdo establecer un coeficiente de ponderación a través de un cuadro en el que a una diferencia tan elevada entre los escalones extremos se corresponde un mínimo incremento del coeficiente aplicable.

[136]   En consecuencia, también nosotros nos remitimos ahora al análisis que sobre la cuestión efectuamos al tratar de la exención establecida en función del importe neto de la cifra de negocio.

índice de situación contemplado en el artículo 89 de la LRHL, aplicable en función de la categoría de las calles en que radicasen los locales. Y la palabra sustitución está bien empleada, porque adoptando la estructura básica y finalidad del antiguo índice de situación, en la cuantificación del nuevo coeficiente de situación, que oscilará entre 0,4 de mínimo y 3,8 de máximo, se observa la integración matemática de los antiguos coeficientes referidos[137].

Este coeficiente de situación se aplicará exclusivamente sobre las cuotas municipales modificadas tras la aplicación del anterior coeficiente de ponderación establecido en función de la cifra neta de negocios. A tal efecto, los Ayuntamientos podrán establecer una escala de coeficientes que pondere la situación física del local dentro de cada término municipal, atendiendo a la categoría de la calle en que el mismo radique. El establecimiento de esta escala de coeficientes deberá hacerse en la respectiva Ordenanza municipal reguladora del impuesto, encontrando los Ayuntamientos una serie de limitaciones impuestas por el artículo 87 del TRLRHL en el ejercicio de su poder tributario derivado para el establecimiento de este coeficiente. La primera de estas limitaciones se refiere a la banda u horquilla habilitada por el texto legal para que los Ayuntamientos puedan fijar los correspondientes coeficientes en función de las distintas categorías de calles. Los Ayuntamientos no podrán establecer un coeficiente inferior a 0,4 ni un coeficiente superior a 3,8.

La segunda limitación se refiere al número de categorías de calles que, a efectos de aplicar este coeficiente, pueden establecer los Ayuntamientos. No pueden establecerse menos de 2 categorías ni más de 9. En consecuencia, la correspondiente Ordenanza fiscal deberá aprobar el callejero municipal con la clasificación de las calles por categorías a efectos de la aplicación de este coeficiente[138].

---

[137] Como destaca F. Poveda Blanco, *El nuevo Impuesto...*, cit., pág. 75, el legislador ha sido poco original a la hora de establecer la horquilla del nuevo coeficiente de situación, pues tanto el límite mínimo como el máximo son el resultado de integrar los límites inferiores y superiores de comportamiento para los anteriores coeficientes correctores municipal e índice de situación. En el mismo sentido, M. J. Caamaño Rial, "Situación transitoria...", cit., pág. 45, señala que el intervalo del nuevo coeficiente se corresponde con el producto de los anteriores coeficientes de población y situación, si bien con la importante diferencia para los pequeños y medianos Ayuntamientos, de que con la nueva regulación han quedado eliminados los techos poblacionales que actuaban como límite del incremento de la imposición.

[138] Como señala la STS de 22 de febrero de 2000, en relación al antiguo índice de situación, "*los índices y la categoría de las distintas calles constituyen un todo, pues la ponderación de tales índices, que tienen un mínimo de 0,50 y un máximo de 2, está en función de las cuotas incrementadas, por ello el artículo 85 de la Ley 39/1988, de 28 de diciembre, exige que se acuerde conjuntamente en la Ordenanza Fiscal del Impuesto sobre Actividades Económicas, el coeficiente de incremento de las cuotas mínimas y la escala de índices*".

Además, el artículo 87 del TRLRHL impone un límite adicional a aquellos Municipios en los que no sea posible distinguir más de una categoría de calle, al señalar que no se puede establecer el coeficiente de situación. Esta disposición equivale, en la práctica, a que el coeficiente de situación es igual a la unidad, dado que, al no aplicarse, los Ayuntamientos no pueden influir en la cuantía de las cuotas municipales resultantes tras la aplicación del coeficiente de ponderación por importe neto de cifra de negocio.

El último límite al que queda sometido el poder tributario municipal para el establecimiento del coeficiente de situación es que la diferencia del valor del coeficiente atribuido a una calle con respecto al atribuido a la categoría superior o inferior no podrá ser menor de 0,10.

La finalidad perseguida por este coeficiente de situación es que los Ayuntamientos modulen en su término municipal las cuotas a satisfacer por los sujetos pasivos del impuesto en función de la localización del local desde donde ejercen su actividad[139].

Como ha señalado la STC 233/1999 (FJ 27), al enjuiciar la adecuación al artículo 31.1 de la Constitución del antiguo índice de situación establecido en el artículo 89 de la LRHL, "*no parece discutible que la disposición de un local para desarrollar la actividad económica de que se trate constituye una manifestación de capacidad económica que, desde la óptica del art. 31.1 CE fundamenta el incremento del gravamen. Y plenamente respetuoso con dicho precepto es asimismo que, tal y como especifica el párrafo primero del art. 89 LHL, el índice a aplicar dependa de la situación física del local en cada termino municipal (concretamente de la categoría de la calle en que radique), dado que este es, claramente, un factor que incide de manera decisiva en el negocio, al determinar, entre otras cosas, las vías de comunicación y transporte utilizables en el ejercicio de las actividades comerciales e industriales, el coste de dichas actividades, así como la cantidad y capacidad de gasto de los potenciales clientes*".

8.4. EL CÁLCULO DE LA CUOTA TRIBUTARIA

La determinación o cálculo de la cuota tributaria en el IAE se llevará a cabo, según lo explicado hasta ahora, de la manera que explicaremos a continuación en función de cuál sea el tipo de cuota.

---

[139] Sobre la finalidad y aplicación de este coeficiente de situación, cfr., A. García Martínez, "El ejercicio del poder tributario municipal en el Impuesto sobre Actividades Económicas", TL, núm. 58, 2006, págs. 11 y ss.

8.4.1. Cuotas municipales

8.4.1.1. Cuotas municipales integradas por cuota de licencia y cuota de radicación

En el caso de las cuotas municipales cuando además de la cuota de licencia, es decir, la derivada de los elementos tributarios previstos en la respectiva rúbrica de las tarifas concurre también el elemento tributario superficie de los locales (cuota de radicación), la cuota tributaria se determinará aplicando a la cuota de tarifa, integrada por esos dos elementos reseñados, en primer lugar, el índice de ponderación establecido en función del importe neto de la cifra de negocios que corresponda y, en segundo lugar, sobre la cuota así modificada, aplicando el coeficiente de situación que corresponda en función de la situación del local, cuando el mismo haya sido establecido por el correspondiente Ayuntamiento. El resultado será la cuota tributaria del IAE.

8.4.1.2. Cuotas municipales integradas exclusivamente por cuota de licencia

En este caso sobre la cuota de tarifa, integrada exclusivamente por la cuota derivada de la aplicación de la correspondiente rúbrica de las Tarifas (cuota de licencia) al no existir el elemento tributario superficie de los locales (cuota de radicación), se aplicará el coeficiente de ponderación establecido en función del importe neto de la cifra de negocios que corresponda y el resultado será la cuota tributaria por el IAE. No procede la aplicación, en su caso, del índice de situación al no existir local.

8.4.1.3. Cuotas municipales integradas exclusivamente por cuota de radicación

Sobre la cuota de tarifa, que en este caso estará integrada exclusivamente por la cuota correspondiente al elemento superficie de los locales (cuota de radicación), se aplicará, en primer lugar, el coeficiente de ponderación establecido en función del importe neto de la cifra de negocios que corresponda y sobre el resultado se aplicará, en segundo lugar, el coeficiente de situación en función de la ubicación del local, cuando el mismo haya sido establecido por el respectivo Ayuntamiento. El resultado será la cuota tributaria por el IAE.

8.4.2. El caso del recargo provincial sobre el IAE

Es de destacar que en el caso de las cuotas municipales se aplica el recargo provincial sobre el IAE previsto en el artículo 134 del TRLRHL para el caso de que la respectiva Diputación provincial o la Comunidad Autónoma uniprovincial lo hayan establecido. Este recargo se aplica sobre las cuotas municipales modificadas por la aplicación del coeficiente de ponderación establecido en función del importe neto de la cifra de negocio y consistirá en un porcentaje único fijado por la respectiva Diputación provincial o Comunidad Autónoma uniprovincial cuyo tipo no podrá ser superior al 40 por 100. El resultado de la aplicación de este recargo da lugar a la cuota tributaria del recargo provincial del IAE, dado que se trata de un tributo distinto al propio IAE que, aunque se gestione y liquide conjuntamente con éste, mantiene su propia cuota individualizada que no se confunde con la del IAE que es el tributo base[140].

8.4.3. Cuotas provinciales y nacionales

La determinación de la cuota tributaria del IAE respecto a las cuotas provinciales y nacionales responde al mismo procedimiento, más simple que respecto a las cuotas municipales por cuanto no va a ser de aplicación el coeficiente de situación establecido en función de la ubicación de los locales.

Por lo tanto, respecto a la determinación de la cuota tributaria en el caso de cuotas provinciales y nacionales, a la correspondiente cuota de tarifa, integrada por la cuota de licencia y por la cuota de radicación o, en su caso, por una sólo de ellas, se le aplicará el coeficiente de ponderación establecido en función del importe neto de la cifra de negocio y el resultado será la cuota tributaria del IAE correspondiente.

Cabe observar, no obstante, que esta cuota tributaria que hemos obtenido tras la aplicación del coeficiente de ponderación establecido en el artículo 86 del TRLRHL y, en su caso, del coeficiente de situación previsto en el artículo 87 no va a ser todavía la cuota tributaria definitiva a satisfacer a la Administración tributaria en los casos en los que sea de aplicación alguna de las bonificaciones sobre la cuota previstas en la normativa del impuesto. Cuando se dé el presupuesto de hecho de alguna de estas bonificaciones, por lo tanto, la aplicación de las mismas dará lugar a una cuota tributaria bonificada o reducida que será, entonces, la que habrá que pagar a la Hacienda pública en caso de resultar obligados a ello.

8.5. LAS BONIFICACIONES SOBRE LA CUOTA EN EL IAE

8.5.1. Bonificaciones obligatorias y bonificaciones potestativas

Tras la reforma introducida en el impuesto por la Ley 51/2002 se han introducido en la regulación del impuesto una serie de bonificaciones a aplicar sobre la cuota y se han reestructurado o dado nueva configuración a bonificaciones ya tradicionales en el ámbito del mismo. Estas bonificaciones están establecidas principalmente en el actual

---

[140] Sobre ello nos remitimos a lo que hemos expuesto en A. García Martínez, "Los recargos sobre impuestos del Estado como recurso de las Comunidades Autónomas", RJUAM, núm. 2, 2000, págs. 83 y 84.

artículo 88 del TRLRHL, aunque también se establecen bonificaciones en otras leyes especiales en las que, dadas las características de esta obra, no nos vamos a detener[141]. Nos centraremos, igual que hicimos al tratar las exenciones, en las bonificaciones establecidas en el artículo 88 del TRLRHL[142].

Se establecen dos tipos de bonificaciones en función de su aplicabilidad obligatoria o no. Unas, que son obligatorias, en el sentido de que son aplicables en todo caso cuando se verifique el presupuesto de hecho de las mismas. Otras, que son potestativas, en el sentido de que sólo van a ser aplicables cuando hayan sido establecidas por el respectivo Ayuntamiento en la correspondiente Ordenanza Fiscal reguladora del impuesto. Hay que tener en cuenta, a tal efecto, que las bonificaciones potestativas son de aplicación a partir del 1 de enero de 2004, por establecerlo así la actual Disposición Adicional Duodécima en su apartado 1 del TRLRHL (Antigua Disposición Adicional Octava de la Ley 51/2002)[143].

8.5.2. Las bonificaciones obligatorias

8.5.2.1. La bonificación para las Cooperativas y sociedades agrarias de transformación

A las cooperativas, a las uniones, federaciones y confederaciones de éstas y a las sociedades agrarias de transformación se les reconoce en el impuesto la bonificación prevista en la Ley 20/1990, de 19 de diciembre, sobre Régimen Fiscal de las Cooperativas.

Se establece una bonificación del 95 por 100 de la cuota y, en su caso, de los recargos del IAE para los siguientes sujetos pasivos: a) para las cooperativas protegidas y para las especialmente protegidas (arts. 33 y 34 Ley 20/1990); b) para las cooperativas de segundo

---

141 Destacadamente hay que tener en cuenta las bonificaciones previstas en la Ley 49/2002, de 23 de diciembre, de régimen fiscal de las entidades sin fines lucrativos y de los incentivos fiscales al mecenazgo, especialmente lo dispuesto en el artículo 27.3.4) de la misma que establece una bonificación del 95 por 100 de las cuotas y recargos del IAE correspondientes a las actividades de carácter artístico, cultural, científico o deportivo que hayan de tener lugar durante la celebración del respectivo acontecimiento y que se enmarquen en los planes y programas de actividades elaborados por el consorcio o por el órgano administrativo correspondiente.

142 Un análisis de estas bonificaciones y del uso que de la posibilidad de establecerlas han hecho los principales municipios puede verse en A. García Martínez, "El ejercicio del poder tributario...", cit., págs. 11 y ss.

143 En opinión de M. J. Caamaño Rial, "Situación transitoria...", cit., pág. 47, el retraso en la entrada en vigor de la aplicación de las bonificaciones potestativas en el IAE, dado que la Ley 51/2002 entró en vigor el 1 de enero de 2003, no se debe a las especiales complejidades que la gestión de las mismas pudiese ocasionar, sino a la conveniencia de no complicar el cálculo de la compensación por la pérdida recaudatoria derivada de la reforma del propio IAE, y del anticipo que, a cuenta de aquélla, tenía que abonarse en el año 2003 a todas las Corporaciones Locales afectadas.

y ulterior grado, siempre que no incurran en alguna de las circunstancias establecidas en el artículo 13 de la Ley 20/1990 (art. 35 de la Ley 20/990); c) para las uniones, federaciones y confederaciones de cooperativas (art. 36 de la Ley 20/1990); d) para las sociedades agrarias de transformación constituidas para el cumplimiento de los fines recogidos en el RD Leg. 1776/1981 e inscritas en el Registro General de Sociedades Agrarias de Transformación del Ministerio de Agricultura, Pesca y Alimentación o, en su caso, de las Comunidades Autónomas (Disposición Adicional Primera, apartado tres, de la Ley 20/1990).

8.5.2.2. La bonificación por inicio de actividades profesionales

El artículo 88.1.b) del TRLRHL establece una bonificación del 50 por 100 de la cuota correspondiente, para quienes inicien el ejercicio de cualquier actividad profesional. La misma se aplicará durante los cinco años de actividad siguientes a la conclusión del segundo período impositivo de desarrollo de aquélla. A tal efecto, especifica la norma que el período de bonificación de la exención caducará transcurridos cinco años desde la finalización de la exención por inicio de actividad contemplada en el artículo 82.1.b) del TRLRHL.

8.5.3. Las bonificaciones potestativas

8.5.3.1. La bonificación por inicio de actividades empresariales

El artículo 88.2.a) del TRLRHL establece la posibilidad de que los Ayuntamientos establezcan una bonificación de hasta el 50 por 100 de la cuota correspondiente para quienes inicien el ejercicio de cualquier actividad empresarial y tributen por cuota municipal. El período de disfrute de esta bonificación es el de los cinco años de actividad siguientes a la conclusión del segundo período impositivo de desarrollo de aquella. A tal efecto, especifica el precepto que el período de aplicación de la bonificación caducará transcurridos cinco años desde la finalización de la exención por inicio de actividad prevista en el artículo 82.1.b) del TRLRHL.

El período de disfrute de la bonificación por inicio de actividades empresariales está coordinado con el período de disfrute de la exención total prevista en la normativa del impuesto por inicio de una actividad económica. La intención de la ley es que, una vez concluida la exención por inicio de actividad, que se aplica a los dos primeros períodos impositivos de ejercicio de la misma, el sujeto pasivo continúe durante cinco años más gozando del disfrute de un beneficio fiscal establecido por razón del inicio de tal actividad cuando ésta tenga carácter empresarial, esta bonificación de la que hablamos.

En cuanto a los requisitos configuradores del presupuesto de hecho de la bonificación, por lo que al inicio de actividad económica respecta, cuando se entiende producido el mismo, los casos de sucesión empresarial, etc., nos remitimos ahora al análisis efectuado al tratar de la exención por inicio de actividad.

La bonificación se aplica sólo en el caso de cuotas municipales sobre la cuota tributaria del impuesto, es decir, sobre la resultante de aplicar sobre la cuota de tarifa el coeficiente de ponderación establecido en el artículo 86 del TRLRHL en función de la cifra neta de negocio y, en su caso, sobre la cuota así modificada o ponderada, el coeficiente de situación previsto en el artículo 87 del TRLRHL, establecido en función del lugar de situación del local atendiendo a las categorías de las calles.

Especifica el precepto que en el caso de tratarse de una cooperativa, unión, federación o confederación de éstas o una sociedad agraria de transformación que haya gozado de la bonificación establecida para estos sujetos pasivos en el artículo 88.1.a) del TRLRHL, esta bonificación por inicio de actividades empresariales se aplicará sobre la cuota resultante tras la aplicación de aquélla.

8.5.3.2. La bonificación por creación de empleo

El artículo 88.2.b) del TRLRHL establece la posibilidad de que los Ayuntamientos establezcan una bonificación de hasta el 50 por 100 de la cuota correspondiente por creación de empleo. De la misma se podrán beneficiar los sujetos pasivos que tributen por cuota municipal y que hayan incrementado el promedio de su plantilla de trabajadores con contrato indefinido durante el período impositivo inmediato anterior al de la aplicación de la bonificación, en relación con el período anterior a aquél.

El precepto habilita, asimismo, a que los Ayuntamientos establezcan los porcentajes de bonificación en función de cuál sea el incremento medio de la plantilla de trabajadores con contrato indefinido, sin que, a tal efecto, claro, se pueda rebasar el porcentaje máximo de bonificación que es del 50 por 100.

Esta bonificación se aplicará a la cuota resultante tras la aplicación, en su caso, de las bonificaciones para cooperativas y por inicio de actividades profesionales o por inicio de actividades empresariales.

El fin perseguido con la medida es muy valioso por cuanto no sólo persigue la creación de empleo sino que este lo sea con carácter indefinido, fomentando la estabilidad en el empleo[144].

8.5.3.3. Bonificaciones por contribución a la mejora medioambiental

El artículo 88.2.c) del TRLRHL prevé la posibilidad de que los Ayuntamientos establezcan una bonificación de hasta el 50 por 100 de la cuota correspondiente para los sujetos pasivos que tributen por cuota municipal y que realicen una serie de actuaciones dirigidas a la mejora medioambiental que pasamos a detallar a continuación.

---

[144] Cfr., C. Checa González; I. Merino Jara, *La reforma...*, cit., pág. 159.

a) Que utilicen o produzcan energía a partir de instalaciones para el aprovechamiento de energías renovables o sistemas de cogeneración. A tal efecto, especifica la norma que se considerarán instalaciones para el aprovechamiento de las energías renovables las contempladas y definidas como tales en el Plan de Fomento de las Energías Renovables. Asimismo, se considerarán sistemas de cogeneración los equipos e instalaciones que permitan la producción conjunta de electricidad y energía térmica útil.

b) Que realicen sus actividades industriales, desde el inicio de su actividad o por traslado posterior, en locales e instalaciones alejadas de las zonas más pobladas del término municipal.

c) Que establezcan un plan de transporte para sus trabajadores que tenga por objeto reducir el consumo de energía y las emisiones causadas por el desplazamiento al lugar del puesto de trabajo y fomentar el empleo de los medios de transporte más eficientes, como el transporte colectivo o el compartido.

Esta bonificación se aplicará a la cuota resultante de aplicar, en su caso, las bonificaciones obligatorias del artículo 88.1 y las bonificaciones potestativas anteriores, es decir, por inicio de actividad empresarial y por creación de empleo.

Esta bonificación persigue un objetivo de protección y mejora del medio ambiente, recogido por el artículo 45 de la Constitución, por lo que entendemos que está plenamente justificada y que puede desplegar un papel muy positivo.

El Real Decreto-Ley 29/2021, de 21 de diciembre, por el que se adoptan medidas urgentes en el ámbito energético para el fomento de la movilidad eléctrica, el autoconsumo y el despliegue de energías renovables ha introducido una nueva bonificación, contemplada en el nuevo apartado f) del artículo 88.1) del TRLRHL, que tiene también un carácter medioambiental ya que trata de fomentar el uso del automóvil eléctrico. Señala el mencionado apartado f) que gozarán de una bonificación de hasta el 50 por 100 de la cuota los sujetos pasivos que tributen por cuota municipal y que hayan instalado puntos de recarga para vehículos eléctricos en los locales afectos a la actividad económica. La aplicación de esta bonificación estará condicionada a que las instalaciones cuenten con la correspondiente homologación por parte de la Administración competente. Esta bonificación se aplicará a la cuota resultante de aplicar, en su caso, las bonificaciones a que se refieren los apartados anteriores.

8.5.3.4. Bonificación por bajo rendimiento neto de la actividad o rendimiento negativo

El artículo 88.2.d) del TRLRIIL establece una nueva bonificación potestativa de hasta el 50 por ciento de la cuota correspondiente para los sujetos pasivos que tributen por cuota municipal y tengan una renta o rendimiento neto de la actividad económica negativos o inferiores a la cantidad que determine la ordenanza fiscal. A tal efecto, la ordenanza respectiva podrá fijar diferentes porcentajes de bonificación y límites en función de cuál sea la división, agrupación o grupo de las tarifas del impuesto en que se clasifique la actividad económica realizada.

Esta bonificación se aplicará sobre la cuota que resulte tras la aplicación, en su caso, de las bonificaciones obligatorias previstas en el primer apartado del artículo 88 del TRLRHL y de todas las anteriores obligaciones potestativas que haya podido establecer el Ayuntamiento a través de la respectiva Ordenanza fiscal.

8.5.3.5. Bonificación para actividades declaradas de especial interés municipal

El artículo 88.2.e) del TRLRHL contempla una bonificación potestativa de hasta el 95 por 100 de la cuota del IAE para los sujetos pasivos que tributen por cuota municipal y desarrollen actividades económicas que sean declaradas de especial interés o utilidad municipal por concurrir circunstancias sociales, culturales, histórico-artísticas o de fomento del empleo. Dicha declaración se realizará por el Pleno de la Corporación previa solicitud del sujeto pasivo[145]

8.5.3.6. Los requisitos formales en el caso de bonificaciones potestativas

El artículo 88.3 del TRLRHL otorga un margen de discrecionalidad a los Ayuntamientos que decidan establecer alguna o algunas de las bonificaciones potestativas, señalando que la correspondiente ordenanza fiscal podrá especificar tanto los aspectos sustantivos como los formales que configuren el régimen jurídico de cada una de las bonificaciones. En este sentido, el precepto otorga a los Ayuntamientos la posibilidad de determinar si todas o algunas de las bonificaciones potestativas son o no aplicables simultáneamente.

9. PERÍODO IMPOSITIVO Y DEVENGO DEL IMPUESTO

El IAE es un impuesto periódico, dado que el hecho imponible, constituido por el ejercicio de una actividad económica en territorio español, se produce de manera continuada en el tiempo. A fin de procurar la correcta exacción del impuesto, el artículo 89 del TRLRHL acota un período impositivo del impuesto con carácter general, que será coincidente con el año natural. Por excepción, para aquellos casos en los que el sujeto pasivo se dé de alta en la matrícula del impuesto y señale como comienzo de la actividad

---

[145] Esta bonificación ha sido introducida por la Ley 16/2012, de 27 de diciembre, por la que se adoptan diversas medidas tributarias dirigidas a la consolidación de las finanzas públicas y al impulso de la actividad económica, y se equipara a la que esta misma Ley ha introducido en el ámbito del IBI y a la existente ya con anterioridad en el artículo 103.2.a) del TRLRHL en relación con el ICIO.

para la que se solicita el alta un día distinto al 1 de enero, el período impositivo abarcará desde la fecha de comienzo de la actividad hasta el final del año natural.

No se admite, en consecuencia, como período impositivo el ejercicio económico de la empresa ejercida por una persona jurídica o entidad sin personalidad cuando éste sea inferior al año, a pesar de que el objeto de este impuesto es el gravamen del rendimiento potencial que se deriva del ejercicio de una actividad económica. La razón de ello parece encontrarse, como indica la profesora PIÑA, en que las rentas que quieren gravarse no son las efectivamente obtenidas por el sujeto pasivo, sino los rendimientos potenciales de la actividad, determinados a través de una serie de índices y valores fijados en la ley, que no se ven afectados por la organización económica interna de cada empresa[146].

El devengo del impuesto se ha situado por la norma al inicio del período impositivo, el primer día del mismo, con lo que el hecho imponible se entenderá realizado el día 1 de enero o, en caso de declaración de alta e inicio de actividad en día distinto, el día del inicio de la actividad.

El artículo 89.2 del TRLRHL señala que las cuotas del impuesto serán irreducibles, salvo cuando, en los casos de declaración de alta, el día del comienzo de la actividad no coincida con el año natural, en cuyo supuesto las cuotas se calcularán proporcional-mente al número de trimestres naturales que restan para finalizar el año, incluido el del comienzo del ejercicio de la actividad.

En el caso de baja por cese en el ejercicio de la actividad, las cuotas serán prorratea-bles por trimestres naturales, excluido aquél en el que se produzca dicho cese[147].

Los sujetos pasivos podrán solicitar la devolución de la parte de la cuota correspon-diente a los trimestres naturales en los que no se hubiera ejercido la actividad.

---

[146]   M. D. Piña Garrido, *El devengo y el período impositivo en el sistema tributario español*, Colex-UAM, Madrid, 1997, pág. 212.

[147]   Esta previsión no se contenía en la redacción originaria de la LRHL (art. 90.2), que sólo establecía la posibilidad del prorrateo de cuotas en los casos de declaración de alta, pero no en los casos de declaración de baja en el ejercicio de la actividad. La misma fue introducida posteriormente por el artículo 8 de la Ley 22/1993, de 29 de diciembre, de medidas fiscales, de reforma del régimen jurídico de la función pública y de la protección por desempleo. La STC 193/2004, dictada en una cuestión de inconstitucionalidad planteada, en su día, contra la redacción originaria del artículo 90.2 de la LRHL ha venido a declarar ahora que el precepto era contrario al principio de igualdad tributaria y de capacidad económica al no permitir el prorrateo de cuotas cuando se producía la baja en el ejerci-cio de la actividad. El alcance de los efectos de la inconstitucionalidad del precepto los ha extendido la sentencia únicamente a aquellas situaciones que a la fecha de publicación de la misma no hubie-sen adquirido firmeza. Sobre ello puede verse el comentario a esta resolución que efectúa G. Patón García, "Análisis de la STC 193/2004, de 4 de noviembre: el principio de igualdad tributaria y el Impuesto sobre Actividades Económicas", QF, núms. 3-4/2005.

El momento del devengo del impuesto resulta de trascendental importancia en la aplicación del mismo, pues a tal momento ha de ir referida la valoración de los elementos tributarios contemplados en las Tarifas a efectos de la determinación de la cuota, los índices de situación aplicables en un determinado período impositivo tendrán que estar aprobados en la correspondiente ordenanza fiscal en el momento del devengo y, finalmente, las declaraciones de variación en la matrícula del impuesto surtirán efecto a partir del siguiente devengo del impuesto.

10. LA GESTIÓN DEL IMPUESTO

10.1. LA GESTIÓN COMPARTIDA DEL IAE

El IAE es un impuesto de *gestión compartida*[148]. Tradicionalmente se ha distinguido entre la conocida como *gestión censal del impuesto*, que incluye todas aquellas actuaciones encaminadas a la formación y mantenimiento de las matrículas y que corresponde a la Administración tributaria del Estado, y la conocida como *gestión tributaria*, que incluye todas aquellas actuaciones encaminadas a la gestión en sentido estricto, liquidación, inspección y recaudación y que corresponde, en unos casos a la Administración estatal, en otros a la Administración local, sin perjuicio, claro, de la posible colaboración que entre ellas puedan prestarse en el desempeño de sus tareas[149].

Sin embargo, como apunta el profesor BARQUERO quizá lo más acertado resulte distinguir tres bloques diferenciados y no dos, por un lado la gestión censal, por otro la inspección del impuesto, que la tiene atribuida el Estado aunque con la posibilidad de delegar la misma en los Ayuntamientos y, finalmente, la gestión tributaria, que se quedaría así reducida a la gestión en sentido estricto, la liquidación y la recaudación del impuesto[150].

---

[148] Sobre la gestión compartida del IAE y los problemas que la misma plantea, especialmente desde la perspectiva de las relaciones entre las distintas Administraciones, resulta de imprescindible consulta el excelente trabajo del profesor J. M. Barquero Estevan, *Gestión tributaria...*, cit., págs. 409 y ss. Asimismo, para el estudio más pormenorizado de las cuestiones relativas a la gestión del IAE, en las que no nos podemos detener dada la limitada extensión de este trabajo, puede verse el estupendo trabajo de M. Alonso Gil, *Los procedimientos de comprobación en los tributos locales*, La Ley. Grupo Wolters-Kluwer. El Consultor de los Ayuntamientos, Madrid, 2010.

[149] Destaca J. M. Barquero Estevan, *Gestión tributaria...*, cit., pág. 412, especialmente en nota 2, que la clásica distinción que se efectúa en el ámbito del IAE entre gestión censal y gestión tributaria plantea un serio problema a la hora de catalogar la inspección del impuesto. Y ello porque, como señala este autor, la actividad de comprobación e investigación tiene como objetivo esencial la localización y calificación de las actividades que integran el hecho imponible, cuestiones todas ellas que forman parte de la gestión censal.

[150] Cfr., J. M. Barquero Estevan, *Gestión tributaria...*, cit., págs. 412 y 413.

11. BIBLIOGRAFÍA

Agulló Agüero, A., "Aproximación crítica a la Ley 51/2002, de 27 de diciembre, de Reforma de la Ley Reguladora de las Haciendas Locales", *Revista Información Fiscal*, núm. 58, 2003.

Alonso Gil, M., *Los procedimientos de comprobación en los tributos locales*, La Ley. Grupo Wolters-Kluwer. El Consultor de los Ayuntamientos, Madrid, 2010.

Aníbarro Pérez, S., *La sujeción al Impuesto sobre Actividades Económicas*, McGraw-Hill, Madrid, 1997.

Aragonés Beltrán, E., "Problemas destacados del IAE", en M. Medina Guerrero; A. Arroyo Gil (Coordinadores), *Las Haciendas Locales: situación actual y líneas de reforma*, serie Claves del Gobierno Local, núm. 4, Fundación Democracia y Gobierno Local, Madrid, 2005.

Barquero Estevan, J. M., *Gestión tributaria y relaciones interadministrativas en los tributos locales*, Montecorvo-UAM, Madrid, 1999.

Caamaño Rial, M. J., "Situación transitoria de las Haciendas locales en el ejercicio 2003: Algunos problemas de la reforma del Impuesto sobre Actividades Económicas", QF, núm. 1/2004.

Calvo Ortega, R., "Principios tributarios y reforma de la Hacienda municipal", en AA.VV. *La reforma de las Haciendas Locales*, t. I, Lex Nova, Valladolid, 1991.

Calvo Vérgez, J., "Impuesto sobre actividades económicas: algunos apuntes en torno a su naturaleza a la luz de la modificación introducida por la ley 51/2002, de 27 de diciembre, de Reforma de la Ley Reguladora de las Haciendas Locales", *Revista Información Fiscal*, núm. 59, 2003.

Cayón Galiardo, A., "La reforma del Impuesto sobre Actividades Económicas", RTT núm. 60, 2003.

Checa González, C.; Merino Jara, I., *La reforma de la Ley Reguladora de las Haciendas Locales en materia tributaria*, Aranzadi, Pamplona, 2003.

Comisión de Expertos, *Informe de la Comisión de Expertos para la reforma del modelo de financiación local*, 26 de julio de 2017, Ministerio de Economía y Hacienda, Madrid, 2017 (accesible en: https://www.hacienda.gob.es/CDI/sist%20financiacion%20y%20deuda/informacioneells/2017/informe_final_comisi%C3%B3n_reforma_sfl.pdf).

Comisión de Personas Expertas, Cfr., *Libro Blanco sobre la Reforma Tributaria*, Madrid, 2022 (accesible en: https://www.ief.es/docs/investigacion/comiteexpertos/LibroBlancoReformaTributaria_2022.pdf).

García-Agúndez Jiménez, J. M., "El nuevo Impuesto Municipal sobre Actividades Económicas", Impuestos, núm. 12/1988.

García-Fresneda Gea, F., "Las exenciones en el Impuesto sobre Actividades Económicas", *Quincena Fiscal*, núm. 13/2007.

García Luís, T., "Impuesto sobre Actividades Económicas", en AA.VV., *La Reforma de las Haciendas Locales*, t. I, Lex Nova, Valladolid, 1991.

García Martínez, A., "Los recargos sobre impuestos del Estado como recurso de las Comunidades Autónomas", RJUAM, núm. 2, 2000.

García Martínez, A., "Sucesión de empresas y responsabilidad tributaria. (Comentario a la Resolución del TEAC de 3 de julio de 2003, RG 3155/2002)", *Estudios Financieros. Revista de Contabilidad y Tributación. (Legislación, consultas jurisprudencia)*, núm. 252, 2004.

García Martínez, A., "El ejercicio del poder tributario municipal en el Impuesto sobre Actividades Económicas", TL, núm. 58, 2006.

García Martínez, A., "La colaboración de la AEAT en la aplicación de los tributos locales", *TL*, núm. 88, 2009.

García Martínez, A., "El Impuesto sobre Actividades Económicas", en AA.VV., *Los tributos locales*, 2ª edición, Thomson-Reuters, Cizur Menor, 2010.

Lago Montero, J. L., "El rumbo del Impuesto sobre Actividades Económicas", TL, núm. 44, 2004.

Lasarte Álvarez, J.; Ramos Prieto, J., "El Impuesto sobre Actividades Económicas: un tributo local con síntomas de inconstitucionalidad", TL, núm. 97, 2010.

López Espadafor, C. M., *La necesaria reforma del Impuesto sobre Actividades Económicas: su articulación como recurso de las Haciendas locales y su coordinación dentro del sistema tributario español*, Documentos del Instituto de Estudios Fiscales, núm. 15/06, Madrid, 2006.

Lozano Serrano, C., *Exenciones tributarias y derechos adquiridos*, Tecnos, Madrid, 1988.

Martínez Vidal, I., "Incidencias de la reforma del IAE en la actividad de promoción inmobiliaria", TL, núm. 50, 2005.

Menéndez Moreno, A., *El concepto jurídico tributario de profesional*, IEF, Madrid, 1986.

Pagès i Galtés, J., *Manual del Impuesto sobre Actividades Económicas*, Diputación de Barcelona-Marcial Pons, Madrid, 1995.

Parrondo Aymerych, J., "La reforma del Impuesto sobre Actividades Económicas", *Estudios Financieros, Revista de Contabilidad y Tributación*, núm. 243, 2003.

Patón García, G., "Análisis de la STC 193/2004, de 4 de noviembre: el principio de igualdad tributaria y el Impuesto sobre Actividades Económicas", QF, núms. 3-4/2005.

Piña Garrido, M. D., *El devengo y el período impositivo en el sistema tributario español*, Colex-UAM, Madrid, 1997.

Poveda Blanco, F., *El Impuesto sobre Actividades Económicas*, 6ª ed., Deusto, Bilbao, 1996.

Poveda Blanco, F., *El nuevo Impuesto sobre Actividades Económicas*, Deusto, Barcelona, 2003.

Poveda Blanco, F., "La reforma del Impuesto sobre Actividades Económicas. Una revisión crítica", TL, núm. 25, 2003.

Poveda Blanco, F., "¿Es posible resucitar el IAE?", *Papeles de Economía Española*, núm. 115, 2008.

Ramallo Massanet, J., "Hecho imponible y cuantificación de la prestación tributaria", REDF, núm. 20.

Rubio de Urquía, J. I., *El Impuesto sobre Actividades Económicas*, Publicaciones Abellá, El Consultor de los Ayuntamientos y de los Juzgados, 2ª ed., Madrid, 1993.

Rubio de Urquía, J. I., "El IAE: un impuesto herido de muerte", TL, núm. 26, 2003.

Suárez Pandiello, J. (Coordinador), *La financiación local en España: Radiografía del presente y propuestas de futuro*, FEMP, Madrid, 2008.

Urquizu Cavallé, A., "La exención en el Impuesto sobre Actividades Económicas de las Entidades Gestoras de la Seguridad Social", Jurisprudencia Tributaria Aranzadi, núm. 5/2001.

Villaverde Gómez, M. B., "Las novedades en la regulación del Impuesto sobre Actividades Económicas", RTT, núm. 61, 2003.

Capítulo VI
IMPUESTO SOBRE VEHÍCULOS DE TRACCIÓN MECÁNICA[1]

GEMMA PATÓN GARCÍA
Catedrática de Derecho Financiero y Tributario
Universidad de Castilla-La Mancha
Centro Internacional de Estudios Fiscales

SUMARIO: 1. ASPECTOS GENERALES Y REGULACIÓN DEL IMPUESTO. 1.1. Introducción. 1.2. Características del tributo. 2. INCIDENCIA DEL DERECHO DE LA UNIÓN EUROPEA EN EL IMPUESTO SOBRE VEHÍCULOS DE TRACCIÓN MECÁNICA. 3. ESTRUCTURA JURÍDICA DEL IMPUESTO. 3.1. Hecho imponible. 3.1.1. *Elementos objetivos.* 3.1.2. *Supuestos de no sujeción.* 3.1.3. *Exenciones.* 3.1.3.1. Exenciones ope legis. 3.1.3.2. Exenciones rogadas. 3.1.3.3. Otras exenciones. 3.2. Sujetos pasivos. 3.3. Cuantificación del impuesto. 3.4. Bonificaciones. 3.4.1. *Bonificaciones obligatorias.* 3.4.2. *Bonificaciones potestativas.* 3.4.2.1. Bonificaciones de carácter ambiental. 3.4.2.2. Bonificación por vehículos históricos. 4. LA GESTIÓN DEL IMPUESTO. 4.1. Período impositivo y devengo. 4.2. Aplicación del impuesto. 4.3. Autoliquidación. 4.4. Justificación del pago del impuesto. 5. A MODO DE CONCLUSIONES: VARIABLES AMBIENTALES PARA UNA REFORMA DEL IMPUESTO SOBRE VEHÍCULOS DE TRACCIÓN MECÁNICA. 6. BIBLIOGRAFÍA.

---

[1] Este trabajo constituye una contribución dentro del Proyecto de investigación "Estrategias fiscales aplicadas al territorio en la transición hacia una economía circular", Proyectos de transición ecológica y digital 2021, Ministerio de Ciencia e innovación, Investigadora principal: Gemma Patón García. Ref: TED2021-131369B-I00.

1. ASPECTOS GENERALES Y REGULACIÓN DEL IMPUESTO

1.1. INTRODUCCIÓN

Como antecedentes normativos al Impuesto sobre Vehículos actualmente establecido en el ámbito de las Haciendas locales, debemos citar a la Patente Nacional de Circulación de Automóviles (Real Decreto-Ley de 29 de abril de 1927) y al Impuesto municipal de Circulación de Vehículos por la vía pública (Ley 48/1966, Reforma de las Haciendas Locales), tras algunas novedades normativas que fueron introducidas por la Ley 41/1975, de Bases de Régimen Local.

Con la configuración del nuevo sistema tributario local diseñado dentro de la reforma fiscal que concatena el período constitucional a partir de 1978, el modelo de nuestro Impuesto sobre Vehículos de Tracción Mecánica (IVTM) se establece por la Ley 39/1988, de 28 de diciembre, Reguladora de las Haciendas Locales, siendo los preceptos vigentes al respecto los artículos 92 a 99 del Real Decreto-Legislativo 2/2004, de 5 de marzo, por el que se aprueba el Texto Refundido de la Ley Reguladora de las Haciendas Locales (TRLRHL).

El impuesto ha superado distintos avatares debidos, por un lado, a las controversias doctrinales que se han relacionado con su naturaleza jurídica, su exacción junto al resto de figuras tributarias que gravan la materia imponible del vehículo o incluso el planteamiento de su posible absorción por las Comunidades Autónomas y, por otro, los distintos problemas aplicativos que ha generado la competencia fiscal desatada entre municipios limítrofes en desarrollo de su autonomía tributaria local. Precisamente, esta última cuestión ha provocado fuertes críticas respecto a su diseño que se considera anticuado.

En este sentido, existen distintas propuestas de reforma que orientan hacia un tránsito y adaptación del IVTM de acuerdo con las propuestas elaboradas en el seno de las instituciones europeas que fundamentalmente conducen a una configuración del impuesto donde se insertan elementos ambientales en su estructura jurídica. Sin perjuicio del análisis que se hará posteriormente, mencionamos en este lugar que la idea central sería establecer un tributo ambiental que gravase al vehículo en función de sus efectos contaminantes. No obstante, existen otras propuestas de reforma alternativa que implican una pérdida en cuanto a autonomía local se refiere, pues se trataría de insertar el IVTM dentro del impuesto autonómico de matriculación y convertirlo en una participación del mismo[2]. Así, se ha hablado de una posible absorción del impuesto por las CCAA, habida cuenta que el impuesto manifiesta una aptitud teórica como impuesto autonómico por su escasa vinculación territorial dada la movilidad. Sin embargo, el

---

[2]   Aspectos que ha puesto de manifiesto J. Suárez Pandiello, *Reformas de la imposición local en momentos de máxima austeridad*, Universidad de Oviedo, Fundación SEPI, septiembre de 2012, https://www.fundacionsepi.es/ciea/Reformas_imposicion_local.pdf, pág. 14.

notable descenso experimentado en la financiación local a través de impuestos propios aconseja el mantenimiento del IVTM como una fuente de recursos tributarios para la Hacienda local. La doctrina propone una posible solución que consistiría eventualmente en una suerte de tributo compartido por las Haciendas autonómica y local, cuya naturaleza sería de un impuesto parcialmente cedido como gravamen autonómico y gravamen local[3].

Actualmente el debate se ha intensificado, de manera que las propuestas se encaminan a la reforma del IVTM que contenga una tarifa con dos elementos: un componente patrimonial (fijo) destinado a compensar el uso de infraestructuras municipales y un componente extrafiscal (variable) en función de la eficiencia ambiental del vehículo[4]. Por tanto, podemos decir que estamos ante un impuesto que precisa de una modificación a todas luces que lo imbrique en las tendencias de transición ecológica dado el impacto que conlleva el objeto sobre el que recae. No obstante, la reforma de la Ley Reguladora de Haciendas Locales, operada por la Ley 51/2002, fue aprovechada para iniciar este camino con la incorporación o ampliación de beneficios fiscales de perfil ambiental.

En cualquier caso, no parece caber duda de que el objeto de imposición del Impuesto sobre Vehículos de Tracción Mecánica (IVTM) es el que ofrece mayor coherencia para tratar de vincular su estructura jurídica a fines medioambientales en razón de la inequívoca incidencia negativa que el uso del vehículo tiene en relación con la emisión atmosférica de sustancias contaminantes. Desde luego el sector del transporte es uno de los llamados sectores difusos que causan una mayor cantidad de emisiones contaminantes. En efecto, la creciente concentración de CO2 en la atmósfera y de gases de efecto invernadero (GEI) se prevé como principal responsable de importantes alteraciones climáticas en el futuro. Este aspecto subraya aún más la necesidad de acometer acciones encaminadas a la contención y reducción de dichas emisiones.

Pues bien, las pautas sugeridas se dirigen fundamentalmente a la introducción de un componente medioambiental que permita discriminar el gravamen que recae sobre el vehículo en función de la potencialidad contaminante debida a las características técnicas y la antigüedad del mismo que intervienen decisivamente en el objetivo global de reducción de emisiones contaminantes. Estos aspectos no pueden desligarse de las circunstancias económicas actuales que obligan a observar cuáles serían los efectos que la modificación normativa

---

[3]   Vid. al respecto J. Ramos Prieto, "Imposición sobre la titularidad de vehículos y Comunidades Autónomas: La participación en tributos autonómicos como compensación financiera a los municipios", *Financiación local: Cuatro estudios*, Agencia Tributaria de Madrid-Universidad Pablo de Olavide, 2009. Acerca de las ventajas e inconvenientes que supondría la mencionada absorción, vid. M. J. Trigueros Martín, *La tributación del automóvil en España. Problemas actuales y posibles líneas de reforma*, Comares, Granada, 2014, págs. 170-175.

[4]   Comité de Personas Expertas, *Libro Blanco sobre la Reforma Tributaria*, Madrid, 2022, pág. 350.

del impuesto causaría en este sector de la economía, y en concreto, el efecto que el incentivo fiscal puede suponer en la renovación del parque automovilístico y la consecuente reactivación de este sector económico. Sin duda, la combinación de medidas fiscales con objetivos medioambientales debe tener en consideración los posibles efectos que sean susceptibles de provocar conjuntamente sobre la competitividad y el empleo y ponderar la proporcionalidad de las medidas adoptadas para favorecer la protección medioambiental, evitando, en todo caso, posibles efectos no deseados de competencia fiscal.

Lo cierto es que el IVTM constituye un baluarte para la suficiencia financiera de las Haciendas locales en tanto que representa el segundo pilar recaudatorio tras el Impuesto sobre Bienes Inmuebles, según lo reflejan las liquidaciones de presupuestos del Ministerio de Hacienda y Administraciones Públicas. Estas consideraciones pueden justificar, asimismo, la propuesta de creación de un nuevo impuesto estatal sobre la contaminación atmosférica de vehículos cediendo su rendimiento a las Corporaciones Locales[5], en el que confluya la asunción de los compromisos ambientales a nivel estatal y la salvaguarda de la suficiencia financiera de las entidades locales.

1.2. CARACTERÍSTICAS DEL TRIBUTO

La discusión tradicional sobre su naturaleza jurídica, si se trata de un impuesto o tasa, está completamente superada. Desde este punto de vista, los argumentos se relacionaban con la referencia al antiguo impuesto sobre circulación, y su conexión con el principio de equivalencia como pago por uso y desgaste de vías públicas. De hecho, la exigencia del IVTM es para todos los sujetos pasivos independientemente de que el uso de las vías municipales sea o no efectivo y la cuantificación del impuesto se desvincula de las cuotas de indicadores de ocupación y uso de las vías públicas.

Así, el IVTM es compatible con las tasas por servicios relacionados con el tráfico de vehículos o por utilización u ocupación de vía pública y se reafirma su compatibilidad con tasas municipales por servicios relacionados con vehículos (ej. acceso para garajes, carga/descarga, zonas de limitación para estacionamiento, inspección de vehículos, etc.) y con tasas estatales (ej. expedición de permisos y licencias de circulación, cambios de titularidad, autorizaciones temporales).

No obstante, esta cuestión se ha traído a la actualidad al hilo de la propuesta de creación de peajes urbanos[6], bajo la forma de tasa de congestión ambiental, que se exi-

---

[5] Sobre las distintas propuestas al respecto vid. P. Chico de la Cámara, "Una vía indirecta extramuros de la esfera propiamente local para ambientalizar el uso de vehículos de tracción mecánica", *Tributos Locales*, nº 156/2022, págs. 29 y ss.

[6] Esta propuesta se incluye en la Disposición final segunda del Proyecto de Ley de Movilidad Sostenible (121/000136), BOCG. Congreso de los Diputados Núm. A-136-1 de 27/01/2023 mediante

gen por circular en determinadas vías o zonas de una ciudad, cuyo diseño jurídico debería establecerse en la LRHL. En la actualidad, el artículo 20.3.o) del Real Decreto-Legislativo 2/2004, de 5 de marzo, por el que se aprueba el texto refundido de la Ley Reguladora de las Haciendas Locales, prohíbe expresamente exigir una tasa por circular a los vehículos sujetos al Impuesto sobre Vehículos de Tracción Mecánica. Por tanto, cualquier cambio de modelo de gravamen del IVTM que se orientase a la intensidad de uso vinculado con los niveles de contaminación y congestión generados pasa por la modificación de la LRHL y su eventual encaje con los peajes urbanos.

Respecto al objeto de gravamen, un asunto ciertamente debatido son las discrepancias doctrinales que se han mostrado acerca de la presencia del principio de capacidad económica en la estructura del impuesto. En cualquier caso, se manifiesta capacidad económica al beneficiarse del bien público local, pero el legislador opta por gravar el índice de capacidad económica representado por la propiedad o titularidad de vehículos de tracción mecánica, sin que su cuantificación se vincule con la utilización de las vías públicas[7].

Las características del IVTM que permiten concretar sus notas principales son:

1. Es un impuesto de exacción obligatoria [art. 2.1b) TRLRHL], de manera que su exigencia no precisa de acuerdo de imposición alguno. La autonomía tributaria local en este impuesto podrá ejercerse dentro de los márgenes de discrecionalidad que permiten las horquillas mínima y máxima en el tipo impositivo y las bonificaciones establecidas por el TRLRHL.

2. Frente a la titularidad estatal de un impuesto similar en un buen número de países europeos, el IVTM es un impuesto municipal, lo cual lo sitúa en un ámbito territorial de aplicación singular en nuestro ordenamiento si lo comparamos con el resto de países de nuestro entorno.

3. Se trata de un impuesto directo patrimonial, por cuanto que el gravamen recae sobre la titularidad de los vehículos aptos para circular por las vías públicas. En cuanto que el IVTM grava un elemento patrimonial se ha señalado una posible doble imposición sobre las personas físicas ante la existencia del Impuesto sobre el Patrimonio que grava el con-

---

la introducción de una nueva letra v) en el artículo 20.3 LRHL, en el mismo sentido de la propuesta formulada por el Comité de Personas Expertas del *Libro Blanco sobre la Reforma Tributaria*, Madrid, 2022, págs. 276-278.

7   Como señala A. García Martínez, "no puede desconocerse que el establecimiento de un impuesto sobre la propiedad de los vehículos y, sobre todo, la atribución del mismo a los municipios encuentra una justificación adicional en la cantidad creciente de costes por prestación de servicios que supone para los Ayuntamientos la utilización de vehículos a motor por los ciudadanos", "La competencia fiscal en el ámbito del Impuesto sobre Vehículos de Tracción Mecánica" en *Competencia fiscal y sistema tributario: dimensión europea e interna* (Dir. J. Ramos Prieto), Thomson Reuters-Aranzadi, 2014, pág. 958.

junto de elementos que forman parte del patrimonio personal. No obstante, el Tribunal Constitucional zanjó el asunto al considerar que sólo aprecia una doble imposición ante la coincidencia plena de hechos imponibles y esta circunstancia no concurre en este caso[8].

Por otro lado, el sometimiento a gravamen de un elemento patrimonial no debe significar la justificación del impuesto meramente en el principio de capacidad económica, pues la titularidad del vehículo se conecta inevitablemente al aprovechamiento de los bienes públicos del municipio y los gastos en que incurren los Ayuntamientos debidos a la utilización de las vías públicas por la circulación del vehículo. De modo que la valoración más extendida sobre la naturaleza jurídica del impuesto es una interpretación integradora del principio de capacidad económica y el principio del beneficio[9].

4. La definición del hecho imponible se redacta con independencia del elemento personal, por lo que se considera un impuesto real, sin perjuicio de que el elemento personal esté presente ocasionalmente por ejemplo en las normas de exención para vehículos de discapacitados.

5. Se trata de un impuesto objetivo pues el cálculo de la cuota tributaria atiende a características objetivas de los bienes gravados y no a circunstancias personales y familiares que rodean al sujeto pasivo.

6. Es un impuesto de exacción periódica, tomando como período impositivo el año natural, y salvo en el caso de primera adquisición de vehículos, el devengo se produce el 1 de enero de cada año. Asimismo, está previsto el prorrateo de la cuota por trimestres naturales para la primera adquisición o baja definitiva del vehículo.

7. Debe adjudicarse al IVTM el carácter de impuesto progresivo porque frente a un aumento de la magnitud utilizada para el cálculo de la cuota, ésta aumenta más que proporcionalmente. Esta progresividad se manifiesta en las tarifas del impuesto, pero también los Ayuntamientos disponen de un cierto margen en la aplicación de los coeficientes de incremento de la cuota del impuesto, cuyo ejercicio puede incrementar dicho carácter progresivo en el impuesto[10].

---

[8] Vid. jurisprudencia general como SSTC 233/1999, 37/1987, 186/1993.

[9] En este sentido, C. García Novoa. "Aproximaciones al objeto de imposición en el Impuesto municipal sobre Vehículos de Tracción Mecánica", *Tributos Locales*, núm. 83/2008, pág. 18; F. Fernández Marín, *La imposición local de los vehículos de tracción mecánica*, Tirant lo Blanch, Valencia, 2013, págs. 50-51 y M. J. Trigueros Martín. *La tributación del automóvil en España. Problemas actuales y posibles líneas de reforma*, Comares, Granada, 2014, pág. 193. No obstante, existen opiniones en contra que afirman la inspiración del gravamen en el IVTM en el principio de equivalencia, relegando el gravamen de una concreta manifestación de capacidad económica, como V. M. Sánchez Blázquez, "¿Cuál es el hecho imponible en el IVTM? Reflexiones a partir de determinados supuestos específicos", *Tributos locales*, núm. 65/2004, págs. 77 y ss.

[10] Así, se ha apuntado la trascendencia de esta última posibilidad en municipios de gran congestión de tráfico donde se dispone de una buena infraestructura de transporte público, tal y como ha manifestado A. García Martínez, "La competencia fiscal en el ámbito...", op. cit., pág. 958.

8. Es un impuesto contributivo con determinadas medidas que vinculan al impuesto con funciones de protección ambiental, expresadas esencialmente en las bonificaciones sobre la cuota (clase de carburante, características de motores o antigüedad) que, no obstante, se someten a importantes críticas como veremos cuando analicemos las propuestas de reestructuración del impuesto. De acuerdo al concepto de impuesto ambiental ofrecido por la OCDE que sería aquél cuya base imponible se considere de especial relevancia para el medio ambiente, independientemente de su denominación o finalidad, debemos negar dicha naturaleza ante la configuración actual del IVTM. Los factores ambientales en el diseño del IVTM tienen incidencia en algunas bonificaciones, como en cualesquiera otros tributos del sistema tributario que, se ha ido inundando paulatinamente de la presencia de medidas fiscales que contienen la finalidad de proteger el medioambiente, pero en modo alguno son definitivos para afirmar su carácter ambiental.

Tal y como veremos después, los elementos medioambientales puede decirse que son anecdóticos en la estructura jurídica del IVTM y un mero síntoma de la inundación de medidas normativas que sufren los impuestos tradicionales desde el punto de vista de la preocupación medioambiental que el legislador explota en unos casos con mayor y en otros con menor coherencia. En cualquier caso, como vamos a ver las propuestas comunitarias invocan la transformación de este impuesto de perfil fundamentalmente recaudatorio en un impuesto de profunda raigambre ambiental[11].

9. La gestión del tributo se realiza mediante el cobro periódico por recibo y se facilita mediante la matrícula o censo de vehículos que proporcionan las Jefaturas Provinciales de Tráfico.

2. INCIDENCIA DEL DERECHO DE LA UNIÓN EUROPEA EN EL IMPUESTO SOBRE VEHÍCULOS DE TRACCIÓN MECÁNICA

Como hemos adelantado, las propuestas de reforma del modelo de nuestro IVTM han estado muy influenciadas por los avances en las discusiones y acciones normativas en el ámbito de la Unión Europea. Así, la política sectorial de transportes se ha hecho converger con los objetivos de protección ambiental en la Unión Europea[12], reorien-

---

11 Además, es evidente como señalamos que "la profundización en un perfil medioambiental del IVTM se sostiene (...) sobre la estrecha relación del objeto imponible del vehículo y su uso como causa desencadenante de las emisiones contaminantes de carácter directo", en G. Patón García, "Elementos de discusión sobre una eventual reforma medioambiental del Impuesto sobre vehículos", en *Tributación ambiental y haciendas locales* (Dir. Serrano Antón, F.), Thomson-Civitas, Cizur Menor (Navarra), 2011, pág. 379.

12 Libro Blanco "La política europea de transportes de cara al 2010: la hora de la verdad" [COM (2001) 370 FINAL] http://www.eixoatlantico.com/sites/default/files/num%209_%20Libro%20Blanco%20Transportes.pdf

tando la lucha contra la congestión y los efectos ambientales potenciales del sector del transporte hacia los retos de reducción de GEI en un 60% para 2050[13].

Asimismo, las instituciones europeas tienen ante sí una importante labor de coordinación a la vista de la gran disparidad y heterogeneidad existente en la imposición sobre vehículos en los Estados de la Unión Europea. Podríamos agrupar la configuración jurídica recaudatoria de imposición sobre vehículos en los Estados miembros como sigue:

- Impuestos sobre ventas de vehículos: grava el número de vehículos en circulación, pero su inconveniente es que promueve el mantenimiento del vehículo viejo y contaminante. Así, este impuesto puede desincentivar la compra de vehículos nuevos y, por tanto, contribuir a reducir el número de vehículos en circulación. Sin embargo, este aspecto positivo desde el punto de vista medioambiental puede ser contrarrestado, puesto que al mismo tiempo se incita a los consumidores a conservar más tiempo sus automóviles, más viejos y menos limpios contribuyendo indirectamente a incrementar las emisiones contaminantes.

- Impuestos anuales de tenencia: En general estos impuestos se gestionan a través de un registro o bien se grava en atención a la circulación de los vehículos y el uso de los mismos en las vías públicas. Varios países los han introducido para propiciar la venta de vehículos menos contaminantes.

- Régimen tributario de automóviles de empresa y gastos de desplazamiento al trabajo. El tratamiento fiscal de estos conceptos es dispar en los Estados miembros. En algunos países, la utilización de automóviles facilitados por las empresas es considerada retribución en especie, por tanto, un rendimiento que deberá ser agregado a la base imponible del sujeto pasivo, mientras que en otros países son considerados gastos deducibles, ya que son considerados gastos de transporte.

Pues bien, la búsqueda de coordinación de la fiscalidad sobre automóviles en la UE dio como principal fruto la redacción de la Propuesta de Directiva del Consejo, de 5 de julio de 2005, sobre los impuestos aplicables a los automóviles de turismo [COM (2005) 261 final], que pretendía una reestructuración de dicha fiscalidad dotándola de tintes medioambientales y que, a la postre, ha sido más eficaz por la vía de hecho para la coordinación de los sistemas tributarios, aunque no se culminó su aprobación.

En la Propuesta de Directiva se partía del cálculo de los impuestos sobre automóviles a partir de emisiones de dióxido de carbono y sus principales medidas consistían en: 1) La eliminación del impuesto de matriculación; 2) La implantación de un sistema transitorio de reembolso del impuesto de matriculación y, 3) La reestructuración de la

---

[13]   Comunicación de Comisión, 8 marzo 2011 "Hoja de ruta hacia una economía hipocarbónica competitiva en 2050" [COM (2011) 112 FINAL].

base imponible del impuesto de matriculación y del impuesto anual de circulación, con vinculación íntegra o parcial a emisiones de CO2.

Todo ello se traducía en la desaparición gradual del impuesto de matriculación en un período transitorio de entre 5 y 10 años con la prohibición de mantenimiento del mismo en 2016 (art. 8). Igualmente, habría que evitar una carga excesiva en el período de transición mediante medidas reductoras en los impuestos de circulación o impuestos sobre carburantes. Y finalmente, se preveía un sistema transitorio de reembolso del impuesto de matriculación (art. 9) para vehículos que se exporten o trasladen de forma definitiva a otro Estado miembro, con referencia al "importe residual del automóvil" y con la finalidad de evitar la doble imposición.

Si bien la principal medida consiste en la introducción del componente de CO2 en la base imponible (art. 4) con el parámetro del número de gramos emitidos por km, la Propuesta de Directiva también preveía medidas complementarias para una reducción significativa de emisiones contaminantes esencialmente: 1) una imposición inferior a los automóviles de menor consumo energético respecto de los de mayor consumo; y 2) la adopción de medidas dirigidas a favorecer un aumento de la proporción de automóviles de gasóleo o uso de automóviles de menor tamaño.

En definitiva, la Propuesta de Directiva establece medidas fiscales mínimas para impulsar los objetivos medioambientales, sin previsión alguna en cuanto a los niveles mínimos de imposición, ni criterios para la diferenciación de tipos, dejando absoluta libertad a los Estados miembros para su aplicación en función de las condiciones de cada mercado automovilístico nacional[14].

Respecto a los impuestos de matriculación, la eliminación gradual de éstos pretende evitar una carga impositiva excesiva a los propietarios de automóviles, que han abonado un impuesto de matriculación elevado en el momento de su adquisición. Así, se evitará también tener que pagar impuestos anuales de circulación, y, en su caso, impuestos sobre los carburantes, más elevados. Por tanto, los Estados miembros que aplican un impuesto de matriculación elevado podrían introducir en sus impuestos aplicables a los automóviles de turismo los cambios estructurales necesarios durante el período de transición.

No obstante, la mayor novedad de la Propuesta de Directiva en relación con el interés medioambiental viene dada con la eventual introducción en la base imponible de los impuestos anuales de circulación y en los impuestos de matriculación un componente basado en las emisiones de CO2. El vínculo entre las emisiones de CO2 y la base del impuesto de matriculación y del impuesto anual de circulación se basará en el número de gramos de CO2 emitidos por kilómetro por cada automóvil de turismo (art. 4 Propuesta de Directiva).

---

[14] Aspectos que dan muestras de la extraordinaria modestia con que se concibió la Propuesta de Directiva tal y como lo señalamos en G. Patón García, "Tendencias y perspectivas en la fiscalidad medioambiental de la Unión Europea", *Noticias de la Unión Europea*, CISS, núm. 281/2008.

Los resultados aportados por el estudio COWI, manejado por la Comisión, ponen de manifiesto los previsibles efectos favorables derivados de la introducción de un elemento fiscal para reducir las emisiones de dióxido de carbono, de forma que la presencia de este componente en la base imponible del impuesto anual de circulación permitiría alcanzar en torno al 50% del objetivo global. Por este motivo, como hemos recogido más arriba, el artículo 4 de la Propuesta de Directiva determina la diferenciación del cálculo de los impuestos anuales de circulación a partir de las emisiones de dióxido de carbono, discriminando tributariamente a partir del número de 120 gramos de dióxido de carbono por kilómetro emitidos por cada automóvil de turismo.

Las premisas previamente expuestas que se recogen en la Propuesta de Directiva precisarían la incorporación de modificaciones legislativas en nuestro Impuesto local sobre Vehículos de Tracción Mecánica (IVTM). Así, el artículo 3 de la Propuesta de Directiva incluye como disposición general la propuesta de calcular los "impuestos anuales de circulación" "basándose en el período de tiempo que el citado vehículo haya sido utilizado en su territorio dentro de un determinado período de doce meses". A nuestro juicio, la medida se sitúa en la línea de asumir los riesgos nocivos para el medioambiente que genera el uso del vehículo, manifestación del principio "quien contamina paga", imputando los costes de la contaminación a quien lo provoca.

La incidencia que la Propuesta de Directiva ha tenido en nuestro ordenamiento se ha traducido en la reestructuración del Impuesto sobre Determinados Medios de Transporte (IDMT) o impuesto sobre matriculación, mediante la modificación de la Ley 38/1992 de Impuestos Especiales que llevó a término la Ley 34/2007, de calidad del aire y protección de la atmósfera. Así, los tipos impositivos se fijan en función de cuatro epígrafes aplicables a partir de las emisiones acreditadas con el certificado del fabricante o importador del vehículo:

a) Vehículos con emisiones < 120 g/km – 0%

b) Vehículos con emisiones > 120 y < 160 g/km – 4,75%

c) Vehículos con emisiones > 160 y < 200 g/km – 9,75%

d) Vehículos con emisiones = o > 200 g/km – 14,75%[15].

---

[15] En un estudio de J. Freire González, y I. Puig Ventosa se avanzan datos acerca de la incidencia de la modificación acontecida en el IDMT a partir de 2007 y afirman que, a pesar de que los resultados del análisis se condicionan a la limitación de los datos manejados, se concluye un efecto positivo aunque moderado en cuanto a las emisiones contaminantes. Vid. "Efectos económicos y ambientales del impuesto especial sobre determinados medios de transporte", *Gestión y Análisis de Políticas Públicas*, Nueva Época, núm. 10 julio-diciembre 2013, págs. 8-10. Y con mayor amplitud, J. Freire González, "Análisis de los efectos de la reforma del Impuesto Especial sobre Determinados Medios de Transporte", *Papeles de Trabajo*, IEF, núm. 7/2013.

3. ESTRUCTURA JURÍDICA DEL IMPUESTO

3.1. HECHO IMPONIBLE

3.1.1. Elementos objetivos

El artículo 92.1 TRLRHL establece como hecho imponible del IVTM la titularidad de los vehículos de tracción mecánica, aptos para circular por las vías públicas, cualesquiera que sean su clase y categoría. Desgranemos pues los distintos elementos objetivos y subjetivos que conforman el hecho imponible.

En primer lugar, el legislador se refiere a la titularidad del vehículo, esto es, parece acudir a gravar a quien ostente el derecho de propiedad. Sin embargo, observamos que se prescinde de la constancia de este extremo por puras razones de simplicidad y eficacia en la gestión y se recurre a la persona que conste en el permiso de circulación (art. 94) sin atender a cuestiones jurídico-privadas.

Asimismo, la fijación de la mera titularidad de los vehículos como presupuesto desencadenante de su exigencia, implica que no quede afectada la manifestación de capacidad económica que expresa la prestación del servicio público o la utilidad de las vías públicas de la que se benefician los usuarios de los vehículos. En este sentido, el aprovechamiento especial del dominio público puede ser objeto de otro tributo o de un precio público[16]. Recordemos que la figura antecesora del Impuesto sobre Vehículos era el Impuesto sobre Circulación de Vehículos, al que se adjudicaba una naturaleza jurídica más cercana a la tasa al fundamentarse en el aprovechamiento de los titulares de vehículos del espacio público y los gastos en que incurrían los Entes locales para hacer viable la circulación. Por tanto, se deja entrever que el legislador ha dejado aquí un espacio de imposición del que pueden hacer uso las Haciendas locales siempre deficitarias en recursos financieros. Así, conectando la materia imponible del vehículo con elementos fácticos aún no ocupados por el legislador se nos plantea la pertinencia en la relación del mantenimiento de un medioambiente urbano saludable y la responsabilidad que los poderes públicos tienen en su salvaguarda, y por ende, los Entes locales, a uno de los objetos que provoca mayores efectos nocivos al medioambiente como es el uso y circulación del vehículo.

Desde este punto de vista, el fundamento del gravamen sobre la titularidad del vehículo, justificado en la existencia de un riesgo cierto de perjuicio al medioambiente que suponen las emisiones contaminantes a la atmósfera como consecuencia de la combustión, nos parece que resulta completamente aceptable. No obstante, si bien es cierto que nada cabe objetar al uso del tributo para la disuasión de comportamientos de los

---

[16]   Vid. por todos, A. García Martínez, F. A., Vega Borrero, "El Impuesto sobre Vehículos de Tracción Mecánica", *Los Tributos locales* (Coord. D. Marín-Barnuevo Fabo), Thomson-Civitas, Cizur Menor (Navarra), 2005, pág. 359.

ciudadanos que aumenten ese riesgo dañino para el medioambiente, la cuestión es más complicada de lo que parece pues nos encontramos con diversas dificultades que deben solventarse en relación con la fiscalidad del uso del vehículo por su afectación al medioambiente: en primer lugar, la concreción del hecho imponible y la delimitación de la conducta contaminadora de acuerdo a los principios orientadores que inspiran la fiscalidad medioambiental; en segundo lugar, el establecimiento del ámbito de aplicación adecuado para lograr la mayor efectividad en los objetivos no fiscales perseguidos por la figura tributaria y, por último, la idoneidad de las Haciendas Locales para la gestión de la exacción de un gravamen medioambiental sobre los vehículos[17].

En segundo lugar, corresponde delimitar el concepto de "vehículos de tracción mecánica", si bien se intuye una definición amplia a la vista de la expresión "cualesquiera que sean su clase y categoría". En esta tarea colabora la clasificación para fijar el cálculo de la cuota tributaria, que diseña un cuadro de tarifas donde se distinguen 6 categorías por clase de vehículo: a) turismos, b) autobuses, c) camiones, d) tractores, e) remolques y semirremolques arrastrados por vehículos de tracción mecánica y f) otros vehículos (en el que sólo se incluyen los ciclomotores y las motocicletas).

En cambio, si acudimos al Real Decreto 2822/1998, de 23 de diciembre, por el que se aprueba el Reglamento General de Vehículos (RGV), vemos que existen muchas más categorías que las que diferencia el TRLRHL, planteándose problemas para la determinación de la cuota aplicable a algunas categorías. A este respecto, la doctrina administrativa ha ejercido una labor clarificadora, en particular, en el caso de las caravanas y autocaravanas y las furgonetas grandes[18] o el vehículo mixto adaptable que no están incluidos en el cuadro de tarifas[19].

Así pues, a la vista de las definiciones y categorías que se contienen en el RGV, hay que subrayar la existencia de una falta de coordinación entre la tipología legal de vehículos de tracción mecánica y la normativa sectorial sobre tráfico que precisaría una re-

---

[17]   Aspectos a los que prestamos atención en G. Patón García, "La implicación de la hacienda local en la finalidad medioambiental de reducción de emisiones contaminantes", *Tributos Locales*, núm. 96/2010, págs. 79 y ss.

[18]   "Clasificación de las caravanas y autocaravanas a efectos de IVTM", *El Consultor de los Ayuntamientos y de los Juzgados*, núm. 10/2012, Ref. 1190/2012, pág. 1190, tomo 1, Editorial LA LEY 692/2012. Al respecto, el criterio establecido para las autocaravanas es clasificarlas dentro de la categoría de camiones, ya que de acuerdo a su destino como vivienda y no como vehículo concebido para el transporte de personas, sería la categoría con la que guarda más semejanzas, una vez descartada la categoría de turismo. En cuanto a las caravanas, la solución es ofrecida por Anexo II del RGV que define la caravana como remolque o semirremolque concebido y acondicionado para ser utilizado como vivienda móvil, permitiéndose el uso de su habitáculo cuando el vehículo se encuentra estacionado. Por consiguiente deberán incluirse en la categoría e) del art. 95 del TRLRHL que recoge los remolques y semirremolques arrastrados por vehículos de tracción mecánica y tributarían en función de la carga útil.

[19]   Vid. sobre su sujeción RDGT 2408, 21-12-2000 y RDGT 1298, 04-06-2004.

forma en sentido unificador. A falta de una concreción legal, acudiendo al Anexo II del RGV entendemos asimilable el vehículo de tracción mecánica al concepto de "vehículo de motor", que sería el aparato apto para circular por vías y terrenos públicos y provisto de motor para su propulsión, excluyéndose los ciclomotores, tranvías y vehículos para personas con movilidad reducida. A pesar de ello, y prueba de las divergencias en la regulación del TRLRHL y el RGV es que los ciclomotores quedan sujetos al impuesto a tenor del art. 95 TRLRHL.

Respecto a la sujeción al IVTM, queda pues por determinar el extremo de la aptitud para circular por las vías públicas del vehículo[20], y en concreto, cuándo se considera que comienza a ser apto el vehículo y, lo que es más importante, en qué momento deja de poseer dicha aptitud a efectos del impuesto. Según el art. 92.2 TRLRHL la aptitud para circular por la vía pública es otorgada por la matrícula o inscripción en el Registro público correspondiente, situación que finaliza cuando se cursa la baja con carácter definitivo. La norma aclara a renglón seguido que la aptitud para circular, y por tanto, la sujeción al impuesto, se mantiene para los vehículos provistos de permisos temporales y matrícula turística.

Pues bien, el artículo 2.1 RGV establece que "la Jefatura Central de Tráfico llevará un Registro público de todos los vehículos matriculados, que adoptará para su funcionamiento medios informáticos y en el que figurarán, al menos, los datos que deben ser consignados obligatoriamente en el permiso o licencia de circulación, así como cuantas vicisitudes sufran posteriormente aquéllos o su titularidad".

Esta situación deviene en lo que se ha calificado como un excesivo formalismo al tomar por cierta en todo caso la realidad registral frente a la realidad material del vehículo. Así, lo ha señalado la doctrina[21] y jurisprudencia habida cuenta la presunción legal de titularidad y la permanencia de la aptitud para circular hasta la baja (STSJ Andalucía 6-02-2001, STSJ Madrid 4-12-2000).

Por otro lado, los supuestos que permiten la solicitud a instancia de parte de la baja temporal del vehículo en el Registro de Vehículos son conforme al art. 36 RGV:

a) Cuando su titular manifieste expresamente la voluntad de retirarlos temporalmente de la circulación.

b) Por sustracción del vehículo y a petición de su titular, el cual debe acreditar haber formulado la denuncia correspondiente.

---

[20]   El propio concepto de vehículo, según el Anexo II del RGV, incluye como condición consustancial del mismo ser un "aparato apto para circular por las vías o terrenos" en los términos del art. 2 de la Ley sobre Tráfico, Circulación de vehículos a Motor y Seguridad Vial.

[21]   Vid. P. Chico de la Cámara, P. M., Herrera Molina, "Impuesto sobre Vehículos de tracción mecánica" en *Derecho tributario local* (Dir. Carrasco Parrilla, P.), Atelier, Barcelona, 2008, págs. 198-200.

Por su parte, el apartado 2 dispone que "los vehículos matriculados también causarán baja temporal en el Registro de Vehículos, en los casos siguientes:

a) Cuando se entreguen, para su posterior transmisión, a un vendedor de vehículos con establecimiento abierto en España para esta actividad, a petición de su titular.

b) Cuando lo solicite el arrendador de un vehículo una vez finalizado el contrato de arrendamiento con opción de compra o de arrendamiento a largo plazo, de mutuo acuerdo o por resolución judicial, y el vehículo pase a poder de éste, para su posterior transmisión o arrendamiento. Estos vehículos no podrán circular mientras se mantenga la situación de baja temporal".

En cuanto a la baja definitiva en el Registro de Vehículos, el art. 4 RGV prevé que pueda solicitarse a instancia de parte, previa verificación de que no es apto para circular y siempre que los titulares manifiesten su voluntad de retirarlos de circulación o soliciten el traslado a otro país donde se matricule. Por su parte el artículo 35.2 RGV señala que las autoridades de Tráfico, de oficio, pueden dar de baja a un vehículo por resolución de retirada definitiva de circulación, previo informe del estado del vehículo y su peligro.

3.1.2. Supuestos de no sujeción

Los supuestos de no sujeción previstos en el art. 92.3 TRLRHL, gozan de gran relevancia para perfilar el hecho imponible del impuesto: el primero de ellos incide en la pérdida de la aptitud de los vehículos para circular y en el segundo caso porque el legislador considera que el parámetro del vehículo no es trascendente para la exigencia del impuesto entendiéndose que su gravamen queda subsumido por el vehículo principal. En concreto, los supuestos de no sujeción son:

a) Vehículos antiguos: aquellos que habiendo sido dados de baja en los Registros por antigüedad de su modelo, puedan ser autorizados para circular excepcionalmente con ocasión de exhibiciones, certámenes o carreras limitadas a los de esta naturaleza.

b) Remolques y semirremolques arrastrados por vehículos de tracción mecánica cuya carga útil no sea superior a 750 kilogramos.

En el primer supuesto, la situación de baja administrativa del vehículo en la Jefatura Central de Tráfico excluye su consideración como vehículo "apto" con carácter general para circular por las vías públicas, por lo que habrá que entender que el art. 92.3 TRLRHL se refiere a la baja registral instada por el interesado de forma definitiva. De modo que la no sujeción al impuesto se encuentra totalmente justificada en este supuesto.

En el segundo caso, acudiendo a la normativa administrativa del RGV, su artículo 25 deja fuera a los remolques de carga útil no superior a 750 kilogramos de la obligación de matricularse y de llevanza de las placas de matrícula con los caracteres que se les asigne, del modo que se establece en el anexo XVIII[22]. No obstante, si observamos las magnitudes de referencia difieren en la norma tributaria (TRLRHL) y la norma administrativa (RGV) y además no son conceptos coincidentes. Esta situación puede generar discrepancias en la sujeción de algunos supuestos de remolques y semirremolques que vengan obligados a obtener una matrícula propia siempre que su masa máxima autorizada sea superior a 750 kilogramos y no se sujete al IVTM porque su carga útil no exceda de 750 kilogramos[23].

3.1.3. Exenciones

El art. 93.1 TRLRHL[24] prevé los supuestos de exención del IVTM, si bien la relación no es completa, pues existen otras exenciones establecidas por normas legales no contenidas en el TRLRHL. En general, podemos afirmar la existencia de una amplia casuística en materia de exenciones, teniendo en este extremo una labor aclaratoria muy importante la jurisprudencia y las Resoluciones de la Dirección General de Tributos. El estudio de las exenciones puede hacerse en orden a la naturaleza jurídica de los presupuestos de hecho (objetivas, subjetivas y mixtas), aunque nos parece que resulta más práctico atender a su clasificación en función de si operan *ope legis* o se trata de exenciones rogadas, previa solicitud del interesado.

3.1.3.1. Exenciones ope legis

a) Vehículos oficiales de entes públicos adscritos a la defensa nacional o la seguridad ciudadana

La letra a) del art. 93.1 establece una exención mixta en tanto establece el requisito subjetivo de que los vehículos han de pertenecer a la titularidad de los entes públicos y el requisito objetivo de estar adscritos a determinados fines. En directa correspondencia con los requisitos establecidos para la aplicación de la exención, las controversias juris-

---

[22]   Dicha exclusión se entiende a la vista del concepto de remolque que ofrece el Anexo II del RGV de forma que como no son vehículos autopropulsados no se consideran a efectos de matriculación. Así, se define "remolque" como "vehículo no autopropulsado diseñado y concebido para ser remolcado por un vehículo de motor" y "semirremolque" como "vehículo no autopropulsado diseñado y concebido para ser acoplado a un automóvil, sobre el que reposará parte del mismo, transfiriéndole una parte sustancial de su masa". Vid. P. Chico de la Cámara, P. M. Herrera Molina, "Impuesto sobre vehículos...", op. cit., pág. 200.

[23]   Aspecto que ha sido destacado por F. Fernández Marín, *La imposición local...*, op. cit., pág. 97.

[24]   Este precepto fue modificado por la Ley 51/2002.

prudenciales se han dado en relación con el ámbito de extensión subjetiva y objetiva de los presupuestos de la exención.

En concreto, la jurisprudencia ha mantenido una interpretación restrictiva en cuanto al requisito subjetivo, de forma que la exención sólo se aplica cuando el titular del vehículo es una Administración de base territorial (Estado, Comunidades Autónomas y Entidades locales), a pesar de la adscripción de los vehículos de los organismos instrumentales a la defensa nacional o a la seguridad ciudadana (STSJ Cataluña 16-06-1999)[25]. Esta postura ha obtenido críticas en tanto que el carácter público de la titularidad del vehículo debería ser el argumento, como ha ocurrido en numerosos supuestos, para fundamentar la exención[26].

En cuanto al requisito objetivo, siguiendo a García Martínez y Vega Borrero, para la interpretación de los conceptos de defensa nacional y seguridad pública habremos de estar a su sentido técnico. En relación con el primero recogido en el artículo 73.1 de la Ley 33/2003, de Patrimonio de las Administraciones Públicas, que adscribe un bien a un organismo público sólo si tiene vinculación directa con un servicio de su competencia o sirve para el cumplimiento de sus fines propios. En cuanto al concepto de seguridad ciudadana, el artículo 2 de la Ley Orgánica 2/1986, de 13 de marzo, de Fuerzas y Cuerpos de Seguridad, los identifica con: a) Las Fuerzas y Cuerpos de Seguridad del Estado dependientes del Estado de la nación; b) Los Cuerpos de Policía dependientes de las Comunidades Autónomas; c) Los cuerpos de Policía dependientes de las Corporaciones Locales, lo cual excluye una interpretación extensiva del mismo[27]. No obstante, existe doctrina que defiende una postura más flexible al señalar que el legislador no ha hecho constar expresamente la vinculación del vehículo con el fin de modo estricto[28]. La jurisprudencia que se ha pronunciado acerca de la amplitud del concepto de seguridad ciudadana también ha sido vacilante, estimando que dicho concepto no abarca la "prestación del servicio público contra incendios" (STSJ Andalucía 05-12-2001), y en cambio, se entienden incluidos los vehículos del Servicio de Vigilancia Aduanera porque de algún modo están "dedicados" a la finalidad de seguridad ciudadana (STSJ Castilla-León 28-05-2003).

---

[25] Entendemos por entes instrumentales en el ámbito de la Administración del Estado, los Organismos Autónomos, las Entidades Públicas Empresariales y las Agencias Públicas Estatales a tenor del artículo 43 de la Ley 6/1997, de Organización y Funcionamiento de la Administración General del Estado.

[26] En este sentido, M. J. Trigueros Martín, *La tributación del automóvil...*, op. cit., pág. 224.

[27] A. García Martínez, F. A., Vega Borrego, "El Impuesto sobre Vehículos...", op. cit., pág. 426.

[28] Así F. Fernández Marín, *La imposición local de los vehículos de tracción mecánica*, Tirant lo Blanch, Valencia, 2013, pág. 104. Sobre la interpretación extensiva, vid. M. J. Trigueros Martín, *La tributación del automóvil...*, op. cit., pág. 228.

b) Vehículos de representaciones diplomáticas y organismos internacionales o que se derive de lo dispuesto en tratados o convenios internacionales

Las letras b) y c) del artículo 93.1 declaran exentos supuestos con algún elemento de internacionalización del vehículo. En primer lugar, se encuentran exentos los vehículos de representaciones diplomáticas, oficinas consulares, agentes diplomáticos y funcionarios consulares de carrera acreditados en España, que sean súbditos de los respectivos países, externamente identificados, y además el país procedente del beneficiario habrá de haber otorgado por reciprocidad un mismo trato fiscal en su extensión y grado. Por tanto, esta exención tiene una naturaleza mixta.

Por su parte, la letra c) declara exentos a "los vehículos respecto de los cuales así se derive de lo dispuesto en tratados o convenios internacionales", supuesto que, de estar contemplado en una norma ajena al TRLRHL, como es un tratado internacional, gozaría de los mismos efectos sin necesidad del reconocimiento expreso en este cuerpo legal[29].

c) Vehículos destinados a la asistencia sanitaria

En este caso estamos ante una exención objetiva establecida en la letra d) del artículo 93.1 TRLRHL para "las ambulancias y demás vehículos directamente destinados a la asistencia sanitaria o al traslado de heridos o enfermos", cuyo ámbito de aplicación fue ampliado tras la modificación operada por la Ley 51/2002. Anteriormente, la exención exigía también un requisito subjetivo al considerarse sólo las ambulancias de la Cruz Roja, de forma que actualmente se puede gozar de la exención por todo tipo de institución de titularidad pública o privada o particulares que se dediquen a esta actividad. De este modo, a nuestro juicio, el beneficio fiscal se ajusta al fundamento de carácter social que motiva realmente la exención, pues era incomprensible la exclusión de las ambulancias adscritas a la sanidad pública tal y como lo expresó el Informe de la Comisión para la reforma de la financiación de las Haciendas Locales[30].

Respecto a la extensión de la exención a todas las empresas dedicadas al transporte de enfermos existen opiniones encontradas al estimar una posible discriminación en relación con las empresas cuya actividad sea el transporte de personas en general, taxis, tal y como lo contemplaba el originario Impuesto Municipal de Circulación de Vehículos, por no aludir al caso de las empresas funerarias[31].

---

[29] Vid. F. Fernández Marín, *La imposición local...*, op. cit., pág. 106.

[30] *Informe para la Reforma de la Financiación de las Haciendas Locales*, Comisión para el estudio y propuesta de medidas para la reforma de la financiación de las Haciendas Locales, Ministerio de Hacienda, IEF, Madrid, 2002, pág. 86.

[31] Al respecto, vid. Y. García Calvente, A. Plaza Vázquez, "El Impuesto sobre Vehículos...", op. cit., pág. 235.

d) Vehículos destinados al transporte público urbano

La letra f) del artículo 93.1 TRLRHL considera exentos a "los autobuses, microbuses y demás vehículos destinados o adscritos al servicio del transporte público urbano, siempre que tengan una capacidad que exceda de nueve plazas, incluida la del conductor".

La Resolución DGT n° 88/2003, de 23 de enero de 2003, ha aclarado que esta exención tiene "carácter automático" y "no se condiciona ni a la gestión directa o indirecta del servicio, ni en este último caso (régimen de concesión administrativa del servicio) al otorgamiento de la concesión por el municipio de la imposición (esto es, el Ayuntamiento del domicilio que conste en el permiso de circulación del vehículo a tenor del art. 98 de la Ley 39/1988)".

Si bien parece que lo más razonable sería aplicar la exención sólo en la medida en que el servicio de transporte público urbano se presta en el mismo término municipal del Ayuntamiento que es competente para exigir el IVTM respecto de los autobuses destinados a dicho servicio[32], la DGT admite implícitamente que la prestación en municipios distintos al de imposición no sea óbice para gozar de la exención (Resolución DGT n° 88/2003, de 23 de enero de 2003).

3.1.3.2. Exenciones rogadas

El artículo 93.2 dispone que para la aplicación de las exenciones a que se refieren los párrafos e) y g) del apartado 1 de ese mismo precepto "los interesados deberán instar su concesión indicando las características del vehículo, su matrícula y la causa del beneficio. Declarada la exención por la Administración municipal, se expedirá un documento que acredite su concesión".

a) Vehículos de discapacitados

El artículo 93.1 en su letra e) TRLRHL dispone que están exentos *"los vehículos para personas de movilidad reducida a que se refiere el apartado A del anexo II del Reglamento General de Vehículos"*, así como *"los vehículos matriculados a nombre de minusválidos para su uso exclusivo. Esta exención se aplicará en tanto se mantengan dichas circunstancias, tanto a los vehículos conducidos por personas con discapacidad como a los destinados a su transporte (...) A efectos de lo dispuesto en este párrafo, se considerarán personas con minusvalía quienes tengan esta condición legal en grado igual o superior al 33 por ciento"*. También se regula a efectos de comprobación del cumplimiento del supuesto de exención, en el apartado segundo del mismo artículo 93 que *"el interesado deberá aportar el certificado de la minusvalía emitido por el órgano competente y justificar el destino del*

---

[32] A. García Martínez, F. A. Vega Borrego, "El Impuesto sobre Vehículos...", op. cit., pág. 431.

vehículo ante el ayuntamiento de la imposición, en los términos que éste establezca en la correspondiente ordenanza fiscal[33].

Así pues, se trata de dos exenciones relacionadas con la condición de discapacidad del usuario del vehículo o matriculado a nombre de dicho discapacitado cuya aplicación no es automática, sino que precisa de previa solicitud del interesado ante la entidad local competente.

El TRLRHL exige tres requisitos para la exención: a) que se declare un grado mínimo del 33% de minusvalía; b) que el vehículo se matricule a nombre del minusválido; y c) que el vehículo se utilice para el uso exclusivo del minusválido.

En relación con el primer y tercer requisito, a efectos de la exención prevista en el segundo párrafo de la letra e), el interesado deberá aportar el certificado de la minusvalía emitido por el órgano competente y justificar el destino del vehículo ante el ayuntamiento de la imposición, en los términos que éste establezca en la correspondiente ordenanza fiscal (art. 93.2.2º párr.).

Desde luego ésta es la exención que ha generado mayor controversia en su aplicación, especialmente en el aspecto suscitado con el control del uso de vehículos para discapacitados que es de difícil prueba y ofrece un espacio abierto a supuestos fraudulentos[34]. Puede que por esta razón la Dirección General de Tributos haya acudido a ofrecer mayor relevancia a un criterio formal como es la matrícula a nombre del minusválido, como ocurre en la Resolución nº 653/2004 de 16 de marzo, en la que se produce cierta incoherencia al señalar que sólo procede la exención si el vehículo está matriculado a nombre del minusválido, aunque su uso sea para cuidado y traslado del minusválido. Por otro lado, aclara la DGT en Resolución de 8 de octubre de 2007 que la matrícula puede producirse a nombre de ambos cónyuges, siempre que uno de ellos ostente la condición de minusválido, pues es irrelevante la incapacidad física para la conducción.

A nuestro juicio, la norma legal abre la puerta a supuestos fraudulentos al haber acogido un requisito subjetivo como es "el uso exclusivo por el minusválido" muy difícil de comprobar, en principio, pues habría supuestos muy dudosos para poder aclarar si hay completa exclusividad en el uso (ej. matrimonio que usa un vehículo, siendo uno de los cónyuges minusválido y el otro no).

---

[33] El texto de este supuesto fue modificado por la Ley 51/2002, de 27 de diciembre, de reforma de la Ley 39/1988, de 28 de diciembre, Reguladora de las Haciendas Locales, en cuanto al ámbito de la exención, en línea con las recomendaciones del Defensor del Pueblo, desvinculando la exención de la potencia fiscal del vehículo y su específica adaptación para su conducción por el discapacitado.

[34] Remitimos a las amplias referencias jurisprudenciales recogidas por F. Fernández Marín en *La imposición local...*, op. cit., págs. 109-132.

Otra cuestión además es el tema del denominado disfrute único de la exención, en virtud del cual los sujetos pasivos beneficiarios de la misma no podrán disfrutarla por más de un vehículo simultáneamente, según dispone la letra e). La dificultad que puede encontrar cualquier Ayuntamiento deriva del hecho de que el sujeto activo del impuesto resulta ser el Ayuntamiento del domicilio que conste en el permiso de circulación del vehículo, pudiéndose dar la circunstancia de que se disfrute de la exención por dos vehículos en municipios distintos. Este sería un supuesto fraudulento ante el cual los Ayuntamientos podrían actuar en el momento de solicitud de la exención, instando al titular del vehículo a que adjunte una declaración jurada acreditando que no disfruta de la exención por ningún otro vehículo de su propiedad.

La jurisprudencia ha puesto límites al desarrollo reglamentario de los requisitos de la exención, entendiendo que determinadas Ordenanzas Fiscales imponen requisitos adicionales a los contemplados en la norma legal y que constituyen extralimitaciones nulas de pleno de derecho. Así ocurrió con la Ordenanza fiscal del Ayuntamiento de La Solana, que incorporaba en su Ordenanza Fiscal la condición de que el minusválido tenga una reducción de su movilidad, declarada nula de pleno derecho por la STSJ de Castilla-La Mancha de 24-01-2011. Igualmente la STSJ de Galicia de 02-06-2011 reitera la imposibilidad de que los Ayuntamientos puedan añadir un requisito adicional al momento de concretar la forma de acreditar un requisito para el reconocimiento de una exención. En esta ocasión, los hechos planteados traían causa en la Ordenanza fiscal del Concello de Cangas, donde se exige que en el certificado de minusvalía expedido por la Consellería competente constase además del grado y su carácter temporal o definitivo, si la persona discapacitada tiene dificultades de movilidad que le impidan la utilización del transporte colectivo para "justificar el destino del vehículo". El TSJ de Galicia entiende que esta condición no impuesta por la Ley introduce *ex novo* un límite al reconocimiento de la exención que no guarda relación con el destino del vehículo, por lo que procede anular tal previsión y reconocer el derecho del interesado a la exención solicitada, infringiendo así el principio de jerarquía normativa.

A nuestro juicio, esta línea jurisprudencial es la correcta, de acuerdo a la necesidad de lograr el máximo respeto al principio de reserva de ley, impidiendo que la potestad reglamentaria pueda utilizarse para entrar a determinar elementos esenciales del tributo en los supuestos en que se intensifica dicha reserva como es en materia de exenciones, en tanto producen la enervación de efectos jurídicos del hecho imponible realizado.

b) Vehículos agrícolas

Finalmente, la letra g) del artículo 93.1 TRLRHL reconoce también una exención rogada para los "tractores, remolques, semirremolques y maquinaria provistos de la Carta de Inspección Agrícola", siendo irrelevante la titularidad o su destino para tareas agrícolas a efectos de la exención. Esta exención es objetiva y rogada, según el art. 93.2.1º TRLRHL.

Su configuración plantea algunas cuestiones problemáticas, entre las que destacamos la referencia que hace el legislador a la maquinaria agrícola que no aparece en las tarifas del IVTM —art. 95 TRLRHL—, de manera que en teoría debería considerarse un supuesto de no sujeción más que de exención[35]. Por otro lado, el condicionamiento de la exención a los vehículos que estén provistos de Cartilla de Inspección Agrícola, debe entenderse que se hace respecto de la normativa sectorial actual que es el certificado de inscripción en los Registros Oficiales de Maquinaria Agrícola (ROMA), competencia de las Comunidades Autónomas, tal y como establece la Orden del Ministerio de Agricultura de 28 de mayo de 1987[36]. Esta Orden ha sido derogada por el Real Decreto 1013/2009, de 19 de junio, sobre caracterización y registro de la maquinaria agrícola, aunque mantiene la obligación de inscripción de vehículos y maquinaria agrícolas en el ROMA.

3.1.3.3. Otras exenciones

Como hemos señalado, además de los supuestos del artículo 93 TRLRHL, el art. 9.1 TRLRHL establece que "no podrán reconocerse otros beneficios fiscales en los tributos locales que los expresamente provistos en las normas con rango de Ley o los derivados de la aplicación de los tratados internacionales". No obstante, el artículo 9.2 TRLRHL dispone que las leyes que establezcan tales exenciones deben determinar "las fórmulas de compensación que procedan; dichas fórmulas tendrán en cuenta las posibilidades de crecimiento futuro de los recursos de las Entidades locales procedentes de los tributos respecto de los cuales se establezcan los mencionados beneficios fiscales".

Una de ellas es la exención establecida en el apartado 1 del artículo 80 de la Ley Orgánica 6/2001, Orgánica de Universidades (LOU), e igualmente recogida en el actual Texto Refundido de la Ley Orgánica de Universidades que establece una exención general que reza como sigue: "Los bienes afectos al cumplimiento de sus fines y los actos que para el desarrollo inmediato de tales fines realicen, así como sus rendimientos, disfrutarán de exención tributaria, siempre que los tributos y exenciones recaigan directamente sobre las Universidades en concepto legal de contribuyentes, a no ser que sea posible legalmente la traslación de la carga tributaria".

Se trata de una exención con una redacción amplia, pero que no deja lugar a dudas de que los vehículos, cuya titularidad sea de una universidad pública, y se encuentren

---

[35] Así lo considera F. Fernández Marín, *La imposición local...*, op. cit., pág. 143.

[36] Vid. A. García Martínez, F. A. Vega Borrego, "El Impuesto sobre Vehículos...", op. cit., pág. 432. F. Fernández Marín, *La imposición local...*, op. cit., pág. 143 y M. J. Trigueros Martín, *La tributación del automóvil...*, op. cit., pág. 246.

afectos a la actividad finalista propia de las universidades públicas quedan incluidos en el ámbito de aplicación de la exención.

Así, lo corrobora, además, la Consulta DGT nº 0011/2005 de 18 de enero, con objeto de determinar el régimen aplicable al ICIO derivado del art. 80 LOU, y explicita que el régimen de la exención tributaria mixto mencionado para las Universidades públicas (art. 80 LOU) es aplicable al IVTM, señalando su naturaleza rogada y la necesidad del cumplimiento de los requisitos objetivos que establece la LOU.

3.2. SUJETOS PASIVOS

De acuerdo al artículo 94 TRLRHL, las personas físicas o jurídicas y entidades del art. 35.4 LGT a cuyo nombre figure el vehículo en el permiso de circulación serán los sujetos pasivos del impuesto.

De este modo, el legislador permite que el sujeto pasivo del IVTM no sólo sea el propietario del vehículo sino que, de acuerdo al art. 28 RGV, puede constar como titular de los vehículos y solicitar su matriculación además de los propietarios, los arrendatarios con opción de compra o los arrendatarios a largo plazo[37].

Por tanto, la condición de contribuyente se atribuye a la persona que aparece como titular en el documento administrativo del permiso de circulación que podrá ser quien ostente la propiedad del vehículo o no. De manera que el legislador teniendo presente la seguridad jurídica y la búsqueda de eficacia en la gestión tributaria de los Ayuntamientos, acude a un criterio que aleja al tributo de la justicia tributaria que se sustrae de su objeto de gravamen determinado en el artículo 92 TRLRHL[38].

Así pues, el artículo 94 en conexión con el artículo 97 TRLRHL, al que nos referimos más adelante en las normas de gestión tributaria, determina una titularidad y punto de conexión registral que prioriza la forma sobre la realidad fáctica y que ha dado lugar a distintas posturas doctrinales y jurisprudenciales al respecto. Una línea considera que el artículo 94 es una presunción *iuris et de iure* y no se admite prueba en contrario que rebata como sujeto pasivo al titular que aparece en el Registro Provincial de Tráfico. Asimismo, la irrelevancia de los datos que no sean la titularidad formal se ha refrendado por la jurisprudencia en numerosos supuestos[39], siendo más ocasionales los casos en que

---

[37]   Véanse las consideraciones al respecto realizadas por J. Ramos Prieto y M. J. Trigueros Martín, "La fiscalidad de los vehículos de motor: un aspecto olvidado en las medidas adoptadas contra la crisis económica", *Nueva Fiscalidad*, núm. 1/2010, pág. 132.

[38]   P. Chico de la Cámara, P. M., Herrera Molina, "Impuesto sobre Vehículos...", op. cit., pág. 217.

[39]   Entre otras, STSJ Valencia de 04-07-1998, STSJ Andalucía (Granada) de 28-10-2002 y STSJ Madrid de 22-01-2001.

los Tribunales han optado por admitir pruebas fehacientes sobre la titularidad real del vehículo, en contra del tenor literal establecido por el legislador[40].

En cualquier caso, resulta meridianamente claro que los términos en que se expresa el legislador obvian cualquier vicisitud que haya podido afectar a la titularidad[41] —y como veremos, al domicilio del sujeto pasivo— y la existencia de pronunciamientos jurisprudenciales que admiten titularidades reales distintas a la formal constituyen meros intentos por ajustar las circunstancias fácticas al gravamen de la auténtica capacidad económica.

Por otro lado, las posturas acerca de la tesis presuntiva han llevado a la consideración de los titulares registrales como contribuyentes. A estos efectos, como señala Fernández Marín existe una discordancia entre los artículos 94 y 92, de manera que la titularidad del vehículo que consta en el permiso de circulación (titularidad registral o formal) es un concepto más amplio que el empleado en la definición del hecho imponible (titularidad patrimonial del vehículo), de forma que si quien consta como titular del permiso de circulación es además el titular patrimonial del vehículo estaremos ante un sujeto pasivo contribuyente, en otro caso el titular del permiso de circulación no manifestaría la capacidad económica que desea gravar el IVTM y por tanto estaríamos ante un sujeto pasivo sustituto[42].

3.3. CUANTIFICACIÓN DEL IMPUESTO

La autonomía tributaria local en el ámbito del IVTM puede ejercerse en los elementos de cuantificación previstos en el artículo 95 TRLRHL que consisten esencialmente en la posibilidad de aprobar un coeficiente multiplicador respecto de las tarifas en función de la potencia y clase del vehículo (art. 95.4) y las bonificaciones potestativas de perfil medioambiental (art. 95.6). Analicemos los distintos elementos que permiten la determinación de la cuota del impuesto, teniendo presente que la modulación de la cuota mediante el coeficiente incrementado y las bonificaciones que inciden en una posible reducción del gravamen fijado en las tarifas han generado un escenario de competencia fiscal ciertamente polémico en la aplicación del impuesto.

El cuadro de tarifas (art. 95.1) determina directamente la cantidad fija a pagar según potencia y clase del vehículo. El art. 95.2 habilita a la LPGE para modificar el cuadro de tarifas, mientras que la aplicación de dichas tarifas y las clases de vehículos podrán

---

[40]   Entre otras, STSJ Andalucía de 24-01-2001 y STSJ Valencia de 26-05-2003.

[41]   Rechaza la tesis presuntiva M. J. Trigueros Martín, *La tributación del automóvil...*, op. cit., págs. 250 y 254.

[42]   Vid. F. Fernández Marín, *La imposición local...*, op. cit., págs. 164-165.

incorporar novedades reglamentariamente (art. 95.3) y, en concreto, el instrumento normativo a estos efectos es el RGV. Incluimos a continuación el cuadro de tarifas actualmente vigente:

Potencia y clase de vehículo	Cuota - Euros
A) Turismos:	
De menos de ocho caballos fiscales	12,62
De 8 hasta 11,99 caballos fiscales	34,08
De 12 hasta 15,99 caballos fiscales	71,94
De 16 hasta 19,99 caballos fiscales	89,61
De 20 caballos fiscales en adelante	112,00
B) Autobuses:	
De menos de 21 plazas	83,30
De 21 a 50 plazas	118,64
De más de 50 plazas	148,30
C) Camiones:	
De menos de 1.000 kilogramos de carga útil	42,28
De 1.000 a 2.999 kilogramos de carga útil	83,30
De más de 2.999 a 9.999 kilogramos de carga útil	118,64
De más de 9.999 kilogramos de carga útil	148,30
D) Tractores:	
De menos de 16 caballos fiscales	17,67
De 16 a 25 caballos fiscales	27,77
De más de 25 caballos fiscales	83,30
E) Remolques y semirremolques arrastrados por vehículos de tracción mecánica:	
De menos de 1.000 y más de 750 kilogramos de carga útil	17,67
De 1.000 a 2.999 kilogramos de carga útil	27,77
De más de 2.999 kilogramos de carga útil	83,30
F) Vehículos:	
Ciclomotores	4,42
Motocicletas hasta 125 centímetros cúbicos	4,42
Motocicletas de más de 125 hasta 250 centímetros cúbicos	7,57
Motocicletas de más de 250 hasta 500 centímetros cúbicos	15,15
Motocicletas de más de 500 hasta 1.000 centímetros cúbicos	30,29
Motocicletas de más de 1.000 centímetros cúbicos	60,58

Las tarifas se aplican en defecto de regulación municipal (art. 95.4), por tanto, establecen el gravamen mínimo a soportar por la titularidad de cada vehículo, sin perjuicio de la aprobación de las bonificaciones que en el caso de ser utilizadas por los Ayuntamientos pueden incluso disminuir la carga impositiva base establecida en las tarifas. Así, los Ayuntamientos podrán fijar un coeficiente para incrementar las cuotas mínimas subsidiarias hasta el duplo de la cuantía de la tarifa que podrá ser diferente tanto para cada tipo de vehículo como para cada uno de los tramos fijados en cada clase de vehículo, sin exceder en ningún caso el límite máximo mencionado. Este aspecto guarda coherencia con la doctrina constitucional sobre la autonomía local (STC 19/1987) y la exigencia de reserva de ley en los términos de fijación máxima del tipo impositivo (STC 233/1999)[43].

A pesar de ello, el mantenimiento invariable de las tarifas desde la Ley 50/1998, de 30 de diciembre[44], ha obligado de forma generalizada a los Ayuntamientos a actualizar la carga tributaria mediante el incremento de los coeficientes aplicados en el IVTM, al menos, así se ha producido en los municipios de más de 50.000 habitantes y más recientemente en los de población superior a los 100.000 habitantes[45]. En esta dinámica también ha influido la necesidad de búsqueda de recursos por parte de las Haciendas locales en tiempos de crisis económica en que se ha producido un descenso significativo de otras fuentes de ingreso de relevancia en el ámbito local, en especial, de los impuestos y tasas relacionadas con el sector urbanístico y de la construcción, y por supuesto, la recaudación del propio IVTM que, igualmente, se ha visto afectada por el descenso de actividad en el sector de la automoción[46].

Por otro lado, debe señalarse que, frente a la presencia inequívoca del factor ambiental en las tarifas en el modelo alemán del impuesto sobre vehículos, cuya incidencia ambiental se manifiesta en exenciones y elementos de cuantificación[47], nuestro IVTM

---

[43] El FJ 26º de la STC 233/1999, expresa la adecuación del ejercicio de la autonomía tributaria local para cubrir las necesidades de gastos en función de la provisión de bienes y servicios públicos de los ciudadanos de cada municipio, mediante la técnica habilitada por la Ley Reguladora de las Haciendas Locales de establecer unos tipos de gravamen entre un mínimo y un máximo, pues considera que este proceder está "al servicio de la autonomía de los municipios que, a la par que se concilia perfectamente con el principio de reserva de ley sirve al principio, igualmente, reconocido en la CE, de suficiencia, dado que, garantizando un mínimo de recaudación, posibilita a los municipios aumentar ésta en función de sus necesidades". Vid. AA.VV., *Anuario de jurisprudencia constitucional financiera y tributaria* 1999, IEF, Madrid, 2001.

[44] La Ley 51/2002, de 27 de diciembre, de reforma parcial de la Ley Reguladora de las Haciendas Locales, tampoco modificó el cuadro de tarifas aplicables y sólo con la aprobación del TRLRHL ahora vigente se produjo la traslación a euros de las cuotas.

[45] A. García Martínez, "La competencia fiscal...", op. cit., págs. 964-965.

[46] Vid. M. Alonso Gil, A. J. Delgado Mercé, "La aplicación de los tributos locales en una coyuntura de crisis económica" en AA.VV., *La crisis económica y su incidencia en el sistema tributario*, Thomson-Aranzadi, Cizur Menor (Navarra), 2009, págs. 211-212.

[47] En este sentido, V. M. Sánchez Blázquez destaca en su estudio sobre el impuesto alemán algunas exenciones temporales por la tenencia de turismos de contaminación especialmente reducida y a aquellos que no sobrepasen determinados niveles de dióxido de carbono, junto a una exención de cinco años para los vehículos de carácter eléctrico. Igualmente, la base imponible del impuesto se calcula a partir de un criterio mixto basado en la cilindrada del vehículo a la que se añaden las emisiones contaminantes y de dióxido de carbono, y si se trata de vehículos pesados se añaden también las emi-

por el momento sólo ha incorporado elementos ambientales en las bonificaciones potestativas sobre la cuota, sin que hayan tenido éxito por el momento las propuestas de reforma ambiental del IVTM que abogan por una incorporación de los criterios de emisión contaminante al modo y manera en que se produjo en el IEDMT a partir de 2007 de acuerdo a los parámetros establecidos en la Propuesta de Directiva de 2005.

No obstante, este panorama legal pone de manifiesto un riesgo de competencia fiscal a la baja que ha venido produciéndose en municipios de menor población. De hecho, el debate doctrinal se ha centrado en valorar en qué supuestos el ejercicio de competencias normativas municipales se consideran ajustado al margen de autonomía previsto en el TRLRHL y en qué supuestos puede considerarse que los municipios generan situaciones de competencia fiscal "agresiva" que se establecen principalmente con el objetivo casi exclusivo de la atracción de contribuyentes con el ánimo de aumentar la recaudación fiscal en su municipio respectivo, aun siendo actuaciones normativas legítimas dentro del marco legal establecido. Sin embargo, la combinación del establecimiento del coeficiente mínimo 1 —en cuyo caso las tarifas del impuesto no se incrementan respecto a la prevista en el art. 95 TRLRHL, junto a la cuantía máxima de la horquilla permitida de la bonificación medioambiental, sin limitación en cuanto a su ámbito objetivo de aplicación respecto de los vehículos, constituye la práctica habitual en que el ejercicio de la autonomía tributaria TRLRHL concatena efectos perversos en términos de atracción de nuevos contribuyentes al municipio debido al ahorro fiscal que permite[48].

No obstante, cualquier remodelación de los parámetros de cuantificación en el IVTM en los términos expuestos en coherencia con las coordenadas en el ámbito comunitario, debería partir, en nuestra opinión, de un incremento en la presión fiscal efectiva por dos razones fundamentales: 1) la elevación de la presión fiscal sobre el vehículo actuaría a modo de impulso de la concienciación medioambiental, pues el gravamen conforme a unos epígrafes a partir de una cantidad de emisiones transmite la idea de que hasta cierto nivel se considera permisible, quedando sujetas las emisiones que se estiman excesivas para que sean soportadas por el conjunto de la sociedad; 2) la búsqueda de la eficacia ante el riesgo medioambiental cierto que genera el uso del vehículo, sustentaría igualmente un apoyo adicional a la suficiencia financiera de las Haciendas locales[49].

---

siones acústicas. Vid. "Energía, medio ambiente e Impuesto sobre Vehículos de Tracción Mecánica: el impuesto alemán como uno de los modelos a seguir", en *Estudios sobre fiscalidad de la energía y desarrollo sostenible* (Dir. Falcón y Tella, R.), IEF, Madrid, 2006, págs. 217 y ss.

[48] Con mayor amplitud A. García Martínez ofrece datos acerca de los "paraísos fiscales" que resultan particularmente llamativos en el caso de la deslocalización de vehículos de empresa. Incluso advierte de la incoherencia que produce dicha opción legislativa municipal al no introducir una discriminación fiscal en relación con los vehículos menos contaminantes, como los vehículos eléctricos, pues la bonificación medioambiental pierde su funcionalidad, Vid. "La competencia fiscal...", op. cit., págs. 969-972.

[49] Vid. G. Patón García, "La difícil cohonestación entre la suficiencia financiera local y la utilización de medidas fiscales medioambientales" en *La función tributaria local* (Coord. Fernández Pavés, M. J.),

Ahora bien, la modificación de los tipos impositivos no puede hacerse sin atender a un replanteamiento de la existencia y finalidad de las bonificaciones tributarias actualmente establecidas, que aporte coherencia interna y operatividad al impuesto. En este escenario de reforma, las bonificaciones o incentivos deberían centrarse en presupuestos de hecho no contemplados en las tarifas en relación con la clase de carburante o las características de los motores de los vehículos, como por ejemplo el uso de los biocarburantes o el fomento de los vehículos eléctricos.

3.4. BONIFICACIONES

Existen unas bonificaciones específicas para el IVTM, recogidas en el art. 95.6 TRLRHL que gozan de naturaleza potestativa, si bien existen otras bonificaciones establecidas por la normativa general del TRLRHL que también serían aplicables al IVTM pero a diferencia de las primeras son de obligada imposición por cada ente local siempre que concurran los presupuestos de hecho que habilitan a su aplicación.

3.4.1. Bonificaciones obligatorias

En este sentido, debe tenerse en cuenta el art. 9.1 TRLRHL, que establece el beneficio fiscal consistente en una bonificación de hasta el 5% de la cuota a favor de los sujetos pasivos por domiciliación de las deudas de vencimiento periódico en la entidad financiera, la anticipación del pago o la realización de actuaciones que impliquen colaboración en la recaudación de ingresos.

Una segunda bonificación general sería la contenida en el art. 159.2 TRLRHL para los regímenes especiales de Ceuta y Melilla cuyas cuotas tributarias de los impuestos municipales gozan de la bonificación del 50%.

3.4.2. Bonificaciones potestativas

3.4.2.1. Bonificaciones de carácter ambiental

El art. 95.6 TRLRHL concentra las bonificaciones de carácter ambiental en el impuesto, siendo las entidades locales las que podrán regular mediante Ordenanzas fiscales sobre la cuota del impuesto, las siguientes bonificaciones:

> *"a) Una bonificación de hasta el 75% en función de la clase de carburante que consuma el vehículo, en razón a la incidencia de la combustión de dicho carburante en el medio ambiente.*

El Consultor de los Ayuntamientos, Madrid, 2012, págs. 662-663.

b) Una bonificación de hasta el 75% en función de las características de los motores de los vehículos y su incidencia en el medio ambiente".

Haciendo un repaso de las modificaciones normativas que se han producido en este tema dentro del IVTM, podemos decir que, en principio, la Ley 50/1998, de 30 de diciembre, añadió el apartado 6º al artículo 95 de la Ley Reguladora de las Haciendas Locales, que prevé la bonificación ambiental, y que posteriormente, fue ampliada por la Ley 51/2002, de 27 de diciembre. Por tanto, nada distinto del espíritu de la reforma de 2002 de la LRHL ocurre en el IVTM, reforma normativa que es aprovechada por el legislador español para ofrecer un mayor espacio de autonomía tributaria a los Ayuntamientos a través de numerosas bonificaciones. De manera que, el IVTM goza de una estructura jurídica que en cierta medida puede o no tener presentes objetivos de protección medioambiental dependiendo de la implicación que adopte el ente local concreto.

Sin embargo, las críticas a la actual configuración han venido, en primer lugar, de la mano de la más aparente que efectiva incidencia medioambiental de las bonificaciones, en tanto su adopción es meramente potestativa. En este sentido, García Calvente y Plaza Vázquez han señalado que un intento por hacer efectiva la aplicación práctica de medidas medioambientales en los impuestos locales sería establecer la obligatoriedad en las bonificaciones de esta finalidad, sin perjuicio de garantizar un ámbito de autonomía tributaria a los Ayuntamientos que pudieran manifestar su mayor o menor implicación con el compromiso medioambiental a través de la regulación del tipo concreto a aplicar en cada Entidad local dentro de una horquilla de mínimos y máximos[50]. Precisamente, la amplitud de los términos en la habilitación legal del art. 95.6 TRLRHL ha sido destacada como el origen de una práctica de "competencia fiscal" entre Ayuntamientos que ha sido utilizada para favorecer la atracción del domicilio registral de vehículos que habitualmente no circulan en su demarcación territorial con el fin de aumentar la recaudación de sus arcas municipales, tal y como hemos señalado al estudiar la posibilidad de ejercer la autonomía tributaria en las tarifas del impuesto.

La primera de las bonificaciones es aquella basada en el tipo de carburante que consuma el vehículo, que podría aplicarse en relación con los vehículos aptos para circular con biocarburantes, en especial, los que usaran bioetanol o biometanol —pues el biodiesel no emite azufre en su combustión— y así lograr una mayor implantación en el mercado o bien para fomentar el uso del vehículo eléctrico o híbrido. Buena prueba de

---

[50] Y. García Calvente, A. L. Plaza Vázquez, *Tributación del automóvil y otros medios de transporte* (Coord. Plaza Vázquez, A. L.), Aranzadi, Cizur Menor (Navarra), 2005, pág. 251. Asimismo, han apuntado P. Chico de la Cámara y P. M. Herrera Molina que tras cinco años de la inclusión de este incentivo fiscal, la medida no ha producido los resultados esperados en relación con el fin de protección del medio ambiente, "Impuesto sobre Vehículos...", op. cit., pág. 213.

ello son las Ordenanzas fiscal del IVTM del Ayuntamiento de Sevilla que aplica una bonificación a "los vehículos con motores de baja incidencia en el medio ambiente o que utilicen carburantes cuya combustión tenga en el medio ambiente una incidencia baja", y las del Ayuntamiento de La Coruña o Zaragoza como ejemplo de la segunda orientación mencionada[51].

En segundo lugar, siguiendo el planteamiento de la Unión Europea, podría hacerse uso de la bonificación en función de la necesidad de incorporar en el IVTM algún elemento referido a la emisión de otro tipo de sustancias contaminantes, y no sólo del CO_2 como único gas contaminante derivado del uso del vehículo, si bien reconocen que la determinación de la cuota del IVTM actual no carece de elementos que diferencian el gravamen en función de la potencia y la clase de vehículo[52].

Las tendencias actuales de gravamen son evidentes en la línea de la eficiencia energética y la movilidad sostenible. No es pues extraño que hayan ganado terreno las bonificaciones de acuerdo con las características del vehículo ofreciendo mayor protagonismo a la incidencia ambiental de aquéllas, como son las bonificaciones a los biocombustibles y ya adquieren cierto protagonismo las relacionadas con los vehículos eléctricos y de gas natural, situación ésta última que, en opinión de la doctrina, podría justificar incluso una exención total o parcial del IVTM[53].

3.3.2.2. Bonificación por vehículos históricos

La letra c) del artículo 95.6 TRLRHL prevé una bonificación potestativa de "*hasta el 100% para los vehículos históricos o aquellos que tengan una antigüedad mínima de 25 años, contados a partir de la fecha de su fabricación o, si ésta no se conociera, tomando como tal la de su primera matriculación o, en su defecto, la fecha en que el correspondiente tipo o variante se dejó de fabricar*".

Resulta ciertamente problemático fundamentar esta bonificación a aplicar respecto de los vehículos históricos de acuerdo a una orientación medioambiental, pues, precisamente, la antigüedad de los mismos puede incidir de forma negativa sobre el medio

---

[51]   Ilustra sobre este aspecto P. Chico de la Cámara en "Hacia una ambientalización del Impuesto sobre Vehículos de Tracción Mecánica", en *Fiscalidad medioambiental: iniciativas y orientaciones actuales* (Dir. Patón García, G.), Documentos IEF núm. 4/2012, págs. 52-53.

[52]   Así, S. Álvarez García y M. Jorge García-Inés, "El Impuesto sobre Vehículos de tracción mecánica: implicaciones medioambientales y posibles reformas derivadas de las propuestas comunitarias", *Tributos Locales* núm. 66/2006.

[53]   En tal sentido, se pronuncia M.A. Guervós Maíllo, *Fiscalidad de las Smart cities,* Thomson Reuters-Aranzadi, Cizur Menor, 2022, pág. 233. Vid. sobre este tema, R. Galapero Flores, *La fiscalidad como instrumento tributario en la gestión del medio ambiente*, Dykinson, Madrid, 2022, pág. 95.

ambiente[54]. Al tratarse de una bonificación potestativa nada impide que una Ordenanza fiscal disponga la bonificación para vehículos a partir de 40 años de antigüedad, tal y como refleja la Resolución de la DGT nº 2321/2010, de 27 de octubre, habida cuenta que los únicos límites establecidos son en cuanto al porcentaje máximo de bonificación —lo cual no supone límite alguno— y la antigüedad mínima del vehículo de 25 años. Así la crítica se ha situado en la mayor relevancia que se ha ofrecido al valor histórico de los vehículos que a su carácter menos perjudicial para el medio ambiente, ya que mientras la primera bonificación puede alcanzar el 100% de la cuota, la bonificación medioambiental sólo podría hacerlo hasta el 75%[55]. Por esta razón, existe una postura doctrinal que defiende la supresión de la exención técnica del art. 95.6 TRLRHL para vehículos de más de 25 años de antigüedad dentro de la que se pueden citar autores como Fernández Marín[56], Chico de la Cámara y Herrera Molina[57]. Es más, incluso se recomienda lo contrario, es decir, que la antigüedad del vehículo no actúe para priorizar una bonificación, sino como posibilidad de incrementar el coeficiente medioambiental en un 0.05 por año de antigüedad que exceda de 4 el vehículo concreto[58].

4. LA GESTIÓN DEL IMPUESTO

Las normas de gestión del IVTM se caracterizan por priorizar la simplicidad y la eficacia ante las distintas vicisitudes que puedan acaecer de trascendencia en el impuesto, así como la seguridad jurídica que permita la localización de un sujeto pasivo y la recaudación en orden a unos criterios que quiebran en ocasiones con la realidad del hecho imponible realizado. En particular se destacan algunas consecuencias jurídicas derivadas de las disposiciones como las siguientes: 1) las alteraciones que puedan producirse en el hecho imponible durante el período impositivo sólo tendrán efecto una vez acabe el período impositivo en curso y 2) la fijación del criterio formal de titularidad registral como punto de conexión para la recaudación del impuesto. Ambas situaciones expresan

---

[54]   Cfr. C. Checa González e I. Merino Jara, *La reforma de las haciendas locales en materia tributaria*, Thomson-Aranzadi, Cizur Menor (Navarra), 2003, pág. 173.

[55]   En este sentido, A. García Martínez, F. A. Vega Borrego, "El Impuesto sobre Vehículos...", op. cit., págs. 456-457.

[56]   F. Fernández Marín, El Impuesto sobre Vehículos de Tracción Mecánica. Disponible en la web: http://www.istas.ccoo.es/descargas/CCOO.%20Proposici%C3%B3n%20de%20Ley%20de%20 Fiscalidad%20ambiental.pdf, Tirant lo Blanch, Valencia, 2007, pág. 100.

[57]   P. Chico de la Cámara, P. M. Herrera Molina, "Impuesto sobre Vehículos...", op. cit., pág. 213.

[58]   Expresamente la Proposición de Ley de Fiscalidad Ambiental, con fecha del 21 de julio de 2009, y elaborada por Greenpeace, Ecologistas en Acción, ICV, CCOO y WWF, propone la supresión de la bonificación actualmente vigente para los vehículos históricos o aquellos con antigüedad mayor de 25 años.

un alejamiento con respecto al principio de capacidad económica de la estructura jurídica del impuesto y la discusión doctrinal acerca de una posible reforma del impuesto especialmente respecto a la segunda cuestión por las consecuencias conflictivas ante el escenario de una posible elección del municipio impositor.

4.1. PERÍODO IMPOSITIVO Y DEVENGO

De acuerdo al artículo 96.1 el año natural constituye el período impositivo del IVTM o bien comenzaría el día en que se produzca la primera adquisición, devengándose el impuesto el primer día del período impositivo y liquidándose conforme a la situación administrativa del vehículo existente en ese momento. Por tanto, desde el punto de vista de aplicación del impuesto sólo interesa quién es titular del vehículo el día del devengo, así como las restantes modificaciones que puedan acontecer a los elementos objetivos del hecho imponible, por lo que en cierto modo ello lleva a una "instantaneización" del hecho imponible[59].

Como puede apreciarse el legislador se refiere a la primera adquisición que, en puridad, sólo tendrá efectos para el primer titular del vehículo —no para las sucesivas transmisiones que pudiera soportar el vehículo—, y en concreto, tendrá su incidencia en tanto que es una circunstancia que permite el prorrateo de la cuota como veremos a continuación. Puede que por esta razón se aluda a la "primera adquisición" y no, como hubiera sido lo más correcto técnicamente "al momento de primera matriculación", sin embargo no hay problemas relevantes en la práctica puesto que ambos momentos coinciden.

Por su parte, el art. 96.3 TRLRHL prevé la posibilidad del prorrateo de cuotas por trimestres naturales en presencia de las siguientes circunstancias: a) la primera adquisición, b) la baja definitiva del vehículo y c) la baja temporal por sustracción o robo, desde el momento en que se produzca dicha baja temporal en el Registro público correspondiente.

Según señalamos al analizar los elementos del hecho imponible, la baja definitiva del vehículo tiene incidencia en el hecho de la aptitud para la circulación y uso de la vía pública. Así la voluntad de retirarlos permanente de la circulación, los acuerdos de oficio de retirada de los vehículos de la vía pública o el traslado del vehículo a otro país son los supuestos de baja definitiva (art. 35 RGV) que darán lugar al prorrateo de la cuota. Respecto de la baja temporal, no todos los supuestos permiten el prorrateo, pues únicamente la sustracción o robo del vehículo implica la privación "ilícita" del titular del mismo, a diferencia del resto de supuestos que permiten la baja temporal que tienen origen en el tráfico jurídico lícito y voluntario del contribuyente[60]. Este argumento jus-

---

[59] A. García Martínez, F. A. Vega Borrego. "El Impuesto sobre vehículos...", op. cit., pág. 481.

[60] En este sentido, la Resolución DGT nº 896/2005, de 19 de mayo de 2005.

tificativo puede entrar en cierto conflicto con la permisión del prorrateo de cuotas en el caso de la baja definitiva voluntaria del vehículo, ya que éste puede ser rehabilitado posteriormente de forma voluntaria[61].

En cualquier caso, si procede el prorrateo por causa de baja, los Ayuntamientos deben proceder de oficio a realizar la oportuna devolución en el supuesto de que se haya ingresado la totalidad del impuesto, y ello sin necesidad de que el contribuyente lo solicite[62].

4.2. APLICACIÓN DEL IMPUESTO

El conjunto de las competencias de gestión tributaria del impuesto se atribuye al Ayuntamiento del domicilio que consta en el permiso de circulación del vehículo conforme al artículo 97 TRLRHL, de manera que es indiferente la residencia habitual del titular registral del vehículo. Como decimos, se trata de un criterio formal que aporta eficacia y simplicidad en la gestión. Por su parte, el artículo 30.2 RGV obliga a comunicar a la Jefatura de Tráfico competente cualquier variación en el domicilio del titular del vehículo, entre otras circunstancias. El precepto señala literalmente que "cualquier variación en el nombre, apellidos o domicilio del titular del permiso o licencia de circulación que no implique modificación de la titularidad registral del vehículo deberá ser comunicada dentro del plazo de quince días desde la fecha en que se produzca, para su renovación, a la Jefatura de Tráfico expedidora del mismo o a la de la provincia del nuevo domicilio de aquél, la cual notificará el cambio de domicilio a los correspondientes Ayuntamientos".

Este modelo de gestión que deja al descubierto la eventual desconexión de la residencia habitual del titular del vehículo permite elegir al Ayuntamiento con menor cuota, lo que para algunos es una pura opción operativa del legislador aun admitiendo el margen para prácticas elusivas[63], mientras que la mayor parte de autores se debaten en la disyuntiva acerca de si el art. 97 TRLRHL debe considerarse como una presunción *iuris et de iure*[64] o *iuris tantum*. La jurisprudencia se inclina por la primera postura al ajustarse al criterio estrictamente legal, afirmando que la Administración no tiene obligación de localizar otro domicilio distinto al declarado expresamente y que aparece formalmente en el permiso de circulación del vehículo (STS 9 de octubre de 2001).

---

[61]   Vid. F. Fernández Marín, *La imposición local...*, op. cit., pág. 187.

[62]   Así lo señala la Resolución DGT núm. 870/2002, de 5 de junio.

[63]   M. J. Trigueros Martín, *La tributación del automóvil...*, op. cit., pág. 278.

[64]   P. Chico de la Cámara, P. M. Herrera Molina, "El Impuesto sobre Vehículos...", op. cit., pág. 26.

Precisamente, una propuesta de mejora en la regulación del punto de conexión muy interesante es la que formula García Martínez en el sentido de incorporar la admisión expresa de prueba en contrario respecto del criterio formal actualmente contenido en el art. 97 TRLRHL. Así, aboga por mantener la competencia actual del Ayuntamiento que figure en el permiso de circulación del vehículo para la exacción del impuesto, "salvo que se demuestre fehacientemente que el domicilio del titular del vehículo es otro, en cuyo caso se destruirá aquella presunción y se atribuirá la competencia al Ayuntamiento del domicilio real y probado del contribuyente"[65]. Los municipios afectados por la pérdida de recaudación de las prácticas de búsqueda de ahorro fiscal de los contribuyentes serán los interesados en destruir la presunción ejercitando sus competencias de comprobación e inspección y la posible instancia a la Dirección General de Tráfico para la revisión del domicilio reflejado en el permiso de circulación[66]. Un paso más allá sería que la norma obligase a las autoridades de Tráfico a modificar el domicilio de sus registros ante la existencia de una documentación fehaciente de residencia del Ayuntamiento[67].

Por otro lado, hay que tener presente los numerosos supuestos en que el titular del vehículo no ha modificado el domicilio que consta en su permiso de circulación que ocasiona una discrepancia de datos entre los que constan en los Registros de Tráfico y aquellos que figuran en los padrones de habitantes municipales. A este respecto, el proyecto de "ventanilla única", fruto del convenio suscrito entre la FEMP y la DGT, pretende dar respuesta a estas situaciones, ofreciendo al ciudadano que acude a declarar un cambio de domicilio, la posibilidad de instar el cambio en el permiso de circulación, si el interesado está conforme y aporta tal permiso, se extenderá en el mismo una diligencia haciendo constar el carácter provisional de la licencia y el Ayuntamiento remite a la Jefatura de Tráfico la solicitud de cambio de domicilio para que ésta envíe al interesado el nuevo permiso de circulación.

4.3. AUTOLIQUIDACIÓN

El artículo 98 TRLRHL prevé la posibilidad de que los Ayuntamientos puedan exigir este tributo en régimen de autoliquidación y en sus ordenanzas fiscales fijarán la clase de instrumento acreditativo del pago del impuesto.

---

[65]   A. García Martínez, "La competencia fiscal...", op. cit., pág. 988.

[66]   A. García Martínez, "La competencia fiscal...", op. cit., págs. 983 y 989. Solución que, a juicio del autor, no sólo tendría efectos beneficiosos en relación con la elusión fiscal, sino que también redundaría en el mantenimiento de las cuotas de autonomía tributaria local y el ejercicio adecuado de las bonificaciones, pág. 989.

[67]   En tal sentido, A. Acín Ferrer, "Nuevas obligaciones en la gestión del Impuesto sobre Vehículos de Tracción Mecánica", *La administración práctica: enciclopedia de administración municipal*, núm. 9/2010, pág. 867.

El IVTM es un tributo censal, al gestionarse a partir de un padrón o censo de vehículos para lo que el Ayuntamiento precisa de la información de los registros públicos de las Jefaturas Provinciales de Tráfico, que al proporcionar los datos de los titulares de vehículos domiciliados en el municipio correspondiente cumplen una función relevante en la gestión tributaria del impuesto.

La gestión municipal por parte del Ayuntamiento del IVTM se realizará mediante el giro del recibo del impuesto anual en base al domicilio tributario que figura en el permiso de circulación del vehículo. De nuevo, el legislador opta por el criterio formal y la eficacia en la gestión del impuesto en lugar de priorizar el domicilio habitual que podría acreditarse a través del alta en el padrón de otro municipio.

4.4. JUSTIFICACIÓN DEL PAGO DEL IMPUESTO

La matriculación o certificación de aptitud de circular precisa acreditar previamente el pago del impuesto, así como para tramitar el cambio de titularidad administrativa del vehículo, según lo exige el art. 99.1 TRLRHL.

Así, conforme prevé el artículo 99.2 TRLRHL, tras la redacción dada por la Ley 36/2006, de medidas de prevención del fraude fiscal *"las Jefaturas Provinciales de Tráfico no tramitarán el cambio de titularidad administrativa de un vehículo en tanto su titular registral no haya acreditado el pago del impuesto correspondiente al período impositivo del año anterior a aquel en que se realiza el trámite"*. Esta redacción vino a resolver un problema interpretativo acerca de cuál era el recibo que permitía realizar el cambio de titularidad del vehículo en relación al "último recibo presentado al cobro", de forma que queda claro que el recibo exigido es el del período impositivo anterior a aquél en que se tramita el cambio de titularidad.

Asimismo, el apartado tercero del artículo 99 señala que *"A efectos de la acreditación anterior, los Ayuntamientos o las entidades que ejerzan las funciones de recaudación por delegación, al finalizar el período voluntario, comunicarán informáticamente al Registro de Vehículos de la Dirección General de Tráfico el impago de la deuda correspondiente al período impositivo del año en curso. La inexistencia de anotaciones por impago en el Registro de Vehículos implicará, a los únicos efectos de realización del trámite, la acreditación anteriormente señalada"*.

Por esta razón, es importante que las entidades locales cuenten con los programas informáticos aptos para remitir la comunicación de recibos de IVTM impagados y contactar con la DGT, máxime cuando la Resolución del Director General de Tráfico de 23 de julio de 2010 establece que a partir del uno de enero de 2011, las Jefaturas Provinciales de Tráfico no efectuarán el cambio de titularidad de los vehículos en tanto exista constancia del impago del impuesto de vehículos del ejercicio anterior.

Así, cuando el impuesto sea satisfecho, procederá la cancelación de la anotación de impago que corresponde al Ayuntamiento o entidad que ejerza las funciones de recaudación por delegación —de acuerdo a las posibilidades establecidas en el art. 7 TRL-RHL— y permitirá efectuar el cambio de titularidad de los vehículos. No obstante, puede ocurrir que en la práctica subsista la anotación de impago en los registros de la Jefatura de Tráfico si el pago realizado en una entidad bancaria colaboradora de la recaudación no es conocido por la entidad local de inmediato. Lógicamente, esta situación parece que no debe impedir el cambio de titularidad si el interesado acredita que se ha pagado el impuesto del año anterior[68].

5. A MODO DE CONCLUSIONES: VARIABLES AMBIENTALES PARA UNA REFORMA DEL IMPUESTO SOBRE VEHÍCULOS DE TRACCIÓN MECÁNICA

La utilización del instrumento fiscal con fines de protección medioambiental debe atender a unos requisitos técnico-jurídicos, ínsitos al espíritu de los principios de gravamen preferente en la fuente y quien contamina paga que rigen en esta materia, que el legislador en su libertad de legislar debe tener presentes y que se ha encargado de apuntalar el Tribunal Constitucional —SSTC 289/2000, de 30 de noviembre, 168/2004, de 3 de octubre, 179/2006, de 13 de junio, entre otras— todos ellos dirigidos al diseño de una estructura impositiva coherente con la disuasión de conductas perjudiciales para el medioambiente que se pretende. Además, por otro lado, existen distintos condicionantes externos a la propia configuración jurídica, los límites inherentes al marco de imposición y la figura tributaria en que se adopten medidas medioambientales, la adecuación del objeto de imposición a los objetivos medioambientales concretos, las características de la coyuntura económica que intervienen en la efectividad mayor o menor de las medidas legislativas aprobadas, entre otros.

La amplia libertad del legislador de configuración de los tributos se ve sometida a los límites establecidos legalmente que en el ámbito de las Entidades locales conlleva la circunscripción de su autonomía tributaria local dentro del ámbito de sus competencias materiales y al desarrollo de la misma en el marco de la ley estatal, en este caso, el TRLRHL.

---

[68] Aboga por este criterio flexible A. Acín Ferrer que destaca este modo de proceder como un avance en línea con la Ley 11/2007, de 22 de junio, de acceso electrónico de los ciudadanos a los Servicios Públicos, en cuyo artículo 6.2b) se reconoce el derecho de los ciudadanos de no aportar datos y documentos que obren en poder de las Administraciones Públicas, "Nuevas obligaciones en la gestión...", op. cit., pág. 866.

Desde nuestro punto de vista, la concepción de la imposición auténticamente medioambiental sobre la materia imponible del vehículo únicamente puede observarse bajo las premisas del hecho imponible de la circulación del vehículo. Pues bien, el pago por el uso de las vías públicas por medio de vehículos de motor y sus remolques sería perfectamente asumible en un gravamen auténticamente medioambiental que fijase el efecto nocivo de la circulación de vehículos por la emisión del CO_2 como razón fundamental del establecimiento de una figura tributaria. Nuestra postura converge, pues, en la necesidad de aunar esfuerzos desde distintas figuras tributarias, por ello, entendemos que desde la imposición patrimonial que supone el IVTM pueden coadyuvarse esfuerzos en la contención de la contaminación.

Claramente la situación descrita de competencia fiscal en la fijación de tipos impositivos por la deslocalización hacia pequeños municipios podría atajarse estableciendo un umbral mínimo de acuerdo a la contaminación por emisiones contaminantes. Teniendo en cuenta el desbordamiento territorial de la contaminación atmosférica que provocan las emisiones de CO_2, que abogarían por el establecimiento de un marco de imposición estatal, la reducción de emisiones a través de la imposición sobre los vehículos se sostiene sobre dos pilares: 1) el mandato constitucional del artículo 142 CE de realización de suficiencia financiera; 2) la estrecha relación del objeto imponible del vehículo y su uso como causa desencadenante de las emisiones contaminantes de carácter directo.

Estas consideraciones nos llevan a defender la remodelación medioambiental del IVTM, una vez que se constata que la colaboración en las medidas fiscales adoptadas por autoridades de distintos ámbitos territoriales puede conducir a la contención del riesgo medioambiental por emisiones contaminantes. Como vimos, la Propuesta de Directiva de 2005 aboca a una internalización de los costes medioambientales a través de la gradación en los tipos impositivos del IVTM con una tarifa formada por cuatro epígrafes sobre el criterio de la cantidad de las emisiones oficiales de CO_2 según las características técnicas de cada vehículo, al modo en que se ha llevado a cabo en el ámbito del IEDMT a partir de los 120 g/km recorrido. De manera que ello equivale a introducir un cambio de perspectiva esencial desde la bonificación a la tarificación de las emisiones producidas por los vehículos, esto es, supone hacer depender un elemento patrimonial del vehículo de su auténtica incidencia medioambiental y el efecto que su uso comporta. En efecto, pensamos que el mantenimiento de la estructura actual del IVTM debería, asimismo, compatibilizar criterios de capacidad económica y de afectación medioambiental, aunque ello pasa por una complicación técnica en el diseño del mismo.

En otro caso, si se decidiese reestructurar el objeto de gravamen y optar por gravar "la circulación" y no "la titularidad del vehículo", entonces sí que este impuesto podría convertirse en un auténtico impuesto medioambiental con una eventual modificación de la base imponible al estilo del impuesto alemán, si bien como decimos, esta opción dificultaría las tareas de gestión municipal.

No obstante, el beneficio individual del uso del vehículo tiene unos costes que son asumidos por la generalidad de la sociedad que con la distribución de cargas impositivas contribuyen al sostenimiento de los gastos de mantenimiento en perfectas condiciones de las vías públicas que incluye las condiciones atmosféricas saludables para el conjunto de ciudadanos —y un medio urbano respirable.

En consecuencia, en los supuestos en que el uso del vehículo en gran medida viene dado por razones laborales o de necesidad en el desarrollo de las tareas cotidianas de la persona, el impuesto se convertiría en una especie de tasa, por el aprovechamiento del medio urbano de modo perturbador para el mismo. Incluso en aquellos casos en que el uso del vehículo pueda ser opcional tampoco el impuesto actuaría verdaderamente como una figura impositiva medioambiental de carácter disuasor, pues el impuesto se pagaría de igual manera ya que el legislador asume que la titularidad del vehículo constituye potencialmente un riesgo contaminante para el medio urbano, ya sea su uso más o menos prolongado en el tiempo (es decir, con independencia de la vida útil del vehículo) o más o menos habitual (uso diario, en fines de semana, desplazamiento al lugar de trabajo, etc.). En cualquier caso, podrían incluirse criterios de cuantificación relacionados con el uso de las infraestructuras públicas o con el principio de capacidad económica (mayor gravamen para los vehículos de lujo).

De momento, se atisba meramente la función ambiental del IVTM en la facultad de los Ayuntamientos para reducir la cuota tributaria por la menor incidencia del vehículo en el medio ambiente y en esencia conserva la estructura de un impuesto patrimonial, tal y como ha señalado la STC 87/2019, de 20 de junio, que confirmó su finalidad "principalmente recaudatoria" al contrastar las semejanzas en su estructura jurídica con el Impuesto catalán sobre las emisiones de dióxido de carbono de los vehículos de tracción mecánica para pronunciarse acerca del parámetro del art. 6.2 LOFCA.

Así, la operatividad de la función medioambiental en el Impuesto sobre Vehículos que podría ser efectiva en el sector de usuarios de vehículos de gran cilindrada que no se destinan a una actividad profesional, donde el incremento del gravamen podría favorecer en mayor medida la protección del medio ambiente, disuadiendo a estos sujetos de la adquisición de tales vehículos que suelen ser más contaminantes. No obstante, estos sujetos pasivos habitualmente gozan de un considerable poder adquisitivo y creemos que difícilmente la elevación del impuesto pudiese ejercer el efecto buscado de la adquisición de otro tipo de vehículo, pero, al menos, la elevación del gravamen conllevaría la asunción de responsabilidad por la contaminación causada. Por otro lado, quienes tengan que adquirir un vehículo de gran cilindrada por su actividad agrícola o ganadera —generalmente— pudieran ser beneficiados fiscalmente, cuestión que, aunque tiene difícil justificación desde el punto de vista medioambiental, a nuestro juicio, porque el perjuicio medioambiental se causa igualmente, debe considerarse para no perjudicar el interés económico del desarrollo de tales actividades económicas[69].

Asimismo, debe recordarse que los incentivos fiscales son compatibles con el principio de capacidad económica desde el momento en que se integran con los objetivos constitucionales de política económica y social. Ahora bien, la credibilidad de tal conexión no es meramente intrínseca. En otras palabras, los beneficios fiscales no se justifican por el mero hecho de perseguir objetivos razonables en el ámbito económico, del urbanismo o política social o medioambiental, sino que el legislador está obligado a ponderar hasta qué punto tales fines justifican que decaiga el principio de igualdad en el sostenimiento de las cargas públicas. Por ello, la conveniencia de plasmar en la tarifa o en beneficios fiscales medioambientales se ha señalado no sólo en el área de contaminación atmosférica sino también con respecto a la contaminación acústica[70]. En nuestra opinión, implementar este aspecto dentro de la estructura jurídica del IVTM puede conducir a un tratamiento integral de la contaminación que se deriva de la tenencia del vehículo, pero que puede ir más allá si se tuviese presente la circulación real del vehículo en la cuantificación del impuesto.

Si conectamos las bonificaciones potestativas de carácter medioambiental dispuestas por el art. 95.6 TRLRHL con el objeto de gravamen del IVTM hemos de constatar que, en tanto en cuanto la elasticidad del vehículo y su posibilidad de sustitución es en muchos casos prácticamente nula o escasa, puesto que difícilmente el usuario renuncia a la tenencia de un vehículo particular, entendemos que la orientación de la medida fiscal debería ser la contraria, es decir, aumentar la carga impositiva que recae sobre los vehículos para que se produzca una efectiva asunción de responsabilidad en cada ciudadano por el uso del vehículo, discriminando a aquellos vehículos que por su tecnología tienen un reducido o nulo impacto ambiental como son vehículos híbridos o eléctricos.

En conclusión, a día de hoy, el objetivo medioambiental es poco ambicioso en el sentido de que el legislador asume el hecho de la contaminación por el uso del vehículo como una consecuencia cierta e ineludible y se sitúa en la tesitura de intentar controlar y constreñir su aumento fomentando el uso de vehículos electrificados bajo las coordenadas de la transición ecológica y la movilidad sostenible. El escenario actual debe permitir una visión conjunta de la imposición que recae sobre distintos aspectos que afectan al vehículo como objeto de gravamen. Este enfoque debe llevar a repensar el diseño y/o permanencia del IVTM junto con el IEDMT, Impuestos sobre contaminación atmosférica producida por el vehículo —i.e. Cataluña— y tasas o peajes por circulación de los vehículos en las ciudades que ofrezca mayor coherencia al sistema tributario en esta parcela impositiva.

---

[69]   Cfr. G. Patón García, "La implicación de la hacienda local...", op. cit., págs. 90-91.

[70]   P. Chico de la Cámara, P. M. Herrera Molina, "Impuesto sobre Vehículos...", op. cit., pág. 194.

6. BIBLIOGRAFÍA

Acín Ferrer, A., "Nuevas obligaciones en la gestión del Impuesto sobre Vehículos de Tracción Mecánica", *La administración práctica: enciclopedia de administración municipal*, nº 9/2010.

Alonso Gil, M., Delgado Mercé, A. J., "La aplicación de los tributos locales en una coyuntura de crisis económica", en *La crisis económica y su incidencia en el sistema tributario*, Thomson-Aranzadi, Cizur Menor (Navarra), 2009.

Álvarez García, S., Jorge García-Inés, M., "El Impuesto sobre Vehículos de tracción mecánica: implicaciones medioambientales y posibles reformas derivadas de las propuestas comunitarias", *Tributos Locales*, nº 66/2006.

Checa González, C., y Merino Jara, I., *La reforma de las haciendas locales en materia tributaria*, Thomson-Aranzadi, Cizur Menor (Navarra), 2003.

Chico de la Cámara, P., "Hacia una ambientalización del Impuesto sobre Vehículos de Tracción Mecánica", en *Fiscalidad medioambiental: iniciativas y orientaciones actuales* (Dir. Patón García, G.), Documentos IEF nº 4/2012.

Chico de la Cámara, P., "El impuesto sobre vehículos de tracción mecánica", en *Los tributos locales y el régimen fiscal de los Ayuntamientos* (Dirs. Chico de la Cámara, P., Galán Ruiz, J.), Lex Nova, Thomson Reuters, Valladolid, 2014.

Chico de la Cámara, P. "Una vía indirecta extramuros de la esfera propiamente local para ambientalizar el uso de vehículos de tracción mecánica", *Tributos Locales*, nº 156/2022.

Chico de la Cámara, P., y Herrera Molina, P. M., "El Impuesto sobre Vehículos de Tracción Mecánica: análisis sistemático y posibles líneas de reforma", *Tributos Locales*, nº 82/2008.

Chico de la Cámara, P., y Herrera Molina, P. M., "El Impuesto sobre Vehículos de Tracción Mecánica", *Derecho Tributario Local* (Dir. Carrasco Parrilla, P. J.), Atelier, Barcelona, 2008.

Comité de Personas Expertas, *Libro Blanco sobre la Reforma Tributaria*, Madrid, 2022.

Comunicación de Comisión, 8 marzo 2011 "Hoja de ruta hacia una economía hipocarbónica competitiva en 2050" [COM (2011) 112 FINAL].

Fernández Marín, F., *El Impuesto sobre vehículos de tracción mecánica*, Tirant lo Blanch, Valencia, 2007.

Fernández Marín, F., *La imposición local de los vehículos de tracción mecánica*, Tirant lo Blanch, Valencia, 2013.

Freire González, J., "Análisis de los efectos de la reforma del Impuesto Especial sobre Determinados Medios de Transporte", Papeles de Trabajo, IEF, nº 7/2013.

Freire González, J., Puig Ventosa, I., "Efectos económicos y ambientales del impuesto especial sobre determinados medios de transporte", *Gestión y Análisis de Políticas Públicas*, Nueva Época, nº 10 julio-diciembre 2013.

Galapero Flores, R., *La fiscalidad como instrumento tributario en la gestión del medio ambiente*, Dykinson, Madrid, 2022.

García Calvente, Y., Plaza Vázquez, A. L., *Tributación del automóvil y otros medios de transporte* (Coord. Plaza Vázquez, A. L.), Aranzadi, Cizur Menor (Navarra), 2005.

García Martínez, A. y Vega Borrego, F. A., "El Impuesto sobre Vehículos de Tracción Mecánica", *Los Tributos locales* (Coord. Marín-Barnuevo Fabo, D.), Thomson-Civitas, Cizur Menor (Navarra), 2005.

García Martínez, A., "La competencia fiscal en el ámbito del Impuesto sobre Vehículos de Tracción Mecánica", en *Competencia fiscal y sistema tributario: dimensión europea e interna* (Dir. J. Ramos Prieto), Thomson Reuters-Aranzadi, 2014.

García Novoa, C., "Aproximaciones al objeto de imposición en el Impuesto municipal sobre Vehículos de Tracción Mecánica", *Tributos Locales*, nº 83/2008.

Guervós Maíllo, M.A., *Fiscalidad de las Smart cities*, Thomson Reuters-Aranzadi, Cizur Menor, 2022.

Libro Blanco "La política europea de transportes de cara al 2010: la hora de la verdad" [COM (2001) 370 FINAL] http://www.eixoatlantico.com/sites/default/files/num%209_%20Libro%20 Blanco%20Transportes.pdf

Patón García, G., "Tendencias y perspectivas en la fiscalidad medioambiental de la Unión Europea", *Noticias de la Unión Europea*, CISS, nº 281/2008.

Patón García, G., "La implicación de la Hacienda local en la finalidad medioambiental de reducción de emisiones contaminantes", *Tributos Locales*, nº 96/2010.

Patón García, G., "Elementos de discusión sobre una eventual reforma medioambiental del Impuesto sobre Vehículos", *Tributación ambiental y haciendas locales* (Dir. Serrano Antón, F.), Thomson-Civitas, Cizur Menor (Navarra), 2011.

Patón García, G., "La difícil cohonestación entre la suficiencia financiera local y la utilización de medidas fiscales medioambientales", *La función tributaria local*, El Consultor de los Ayuntamientos, 2012.

Ramos Prieto, J., "Imposición sobre la titularidad de vehículos y Comunidades Autónomas: La participación en tributos autonómicos como compensación financiera a los municipios", *Financiación local: Cuatro estudios* (Coord. J. Ramos Prieto), Agencia Tributaria de Madrid-Universidad Pablo de Olavide, 2009.

Ramos Prieto, J., "Las bonificaciones ambientales en el Impuesto sobre Vehículos de Tracción Mecánica", en *Tributación ambiental y Haciendas locales* (Dir. F. Serrano Antón), Thomson-Civitas, Cizur Menor (Navarra), 2011.

Ramos Prieto, J., Trigueros Martín, M. J., "La fiscalidad de los vehículos de motor: un aspecto olvidado en las medidas adoptadas contra la crisis económica", *Nueva fiscalidad*, nº 1/2010.

Sánchez Blázquez, V., "¿Cuál es el hecho imponible en el IVTM? Reflexiones a partir de determinados supuestos específicos", *Tributos Locales*, nº 36, 2004.

Sanz Gómez, R., "La habilitación legal del anteproyecto de Ley de movilidad sostenible para la creación de peajes urbanos", en La financiación de los servicios públicos en las áreas urbanas (Dir. Esteve Pardo, M.L., Coord. Navarro García, A.), Thomson Reuters-Aranzadi, Cizur Menor, 2022.

Sánchez Blázquez, V. M., "Energía, medio ambiente e Impuesto sobre Vehículos de Tracción Mecánica: el impuesto alemán como uno de los modelos a seguir", en *Estudios sobre fiscalidad de la energía y desarrollo sostenible* (Dir. Falcón y Tella, R.), IEF, Madrid, 2006.

Suárez Pandiello, J., *Reformas de la imposición local en momentos de máxima austeridad*, Universidad de Oviedo, Fundación SEPI, septiembre de 2012, https://www.fundacionsepi.es/ciea/Reformas_imposicion_local.pdf, pág. 14.

Trigueros Martín, M. J., *La tributación del automóvil en España. Problemas actuales y posibles líneas de reforma*, Comares, Granada, 2014.

Capítulo VII

IMPUESTO SOBRE EL INCREMENTO DE VALOR DE LOS TERRENOS DE NATURALEZA URBANA

PEDRO JOSÉ CARRASCO PARRILLA

Profesor Titular de Derecho Financiero y Tributario
Universidad de Castilla-La Mancha-Centro Internacional de Estudios Fiscales

SUMARIO: 1. NATURALEZA Y CARACTERÍSTICAS DEL IMPUESTO. 2. HECHO IMPONIBLE. 3.SUPUESTOS DE NO SUJECIÓN. 4. EXENCIONES. 4.1. Exenciones objetivas. 4.2. Exenciones subjetivas. 4.3. Otros supuestos. 5. SUJETOS PASIVOS. 5.1. Contribuyente. 5.2. Sustituto del contribuyente. 6. BASE IMPONIBLE. 7. TIPO DE GRAVAMEN, CUOTA ÍNTEGRA Y CUOTA LÍQUIDA. 8. DEVENGO. 9. DEVOLUCIÓN DEL IMPUESTO. 10. LA GESTIÓN TRIBUTARIA DEL IMPUESTO. 10.1. Obligaciones a cargo de los sujetos pasivos. 10.2. Obligaciones formales de los demás intervinientes en la transmisión. 10.3 Deber de colaboración entre Administraciones tributarias. 11. BIBLIOGRAFÍA.

1. NATURALEZA Y CARACTERÍSTICAS DEL IMPUESTO

El Impuesto sobre el Incremento de Valor de los terrenos de Naturaleza Urbana (en adelante, IIVTNU) comúnmente conocido como Plusvalía Municipal, se encuentra regulado en los artículos 104 a 110 del Texto Refundido de la Ley Reguladora de las Haciendas Locales (en adelante, TRLHL), aprobado por el Real Decreto Legislativo 2/2004, de 5 de marzo (*Tol 346505*).

El apartado 1 del art. 104 califica al IIVTNU como un tributo directo[1], que cuenta con las siguientes características:

- Es un tributo de titularidad y de gestión íntegramente municipal, sin perjuicio de la posibilidad de delegación de facultades (art. 7 TRLHL).

- Es un impuesto voluntario, es decir, de imposición potestativa para el Ayuntamiento, por lo que para poder exigirlo es necesario adoptar acuerdo de imposición y aprobar la correspondiente ordenanza fiscal.

- Es un tributo de carácter objetivo y real, pues, en este último supuesto, su regulación no contempla circunstancia personal alguna. Sin embargo, la bonificación potestativa de las cuotas devengadas en las transmisiones lucrativas mortis causa a favor de descendientes y adoptados, cónyuge y ascendientes y adoptantes, recogida en el art. 108.4 TRLHL, deja en manos de los Ayuntamientos la opción de otorgarle cierto carácter subjetivo para este supuesto concreto[2].

- Es carácter proporcional[3] e instantáneo, esto es, se agota con su ejercicio sin que se repita en años sucesivos a pesar de que para su cálculo se tenga en cuenta el aumento de valor experimentado en un máximo de 20 años, lo que pudiera otorgarle cierto matiz periódico[4].

---

[1] Lo que significa que no es legalmente posible para el sujeto pasivo la traslación de la cuota a terceras personas. No obstante, las partes pueden acordar que el impuesto sea abonado por persona distinta al contribuyente (generalmente el comprador), si bien los pactos que pudieran suscribir las partes contratantes carecerán de eficacia ante la Administración tributaria acreedora, tal y como se desprende de lo dispuesto en el art. 17.4 de la LGT, sin perjuicio de sus consecuencias jurídico-privadas. Por consiguiente, cuando el obligado privadamente a abonar el impuesto no cumpliera con lo pactado, el acreedor tributario se dirigirá contra el obligado por ley, que no es otro que el contribuyente, o en su caso el sustituto, sin perjuicio de que puedan iniciarse en la esfera privada acciones civiles tendentes a recuperar la cantidad contractualmente pactada por las partes.

[2] CARRASCO PARRILLA, P.J., "Algunas notas sobre el IIVTNU", *Rev. Tributos Locales,* núm. 88, 2009, pág. 123.

[3] El tipo de gravamen no aumenta en proporción a la base imponible, por lo que no puede predicarse su carácter progresivo a pesar de que se establezcan coeficientes distintos a la hora de determinar la base imponible, pues esto no aumentan su cuantía en función del incremento sometido a gravamen, sino de los años que distingue el TRLHL en la generación del incremento; en relación con la anterior normativa: CARRASCO PARRILLA, P.J., op. cit., pág. 124.

[4] Para LÓPEZ LEÓN, J., "Análisis de las modificaciones operadas en el IIVTNU, por la Ley 51/2002. Cuestiones pendientes", Rev. Tributos Locales, núm. 27, 2003, pág. 46, estamos ante un "impuesto instantáneo pero asociado a un elemento periódico". Como impuesto instantáneo, pero incidiendo en la consideración del período de tiempo que ha estado en el patrimonio del transmitente, a efectos de cuantificar la base imponible del impuesto, lo configura GARCÍA MORENO, V.A., en "Impuestos Locales", en MARTÍN QUERALT, J., TEJERIZO LÓPEZ, J.M. y ÁLVAREZ MARTÍNEZ, J.: *Manual de Derecho Tributario. Parte especial*, 19ªed., Ed.Thomson Reuters Aranzadi, Cizur Menor, 2022, pág. 1094.

Sobre la posible justificación de la exigencia de este tributo local, ésta tuvo como fundamento las plusvalías generadas por las actuaciones urbanísticas públicas sobre las que el párrafo segundo del art. 47.2 CE determina su reversión a la comunidad[5], si bien, su actual configuración normativa no se justifica en este precepto constitucional; en este sentido, la STC 182/2021, de 26 de octubre, FJ3, dispone que este impuesto "no resulta ser (o al menos no en exclusiva) un gravamen de las denominadas plusvalías inmerecidas de los titulares del suelo urbano, puesto que somete a tributación todo incremento de valor que experimenten los terrenos urbanos objeto de transmisión durante los años de tenencia en el patrimonio del sujeto. Y ese sometimiento a gravamen se realiza: (i) primero, sin tener en cuenta que actualmente, entre los deberes de los propietarios del suelo vinculados a la promoción de las actuaciones de transformación urbanística, está el de «[c]ostear y, en su caso, ejecutar todas las obras de urbanización

---

[5] Así lo entendió el Tribunal Supremo, aunque refiriéndose al arbitrio sobre el incremento del valor de los terrenos, entre otras, en Sentencias de 5 de junio de 1961 y de 1 de marzo de 1967, al considerar que el fundamento "reside en una razón de equidad, ya que sin esfuerzo ni actividad alguna por parte de la propiedad pueden obtenerse plusvalías debidas exclusivamente a fenómenos de evolución natural o a las inversiones que en terrenos próximos hayan hecho el Estado, provincia o Municipio, o a las derivadas de un planeamiento general municipal que delimita, precisa y fija el aprovechamiento del suelo, en su calidad urbanística" (en similares términos, STS de 18 de abril de 1983). Las STS de 4 de diciembre de 1993 y 29 de noviembre de 1997 establecieron, refiriéndose en este caso al denominado Impuesto Municipal sobre el Incremento del Valor de los Terrenos, que es el "único que encuentra su fundamento directo en la Constitución (art. 47 in fine), como forma de participación de la comunidad en las plusvalías generadas por la acción urbanística de los entes públicos (razón histórica de su implantación) (...), como indicaba la propia denominación del entonces arbitrio...". No compartían esta opinión, al considerar que es quizá empleada más como fórmula de estilo que como argumentación jurídica concreta, PLAZA VÁZQUEZ, A. y VILLAVERDE GÓMEZ, B., *Impuesto sobre el Incremento de los Terrenos de Naturaleza Urbana. Análisis Jurisprudencial Práctico*, Ed. Thomson-Aranzadi, Cizur Menor, 2005, pág. 28. En este sentido, los citados autores afirmaron que los instrumentos normativos para llevar a cabo los dictados del art. 47 de la Constitución "son múltiples y especializados; no debiera mezclarse el derecho constitucional a la contribución justa según la capacidad económica (ex artículo 31.1 CE) con otras previsiones que nada tienen que ver con el sistema tributario justo". Por su parte, MOCHÓN LÓPEZ, L., *El valor catastral y los impuestos sobre bienes inmuebles y sobre el incremento de valor de los terrenos de naturaleza urbana*, Ed. Comares, 2ª ed., Granada, 2001, pág. 266, consideró que "puede admitirse que el art. 47 es un fundamento remoto del IIVTNU pero no existe razón alguna para convertir ese tributo en un impuesto de carácter extrafiscal...". No obstante, en la STS de 5 de febrero de 2001, se establece que su fundamento "no se halla en la 'capacidad de pago', que se exterioriza con las ganancias de capital, sino en el beneficio recibido, que es el fundamento de las tasas, de las contribuciones especiales y de este Arbitrio, de modo que los paulatinos y específicos aumentos de valor de los terrenos debidos a actuaciones concretas de las Corporaciones Locales, revierten a la comunidad a través de las respectivas Contribuciones especiales, en la modalidad de aumento de valor, y además, cuando el terreno se transmite, el total aumento de valor, experimentado en el período, debido a las actuaciones concretas de los Municipios y a otras causas generales, revierte también mediante el Arbitrio de Plusvalía, de ahí que las Contribuciones especiales satisfechas en el período se sumen al valor inicial, para su deducción de la plusvalía general".

previstas en la actuación correspondiente, así como las infraestructuras de conexión con las redes generales de servicios y las de ampliación y reforzamiento de las existentes fuera de la actuación que esta demande por su dimensión y características específicas [...]» [art. 18.1 c) del Real Decreto Legislativo 7/2015, de 30 de octubre, por el que se aprueba el texto refundido de la Ley de suelo y rehabilitación urbana]; (ii) segundo, con independencia de la contribución de la actuación pública (urbanística o no) en su generación; y (iii) tercero, incluso, aunque no haya habido actuación urbanística pública o privada alguna. En este sentido también se expresó en la [...] STC 26/2017, FJ 3, al establecer que «no estamos, pues, ante un impuesto que someta a tributación una transmisión patrimonial, pues el objeto del tributo no se anuda al hecho de la transmisión, aunque se aproveche esta para provocar el nacimiento de la obligación tributaria; tampoco estamos ante un impuesto que grave el patrimonio, pues su objeto no es la mera titularidad de los terrenos, sino el aumento de valor (la renta) que han experimentado con el paso del tiempo»".

2. HECHO IMPONIBLE

La definición del hecho imponible se encuentra en el apartado 1 del art. 104 del TRLHL, según el cual, "El Impuesto sobre el Incremento de Valor de los Terrenos de Naturaleza Urbana es un tributo directo que grava el incremento de valor que experimenten dichos terrenos y se ponga de manifiesto a consecuencia de la transmisión de la propiedad de los terrenos por cualquier título o de la constitución o transmisión de cualquier derecho real de goce, limitativo del dominio, sobre los referidos terrenos".

Consideramos que son tres los supuestos que deben darse para entender realizado el hecho imponible del impuesto:

1º. Incremento de valor[6]. Si no se produjera incremento, no nacería la obligación tributaria; en efecto, el Real Decreto-ley 26/2021, de 8 de noviembre, por el que se adapta

---

[6]   A diferencia de la anterior regulación del impuesto, pues las reglas de fijación de la base imponible del impuesto hacían prácticamente imposible que prosperase dicha excepción, salvo en los supuestos de períodos inferiores al año por no someterlos a gravamen el TRLHL, pudiendo afirmarse que lo que el impuesto gravaba realmente era el incremento legal del valor del terreno de naturaleza urbana experimentado por la permanencia de más de un año en el patrimonio del transmitente; en efecto, la caída de precios de los inmuebles a partir del año 2008 hizo que cada vez se pusiera más en tela de juicio el respeto al principio de capacidad económica por parte de este impuesto, dado el método empleado para su cálculo (CARRASCO PARRILLA, P.J.: op. cit., págs. 125 y 131). La STC 59/2017, de 11 de mayo, declaró que los artículos 107.1, 107.2 a) y 110.4, del TRLHL, eran inconstitucionales y nulos, pero únicamente en la medida que sometían a tributación situaciones de inexistencia de incrementos de valor; posteriormente, la STC 126/2019 declaró también inconstitucional el artículo 107.4 del mismo cuerpo legal, respecto de los casos en los que la cuota a satisfacer fuese superior al

el TRLHL, a la jurisprudencia del Tribunal Constitucional respecto del impuesto objeto de este estudio, introduce un nuevo supuesto de no sujeción en el nuevo apartado 5 del art. 104, al establecer que "No se producirá la sujeción al impuesto en las transmisiones de terrenos respecto de los cuales se constate la inexistencia de incremento de valor por diferencia entre los valores de dichos terrenos en las fechas de transmisión y adquisición", en las condiciones expresadas en el citado precepto, y a las que nos referiremos en otro apartado de este trabajo.

2º. Terrenos de naturaleza urbana. En consecuencia, tal y como se recoge en los supuestos de no sujeción, no está sujeto el incremento de valor que experimenten los terrenos de naturaleza rústica. Por el contrario, sí estará sujeto el incremento de valor de los terrenos integrados en bienes inmuebles de características especiales.

Para determinar la naturaleza de los bienes, ya sea urbana, rústica o de características especiales debe acudirse, de acuerdo con lo dispuesto en el art. 61.3 del TRLHL, a los bienes definidos como tales en los art. 7 y 8 del Texto Refundido de la Ley del Catastro Inmobiliario, aprobado por Real Decreto Legislativo 1/2004, de 5 de marzo.

Según reiterada jurisprudencia del Tribunal Supremo, el período de generación del incremento de valor a efectos del cálculo del IIVTNU se computará desde la anterior transmisión del terreno y no desde la fecha en que se produce la calificación urbanística. En este sentido se pronunció el Tribunal Supremo en el recurso de casación en interés de ley nº 2362/1996, resuelto en sentencia de fecha 29 de noviembre de 1997 (*Tol 5.143.280*), declarando como doctrina legal que en este impuesto "resulta inoperante la situación urbanística de los terrenos en el inicio del período impositivo o incluso durante el mismo, ya que lo decisivo es que, en el momento de la transmisión determinante del devengo, tengan la condición de urbanos, en los términos prevenidos para el Impuesto sobre Bienes Inmuebles o con arreglo a las disposiciones e instrumentos urbanísticos aplicables" [7].

---

incremento patrimonial realmente obtenido por el contribuyente. Por último, la STC 182/2021 declaró la inconstitucionalidad y nulidad de los artículos 107.1, párrafo segundo, 107.2.a) y 107.4 del citado texto refundido, dejando un vacío normativo sobre la determinación de la base imponible que impedía la liquidación, comprobación, recaudación y revisión de este tributo local y, por tanto, su exigibilidad, hasta la aprobación del Real Decreto-ley 26/2021, de 8 de noviembre, por el que se adapta el TRLHL, a la jurisprudencia del Tribunal Constitucional.

[7]   De la misma opinión es, en este sentido, ORÓN MORATAL, G: "El Impuesto sobre el Incremento de Valor de los Terrenos de Naturaleza Urbana", en AA.VV.: *Los Tributos Locales* (Coord. D. Marín-Barnuevo Fabo), Ed. Thomson-Civitas, Cizur Menor, 2005, págs. 683-684. Por otra parte, la STS de 7-7-2021 (TOL8.566.521) afirma que la doctrina fijada por la STS de 29-11-1997: "también es aplicable cuando se trata de adjudicar parcelas resultado de un proceso de concentración parcelaria y cuando se trata de comprobar la existencia de una ganancia patrimonial con motivo de su transmisión", citando a su la Resolución Vinculante de la DGT V1653-09, de 9 de Julio de 2009, que estableció que: "De acuerdo con la normativa reguladora de la concentración parcelaria, al adjudicar

En el mismo sentido, la STS de 8 de abril de 2003 (*Tol 274.095*, recurso nº75/2002) establece que a los efectos del período de cómputo de generación del impuesto, es inoperante que no tuviera la consideración de urbano durante todo el mismo, sino que bastará con que en el momento del devengo del impuesto tenga la consideración de urbano.

Conviene matizar que la STS 1364/2009, de 26 de febrero, dictada en el recurso de casación en interés de ley nº 63/2007, enjuicia si se ha producido o no el hecho imponible del impuesto cuando el terreno enajenado que produce el incremento del valor, está clasificado como suelo urbanizable programado, pero en el momento de la transmisión, los instrumentos urbanísticos de desarrollo se encontraban pendientes de tramitación, sin que en ningún momento se acreditase por el Ayuntamiento recurrente que los terrenos transmitidos estuvieren sectorizados. Concluye el TS desestimando el recurso y llegando a la conclusión de que los terrenos transmitidos que dieron lugar a la liquidación cuestionada no tenían la consideración de urbanos, sino de urbanizables programados sin instrumento urbanístico de desarrollo previamente aprobado, es decir, sin plan parcial de desarrollo, por lo que concluye, no se produjo el hecho imponible que hubiera determinado el devengo del Impuesto.

Por su parte, la STS de 30 de mayo de 2014 (*Tol 4.365.185*) desestima el recurso de casación en interés de la ley nº 2362/2013, y concluye afirmando que los terrenos que tengan la consideración de urbanizables sólo pueden valorarse como suelos urbanos si disponen de un instrumento urbanístico de desarrollo que contenga su ordenación detallada. De lo contrario, tendrían la consideración de suelo de naturaleza rústica y en este caso no tributarían en el IIVTNU[8].

3º. Transmisión de la propiedad del terreno o constitución o transmisión de un derecho real de goce limitativo del dominio sobre el mismo. Los actos que pueden conllevar una transmisión de terrenos pueden ser, entre otros: compraventa, permuta, adjudicación en pago, donación, herencia, expropiaciones forzosas, subastas judiciales y notariales, aportación de inmuebles a sociedades, entrega de inmuebles a cambio de pensión vitalicia[9].

---

a cada propietario fincas de reemplazo, en sustitución de las fincas de procedencia, recaen inalterados sobre aquellas todos los derechos que recaían sobre éstas, por lo que la fecha de adquisición de la finca transmitida, a efectos del cálculo de la ganancia o pérdida patrimonial derivada de la transmisión, será la fecha de adquisición originaria".

[8]   DEL AMO GALÁN, O.: "Cambio en la clasificación catastral del suelo urbanizable como suelo de naturaleza urbana. Necesidad de un planteamiento de desarrollo que contenga su ordenación detallada"[en línea], (2015) https://www.smarteca.es/my-reader/SMT2015107_00000000_201 51201000000090000?fileName=content%2FDT0000228652_20151120.HTML&location=pi-1266&publicationDetailsItem=SystematicIndex. [Consulta: 10/05/2023]

[9]   Así lo ha entendido la STSJ de Castilla-La Mancha de 21 de enero de 1993.

En relación con la constitución o transmisión de derechos reales de goce limitativos de dominio, que recaigan sobre terrenos urbanos, pueden ser: usufructo, uso, habitación, servidumbres, censos y foros. La justificación de por qué se encuentran sujetos al impuesto la constitución o transmisión de derechos reales de goce limitativos de dominio se debe a que se produce una traslación de varias facultades dominicales[10].

3. SUPUESTOS DE NO SUJECIÓN

La delimitación del hecho imponible en el IIVTNU se completa con los supuestos de no sujeción establecidos en el TRLHL. La consecuencia práctica de estar ante un supuesto de no sujeción implica que, al no realizarse el hecho imponible y, por consiguiente, no producirse el devengo del impuesto, cuando se materialice la siguiente transmisión, el cómputo de los años en los que se ha generado el aumento de valor comenzará desde la última adquisición que haya estado sujeta[11].

Sin embargo, se da un tratamiento diferente en cuanto al cómputo de años a lo largo de los cuales se ha puesto de manifiesto el incremento de valor, en el supuesto contemplado en el párrafo 1 del art. 104.5 del TRLHL (objeto de nueva redacción por el RD Ley 26/2021, que adapta el TRLRHL a la jurisprudencia constitucional), pues no se tendrá en cuenta el período anterior a la adquisición de aquellos terrenos respecto de los cuales se constate, mediante la acreditación del interesado, la inexistencia de incremento de valor por diferencia entre los valores de dichos terrenos en las fechas de transmisión y adquisición. En realidad, consideramos que el RD Ley 26/2021 adolece al menos en este supuesto concreto de falta de técnica legislativa, contraviniendo a su vez los principios de buena regulación contenidos en el art. 129 de la Ley 39/2015, de Procedimiento Administrativo Común de las Administraciones Públicas, a pesar de que en su exposición de motivos se indica expresamente que el mismo "se ajusta a los principios

---

[10] En este sentido, ÁLVAREZ ARROYO, F., *Impuesto municipal sobre el incremento de valor de los terrenos (plusvalías)*, Ed. Dykinson, Madrid, 2004, pág. 81.

[11] Así se desprende del último apartado del art. 104.4 del TRLHL, en relación con los supuestos contemplados en el mismo: "En la posterior transmisión de los inmuebles se entenderá que el número de años a lo largo de los cuales se ha puesto de manifiesto el incremento de valor de los terrenos no se ha interrumpido por causa de la transmisión derivada de las operaciones previstas en este apartado". En el mismo sentido se expresa el último inciso del párrafo último del art. 104.5, que se remite a la Disposición adicional segunda de la LIS, respecto del régimen especial establecido en relación con las operaciones de reestructuración empresarial (Régimen especial de las fusiones, escisiones, aportaciones de activos, canje de valores y cambio de domicilio social de una Sociedad Europea o una Sociedad Cooperativa Europea de un Estado miembro a otro de la Unión Europea) reguladas en el Capítulo VII del Título VII de la LIS (arts. 76 a 89), que contempla un supuesto de no sujeción al IIVTNU, excepto en aquellas operaciones relativas a terrenos que se aporten al amparo del art. 87 de la LIS cuando no estén integrados en una rama de actividad.

de buena regulación". En efecto, al no tener en cuenta en la posterior transmisión de los terrenos el período anterior a su adquisición, declarada "no sujeta" o "no producida la sujeción", se está dando el mismo tratamiento que si estuviéramos ante un supuesto de exención (en este supuesto, técnicamente el hecho imponible se habría realizado pero el legislador lo excluye de tributación), pues se reputa como momento inicial del período de cómputo el correspondiente a la segunda transmisión, bajo la expresión "no se tendrá en cuenta el período anterior a su adquisición".

A) Terrenos de naturaleza rústica

No está sujeto a este impuesto el incremento de valor que experimenten los terrenos que tengan la consideración de rústicos a efectos del Impuesto sobre Bienes Inmuebles. En consecuencia con ello, está sujeto el incremento de valor que experimenten los terrenos que deban tener la consideración de urbanos y los de características especiales, a efectos de dicho Impuesto sobre Bienes Inmuebles, con independencia de que estén o no contemplados como tales en el Catastro o en el padrón de aquél.

La clasificación de terreno como rústico o urbano, a efectos del Impuesto sobre Bienes Inmuebles será la que le corresponda según la normativa catastral, independientemente de cómo figure en la base de datos del Catastro (art. 104.2 TRLHL).

El supuesto puede darse, por ejemplo, como consecuencia de un cambio del planeamiento urbanístico, o por la ejecución de obras de urbanización o porque sobre el terreno se hayan realizado construcciones de naturaleza urbana.

También podría darse el supuesto contrario, es decir, que un terreno fuese clasificado en su momento como suelo urbanizable programado por el planeamiento y como consecuencia de una nueva clasificación urbanística haya quedado como suelo no urbanizable. En ese caso, no se produciría sujeción al IIVTNU, aunque en el Catastro figurase todavía como bien de naturaleza urbana.

B) Aportaciones de bienes y derechos realizados por los cónyuges a la sociedad conyugal y operaciones resultantes de su disolución

Hasta la entrada en vigor de la Ley 51/2002, de 27 de diciembre, de modificación de la Ley de Haciendas Locales, que añadió el apartado 3º al entonces art. 105 de la LRHL, estas operaciones se consideraban supuestos de exención. Por tanto, cerraban el período de cómputo, lo que implicaba que cuando el adjudicatario transmitía el bien, se reputaba como momento inicial del período cómputo correspondiente a esta segunda transmisión, el de la adjudicación y no el de su anterior adquisición por la sociedad conyugal. Esto provocaba una falta de tributación del incremento de valor experimentado por el terreno durante el tiempo que había permanecido en la sociedad conyugal, pero sobre todo era fácil evitar las plusvalías generadas por la adquisición del terreno con carácter previo a su venta, pues los cónyuges que querían transmitirlo, disolvían la sociedad de gananciales previamente, adjudicándolo a uno de ellos, no tributando esta transmisión que, con motivo de su consideración como exenta, comenzaba a contar desde cero el número de años de permanencia a efectos de su transmisión[12].

Este cambio es muy importante, ya que al calificarse como operaciones no sujetas, resulta que las mismas no suponen el inicio de un nuevo período de cómputo y, por tanto, se debe considerar como inicio del período de generación del incremento de valor la fecha en que se produjo la adquisición de los bienes[13]. Además, técnicamente estamos ante un supuesto de no sujeción pues en estos supuestos estamos, en el caso de aportaciones, ante una puesta en común de los bienes, y en el caso de la disolución, ante la especificación de un derecho abstracto preexistente.

C) Transmisiones de bienes inmuebles entre cónyuges o a favor de los hijos, como consecuencia del cumplimiento de sentencias en los casos de nulidad, separación o divorcio matrimonial, con independencia del régimen económico matrimonial

Como en el supuesto anterior, el cambio de consideración desde el 1 de enero de 2003, de exención a supuesto de no sujeción, implica que la realización de estas transmisiones no produce el devengo del impuesto y por tanto no interrumpen el período de cómputo.

D) Transmisiones de bienes inmuebles a título lucrativo en beneficio de las hijas, hijos, menores o personas con discapacidad sujetas a patria potestad, tutela o con medidas de apoyo para el adecuado ejercicio de su capacidad jurídica, cuyo ejercicio se "llevará" (*sic*)[14] a cabo por las mujeres fallecidas como consecuencia de violencia contra la mujer, en los términos en que se defina por la ley o por los instrumentos internacionales ratificados por España, cuando estas transmisiones lucrativas traigan causa del referido fallecimiento

---

[12]   En similares términos se expresa SALCEDO BENAVENTE, J.M., *Guía práctica para impugnar la plusvalía municipal*, 5ªed., Ed.Sepín, Madrid, 2022, págs. 24 y 25.

[13]   La consulta de la Subdirección General de Tributos Locales, del Ministerio de Economía y Hacienda, V 1620-07, de 23 de julio de 2007, analiza las diferentes consecuencias de la determinación del supuesto de transmisión por fallecimiento de una parte de la sociedad de gananciales con la antigua normativa, es decir, como supuesto de exención y con la nueva como supuesto de no sujeción y su incidencia sobre las siguientes transmisiones del terreno en el cómputo de años para la determinación de la base imponible.
Ha de advertirse que este supuesto de no sujeción al que nos estamos refiriendo no incluye los casos de disolución del régimen matrimonial de separación de bienes. Así lo aclaró la STS nº 4062, de 10 de julio de 1995, cuando la LRHL consideraba las operaciones de constitución y extinción de la sociedad conyugal como exentas.

[14]   Las correcciones de errores que se han publicado en los BOE de 21 de marzo y 22 de septiembre de 2022 no suprimen el error de acentuación, pues carece de sentido utilizar en tiempo futuro el verbo y no en pasado.

Este supuesto de no sujeción ha sido añadido por la Ley Orgánica 2/2022, de 21 de marzo, con efectos desde el 23 de marzo de 2022. Con la transmisión de ciertos bienes y derechos de la herencia de sus madres (como, por ejemplo, la vivienda en la que residían) que tiene lugar con ocasión de su fallecimiento, determina, como afirma la propia exposición de motivos de esta ley, el devengo del IIVTNU y su obligación de pago por sus huérfanos adquirentes, lo cual puede suponer una importante carga económica, que podría afectar a la viabilidad de su adquisición. En realidad, consideramos que estamos ante una exención subjetiva y de carácter rogado, cuya efectividad podría no producirse a corto plazo, pues deberá acreditarse el fallecimiento como consecuencia de violencia contra la mujer, que deberá ser enjuiciada y declarada por la jurisdicción penal[15]. A mayor abundamiento, de ser considerada una exención sus efectos se extenderían, en una posterior transmisión de los bienes, a la consideración del periodo de cómputo de años desde el momento de adquisición por los huérfanos y no al correspondiente a un supuesto de no sujeción.

E) Aportaciones o transmisiones de bienes inmuebles efectuadas a la SAREB[16] y por la SAREB a entidades participadas directa o indirectamente por la misma en al menos el 50 por ciento del capital, fondos propios, resultados o derechos de voto de la entidad participada en el momento inmediatamente anterior a la transmisión, o como consecuencia de la misma.

Tampoco se devengará el impuesto con ocasión de las aportaciones o transmisiones realizadas por la SAREB o por las entidades constituidas por esta para cumplir con su objeto social, a los fondos de activos bancarios, a que se refiere la disposición adicional décima de la Ley 9/2012, de 14 de noviembre.

Las aportaciones o transmisiones que se produzcan entre los citados Fondos durante el período de tiempo de mantenimiento de la exposición del Fondo de Reestructuración Ordenada Bancaria (FROB) a los Fondos, previsto en el apartado 10 de dicha disposición adicional décima, no supondrán el devengo del impuesto.

---

[15] SALCEDO BENEVANTE (op. cit., pág. 26) incluso plantea dudas acerca de si bastaría con una sola sentencia o habría que esperar a su firmeza, una vez conste que no ha sido recurrida.

[16] Sociedad de Gestión de Activos Procedentes de la Reestructuración Bancaria, S.A. La disposición final octava de la Ley 26/2013, de 27 de diciembre, de cajas de ahorros y fundaciones bancarias (B.O.E. de 28 de diciembre), dio nueva redacción al apartado 4 del artículo 104 del TRLHL, según el cual: "No se devengará el impuesto con ocasión de las aportaciones o transmisiones de bienes inmuebles efectuadas a la Sociedad de Gestión de Activos Procedentes de la Reestructuración Bancaria, S.A. regulada en la disposición adicional séptima de la Ley 9/2012, de 14 de noviembre, de reestructuración y resolución de entidades de crédito, que se le hayan transferido, de acuerdo con lo establecido en el artículo 48 del Real Decreto 1559/2012, de 15 de noviembre, por el que se establece el régimen jurídico de las sociedades de gestión de activos.

Para todos estos supuestos, contemplados en el art. 104.4 del TRLHL, se establece que en la posterior transmisión de los inmuebles se entenderá que el número de años a lo largo de los cuales se ha puesto de manifiesto el incremento de valor de los terrenos no se ha interrumpido por causa de la transmisión derivada de las operaciones previstas en el mismo, por lo que en realidad estamos ante un diferimiento de la carga fiscal a un momento ulterior[17].

F) Transmisiones de terrenos respecto de los cuales se constate por el interesado la inexistencia de incremento de valor por diferencia entre los valores de dichos terrenos en las fechas de transmisión y adquisición

Este supuesto de no sujeción, contemplado en el apartado 5 del art. 104 TRLHL, ha sido añadido por el artículo único del RD Ley 26/2021, de 8 de noviembre, por el que se adapta el TRLHL, a la jurisprudencia del Tribunal Constitucional. Y es que la caída de precios de los inmuebles a partir del año 2008 hizo que cada vez se pusiera más en tela de juicio el respeto al principio de capacidad económica por parte de la regulación normativa de este impuesto, dado el método empleado para su cálculo. De este modo, la STC 59/2017, de 11 de mayo, declaró que los artículos 107.1, 107.2 a) y 110.4, del TRLHL, eran inconstitucionales y nulos, pero únicamente en la medida que sometían a tributación situaciones de inexistencia de incrementos de valor; con posterioridad, la STC 126/2019 declaró también inconstitucional el artículo 107.4 del mismo cuerpo legal, respecto de los casos en los que la cuota a satisfacer fuese superior al incremento patrimonial realmente obtenido por el contribuyente. Por último, la STC 182/2021 declaró la inconstitucionalidad y nulidad de los artículos 107.1, párrafo segundo, 107.2.a) y 107.4 del citado texto refundido, dejando un vacío normativo sobre la determinación de la base imponible que impedía la liquidación, comprobación, recaudación y revisión de este tributo local y, por tanto, su exigibilidad hasta la aprobación del RD Ley 26/2021.

La adaptación normativa llevada a cabo por el RD Ley de 2021 ha introducido este supuesto de no sujeción a situaciones que no suponen una manifestación de capacidad económica que requieren la acreditación por parte del interesado de la inexistencia de incremento de valor por la diferencia entre los valores de los terrenos en las fechas de adquisición y transmisión, aportando títulos que documenten la transmisión y la adquisición. Se considerarán interesados, a estos efectos, las personas o entidades a que se refiere el art. 106 TRLHL, por lo que en caso de no acreditarse se considerarán sujetos pasivos del impuesto.

---

[17] En similares términos ALÍAS CANTÓN, M., "La extraña figura del no devengo en el Impuesto sobre el incremento del valor de los terrenos de naturaleza urbana", *Revista Crónica Tributaria, Boletín de Actualidad*, 2/2014, págs. 10-11.

Pero para constatar que no existe incremento de valor, el párrafo tercero del art. 104.5 establece que deberá tomarse como valor de transmisión o de adquisición del terreno el mayor de los siguientes valores, sin que a estos efectos puedan computarse los gastos o tributos que graven dichas operaciones: el que conste en el título que documente la operación o el comprobado, en su caso, por la Administración tributaria.

El TRLHL también se ocupa de regular el supuesto de transmisión de un inmueble en el que haya suelo y construcción, tomándose como valor del suelo a estos efectos el que resulte de aplicar la proporción que represente en la fecha de devengo del impuesto el valor catastral del terreno respecto del valor catastral total y esta proporción se aplicará tanto al valor de transmisión como, en su caso, al de adquisición.

Ahora bien, en el caso de adquisición o la transmisión a título lucrativo se aplicarán las reglas anteriores tomando, en su caso, por el primero de los dos valores a comparar, el declarado en el Impuesto sobre Sucesiones y Donaciones. En este supuesto, los interesados no siempre podrán aportar los títulos por los que el donante o el causante adquirió los terrenos transmitidos, por lo que de no poder acreditar la inexistencia de incremento de valor serán considerados sujetos pasivos del impuesto.

En la posterior transmisión de todos estos inmuebles a los que se refiere el art. 104.5 del TRLHL, que no han quedado sujetos al impuesto por haber constatado el interesado la inexistencia de incremento de valor por diferencia entre los valores de dichos terrenos en las fechas de transmisión y adquisición, para el cómputo del número de años a lo largo de los cuales se ha puesto de manifiesto el incremento de valor de los terrenos, no se tendrá en cuenta el periodo anterior a su adquisición.

G) Otros supuestos de no sujeción

Aparte de los supuestos de no sujeción expuestos en los apartados anteriores, recogidos en el TRLHL, existen otros establecidos por otras leyes que veremos a continuación, entre otros:

a) Transmisiones en operaciones de reestructuración empresarial

Supuesto de no sujeción expresamente previsto por la Disposición adicional segunda de la Ley 27/2014, de 27 de noviembre, del Impuesto sobre Sociedades, donde se establece que no se devengará el IIVTNU con ocasión de las transmisiones de terrenos de naturaleza urbana derivadas de operaciones a las que resulte aplicable el régimen especial establecido en relación con las operaciones de reestructuración empresarial (Régimen especial de las fusiones, escisiones, aportaciones de activos, canje de valores y cambio de domicilio social de una Sociedad Europea o una Sociedad Cooperativa Europea de un Estado miembro a otro de la Unión Europea) reguladas en el Capítulo VII del Título VII de la LIS (arts. 76 a 89).

En la posterior transmisión de dichos terrenos se entenderá que el número de años a lo largo de los cuales se ha puesto de manifiesto el incremento de valor no se ha interrumpido por causa de la transmisión derivada de las operaciones previstas en el Capítulo VII del Título VII de la LIS. En la práctica lo que se está produciendo es un diferimiento de la carga fiscal que corresponde al momento posterior en el que fuera de esas operaciones de reestructuración empresarial, se proceda a una nueva transmisión de activos[18].

b) Transformación de clubes deportivos en Sociedades Anónimas Deportivas (SAD)

De conformidad con lo dispuesto por la Disposición Adicional 26ª.3 de la Ley 31/1991, de 30 de diciembre, de Presupuestos Generales del Estado, no están sujetas al impuesto las transmisiones de terrenos que se realicen en las operaciones de procesos de adscripción a una sociedad anónima deportiva que sea de nueva creación, siempre que se ajusten a las normas previstas en la Ley 10/1990, de 15 de octubre, del Deporte, y Real Decreto 1251/1999, de 16 de julio, sobre Sociedades Anónimas deportivas. En la posterior transmisión de los mencionados terrenos se entenderá que el número de años a lo largo de los cuales se ha puesto de manifiesto el incremento del valor no se ha interrumpido por causa de la transmisión derivada del proceso de adscripción. Al igual que en el supuesto anterior, lo que sucede es un diferimiento de la carga fiscal al momento de la posterior transmisión de los terrenos tras el proceso de adscripción a una SAD[19].

c) Adjudicaciones por reparcelación

El art. 23.7 del RD Leg 7/2015, de 30 de octubre, por el que se aprueba el texto refundido de la Ley del Suelo y Rehabilitación Urbana, establece: "Las transmisiones de terrenos a que den lugar las operaciones distributivas de beneficios y cargas por aportación de los propietarios incluidos en la actuación de transformación urbanística, o en virtud de expropiación forzosa, y las adjudicaciones a favor de dichos propietarios en proporción a los terrenos aportados por los mismos, estarán exentas, con carácter permanente, si cumplen todos los requisitos urbanísticos, del Impuesto sobre Transmisiones Patrimoniales y Actos Jurídicos Documentados, y no tendrán la consideración de transmisiones de dominio a los efectos de la exacción del Impuesto sobre el Incremento del Valor de los Terrenos de Naturaleza Urbana.

Cuando el valor de las parcelas adjudicadas a un propietario exceda del que proporcionalmente corresponda a los terrenos aportados por el mismo, se girarán las liquidaciones procedentes en cuanto al exceso".

---

[18] En similares términos ALÍAS CANTÓN, M., op. cit., pág. 13.

[19] En similares términos ALÍAS CANTÓN, M., op. cit., págs. 15-16.

4. EXENCIONES

En estos supuestos el hecho imponible se entiende realizado; por consiguiente, se va a considerar iniciado un nuevo período de generación a los efectos de computar futuros aumentos de valor como consecuencia de ulteriores transmisiones. Con la finalidad de llevar a cabo una exposición de las diferentes exenciones existentes, realizaremos una clasificación de las mismas teniendo en cuenta la naturaleza del acto sujeto a tributación (exenciones objetivas), los obligados al pago del impuesto (exenciones subjetivas), así como las establecidas fuera del TRLHL.

4.1. EXENCIONES OBJETIVAS

Estas exenciones se aplican con independencia de cuál sea la condición del sujeto pasivo.

A) La constitución y transmisión de derechos de servidumbre

En la práctica no plantea problema alguno debido a su escasa importancia y a que se trata de un supuesto ya recogido desde su origen en la LRHL y en el antiguo artículo 352 c) del RD Leg 781/1986, de 18 abril.

B) Las transmisiones de bienes de carácter histórico-artístico o de interés cultural

De la lectura de la letra b) del art. 105.1 del TRLHL se desprende una doble exigencia:

a) Por un lado, que el inmueble se encuentre dentro del perímetro delimitado como Conjunto histórico-artístico, o haya sido declarado individualmente de interés cultural, según lo establecido en la Ley 16/1985, de 25 de junio, del Patrimonio Histórico Español.

b) Por otro, que sus propietarios o titulares de derechos reales acrediten que han realizado a su cargo obras de conservación, mejora o rehabilitación en dichos inmuebles.

En definitiva, se trata de que los Ayuntamientos adapten a sus peculiaridades la regulación de la exención estableciendo sus aspectos sustantivos y formales en la correspondiente ordenanza fiscal.

C) Las transmisiones con ocasión de la dación en pago de la vivienda habitual

El apartado uno del artículo 123 de la Ley 18/2014, de 15 de octubre, de aprobación de medidas urgentes para el crecimiento, la competitividad y la eficiencia, ha introducido la actual redacción de la letra c) del art. 105.1 del TRLHL con efectos desde el 1 de enero de 2014, así como para los hechos imponibles anteriores a dicha fecha no prescritos: "Las transmisiones realizadas por personas físicas con ocasión de la dación en pago de la vivienda habitual del deudor hipotecario o garante del mismo, para la cancelación de deudas garantizadas con hipoteca que recaiga sobre la misma, contraídas con entidades de crédito o cualquier otra entidad que, de manera profesional, realice la actividad de concesión de préstamos o créditos hipotecarios.

Asimismo, estarán exentas las transmisiones de la vivienda en que concurran los requisitos anteriores, realizadas en ejecuciones hipotecarias judiciales o notariales.

Para tener derecho a la exención se requiere que el deudor o garante transmitente o cualquier otro miembro de su unidad familiar no disponga, en el momento de poder evitar la enajenación de la vivienda, de otros bienes o derechos en cuantía suficiente para satisfacer la totalidad de la deuda hipotecaria. Se presumirá el cumplimiento de este requisito. No obstante, si con posterioridad se comprobara lo contrario, se procederá a girar la liquidación tributaria correspondiente.

A estos efectos, se considerará vivienda habitual aquella en la que haya figurado empadronado el contribuyente de forma ininterrumpida durante, al menos, los dos años anteriores a la transmisión o desde el momento de la adquisición si dicho plazo fuese inferior a los dos años.

Respecto al concepto de unidad familiar, se estará a lo dispuesto en la Ley 35/2006, de 28 de noviembre, del Impuesto sobre la Renta de las Personas Físicas y de modificación parcial de las leyes de los Impuestos sobre Sociedades, sobre la Renta de no Residentes y sobre el Patrimonio. A estos efectos, se equiparará el matrimonio con la pareja de hecho legalmente inscrita [...]".

4.2. EXENCIONES SUBJETIVAS

Son las contempladas en el apartado 2 del art. 105 del TRLHL. Sólo operan cuando la obligación de satisfacer el impuesto recaiga sobre las personas o entidades enumeradas y deben calificarse como de concesión automática u *ope legis*, salvo la de la letra C), pues para ésta se exige un requisito adicional y precisa solicitud previa.

A) El Estado, las Comunidades Autónomas y las Entidades Locales a las que pertenezca el municipio, así como los organismos autónomos del Estado y las entidades de derecho público de análogo carácter de las Comunidades Autónomas y de dichas entidades locales

El art. 84 de la Ley 40/2015, de Régimen Jurídico del Sector Público, establece la composición y clasificación del sector público institucional estatal, contemplando las siguientes categorías de entidades: organismos públicos, que comprende los organismos autónomos y las entidades públicas empresariales; las autoridades administrativas independientes; las sociedades mercantiles estatales; las fundaciones del sector público estatal; los consorcios; los fondos sin personalidad jurídica, y las universidades públicas no transferidas. Pues bien, la exención se aplica tanto a los organismos autónomos como a cualesquiera entidades para las que se haya atribuido el mismo tratamiento fiscal que para la Administración del Estado, como la Agencia Estatal de Administración Tributaria (art. 103.Dos.5 de la Ley 31/1990, de 27 de diciembre). En relación con el Banco de España, éste goza del mismo régimen tributario que el Estado, por así reconocérselo el art. 5 de la Ley 13/1994, de Autonomía del Banco de España.

Por lo que se refiere a las Comunidades Autónomas, del propio art. 2.3 de la Ley Orgánica 8/1980, de 22 de septiembre, de Financiación de las Comunidades Autónomas se infiere este tratamiento fiscal, al disponer que "Las Comunidades Autónomas gozan del tratamiento fiscal que la Ley establezca para el Estado".

B) El municipio de imposición y demás entidades locales, así como sus respectivas entidades de derecho público de análogo carácter a los organismos autónomos del Estado

C) Las instituciones que tengan la consideración de benéficas o benéfico-docentes

Este supuesto debe complementarse con el correspondiente a las fundaciones y entidades sin ánimo de lucro a las que aludiremos en otro apartado, si bien es preciso destacar que, precisamente a partir de la aprobación de la Ley 49/2002, de 23 de diciembre, de régimen fiscal de las entidades sin fines lucrativos y de los incentivos fiscales al mecenazgo, el ámbito aplicativo de la exención se ha visto ampliado considerablemente. En este sentido así ha sido reconocido por la Dirección General de Tributos en una Resolución de 5-9-2003 emitida en contestación a la consulta nº 1203-03.

D) Las entidades gestoras de la Seguridad Social y las mutualidades de previsión social

Las entidades gestoras de la Seguridad Social se enumeran en el art. 66 del Real Decreto Legislativo 8/2015, de 30 de octubre, por el que se aprueba el texto refundido de la Ley General de la Seguridad Social.

Las mutualidades de previsión social se definen en el art. 64 del Real Decreto Legislativo 6/2004, de 29 de octubre, por el que se aprueba el texto refundido de la Ley de Ordenación y Supervisión de los seguros privados.

E) Los titulares de concesiones administrativas revertibles respecto a los terrenos afectos a éstas

En realidad consideramos que nos encontramos más bien ante un supuesto de no sujeción, pues realmente no se puede decir que en este caso, se produzca una transmisión, por lo que no se puede considerar realizado el hecho imponible.

F) La Cruz Roja Española

Aunque podría resultarle de aplicación la exención recogida en el apartado C), por su asimilación a las entidades benéficas, ésta le resulta más favorable al no necesitar solicitud.

G) Las personas o entidades a cuyo favor se haya reconocido la exención en tratados o convenios internacionales

En este supuesto podría tener cabida, entre otras, la Iglesia Católica, en virtud de los Acuerdos suscritos en 1979 por el Estado Español y la Santa Sede, si bien este supuesto específico será tratado a continuación, en el apartado siguiente.

4.3. OTROS SUPUESTOS

Además de los supuestos de exención enumerados en los apartados anteriores, existen otras exenciones no reguladas en el TRLHL.

A) Las Universidades

Según se establece en el apartado 5 del artículo 58 de la Ley Orgánica 2/2003, de 22 de marzo, del Sistema Universitario (en adelante LOSU), "[...] Los bienes afectos al cumplimiento de sus fines y los actos que para el desarrollo inmediato de tales fines realicen, así como sus rendimientos, disfrutarán de exención tributaria, siempre que los tributos y exenciones recaigan directamente sobre las Universidades en concepto legal de contribuyentes, a no ser que sea posible legalmente la traslación de la carga tributaria", y a continuación, en su apartado 4: "En cuanto a los beneficios fiscales de las Universidades públicas, se estará a lo dispuesto para las entidades sin finalidad lucrativa en la Ley 30/1994, de 24 de noviembre, de Fundaciones e Incentivos Fiscales a la Participación Privada en Actividades de Interés General. Las actividades de mecenazgo en favor de las Universidades públicas gozarán de los beneficios que establece la mencionada Ley".

Por consiguiente, en lo relativo al impuesto que nos ocupa, estarán exentas cuando el inmueble transmitido esté afecto al cumplimiento de sus fines, sin ningún otro requisito pues este impuesto no es trasladable jurídicamente. No obstante, donde sí puede haber problemas en la determinación de los bienes concretos que estén afectos al cumplimiento de sus fines, ya que, en relación con los Colegios Mayores o Residencias Universitarias, tradicionalmente han sido objeto de discusión respecto de otros tributos, si bien desde la modificación del apartado segundo de la Disposición Adicional Quinta de la LOU, por la Ley Orgánica 4/2007, de 12 de abril, por la que se modifica la LOU, se les confiere los mismos beneficios o exenciones fiscales que a la Universidad a la que estén adscritos. Establece la citada Disposición: "El funcionamiento de los colegios mayores o residencias se regulará por los estatutos de cada universidad y los propios de cada colegio mayor o residencia y gozarán de los beneficios o exenciones fiscales de la universidad a la que estén adscritos".

B) Las fundaciones y entidades sin ánimo de lucro

Su régimen fiscal se encuentra regulado en la Ley 49/2002, de 23 de diciembre, de régimen fiscal de las entidades sin fines lucrativos y de los incentivos fiscales al mecenazgo, en cuyo art. 15.3 se establece: "Estarán exentos del Impuesto sobre el Incremento de Valor de los Terrenos de Naturaleza Urbana los incrementos correspondientes cuando la obligación legal de satisfacer dicho impuesto recaiga sobre una entidad sin fines lucrativos". A continuación se determina: "En el supuesto de transmisiones de terrenos o de constitución o transmisión de derechos reales de goce limitativos del dominio sobre los mismos, efectuadas a título oneroso por una entidad sin fines lucrativos, la exención en el referido impuesto estará condicionada a que tales terrenos cumplan los requisitos establecidos para aplicar la exención en el Impuesto sobre Bienes Inmuebles", básicamente que el inmueble esté afecto a explotaciones económicas exentas del Impuesto sobre Sociedades. Aunque, tal y como se desprende del apartado 4 del citado art. 15, la aplicación de las exenciones previstas en este artículo estará condicionada a que las entidades sin fines lucrativos comuniquen al ayuntamiento correspondiente el ejercicio de la opción regulada en el apartado 1 del artículo 14 de la misma norma legal y al cumplimiento de los requisitos y supuestos relativos al régimen fiscal especial regulado en el título segundo de esta Ley (arts. 2 a 15).

Si bien el ámbito subjetivo de la Ley 49/2002 es bastante amplio, no coincide con el de instituciones "benéficas" a que alude el art. 105.2.c) del TRLRHL. Por ello, las fundaciones o entidades sin fines lucrativos que no cumplan los requisitos previstos en la Ley 49/2002 para ser acreedoras de los beneficios fiscales en ella establecidos, podrán tener derecho a la exención regulada en TRLHL si tienen la consideración de benéficas o benéfico-docentes.

En el art. 23.2 de la Ley 49/2002, se establece también una exención en el IIVTNU por los incrementos que se pongan de manifiesto en las transmisiones de terrenos, o en la constitución o transmisión de derechos reales de goce limitativos del dominio, realizadas con ocasión de los donativos, donaciones y aportaciones realizados a favor de entidades beneficiarias del mecenazgo, en los términos previstos en los arts. 16 y 17 del mismo cuerpo legal.

C) La Iglesia Católica

Su régimen fiscal se encuentra regulado en los arts. IV y V del Acuerdo entre la Santa Sede y el Estado Español sobre asuntos económicos, de 3 de enero de 1979, así como en la citada Ley 49/2002, a partir de cuya entrada en vigor, deben entenderse superados los problemas de interpretación derivados de la aplicación del citado Acuerdo.

Por su parte, la STS de 16-6-2000 determinó, sentando doctrina legal (a la que han seguido, entre otras, la STS de 10-3-2001): "A) Que la exención en el Impuesto sobre el Incremento del Valor de los Terrenos de Naturaleza Urbana, para la Iglesia Católica y entidades religiosas comprendidas en los arts. IV y V del Acuerdo suscrito entre el Estado Español y la Santa Sede, sobre Asuntos Económicos, el 3 de enero de 1979, que pudiera resultar del régimen en él establecido, de su conexión con las exenciones recogidas en el art. 106.1, aps. c) y e), de la [...] Ley Reguladora de las Haciendas Locales, o de la aplicación directa de estas últimas, sólo puede ser reconocida en aquellos supuestos en que se acredite, por la entidad que solicite su aplicación y en la forma legalmente establecida, que el bien transmitido se halla afecto a actividades o finalidades religiosas, entre ellas las de culto, sustentación del Clero, Sagrado apostolado y ejercicio de la caridad, benéfico-docentes, médicas y hospitalarias o de asistencia social. B) Que el disfrute de los beneficios fiscales prevenidos en la Ley 30/1994, de Fundaciones, aplicables a la Iglesia Católica e Instituciones de ella dependientes según lo en la misma establecido, se encuentra condicionado a que la entidad que los solicite acredite, en la forma legal, que el bien sobre el que pudiera recaer la exención se halle afecto a la persecución y cumplimiento de fines de asistencia social, cívicos, educativos, culturales, científicos, deportivos, sanitarios, de cooperación para el desarrollo, de defensa del medio ambiente, de fomento de la economía social o de la investigación, de promoción del voluntariado social, o cualesquiera otros fines de interés general, como los de culto, sustentación del Clero, sagrado apostolado y ejercicio de la caridad".

En relación con el régimen fiscal de la Iglesia Católica, siguiendo a PLAZA VÁZQUEZ y VILLAVERDE GÓMEZ, podemos establecer los siguientes supuestos[20]:

1. Régimen tributario de la Iglesia Católica conforme a la Disposición Adicional Novena de la Ley 49/2002, cuyo ámbito objetivo alcanzaría a las entidades reguladas en el art. IV del Acuerdo entre la Santa Sede y el Estado Español sobre asuntos económicos, de 3 de enero de 1979, para las que se prevé la aplicación automática del régimen tributario de las entidades sin ánimo de lucro, de ahí que estaría exenta del IIVTNU en los términos previstos para las entidades sin fines lucrativos.

2. Asociaciones y entidades religiosas a que se refiere el art. V del Acuerdo entre la Santa Sede y el Estado Español sobre asuntos económicos, de 3 de enero de 1979, si bien, para poder beneficiarse del régimen tributario especial, estas entidades deben cumplir los requisitos previstos en el art. 3 de la Ley 49/2002.

3. Fundaciones de entidades religiosas, para las que la Disposición Adicional Octava de la Ley 49/2002 les permite optar por el régimen fiscal establecido en los arts. 5 a 25 de esta Ley, siempre que presenten la certificación de su inscripción en el Registro de Entidades Religiosas, y cumplan el requisito establecido en el número 5 del artículo 3 de esta Ley, es decir, que sus administradores ejerzan gratuitamente el cargo.

---

20 PLAZA VÁZQUEZ, A. y VILLAVERDE GÓMEZ, B., *Impuesto sobre el Incremento de los Terrenos de Naturaleza Urbana: Análisis jurisprudencial práctico*, Ed.Aranzadi, Cizur Menor, 2005, pág. 119.

D) Otras iglesias, confesiones y comunidades religiosas

Les son de aplicación los beneficios fiscales establecidos en las Disposiciones Adicionales Octava y Novena de la Ley 49/1992, en los términos indicados para la Iglesia Católica. Las comunidades con las que tiene firmado acuerdos de cooperación el Estado Español son: la Federación de Entidades Religiosas Evangélicas de España (Ley 24/1992, de 10 de noviembre), la Federación de Comunidades Judías de España (Ley 25/1992, de 10 de noviembre), y la Comisión Islámica de España (Ley 26/1992, de 10 de noviembre).

E) La Organización Nacional de Ciegos Españoles (ONCE)

La Disposición Final Segunda de la Ley 4/2006, de 29 de marzo, da una nueva redacción a la Disposición Adicional Quinta de la Ley 49/1992, con efectos para los períodos impositivos iniciados a partir de 2004, aplicando el mismo régimen fiscal dispuesto en esta Ley tanto para la Cruz Roja Española como para la Organización Nacional de Ciegos Españoles, por lo que, en relación con el IIVTNU, estarán exentas las operaciones que lleven a cabo en los términos dispuestos en los arts. 15.3 y 23.2 de la Ley 49/1992, a los que nos hemos referido en el apartado relativo a las Fundaciones.

F) Telefónica

Según se desprende de los artículos 3 y 4 de la Ley 15/1987, de 30 de julio, de tributación de la Compañía Telefónica Nacional de España (desarrollada por el Real Decreto 1334/1998, de 4 de noviembre), respecto de los tributos locales, la Compañía Telefónica Nacional de España estará sujeta al impuesto sobre bienes inmuebles correspondiente a los bienes de naturaleza rústica y urbana de su titularidad, con arreglo a la Legislación Tributaria del Estado y a las normas reguladoras de dicho impuesto. Por lo que se refiere a los restantes tributos de carácter local y a los precios públicos de la misma naturaleza, las deudas tributarias o contraprestaciones que por su exacción o exigencia pudieran corresponder a la Compañía Telefónica Nacional de España se sustituyen por una compensación en metálico de periodicidad anual. Dicha compensación será satisfecha trimestralmente por la Compañía Telefónica Nacional de España a los ayuntamientos y diputaciones provinciales, en la forma que reglamentariamente se determine, y consistirá en un 1,9 % de los ingresos brutos procedentes de la facturación que obtenga en cada termino municipal y en un 0,1 % de los que obtenga en cada demarcación provincial, respectivamente; porcentajes que según la Disposición Adicional Segunda de la citada Ley podrán ser modificados anualmente por la Ley de Presupuestos Generales del Estado (en adelante, LPGE).

Según se desprende del art. 21.5 de la Ley 50/1998, de Medidas Fiscales, Administrativas y del Orden Social, las referencias a la «Compañía Telefónica Nacional de España» contenidas en la Ley 15/1987, así como en el Real Decreto 1334/1998, de 4 de noviembre, se entenderán realizadas a la empresa del «Grupo Telefónica» a la que, en su caso, le haya sido, o le sea transmitida la Concesión para la prestación de los servicios de telecomunicación establecida en el Contrato de Concesión entre el Estado y Telefónica de fecha 26 de diciembre de 1991.

En la Circular informativa 1/1999, de 17 de mayo, la Dirección General de Coordinación con las Haciendas Territoriales comunicó que la entidad Telefónica Sociedad Operadora de Servicios de Telecomunicaciones en España, S.A. debía tributar a los Ayuntamientos según un régimen especial, pagando una compensación en metálico anual que asciende al 1,9% sobre sus propios ingresos procedentes de su facturación en cada Municipio, además del Impuesto sobre Bienes Inmuebles.

Posteriormente, la Dirección General de Coordinación con las Haciendas Territoriales dictó Circular Informativa 2/1999, de 30 de junio, en la que puso de manifiesto que la entidad a la que le resultaba de aplicación el régimen especial tiene la denominación de Telefónica de España, S.A.U., por lo que dicha empresa no está obligada al pago de ningún impuesto, tasa o precio público, salvo el de Bienes Inmuebles. El resto de empresas del Grupo Telefónica quedan sometidas al régimen general, debiendo pagar en cada caso lo que corresponda en concepto de impuestos, tasas y precios públicos. En este mismo sentido se expresa la STS 565/2012, de 2 de febrero.

5. SUJETOS PASIVOS

Los sujetos pasivos del Impuesto vienen regulados en el art. 106 del TRLHL.

5.1. CONTRIBUYENTE

Según establece el apartado 1 del artículo 106, será sujeto pasivo a título de contribuyente aquel que se beneficie de la transmisión, es decir:

a) En las transmisiones de terrenos o en la constitución o transmisión de derechos reales de goce limitativos del dominio a título lucrativo, la persona física o jurídica, o la entidad a que se refiere el artículo 35.4 de la LGT, que adquiera el terreno o a cuyo favor se constituya o transmita el derecho real de que se trate.

b) En las transmisiones de terrenos o en la constitución o transmisión de derechos reales de goce limitativos del dominio a título oneroso, la persona física o jurídica, o la entidad a que se refiere el artículo 35.4 de la LGT, que transmita el terreno, o que constituya o transmita el derecho real de que se trate.

El citado art. 35.4 de la LGT establece: "Tendrán la consideración de obligados tributarios, en las leyes en que así se establezca, las herencias yacentes, comunidades de bienes y demás entidades que, carentes de personalidad jurídica, constituyan una unidad económica o un patrimonio separado susceptibles de imposición".

5.2. SUSTITUTO DEL CONTRIBUYENTE

Si el contribuyente es una persona física no residente en España, la persona o entidad que adquiera el terreno o a cuyo favor se constituya o transmita el derecho real tendrá la consideración de sustituto del contribuyente. La figura del sustituto del contribuyente no se contempla cuando el no residente sea una entidad o persona jurídica no residente. A los efectos de considerar cuándo una persona física tiene la consideración de no residente en territorio español deberá tenerse en cuenta los arts. 8 a 10 de la Ley 35/2006, de 28 de noviembre, del Impuesto sobre la Renta de las Personas Físicas.

En cualquier caso, las partes pueden acordar que el impuesto sea abonado por persona distinta al contribuyente (generalmente el comprador), si bien los pactos que pudieran suscribir las partes contratantes carecerán de eficacia ante la Administración tributaria acreedora, tal y como se desprende de lo dispuesto en el art. 17.4 de la LGT, sin perjuicio de sus consecuencias jurídico-privadas. Por consiguiente, cuando el obligado privadamente a abonar el impuesto no cumpliera con lo pactado, el acreedor tributario se dirigirá contra el obligado por ley, que no es otro que el contribuyente, o en su caso el sustituto, sin perjuicio de que puedan iniciarse en la esfera privada acciones civiles tendentes a recuperar la cantidad contractualmente pactada por las partes.

6. BASE IMPONIBLE

El RD Ley 26/2021, de 8 de noviembre, modifica el TRLHL en sus artículos 104, 107 y 110, como consecuencia de la STC 182/2021, que establece que: "el mantenimiento del actual sistema objetivo y obligatorio de determinación de la base imponible, por ser ajeno a la realidad del mercado inmobiliario y de la crisis económica y, por tanto, estar al margen de la capacidad económica gravada por el impuesto y demostrada por el contribuyente, vulnera el principio de capacidad económica como criterio de imposición (art. 31.1 CE)" (FJ5).

De conformidad con lo dispuesto en el art. 107.1 del TRLHL, la base imponible estará constituida por el incremento del valor de los terrenos puesto de manifiesto en el momento del devengo y experimentado a lo largo de un periodo máximo de veinte años, pudiéndose determinar de dos modos:

- el sistema objetivo tradicional, multiplicando el valor del terreno en el momento del devengo por el coeficiente que corresponda al periodo de generación (apartados 2 a 4 del art. 107), en los términos que serán expuestos más adelante.

- y una nueva forma de cálculo, en los supuestos en que el sujeto pasivo constate un incremento de valor inferior al que resultase del cálculo anterior ("tradicional"), determinado por la diferencia entre los valores del terreno en las fechas de transmisión y adquisición, supuesto en el que se tomará como base dicho incremento (apartado 5 del art. 107). Para proceder a este método de cálculo deberán tenerse en cuenta las reglas que determina el artículo 104.5, y en las que no se computarán los gastos o tributos que graven las operaciones de adquisición y transmisión.

La determinación de la base imponible conforme a este nuevo método de cálculo tomará como valor de adquisición o transmisión del terreno el mayor de estos valores: el que conste en el título que documente la operación o el comprobado, en su caso, por la Administración tributaria.

Cuando se trate de la transmisión de un inmueble en el que haya suelo y construcción, se tomará como valor del suelo a estos efectos el que resulte de aplicar la proporción que represente en la fecha de devengo del impuesto el valor catastral del terreno respecto del valor catastral total y esta proporción se aplicará tanto al valor de transmisión como, en su caso, al de adquisición. Si la adquisición o la transmisión hubiera sido a título lucrativo se aplicarán las mismas reglas aunque tomando, en su caso, por el primero de los dos valores a comparar señalados anteriormente, el declarado en el Impuesto sobre Sucesiones y Donaciones.

A los efectos de determinar la base imponible conforme al método "tradicional", ésta se obtiene multiplicando el valor del terreno en el momento del devengo por el coeficiente que corresponda al periodo de generación (apartados 2 a 4 del art. 107). Por ello procede que hagamos referencia a continuación a la determinación del valor del terreno en el momento del devengo.

A) Valor del terreno en el momento de devengo

Será el resultante de aplicar las reglas contenidas en el apartado 2 del art. 107 del TRLHL. Como regla general, el valor de los terrenos en el momento del devengo será el que tengan fijado a efectos del Impuesto sobre Bienes Inmuebles[21]. En todo caso, el valor del terreno viene establecido en función del negocio jurídico a través del que se manifiesta el mismo.

1. En las transmisiones.

El valor del terreno será el que tenga determinado en dicho momento a efectos del IBI (art. 107.2.a) TRLLH), aunque no siempre coinciden el valor del terreno con el

---

[21] Coincidimos con ORÓN MORATAL, G., "El Impuesto municipal sobre el Incremento del Valor de los Terrenos de Naturaleza Urbana", *Palau 14*, RVHP, núm. 18, 1992, pág. 119; también en: *El Impuesto municipal sobre el Incremento del Valor de los Terrenos de Naturaleza Urbana a través de cuestiones prácticas*, Editorial Práctica de Derecho, Valencia, 2001, pág. 87, en que no siempre coincide el valor del terreno con el valor catastral, ya que salvo que no existan construcciones sobre o bajo el suelo, al valor catastral habrá que descontarle el valor de la construcción. En este sentido la STSJ de Galicia, de 15-3-1996 procedió a anular una liquidación por este impuesto al no tener en cuenta esta circunstancia.

valor catastral, ya que salvo que no existan construcciones sobre o bajo el suelo, al valor catastral habrá que descontarle el valor de la construcción.

Ahora bien, cuando el valor fijado a efectos del IBI sea consecuencia de una ponencia de valores que no refleje modificaciones de planeamiento aprobadas con posterioridad a la aprobación de la citada ponencia, se podrá liquidar provisionalmente el IIVTNU con arreglo a dicho valor. Posteriormente, cuando ya se haya asignado a los terrenos su valor catastral definitivo que refleje su verdadera situación urbanística conforme a los procedimientos de valoración colectiva que se instruyan, se practicará la liquidación definitiva en función de ese valor, pero referido a la fecha del devengo. La liquidación definitiva podrá llevarse a efecto siempre que no haya transcurrido el período de prescripción, que va a iniciarse cuando deviene firme la liquidación provisional y no cuando se apruebe la ponencia de valores, aunque la notificación del nuevo valor catastral al contribuyente puede considerarse que interrumpe la prescripción[22]. Cuando esta fecha no coincida con la de efectividad de los nuevos valores catastrales a efectos del IBI, éstos se corregirán aplicando los coeficientes de actualización que correspondan establecidos en las Leyes de Presupuestos Generales del Estado (en adelante, LPGE), evitando de este modo que el contribuyente resulte perjudicado por un posible aumento del incremento del valor respecto del momento del devengo.

La habilitación que se confiere a los ayuntamientos para practicar liquidaciones definitivas sobre la base de unos valores que no resultan de la ponencia de valores sino de modificaciones llevadas a cabo con posterioridad a aquélla, beneficia al acreedor tributario, permitiéndole con esta medida establecer una base imponible sin tener que esperar a que se apruebe la nueva ponencia de valores y la notificación individual a los afectados[23].

Cuando el terreno, aun siendo de naturaleza urbana o integrado en un bien inmueble de características especiales, en el momento del devengo del impuesto no tenga determinado valor catastral, el Ayuntamiento podrá practicar la liquidación cuando el referido valor catastral sea determinado, refiriendo dicho valor al momento del devengo (párrafo segundo de la letra a) del art. 107.2 TRLRLH). En este supuesto consideramos que el ayuntamiento acreedor deberá para practicar la correspondiente liquidación en el plazo máximo de cuatro años, correspondientes al período de prescripción tributaria.

Los Ayuntamientos podrán establecer en la ordenanza fiscal un coeficiente reductor sobre el valor señalado en los párrafos anteriores que pondere su grado de actualización, con el máximo del 15 por ciento.

---

[22]   TRIGUEROS MARTÍN, MªJ., *El valor catastral: Parámetros de referencia en la normativa tributaria española*, Ed. Cooperación Municipal, Sevilla, 2006, pág. 75.

[23]   GUILARTE GUTIÉRREZ, A., "Impuesto sobre el Incremento de Valor de los Terrenos de Naturaleza Urbana", en AA.VV.: Tributos Locales y Autonómicos (Dir. P. M. Herrera Molina), Ed. Thomson-Aranzadi, Cizur Menor, 2007, pág. 320.

2. En la constitución y transmisión de derechos reales de goce limitativos del dominio (art. 107.2.b) TRLRLH).

El valor será la parte que a efectos del IBI corresponda, una vez aplicado a éste el porcentaje conforme a las normas del Impuesto sobre Transmisiones Patrimoniales y Actos Jurídicos Determinados (en adelante, ITPAJD); en concreto los apartados a), b) y d) del artículo 10.5 del Texto Refundido del ITPAJD. Al respecto podemos distinguir varios supuestos:

- Usufructo temporal a favor de una persona física: El valor será del 2% del valor catastral del terreno por cada año que dure el usufructo, teniendo como límite el 70% del valor catastral.

- Usufructo vitalicio a favor de una persona física: El valor será como máximo del 70% del valor catastral del terreno cuando el usufructuario sea menor de 20 años, disminuyéndose el porcentaje a medida que aumenta la edad del usufructuario, en la proporción de un 1% menos cada año más, teniendo como límite mínimo el 10% del valor catastral.

- Usufructo a favor de persona jurídica por plazo superior a 30 años o tiempo indeterminado: Se entenderá fiscalmente como transmisión de plena propiedad sujeta a condición resolutoria, computándose por tanto el 100% del valor catastral. En este caso, si tenemos en cuenta los dictados del art. 109.4 del TRLRHL, el impuesto se exigirá, a reserva, cuando la condición se cumpla, de hacer la oportuna devolución según la regla dispuesta en el apartado 3 de este mismo precepto.

- Transmisión de la nuda propiedad: El valor vendrá determinado por la diferencia entre el valor catastral y el valor del usufructo.

- Constitución o transmisión derechos de uso y habitación: El valor será el resultante de aplicar un 75% del valor catastral a la valoración del usufructo temporal o vitalicio según corresponda.

- Otros derechos reales: Sería el caso de derechos reales de superficie, censos, foros u otros análogos. En relación con la liquidación en el caso de censos y el derecho real de superficie, se ha entendido que es "a todas luces absurdo desde el punto de vista del IVTNU, cuya base imponible no tiene en cuenta el valor de las contraprestaciones económicas sino los valores del suelo fijados administrativamente en el IBI. De ahí, la imposibilidad material de liquidar estos derechos"[24]. Por lo que se refiere específicamente al derecho de superficie, otros autores entienden que habría que aplicar la misma regla que se establece para el supuesto que ve-

---

[24] LÓPEZ LEÓN, J., op. cit., pág. 54.

remos a continuación, esto es, para la constitución o transmisión del derecho a elevar una o más plantas sobre un edificio o terreno, o del derecho a realizar la construcción bajo suelo sin implicar la existencia de un derecho real de superficie, pues "la remisión al ITPAJD en este caso no es operativa. Y no es operativa porque en el ITPAJD no se valora el derecho de superficie como un porcentaje del valor total del inmueble sobre el que recae, sino de una forma autónoma al mayor de dos valores: el capital pactado al constituirlo o el que resulte de capitalizar al interés legal del dinero la renta o pensión anual. Esta fórmula, absolutamente desligada del valor catastral, podría conducir a valorar la constitución del derecho de superficie en un importe superior al de la transmisión de la propiedad plena, lo que resultaría absurdo. En el caso de constitución o transmisión de derechos reales de uso y disfrute, su valor tiene que ser siempre un determinado porcentaje del valor catastral, nunca más de éste"[25].

En todo caso, según se deriva de lo dispuesto en la letra d) del art. 10.5 del Texto Refundido del ITPAJD, estos otros derechos reales se valorarán por el capital, precio o valor que las partes hubiesen pactado al constituirlos, si fuere igual o mayor que el que resulte de la capitalización al interés básico del Banco de España de la renta o pensión anual o este si aquel fuere menor. En realidad, la referencia al interés básico del Banco de España debe entenderse hecha al tipo de interés legal del dinero (según el art. 68 de la Ley 66/1997, de 30 de diciembre, de Medidas Fiscales, Administrativas y del Orden Social), que se determina anualmente en las LPGE.

3. Constitución o transmisión del derecho a elevar una o más plantas sobre un edificio o terreno, o del derecho a realizar la construcción bajo suelo sin implicar la existencia de un derecho real de superficie: el valor será la parte a efectos del IBI que represente, respecto del mismo, el módulo de proporcionalidad fijado en la escritura pública de transmisión o, en su defecto, el que resulte de establecer la proporción entre la superficie o volumen de las plantas a construir en el vuelo o subsuelo y la total superficie o volumen edificados una vez construidas aquéllas (art. 107.2.c) TRLRLH). La regla que se establece para proceder al cálculo consiste por tanto en determinar un porcentaje que resulta de relacionar el número de metros cuadrados construidos y los metros resultantes tras la ampliación.

4. Expropiaciones forzosas: el valor será la parte del justiprecio que corresponda al valor del terreno, salvo que su valor a efectos del IBI fuese inferior, en cuyo caso prevalecerá este último sobre el justiprecio (art. 107.2.d) TRLRLH). Con esta medida se evita someter a gravamen incrementos de valor ficticios puestos de manifiesto

---

[25] PÉREZ ROYO, I., *Curso de Derecho Tributario. Parte Especial* (Dir. F. Pérez Royo), Ed. Tecnos, Madrid, 2007, págs. 957 y 958.

cuando el justiprecio sea inferior al valor catastral. Aunque "no se comprenden las razones por las que se limita esta corrección a los supuestos de expropiación forzosa y no a otros en los que subyace una situación semejante y digna de consideración, como ocurre cuando la transmisión del terreno se produce de forma forzosa o en virtud de mecanismos que permiten establecer su valor de mercado (ejecuciones judiciales, subastas públicas, etc.)"[26].

La Sentencia 1108/2018, de 9 de noviembre de 2018, del TSJ de la Comunidad Valenciana declara la nulidad de las liquidaciones del IIVTNU en un supuesto en el que el valor catastral de los terrenos expropiados no había sido notificado individualmente con anterioridad a la liquidación del impuesto, pues "era obligación del Ayuntamiento instar que se les asignara un valor catastral por la Gerencia Territorial del Catastro de forma previa a liquidar el IIVTNU, sin acudir de forma irregular a asignarles un valor que correspondía al justiprecio [...] Dependiendo la configuración de la base tributaria del IIVTNU del valor catastral fijado a efectos del IBI y habiendo de estar, este valor, determinado en el momento del devengo de aquel Impuesto, no pueden liquidarse las plusvalías hasta que se produzca tal fijación de valores catastrales, sin posibles efectos retroactivos si se fijan posteriormente al devengo".

B) Reducción de la base imponible por la modificación de los valores catastrales como consecuencia de un procedimiento de valoración colectiva de carácter general.

De conformidad con lo establecido en el apartado 3 del art. 107 del TRLHL, los ayuntamientos podrán establecer una reducción cuando se modifiquen los valores catastrales como consecuencia de un procedimiento de valoración colectiva de carácter general. En ese caso, se tomará como valor del terreno, o de la parte de éste que corresponda según las reglas contenidas en el apartado anterior, el importe que resulte de aplicar a los nuevos valores catastrales dicha reducción durante el período de tiempo y porcentajes máximos siguientes:

a) La reducción, en su caso, se aplicará, como máximo, respecto de cada uno de los cinco primeros años de efectividad de los nuevos valores catastrales.

b) La reducción tendrá como porcentaje máximo el 60 por ciento. Los ayuntamientos podrán fijar un tipo de reducción distinto para cada año de aplicación de la reducción.

La reducción prevista en este apartado no será de aplicación a los supuestos en los que los valores catastrales resultantes del procedimiento de valoración colectiva a que aquél se refiere sean inferiores a los hasta entonces vigentes.

El valor catastral reducido en ningún caso podrá ser inferior al valor catastral del terreno antes del procedimiento de valoración colectiva.

---

[26] GUILARTE GUTIÉRREZ, A., op. cit., pág. 323.

La regulación de los restantes aspectos sustantivos y formales de la reducción se establecerá en la ordenanza fiscal.

C) Coeficientes a aplicar sobre el valor del terreno.

Continuando con el método "tradicional" de determinación de la base imponible, y una vez determinado el valor del terreno en el momento del devengo, procede multiplicarlo por el coeficiente que corresponda al periodo de generación conforme establece el apartado 4 del art. 107.

En relación con el periodo de generación del incremento de valor, será el número de años a lo largo de los cuales se haya puesto de manifiesto dicho incremento.

En los supuestos de no sujeción, para el cálculo del periodo de generación del incremento de valor puesto de manifiesto en una posterior transmisión del terreno (salvo que por ley se indique otra cosa), se tomará como fecha de adquisición, aquella en la que se produjo el anterior devengo del impuesto.

Para computar el número de años transcurridos se tomarán años completos sin tener en cuenta las fracciones de año. Si el periodo de generación fuera inferior a un año, se prorrateará el coeficiente anual teniendo en cuenta el número de meses completos, sin tener en cuenta las fracciones de mes.

El coeficiente a aplicar sobre el valor del terreno en el momento del devengo, será el que corresponda de los aprobados por el ayuntamiento según el periodo de generación del incremento de valor, sin que pueda exceder de los límites siguientes:

Periodo de generación	Coeficiente
Inferior a 1 año.	0,15
1 año.	0,15
2 años.	0,14
3 años.	0,15
4 años.	0,17
5 años.	0,18
6 años.	0,19
7 años.	0,18
8 años.	0,15
9 años.	0,12
10 años.	0,10
11 años.	0,09
12 años.	0,09
13 años.	0,09

Periodo de generación	Coeficiente
14 años.	0,09
15 años.	0,10
16 años.	0,13
17 años.	0,17
18 años.	0,23
19 años.	0,29
Igual o superior a 20 años.	0,45

Estos coeficientes máximos serán actualizados anualmente mediante norma con rango legal, pudiendo llevarse a cabo dicha actualización mediante las LPGE[27].

Si, como consecuencia de la actualización, alguno de los coeficientes aprobados por la vigente ordenanza fiscal resultara ser superior al correspondiente nuevo máximo legal, se aplicará este directamente hasta que entre en vigor la nueva ordenanza fiscal que corrija dicho exceso.

7. TIPO DE GRAVAMEN, CUOTA ÍNTEGRA Y CUOTA LÍQUIDA

Regulado en el art. 108.1 del TRLHL, el tipo de gravamen del impuesto será el fijado por cada ayuntamiento, sin que dicho tipo pueda exceder del 30 por ciento. Dentro de este límite, los ayuntamientos podrán fijar un solo tipo de gravamen o uno para cada uno de los períodos de generación del incremento de valor.

La cuota íntegra del impuesto será el resultado de aplicar a la base imponible el tipo de gravamen.

La cuota líquida del impuesto será el resultado de aplicar sobre la cuota íntegra, en su caso, las siguientes bonificaciones que podrán establecer los ayuntamientos mediante la correspondiente ordenanza fiscal:

- una bonificación de hasta el 95 por ciento de la cuota íntegra del impuesto, en las transmisiones de terrenos, y en la transmisión o constitución de derechos reales de goce limitativos del dominio, realizadas a título lucrativo por causa de muerte a favor de los descendientes y adoptados, los cónyuges y los ascendientes y adoptantes.

- una bonificación de hasta el 95 por ciento de la cuota íntegra del impuesto, en las transmisiones de terrenos, y en la transmisión o constitución de derechos reales

---

[27] En este sentido, los coeficientes transcritos en el texto, corresponden a la actualización llevada a cabo por la Ley de Presupuestos Generales del Estado para 2023.

de goce limitativos del dominio de terrenos, sobre los que se desarrollen actividades económicas que sean declaradas de especial interés o utilidad municipal por concurrir circunstancias sociales, culturales, histórico artísticas o de fomento del empleo que justifiquen tal declaración. Corresponderá dicha declaración al Pleno de la Corporación y se acordará, previa solicitud del sujeto pasivo, por voto favorable de la mayoría simple de sus miembros.

El resto de aspectos sustantivos y formales de estas bonificaciones se establecerá en la correspondiente ordenanza fiscal.

Por último, según se desprende del art. 159.2 TRLRHL, la cuota de este impuesto aplicable en su caso en Ceuta y Melilla, tendrá una bonificación de un 50% en la cuota.

8. DEVENGO

Según el art. 109.1 del TRLHL, con carácter general, el IIVTNU se devenga:

a) Cuando se transmita la propiedad del terreno, ya sea a título oneroso o gratuito, entre vivos o por causa de muerte, en la fecha de la transmisión.

b) Cuando se constituya o transmita cualquier derecho real de goce limitativo del dominio, en la fecha en que tenga lugar la constitución o transmisión.

En el art. 109.4 del TRLHL se establece que los actos o contratos en que medie alguna condición, su calificación se hará con arreglo a las prescripciones contenidas en el Código Civil. Si fuese suspensiva no se liquidará el impuesto hasta que ésta se cumpla. Si la condición fuese resolutoria, se exigirá el impuesto desde luego, a reserva, cuando la condición se cumpla, de hacer la oportuna devolución según lo dispuesto en el mismo art.109 y a la que nos referiremos en el siguiente epígrafe.

Cuando la transmisión se produce mediante escritura pública, que es lo más frecuente, no se plantean problemas respecto a la fecha de devengo, ya que éste se produce en la fecha de su otorgamiento. Mayores complicaciones surgen cuando la transmisión se lleva a cabo de formas distintas.

Otros supuestos:

- Momento del devengo en un procedimiento ejecutivo: Para el Tribunal Supremo, entre otras, en la Sentencia de 13-3-1997 (FJ4), la fecha de transmisión debe entenderse cuando se adjudica el terreno en la subasta pública judicial con la aprobación del remate, que representa "el eje central de todo el mecanismo procedimental conducente a la enajenación, de modo que el embargo, la tasación y subasta, por un lado, y el pago del precio, la liquidación o asunción de cargas y la entrega de bienes, por otro, son más bien, presupuestos o condiciones de ese acto o resolución, que condicionan, como tales, la validez o la eficacia del mismo

(...)", constituyendo el otorgamiento posterior de escritura pública "una condición de eficacia del estricto acto procesal de enajenación forzosa". Añadiendo a continuación el TS: "condición que no es resolutoria, pues, en tal caso, la tercería de dominio no sería admisible después del remate mismo, sino suspensiva, de naturaleza análoga a la civil de tal carácter y regulada por el artículo 1114 del Código Civil, con la secuela de que, en principio, la adquisición de los derechos dependerá del acontecimiento integrante de la condición (en nuestro caso, la consignación del precio y la entrega ficta de la cosa), pero con el resultado definitivo de que, realizados estos dos actos, se entiende que el rematante adquirió el dominio de lo adquirido desde el día del acta o resolución judicial aprobatoria del remate, ya que los efectos de la obligación condicional de dar, una vez cumplida la condición, se retrotraen al día de la constitución de aquélla".

- Momento del devengo en la transmisión de una finca urbana expropiada: Fecha en la que se pone a disposición del Ayuntamiento la finca urbana expropiada, siguiendo la doctrina tradicional del título y el modo, cuya vigencia ha reconocido el TS en numerosas sentencias (entre otras de 30-11-00, 15-1-02), también el TSJ de Castilla-La Mancha en Sentencia de 21-7-03, en la que manifiesta que el procedimiento expropiatorio se consuma con la ocupación de la finca por el Ayuntamiento tras el pago del justiprecio. Algunas Ordenanzas Fiscales establecen que la fecha del devengo, en este supuesto será "la fecha del acta de ocupación y pago" (entre otras, las de los Ayuntamientos de Guadalajara, Zaragoza, Elche).

9. DEVOLUCIÓN DEL IMPUESTO

Aunque con una técnica normativa mejorable, la devolución del impuesto se regula en el artículo 109 del TRLHL, dedicado al devengo del impuesto. Según se desprende del art. 109.2 TRLRHL, cuando se declare o reconozca judicial o administrativamente por resolución firme haber tenido lugar la nulidad, rescisión o resolución del acto o contrato determinante de la transmisión del terreno o de la constitución o transmisión del derecho real de goce sobre el mismo, el sujeto pasivo tendrá derecho a la devolución del impuesto satisfecho, siempre que dicho acto o contrato no le hubiere producido efectos lucrativos y que reclame la devolución en el plazo de cinco años desde que la resolución quedó firme[28], entendiéndose que existe efecto lucrativo cuando no se justifique que los interesados deban efectuar las recíprocas devoluciones a que se refiere el artículo 1.295 del Código Civil.

---

[28] Si bien el plazo de cinco años beneficia al sujeto pasivo al otorgársele un plazo mayor al de cuatro años establecido con carácter general en el art. 66 de la LGT, desconocemos los motivos por los que se ha decidido mantener el antiguo plazo de prescripción y no adaptarlo al vigente en la LGT.

En cambio, no procederá la devolución, aunque el acto o contrato no haya producido efectos lucrativos, si la rescisión o resolución se declarase por incumplimiento de las obligaciones del sujeto pasivo del impuesto.

Tampoco procederá la devolución si el contrato queda sin efecto por mutuo acuerdo de las partes contratantes, considerándose como un acto nuevo sujeto a tributación. Como tal mutuo acuerdo se estimará la avenencia en acto de conciliación y el simple allanamiento a la demanda.

Por su parte, el art. 109.4 dispone que en los actos o contratos en que medie alguna condición resolutoria, se exigirá el impuesto desde luego, a reserva, cuando la condición se cumpla, de hacer la oportuna devolución.

10. LA GESTIÓN TRIBUTARIA DEL IMPUESTO

Dentro de este apartado vamos a ocuparnos de las obligaciones a cargo de los sujetos pasivos del impuesto, ya sean como contribuyentes o sustitutos del contribuyente, a las obligaciones formales que deben cumplir el resto de los intervinientes en la transmisión y, por último, nos referiremos al deber que existe de colaboración entre las diferentes Administraciones tributarias.

10.1. OBLIGACIONES A CARGO DE LOS SUJETOS PASIVOS

Los sujetos pasivos de este impuesto, tal y como establece el art. 110.1 del TRL-HL, vendrán obligados a presentar ante el Ayuntamiento la declaración tributaria que determine la ordenanza fiscal correspondiente, conteniendo todos los elementos de la relación tributaria imprescindibles para practicar la liquidación procedente.

No hay pues, un modelo determinado por Ley, sino que será el que cada ordenanza establezca. Los elementos de la relación tributaria imprescindibles para practicar la liquidación serían:

- De carácter objetivo, es decir, la identificación del bien objeto de transmisión o sobre el que se constituye o transmite un derecho real, especificando su referencia catastral y si la transmisión es a título lucrativo u oneroso.

- De carácter subjetivo, con identificación del transmitente y del adquirente.

- De carácter temporal, que contendrán la fecha de transmisión determinante del hecho imponible, así como de la transmisión anterior del terreno o del derecho sobre éste.

Dichos datos suelen figurar en el título en virtud del cual se produce la transmisión, por lo que a la declaración se acompañará el documento en que consten los actos o contratos que originan la imposición.

Por otra parte, de conformidad con la normativa reguladora del Impuesto sobre Transmisiones Patrimoniales y Actos Jurídicos Documentados y del Impuesto sobre Sucesiones y Donaciones, el declarante del IIVTNU debe acreditar que ha satisfecho la cuota o que ha presentado la declaración correspondiente a dichos impuestos.

La declaración debe presentarse en los siguientes plazos a contar desde la fecha en que se produzca el devengo del impuesto: treinta días hábiles desde la fecha de devengo para actos inter vivos, y seis meses para transmisiones por causa de muerte, siendo este último plazo prorrogable hasta un año a solicitud del sujeto pasivo. En esta última hipótesis, la correspondiente ordenanza fiscal podría contemplar la exigencia de intereses de demora[29].

Por otra parte, para que el Ayuntamiento pueda liquidar el impuesto conforme al nuevo método de determinación de la base imponible (diferencia entre los valores de dichos terrenos en las fechas de transmisión y adquisición, sin que a estos efectos puedan computarse los gastos o tributos que graven dichas operaciones, ex.art. 104.5 TRLHL), el interesado deberá solicitarlo expresamente, sin que exista la posibilidad de rectificar el método de determinación una vez finalizado el plazo para presentar la declaración, tal y como se desprende del art. 119.3 de la LGT, según el cual: "Las opciones que según la normativa tributaria se deban ejercitar, solicitar o renunciar con la presentación de una declaración no podrán rectificarse con posterioridad a ese momento, salvo que la rectificación se presente en el período reglamentario de declaración".

Por ello, y a los efectos de conseguir una mayor colaboración social en la aplicación de los tributos, consagrada en el art. 92 de la LGT, sería deseable generalizar la introducción de simuladores de liquidación del impuesto conforme a los dos métodos de determinación de la base imponible existentes en la actualidad, tal y como han establecido algunos Ayuntamientos, de manera que los interesados puedan tener una mayor

---

[29] En este sentido, PÉREZ ROYO, I., op. cit., pág. 960. A mayor abundamiento, consideramos que no estamos en el supuesto contemplado en el art. 38 de la Ley del Impuesto sobre Sucesiones y Donaciones, que permite aplazar el pago cuando, con ocasión de liquidaciones practicadas por causa de muerte, "no exista inventariado efectivo o bienes de fácil realización suficientes para el abono de las cuotas liquidadas", pues incluso en esta hipótesis procede la exigencia de intereses de demora, por lo que atendiendo a la naturaleza jurídica de esta institución estaría perfectamente justificada su exacción por la correspondiente ordenanza fiscal. En relación con la naturaleza jurídica de los intereses de demora, puede consultarse: CARRASCO PARRILLA, P.J.: "Los intereses de demora y recargos en la Ley General Tributaria", en AA.VV.: *Tratado sobre la Ley General Tributaria*. Homenaje a Álvaro Rodríguez Bereijo (Dirs.: J. Arrieta Martínez de Pisón, M. A. Collado Yurrita y J. J. Zornoza Pérez), Ed. Aranzadi, Cizur Menor, 2010, págs. 1187-1201.

seguridad jurídica a la hora de optar por una tributación más beneficiosa, en aras de una mejor relación entre las Administraciones tributarias locales y los sujetos pasivos de este impuesto.

El TRLHL también faculta a los Ayuntamientos para establecer el sistema de autoliquidación por el sujeto pasivo, que llevará consigo el ingreso de la cuota resultante en los mismos plazos previstos para la presentación de la declaración tributaria (art. 110.2 del TRLHL).

En relación con las autoliquidaciones debemos distinguir si el interesado ha optado por determinar la base imponible conforme al método objetivo tradicional o con arreglo al nuevo método; pues, en el primero de los supuestos, la facultad de comprobación se encuentra limitada a verificar que se han aplicado correctamente las normas reguladoras del impuesto, sin que se puedan atribuir valores, bases o cuotas distintas de las resultantes de estas normas. Mientras que si se opta por aplicar el nuevo método (diferencia de valores de transmisión y adquisición), el Ayuntamiento podrá comprobar los valores declarados a los efectos de ser de aplicación el supuesto de no sujeción.

En ningún caso podrá exigirse el impuesto en régimen de autoliquidación cuando el terreno, aun siendo de naturaleza urbana en el momento del devengo del impuesto, no tenga fijado valor catastral en dicho momento, pudiendo el ayuntamiento practicar la liquidación posteriormente cuando el referido valor catastral sea fijado.

Cuando los ayuntamientos no establezcan el sistema de autoliquidación, las liquidaciones del impuesto se notificarán íntegramente a los sujetos pasivos con indicación del plazo de ingreso y expresión de los recursos procedentes. En este supuesto, sería deseable llevar a cabo una modificación en el TRLHL en la que se establezca que los Ayuntamientos liquidarán el impuesto conforme al método de determinación de la base imponible que resulte más beneficioso al sujeto pasivo, en consonancia con la propuesta que hemos efectuado en relación con la generalización de un simulador de liquidaciones del impuesto.

10.2. OBLIGACIONES FORMALES DE LOS DEMÁS INTERVINIENTES EN LA TRANSMISIÓN

El apartado 6 del art. 110 del TRLHL establecen la obligación de comunicar al ayuntamiento la realización del hecho imponible en los mismos plazos que los sujetos pasivos:

a) En los supuestos de transmisiones de terrenos o constitución o transmisión de derechos de goce limitativos de dominio a título lucrativo, siempre que se hayan producido por negocio jurídico entre vivos, el donante o la persona que constituya o transmita el derecho real de que se trate.

b) En los supuestos de transmisiones de terrenos o constitución o transmisión de derechos de goce limitativos de dominio a título oneroso, el adquirente o la persona a cuyo favor se constituya o transmita el derecho real de que se trate.

Por otra parte, y sin perjuicio del deber general de colaboración establecido en la LGT, el apartado 7 del art. 110 del TRLHL obliga a los notarios a remitir al ayuntamiento respectivo, dentro de la primera quincena de cada trimestre:

- una relación o índice comprensivo de todos los documentos por ellos autorizados en el trimestre anterior, en los que se contengan hechos, actos o negocios jurídicos que pongan de manifiesto la realización del hecho imponible de este impuesto, con excepción de los actos de última voluntad.

- la relación de los documentos privados comprensivos de los mismos hechos, actos o negocios jurídicos, que les hayan sido presentados para conocimiento o legitimación de firmas.

En la relación o índice que los notarios remitan al ayuntamiento, deberán hacer constar la referencia catastral de los bienes inmuebles cuando dicha referencia se corresponda con los que sean objeto de transmisión.

Los notarios también deberán advertir expresamente a los comparecientes en los documentos que autoricen, del plazo dentro del cual están obligados los interesados a presentar declaración por el impuesto, así como de las responsabilidades en que incurran por la falta de presentación de declaraciones.

10.3. DEBER DE COLABORACIÓN ENTRE ADMINISTRACIONES TRIBUTARIAS

Por último, y dentro del deber de colaboración establecido en el art. 8 del TRLHL, las Administraciones tributarias de las comunidades autónomas y de las entidades locales colaborarán para la aplicación del impuesto y, en particular, cuando el interesado declare la transmisión acreditando la inexistencia de incremento de valor, pudiendo suscribirse para ello los correspondientes convenios de intercambio de información tributaria y de colaboración, tal y como dispone el apartado 8 del art. 110 del TRLHL, introducido por el RD Ley 26/2021. En realidad, poco se añade con la introducción de este precepto a lo ya establecido con carácter general en el art. 8 del TRLHL, que es mucho más ambicioso que el añadido en 2021, pues se establece que dichas Administraciones:

a) Se facilitarán toda la información que mutuamente se soliciten y, en su caso, se establecerá, a tal efecto la intercomunicación técnica precisa a través de los respectivos centros de informática.

b) Se prestarán recíprocamente, en la forma que reglamentariamente se determine, la asistencia que interese a los efectos de sus respectivos cometidos y los datos y antecedentes que se reclamen.

c) Se comunicarán inmediatamente, en la forma que reglamentariamente se establezca, los hechos con trascendencia para los tributos y demás recursos de derecho público de cualquiera de ellas, que se pongan de manifiesto como consecuencia de actuaciones comprobadoras e investigadoras de los respectivos servicios de inspección.

d) Podrán elaborar y preparar planes de inspección conjunta o coordinada sobre objetivos, sectores y procedimientos selectivos.

11. BIBLIOGRAFÍA

Alías Cantón, M., "La extraña figura del no devengo en el Impuesto sobre el incremento del valor de los terrenos de naturaleza urbana", Revista Crónica Tributaria, Boletín de Actualidad, 2/2014.

Álvarez Arroyo, F., Impuesto municipal sobre el incremento de valor de los terrenos (plusvalías), Ed. Dykinson, Madrid, 2004.

Carrasco Parrilla, P. J., "Algunas notas sobre el IIVTNU", Rev. Tributos Locales, núm. 88, 2009.

Carrasco Parrilla, P. J., "Los intereses de demora y recargos en la Ley General Tributaria", en AA.VV.: Tratado sobre la Ley General Tributaria. Homenaje a Álvaro Rodríguez Bereijo (Dirs.: J. Arrieta Martínez de Pisón, M. A. Collado Yurrita y J. J. Zornoza Pérez), Ed. Aranzadi, Cizur Menor, 2010.

Cordero López, J., "Impuesto sobre el Incremento de Valor de los Terrenos de Naturaleza Urbana (Caso práctico)", Rev. de Contabilidad y Tributación, núms. 281-282/2006.

Del Amo Galán, O.: "Cambio en la clasificación catastral del suelo urbanizable como suelo de naturaleza urbana. Necesidad de un planteamiento de desarrollo que contenga su ordenación detallada"[en línea], (2015) < https://www.smarteca.es/my-reader/SMT2015107_0 0000000_20151201000000090000?fileName=content%2FDT0000228652_20151120. HTML&location=pi-1266&publicationDetailsItem=SystematicIndex>.

García Moreno, V.A., en "Impuestos Locales", en Martín Queralt, J., Tejerizo López, J.M. y Álvarez Martínez, J.: Manual de Derecho Tributario. Parte especial, 19ª ed., Ed.Thomson Reuters Aranzadi, Cizur Menor, 2022

Guilarte Gutiérrez, A., "Impuesto sobre el Incremento de Valor de los Terrenos de Naturaleza Urbana", en AA.VV.: Tributos Locales y Autonómicos (Dir. P. M. Herrera Molina), Ed. Thomson-Aranzadi, Cizur Menor, 2007.

López León, J., "Análisis de las modificaciones operadas en el IIVTNU, por la Ley 51/2002. Cuestiones pendientes", Rev. Tributos Locales, núm. 27, 2003.

Menéndez García, G., "Impuesto sobre el Incremento de Valor de los Terrenos de Naturaleza Urbana", en AA.VV.: Tributos Locales y Autonómicos (Dir. P. M. Herrera Molina), Ed. Aranzadi, 2006.

Mochón López, L., El valor catastral y los impuestos sobre bienes inmuebles y sobre el incremento de valor de los terrenos de naturaleza urbana, Ed. Comares, 2ª ed., Granada, 2001.

Orón Moratal, G., "El Impuesto municipal sobre el Incremento del Valor de los Terrenos de Naturaleza Urbana", Palau 14, RVHP, núm. 18, 1992.

Orón Moratal, G., "El Impuesto municipal sobre el Incremento del Valor de los Terrenos de Naturaleza Urbana a través de cuestiones prácticas, Editorial Práctica de Derecho, Valencia, 2001.

Orón Moratal, G., "El Impuesto sobre el Incremento de Valor de los Terrenos de Naturaleza Urbana", en AA.VV.: Los Tributos Locales (Coord. D. Marín-Barnuevo Fabo), Ed. Thomson-Civitas, Cizur Menor, 2005.

Pérez Royo, I., *Curso de Derecho Tributario. Parte Especial* (Dir. F. Pérez Royo), Ed. Tecnos, Madrid, 2007.

Plaza Vázquez A. y Villaverde Gómez, B., Impuesto sobre el Incremento de los Terrenos de Naturaleza Urbana: Análisis Jurisprudencial Práctico, Ed.Thomson Aranzadi, Cizur Menor, 2005.

Salcedo Benavente, J.M., *Guía práctica para impugnar la plusvalía municipal*, 5ªed., Ed.Sepín, Madrid, 2022

Trigueros Martín, M. J., *El valor catastral: Parámetros de referencia en la normativa tributaria española*, Ed. Cooperación Municipal, Sevilla, 2006.

Capítulo VIII
EL IMPUESTO DE CONSTRUCCIONES, INSTALACIONES Y OBRAS

José Gerardo Gómez Melero
Doctor en Derecho. Profesor Asociado UCLM
Funcionario Cuerpo Superior Junta Comunidades Castila-La Mancha

SUMARIO: 1. INTRODUCCIÓN. 1.1 Consideraciones generales. 1.2. Naturaleza jurídica del ICIO. 2. EL HECHO IMPONIBLE DEL ICIO. 2.1. El problema de la determinación del hecho imponible. 2.2. ¿Qué construcción, instalación u obra está sujeta a licencia urbanística, declaración responsable o comunicación previa? 2.3. Obras, instalaciones y construcciones que ofrecen problemas para su inclusión como hecho imponible. *2.3.1. Obras a realizar como consecuencia de una orden de ejecución. 2.3.2. ¿Están sujetas al ICIO las obras realizadas en ejecución subsidiaria? 2.3.3. Obras ordenadas al concesionario o realizadas por éste. 2.3.4. Obras de interés general, promovidas por las Administraciones Públicas. 2.3.5. ¿Están sujetas al ICIO las demoliciones? 2.3.6. Obras actuaciones clandestinas y obras ilegales. 2.3.7. Obras, construcciones e instalaciones no sujetas al ICIO, al no estar sometidas a licencia urbanística, comunicación previa o declaración responsable.* 2.4. Actuaciones declaradas exentas por el TRLHL. 3. EL SUJETO PASIVO DEL ICIO. 4. EL DEVENGO DEL ICIO. 5. LA BASE IMPONIBLE. 6. LA CUOTA TRIBUTARIA DEL ICIO. 7. LA GESTIÓN DEL ICIO. 7.1. La liquidación provisional y definitiva del Impuesto sobre Construcciones, Instalaciones y Obras. 7.2. La autoliquidación del Impuesto sobre Construcciones, Instalaciones y Obras. 8. LA PRESCRIPCIÓN DEL DERECHO DE LA ADMINISTRACIÓN A PRACTICAR LA LIQUIDACIÓN DEFINITIVA Y A LA DEVOLUCIÓN DE LA LIQUIDACIÓN PROVISIONAL DEL ICIO. 9. BIBLIOGRAFÍA

1. INTRODUCCIÓN

1.1. CONSIDERACIONES GENERALES

En la importante reforma del sistema impositivo local español de 1988, llevada a cabo a través de la Ley 39/1988, de 28 de diciembre, Reguladora de las Haciendas Locales (LRHL) se crearon varios impuestos, con el fin de potenciar y racionalizar las finanzas municipales, aunque solo el Impuesto sobre Construcciones, Instalaciones y

Obras (ICIO) supuso realmente un nuevo impuesto, tal y como reconoció el TS, en su sentencia de 9 de diciembre de 1997, rec. 6911/1996 (PTE.: Ruiz-Jarabo Ferrán, José María): "(...) este último es el único de los cinco impuestos municipales regulados en la Ley de Haciendas Locales de 1988 que supone una novedad, pues los otros que allí se recogen sustituyen, reformándolas o modificándolas, a las antiguas figuras impositivas que ya existían en la normativa anterior a la precitada ley".

Dicho Tribunal consideró también que el ICIO: "se creó para restablecer la verdadera naturaleza y fundamento tributario de la Tasa por licencia de obras, que paulatinamente se habían ido desvirtuando como consecuencia de la aplicación de altos tipos a los presupuestos de las obras, lo cual eliminaba la debida relación funcional de la Tasa de Licencia de Obras con su hecho imponible que es la prestación de los servicios municipales de control de las edificaciones y uso del suelo, que exigen la concesión de la correspondiente Licencia"[1]. Junto al ICIO, la citada Ley reguló el Impuesto sobre el Incremento de Valor de los Terrenos de Naturaleza Urbana[2], el Impuesto sobre Bienes Inmuebles, el Impuesto sobre Actividades Económicas y el Impuesto sobre Vehículos de Tracción Mecánica.

El ICIO "es un Impuesto, en el sentido clásico del término, que grava la presunción de riqueza derivada de una inversión o actividad económica"[3].

El TRLH dedica a la regulación del ICIO cuatro artículos, del 100 al 103, correspondiendo a las respectivas Ordenanzas Fiscales su desarrollo y concreción. La regulación llevada a cabo por la citada LRHL fue deficiente, careciendo de la rigurosidad que requiere la materia impositiva, siendo esta una de las razones por las cuales, desde su establecimiento, el ICIO ha sido objeto de continuas críticas y conflictos[4]. Por ejemplo, algunas críticas se basaban en que no tenía fundamento su inclusión en el sistema impositivo local, pues ya existía la tasa por licencias urbanísticas. No obstante, el TS dejó claro, tempranamente, que ambas figuras eran compatibles, y que no existía coincidencia entre los respectivos

---

1   STS de 3 de julio de 1999, recurso 2115/1994 (Ponente: Gota Losada, Alfonso).

2   Téngase en cuenta el Real Decreto-ley 26/2021, de 8 de noviembre, por el que se adapta el texto refundido de la Ley Reguladora de las Haciendas Locales, aprobado por el Real Decreto Legislativo 2/2004, de 5 de marzo, a la reciente jurisprudencia del Tribunal Constitucional respecto del Impuesto sobre el Incremento de Valor de los Terrenos.

3   STS de 27 de noviembre de 1997, recurso 7950/1996. (Ponente: Rouanet Moscardó, Jaime)

4   Así lo pone de manifiesto, atinadamente, T. Calvo Sales, en su obra: "El impuesto sobre construcciones, instalaciones y obras, La Ley, Madrid 2007, cuando dice que: "...una regulación que no se puede calificar sino de exigua e, incluso, mezquina, pues se limitó a cuatro artículos además de confusa, imprecisa, contradictoria y escasamente ajustada a los cánones tributarios al uso: en suma, técnicamente deficiente. Efectivamente, como veremos detalladamente, todos los elementos del ICIO han sido objeto de agrias polémicas y discusiones doctrinales...".

hechos imponibles[5]. En efecto, el hecho imponible del ICIO viene constituido por la realización, dentro del término municipal, de cualquier construcción, instalación u obra para la que se exija licencia municipal, declaración responsable o comunicación, gravándose la capacidad contributiva puesta de manifiesto con la realización de la obra, construcción e instalación, que es algo conceptualmente diferente del preceptivo servicio administrativo de intervención y verificación de la legalidad de la actuación urbanística sometida a licencia, la realización de las actividades administrativas de control previo y "a posteriori", en los supuestos en los que la legislación urbanística somete el acto de uso del suelo y de la edificación a la presentación de una declaración responsable o comunicación, por lo que entre una y otras no existe duplicidad[6].

La aplicación del ICIO ha dado lugar a una importante controversia jurídica, con abundante jurisprudencia, basta ojear las bases de datos de jurisprudencia para comprobar los innumerables pronunciamientos judiciales dictados al respecto. Los conflictos se han centrado, especialmente, en la delimitación del hecho imponible, el devengo, la base imponible o su gestión, como veremos más adelante. Por todo ello, hemos de reconocer que estamos ante un impuesto de configuración eminentemente jurisprudencial.

El ICIO, es un tributo de imposición potestativa, tal y como establece el artículo 59 del TRLHL. Los municipios fueron incorporándolo a su sistema impositivo paulatinamente, exigiéndose hoy en la mayoría de los municipios, suponiendo una importante fuente de ingresos, sobre todo durante los años del "boom inmobiliario", en la década de 1997 a 2007. Según los datos suministrados por el Ministerio de Hacienda en el año 2019, los ingresos en España por este concepto ascendieron a la cantidad de 1.109.279.000 €, lo que supone el 4,7% de los Impuestos municipales y el 1,96% del total de ingresos municipales[7].

1.2. NATURALEZA JURÍDICA DEL ICIO

a) El ICIO es un impuesto indirecto de carácter real. Es sabido que los impuestos se clasifican en impuestos directos e indirectos[8]. Son impuestos directos los que

---

5   El TS, en su sentencia de 6 de mayo de 2021, nº de recurso 2886/2020 (ponente Francisco José Navarro Sanchís) reconocía que: "Como muestra añadida de la escasa pulcritud técnica del TRLHL (...) fruto de una técnica normativa poco depurada, es la referencia a la gestión...". De igual modo, dicho tribunal, en su sentencia de 26 de junio de 1999, recurso nº 807/1994 (Ponente: Rodríguez Arribas, Ramón) reconoce dicha compatibilidad.
Véase también la STS de 11 de octubre de 1994 (Ponente: Enríquez Sancho, Ricardo).

6   En este sentido la STS de 11 de noviembre de 1999, rec. 7844/1994 (Ponente: Rouanet Moscardo, Jaime).

7   https://www.hacienda.gob.es/CDI/SGFAL/HHLL%20en%20cifras/HHLL-en-cifras-2019.pdf

8   Sobre esta distinción, resulta esclarecedora la STSJ de Canarias (sede Santa Cruz de Tenerife) de 14 de abril de 2000, rec. 1273/1996 (Pte: Clavijo Hernández, Francisco).

se aplican sobre una manifestación directa o inmediata de la capacidad económica: la posesión de un patrimonio y la obtención de una renta. Son impuestos indirectos, por el contrario, los que se aplican sobre una manifestación indirecta o mediata de la capacidad económica: la circulación de la riqueza, bien por actos de consumo o bien por actos de transmisión. En definitiva, los impuestos directos gravan la riqueza en sí misma, mientras que los indirectos gravan la utilización de esa riqueza[9].

El ICIO puede catalogarse como un impuesto indirecto, tal y como pone de manifiesto el propio artículo 100 del TRLHL y la jurisprudencia[10]. Según la doctrina del TS (STS 19 de marzo de 2001, rec. 1142/2000... (PTE.: Rouanet Moscardó, Jaime): "los impuestos reales, como el ICIO, atienden a un foco patrimonial concreto con independencia de su titular, al margen de que dicho foco patrimonial sea un bien o una actividad, y, en el caso del ICIO, la riqueza gravada es considerada autónomamente, sin que la persona, física o jurídica, aparezca como centro ineludible unificador de elementos patrimoniales dispersos".

Entre los impuestos reales u objetivos podemos destacar el Impuesto sobre Bienes Inmuebles (IBI), el ICIO y el Impuesto Sobre Transmisiones Patrimoniales. En este sentido, la jurisprudencia lo ha considerado como un impuesto indirecto y real[11].

b) El ICIO no es un impuesto instantáneo. A primera vista, podría considerarse que estamos ante un impuesto instantáneo, al carecer de un periodo impositivo, ya que, en principio, el devengo coincide con el momento de iniciarse la construcción, instalación u obra, con independencia de que se haya obtenido o no la correspondiente licencia.

Sin embargo, como ha sentado pacíficamente la jurisprudencia[12], el ICIO no es un impuesto instantáneo, puesto que su hecho imponible se realiza en el lapso de tiem-

---

9   http://www.agenciatributaria.es/AEAT.educacion/Profesores_VT3_es_ES.html.

10   Entre otras, la STS de 25 de febrero de 2002. Recurso de Casación núm. 8607/1996. (Ponente: Ramón Rodríguez Arribas).

11   El carácter real del ICIO es confirmado por el TS, en sus sentencias de 19 de marzo de 2001, recurso nº 1142/2000 (Ponente: Rouanet Moscardó, Jaime), y de 19 de noviembre de 2014, recurso nº 553/2014 (ponente Garzón Herrero, Manuel Vicente). De igual modo y con mayor concreción, la sentencia del TSJ de Les Illes Balears, de 3 de octubre de 2011, recurso nº 269/2011 (Ponente: Ortuño Rodríguez, Alicia Esther), recoge la doctrina del TS al respecto.

12   El TS, en sentencia de 11 de febrero de 2005 recurso num. 3518/1999 (ponente Martínez Micó, Juan Gonzalo) consideró que: "El Icio no es un impuesto instantáneo puesto que su hecho imponible se realiza en el lapso de tiempo que tiene lugar desde el comienzo de la obra hasta que produce su terminación. En el mismo sentido, la STSJ de Andalucía de 20 de julio de 2015, recurso nº 340/2015 (Ponente: Torres Donaire, María Rogelia) o la sentencia del TSJ de Madrid, de 22 de diciembre de 2006, rec. 257/2006 (Ponente: Cruz Mera, Fátima Blanca de la), que nos recuerda la doctrina del TS, plasmada especialmente en su sentencia de 14 de septiembre de 2005, recurso nº 18/2004.

po que tiene lugar desde el comienzo de la obra hasta que se produce su terminación, aunque el devengo, según el artículo 103 del TRLHL, se produzca en el momento de iniciarse la construcción, instalación u obra, aun cuando no se haya obtenido la correspondiente licencia o presentada la comunicación previa o declaración responsable, en su caso.

c) El ICIO es un tributo local potestativo. Tal y como hemos apuntado, el ICIO es un tributo de imposición potestativa[13], así reza en el artículo 59 del TRLHL, precepto que distingue entre impuestos obligatorios y potestativos.

Su establecimiento requiere el correspondiente acuerdo de imposición, tal y como establece el artículo 15 del TRLHL, en definitiva, resulta obligatorio regular el ICIO en una ordenanza fiscal, que deberá contener, preceptivamente, las determinaciones previstas en el artículo 16, del citado TRLHL.

2. EL HECHO IMPONIBLE DEL ICIO

2.1. EL PROBLEMA DE LA DETERMINACIÓN DEL HECHO IMPONIBLE

El artículo 20.1 de la Ley General Tributaria, establece que: "El hecho imponible es el presupuesto fijado por la ley para configurar cada tributo y cuya realización origina el nacimiento de la obligación tributaria principal". Por su parte, el TRLHL dispone, en su artículo 100.1, que el hecho imponible del ICIO está constituido por la realización, dentro del término municipal, de cualquier construcción, instalación u obra para la que se exija obtención de la correspondiente licencia de obras o urbanística, se haya obtenido o no dicha licencia, o para la que se exija presentación de declaración responsable o comunicación previa, siempre que la expedición de la licencia o la actividad de control corresponda al ayuntamiento de la imposición.

Sobre el hecho imponible del ICIO, CALVO SALES[14], sostiene que: "El hecho imponible tiene, pues, tres funciones: la primera de ellas, de carácter abstracto, consiste en la configuración del tributo (hecho imponible normativo); la segunda, se refiere a la determinación o individualización del supuesto concreto gravado (hecho imponible concreto, o físico, en nuestro caso) y la tercera, fijar la fecha del devengo"[15].

---

13 No obstante, en Navarra es obligatorio, de acuerdo con el artículo 132 de la Ley Foral 2/1995 de 10 de marzo, por la que se regulan las Haciendas Locales.

14 "El impuesto sobre construcciones, instalaciones y obras", edición nº 6, Editorial LA LEY, Madrid, abril 2007.

15 El TS ya dejó claro que: "... el hecho imponible se produce independientemente de que la licencia se haya o no solicitado. Ni la solicitud de licencia implica iniciación en la realización del hecho imponible ni la concesión de aquélla significa la culminación de éste. El hecho imponible comienza a

No cabe duda, de que es preciso que confluyan tres requisitos para la implementación del ICIO:

a) La realización de cualquier instalación, construcción u obra.

b) Que dichas instalaciones, construcciones u obras, estén sometidas a licencia de obras o urbanística, presentación de declaración responsable o comunicación previa.

c) Que el Ayuntamiento correspondiente tenga establecido conforme al TRLHL el ICIO, dado su carácter potestativo.

El citado artículo 100.1 del TRLHL ha dado lugar a un debate continuo sobre qué debe entenderse por construcción, instalación u obra a efectos del ICIO, ya que no toda construcción, instalación u obra realizada en un término municipal constituirá el hecho imponible del ICIO, siendo únicamente aquellas que además estén sujetas a licencia, o para las que se exija presentación de una declaración responsable o comunicación previa, con independencia de que se haya obtenido o no la misma o se haya presentado, en su caso, la comunicación previa o declaración responsable. La casuística es muy amplia, imposible de abordar en un trabajo de este tipo, pero haremos referencia a los casos que se presentan con mayor frecuencia.

Ante todo hay que tener en cuenta, tal y como se ha dicho anteriormente, que estamos ante un tributo de producción no instantánea, "el hecho imponible comienza a realizarse al iniciarse la ejecución de la obra y termina con su completa ejecución". Por tanto, para que se produzca definitivamente el hecho imponible es preciso que la construcción, instalación u obra esté totalmente terminada o ejecutada.

A la vista del citado artículo 100.1 del TRLHL debemos definir qué se entiende por construcción, instalación u obra. Según el artículo 13.2 de la Ley 9/2017, de 8 de noviembre, de Contratos del Sector Público (LCSP): "Por «obra» se entenderá el resultado de un conjunto de trabajos de construcción o de ingeniería civil, destinado a cumplir por sí mismo una función económica o técnica, que tenga por objeto un bien inmueble. También se considerará «obra» la realización de trabajos que modifiquen la forma o sustancia del terreno o de su vuelo, o de mejora del medio físico o natural".

Dicho lo anterior, y teniendo en cuenta que el ICIO es un impuesto de clara configuración jurisprudencial, de acuerdo con los pronunciamientos judiciales más sólidos[16], podemos extraer las siguientes notas, que caracterizan al hecho imponible del ICIO:

---

realizarse al iniciarse la ejecución de la obra y termina con su completa ejecución, momento en que la Administración, tras comprobar cuál ha sido su coste efectivo, puede girar la liquidación definitiva que proceda" (STS de 23 de septiembre de 2020, recurso nº 3030/2019. Ponente: Córdoba Castro-verde, Mª de la Esperanza).

16   Doctrina extraída de las sentencias del TS de 14 de septiembre de 2005, rec. 18/2004. (Pte: Martínez Micó, Juan Gonzalo) y del TSJ de Castilla-León (sede Burgos) Sala de de 18 de octubre de 2013, rec.

- La mecánica de este tributo es singular, puesto que aunque el hecho imponible queda configurado como la realización, de cualquier construcción, instalación u obra en los términos del artículo 100.1 del TRLHL, su devengo se produce en el momento de iniciarse la construcción, instalación u obra, aun cuando no se haya obtenido la correspondiente licencia o se haya presentado la declaración responsable o la comunicación previa correspondiente (artículo 102.4 del TRLHL). Es decir, la ley ha configurado un devengo que, en puridad, se anticipa a la culminación del hecho imponible[17].

- El régimen de la gestión del impuesto prevé que se practicará una liquidación provisional a cuenta cuando se conceda la licencia preceptiva o se presente la declaración responsable o la comunicación previa o cuando, no habiéndose solicitado, concedido o denegado aún aquella o presentado éstas, se inicie la construcción, instalación u obra.

- Posteriormente, una vez finalizada la construcción, instalación u obra, y teniendo en cuenta su coste real y efectivo, el ayuntamiento, mediante la oportuna comprobación administrativa, en caso de que se detecten variaciones del coste respecto del presupuesto conforme al que se practicó la liquidación provisional, modificará la base imponible a que se refiere el apartado anterior practicando la correspondiente liquidación definitiva, y exigiendo del sujeto pasivo o reintegrándole, en su caso, la cantidad que corresponda.

- El hecho imponible comienza a realizarse al iniciarse la ejecución de la obra y termina con su completa ejecución, momento en que la Administración, tras comprobar cuál ha sido su coste efectivo, puede girar la liquidación definitiva que proceda (artículo 104. 2 TRLHL), aunque el artículo 103.4 TRLHL fije el devengo no en este momento final sino en el inicial de la fecha del comienzo de la construcción, instalación u obra (STS de 14 de septiembre de 2005).

2.2. ¿QUÉ CONSTRUCCIÓN, INSTALACIÓN U OBRA ESTÁ SUJETA A LICENCIA URBANÍSTICA, DECLARACIÓN RESPONSABLE O COMUNICACIÓN PREVIA?

Procede ahora determinar, conforme a la normativa urbanística y sectorial, qué construcción, instalación u obra requiere licencia, declaración responsable o comunicación previa.

48/2013 (Pte: Lucas Lucas, Encarnación).

[17] Así lo considera la jurisprudencia, entre otras, la sentencia del TSJ de Andalucía (sede Sevilla) de 30 de junio de 2014, nº recurso 74/2014 (Pte: Jiménez Jiménez, Juan María).

Para concretar qué actuaciones están sujetas a la obtención de licencia urbanística, requieren declaración responsable o comunicación[18] y, por tanto, están gravadas por el ICIO, hay que acudir a la normativa estatal de suelo y sectorial, a las normas urbanísticas dictadas por las diecisiete Comunidades Autónomas, los instrumentos de planeamiento y ordenanzas municipales.

Con carácter general, el Estado estableció, en el artículo 11, apartados 3 y 4, del TRLSRU 2015, los actos de edificación y uso del suelo sujetos a licencia previa (acto expreso)[19], también hay que tener en cuenta la normativa supletoria estatal en esta materia, artículos 180.1 del TRLS de 1976 y 7 del RDU de 1978.

Las leyes urbanísticas de las Comunidades Autónomas, más recientes, vienen estableciendo una triple clasificación al respecto:

a) Actos de uso de suelo y de la edificación sujetos y no sujetos a licencia urbanística.

b) Actuaciones sometidas a declaración responsable o comunicación.

c) Actuaciones sujetas, en su caso, a consulta previa con informe sustitutorio de la licencia, por razones de urgencia o excepcional interés público.

A título de ejemplo, podemos distinguir estas clasificaciones, en las leyes de las Comunidades Autónomas de Andalucía, Cantabria y Castilla-La Mancha, por tanto, los operadores jurídicos, técnicos y ciudadanos deberán tener en cuenta la norma aplicable en cada municipio, para saber si la actuación proyectada está o no sujeta a licencia y en consecuencia al ICIO[20].

---

[18] Repárese que la Ley 39/2015, de 1 de octubre, del Procedimiento Administrativo Común de las Administraciones Públicas, ha suprimido la palabra "previa", en su artículo 69, aunque algunas leyes autonómicas la mantienen (por ejemplo, el artículo 157 del TRLOTAU o el artículo 138.6 de la Ley 7/2021, de 1 de diciembre, de impulso para la sostenibilidad del territorio de Andalucía).

[19] Hay que advertir que el TC ha declarado inconstitucionales algunas actuaciones previstas en el artículo 11.4 citado, por STC nº 143/2017, de 14 de diciembre y STC 75/2018, de 5 de julio.

[20] En Cantabria, las actuaciones sujetas a licencia, vienen establecidas en el artículo 233.1 de la flamante Ley 5/2022, de 15 de julio, de Ordenación del Territorio y Urbanismo de Cantabria (BOE de 17 de agosto de 2022) y las no sujetas a licencia en el artículo 233.3 y 233.4 de la misma Ley.
En el caso de Andalucía, la Ley 7/2021, de 1 de diciembre, de impulso para la sostenibilidad del territorio de Andalucía, es más escueta en la determinación de los actos sujetos a licencia, limitándose su artículo 137.1 a establecer que están sujetos a previa licencia urbanística municipal las obras, construcciones, edificaciones, instalaciones, infraestructuras y uso del suelo, incluidos el subsuelo y el vuelo, así como las divisiones, segregaciones y parcelaciones urbanísticas, incluidas las distintas fórmulas de propiedad horizontal reguladas en la legislación en la materia.
Por su parte, la legislación de Castilla-La Mancha es más exhaustiva en su determinación, admitiendo que los instrumentos de planeamiento de ordenación territorial y urbanística puedan ampliar el elenco de actos sujetos a licencia, concretamente el artículo 165.1 del Decreto Legislativo 1/2023, de 28 de febrero, por el que se aprueba el texto refundido de la Ley de Ordenación del Territorio y de la Actividad Urbanística, determina los actos de construcción y edificación y de uso del suelo sujetos a licencia.

En cuanto a las actuaciones sometidas a comunicación "previa" o declaración responsable habrá que estar, de igual modo, a lo previsto en la legislación urbanística y sectorial de las Comunidades Autónomas[21].

De la lectura de los preceptos que regulan este aspecto, en las distintas legislaciones autonómicas, se deduce claramente que no todos los actos de trascendencia urbanística sujetos a control administrativo, bien por licencia, comunicación previa o declaración responsable, constituirán el hecho imponible del ICIO. Por tanto, únicamente las actuaciones urbanísticas que tengan la consideración de construcción, instalación u obra, darán lugar a la correspondiente obligación tributaria, quedando descartadas las demás.

2.3. OBRAS, INSTALACIONES Y CONSTRUCCIONES QUE OFRECEN PROBLEMAS PARA SU INCLUSIÓN COMO HECHO IMPONIBLE

2.3.1. Obras a realizar como consecuencia de una orden de ejecución

Es sabido que una orden de ejecución puede conllevar la realización de una obra. Algunas legislaciones urbanísticas eximen expresamente a las órdenes de ejecución de su sometimiento a licencia, por ejemplo, el artículo 233.3 de la Ley 5/2022, de 15 de julio, de Ordenación del Territorio y Urbanismo de Cantabria. Dicho esto, la cuestión a dilucidar es si tales actos están o no sujetos al ICIO. La doctrina y la jurisprudencia no son unánimes al respecto. Desde el punto de vista doctrinal están a favor de la sujeción, entre otros, CORELLA MONEDERO[22], en contra CORRAL GARCIA[23].

A favor de la sujeción al ICIO de las órdenes de ejecución, podemos destacar, entre otras, la sentencia del TSJ de Madrid de 6 de junio de 2000 (Ponente: Tamames Prieto-Castro, Laura), (anterior a la del TS de 10 de octubre de 2003, rec. 80/2002 que seguidamente se comentará)[24].

---

[21] A título de ejemplo, véase el artículo 157.1 del TRLOTAU.

[22] CORELLA MONEDERO, M. "La orden de ejecución como instrumento para exigir el deber de conservación. Procedimiento". El Consultor de los Ayuntamientos y de los Juzgados N° 13, Quincena 15-29 Jul. 2003, Ref.º 2335/2003, pág. 2335, Tomo 2).

[23] CORRAL GARCÍA, E, "La orden de ejecución como instrumento del deber de conservación". El Consultor de los Ayuntamientos y de los Juzgados N° 15, Ref.º 2539/2001, pág. 2539, Tomo 2.

[24] "(...) Cuando el administrado no actúa por iniciativa propia, la administración que impone la realización de las obras de seguridad, legitima esa actividad del administrado mediante una orden de ejecución que sólo se diferencia de la Licencia en cuanto a su origen. Sin embargo, ambas figuras coinciden en cuanto a su naturaleza jurídica. Por todo ello no puede entenderse que la administración haya extendido el hecho imponible del ICIO dado que la Licencia y la orden de ejecución tienen el mismo efecto legitimador de las obras".

La realización de una obra respecto de la que se exige normativamente licencia urbanística, pero que se lleva a cabo como consecuencia de una orden de ejecución que la sustituye, no permite excluir su sujeción al ICIO, ya que ninguna norma dispone que esa sustitución conlleve la aplicación de un beneficio fiscal (STSJ Madrid 30 de octubre de 2014, rec. 120/2014, Pte, Verón Olarte, Ramón). De igual modo, los ayuntamientos someten a Tasa e ICIO las órdenes de ejecución a través de sus Ordenanzas. Por ejemplo, entre otros, el Ayuntamiento de Barcelona, establece en el artículo 2.1 de su Ordenanza Fiscal reguladora del ICIO que: "Quedan incluidos en el hecho imponible (...) obras se realicen en cumplimiento de una orden de ejecución municipal"[25]. También el Ayuntamiento de Zaragoza incluye las órdenes de ejecución en el artículo 3.1 de su Ordenanza[26], o el Ayuntamiento de Madrid, en el artículo 20.1 de su Ordenanza.

El CONSULTOR DE LOS AYUNTAMIENTOS[27] considera que: "...todas las actuaciones a ejecutar por el particular al amparo de una orden de restauración de la legalidad o de una orden de ejecución, (...) respecto al Impuesto sobre Construcciones, Instalaciones y Obras (ICO), no entendemos procedente su liquidación si mantenemos que las obras ejecutadas por una orden de ejecución o acuerdo de restauración de la legalidad no están sujetos a licencia (...) Es decir, si no hay sujeción a licencia, no procede liquidar el impuesto".

En sentido contrario a lo establecido en las Ordenanzas Municipales y la doctrina citada, la jurisprudencia más reciente va por otro lado, así la STSJ de Les Illes Balears, de 1 de septiembre de 2011, rec. 147/2011 (Ponente: Ortuño Rodríguez, Alicia Esther) se reafirma íntegramente en los razonamientos jurídicos contenidos en la doctrina fijada por la Sala Tercera del Tribunal Supremo en la Sentencia de 10 de octubre de 2003, rec. 80/2002 (Pont. Rodríguez Arribas, Ramón), dictada en un recurso de casación en interés de ley: "...habida cuenta de que las obligaciones que han de cumplir los propietarios inmobiliarios en la conservación de los edificios son exigibles cualquiera que sea la situación económica de aquellos y la rentabilidad y valor patrimonial de estas, en el caso —que no puede descartarse— de que la omisión de la obras de mantenimiento no se debiera a desidia o negligencia, sino a dificultades de carácter financiero, la sujeción al ICIO del importe de las obras ordenadas haría recaer el tributo sobre la manifestación de la penuria y no de la riqueza, lo que es inadmisible y pone de manifiesto la improcedencia de fijar la doctrina legal que pretende la Corporación recurrente". Por

---

[25] https://ajuntament.barcelona.cat/hisenda/sites/default/files/normativa/2021-04/2.1-ordenanza-icio-es_1.pdf.

[26] "Se consideran igualmente sujetas las construcciones, instalaciones u obras que se realicen en cumplimiento de una orden de ejecución..."

[27] El Consultor de los Ayuntamientos, Nº 7, Sección Consultas, Julio 2020, pág. 39, Wolters Kluwer.

tanto, según esta jurisprudencia, no cabe exigir el ICIO a obras impuestas por órdenes de ejecución.

No obstante, desde mi punto de vista, tales obras deberían someterse al ICIO, además de por las razones apuntadas, por entender que si bien el procedimiento de orden de ejecución no origina una licencia urbanística, propiamente dicha, el acto de uso del suelo o de la edificación que conlleva sí que está sujeto a licencia urbanística, en virtud de las citadas normas autonómicas (por ejemplo el citado artículo 165 del TRLOTAU), otra cosa es que no se solicite licencia. Al artículo 100 del TRLHL le es indiferente que la obra se ejecute por propia iniciativa o por imposición administrativa, a través de la correspondiente orden de ejecución. Lógicamente habrá que tener en cuenta que la orden no sea de demolición, en cuyo caso está claro que no procede gravarla con el ICIO.

2.3.2. ¿Están sujetas al ICIO las obras realizadas en ejecución subsidiaria?

Como es sabido, el incumplimiento de una orden de ejecución puede conllevar la incoación de un procedimiento de ejecución subsidiaria, conforme previene el artículo 94 de la LRJPAC. Entonces, tal y como hemos visto, si la orden de ejecución no está sujeta al ICIO tampoco habría de estarlo la ejecución subsidiaria de dicha orden. Sin embargo, como pone de manifiesto CALVO SALES[28] el Tribunal Superior de Justicia del País Vasco, en su sentencia de 14 de abril de 1999, rec. 1083/1996 (Ponente: Ruiz Ruiz, Angel), sí admite la sujeción al ICIO de las obras ejecutadas en ejecución subsidiaria. Hay que tener en cuenta que esta sentencia del País Vasco es anterior a la doctrina sentada por el TS, en la citada sentencia de 10 de octubre de 2003. Por tanto, si se aplica la doctrina de esta sentencia del TS habría que considerar no sujetas al ICIO las obras que sean consecuencia de ejecución subsidiaria.

2.3.3. Obras ordenadas al concesionario o realizadas por éste

El TS ha considerado procedente la sujeción al ICIO de las obras realizadas en virtud de concesiones administrativas, casos en los que tampoco concurre una licencia en el sentido estricto, puesto que ésta se entiende incluida en el acuerdo de concesión, entre otras, la STS de 3 de marzo de 2004, nº de recurso 11127/1998 (Pte: Rouanet Moscardó, Jaime) [29].

---

[28] "El impuesto sobre construcciones, instalaciones y obras", edición nº 6, Editorial LA LEY, Madrid, abril 2007.

[29] Sobre esta cuestión véase la STSJ de Madrid 20 de marzo de 2013, rec. 1238/2012 (Pte: Cruz Mera, Fátima B. de la)

2.3.4. *Obras de interés general, promovidas por las Administraciones Públicas*

Con carácter general, todo acto de edificación, uso del suelo y del subsuelo requiere la preceptiva licencia urbanística, declaración responsable o comunicación previa, sean ejecutados por particulares o Administraciones Públicas. Este principio general, que equipara a la Administración y los ciudadanos, se desprende del contenido de los artículos 11 del TRLSRU de 2015, 180.1 del TRLS de 1976 y 7 del RDU, e implícitamente, por ejemplo, de los artículos 165 y 173 del TRLOTAU y del resto de leyes urbanísticas de las comunidades autónomas. Pues bien, este principio, tal y como han declarado la jurisprudencia, no encuentra excepción cuando se trata de las obras ejecutadas por particulares, pero se invierte cuando dichos actos de edificación o uso del suelo son llevados a cabo por entidades pertenecientes al sector público, bajo determinadas circunstancias y requisitos. Quiere ello decir que determinadas actuaciones realizadas por las Administraciones Públicas están exentas expresamente del ICIO o no están sujetas a control preventivo municipal, lo que conlleva, en principio, su no sujeción al ICIO.

Para una mejor comprensión de lo que acabamos de decir, vamos a distinguir tres grupos de obras públicas en relación con el ICIO:

a) Las construcciones, instalaciones u obras públicas exentas del ICIO, en virtud del artículo 100.2 del TRLHL.

b) Las construcciones, instalaciones u obras públicas no sujetas a control preventivo municipal por leyes sectoriales.

c) Las construcciones, instalaciones u obras públicas que, por razones de urgencia o excepcional interés público, no se someten a licencia, pero sí a control urbanístico, a través del trámite de consulta sustitutorio de licencia.

a)   Las construcciones, instalaciones u obras exentas del ICIO, en virtud del artículo 100.2 del TRLHL.

De acuerdo con la interpretación del artículo 100.2 del TRLHL llevada a cabo por el TS[30], el dueño de la obra debe ser el Estado y las demás administraciones territoriales citadas "al haber una conexión precisa y necesaria entre la identidad subjetiva, la naturaleza de la obra, la naturaleza del bien afectado, conforme a su finalidad estricta e invariablemente pública, sin que pueda serlo nadie más".

b)   Las construcciones, instalaciones u obras públicas no sujetas a control preventivo municipal por leyes sectoriales.

Estamos ante un conjunto de actuaciones que las leyes del Estado o de las Comunidades Autónomas excepcionan de su sujeción a controles preventivos de legalidad

---

[30]   STS de 6 de mayo de 2021, n° de recurso 2886/2020 (ponente Francisco José Navarro Sanchís).

urbanística por los Ayuntamientos. No existe una exención tributaria expresa, como es el caso del artículo 100.2 del TRLHL, sino que, al no someterse a control la actuación mediante licencia, comunicación, declaración responsable o consulta sustitutoria de la licencia, puede considerarse que no procede su sujeción al ICIO, a tenor del artículo 100.1 del TRLHL.

En el ordenamiento jurídico español existen muchos ejemplos de construcciones, instalaciones u obras públicas no sujetas a control preventivo municipal por leyes sectoriales y, en consecuencia, no gravadas por el ICIO. Como ejemplo podemos destacar la previsión contenida en la disposición adicional tercera, de la Ley 13/2003, de 23 de mayo, reguladora del contrato de concesión de obras públicas[31]; el artículo 127.1 del Texto Refundido de la Ley de Aguas o el artículo 27 de la Ley 8/2013, de 28 de junio, de carreteras de Galicia.

c) Las construcciones, instalaciones u obras públicas que por razones de urgencia o excepcional interés público no se someten a licencia, pero sí a control urbanístico, a través del trámite de consulta sustitutorio de licencia.

En este tercer grupo incluimos las actuaciones que en principio sí están sujetas a control preventivo, pero razones de urgencia o excepcional interés público las excepcionan de obtener licencia, pero no de control de legalidad a través de una consulta y de un informe municipal. Por tanto, no requerirán para su ejecución la solicitud ni expedición de licencia urbanística previa, sino de un procedimiento administrativo específico, que la sustituye. Este procedimiento viene previsto en la Disposición adicional décima del TRLSRU de 2015 y 9 RDU, para las obras del Estado; 9 y 173 del TRLOTAU para las obras de la Junta de Comunidades de Castilla-La Mancha y las Diputaciones Provinciales (de igual modo se establece este sistema en las normas de las distintas Comunidades Autónomas; por ejemplo, el artículo 243 Decreto Legislativo 1/2021, de 18 de junio, del Consell de aprobación del texto refundido de la Ley de ordenación del territorio, urbanismo y paisaje, o artículo 163 de la Ley 9/2001, de 17 de julio, del Suelo de la Comunidad de Madrid).

La cuestión que se plantea es si las construcciones, instalaciones u obras públicas declaradas urgentes o de excepcional interés público al no someterse a licencia, pero sí a consulta previa, están o no sujetas al ICIO.

---

[31] Para entender el alcance del precepto puede consultarse la doctrina contenida en la sentencia del TSJ de la Comunidad Valenciana, de 16 de febrero de 2015; recurso 80/2014 (ponente: Basanta Rodríguez, Amalia), sobre el sometimiento al ICIO de la construcción de la Unidad de Madres de la prisión de Foncalent.
También resulta de interés, la sentencia de 4 de mayo de 2017, del TSJ Canarias (Santa Cruz de Tenerife), rec. 23/2017 (PTE.: Alonso Dorronsoro, Rafael):

A mi modo de ver, teniendo en cuenta los pronunciamientos jurisprudenciales al respecto, si se ha acreditado la urgencia o el excepcional interés público la actuación no está sujeta al ICIO, en caso contrario procede la liquidación. A esta conclusión llega, por ejemplo, el TSJ de Castilla-La Mancha, en su sentencia de 1 de julio de 2013, rec. 338/2011 (Ponente: Montero Martínez, Mariano), al declarar que sí procede el ICIO en la obra del Hospital Nacional de Parapléjicos de Toledo, fundamentando tal decisión en que no se declaró el excepcional interés general, sino sólo interés general. Posteriormente también se pronunció la misma Sala en tal sentido en la sentencia de 16 de febrero de 2015, recurso núm. 228/2013, de mismo ponente.

Otra sentencia anterior del TSJ de Castilla La-Mancha, de 10 de octubre de 2003[32] declaró, con carácter general, lo no sujeción al ICIO de las obras públicas cuando se aplicaba el procedimiento de consulta previa, concretamente se analizó el artículo 173 del TRLOTAU.

Ahora bien, hay que reconocer que no hay una jurisprudencia pacífica al respecto. Por ejemplo, el TSJ de Madrid en su sentencia de 19 de abril de 2012, rec. 1090/2011 (PTE.: García Alonso, Miguel Ángel), está a favor de gravar con el ICIO las obras sujetas a consulta previa[33].

Respecto a la doctrina, estoy de acuerdo con la atinada opinión de CALVO SALES[34] cuando considera que: "El uso indiscriminado y abusivo de la previsión contenida en el artículo 244.2 del Real Decreto Legislativo 1/1992, de 26 de junio, por el que se aprobó el Texto Refundido de la Ley sobre el Régimen del Suelo y Ordenación

---

[32]   El supuesto que contempla la litis es la construcción de un Instituto de Enseñanza Secundaria en la localidad Toledana de Juncos.

[33]   "...si se trata de una obra necesitada de licencia, estará sometida al ICIO, siendo indiferente que el ente público que promueve la obra decida acudir al procedimiento sustitutivo de la licencia previsto en el art. 244.2 (...) pues a este procedimiento sólo puede acudirse, en definitiva, si se trata de una obra que requiera licencia que es lo que exige el hecho imponible, sin que pueda acudirse a dicho procedimiento en el supuesto de las obras de marcado interés público antes mencionadas que, conforme a la jurisprudencia antes citada, no necesitan licencia ni, por tanto, de este procedimiento especial sustitutivo de la misma ni, por todo ello, están tampoco sometidas al ICIO".
       "...este caso, es claro que la obra adjudicada no puede calificarse de una gran obra de marcado interés público de las características antes citadas (autopistas, presas, etc.) que se integre en la ordenación del territorio y que están excluidas de intervención municipal (licencia o procedimiento de comunicación al Ayuntamiento previsto en el art. 244.2 del TRLS 92), sino que, más bien, debe calificarse como una obra que afecta al uso del suelo y edificación en el término municipal, que corresponde al urbanismo estricto y necesita de intervención municipal (licencia o procedimiento de comunicación antes citado sustitutivo de la licencia)".

[34]   CALVO SALES "Las obras promovidas por las Administraciones Públicas. Análisis de su sujeción a licencia y al Impuesto sobre Construcciones, Instalaciones y Obras". El Consultor de los Ayuntamientos y de los Juzgados Nº 10, Quincena 30 May-14 Jun. 2005, Ref.º 1617/2005, pág. 1617, Tomo 2.

Urbana (o de la norma autonómica equivalente) por parte de las Administraciones Públicas no municipales, además de ser en muchas ocasiones incorrecto desde el punto de vista urbanístico y de vulnerar las competencias locales, tiene consecuencias graves en el ámbito tributario, por lo que cada supuesto debe ser objeto de un estudio serio que discrimine entre las grandes obras de infraestructuras, algunas de las cuales no están sujetas a intervención municipal y, por tanto, tampoco a las Tasas por licencia ni al ICIO, y las de mero urbanismo, entendiendo por tal la ordenación municipal contenida en los planes de competencia municipal, que sí están sujetas a ambos tributos. Entre estas últimas, debe también tenerse en cuenta, tanto a efectos urbanísticos como —sobre todo— fiscales, que las apelaciones a la urgencia o al excepcional interés público no son siempre ajustadas a derecho y que, en todo caso, el hecho de que sea o no necesaria la concesión de la licencia en sentido estricto resulta intrascendente, dado que el ICIO es independiente de que se haya concedido o no la licencia de obras (sin olvidar que la remisión del proyecto suple la concesión de la licencia de obras), porque el único requisito para que se produzca el hecho imponible y proceda su exigencia es que las obras realizadas estén sujetas a licencia, sea concedida o no ésta".

Finalmente hay que recordar que algunas Ordenanzas Municipales reguladoras del ICIO, como es el caso de Madrid, consideran tales actuaciones expresamente sujetas al ICIO: "Artículo 20. 1 (...) A los efectos anteriores, tendrán la consideración de actos administrativos autorizantes de la ejecución de la construcción (...) *los informes favorables correspondientes, en el caso de obras declaradas urgentes o de excepcional interés público promovidas por las Administraciones Públicas, y cualesquiera otros análogos*".

2.3.5. ¿Están sujetas al ICIO las demoliciones?

En primer lugar, hay que reconocer que las demoliciones son actuaciones sometidas a licencia urbanística, así lo dispone las normas urbanísticas de las distintas Comunidades Autónomas[35] (también la normativa estatal, artículo 183 TRLS de 1976 y artículo 1 del RDU).

Toda demolición comporta una obra, así se deduce del artículo 232 de la Ley 9/2017, de 8 de noviembre, de Contratos del Sector Público, cuando clasifica los tipos de obras, incluyendo entre ellas las obras de demolición, junto con las de primer establecimiento, reforma o gran reparación, concretando el artículo 232.8: "que son obras de demolición las que tengan por objeto el derribo o la destrucción de un bien inmueble"[36].

---

[35] Por ejemplo, el artículo 151 de la Ley 9/2001, del Suelo de la Comunidad de Madrid, o el artículo 165.1g) del TRLOTAU.

[36] En este sentido, la STS de 10 de diciembre de 1996, nº recurso 979/1992 (Ponente: Ricardo Enríquez Sancho).

Ahora bien, la jurisprudencia no es unánime a la hora de incluir las demoliciones en el hecho imponible del ICIO. Por un lado, tenemos la línea que considera la no sujeción al ICIO, entre la que podemos destacar la STSJ de Andalucía, de 20 de enero de 1997 o la STSJ de Comunidad Valenciana, de 3 de abril de 1998, n° 306/1998, recurso número 582/1995 (ponente: Manglano Sada, Luis).

Por otro lado, tenemos la línea opuesta, considerando las demoliciones sujetas al ICIO, así la sentencia del TSJ de Madrid, de 7 de julio de 2011, rec. 603/2010 (Ponente: Santillán Pedrosa, Berta María) o la STSJ de Cataluña, de 30 de enero de 2002, n° de recurso 775/1998 (Pte: Castillo Solsona, Mª Mercedes).

En relación con este tema debe tenerse en cuenta que muchas Ordenanzas Fiscales Municipales incluyen las demoliciones como actuaciones sujetas al ICIO[37].

Desde mi punto de vista, con carácter general, una demolición es una obra, sujeta a licencia urbanística no existiendo ninguna razón para excluirlas del ICIO, salvo argumentaciones tales como a las que ya hemos hecho referencia al citar las sentencias del TS de 10 de octubre de 2003 o la del TSJ de Les Illes Balears, de 1 de septiembre de 2011.

Finalmente, hay que dejar claro que no estarán sujetas al ICIO las demoliciones dictadas como consecuencia de la resolución de expedientes de restauración de la legalidad urbanística u órdenes de ejecución, en los términos expuestos anteriormente y que analizamos a continuación.

2.3.6. Actuaciones clandestinas y obras ilegales

La obligación tributaria en el ICIO nace con la realización de la construcción, instalación u obra, esto es, como en todo tributo, con la realización del hecho imponible, del que nace la obligación tributaria. Pero esta obligación surge, aunque no se haya obtenido la licencia o aunque, hipotéticamente, nunca llegara a solicitarse (STS de 21 de mayo de 1998, recurso 7173/1992 Ponente: Sala Sánchez, Pascual).

Entendemos que parece de justicia que si la obra ejecutada legalmente está sujeta al ICIO también lo esté la que tiene su origen en una actuación ilegal o clandestina.

Ahora bien, hay que distinguir, por un lado, las construcciones clandestinas e ilegales que deben demolerse, tras el oportuno expediente de restauración de la legalidad

---

[37]　Por ejemplo, la Ordenanza Fiscal n° 4 del Ayuntamiento de Toledo. La Ordenanza del Ayuntamiento de Zaragoza (publicada en el en BOPZ (Boletín Oficial de la Provincia de Zaragoza) n° 298, de 29.12.2016.
Ayuntamientodevalenciaww.valencia.es/twav/ordenanzas.nsf/vCategorias/6B2C98BDD4760E3 DC1256F9000292AA8/$file/ORDENANZA%20CASTELLANO-ICIO.pdf?openElement&la ng=1&nivel=1_3)

urbanística y, por otro, las obras o construcciones que siendo clandestinas no son demolibles, de acuerdo con la legislación urbanística, por el transcurso de los plazos de caducidad para el ejercicio de la potestad de restauración de la legalidad[38]. Por tanto, si la obra no se puede demoler debe gravarse con el ICIO y si ha de demolerse no[39]. En este sentido, la STSJ de Andalucía (Málaga) de 18 de marzo de 2019, recurso num. 1252/2016 (Pte.: García de la Rosa, Carlos) cuando declara: "Hay que decir que la posibilidad de girar liquidaciones por construcciones clandestinas o ilegales, efectuadas sin licencia o contra licencia, siempre que no entren en absoluta contradicción con el ordenamiento urbanístico, es generalmente admitida, pues de entenderlo de otro modo resultarían irrazonablemente beneficiadas las constructoras que edificaran al margen de la legalidad, el presupuesto para ello es la legalización de las obras para definir el exacto coste real de las obras legalizables, en cuyo caso las operaciones de regularización de la edificación interrumpen el plazo de prescripción de la facultad de liquidar definitivamente"[40].

2.3.7. Obras, construcciones e instalaciones no sujetas al ICIO, al no estar sometidas a licencia urbanística, comunicación previa o declaración responsable

No estarán sujetas al ICIO las obras o actuaciones que expresamente la legislación autonómica o estatal ha excepcionado de licencia urbanística, comunicación previa o declaración responsable. Por ejemplo, el artículo 233.3 y 233.4 de la reciente Ley 5/2022, de 15 de julio, de Ordenación del Territorio y Urbanismo de Cantabria o el artículo 15 del Decreto 34/2011, de 26 de abril de 2011, por el que se aprueba el Re-

---

[38] La carga de la prueba para acreditar la fecha de terminación de la obra y la posible caducidad de la acción corresponde al constructor clandestino, a esta conclusión llegamos si tenemos en cuenta el criterio sentado por el TS, en reiteradas ocasiones y que el TSJ de Madrid nos recuerda en su sentencia de 13 de febrero de 2013, recurso nº 685/2011, ponente: López de Hontanar Sánchez, Juan Francisco. Véase también la reciente STSJ de Castilla-La Mancha de 31 de marzo de 2022, Nº Recurso 80/2020 (ponente: Estevez Goytre, Ricardo).

[39] Así lo ha entendido la jurisprudencia, entre otras, STSJ de Castilla-La Mancha, de 22 de octubre de 1999, nº de recurso 137/1998 (Ponente Padial de Mera, María de los Ángeles) y la de 10 de noviembre de 2008, nº 220/2008, rec. 170/2007 (Pte: Montero Martínez, Mariano). Del mismo modo la sentencia de TSJ de la Región de Murcia, de 15 de febrero de 2013, rec. 348/2012 (Pte: Martín Sánchez, Ascensión), que a su vez cita la STSJ de Galicia, de 25 de octubre de 1999, dictada en el recurso num. 138/1998.

[40] Esta sentencia declara también que "El *dies a quo* del plazo de prescripción debe hacerse coincidir con la data de toma de conocimiento efectivo de la existencia de la edificación de nuevo cuño, así lo han concluido también en sentencias como la de la Sala de lo Contencioso-administrativo de este Tribunal Superior con sede en Sevilla de fecha 13 de octubre de 2016 (rec. 270/2015) y de la Sala de lo Contencioso-administrativo con sede en Santa Cruz de Tenerife del Tribunal Superior de Justicia de Canarias, de fecha 20 de noviembre de 2015 (rec. 87/2015), entre otras".

glamento de Disciplina Urbanística del Texto Refundido de la Ley de Ordenación del Territorio y de la Actividad Urbanística, de Castilla-La Mancha.

2.4. ACTUACIONES DECLARADAS EXENTAS POR EL ARTÍCULO 100.2 DEL TRLHL

Nos remitimos a lo dicho en el epígrafe 2.3.4.

3. EL SUJETO PASIVO DEL ICIO

De acuerdo con el artículo 101 del TRLHL, podemos distinguir:

a) Sujetos pasivos contribuyentes: las personas físicas, personas jurídicas o entidades del artículo 35.4 de la Ley 58/2003, de 17 de diciembre, General Tributaria, que sean dueños de la construcción, instalación u obra, sean o no propietarios del inmueble sobre el que se realice aquélla.

Se entiende por dueño de la construcción, instalación u obra quien soporte los gastos o el coste que comporte su realización.

Por tanto, será contribuyente el que financia y paga la obra.

b) Sujetos pasivos sustitutos: en el supuesto de que la construcción, instalación u obra no sea realizada por el sujeto pasivo contribuyente tendrán la condición de sujetos pasivos sustitutos del contribuyente quienes soliciten las correspondientes licencias o presenten las correspondientes declaraciones responsables o comunicaciones previas o quienes realicen las construcciones, instalaciones u obras.

El sustituto podrá exigir del contribuyente el importe de la cuota tributaria satisfecha.

Para determinar al sustituto conviene responder a la siguiente pregunta: ¿Quién es el obligado a solicitar la licencia?

De acuerdo con el artículo 9, de la Ley 38/1999, de 5 noviembre, de Ordenación de la Edificación, corresponde al promotor, entre otras obligaciones, la de gestionar y obtener las preceptivas licencias y autorizaciones administrativas, así como suscribir el acta de recepción de la obra.

Por tanto, el artículo 101 del TRLHL distingue la figura del contribuyente, como el dueño de la obra y el sustituto de éste, que normalmente será el promotor, aunque no siempre[41]. El TS en su sentencia de 6 de mayo de 2021, nº de recurso 2886/2020 (po-

---

[41] Sobre esta cuestión, la STSJ de Madrid de 18 de septiembre de 2013, rec. 1352/2012 (Pte: Sanz Heredero, José Daniel), considera al respecto que: "en el impuesto sobre construcciones, instalaciones y obras, hay, por imposición legal, desplazamiento del contribuyente —el propietario del inmueble o

nente Francisco José Navarro Sanchís) interpreta el citado artículo 101, considerando que: "La interpretación de tal precepto regulador del sujeto pasivo exige desentrañar la extraña figura del dueño de la obra, como contribuyente distinto del propietario, lo que requiere necesariamente localizar en él algún signo de capacidad económica indirecta (por ser tal la naturaleza del ICIO). Esto es, no puede ser dueño de la obra quien la realice para el propietario del inmueble por cuenta de éste, por encargo o contrato, al margen de la condición de sustituto del contribuyente.

En tal caso, dueño de la obra sería quien, ostentando un derecho real sobre el inmueble, emprendiese unas obras con cuyo coste corriera, al margen del propietario de la finca sobre la que aquellas construcciones, instalaciones u obras se asientan (usufructuario, arrendatario, superficiario, etc.). En tal caso, es patente que el dueño de la obra es quien asume la obra y la sufraga por sí mismo, no por cuenta de otro".

¿Quién es el obligado al ICIO cuando se produce un cambio de dueño de la obra? SANTANDRÉU MONTERO[42], considera que: "Cuando la transmisión de la obra se produce antes de su terminación, de tal suerte que la liquidación provisional se lleva a cabo por el primer dueño, en tanto que, cuando concluye la obra, el dueño es distinto y es posible que haya realizado más obra que la inicialmente proyectada. En este caso, no hay una solución unánimemente satisfactoria, aunque un sector mayoritario se decanta porque sea el sujeto pasivo contribuyente inicial el que siga obligado al pago del ICIO, sin perjuicio de que, lo que haya satisfecho como consecuencia del exceso de la obra total efectuada respecto de la presupuestada, lo pueda repercutir contra el dueño ulterior de la obra".

Desde mi punto de vista, debería regularse este aspecto adecuadamente en la correspondiente ordenanza fiscal, estableciéndose, tal y como consta en algunas ordenanzas municipales reguladoras de este impuesto, que en aquellos supuestos en los que, durante la realización de las construcciones, instalaciones u obras, se produzcan cambios en las personas o entidades que pudieran ser sujetos pasivos del impuesto, por transmisión de licencias u otras causas, tanto las actuaciones como la liquidación definitiva, deberá entenderse o practicarse con la persona que ostente la condición de sujeto pasivo en el momento de terminarse aquéllas.

---

el dueño de la obra, según el art. 102.1 de la Ley de Haciendas Locales—, estableciéndose una única relación tributaria entre la Administración y el peticionario de la licencia o el constructor de la obra —art. 102.2 de la citada Ley—, pero ello es consecuencia, no de que contribuyente y sustituto lleven a cabo presupuestos de hecho —el primero el del tributo y el segundo el de la sustitución-diferentes, sino de la ejecución por los dos del mismo hecho impositivo definido en el art. 101 de la propia norma, esto es, la realización de cualquier construcción, instalación u obra en el término municipal para el que se exija licencia urbanística, háyase o no obtenido ésta".

42 SANTANDRÉU MONTERO, José Antonio. "Reflexiones sobre el impuesto sobre construcciones, instalaciones u obras". Serie Claves del Gobierno Local, 4 Fundación Democracia y Gobierno Local.

4. EL DEVENGO DEL ICIO

De acuerdo con el artículo 21.1 de la LGT el devengo es el momento en el que se entiende realizado el hecho imponible y en el que se produce el nacimiento de la obligación tributaria principal. En el caso del ICIO, el devengo se produce, de acuerdo con el artículo 102.4 del TRLHL, "en el momento de iniciarse la construcción, instalación u obra, aun cuando no se haya obtenido la correspondiente licencia".

¿Qué ocurre con la fecha del devengo y la ejecución definitiva de las obras?

La jurisprudencia[43] ha tenido ocasión de reconocer que "el propio TRLHL permite o posibilita, en su artículo 103.1, la procedencia de efectuar una liquidación provisional en el momento de la concesión de la correspondiente licencia urbanística, aun cuando no se hubieren iniciado las obras en cuestión, y en dichos supuestos se estima que dicha liquidación se efectúa de forma anticipada y a cuenta de la liquidación final que se practique"[44].

Según DOMINGO ZABALLOS[45] es indiferente la fecha en que se solicita la licencia (STS 16 de marzo de 1998) o la fecha en que dicha licencia es concedida (STS 31 de mayo de 1994). En el mismo sentido, la STSJ Baleares 26 de septiembre de 2000, o la del TSJ de Murcia, de 29 octubre 2012, rec. 918/2012, juzgando ilegal la aplicación de beneficio tributario recogido en la modificación de la ordenanza fiscal (el 95% permitido en el art. 103.2, a) TRLHL) en relación con obras iniciadas varios años antes de la entrada en vigor de la ordenanza modificada. En cuanto al tipo de gravamen aplicable y a las bonificaciones de las que puede beneficiarse el sujeto pasivo, la STS de 10 de abril de 1997 considera que el tipo de gravamen es el vigente en la fecha de devengo, esto es, en el inicio de las obras, aunque sea superior al vigente en la fecha de concesión de la licencia. Por su parte, la STSJ Baleares de 26 de septiembre de 2000 declara improcedente la liquidación porque el (supuesto) devengo era anterior a la entrada en vigor del

---

[43] En este sentido, la STSJ de Madrid, de 18 de septiembre de 2013, rec. 1352/2012 (Pte: Sanz Heredero, José Daniel).

[44] En las Sentencias del Tribunal Supremo de 16 y 21 de marzo y de 21 de mayo de 1998 se afirma que se trata de una manifestación de uno de los numerosos casos en que los sistemas fiscales permiten que los ingresos tributarios se anticipen a la fecha del devengo, conforme sucede en las modalidades de ingresos a cuenta, retenciones o pagos fraccionados, que suelen ser anteriores al momento en que legalmente se sitúa el nacimiento de la obligación tributaria. En todo caso, conviene recordar, que dicha liquidación provisional del ICIO cuando se conceda la licencia preceptiva "... no es una liquidación propiamente dicha, sino medio de anticipar un ingreso tributario a la vista de un hecho imponible que puede no haberse producido todavía y, por tanto, no haberse devengado. Esta liquidación se caracteriza porque es anticipada, en la medida que se exige antes del devengo, es a cuenta de la liquidación definitiva y es provisional porque no se conoce todavía el coste futuro y real de la construcción, instalación u obra".

[45] DOMINGO ZABALLOS, MANUEL. Comentarios a la Ley de Haciendas locales, Cívitas 2ª edicc. 2013.

impuesto en el municipio, aunque la solicitud de la licencia de obras se hiciera después, una vez establecido el citado impuesto potestativo.

En cambio, la STSJ Asturias 22 de diciembre de 2000 nos parece que incurre en un error de interpretación, por situar el devengo en el momento de concesión de la licencia de obras. Así mismo, este autor entiende que: "El devengo del ICIO puede, en ocasiones, ser ajeno a la práctica de la liquidación provisional que regula el artículo 103 TRLRHL, que en principio procederá cuando se concede la licencia preceptiva (por tanto, no tiene por qué coincidir con el devengo), o bien cuando se inicie la construcción, instalación u obra (y aquí sí coincide la liquidación con el devengo del impuesto), en el caso de que no se haya solicitado la licencia o que, de haberlo hecho, fuere haya denegada o no se hubiera resuelto todavía.

En fin, relacionado con esto y a propósito de la eventual responsabilidad municipal por demoras en la gestión urbanística, en la STS de 12 de abril de 1997 se considera irrelevante cualquier retraso en la concesión de la licencia, siendo la fecha de inicio de las obras el único elemento determinante del *devengo* (en la misma línea, STSJ Castilla y León 10 de diciembre de 1993). La STSJ Andalucía (Málaga) de 11 de septiembre de 1997 considera ajustada la exacción del impuesto porque el retraso en la concesión de la licencia fue imputable a la actitud del administrado y en la STS 26 de febrero de 1997 se estimó procedente la liquidación del ICIO, ya que no se probó el retraso en la tramitación de la licencia. Igualmente, la STS 3 de julio de 1999 declara procedente la liquidación del impuesto al no existir retraso imputable al Ayuntamiento en la concesión de la licencia".

¿Quién debe probar el devengo del ICIO? La respuesta a esta pregunta nos la ofrece la sentencia del Tribunal Superior de Justicia de Andalucía (Málaga), de 25 de febrero de 2013, recurso nº 828/2011 (Ponente: Baena de Tena, José), cuando considera que: "el artículo 105 de la Ley General Tributaria dispone que en los procedimientos de aplicación de los tributos quien haga valer su derecho deberá probar los hechos constitutivos del mismo, por lo que cabe concluir que es al Ayuntamiento al que le correspondía probar el inicio del impuesto y, con ello, la realidad del devengo del impuesto que exige y, esa inactividad, tanto en el trámite administrativo como en el jurisdiccional, junto con la suspensión acordada de la efectividad de la licencia de obras, implica que, admitiéndose la no iniciación de las obras, éstas siguen en la misma situación, no puede tener otro efecto que el de la nulidad de la liquidación al no haberse probado el devengo del impuesto".

5. LA BASE IMPONIBLE

El artículo 102.1 del TRLHL establece que la base imponible está constituida por el coste real y efectivo de la construcción, instalación u obra, y se entiende por tal, a estos efectos, el coste de ejecución material de aquélla. Determinando, con carácter negativo, qué conceptos no la integran en el párrafo segundo del citado artículo. Concretamente no forman parte de la base imponible del Impuesto:

a) El impuesto sobre el Valor Añadido y demás impuestos análogos propios de regímenes especiales, las tasas, precios públicos y demás prestaciones patrimoniales de carácter público local relacionadas, en su caso, con la construcción, instalación u obra.

b) Ni los honorarios de profesionales, el beneficio empresarial del contratista ni cualquier otro concepto que no integre, estrictamente, el coste de ejecución material.

Por tanto, es el coste de ejecución material el que propiamente integra la base imponible.

Es sabido que uno de los aspectos más conflictivos de este controvertido impuesto ha sido determinar las actuaciones, trabajos, materiales y conceptos de la obra, instalación o construcción que forman parte de la base imponible. La casuística es muy variada y susceptible de opiniones, de ahí que acudamos a varios pronunciamientos jurisprudenciales para identificar los conceptos que integran la base imponible del ICIO.

Hemos de adelantar que gran parte de la polémica sobre qué partidas o conceptos integraban dicha base imponible terminó con las sentencias del Tribunal Supremo de 14 de mayo de 2010 y de 23 de noviembre de 2011, la primera relativa a los parques eólicos y la segunda a las plantas fotovoltaicas de energía solar.

Es preciso también recordar que corresponde al dueño de las obras la carga de la prueba sobre la determinación de las partidas excluibles de la base imponible del ICIO.

Resulta de interés, para entender los elementos que conforman la base imponible del ICIO, la reciente consulta vinculante resuelta por la Subdirección General de Tributos Locales, nº: V1269-21, sobre si la instalación de colmenas por un apicultor en régimen provisional, trashumante y de autoconsumo, está sometida al ICIO.

De acuerdo con DOMINGO ZABALLOS[46] podemos distinguir, esencialmente, los siguientes conceptos incluidos en la base imponible:

1. Los gastos que se refieren a la obra civil, recogidos en el presupuesto de ejecución material, con los conceptos de materiales, mano de obra, medios auxiliares o maquinaria. Son los propios de albañilería, tales como cimentación, estructura, muros perimetrales, forjados, cubiertas, tabiquería, entre otros (STS de 16 de diciembre de 2003. Recurso núm. 4558/1998 (Rodríguez Arribas, Ramón).)

2. Los gastos derivados del suministro de instalaciones que se integran en la construcción, como fontanería, electricidad, climatización y calefacción, saneamiento, vidriería, instalaciones especiales, así como por ser elementos inseparables de la obra.

---

[46] DOMINGO ZABALLOS, MANUEL. Comentarios a la Ley de Haciendas locales, Cívitas 2ª edición. 2013.

3. Los costes de instalación de equipos o maquinaria construidos fuera de la obra, pero no el coste del equipo mismo (sentencias del TS de 15 febrero 1995, 18 junio 1997 y 15 abril 2000). También debe computarse el montaje y desmontaje de grúa, si bien debiendo excluir gastos en concepto del «permiso», en la medida que suponga el abono de alguna de las cantidades legalmente excluidas, como tasas, precios públicos, y demás prestaciones patrimoniales de carácter público local relacionadas, en su caso, con la construcción. (STSJ de Cataluña de 12 abril 2012, rec. 397/2012).

4. El montante de tasas abonadas a la Administración autonómica en concepto de gastos de remuneración, por dirección de inspección de las obras, es un sumando de la base imponible, «porque las tasas que no forman parte de la base imponible del ICIO relacionadas con la construcción, instalación u obra, son las de carácter público local, y la autonómica no lo es» (STSJ de C-LM, de 15/04/2013).

A lo dicho, hemos de añadir la doctrina emanada de la STS, 5 de octubre de 2004, Recurso de casación para la unificación de doctrina número 6112/1999 (Ponente: Rouanet Moscardo, Jaime), donde: "lo esencial es que las instalaciones, aparte de inseparables de la obra, figuren en el mismo proyecto de ejecución que sirvió de base para obtener la licencia de obras...".

Para finalizar este apartado hay que traer a colación la STS de 9 de noviembre de 2011, recurso 45/2010 (Ponente: Garzón Herrero, Manuel Vicente), que nos recuerda y confirma la doctrina del TS al respecto, especialmente extiende a las instalaciones fotovoltaicas la doctrina fijada en la sentencia 14 de mayo de 2010, nº recurso 22/2009 (Ponente: Frías Ponce, Emilio) sobre las partidas del presupuesto de instalación de un parque eólico que pueden incluirse en la base imponible del ICIO. A la vista de esta doctrina jurisprudencial, se requieren dos requisitos para incluir como conceptos integrantes de la base Imponible a los elementos necesarios para la captación de la energía en la base imponible del ICIO, en los casos de instalación de instalaciones fotovoltaicas o centrales eólicas:

a) Que los mismos figuren en el proyecto técnico correspondiente presentado para la obtención de la licencia.

b) Que carezcan de singularidad o identidad propia respecto de la construcción o instalación realizada.

6. LA CUOTA TRIBUTARIA

El artículo 102.2 del TRLHL establece que la cuota del ICIO será el resultado de aplicar a la base imponible el tipo de gravamen.

En cuanto al tipo de gravamen, el artículo 102.3 de la citada norma estipula que será el fijado por cada ayuntamiento, sin que dicho tipo pueda exceder del cuatro por cien.

Junto a esos preceptos el artículo 103.3 del TRLHL previene que las ordenanzas fiscales puedan regular como deducción de la cuota íntegra o bonificada del impuesto, el importe satisfecho o que deba satisfacer el sujeto pasivo en concepto de tasa por el otorgamiento de la licencia urbanística correspondiente a la construcción, instalación u obra de que se trate.

En el mismo artículo 103 del TRLHL el legislador ha previsto una serie de posibles bonificaciones al ICIO, de carácter facultativo, dependiendo su establecimiento de que el ayuntamiento correspondiente así lo decida, en la preceptiva Ordenanza fiscal reguladora del impuesto.

CALVO SALES[47] cita otras bonificaciones de carácter obligatorio, generalmente relacionadas con la celebración de eventos de interés general, entre otros, la Exposición Universal de Sevilla 1992, los Juegos Olímpicos de Barcelona 1992, las celebraciones de Madrid Capital Europea de la Cultura 1992, el Año Santo Jacobeo 1994 y Salamanca 2005 Plaza Mayor de Europa.

Para finalizar este apartado hemos de hacer especial hincapié en el distinto procedimiento previsto para aplicar las bonificaciones del apartado a) del artículo 103.2 y el del resto de apartados.

En cuanto al apartado a) del artículo 103.2, se requiere una petición específica del promotor que el Pleno del Ayuntamiento deberá declarar o no por mayoría simple, cuando concurran las circunstancias previstas en dicho artículo, esto es: el reconocimiento de un especial interés o utilidad municipal por concurrir circunstancias sociales, culturales, histórico artísticas o de fomento del empleo en la obra o construcción proyectada.

En el resto de los supuestos se aplicará lo previsto en las Ordenanzas Fiscales correspondientes.

Ahora bien, no debe olvidarse que aunque tales bonificaciones tengan carácter potestativo, una vez contempladas en las respectivas ordenanzas fiscales, el ayuntamiento estará obligado a concederlas y declararlas[48].

---

[47] CALVO SALES: "El impuesto sobre construcciones, instalaciones y obras, edición n° 6, Editorial LA LEY, Madrid, abril 2007.

[48] En este sentido la STSJ de Madrid, de 15 de junio de 2010, recurso de apelación n° 1929/09 (Ponente: Huet de Sande, Ángeles). "Por tanto, la discrecionalidad municipal se agota con la regulación normativa de la bonificación en la Ordenanza, con los límites legales expuestos, pero una vez establecida la regulación en la Ordenanza, el Ayuntamiento debe limitarse a aplicarla sin discrecionalidad alguna. Podrá así, el Ayuntamiento decidir si establece o no la bonificación en la Ordenanza; y, si decide establecerla, puede también el Ayuntamiento fijar discrecionalmente su cuantificación en la Ordenanza con el límite legal indicado del 95%; y puede también, en fin, el Ayuntamiento definir en la Ordenanza a qué concretas obras desea restringir la bonificación, siempre que se trate, como exige

7. LA GESTIÓN DEL ICIO

7.1. LA LIQUIDACIÓN PROVISIONAL Y DEFINITIVA DEL IMPUESTO SOBRE CONSTRUCCIONES, INSTALACIONES Y OBRAS[49]

De acuerdo con el artículo 117 de la LGT, la gestión tributaria consiste, esencialmente, en el ejercicio de las funciones administrativas dirigidas a:

a) La recepción y tramitación de declaraciones, autoliquidaciones, comunicaciones de datos y demás documentos con trascendencia tributaria.

b) La práctica de liquidaciones tributarias derivadas de las actuaciones de verificación y comprobación realizadas.

c) El reconocimiento y comprobación de la procedencia de los beneficios fiscales de acuerdo con la normativa reguladora del correspondiente procedimiento[50].

En cuanto aquí importa, el artículo 103.1 del TRLHL distingue dos tipos de liquidaciones:

A) Una liquidación provisional a cuenta, prevista para cuando se conceda la licencia o se presente la declaración responsable o la comunicación previa o cuando, no habiéndose solicitado, concedido o denegado aún aquella o presentado éstas se inicie la construcción, instalación u obra, cuya base imponible se determinará de dos maneras:

a) En función del presupuesto presentado por los interesados, siempre que hubiera sido visado por el colegio oficial correspondiente cuando ello constituya un requisito preceptivo.

b) Cuando la ordenanza fiscal así lo prevea, en función de los índices o módulos que ésta establezca al efecto.

La liquidación provisional permite a los Ayuntamientos exigir en el momento de la solicitud de la licencia, presentación de la declaración responsable o comunicación

---

la ley, de obras que revistan especial interés o utilidad municipal por concurrir circunstancias sociales, culturales, histórico artísticas o de fomento del empleo".

[49] Sobre la gestión del ICIO y su problemática véase la obra de Daniel Casas Agudo. La gestión tributaria del ICIO. Problemática doctrinal y jurisprudencial. Editorial Atelier.

[50] Téngase en cuenta que esta letra c) del apartado 1, ha sido modificada por la disposición final 2 del Real Decreto-ley 13/2022, de 26 de julio de 2022. Ref. BOE-A-2022-12482, entra en vigor el 1 de enero de 2023 según establece su disposición final 5, con la siguiente redacción: "c) El reconocimiento y comprobación de la procedencia de los beneficios e incentivos fiscales, así como de los regímenes tributarios especiales, mediante la tramitación del correspondiente procedimiento de gestión tributaria".

previa, el pago de una cantidad a cuenta, antes de que nazca la obligación tributaria, ya que incluso es posible que no nazca nunca si se deniega la licencia[51].

B) La liquidación definitiva, la realizará el ayuntamiento, mediante la oportuna comprobación administrativa, una vez finalizada la construcción, instalación u obra, teniendo en cuenta su coste real y efectivo, pudiendo, en su caso, modificar la base imponible aplicada a la liquidación provisional, exigiendo del sujeto pasivo o reintegrándole, en su caso, la cantidad que corresponda.

La reciente la sentencia del TS, de 11 de abril de 2022, recurso núm.: 3500/2020 (ponente: Montero Fernández, José Antonio) realiza un resumen sobre el mecanismo de gestión del ICIO y el alcance de ambas liquidaciones, de manera clara y didáctica: "Atendiendo a la más reciente jurisprudencia, valga entre otras las sentencias de este Tribunal Supremo de 13 de diciembre de 2018, rec. cas. 3185/2017, y de 25 de febrero de 2021, rec. cas. 4108/2019, se aporta una serie de premisas que resultan imprescindibles para entender y, por ende, aplicar correctamente este gravamen.

Como primera premisa es necesario destacar que la regulación prevista en la LGT para distinguir entre liquidación provisional y definitiva, no es trasladable, sin más, al ICIO (...) "En este tributo, dichas liquidaciones derivan de dos obligaciones distintas, aunque conectadas entre sí, no en vano una es a cuenta de la otra. Generalmente, sin embargo, la liquidación y la definitiva derivan de la misma obligación, cosa que, como decimos, no sucede en el ICIO".

A lo que debe sumarse otras singularidades, como que la liquidación provisional viene a representar un pago a cuenta que posee sustantividad propia, de suerte que puede ser susceptible de impugnación administrativa y judicial independiente. "El ICIO se devenga en el momento de iniciarse la construcción, instalación u obra. La base imponible está constituida por el coste real y efectivo de la construcción, instalación u obra, dato que se conocerá cuando finalice ésta.

A la vista de ello, el legislador ha ideado una liquidación provisional a cuenta de la liquidación definitiva, con la cual se anticipa la percepción, sujeta a regularización, de la cantidad que corresponda ingresar en concepto de ICIO.

Esta liquidación "es un acto de voluntad administrativa que, de suyo, incorpora un acto de gravamen perjudicial como es para los derechos e intereses de su destinatario y, por ende, susceptible de impugnación administrativa y jurisdiccional" (STS 4303/2018, de 13 de diciembre rec. cas., 3185/2017). Esa liquidación provisional se gira, repárese en ello, antes del nacimiento de la obligación tributaria principal, esto es, la nacida de la realización del hecho imponible. "Simplemente se hace esto para poder exigir inmedia-

---

[51] Así lo considera el TSJ de Canarias (Las Palmas) en su sentencia de 26 de marzo de 2019, Recurso num. 342/2018 (Ponente Gómez Cáceres, Francisco José)

tamente un pago a cuenta, que es en realidad en lo que consiste ese devengo adelantado. Después, cuando realmente se haya realizado el presupuesto de hecho, que es el lugar donde tendría que situarse el devengo, se procederá, lógicamente, a la liquidación definitiva" (STS de 14 de septiembre de 2005, rec. cas. 18/2004) (...) La base imponible, en realidad la única base imponible, como ya se ha dicho, es el coste de ejecución material de la construcción, instalación u obra. (...) En definitiva, en el ICIO, liquidación provisional y liquidación definitiva conforman dos obligaciones tributarias distintas y autónomas, tanto desde el punto de vista sustancial como procedimental, aún la innegable vinculación existente entre ambas; el impuesto se devenga cuando se inicia la construcción, instalación u obra, constituyendo su base imponible el coste real y efectivo de aquéllas, dato que será conocido cuando finalicen dichas actividades. Configurándose legalmente la liquidación provisional como una especie de ingreso a cuenta de la liquidación definitiva. Liquidación provisional y liquidación definitiva, por tanto, poseen distinta naturaleza y distinto contenido, son obligaciones autónomas, cumpliendo el objetivo la liquidación provisional de un anticipo, de un ingreso a cuenta, susceptible de impugnación administrativa y judicial independiente de la liquidación definitiva".

7.2. LA AUTOLIQUIDACIÓN DEL IMPUESTO SOBRE CONSTRUCCIONES, INSTALACIONES Y OBRAS

El artículo 103.4 del TRLHL prevé la posibilidad de que los ayuntamientos, potestativamente, puedan exigir el ICIO en régimen de autoliquidación.

Los ayuntamientos que opten por la autoliquidación, deberán regular esta forma de gestión en sus respectivas ordenanzas fiscales, según establece el artículo 106.3 de la LRBRL[52], indicando los plazos para la presentación e ingreso correspondientes. Los ayuntamientos han optado por fórmulas diversas, hay ordenanzas que sólo establecen la autoliquidación para obras menores o declaraciones responsables, otros para todo tipo de actuaciones y algunos no contemplan tal posibilidad.

Entendemos que la autoliquidación procede en la declaración-autoliquidación provisional, y no en la liquidación definitiva, ya que la base sobre la que se configura esta liquidación está constituida por el coste real y efectivo de las obras realmente efectuadas, siendo una función lógica y propia de los ayuntamientos su determinación, previa comprobación. Hay que recordar que el artículo 117 de la LGT dentro de la gestión de

---

[52] Artículo 106. 3 LRBRL. "Es competencia de las Entidades locales la gestión, recaudación e inspección de sus tributos propios, sin perjuicio de las delegaciones que puedan otorgar a favor de las Entidades locales de ámbito superior o de las respectivas Comunidades Autónomas, y de las fórmulas de colaboración con otras Entidades locales, con las Comunidades Autónomas o con el Estado, de acuerdo con lo que establezca la legislación del Estado".

todo impuesto hay que proceder a la práctica de liquidaciones tributarias derivadas de las actuaciones de verificación y comprobación realizadas. En este sentido, el artículo 103.1 del TRLHL, último párrafo, establece que una vez finalizada la construcción, instalación u obra, y teniendo en cuenta su coste real y efectivo, el ayuntamiento, mediante la oportuna comprobación administrativa, modificará, en su caso, la base imponible determinada en la liquidación provisional, practicando la liquidación definitiva en función del coste real y efectivo de la actuación sujeta al ICIO. Aunque hemos de advertir la existencia de ordenanzas donde se contempla la autoliquidación definitiva y la consiguiente sanción para los obligados que no la presenten en tiempo y forma[53].

Junto a la autoliquidación normal, algunas ordenanzas municipales han previsto autoliquidaciones complementarias o sustitutivas, con el fin de completar o modificar las presentadas con anterioridad[54].

8. LA PRESCRIPCIÓN DEL DERECHO DE LA ADMINISTRACIÓN A PRACTICAR LA LIQUIDACIÓN DEFINITIVA Y A LA DEVOLUCIÓN DE LA LIQUIDACIÓN PROVISIONAL DEL ICIO

A la vista de lo estudiado hay que plantearse el momento a partir del cual se inicia el cómputo del plazo de prescripción de cuatro años previsto en el artículo 67 de la LGT. El problema del cómputo del plazo de prescripción del derecho de la Administración a liquidar el ICIO, ha sido resuelto por nuestro Tribunal Supremo, en su sentencia de 14 de septiembre de 2005, rec. 18/2004 (Pte: Martínez Micó, Juan Gonzalo), dictada en interés de ley, cuya doctrina establece que: "El plazo de prescripción del derecho de la Administración a practicar la respectiva liquidación definitiva por el ICIO debe computarse no desde el inicio de la obra, sino cuando ésta ya haya finalizado, a la vista de las construcciones, instalaciones y obras efectivamente realizadas y del coste real de las mismas".

El problema planteado tiene dos caras, por un lado, dilucidar si hay derecho a la devolución de las cantidades pagadas por el ICIO "provisionalmente" al solicitar la licencia, o bien con su otorgamiento (dependiendo de lo regulado en la correspondiente ordenanza municipal) y, por otro lado, qué plazo tienen los interesados para solicitar la devolución, esto es, cuando prescribe ese derecho.

---

[53] Sobre la vinculación entre ambas liquidaciones, resulta ilustrativa la sentencia del TSJ de Castilla y León de Burgos, Sala de lo Contencioso-administrativo, de 5 de marzo de 2014, recurso 4/2014 (Pte: Varona Gutiérrez, Valentín) que cita la doctrina de la STS, de 1 de diciembre de 2011 (recurso 95/2010):

[54] Por ejemplo, el art. 7 de la Ordenanza Municipal reguladora del ICIO de Alicante. BOP: nº 235, de 10 de diciembre de 2020.

La cuestión no es fácil, pues entran en juego varias cuestiones de indudable interés jurídico y práctico, como son:

- La naturaleza jurídica de la liquidación provisional.

- Consecuencias tributarias de la no ejecución de la obra, bien por desistimiento o renuncia o caducidad de la licencia.

- Qué derecho asiste al interesado para que se le devuelva, es su caso, el ICIO pagado a cuenta o provisionalmente.

- Cuándo prescribe el derecho a la devolución.

- El "dies a quo" a partir del cual se cuenta el plazo de prescripción.

Para dar respuesta a los interrogantes formulados conviene recordar lo siguiente:

1ª El hecho imponible comienza a realizarse con el inicio de la ejecución de la obra y termina con su completa ejecución.

El ICIO, como ya hemos expuesto no es un impuesto instantáneo. El hecho imponible se desarrolla en el lapso de tiempo que media entre el comienzo y la finalización de la obra (tal y como declara la citada STS 14 de septiembre de 2005).

2ª La liquidación provisional es un ingreso a cuenta o un adelantamiento de pago. "La liquidación provisional, pese a su equívoca denominación —común a todas las que ejemplifica, sin ánimo exhaustivo, el artículo 101 TRLHL— es un acto de voluntad administrativa que, de suyo, incorpora un acto de gravamen —perjudicial como es para los derechos e intereses de su destinatario— y, por ende, susceptible de impugnación administrativa y jurisdiccional" (STS, de 13 de diciembre de 2018, rec. nº 3185/2017).

Lo decisivo no es la solicitud de la licencia, ni siquiera su otorgamiento, sino la realización de la obra. Según el TS, en el ICIO estamos ante un impuesto con devengo adelantado, pues aun admitiendo que puede haber un pago adelantado, en ningún caso afirma que se devengue el ICIO si la obra no se ha realizado. Por tanto, no se devenga el impuesto si no se inician las obras y se ejecutan.

3ª La liquidación provisional o ingreso a cuenta, se convierte en ingreso indebido, al no iniciarse la obra.

Por tanto, si no se ejecuta la obra o caduca la licencia, el ingreso "provisional, legal y debido", que carece de hecho imponible y de base imponible, se transforma en ingreso indebido.

4º A pesar de que no se produzca el hecho imponible, lógicamente, el derecho o acción a la devolución no es indefinida.

No cabe duda de que el derecho a solicitar las devoluciones, derivadas de la normativa de un tributo prescribe, tal y como establece el artículo 66.c) de la LGT 58/2003, a los cuatro años; debiendo comenzarse el cómputo, según el apartado c) del artículo 67.1

de la misma ley: "desde el día siguiente a aquel en que finalice el plazo para solicitar la correspondiente devolución derivada de la normativa de cada tributo o, en defecto de plazo, desde el día siguiente a aquel en que dicha devolución pudo solicitarse...".

A la vista de lo anterior, podemos considerar que hay dos momentos en los que el ingreso provisional se convierte en indebido:

a) El día en que se registra de entrada la renuncia expresa a la licencia, a la declaración responsable o comunicación, lo que comporta desistir de la ejecución de la obra o actuación urbanística proyectada por su titular.

b) El día en que es notificada la caducidad de la licencia, previo procedimiento tramitado al respecto (conlleva implícitamente la declaración de ingreso indebido).

Esto es así, porque la eficacia de la licencia (del acto administrativo) no se extingue hasta que no ocurre alguna de las situaciones descritas, por tanto, mientras no se extinga, no comienza el plazo de prescripción. El *"dies a quo"* será a partir de que el ingreso se ha convertido en indebido.

La solución aquí expuesta, era aceptada por la mayoría de la doctrina y jurisprudencia[55], hoy está sustentada sólidamente por la Jurisprudencia del TS, especialmente desde la sentencia de 4 de noviembre de 2020, nº recurso: 1869/2018, (ponente: María de la Esperanza Córdoba Castroverde, el TS resuelve que: "el *dies a quo* del cómputo del plazo de prescripción para solicitar la devolución de ingresos indebidos del ICIO, en aquellos casos en que las obras no se han ejecutado por desistimiento del solicitante, debe ser aquel en que haya constancia expresa de la voluntad del solicitante de renunciar a la ejecución de la obra, o cuando el Ayuntamiento haya acordado formalmente la declaración de caducidad de la licencia".

En relación con este tema el TS, en sentencia de 11 de noviembre de 2019, recurso nº 4421/2019 (Ponente: Francisco José Navarro Sanchis) considera que: "...aunque en este concreto asunto no hay solicitud formal de desistimiento por el adjudicatario de la licencia, la inactividad municipal ha sido también total y absoluta, de la que no puede obtener ventaja alguna la Corporación, como la de situar el arranque de ese plazo cuan-

---

[55] STSJ de Andalucía (Granada), Sala de lo Contencioso Administrativo, sección 1ª, de 19 de diciembre de 2011 y la STSJ de Castilla la Mancha de 27 de febrero de 2002, nº rec 1757/1988, (Pte: Montero Martínez, Mariano) cuando considera que "...no se puede reputar indebido el ingreso que se efectuó hasta que se comprobó fehacientemente que el tributo no nacería a la vida jurídica... ya que lo que abonó... no se perfeccionó mediante la liquidación definitiva (...) el momento del cómputo sería el de la caducidad de la licencia...". También resultó sumamente esclarecedora la STSJ del País Vasco, nº 669/2012, de 21 de septiembre, que realiza un acertado análisis de la cuestión.
En el mismo sentido se pronunció la Dirección General de Tributos, en su consulta vinculante de 22 de enero de 2013, nº V169/2013. También llega a la misma conclusión el Diputado del Común de Canarias, en Resolución al Ayuntamiento de Los Llanos de Aridane, sobre la devolución del Impuesto de Construcciones, Instalaciones y Obras (ICIO).

do buenamente tenga por conveniente. Tal inactividad, obviamente, incluye el silencio ante la petición de devolución de ingresos indebidos que le fue dirigida".

Finalmente, hemos de recordar que si se transmite la licencia antes del devengo del impuesto (por ejemplo, se hubiese abonado la liquidación provisional antes de comenzar la obra), la posible devolución de ingresos indebidos corresponde al obligado principal —a quien inició la obra—, trasladándose al ámbito privado la relación entre ambos obligados (STS 17-5-94).

9. BIBLIOGRAFÍA

Casas Agudo, Daniel. *La gestión tributaria del ICIO. Problemática doctrinal y jurisprudencial*. Editorial Atelier.

Calvo Sales, Teresa "El impuesto sobre construcciones, instalaciones y obras". Editorial La Ley.

Calvo Sales, T. "Las obras promovidas por las Administraciones Públicas. Análisis de su sujeción a licencia y al Impuesto sobre Construcciones, Instalaciones y Obras", *El Consultor de los Ayuntamientos y de los Juzgados*, nº 10, 30 mayo-14 jun. 2005, Ref. 1617/2005, Tomo 2.

– "Exacción del ICO y Tasas en las obras ejecutadas subsidiariamente por la Administración". *El Consultor de los Ayuntamientos y de los Juzgados*, nº 12, 30 jun.-14 jul. 2005, Ref. 1933/2005, Tomo 2.

Corella Monedero, M. "La orden de ejecución como instrumento para exigir el deber de conservación. Procedimiento", *El Consultor de los Ayuntamientos y de los Juzgados*, nº 13, 15-29 jul. 2003, Ref. 2335/2003, Tomo 2.

Corral García, E. "La orden de ejecución como instrumento del deber de conservación", *El Consultor de los Ayuntamientos y de los Juzgados*, nº 15, Ref. 2539/2001, Tomo 2.

Domingo Zaballos. M. J. *Comentarios a la Ley de Haciendas Locales*, Civitas 2ª edición, Navarra, 2013.

Santandréu Montero, J. A. "Reflexiones sobre el impuesto sobre construcciones, instalaciones u obras", *Claves del Gobierno Local*, nº 4, 2002, disponible en http://hdl.handle.net/10873/829.

Valenzuela Villarrubia. Isidro. "La gestión del impuesto sobre construcciones, instalaciones y obras". *Revista de estudios locales*. Cunal, nº. 50, 2001.

Capítulo IX
LAS TASAS Y PRECIOS PÚBLICOS EN EL ÁMBITO LOCAL

MARÍA ESTHER SÁNCHEZ LÓPEZ
Profesora Titular de Derecho Financiero y Tributario
UCLM. CIEF

SUMARIO: 1. INTRODUCCIÓN. 2. CONCEPTO DE TASA. 2.1. Consideraciones generales. 2.2. La tasa local. 2.2.1. *El hecho imponible.* 2.2.1.1. Tasa por utilización privativa o aprovechamiento especial del dominio público. 2.2.1.2. Tasa por prestación de servicios o realización de actividades. 2.3. Requisitos. 2.3.1. *Referencia, afección o beneficio particular.* 2.3.2. *Obligatoriedad en la solicitud o recepción del servicio o actividad y ausencia de competencia con el sector privado.* 2.3.3. La presencia de la capacidad económica en la tasa. 3. CONCEPTO DE PRECIO PÚBLICO. 4. CUANTIFICACIÓN. 5. ALGUNAS REFLEXIONES. 6. BIBLIOGRAFÍA

1. INTRODUCCIÓN

Siendo tanto la tasa como el precio público *recursos clásicos* de la Hacienda local, debemos comenzar afirmando, junto a MARTÍN FERNÁNDEZ, que "la experiencia española pone de manifiesto que la dicotomía entre ambos es uno de los temas de eterno retorno del Derecho Financiero y Tributario"[1].

En referencia a la tasa, y desde la aprobación de la Ley de Tasas y Exacciones Parafiscales de 1958, si bien es cierto que han sido muy numerosos los estudios acerca de esta materia, existen todavía cuantiosos problemas pendientes y de enorme y renovada actualidad que constituyen una gran fuente de preocupación para los entes locales en

---

[1] MARTÍN FERNÁNDEZ, J., *Tasas y precios públicos en la Hacienda Local,* Marcial Pons, Madrid, 2013, pág. 12.

nuestro país, debiendo tener presente la enorme *capacidad recaudatoria* de la tasa en el ámbito local, siendo el principal recurso en la mayoría de los Ayuntamientos, razón por la que dicho tributo cobra más importancia si cabe en los actuales momentos de crisis económica.

Idea junto a la que debe subrayarse la "plasticidad y versatilidad" del concepto de tasa (y, en consecuencia, la *evolución* de la misma motivada, en ocasiones, por los cambios legislativos, en otras, por la "propia evolución de la realidad" o, simplemente, "a impulsos de la jurisprudencia"), lo que no solamente permite que surjan nuevas figuras y, por consiguiente, fuentes adicionales de financiación sino que, además, y en lo que concierne a nuestro tema concreto de estudio, se constituye, precisamente en la *fuente* de buena parte de la problemática relativa al *deslinde* entre la tasa y otros ingresos de derecho público y de derecho privado.

Pues bien, en el presente trabajo nos vamos a centrar, fundamentalmente, en la *diferenciación entre tasa y precio público,* a la que se ha comenzado haciendo referencia, que se pone de manifiesto, si bien de manera *controvertida* en muchos casos, a través del examen de la *estructura* de las mismas así como de su *régimen de cuantificación*, pudiendo tal vez situar el *origen* de dicha problemática en la circunstancia, no tenida en cuenta suficientemente en España en las primeras regulaciones de la tasa y que apunta, fundamentalmente, a que *no estamos en presencia de una prestación voluntaria*[2].

Circunstancia, en efecto, a la que deben añadirse dos más, a nuestro juicio, y que conviene señalar desde el comienzo. En primer lugar, el carácter *tributario* de la tasa, que la diferencia de otros instrumentos de financiación pública y, en concreto, del precio público y que nos conduce, necesariamente, al análisis de la presencia de los principios de reserva de ley y capacidad económica, tal como se verá más adelante. Y, en segundo término, la circunstancia de que el *fundamento* de la tasa, del mismo modo que la del resto de tributos, se encuentra en el art. 31 de la Constitución Española (CE), constituyendo, por consiguiente, una manifestación del deber de contribuir al sostenimiento de los gastos públicos, con todo lo que esta afirmación lleva consigo.

Pues bien, partiendo del concepto de tasa que nos brinda el art. 2.2.a) de la Ley General Tributaria de 2003 (LGT), al que se llega tras diversos "avatares legislativos", debe dejarse apuntando desde este momento que lo que diferencia a la tasa de otros tributos es, precisamente, la *configuración* de su *hecho imponible*, junto a su finalidad y función, fundamentada en el principio de provocación del gasto[3], siendo *consustancial* a la misma la realización de una *actividad administrativa*, que incide de forma *especial* en el sujeto llamado a satisfacerla.

---

[2]   *Vid.* MARTÍN FERNÁNDEZ, J., op. cit., pág. 12.

[3]   *Vid.* SIMÓN ACOSTA, E., "Tasas, tarifas y precios públicos", *Quincena Fiscal*, núm. 14/2020, pág. 28.

De otro lado, en lo que respecta al *precio público*, y sin perjuicio también del camino que ha debido recorrerse en orden a la "delimitación" del mismo y, en especial, en relación con su diferenciación de la tasa, debe señalarse que, para que nos encontremos ante dicho recurso financiero, se requiere la presencia conjunta de los tres elementos siguientes, según la normativa actualmente vigente: a) que se trate de una contraprestación por una actividad administrativa *no obligatoria*; b) que nos encontremos siempre ante un Ente público, por lo que nunca dará lugar a un ingreso de Derecho privado; y c) que la actividad administrativa, por la que se exige el precio público, debe desarrollarse en régimen de Derecho público.

No obstante, y antes de profundizar en el análisis de las ideas apuntadas, debe volver a insistirse en que la distinción entre tasa y precio público se configura como una de las *cuestiones más controvertidas* de nuestra disciplina pivotando, en todo caso, la diferencia entre dichas figuras en el *carácter tributario* de la tasa y, más aún, en el carácter *legal* de la obligación, debiendo añadir a todo ello que, en la actualidad, no puede comprenderse el régimen jurídico de las tasas y precios públicos en España sin partir de la doctrina sentada por las SSTC 185/1995, de 14 de diciembre, y 233/1999, de 16 de diciembre, esta última dictada en materia de Haciendas locales.

2. CONCEPTO DE TASA

2.1. CONSIDERACIONES GENERALES

El actual concepto de tasa aparece recogido en el art. 2.2.a) de la LGT de 2003, estableciendo que "son los tributos cuyo hecho imponible consiste en la utilización privativa o aprovechamiento especial del dominio público, la prestación de servicios o la realización de actividades en régimen de Derecho público que se refieran, afecten o beneficien de modo particular al obligado tributario, cuando los servicios o actividades no sean de solicitud o recepción voluntaria para los obligados tributarios o no se presten o realicen por el sector privado". Definición que también se encuentra recogida en el art. 6 de la Ley 8/1989, de 13 de abril, de Tasas y Precios Públicos (LTPP), en el art. 7 de la Ley Orgánica 8/1980, de 22 de septiembre, de Financiación de las Comunidades Autónomas (LOFCA) así como en el art. 20 del Real Decreto Legislativo 2/2004, de 5 de marzo, por el que se aprueba el Texto Refundido de la Ley de Haciendas Locales (TRLHL).

Concepto que, como es conocido, no siempre ha presentado dicha forma debido, fundamentalmente a que, tras la mencionada Ley 8/1989, de 13 de abril, de Tasas y Precios Públicos, la definición de tasa, plasmada inicialmente en la LGT de 1963, sufre una "partición" en su hecho imponible, dando lugar a dos clases distintas de recursos. En consecuencia, y según el tenor del art. 24 de dicha Norma, el ámbito de las tasas se redujo a la prestación de servicios o a la realización de actividades en régimen de Derecho Público cuando fueran de solicitud o recepción obligatoria y no susceptibles de ser prestados o realizados por el sector privado siendo considerado el segundo presupuesto de hecho de la tasa, esto es, el relativo a la utilización del dominio público, como un precio público (art. 24.1.a) de la LTPP).

Distinción, pues, que fue objeto de *crítica* por la doctrina ya que la misma no justificaba la existencia de estas dos categorías siendo su *verdadera finalidad* "sortear la aplicación de los principios constitucionales tributarios bajo el pretexto de agilizar y flexibilizar la actividad financiera pública"[4].

Pues bien, la STC 185/1995, de 14 de diciembre, declaró parcialmente inconstitucional el art. 24 de la LTPP, lo que obligó al legislador a promulgar la Ley 25/1988, de 13 de julio, de modificación del régimen legal de las tasas estatales y locales y de reordenación de las prestaciones patrimoniales de carácter público. De este modo, y a partir del mencionado pronunciamiento, vuelve al ámbito de la tasa, del que nunca debió salir, la *utilización privativa o aprovechamiento especial del dominio público*. Por consiguiente, la Ley 25/1998 introdujo el concepto de precio público presente en los arts. 41 del TRLHL y 24 de la LTPP, a los que más adelante nos referiremos. De otro lado, y en cuanto a la *definición* o delimitación del concepto de tasa se vuelve a conceptuar como tal la prestación exigida por el aprovechamiento especial o la utilización privativa del dominio público, según lo más arriba expuesto, y tal como se preceptúa, entre otras normas, en el art. 2.2.a) de la LGT.

Precepto, en referencia al cual, debe resaltarse una *novedad* importante, en relación con la redacción original del mismo, contenida en el segundo párrafo del artículo mencionado. En efecto, y según dicha "modificación", se entendía que "los servicios se prestan o las actividades se realizan en régimen de derecho público cuando se lleven a cabo mediante cualquiera de las formas previstas en la legislación administrativa para la gestión del servicio público y su titularidad corresponda a un ente público". Adición que, como señala MARTÍN FERNÁNDEZ, "pone fin" a la interpretación que hasta dicho momento se venía realizando en el sentido de *desvincular*, a partir de la misma, la forma de gestión del servicio de su financiación ya que cualquiera que sea la fórmula administrativa empleada para prestarlo, "lo decisivo es que la titularidad del mismo sea pública"[5]. En definitiva, *prevalece* la titularidad pública del servicio frente a la *forma, pública o privada, de la prestación*. Así, desde la entrada en vigor de dicha modificación (1 de julio de 2003), se podían percibir tasas de un ente de carácter privado que prestase servicios de titularidad pública, siendo lo *relevante* no *quién* presta el servicio sino la existencia de un *fin o interés público*; lo importante, en consecuencia, es que los ingresos

---

4   MARTÍN FERNÁNDEZ, J., *Tasas y precios públicos en la Hacienda Local*, cit., pág. 30.

5   Op. cit., pág. 39.

obtenidos se destinen al sostenimiento de los gastos públicos[6]. Dicho con otras palabras, el resultado de dicha modificación radicaba en "considerar aplicable en el ámbito local la referencia a que la forma de gestión del servicio no afecta a la naturaleza de la prestación, siempre que su titularidad siga siendo pública, como sucede en los supuestos de concesión"[7].

Pues bien, la situación expuesta cambió de modo sustancial, tras la Ley 21/2011, de 4 de marzo, de Economía Sostenible, dado que su disposición adicional quincuagésima *suprimió* el párrafo segundo del art. 2.2.a) de la LGT, a que acabamos de hacer referencia, lo que supone, como es obvio, volver a la situación anterior implicando ello, al menos, dos consecuencias, tal como advierte MARTÍN FERNÁNDEZ. La primera, que el concepto de tasa local es de nuevo el contemplado en el TRLHL debido a que la LGT no aporta ya nada "nuevo" en relación con el mismo. Y, en segundo término, de no prestarse o realizarse la actuación pública en régimen de derecho público, nos encontraríamos ante un servicio público o actividad administrativa que, prestados en régimen de Derecho privado, *no cumplirían* los dos requisitos o condiciones a que alude el art. 20.1 del TRLHL. Autor que afirma, no obstante, y a pesar de lo anterior, que "la relevancia constitucional del párrafo derogado no impide que, en un futuro, el Tribunal Constitucional (TC) pueda reavivarlo ante supuestos concretos"[8].

Situación que, a nuestro juicio, tal vez tenga su origen en el hecho de que los ingresos que proceden de la actividad empresarial del sector público (debido a la tensión existente en su regulación) son campo propicio para la fluctuación entre tasas, precios públicos y precios privados. Así, el fuerte intervencionismo de la Administración, junto al cambio de filosofía social que inspira las funciones públicas ha llevado a que los Entes públicos faciliten a los ciudadanos una amplia gama de bienes y servicios en concurrencia mediante formas que caracterizan al sector privado[9].

---

[6] Sentido en que se pronuncia PAGÈS I GALTÉS, J., "Circunstancias delimitadoras del ámbito de aplicación de la Tasa", *Tributos Locales*, núm. 110/2013, pág. 25, al indicar que "basta que el servicio sea de titularidad pública para que, independientemente de que se gestione de forma directa o indirecta, deba considerarse que su régimen es de derecho público y, por ende, para que las prestaciones que deriven del mismo deban tener la consideración de tasas si concurre alguna de las notas determinantes de la coactividad constitucionalmente relevante".

[7] Tesis asumida tanto por la Resolución de la Dirección General de Tributos (DGT) de 26 de octubre de 2007, como por el Tribunal Supremo (reacio a dicho criterio), entre otras, en las Sentencias 7 y 19 de marzo de 2007, 12 de noviembre de 2009 y 1 de marzo de 2012. Pronunciamiento este último que reconoce la condición de tasa a las prestaciones exigidas por los servicios de alcantarillado y conservación de contadores prestados mediante concesión.

[8] *Vid*. MARTÍN FERNÁNDEZ, J., *Tasas y precios públicos en la Hacienda Local,* cit., pág. 47.

[9] Ha indicado, en este sentido, JIMÉNEZ COMPAIRED, I., "Tasas o tarifas por servicios públicos obligatorios o monopolizados prestados mediante empresa pública, mixta o privada. ¿Ahora qué?",

Ámbito en que debe indicarse que la aprobación de la Ley de Economía Sostenible supuso el reconocimiento explícito de la potestad tarifaria de los Entes locales, lo que ha influido, a su vez, en el propio concepto de tasa. Todo ello implicó un claro retroceso en las garantías de los contribuyentes, teniendo en cuenta que en un precio privado no entra en juego ningún principio constitucional y, de modo particular, el de capacidad económica, admitiéndose nuevamente "la *posibilidad de exigir precios privados por la prestación de servicios públicos en función de la forma de gestión* utilizada" no siendo posible olvidar que dichos precios, a diferencia de las tasas, "pueden superar con creces el coste del servicio público lo que permite que los gestores encargados de su explotación se lucren a costa de servicios que, recordemos, son públicos, es decir, de toda la ciudadanía"[10].

Tras el recorrido realizado en referencia al concepto de tasa a lo largo de los últimos años, deben resaltarse algunas ideas en relación con dicho tributo que, en cuanto *prestación patrimonial del carácter público* y, por consiguiente, manifestación del deber de contribuir al sostenimiento de los gastos públicos exige la presencia del principio de reserva de ley, y por tanto de la nota de la coactividad, así como del principio de capacidad económica si bien es cierto que la configuración de su hecho imponible hace que la *legitimación* de esta figura comporte la realización de la actividad pública que exige su presupuesto de hecho. Principios, pues, a los que se aludirá al hilo del análisis de los presupuestos que, según nuestro ordenamiento, pueden dar lugar a la imposición de tasas.

Concepto de "prestación patrimonial de carácter público", de otra parte, sobre el que ha incidido la Ley 9/2017, de 8 de noviembre, de Contratos del Sector Público (LCSP) que, entre otras normas, ha reformado la D.A. 1ª de la LGT, distinguiendo entre *prestaciones patrimoniales de carácter público tributarias y no tributarias*[11]. Así, y si entre las primeras se incluyen las tasas, las contribuciones especiales y los impuestos, pertenecen a la segunda categoría las prestaciones "exigidas por la explotación de obras o la prestación de servicios, en régimen de concesión o sociedades de economía mixta, entidades públicas empresariales, sociedades de capital íntegramente público y demás fórmulas de Derecho privado". Previsión que, como se señala en el Preámbulo de la

---

Tributos Locales, núm. 115/2014, págs. 11-36, que la aprobación de la Ley de Economía Sostenible de 2011 vino a agudizar la polémica acerca de la exigencia de tasas o tarifas.

[10] RUIZ GARIJO, M., El concepto de tasa y delimitación con otros ingresos de Derecho Público y Privado", en *Las Tasas Locales*, CHICO DE LA CÁMARA, P. y GALÁN RUIZ, J, (Dir.), Thomson-Reuters-Civitas, Cizur Menor, Pamplona, 2011, pág. 101.

[11] Debe indicarse, además, que la D.F. 12ª de la LCSP ha añadido un nuevo apartado 6 al art. 20 del TRLHL, trasladando esta reforma al ámbito local. Precepto que indica que, cuando las Corporaciones Locales presten los servicios públicos previsto en el art. 20.4 TRLHL bien de forma directa mediante personificación privada, bien mediante gestión indirecta, las contraprestaciones económicas que se establezcan coactivamente tendrán la consideración de prestaciones patrimoniales de carácter público no tributarias, regulándose mediante ordenanza.

mencionada Ley de Contratos, "*aclara* la naturaleza jurídica de las tarifas que abonan los usuarios por la utilización de las obras o la recepción de los servicios, tanto en los casos de gestión directa de estos, a través de la propia Administración, como en los supuestos de gestión indirecta, a través de concesionarios, como prestaciones patrimoniales de carácter público no tributario", y que, a nuestro juicio, y sin pretender entrar en profundidad el examen de la cuestión, que excede el objeto del presente trabajo, no ha hecho sino reavivar el debate, siempre abierto, en relación a la diferenciación entre tasa, tarifa y precio público.

Ámbito en que la D.A. 1ª de la LGT señala, en su apartado segundo, los *rasgos fundamentale*s que permiten identificar a las prestaciones patrimoniales no tributarias cuya finalidad última radica en configurar las tarifas como "prestaciones patrimoniales de carácter público no tributarias"[12], siendo éstos los siguientes: 1) su no inclusión en el concepto de impuesto, tasa o contribución especial; 2) su carácter coactivo; y 3) su finalidad dirigida a la realización de un interés general o público, que no necesariamente debe coincidir con el objetivo de la financiación de los gastos públicos, tal como ha reiterado el Tribunal Constitucional, en su reciente Sentencia 63/2019, de 9 de mayo (F.J. 5). Requisitos que, a juicio de la doctrina, no solamente se presentan como "claramente insuficientes", dada la inexistencia de una definición clara y precisa de las prestaciones patrimoniales no tributarias[13], sino criticables por diversas razones y, en particular, por la posible vulneración del principio de universalidad presupuestaria cuya transgresión descarta el TC en la Sentencia mencionada[14].

En suma, la LCSP otorga carta de naturaleza a las *prestaciones patrimoniales de carácter público no tributarias* que, con la excepción de su sometimiento al principio de reserva de ley, en virtud del mandato del art. 31.3 de la CE, ofrece "muchas dudas en

---

[12] MARTÍN RODRÍGUEZ, J.M., "Análisis de la STC 63/2019, de 9 de mayo de 2019. ¿Es inconstitucional la nueva regulación de las tarifas como prestaciones patrimoniales de carácter público no tributarias?", *Nueva Fiscalidad*, núm. 2/2019, pág. 297.

[13] Características que, según indica DE VICENTE GARCÍA, J., "La STC 63/2019, de 9 de mayo de 2019, avala la constitucionalidad de las prestaciones patrimoniales públicas no tributarias", *El consultor de los Ayuntamientos*, núm. 11/2019, pág. 9, en el fondo, "son propias de las prestaciones patrimoniales en su conjunto y no son distintivas en exclusiva de las prestaciones patrimoniales públicas no tributarias", como pretende argumentar el Tribunal Constitucional. Consideración a la que se une la indicada por MARTÍN RODRÍGUEZ, en el sentido de que el desarrollo de la prestación patrimonial de carácter público no tributaria "requeriría lógicamente de la modificación de diferentes textos normativos para dotarla de coherencia sistemática" añadiendo que la nueva regulación, si bien necesaria, "se limita a ofrecer un vago concepto de las prestaciones patrimoniales de carácter público y una clasificación meramente por descarte entre las tributarias y las no tributarias" (*Vid.*, op. cit., págs. 293 y 307).

[14] *Vid.*, en este sentido, entre otros, MARTÍN RODRÍGUEZ, J.M., op. cit., pág. 298 y DE VICENTE GARCÍA, J., op. cit., pág. 10, quien califica dicha cuestión como "uno de los errores de más calado de la STC".

cuanto a su régimen jurídico"[15], debiendo subrayar la modificación "sustancial" que se deriva de la reforma mencionada que va a desembocar en una "huida del Derecho Público (Financiero y Administrativo) de las denominadas prestaciones patrimoniales de carácter público no tributarias"[16]. Huida que se manifiesta de modo particular en el ámbito local, en el que es indiscutible la relevancia de dichas prestaciones que, si bien deben regularse mediante la correspondiente ordenanza eluden la obligada memoria económico-financiera así como el coste del servicio en la fijación de las mismas[17], con las repercusiones que ello puede tener en relación con el respeto a los principios de justicia tributaria.

En suma, y como afirma RUBIO DE URQUÍA, nos encontramos ante una regulación compleja y difícil de entender, siendo la conclusión principal que cabría extraer de la misma, en lo que en este estudio interesa, que los servicios municipales hasta ahora sujetos a tasa, si se prestan en régimen de derecho privado, bajo cualquiera de las formas previstas tanto en la LCSP como en el art. 20.4 del TRLHL, serán retribuidos mediante una prestación patrimonial de carácter público no tributaria que no se regirá ni por los arts. 20 y siguientes del TRLHL ni por la LTPP, sino por la ordenanza respectiva[18].

2.2. LA TASA LOCAL

Se ha señalado con acierto por parte de la doctrina, si lo comparamos con la previsión contenida en la LGT, que el art. 20.1 del TRLHL *más que definir la tasa se ocupa de enunciar su hecho imponible.* Precepto, en efecto, a cuyo tenor se establece que las entidades locales "podrán establecer tasas por la utilización privativa o el aprovechamiento especial del dominio público local, así como por la prestación de servicios públicos o la realización de actividades administrativas de competencia local que se refieran, afecten o beneficien de modo particular a los sujetos pasivos". Y ello, en sintonía con lo previsto en la Ley General Codificadora, cuando concurra *alguna* de las circunstancias siguien-

---

[15] ORTIZ CALLE, E., "Las fronteras del derecho tributario. A propósito de las prestaciones patrimoniales de carácter público no tributario", *Quincena Fiscal,* núm. 19/2018, pág. 22.

[16] DE VICENTE GARCÍA, J., op. cit., pág. 11.

[17] Cuestión a la que aluden, en comparación con las tasas, TANDAZO RODRÍGUEZ, A. y HERRERA MOLINA, P.M., "Una nueva parafiscalidad: Constitucionalidad de las «tarifas» como prestaciones patrimoniales de carácter público no tributarias", *Revista de Tributos Locales,* núm. 142/2019, págs. 33 y ss., afirmando, en concreto, que "la aprobación de todas las nuevas «tarifas» debería exigir un informe técnico que justificara su implantación y que se hiciera público a través de la sede electrónica del ente correspondiente".

[18] RUBIO DE URQUÍA, J.I., "Ante un a modo de concepto legal de «prestación patrimonial de carácter público» y otros problemas", *Revista Tributos Locales,* núm. 133/2017, pág. 13.

tes: en primer lugar, que su solicitud o recepción no sea voluntaria para los administrados y, en segundo término, cuando no se presten por el sector privado o se encuentre establecida su reserva a favor del sector público conforme a la normativa vigente.

Redacción que es solo sencilla en apariencia escondiendo, en realidad, "una complejidad tan supina que tan solo puede cabalmente entenderse partiendo de unas sólidas bases dogmáticas"[19]. Pues bien, en relación con la misma, y en un primer estadio, vamos a analizar los *presupuestos de hecho* que dan lugar a la exigencia de tasa en el ámbito local y que, desde luego, ponen de manifiesto la *peculiar estructura* de su hecho imponible que hace que se le asocie con una forma de prestación, si bien es cierto que este término no puede tener el mismo significado técnico que cuando se habla de negocio jurídico. Esto es, la estructura de la tasa no puede conducirnos a pensar que la misma tenga una naturaleza contractual sino una naturaleza *ex lege,* siendo una obligación surgida en virtud de una ley.

Examen además, que se va a realizar desde las "claves" del *principio del beneficio* así como desde la idea de *contraprestación* (que deben "conciliarse", asimismo, con el principio de *provocación de costes),* que se erigen en *básicas* en orden a la delimitación de la tasa respecto del impuesto.

2.2.1. Hecho imponible

2.2.1.1. Tasa por utilización privativa o aprovechamiento especial del dominio público local

Como se ha señalado por parte de la doctrina, "la utilización privativa o el aprovechamiento especial del dominio público ha integrado tradicionalmente el hecho imponible de las tasas" (con independencia de que en un momento determinado formara parte del concepto de precio público, según se ha indicado), debido a que el dominio público es una mera técnica jurídica que puede utilizarse para finalidades materiales muy diversas, entre las que se incluye la *obtención de ingresos.* Línea en que ha declarado, entre otras, la STSJ de Madrid, de 28 de febrero de 2000, que "la «utilización privativa» y el «aprovechamiento especial» constituyen rancias y consolidadas expresiones técnico-jurídicas..."; circunstancias que, constituyendo el hecho imponible *típico* de la tasa, suponen, además, un auténtico monopolio del ente público en su concesión (no pudiendo el particular acudir al sector privado). De este modo, en el ámbito local viene siendo muy habitual la existencia de tasas por ocupación privativa o aprovechamiento especial del dominio público municipal debiendo indicar que muchos sujetos y operadores económicos son demandantes habituales de estos usos intensivos del demanio

---

[19] *Vid.* PAGÈS I GALTÉS, J., "Circunstancias delimitadoras del ámbito de aplicación de la Tasa", cit., pág. 17.

público destacando, entre todos ellos, las compañías suministradoras de servicios esenciales para la comunidad (agua, electricidad, telefonía, gas...), las cuales precisan para sus acometidas o para las instalaciones indispensables para efectuar tales suministros, ocupar bienes de dominio público local.

Afirmación que se encuentra en la línea manifestada por el TC en la Sentencia 185/1995, en la que declara que el uso del dominio público constituye un monopolio *de facto* de los entes públicos; razón por la que se estima que deben gravarse como una prestación patrimonial de carácter público, sujeto a reserva de Ley, y no mediante un precio público, excluido de dicha reserva legal. Esto es, la doctrina del TC considera que todas las prestaciones derivadas de la utilización privativa o el aprovechamiento especial del dominio público son coactivas y, por tanto, les afecta la reserva de ley de las prestaciones patrimoniales de carácter público prevista en el art. 31.3 de la Constitución, lo cual induce a que todas ellas sean reguladas por el legislador como tasas.

Doctrina que contrasta, en cierta medida, con la opinión de MENÉNDEZ MORENO cuando afirma que la declaración del TC "no significa que los bienes de dominio público tengan, en todo caso, unas características intrínsecas que hagan imposible la existencia de otros bienes de la misma naturaleza cuya titularidad sea privada y que puedan resultar, para quienes los necesiten, otra posibilidad de elección no monopolizada". En consecuencia, "no puede decirse que quien pretenda la utilización privativa o el aprovechamiento especial de estos bienes haya de soportar siempre un monopolio de oferta, ya que es perfectamente posible que bienes de iguales características puedan ser ofertados en concurrencia, al menos en algún caso, por los entes públicos y por los particulares, lo que deja en entredicho la consideración del TC de que los bienes de dominio público constituyen necesariamente un monopolio *de facto* para los particulares que deseen su utilización privativa o aprovechamiento especial"[20].

Pues bien, y sin perjuicio de que la utilización privativa o el aprovechamiento especial del dominio público dé lugar a la imposición de tasas en la mayor parte de los casos, la importancia de la afirmación de MENÉNDEZ MORENO radica, a nuestro modo de ver, en la consideración de que, según lo previsto en el art. 19.1 de la LTPP, el importe de las tasas en el presente supuesto "se fijará tomando como referencia el valor que tendría en el mercado la utilidad derivada de dicha utilización o aprovechamiento, si los bienes afectados no fuesen de dominio público" (art. 24.1.a) TRLHL), *coincidiendo* dicho sistema de valoración con el aplicable a los bienes que no están monopolizados sino que son ofertados por el mercado. De aquí la relevancia de la pregunta que se plantea el autor citado en el sentido de interrogarse acerca de "¿qué trascendencia tiene entonces

---

20 MENÉNDEZ MORENO, A., "Reflexiones en torno al presupuesto de hecho de los impuestos, tasas y contribuciones especiales", *Revista Española de Derecho Financiero*, núm. 137/2008, pág. 41.

que se llame tasa o precio público lo exigible en las situaciones descritas, si en ambos casos el criterio de cuantificación es idéntico y se identifica con el valor de mercado?"[21].

Y ello, sin perjuicio de afirmar que la aplicación dicho valor es sumamente difícil respecto a la utilización privativa del dominio público que, por definición, es ajeno al mercado y carece, en consecuencia, de un precio de utilización derivado del mismo, de modo que la Ley, reconociendo probablemente dicha dificultad, establece una potestad genérica de la Ordenanza para fijar, de conformidad con la naturaleza de la utilización específica, los criterios definitorios del valor de mercado de tal aprovechamiento para ese caso concreto[22].

Pues bien, en relación con el presupuesto de hecho objeto de examen, la primera cuestión radica en determinar *qué son bienes de dominio público local*, ya que el TRL-HL *no define* dichos conceptos estableciendo, por otro lado, el art. 132 de la CE un mandato al legislador para regular el régimen jurídico de los bienes públicos, a los que se refiere el art. 3.1 del Real Decreto 1372/1986, de 13 de junio, por el que se aprueba el Reglamento de Bienes de las Entidades Locales en el que delimita qué bienes deben considerarse se dominio público[23].

La segunda cuestión se refiere a *qué usos pueden ser gravados* debiendo determinarse, en concreto, *qué se entiende por uso privativo o aprovechamiento especial*, concepto que tampoco define el TRLHL. Ámbito en que es conocida la *clasificación* de usos del dominio público, según la previsión contenida en el art. 75 del Real Decreto 1372/1986, de 13 de junio, ya mencionado, y a cuyo tenor se dispone lo siguiente:

"En la utilización de los bienes de dominio público se considerará:

1. Uso común, el correspondiente por igual a todos los ciudadanos indistintamente, de modo que el uso de unos no impida el de los demás interesados, y se estimará:

a. General, cuando no concurran circunstancias singulares.

b. Especial, si concurrieran circunstancias de este carácter por la peligrosidad, intensidad del uso o cualquiera otra semejante.

---

21   *Vid.* MENÉNDEZ MORENO, A., op. cit., pág. 42.

22   GARCÍA NOVOA, C., "Tasas municipales en relación con las telecomunicaciones (especial referencia a la telefonía móvil", en *Las Tasas Locales*, CHICO DE LA CÁMARA, P. y GALÁN RUIZ, J, (Dir.), Thomson-Reuters, Civitas, Cizur Menor, Pamplona, 2011, pág. 773.

23   Precepto que establece lo siguiente: "Son bienes de uso público local los caminos, plazas, calles, paseos, parques, aguas de fuentes y estanques, puentes y demás obras públicas de aprovechamiento o utilización generales cuya conservación y policía sean de la competencia de la entidad local". También son bienes de dominio público, a tenor del art. 12.1.b) de la Ley 43/2003, de 21 de noviembre, de Montes, los montes comunales, pertenecientes a las entidades locales, en tanto que su aprovechamiento corresponda al común de los vecinos. Como cabe apreciar, la CE se remite a la Ley para determinar qué bienes integran el dominio público local, reservando dicho concepto *únicamente* para los que enumera; por ello, y a juicio de MARTÍN FERNÁNDEZ, se suele utilizar el "criterio de la afectación al funcionamiento de los servicios públicos o los destinados al uso general o uso público" (*Vid. Tasas y precios públicos en la Hacienda Local*, cit., pág. 96).

2. Uso privativo, el constituido por la ocupación de una porción del dominio público, de modo que limite o excluya la utilización por los demás interesados.
3. Uso normal, el que fuere conforme con el destino principal del dominio público a que afecte.
4. Uso anormal, si no fuere conforme con dicho destino".

Pues bien, tras la clasificación anterior, pensamos que debemos detenernos, especialmente, a efectos del presente estudio, y teniendo en cuenta los términos de las normas reguladoras de la tasa, en la *distinción* entre *utilización privativa* y *aprovechamiento especial,* implicando el primero la ocupación del dominio público, de modo tal que *excluye* la utilización por el resto de ciudadanos, por la generalidad de la colectividad siendo, en consecuencia, el que se realiza con mayor *intensidad*. De otro lado, el "aprovechamiento especial" conlleva una *restricción parcial* del uso común del dominio público justificándose, tal como se acaba de señalar, "por la peligrosidad, intensidad del uso o cualquiera otra semejante". Previsión con la que se trata de fundamentar la exigencia de una tasa, en la medida en que existe un beneficio especial para determinados sujetos distinto del beneficio general.

Tasas que, como se ha señalado con razón, desempeñan o deberían llevar a cabo "una cierta *función de justicia redistributiva* ya que quienes utilizan privativamente o especialmente el dominio público, obteniendo un beneficio de él, deben ser los que contribuyan a compensar a la generalidad por la restricción derivada de dicho uso, y que padece la generalidad de la ciudadanía. De esta forma, lo obtenido por la tasa va a ir destinado a financiar el mantenimiento del dominio público, su conservación como bien de uso colectivo"[24].

Línea de pensamiento que tal vez deba conducirnos a *reflexionar* acerca del hecho, de incuestionable *trascendencia práctica,* de si la misma puede "compaginarse" con la circunstancia de que la imposición de tasa por utilización del dominio público constituya, en el fondo, una decisión de carácter *potestativo y voluntario* que, conduciría, en palabras del Tribunal Supremo (TS), a que "su establecimiento dependa exclusivamente de la voluntad de la entidad local respectiva" (STS de 12 de febrero de 2009). Cuestión, en relación con la cual, puede ofrecernos una posible respuesta la STSJ de Castilla-La Mancha, de 6 de junio de 1996, en la que se afirma que "a cada Corporación Local, en ejercicio de la autonomía política que la Constitución reconoce y garantiza, debe corresponder la decisión de establecer las tasas en aquellos servicios que estime deben autofinanciarse, con el fin de asegurar la suficiencia financiera del Ayuntamiento"; ámbito en que el legislador "brinda un instrumento regulado en sus elementos esenciales y con la suficiente flexibilidad como para hacer compatibles los tres principios constitucionales: legalidad tributaria, autonomía local y suficiencia financiera".

---

[24]   RUIZ GARIJO, M., "El concepto de tasa y delimitación con otros ingresos de Derecho Público y Privado", cit., pág. 107.

Flexibilidad, en efecto, que aparece *necesaria* en orden a afrontar la continua *evolución* de los supuestos que, concretamente en el ámbito local, pueden dar lugar a la imposición de tasas, siempre, y como es obvio, dentro del *marco legal* que establece el TRLHL en el que posteriormente los Ayuntamientos inciden para establecer y exigir tasas, de manera que en esta materia resulta especialmente relevante la ordenación municipal. Escenario, sin embargo, en que cabe plantearse, junto a RUIZ GARIJO, si la decisión de establecer una tasa no debería ser obligatoria para el ente público en algunos casos teniendo en cuenta que el *beneficio, referencia o afección particular,* junto a la *provocación de costes al ente público,* "constituye un elemento diferenciador entre la tasa y el impuesto y un criterio que debe condicionar la decisión a tomar por el ente público", por lo que los usos generales de un servicio público o de una actividad administrativa deberían ser financiados a través de los ingresos ordinarios del ente público[25].

Consideraciones tras las que se encuentra, a nuestro juicio, la necesidad de buscar constantemente el *equilibrio* entre el respeto el "margen" que debe tener el ente local en relación con la ordenación de la tasa (en coherencia con el respeto al principio de autonomía financiera) y los criterios normativos (si bien difusos) que justifican la imposición de la misma debido a que, como seguro que no se le escapa al lector, detrás de estas ideas se encuentran, entre otras razones, el "temor" a que las Corporaciones locales puedan "verse tentadas a aprovechar la versatilidad y amplitud del presupuesto de hecho que pueden dar lugar a la imposición de tasas (por ocupación del dominio público y por realización de actividades administrativas), para implementar este tipo de figuras tributarias en sus demarcaciones territoriales en aras de suplir la insuficiencia de recursos con la que se enfrentan en este escenario actual de crisis económica"[26].

En efecto, y teniendo en cuenta el carácter "no cerrado" de los presupuestos contemplados en el precepto mencionado, es conocido que algunos Ayuntamientos han venido diseñando tasas "novedosas" por usos privativos o aprovechamiento especial del dominio público, tales como las tasas por antenas de telefonía móvil, la tasa por cajeros automáticos situados en la vía pública o la Tasa por Tenencia de Perro, aprobada por el Ayuntamiento de Zamora en mayo de 2019.

2.2.1.2. Tasa por la prestación de servicios o la realización de actividades

Según lo dispuesto en el art. 20.1 del TRLHL, las Corporaciones Locales pueden exigir tasas por la "prestación de un servicio público o la realización de una actividad administrativa en régimen de derecho público o de competencia local que se refiera,

---

25   *Vid.* RUIZ GARIJO, M., op. cit., págs. 105 y 106.

26   CHICO DE LA CÁMARA, P., "Las tasas municipales: nuevas oportunidades para su establecimiento como recurso ordinario de financiación de las Corporaciones locales", cit., pág. 161.

afecte o beneficie de modo particular al sujeto pasivo, cuando se produzca *cualquiera* de las circunstancias siguientes:

a) Que no sean de solicitud o recepción voluntaria para los administrados.

b) Que no se presten o realicen por el sector privado, esté o no establecida su reserva a favor del sector público conforme a la normativa vigente.

Presupuesto de hecho respecto del cual es importante indicar algunas ideas. Así, en primer lugar, y al igual que sucede con la utilización privativa o aprovechamiento especial, "no toda actividad administrativa implica, necesariamente, la prestación de un servicio público", siendo demostrativa de ello la STS de 22 de mayo de 1996, relativa a la "actividad documental" de las Administraciones públicas.

Por otro lado, los servicios han de prestarse en *régimen de Derecho público*, debiendo recordar, en este sentido, la existencia de servicios no solamente gestionados por la Administración en *régimen de Derecho privado* sino por *sujetos privados*. En definitiva, la actuación pública ha de realizarse o prestarse en régimen de Derecho público, pues, de lo contrario, no podría integrar el hecho imponible de ningún tributo; además, de no prestarse o realizarse en este régimen, nos encontraríamos ante un servicio público o una actividad administrativa que, prestados en régimen de Derecho privado, no cumplirían los dos requisitos a que alude el art. 20.1 del TRLRHL, encontrándonos las más de las veces en presencia de una prestación patrimonial de carácter público no tributaria.

Pues bien, señalado lo anterior, vamos a entrar en el análisis de las condiciones que, con carácter *alternativo,* exige la Ley para que se pueda realizar el supuesto mencionado. Examen importante entre otras razones, porque en el caso de los precios públicos, como más adelante se verá, es preciso que no concurra ninguno de los mismos.

2.3. REQUISITOS

2.3.1. Referencia, afección o beneficio particular

En relación con el primer requisito enunciado por el TRLHL, cabe señalar que, según el tenor del art. 20.2 del TRLRHL, la actividad administrativa o servicio afecta o se refiere al sujeto pasivo "cuando haya sido motivado directa o indirectamente por éste en razón de que sus actuaciones u omisiones obliguen a las Entidades locales a realizar de oficio actividades o a prestar servicios por razones de seguridad, salubridad o abastecimiento de la población o de orden urbanístico o cualesquiera otras". Condición respecto la que cabe resaltar algunas *cuestiones.*

a) Es, precisamente, la existencia de "contraprestación" lo que diferencia el presupuesto de hecho de la tasa respecto del impuesto.

b) Se entiende que la actividad administrativa o el servicio *afecta o se refiere* al sujeto pasivo cuando haya sido *motivado directa o indirectamente* por éste como consecuencia de que sus acciones u omisiones obliguen a las entidades locales a realizar de oficio actividades o a prestar servicios por razones de seguridad, salubridad de abastecimiento de la población, de orden urbanístico o cualesquiera otras.

c) "Los servicios que no permitan una diferenciación individualizada en su utilización no pueden dar lugar a tasa alguna". Sentido en que se ha pronunciado el TS, en Sentencia de 7 de junio de 1997, advirtiendo que "ni siquiera la mera existencia de un servicio municipal es suficiente para constituir a una persona en sujeto pasivo de la tasa establecida para su financiación, si el servicio no se presta de modo que aquélla pueda considerarse especialmente afectada por aquél, en forma de beneficio efectivo o provocación por el interesado de la actividad municipal, pues solo con esas características puede ser un servicio municipal legitimador de las exigencias de la tasa"[27]. Se trata, como se ha indicado desde la doctrina, de trasladar a la norma el criterio económico del beneficio particular para el sujeto a través de la referencia, afección o beneficio particular, lo que está en íntima conexión con el carácter divisible del servicio.

Ahora bien, y sin perjuicio de advertir que no se trata ni mucho menos de una línea jurisprudencial unánime o consolidada, debe aclararse que ello no significa que, *en todo caso*, el servicio se preste de manera "individualizada", tal como sucede, por ejemplo, en el caso del servicio de recogida de basuras[28]. Supuesto en que la tasa se devenga en la medida en que dicho servicio se encuentre establecido debiendo satisfacerse incluso por aquellas viviendas que se encuentren deshabitadas, tal como ha manifestado de manera mayoritaria la doctrina jurisprudencial (Vid., entre otras, la STSJ de Canarias/Las Palmas, de 26 de mayo de 1993, STSJ de Cataluña, de 29 de enero de 1999 así como la STS de 7 de marzo de 2003). En suma, "las tasas no tienen que cumplir siempre y necesariamente el coste del servicio o de la actividad de que se trate, ya que junto a la utilidad o beneficio particular hay también otros de carácter general que no pueden ser objeto de imputación singular"[29].

---

[27] *Vid.,* en este sentido, CALVO ORTEGA, R., *Curso de Derecho Financiero I, Derecho Tributario,* Civitas, Madrid, 2005, pág. 122. Sentido en que es significativa la STSJ de Castilla-La Mancha, de 27 de septiembre de 1997, la cual declaró improcedente el cobro de la tasa, al quedar acreditado que en el domicilio de la recurrente no existía contenedor de basuras a menos de 300 metros. Supuesto, por tanto, en que no se presta el servicio municipal al no tener lugar el hecho imponible, que habilita al pago de la tasa.

[28] Sentido en que la STS de 15 de septiembre de 2021, señala que lo que justifica el pago de la tasa por el mantenimiento del servicio de prevención y extinción de incendios y salvamento es la "prevención" a que se orienta dicho servicio, independientemente de que solicite o no la prestación directa del servicio; incluso, en ocasiones, la conducta generada, que provoca el pago de la tasa, no genera necesariamente un beneficio particular.

[29] *Vid.* CALVO ORTEGA, R., *Curso de Derecho Financiero I. Derecho Tributario. Parte General, II. Derecho Presupuestario,* Thomson-Civitas, Pamplona, 2011, pág. 140.

Ámbito en que cabe insertar la opinión de RUIZ GARIJO, que compartimos, cuando señala, siguiendo a SIMON ACOSTA, que debemos predicar el "principio de subsidiariedad de la tasa respecto del servicio público", según el cual el servicio o la actividad no tienen como fin único el cobro de tasas, sino satisfacer necesidades realmente sentidas bien por el municipio, bien por los propios ciudadanos. En definitiva, "la tasa existe en función de la prestación del servicio público (y no el servicio público en función de la tasa)"[30], razón por la que, con carácter general, "debe producirse la efectiva prestación/utilización del servicio público y la efectiva realización de la actividad administrativa en los términos establecidos legalmente"[31].

Pues bien, el hecho de que las tasas se exijan en función del coste del servicio basándose en el principio de equivalencia, lleva a entender su importancia en el ámbito de los recursos de la hacienda local que se configura, fundamentalmente, como una Administración prestadora de servicios. Circunstancia que justifica una *Hacienda retributiva*, que se asienta sobre el llamado *principio del beneficio*. En consecuencia, "no es lo mismo fundar un sistema de ingresos públicos en tasas que hacerlo sobre la base de impuestos, teniendo en cuenta que el principio de equivalencia legitima exigir el tributo en tanto el particular al que se le exige ha provocado un coste a la Administración". Principio que "puede constituir el *fundamento* de bienes y servicios *divisibles* y justificar su financiación a través de los denominados *ingresos causales,* especialmente tasas. Se trata, en suma, de que los servicios los sufraguen quienes los utilizan, trasladando el esquema y la lógica del mercado a los bienes públicos"[32].

2.3.2. *Obligatoriedad en la solicitud o recepción del servicio o actividad y ausencia de competencia con el sector privado*

Siguiendo el tenor del TRLHL, y recordando que para exigir tasa *basta* con que concurra *cualquiera* de los siguientes requisitos: bien que la actividad administrativa o

---

[30]   Son significativas, en este sentido, las palabras vertidas en la STC 71/2014, de 6 de mayo, en la que se afirma que "el establecimiento de tasas por parte de las Comunidades Autónomas está estrechamente ligado a su competencia material", siendo así que "la tasa sigue al servicio".

[31]   RUIZ GARIJO, M., "El concepto de tasa y delimitación con otros ingresos de Derecho Público y Privado", cit., págs. 113-114. Sentido en que se ha manifestado también MARTÍN QUERALT al afirmar que "es manifiesto que la singularidad que la tasa tiene en relación con el impuesto radica, justamente, en el hecho de que en aquélla siempre aparece como elemento esencial la contraprestación", añadiendo que "el pago de una tasa legitima la exigibilidad de una determinada contraprestación administrativa, al punto de que si ésta no se da surge el derecho a la devolución de lo ingresado" (Vid. "Sobre la adecuación de las tasas a la Constitución", *Palau 14, Revista Valenciana de Hacienda Pública*, núm. 4/1988, pág. 7).

[32]   *Vid.*, en este sentido, GARCÍA NOVOA, C., "Tasas municipales en relación con las telecomunicaciones (especial referencia a la telefonía móvil)", cit., págs. 765 y 766.

el servicio público no sean de solicitud o recepción voluntaria para los administrados, bien que no se presten o realicen por el sector privado, esté o no establecida su reserva a favor del sector público conforme a la normativa vigente, debe indicarse que tras los mismos se encuentra la nota de la *coactividad*, y en consecuencia, su sometimiento al principio de reserva de ley, como no podía ser de otra manera, dado el carácter tributario de la tasa. Principio cuyo *alcance* dejamos para su análisis en el momento de abordar el régimen jurídico del precio público, con la finalidad de llevar a cabo un estudio comparado entre dichas figuras jurídicas.

Pues bien, en lo que atañe a la coactividad, y sin perjuicio de dejar apuntada desde este momento la *dificultad* de determinar en muchos casos la concurrencia de la misma, nos parecen esclarecedoras las palabras de CALVO ORTEGA con las que afirma que "...la obligatoriedad para el administrado de una determinada actividad administrativa cambia la naturaleza de ésta convirtiéndola en esencial", siendo, precisamente "esta obligatoriedad de hecho la que reduce de manera muy importante los supuestos que dan lugar a la categoría de precios públicos"[33]. Idea, a partir de la cual, debe remarcarse que el concepto de tasa en el ámbito local gira en torno al *carácter esencial del servicio*. Obligatoriedad, en efecto, respecto de la que el art. 20.1.B) del TRLHL enuncia dos supuestos en dan lugar la misma, los cuales, a pesar de haber desaparecido de la LGT/2003, creemos que son de gran utilidad en orden delimitar dicha circunstancia. Esto es, cuando la solicitud o recepción del servicio por los administrados:

a) Venga impuesta por *disposiciones legales o reglamentarias*; o

b) Cuando los bienes, servicios o actividades requeridos sean *imprescindibles para la vida privada o social del solicitante*.

Circunstancias que van a ser analizadas a continuación, sin perjuicio de apuntar, tal como ha señalado algún autor, que su desaparición se debe a haber considerado su previsión "a título ejemplificativo", tal como demuestra la utilización de la expresión "a estos efectos" con que se encabeza la misma. Opinión, sin embargo, que quizá no sea del todo correcta, a nuestro modo de ver, si tenemos en cuenta que las circunstancias mencionadas son, precisamente, las que, según el TC, determinan la presencia de la nota de la coactividad en el concepto de prestación patrimonial de carácter público.

a) Solicitud o recepción obligatoria del servicio

En relación con los criterios mencionados en el art. 20.1.B) del TRLHL debe indicarse, en primer lugar, que la circunstancia de que la tasa venga impuesta por "disposiciones legales o reglamentarias" no es un criterio definitivo, dada la *variabilidad* del mismo, si bien es cierto que es el caso cuya delimitación acarrea menos problemática.

---

[33] *Vid.* CALVO ORTEGA, R., *Curso de Derecho Financiero I, Derecho Tributario,* Civitas, Madrid, 2009, pág. 153.

El hecho, en segundo término, de que los bienes sean "imprescindibles" para la vida social o privada del solicitante ha de ser interpretado de conformidad con la conocida STC 185/1995, según la cual "el bien, la actividad o el servicio requerido es *objetivamente indispensable* para poder satisfacer las necesidades básicas de la vida personal o social de los particulares de acuerdo con las circunstancias sociales de cada momento y lugar o, dicho con otras palabras, cuando la renuncia a estos bienes, servicios o actividades priva al particular de aspectos esenciales de su vida privada o social", siendo así que la dilucidación de cuándo concurren estas circunstancias "deberá atender a las características del caso concreto". Requisito que, como puede observarse, *no resulta perfectamente delimitado* ya que depende, siguiendo la argumentación del TC, de lo que "en cada momento" se considere "básico" o "indispensable" para la vida. Ámbito en que toda la problemática gira en torno a la respuesta que se otorgue a la pregunta anterior, de la que no se ocupan ni el TC ni el legislador "quedando pendiente de determinar *qué tipo o grado de coacción* es la caracterizadora de la tasa como especie tributaria"[34].

En cualquier caso, y siguiendo a buena parte de la doctrina que se ha ocupado de estudiar este tema, puede afirmarse que la nota de la coactividad u obligatoriedad es fácilmente *alterable* en base a circunstancias de diversa índole; ello debido al hecho de que la solicitud o recepción sean o no obligatorias para el sujeto es un dato puramente accidental y susceptible de modificación con cierta frecuencia[35]. Esto es, "desde un «punto de visa temporal», servicios o actividades un día considerados prescindibles, más adelante quizá puedan ser considerados imprescindibles, y viceversa", así como desde un «punto de vista espacial», servicios o actividades considerados en un lugar concreto como imprescindibles pueden adquirir en otro lugar distinto la condición de prescindibles"[36]. Más aún, una misma actividad, en algunos casos puede dar lugar a tasa y, en otros, a precios públicos e incluso, como se ha apuntado por algún autor, puede darse el caso de la existencia de actividades administrativas que sean voluntarias y obligatorias a la vez.

Señalado lo anterior, cabe subrayar que, siendo la coactividad el elemento determinante de la tasa, "el problema se desplaza hacia la determinación de qué prestaciones son coactivas"[37] siendo, a nuestro juicio, un aspecto decisivo "la ausencia de libertad, tanto en el supuesto de hecho que da lugar a la obligación como en su constitución"[38].

---

[34]   PAGÈS I GALTÉS, J., "Circunstancias delimitadoras del ámbito de aplicación de la Tasa", cit., págs. 18 y 30.

[35]   *Vid.*, entre otros, COLLADO YURRITA, M.A., "Tasas y precios públicos en la Ley Reguladora de las Haciendas Locales", *Impuestos,* vol. I, 1989, pág. 347.

[36]   PAGÈS I GALTÉS, J., "Circunstancias delimitadoras del ámbito de aplicación de la Tasa", cit., pág. 31.

[37]   *Vid.*, en este sentido, SIMÓN ACOSTA, E., "Tasas, tarifas y precios públicos", cit., pág. 28.

[38]   AGUALLO AVILÉS, A., *Tasas y Precios Públicos,* Ed. Lex Nova, Valladolid, 1992, pág. 240.

b) No concurrencia del sector privado y el sector público

Como se ha indicado ya, la tasa se cobrará también cuando el servicio sea de solicitud voluntaria *siempre que no se preste en concurrencia con el sector privado*. En definitiva, que exista monopolio, de hecho o de derecho, por inactividad del sector privado, de lo que se extrae la idea fundamental de que la concurrencia de *cualquiera* de las dos circunstancias analizadas da lugar a la idea de *coactividad u obligatoriedad* a que se viene haciendo referencia.

En referencia a dicha circunstancia creemos importante *cuestionarse*, junto a MENÉNDEZ MORENO, acerca de "cuál es el ámbito territorial al que hay que referirse para saber si el servicio o actividad se presta o no también por el sector privado: ¿en todo el territorio estatal o en un ámbito más pequeño que podría circunscribirse incluso al municipio? Como cabe imaginar, la pregunta admite pluralidad de respuestas, siendo quizá la más lógica, siguiendo al autor citado, y teniendo en cuenta la *indeterminación* de la referencia espacial, la de concretarlo al del ámbito territorial propio del ente público que presta el servicio o realiza la actividad, en el que debería verificarse la existencia o no de la mencionada concurrencia con el sector privado, con el fin de exigir una tasa o un precio público[39].

De otro lado, es relevante subrayar también el amplio margen de *variabilidad* que introduce el concepto examinado a la hora de considerar la presencia de coactividad en un determinado supuesto ya que basta el "cambio" en la concurrencia o no con el sector privado para aplicar el concepto de tasa o de precio público siendo así que, como ha afirmado PAGÈS I GALTÉS, "la indispensabilidad y el carácter monopolístico de los servicios o actividades son las dos notas de la coactividad que presentan más problemas a la hora de su integración"[40].

Finalmente, y teniendo en cuenta que el art. 20.4 del TRLHL contempla un conjunto de supuestos, articulados de forma *abierta* (tal como ha afirmado la STC 233/1999, de 16 de diciembre), que pueden dar lugar a la exigencia de tasa por prestación de un servicio público local, cabe señalar la necesidad de que los entes locales vayan actualizando y adaptando a las necesidades de cada momento el listado de sus servicios públicos o de sus actividades administrativas por los que pueden exigir una tasa. Actuación

---

[39] *Vid.* MENÉNDEZ MORENO, A., "Reflexiones en torno al presupuesto de hecho de los impuestos, tasas y contribuciones especiales", cit., pág. 44, pronunciándose en el mismos sentido PAGÈS I GALTÉS, J., op. cit., pág. 34.

[40] *Vid.* PAGÈS I GALTÉS, J., op. cit., págs. 15 y 16 y 32. Autor que, quizá debido a las consideraciones expuestas en el texto, entiende que "la coactividad derivada del monopolio no ha de implicar *per se* la regulación de la prestación como tasa", a pesar de que el TC defiende la opinión contraria en el sentido de que "las prestaciones y actividades monopolísticos deban entenderse sujetos al principio de legalidad, cosa que, a su vez, fuerza a que el legislador las regule como tasas".

que, a nuestro modo de ver, *debería contribuir* a la *concreción* continua de la nota de la coactividad y, en consecuencia, del carácter esencial del servicio.

2.3.3. La presencia de la capacidad económica en la tasa

Uno de los temas que plantea mayor controversia es el referente a la presencia del principio de capacidad económica en las tasas. Cuestión para cuyo análisis debe partirse del *marco legal* trazado por los arts. 8 de la LTPP y 24 del TRLHL. Y ello en *contraposición con el impuesto*, figura en que la presencia de dicho principio no debe dejar lugar a dudas, tal como se desprende de su definición, contenida en el art. 2.2.c) de la LGT.

Pues bien, indica el precepto señalado en primer lugar que "En la fijación de las tasas se tendrán en cuenta, *cuando lo permitan las características del tributo,* la *capacidad económica* de las personas que deben satisfacerlas", indicando, asimismo, el art. 24 del TRLHL que "Para la determinación de la cuantía de las tasas *podrán tenerse en cuenta criterios genéricos de capacidad económica* de los sujetos obligados a satisfacerlas". Preceptos que, como puede apreciarse, aparecen configurados de modo "abierto" o "flexible", viniendo ello determinado, a nuestro juicio, por la *propia configuración jurídica* de la tasa, en lo que respecta a la "posible presencia" del principio de capacidad económica en la misma.

Es quizá dicha razón la que ha conducido a la división de la *doctrina* en relación con dicho extremo, siendo muestra de ello, en primer lugar, la opinión de FERNÁNDEZ PAVÉS para quien las prestaciones que han de cumplir los sujetos consistirán, fundamentalmente, en el pago de la obligación tributaria principal que deriva de la realización del hecho imponible, como deudores de la cuota tributaria, "al haber puesto de manifiesto con ello una determinada capacidad económica", añadiendo que "con independencia de que, además de ello, se responda en cierta forma también a las exigencias del principio del beneficio o de la equivalencia"[41]. En otro sentido, se pronuncia FERNÁNDEZ JUNQUERA cuando afirma que el principio de capacidad económica no es el fundamento de la tasa "sino el gasto que se provoca a la Administración"[42]. Más radical se muestra MENÉNDEZ MORENO para quien es evidente la incoherencia de estos preceptos —los mencionados más arriba— con la calificación de las tasas como tributo, que ha de conllevar, ineludiblemente, el sometimiento a los principios constitucionales y, por lo tanto, al de capacidad económica que deberá tomarse necesariamente

---

[41]   *Vid.* FERNÁNDEZ PAVÉS, M.J., "Las tasas y los precios públicos", en *Derecho Tributario Local,* CARRASCO PARRILLA, P.J. (Dir.), Atelier, 2008, págs. 63 y 65.

[42]   FERNÁNDEZ JUNQUERA, M., "Las tasas. Aspectos sustantivos y principios", *Tributos Locales,* núm. 24/2002, pág. 12.

en cuenta en su regulación "y no como una mera posibilidad, que es lo que se desprende de los preceptos que se acaban de transcribir"[43].

Posiciones, en efecto, que podrían encontrar su "punto de equilibrio", a nuestro modo de ver, y teniendo en cuenta las *especialidades o particularidades* de la tasa, en el entendimiento del principio de capacidad económica en cuanto *principio informador* del sistema tributario pudiendo aparecer, además, con *distinta intensidad* en las diferentes figuras tributarias que conforman dicho sistema, según ha reconocido el TC en diversos pronunciamientos[44]. Todo ello desde la perspectiva aportada, entre otros autores, por CHICO DE LA CÁMARA, de que tanto el principio de equivalencia como el principio de capacidad económica "pueden convivir perfectamente en armonía sin que se autoexcluyan entre sí", fundamentando dicha afirmación en los arts. 24.4 del TRLHL y 8 de la LTPP. "Presencia" que, a nuestro juicio, habrá de ser *concretada* en cada caso, en función de las características particulares de la tasa en cuestión y, especialmente, en relación con el principio de equivalencia, que se articula "como una verdadera exigencia y no como una mera recomendación"[45]. Esto es, "el coste del servicio como guía y límite de la cuantificación es ya una buena observancia del principio a que nos referimos"[46] siendo, por tanto, el propio servicio público o actividad administrativa los que ponen de manifiesto *una determinada capacidad económica del sujeto llamado a satisfacerlas*[47].

Sentadas las posiciones anteriores, y partiendo del hecho cierto de que *no se puede pretender aplicar a la tasa el principio de capacidad económica con los mismos parámetros que en el impuesto,* podría afirmarse que la *jurisprudencia* ha venido adoptando una cierta *posición uniforme* al señalar que los Ayuntamientos, en el ejercicio de su poder tributario derivado, tienen la tarea de determinar los elementos o aspectos del hecho imponible que expresan mejor la capacidad económica de los sujetos pasivos que deben abonar las tasas (entre otras, la STSJ de Canarias, de 30 de junio de 1995), *matizando,* en relación con ello, entre otras, la STSJ de Cataluña, de 29 de noviembre de 1991, que la Ley no obliga, en materia de tasas, a una imposible consideración individual de la capacidad económica de cada contribuyente sino que se remite a *criterios genéricos de capacidad económica.* Jurisprudencia, por tanto, que se muestra consciente (del mismo modo que buena parte de la doctrina —entre muchos otros, CORS MEYA, LAGO

---

43   MENÉNDEZ MORENO, A., "Reflexiones en torno al presupuesto de hecho de los impuestos, tasas y contribuciones especiales", cit., pág. 52.

44   Entre otras, las SSTC 164/1995, 44/1996 y 141/1996 o el ATC 71/2008.

45   *Vid.* RUIZ GARIJO, M., "El concepto de tasa y delimitación con otros ingresos de Derecho Público y Privado", cit., pág. 179.

46   CALVO ORTEGA, R., *Curso de Derecho Financiero I, Derecho Tributario*, cit., pág. 139.

47   MARTÍN FERNÁNDEZ, J., *Tasas y precios públicos en la Hacienda Local*, cit., págs. 16 y 17.

MONTERO o GONZÁLEZ GARCÍA—) de que la capacidad económica ocupa en la tasa un lugar *subsidiario*[48].

3. CONCEPTO DE PRECIO PÚBLICO

Dentro de los recursos que pueden obtener los entes locales se encuentran los precios públicos, previstos en el art. 2 del TRLHL. Clase de ingresos que es preciso *diferenciar*, así como *contrastar* con el concepto de tasas.

El precio público fue regulado por vez primera en la LTPP definiéndose como aquella contraprestación pecuniaria configurada por un doble presupuesto: a) por la utilización privativa o el aprovechamiento especial del dominio público; b) por la prestación de servicios y las entregas postales accesorias a las mismas efectuadas por los servicios públicos postales, así como por la prestación de servicios o realización de actividades efectuadas en régimen de Derecho público cuando los servicios o las actividades no sean de solicitud o recepción obligatoria por los administrados o sean susceptibles de ser prestados o realizados por el sector privado. Definición de la que se desprendía un concepto *excesivamente flexible*[49] (amén de la inconstitucionalidad del mismo) que, en ocasiones, hacía muy difícil su diferenciación de la tasa. Concepto de precio público redefinido de mano de la Ley 25/1998, de 13 de julio, de modificación del Régimen Legal de las Tasas Estatales y Locales y de Reordenación de las Prestaciones Patrimoniales de Carácter Público, que le otorgó la actual redacción, tras la ya mencionada "partición" del hecho imponible de la tasa por parte de la Ley 8/1989, de Tasas y Precios Públicos.

Pues bien, antes de adentrarnos en nuestro estudio, es importante indicar que los llamados precios públicos responden a una *doble razón*.

a) En primer lugar, son debidos a una actividad cada vez más plural de las Administraciones siendo cierto que la prestación de servicios no esenciales en régimen de competencia con los sujetos privados se inscribe en esta pluralidad. *No son ser-*

---

[48] Así se indica con claridad en la STS de 30 de noviembre de 2002, al afirmar que "en las tasas se coloca en una posición *claramente secundaria* el principio de capacidad económica, habida cuenta de que, también a diferencia del impuesto, que manifieste menor o mayor capacidad económica la prestación económica no se satisface porque se realice un hecho, sino porque se recibe un servicio de la Administración, de forma que el principio informador prevalente es el de equivalencia de costes, pero no en relación con el coste del servicio concreto que se preste por la Administración sino, en su conjunto, respecto del coste real o previsible del servicio o actividad de que se trate".

[49] Tal como ha indicado PAGÉS I GALTÉS, J., "Circunstancias delimitadoras del ámbito de aplicación de la Tasa", cit., pág. 21, "El grave defecto en que incurría la regulación original de los precios públicos es que con ellos se pretendía crear una figura financiera que, sin cumplimentar las exigencias mínimas derivada del principio de reserva de ley del art. 31.3 CE, era susceptible de alcanzar a prestaciones claramente coactivas, lo que infringía este principio".

vicios esenciales, pero tampoco son actividades privadas de la Administración (personificación privada y una negociación también privada) dado que son prestadas en régimen de Derecho público. Son, por tanto, actividades distintas de los servicios esencialmente públicos (registro, certificación, autorizaciones, licencias, etc.), generadoras de tasas.

b) La segunda razón que ha dado lugar a la figura de los precios públicos ya se ha indicado también, refiriéndose a *la conveniencia de no someter esta categoría al régimen más estricto y formal de las tasas* (en concreto, mayor exigencia en éstas de la reserva de ley y del principio de capacidad económica) dado que no son tributos. En otras palabras, no aplicar el régimen tributario a esta clase de actividades y si otro más rápido y flexible y, en definitiva, más próximo al mercado, máxime considerando que estas actividades se prestan en concurrencia con sujetos privados.

En consecuencia, el precio público, según lo dispuesto en los arts. 24 de la LTPP y 41 del TRLHL, y a diferencia de la tasa, se exige en la *actualidad* por la prestación de servicios públicos y la realización de actividades administrativas que afecten, se refieran o beneficien particularmente a un sujeto y *siempre que* dicho servicio sea de solicitud voluntaria (no considerándose *voluntaria* la solicitud de un servicio que pueda considerarse "indispensable" para la vida individual o social —ej.: suministro de agua—) y, *además*, sea prestado por el sector privado. Esto es, dicha figura se configura de manera *negativa* en relación al concepto de tasa examinado.

Concurrencia, de otro lado, que, según se ha señalado, ha hecho que la posibilidad de establecer precios públicos no sea algo excesivamente frecuente en la práctica, especialmente en los municipios pequeños en que la mayoría de los servicios se prestan por el Ayuntamiento al resultar poco atractivos desde el punto de vista económico para la iniciativa privada siendo significativo, en este sentido, que ni la LTPP ni el TRLHL mencionen supuesto alguno de situación que pudiera dar lugar a la imposición de precio público[50]. Consideración que se vería confirmada, a nuestro juicio, a partir de la introducción del concepto de prestaciones patrimoniales de carácter público no tributarias convirtiendo quizá al precio público en una categoría residual.

A lo anterior cabe añadir, al menos, tres consideraciones más.

a) Los precios públicos se basan, normalmente, en un *contrato de Derecho público* entre el ente prestatario y un particular que podrá tener o no la forma de con-

---

[50] Y ello, sin perjuicio de la afirmación de SIMÓN ACOSTA en el sentido de que no existiría inconveniente en exigir tasas por servicios no monopolizados y no necesarios para la vida personal o social, siempre que "sea la ley la que lo establezca o cree la obligación de pago", lo que, a nuestro juicio, incrementaría la dificultad de diferenciar la tasa del precio público (*Vid.* "Tasas, tarifas y precios públicos", cit., pág. 28).

trato de adhesión. Aspecto en que autores, como SIMÓN ACOSTA, sitúan "el criterio fundamental" de distinción entre tasa y precio público[51].

b) Los precios públicos son *ingresos de Derecho público*. Se exigen por razón de una actividad o prestación de servicio que, aún en concurrencia con el sector privado, es desarrollado en régimen de Derecho público. Razón por la cual, cuando la actividad se lleva a cabo con sujeción a las reglas del ordenamiento privado, la contraprestación tendrá, en principio, la consideración de un *precio privado*.

c) Se encuentran *obligados al pago de los mismos*, según lo dispuesto por el art. 43 del TRLHL, quienes se beneficien de los servicios o actividades por los que deban satisfacerse aquéllos.

Pues bien, volviendo al principio de *reserva de ley,* y en referencia a la tasa, ésta se contiene con claridad en el art. 10 de la LTPP, el art. 6.1 de la LOFCA, así como en los arts. 6 y 20.1 del TRLHL[52],

De otro lado, el establecimiento de los precios públicos no se encuentra reservado a la Ley. Así se contempla en el art. 26.1 de la LTPP, a cuyo tenor "el establecimiento o determinación de la cuantía de los precios públicos se hará: a) Por Orden del Departamento ministerial del que dependa el órgano que ha de percibirlos y a propuesta de éste, b) Directamente por los organismos públicos, previa autorización del Departamento ministerial del que dependan". En definitiva, y en palabras de CALVO ORTEGA, la LTPP "no establece propiamente una reserva de ley sobre los precios públicos ni tiene por qué hacerlo (...)". Se limita a establecer su concepto y una regla de economía financiera y buena administración (arts. 25 y 26). Tampoco hace llamada al principio de capacidad económica, ni tiene por qué hacerlo ya que no nos encontramos ante un tributo[53].

Todo ello, además, en el entendimiento de que, de modo contrario a lo que sucede en la tasa, al *no* encontrarnos en presencia de una *prestación patrimonial de carácter público*, no tiene sentido aplicar las garantías que, según se viene exponiendo tanto por el TC (entre otras, STC 187/1987, de 17 de febrero) como por la doctrina, fundamentan el principio de reserva de ley. En definitiva, nos encontraríamos ante prestaciones de

---

[51] SIMÓN ACOSTA, E., op. cit., pág. 24. Línea en que advierte PAGÈS I GALTÉS, "Circunstancias delimitadoras del ámbito de aplicación de la Tasa", cit., pág. 19, que la diferencia entre tasa y precio público radica en que la tasa es una obligación *ex lege* mientras que el precio público se configura como una obligación *ex contractu*, añadiendo que esto no siempre será sencillo de determinar por lo que "deberá ser el intérprete quien dilucide los términos en que se configura la obligación".

[52] Precepto que establece lo siguiente: "1. El establecimiento de las tasas, así como la regulación de los elementos esenciales de cada una de ellas, deberá realizarse con arreglo a la Ley. 2. Son elementos esenciales de las tasas los determinados por la presente Ley en el capítulo siguiente. 3. Cuando se autorice por Ley, con subordinación a los criterios o elementos de cuantificación que determine la misma, se podrán concretar mediante normas reglamentarias las cuantías exigibles para cada caso".

[53] CALVO ORTEGA, R., *Curso de Derecho Financiero I, Derecho Tributario*, cit., pág. 153.

origen contractual para las partes intervinientes que, precisamente por ello, no requerirán una especial protección en su establecimiento para el solicitante o receptor de los servicios o actividades. Razón por la que no se entiende necesaria la *cobertura legal* de los precios públicos.

Ahora bien, a pesar de lo expuesto, y de que el *fundamento* de la ausencia de sometimiento de los precios públicos al principio de reserva de ley se encuentre en el hecho de no tener la consideración de "prestaciones patrimoniales de carácter público" (esto es, de prestaciones patrimoniales coactivas), según lo establecido en el art. 31.3 de la CE, *no es del todo pacífica* en la doctrina la ausencia de sometimiento a la Ley de los precios públicos. Y ello, fundamentalmente, en base a dos argumentos: por una parte, el que entiende que nos encontramos ante prestaciones obtenidas por los entes públicos con las facultades exorbitantes que caracterizan a los ingresos públicos de derecho público; es decir, su naturaleza de *ingreso público de derecho público* no afecta tanto al establecimiento como a la *aplicación o percepción* de los mencionados precios públicos, para lo que los entes públicos gozan, según se verá a continuación, de las citadas "facultades exorbitantes que se plasman en la presunción *iuris tantum* de legalidad y en la capacidad de autoejecución de su cobranza"[54]. Y, de otro lado, el que defiende que el contrato en que se basa el precio público "no es incompatible con el hecho de que algunos de sus elementos estén fuera del alcance de la voluntad de alguna de las partes contratantes", tal como sucede con los contratos de adhesión, donde una de las partes tiene libertad para obligarse o no, pero no puede elegir las condiciones del contrato"[55].

4. CUANTIFICACIÓN

Otro de los aspectos nucleares que diferencian la tasa del precio público es el relativo a la cuantificación de los mismos debiendo indicar que los *principios* que sirven de guía a uno y otro son distintos, siendo, además, quizá el aspecto que mayor atención ha merecido por parte de la jurisprudencia. Sentido en que es significativa la opinión de FERREIRO LAPATZA para quien la diferencia esencial entre las tasas y las contribuciones especiales de un parte e impuestos de otra, radica en los elementos de cuantificación del tributo, o dicho de manera más simple, "en la forma en que se regula su cuantía"[56].

---

[54] MENÉNDEZ MORENO, A., "Reflexiones en torno al presupuesto de hecho de los impuestos, tasas y contribuciones especiales", cit., pág. 50.

[55] SIMÓN ACOSTA, E., "Tasas, tarifas y precios públicos", cit., pág. 34. Autor que añade en relación a lo expresado en el texto, que "pueden existir precios o prestaciones contractuales que sean prestaciones patrimoniales de carácter público".

[56] FERREIRO LAPATZA, J.J., "La clasificación de los tributos en impuestos, tasas y contribuciones especiales", cit., pág. 553.

Pues bien, comenzando con las tasas, ya se ha señalado que la cuantificación del primero de los presupuestos de hecho que configuran la misma aparece determinado por el "valor de mercado" correspondiente a la utilidad derivada de la utilización del dominio público (arts. 19.1 de la LTPP y 24.1 del TRLHL). Criterio para cuyo enjuiciamiento y crítica nos remitimos a lo expuesto más arriba.

En referencia al segundo presupuesto de la tasa, esto es, el relativo a la prestación de servicios o la realización de actividades, se indica, en el art. 19.2 de la LTPP, en base al *principio de equivalencia*, que la misma "no podrá exceder, en su conjunto, del coste real o previsible del servicio o actividad de que se trate o, en su defecto, del valor de la prestación recibida". Términos que reitera, en el ámbito local, el art. 24.2 del TRLHL. De este modo, y como se ha indicado, "el presupuesto de hecho de la tasa responde más al principio de provocación de costes o del beneficio derivado de la actividad administrativa, que a la capacidad económica del contribuyente, aunque para fijar su cuantía se tenga en cuenta, en la medida de lo posible, por imperativo constitucional, la capacidad económica de aquel"[57].

Sin embargo, como ha señalado RUIZ GARIJO "el fundamento de las tasas, basado en el principio del beneficio y/o provocación de costes" son olvidados e incluso menospreciados en algunos casos a la hora de cuantificar las tasas. En efecto, y a juicio de dicha autora, los entes públicos aplican *erróneamente* como único límite el coste global del servicio público, refrendando los Tribunales dicha práctica que beneficia sumamente a los entes locales, los cuales "ven flexibilizadas las exigencias legales en el establecimiento de las tasas". Es decir, "el coste individual del que se beneficia el sujeto (el coste provocado a la Administración) no se tiene en cuenta a la hora de cuantificar la tasa. En algunos casos, incluso, se admite que la cuantía de una sola tasa (de un solo contribuyente) llegue casi a superar la totalidad del coste del servicio (tal como es el caso de las tasas por licencias de apertura o por licencias de obra) lo cual contradice el fundamento y la naturaleza jurídica de la tasa"[58].

De otro lado, y como *requisito de validez* de las disposiciones que determinen su cuantía, es precisa la elaboración de una *memoria económico-financiera sobre el coste del servicio o actividad*, en la que se justifique la cuantía propuesta, la cual se aprueba con anterioridad a la ordenanza relativa a las distintas clases de tasas (art. 25 del TRLHL). Del mismo modo, cualquier *modificación* de la cuantía preexistente de la tasa debe realizarse a través de la correspondiente memoria económico-financiera en la que, entre otras cuestiones, se *justifique* la nueva cuantía de la tasa propuesta (art. 20 de la LTPP).

---

57   *Vid.* RAMOS PRIETO, J. y TRIGUEROS MARTÍN, M.J., *Autonomía y suficiencia financiera local. La capacidad tributaria de las entidades locales,* CEMCI, Granada, 2013, pág. 177.

58   RUIZ GARIJO, M., "El concepto de tasa y delimitación con otros ingresos de Derecho Público y Privado", cit., págs. 105 y 106.

Asimismo, la *omisión* de la memoria en los supuestos en los que es preceptiva su elaboración acarrea la *nulidad absoluta* de la ordenanza[59]. En efecto, y como ha señalado el TS en múltiples pronunciamientos, la memoria económico-financiera "es un instrumento de principal importancia para la determinación directa de la cuantía de la deuda tributaria, habida cuenta que el cálculo de las bases imponibles y la determinación de los tipos de gravamen (...) dependerá, sin duda y en importantísima medida, de las conclusiones a que se llegue a la hora de elaborar los costes globales e ingresos referentes a la prestación de la actividad o servicio de que se trate. En definitiva, *lo que legitima el cobro de una tasa es la provocación de un gasto o coste;* de lo que deriva la exigencia de justificar la exacción de las tasas mediante la memoria económico-financiera..." (Vid., entre otras, SSTS de 12 de marzo de 1997, 23 de mayo de 1998 o 1 de julio de 2003).

Punto en que es preciso señalar que la STC 233/1999, de 16 de diciembre, vino a reforzar el poder tributario local, al reconocer el "plus" de legitimidad del Pleno y las especialidades de la Ordenanza Municipal. Tendencia, en efecto que admite una interpretación flexible de la reserva de ley en el ámbito local, *aunque exigiendo un cierto equilibrio, en la medida en que se requiere que la Ley fije los elementos básicos de la categoría tributaria correspondiente, en este caso a la tasa.* Sentencia, por tanto, en la que se retoma la idea de "equilibrio" entre la Ley y la Ordenanza de tal forma que "no se prive a los municipios de cualquier intervención en la ordenación del tributo, ni el legislador abdique de toda regulación directa sobre los mismos" (STC 18/987 —F.J. 5º—)".

Ámbito en que el *problema fundamental* radica, sin embargo, en la inexistencia de una norma específica que establezca el contenido o la forma exacta que deba revestir dicha memoria o informe, lo cual, como es evidente, constituye fuente continua de conflictos. Sentido en que MERINO JARA ha puesto de relieve la *indeterminación legislativa* existente en relación con este punto y, especialmente, en lo que se refiere a la determinación de la base imponible; oscuridad que "constituye una clara confesión de la imposibilidad de regular la cuantía de la tasa en detalle, como si se tratara de un impuesto. La tasa —continúa dicho autor— no deviene como consecuencia de una manifestación de capacidad económica. Es impracticable la detracción de una parte de dicha capacidad a fin de dirigirla al sostenimiento particular de un determinado servicio público o de una actividad administrativa"[60]. Crítica que coincide con la realizada por MENÉNDEZ MORENO en el sentido de entender el carácter "absurdo" (por contra-

---

59 Vid. la STS de 24 de junio de 2021.

60 *Vid.* MERINO JARA, I., "Principios rectores de las tasas", en *Las Tasas Locales*, CHICO DE LA CÁMARA, P. y GALÁN RUIZ, J, (Dir.), Thomson-Reuters, Civitas, Cizur Menor, Pamplona, 2011, pág. 134.

dictorio) de los criterios generales de determinación de la cuota, contenidos tanto en el art. 19.4 de la LTPP como en el art. 24.3 del TRLHL, en los que se alude a criterios de cuantificación como la tarifa (y, en general, los tipos de gravamen) que, desde luego, *no guardan coherencia* alguna con el criterio de cuantificación conforme al coste del servicio[61].

Punto, finalmente, que no queremos concluir sin aludir a la STS de 19 de mayo de 2000, en la que se declara que "la existencia de la memoria económico-financiera constituye un medio de garantizar, justificar (el ente impositor) y controlar (el sujeto pasivo) que el principio de equivalencia se respeta" y se dirige, por tanto, a evitar la indefensión del administrado ante actuaciones administrativas arbitrarias (entre otras, las SSTS de 10 de febrero de 2003, de 1 de julio de 2003 o de 19 de julio de 2007).

Por otro lado, y en lo que respecta a los precios públicos, el art. 25.1 de la LTPP establece que su cuantía "se determinará a un nivel que *cubra, como mínimo*, los costes económicos originados por la realización de las actividades o la prestación de los servicios o a un nivel que resulte equivalente a la utilidad derivada de los mismos". Previsión que reproduce, en el ámbito local, el art. 44.1 del TRLHL. Modo de cuantificación que cabe excepcionar en los supuestos contemplados tanto el art. 25.2 de la LTPP como el art. 44.2 del TRLHL[62].

Cuestión en referencia a la cual cabe indicar además que: a) los precios públicos, teóricamente, no solamente han de cubrir los costes, sino *procurar, en su caso, ingresos adicionales;* es decir, "beneficios en el sentido empresarial del término no de utilidad pública o interés general, razones últimas de toda actividad administrativa"[63]; b) pueden exigirse mediante el *régimen de autoliquidación* (art. 45 TRLHL) siendo *competente* para el cobro el ente público que presta el servicio o realiza la actividad o sus organismos autónomos así como los consorcios (art. 47.2 TRLHL); c) cuando por *causas no imputables al obligado al pago del precio,* el servicio o la actividad *no se preste o realice,* procederá la *devolución* del importe correspondiente, comprendiendo la cuantía de la devolución el importe de la cantidad ingresada y, en su caso, el interés de demora[64]; d) los precios públicos, pese a no ser tributos, y en caso de *impago,* pueden ser exigidos

---

[61] MENÉNDEZ MORENO, A., "Reflexiones en torno al presupuesto de hecho de los impuestos, tasas y contribuciones especiales", cit., pág. 52.

[62] Señala el art. 25.2 de la LTPP que: "2. Cuando existan razones sociales, benéficas, culturales o de interés público que así lo aconsejen, podrán señalarse precios públicos que resulten inferiores a los parámetros previstos en el apartado anterior, previa adopción de las previsiones presupuestarias oportunas para la cobertura de la parte del precio subvencionada".

[63] RAMOS PRIETO, J. y TRIGUEROS MARTÍN, M.J., *Autonomía y suficiencia financiera local. La capacidad tributaria de las entidades locales,* cit., pág. 178

[64] Debe tenerse en cuenta que, a diferencia de las tasas, el interés de demora no es el tributario, debido a que no nos encontramos ante una categoría tributaria no siendo aplicable, por tanto,

mediante el procedimiento administrativo de apremio utilizado para la recaudación forzosa de los mismos (art. 46 del TRLHL)[65].

Establece, por otro lado, el art. 26.2 de la Ley 8/1989, que "Toda propuesta de establecimiento o modificación de la cuantía de los precios públicos deberá ir acompañada de una memoria económico-financiera que justifique el importe de los mismos que se proponga y el grado de cobertura de los costes correspondientes". Precepto que, en base a lo prescrito en la D.A. 7ª, que contempla la aplicación supletoria de su Título III a los precios públicos que establezcan tanto las CCAA como las CCLL, debe llevar a entender aplicable dicho precepto al ámbito local (en que no se contiene un precepto similar[66]), de modo que, de no acompañarse la memoria económico-financiera, habría que declarar la *nulidad* de la disposición por la que se establece el precio público[67]. Memoria que se constituye en un mecanismo de control tanto para el ente local sobre la actuación de sus órganos como para el ciudadano, quien puede comprobar que la cuantía del precio se adecua a los costes de la actividad administrativa. Cuestión a la que se ha referido el TC, en la Sentencia 185/1995, haciendo hincapié en la obligación de las entidades locales de *justificar* el establecimiento de los precios públicos (F.J. 19º).

Finalmente, y de conformidad con el art. 7.1 TRLHL, las entidades locales podrán *delegar* en la Comunidad Autónoma o en otras entidades locales en cuyo territorio se encuentren integradas (como es el caso de las Diputaciones) las facultades de gestión, liquidación, inspección y recaudación de los ingresos de Derecho público que les correspondan, entre los que se encuentran los *precios públicos*.

---

lo dispuesto en el art. 26 de la LGT, sino lo establecido en los arts. 17 y 24 de la Ley 47/2003, de 26 de noviembre, General Presupuestaria.

[65]   Idea en relación con la que han indicado RAMOS PRIETO, J. y TRIGUEROS MARTÍN, M.J., op. cit., pág. 179, que, aunque el TRLHL no dice nada en este sentido, la iniciación del procedimiento ejecutivo y del procedimiento de apremio producen, además de la ejecución del patrimonio del deudor, en el caso de que la deuda no se pague en plazo, el devengo de los recargos del período ejecutivo y el comienzo del devengo de los intereses de demora.

[66]   De hecho, la Comisión de Expertos para la revisión del modelo de financiación local de julio de 2017, propuso introducir un apartado en el art. 47 del TRLHL, en el que se regule que el establecimiento o modificación sustancial de la cuantía de los precios públicos habrá de acompañarse de un informe económico-financiero, tal como sucede con las tasas, que justificaría el importe de los mismos que se proponga y el grado de cobertura financiera de los costes correspondientes.

[67]   Cuestión en relación con la que ha declarado la STC de 28 de septiembre de 2015 que, de citado marco legal, se desprende que establecimiento o modificación de la cuantía de los precios públicos deberá ir acompañado necesariamente de una memoria o informe económico-financiero que regule, de manera al menos equivalente, el coste del servicio o actividad prestada, así como los ingresos previstos por el cobro de los precios públicos.

5. ALGUNAS REFLEXIONES

Parafraseando a CALVO ORTEGA, podemos comenzar afirmando que la existencia de figuras paralelas a la tasa, como es el caso concreto de los precios públicos, y que incluso tienen algunas notas de éstos ha dado lugar a diversas *reflexiones sobre su naturaleza*. Se trata de un *debate conveniente* que debe ayudarnos a *delimitar mejor la figura tributaria* propiamente dicha[68]; debate, en efecto, que se impone con más fuerza si cabe tras la diferenciación llevada a cabo por parte de la LSCP entre prestaciones patrimoniales públicas tributarias y no tributarias resumiendo esta situando con atino este mismo autor al indicar que hoy en día el concepto de tasa es el *más atormentado* del derecho tributario[69].

Pues bien, dicha labor es la que se ha intentado llevar a cabo en este trabajo con todas las limitaciones que ello lleva consigo. En este sentido, y aunque puede decirse que la *distinción* entre tasas y precios públicos ha presentado (y presenta actualmente) perfiles *bastante difusos*, tanto a nivel positivo como doctrinal, no solamente en el seno de la Hacienda Pública sino también en el de nuestra disciplina, debe hacerse hincapié, al mismo tiempo, en la enorme *trascendencia* de dicha cuestión, tanto desde el *punto de vista teórico como práctico*. Esto es, la determinación de las muchas diferencias que separan la regulación jurídica de las *tasas* tanto del precio público como de las que podrían denominarse *retribuciones privadas,* así como la *adscripción* de un ingreso a una u otra categoría, constituye una *premisa necesaria para resolver varias e importantes cuestiones prácticas* de esencial trascendencia en el ámbito de la financiación local.

Escenario en que, habiendo quedado constatado que las tasas y los precios públicos no forman parte de la misma especie, una vez delimitado el régimen jurídico-tributario de ambas, cabe señalar que la opción por el precio público supone una "huida" hacia formas de financiación menos rigurosas respecto a la tutela de las garantías del administrado[70].

Diferenciación que se torna difusa al examinar sus notas caracterizadoras[71] y, en particular, la relativa a la inconsistencia del *presupuesto de hecho* de la tasa "debido a que lo que ayer se calificaba como precio hoy se considera tasa, y viceversa" sin que, ciertamente,

---

[68] *Vid.* CALVO ORTEGA, R., *Curso de Derecho Financiero I, Derecho Tributario*, cit., pág. 152.

[69] CALVO ORTEGA, R., *Curso de Derecho Financiero I. Derecho Tributario. Parte General, II. Derecho Presupuestario*, cit., pág. 103.

[70] Sentido en que se ha referido, entre otros autores, PAGÈS I GALTÉS, "Circunstancias delimitadoras del ámbito de aplicación de la Tasa", cit., pág. 28, a las "mayores garantías jurídicas existentes en el procedimiento de creación y establecimiento de las tasas".

[71] Idea que tal vez es la que se encuentra detrás de opiniones, como la de PAGÈS I GALTÉS, cuando señala que "la opción entre una tasa o un precio es una *decisión estrictamente política* del legislador que únicamente puede verse limitada por la Constitución" (*Vid.*, op. cit., cit., pág. 37).

"existan criterios indiscutibles para su calificación"[72] así como la referente a los *criterios de cuantificación,* debido, entre otras razones, a que la cuantificación actual de las tasas por ocupación del dominio público (precio de mercado) es idéntica a la de los precios, aspecto en donde cabe situar una de las diferencias más importantes entre ambas figuras.

Ideas, en efecto, que tan solo pretenden ser un "apunte" para la reflexión del lector persiguiendo, sobre todo, dejar constancia de que la regulación jurídica de las tasas y los precios públicos en nuestro ordenamiento actualmente no es la más adecuada, siendo quizá fruto de no haber sabido entender correctamente la obtención de ingresos a través de un instrumento *que supone un cambio sustancial en los planteamientos tradicionales en relación con la forma de obtener recursos.*

Régimen jurídico de la tasa, para finalizar, que ha alcanzado un alto grado de complejidad tras la confusa delimitación entre prestaciones patrimoniales de carácter público tributarias y no tributarias; distinción con impacto enorme en el ámbito local si tenemos en cuenta que los servicios municipales hasta ahora sujetos a tasa, si se prestan en régimen de derecho privado, bajo cualquiera de las formas previstas tanto en la LCSP como en el art. 20.4 del TRLHL, serán retribuidos mediante una prestación patrimonial de carácter público no tributaria[73].

6. BIBLIOGRAFÍA

Aguallo Avilés, A., *Tasas y Precios Públicos,* Lex Nova, Valladolid, 1992.

Calvo Ortega, *Curso de Derecho Financiero I, Derecho Tributario,* Civitas, Madrid, 2005 y 2009.

Calvo Ortega, *Curso de Derecho Financiero I. Derecho Tributario. Parte General, II. Derecho Presupuestario,* Thomson-Civitas, Pamplona, 2011.

Checa González, C., "Exigencia de tasas por el aprovechamiento especial del dominio público a los cajeros automáticos, instalados en las fachadas de las entidades financieras, utilizables desde la vía pública", *Jurisprudencia Tributaria*, núm. 35/2007.

Chico De La Cámara, P., "Las tasas municipales: nuevas oportunidades para su establecimiento como recurso ordinario de financiación de las Corporaciones locales", *Tributos Locales,* núm. 97/2010.

Collado Yurrita, M.a., "Tasas y precios públicos en la Ley Reguladora de las Haciendas Locales", *Impuestos,* vol. I, 1989.

De Vicente García, J., "La STC 63/2019, de 9 de mayo de 2019, avala la constitucionalidad de las prestaciones patrimoniales públicas no tributarias", *El consultor de los Ayuntamientos,* núm. 11/2019.

Fernández Pavés, M.J., "Las tasas y los precios públicos", en *Derecho Tributario Local,* Carrasco Parrilla, P.J. (Dir.), Atelier, 2008.

---

[72] MENÉNDEZ MORENO, A., "Reflexiones en torno al presupuesto de hecho de los impuestos, tasas y contribuciones especiales", cit., pág. 54.

[73] RUBIO DE URQUÍA, J.I., "Ante un a modo de concepto legal de «prestación patrimonial de carácter público» y otros problemas", cit., pág. 13.

Fernández Junquera, M., "Las tasas. Aspectos sustantivos y principios", *Tributos Locales*, núm. 24/2002.

Ferreiro Lapatza, J.J., "La clasificación de los tributos en impuestos, tasas y contribuciones especiales", *Revista Española de Derecho Financiero*, núm. 100/1998.

García Novoa, C., "Tasas municipales en relación con las telecomunicaciones (especial referencia a la telefonía móvil", en *Las Tasas Locales*, Chico De La Cámara, P. y Galán Ruiz, J, (Dir.), Thomson-Reuters, Civitas, Cizur Menor, Pamplona, 2011.

Gomar Sánchez, J.I. y Herrera Molina, P.M., "Tasas y precios públicos", en *Tributos Locales y Autonómicos,* Herrera Molina, P.M. (Dir.), Thomson-Aranzadi, Madrid, 2006.

Lasarte Álvarez (*El sistema tributario actual y la situación financiera del sector público,* Discurso leído en el acto de su recepción pública en la Real Academia Sevillana de legislación y Jurisprudencia, Sevilla, 1993.

Martín Fernández, J., *Tasas y precios públicos en la Hacienda Local,* Marcial Pons, Madrid, 2013.

Martín Rodríguez, J.M., Análisis de la STC 63/2019, de 9 de mayo de 2019. ¿Es inconstitucional la nueva regulación de las tarifas como prestaciones patrimoniales de carácter público no tributarias?", *Nueva Fiscalidad*, núm. 2/2019.

Martín Queralt, J., "Sobre la adecuación de las Tasas a la Constitución", *Palau 14, Revista Valenciana de Hacienda Pública,* núm. 4/1988.

Menéndez Moreno, A., "Reflexiones en torno al presupuesto de hecho de los impuestos, tasas y contribuciones especiales", *Revista Española de Derecho Financiero*, núm. 137/2008.

Merino Jara, I., "Principios rectores de las tasas", en *Las Tasas Locales*, Chico De La Cámara, P. y Galán Ruiz, J, (Dir.), Thomson-Reuters, Civitas, Cizur Menor, Pamplona, 2011.

Pagès i Galtés, J., "Circunstancias delimitadoras del ámbito de aplicación de la Tasa", *Tributos Locales*, núm. 110/2013.

Ramos Prieto, J. y Trigueros Martín, M.J., *Autonomía y suficiencia financiera local. La capacidad tributaria de las entidades locales,* CEMCI, Granada, 2013.

Rubio De Urquía, J.I., "La tributación de los operadores de telecomunicaciones y la tasa del uno y medio por cien: dos objetivos prioritarios de la reforma", *Revista Tributos Locales,* núm. 4/2001.

Rubio De Urquía, J.I., "Más motivos de litigiosidad en relación con la «tasa del uno y medio por cien»", *Revista Tributos Locales,* núm. 47/2005.

Rubio De Urquía, J.I., "Ante un a modo de concepto legal de «prestación patrimonial de carácter público» y otros problemas", *Revista Tributos Locales*, núm. 133/2017.

Ruiz Garijo, M., "Problemas actuales de la tasa", Marcial Pons, Valladolid, 2002.

Ruiz Garijo, M., "El concepto de tasa y delimitación con otros ingresos de Derecho Público y Privado", en *Las Tasas Locales*, Chico De La Camara, P. y Galan Ruiz, J, (Dir.), Thomson-Reuters-Civitas, Cizur Menor, Pamplona, 2011.

Sainz De Bujanda, F., "Luces y sombras en la ley de Tasas y Precios Públicos", *La Ley*, núm. 43/1989.

Simón Acosta, E., "Tasas, tarifas y precios públicos", *Quincena Fiscal*, núm. 14/2020.

Tandazo Rodríguez, A. y Herrera Molina, P.M., "Una nueva parafiscalidad: Constitucionalidad de las «tarifas» como prestaciones patrimoniales de carácter público no tributarias", *Revista de Tributos Locales*, núm. 142/2019.

Zornoza Pérez, J.J. y Ortiz Calle, E., "Las Tasas", en *Los tributos locales,* Marín Barnuevo.favo, D. (Coord.), Thomson-Reuters, Madrid, 2010.

Capítulo X
LAS CONTRIBUCIONES ESPECIALES EN LA HACIENDA LOCAL

FERNANDO FERNÁNDEZ MARÍN
Catedrático de Derecho Financiero y Tributario
Universidad de Almería

SUMARIO: 1. NATURALEZA Y HECHO IMPONIBLE DE LAS CONTRIBUCIONES ESPECIALES. 1.1. Naturaleza. 1.2. El hecho imponible. 1.3. Los elementos subjetivo y objetivo del hecho imponible. 1.3.1. *El beneficio y el aumento del valor.* 1.3.2. *La actividad administrativa.* 2. EL SUJETO PASIVO DE LAS CONTRIBUCIONES ESPECIALES. 2.1. La delimitación del sujeto pasivo. 2.2. La determinación del sujeto pasivo. 3. LAS EXENCIONES EN LAS CONTRIBUCIONES ESPECIALES. 4. LOS ELEMENTOS DE CUANTIFICACIÓN DE LAS CONTRIBUCIONES ESPECIALES. 4.1. La base imponible de las contribuciones especiales. 4.2. La cuota tributaria. 5. EL DEVENGO DE LAS CONTRIBUCIONES ESPECIALES. 6. EL PAGO DE LAS CONTRIBUCIONES ESPECIALES. 6.1. El fraccionamiento o aplazamiento de la cuota de la contribución especial. 6.2. El pago anticipado de la contribución especial. 7. LA GESTIÓN TRIBUTARIA DE LAS CONTRIBUCIONES ESPECIALES. 7.1. Los acuerdos de imposición y de ordenación de la contribución especial. 7.2. Las liquidaciones tributarias de las contribuciones especiales: su notificación y recursos. 7.3. La intervención de la asociación administrativa de contribuyentes. 8. BIBLIOGRAFÍA.

1. NATURALEZA Y HECHO IMPONIBLE DE LAS CONTRIBUCIONES ESPECIALES

1.1. NATURALEZA

Este tributo tiene un régimen jurídico específico y diferenciado del resto de las categorías tributarias como consecuencia de su naturaleza jurídica de "tributo de cupo", que le otorga una sustantividad propia. Así, se evidencia en la STS de 5 de junio de 1997 (*Tol 194624*) donde tras admitir su naturaleza de tributo del sistema de cupo se afirma que en éste:

"el sistema de reparto es consustancial a su exacción, porque se trata de la distribución entre los afectados, de una parte del coste de las obras o de los servicios que se establezcan, amplíen [o mejoren], de forma que le son aplicables, con las naturales diferencias, los principios y las normas esenciales que han inspirado los indicados sistemas de exacción. En todos los sistemas de 'reparto' es fundamental que los contribuyentes conozcan, el cupo o cifra a repartir, los módulos, índices básicos y de corrección, que han de ser utilizados para llevar a cabo la distribución, los contribuyentes sujetos al reparto y las cuotas individuales resultantes, porque la defensa de los contribuyentes se justifica no sólo por la improcedencia de la cifra a repartir o por el exceso en la cuota individual que se les ha señalado, sino también por comparación con las cuotas repartidas a los demás contribuyentes, sí incluidos. La omisión de la relación o padrón de los contribuyentes, con sus cuotas individuales, [...], es una infracción jurídica grave, porque provoca la indefensión, en la medida en que se priva a los contribuyentes de la información precisa, para juzgar el acierto o desacierto de su cuota y, por tanto, de la oportunidad y justificación de los correspondientes recursos, por lo que procede anular la liquidación impugnada".

Otra característica diferenciadora de este tributo es su carácter finalista reflejado en el art. 29.3 TRLRHL: "las cantidades recaudadas por contribuciones especiales sólo podrán destinarse a sufragar los gastos de la obra o del servicio por cuya razón se hubiesen exigido".

De esta última nota se infieren dos consecuencias inmediatas, la primera desde una vertiente tributario-financiera: la afectación del ingreso al gasto concreto. La contribución especial no es sino un medio financiación de una determinada obra o servicio público local[1], sin que quepa su aplicación discrecional, por el ente local, a la satisfacción del gasto corriente derivado del funcionamiento ordinario del servicio, pues sólo es posible su aplicación a estrictos gastos de inversión[2]. Consecuencia inmediata de ello, es que los acuerdos de imposición y ordenación de las contribuciones especiales deben ser previos a la realización de la obra o del servicio que deban costear —art. 34.2 TRLRHL—[3]; además, como consecuencia de este principio de afectación se tiene que reputar correcta la línea jurisprudencial que rechaza la infracción por las contribuciones especiales del principio general en materia presupuestaria según el cual no puede com-

---

[1] En este sentido es conveniente traer a colación la *STSJ de Andalucía 23 de febrero de 1998 (N.R. 755/1994)*, en las que se afirma que "la imposición a los contribuyentes de la obligación tributaria bajo la forma de la contribución especial exige la tramitación de un acuerdo especial de imposición, que no puede ser genérico, dada la propia naturaleza de las contribuciones especiales como tributos destinados a financiar una concreta y determinada obra pública o establecimiento de un servicio público de competencia local. Es decisión de la Corporación establecer la contribución especial concreta y este acuerdo de imposición y ordenación ha de ser previo a la ejecución de las obras, pues sólo así se cumple su función de ser el medio previsto para la financiación".

[2] STS 11 de noviembre de 2020 *(Tol 82209618).*

[3] Así, una reiteradísima jurisprudencia, entre otras muchas, *SSTS de 20 de marzo de 1998 (Tol 1699548), de 18 de abril de 1998 (Tol 1699299), de 8 de noviembre de 1997 (Tol 197144). STSJ de Andalucía de 10 de febrero de 2014 (Tol 4244724).*

prometerse gasto alguno sin que para ello exista la previa consignación presupuestaria[4]; y ello, "porque el acuerdo de imposición de contribuciones especiales no es un compromiso de gasto que requiera, previamente, de la existencia de crédito presupuestario sino, justamente, la previsión de unos gastos futuros acompañada de la paralela adecuación de los medios necesarios para su financiación"[5].

La segunda consecuencia de esta afectación es que el *ius variandi* de la Administración local sobre el proyecto de ejecución de la obra o del servicio que provoca la exigencia de la contribución especial, se ve limitado para ejecutar con los fondos obtenidos por la contribución especial obras y servicios no contemplados en el proyecto. El TS[6] justifica esta vinculación en la misma razón de ser de la contribución especial, esto es en su carácter finalista para la realización de una determinada obra y no otra, también para que las Asociaciones de contribuyentes puedan solicitar su ejecución. Sin embargo, esta vinculación no debe ser entendida en términos tales que cualquier alteración del proyecto provoque la repetición del expediente, así, se entiende permitido el *ius variandi* dentro de los límites que lo posibilita la normativa reguladora de la contratación pública. Como expresión máxima de la correlación entre el proyecto y la exacción de las contribuciones especiales, se puede señalar, por un lado, que los vicios de nulidad de aquél se comunican al expediente de las contribuciones especiales[7] y, por otro, que será nula la contribución especial que se apruebe con anterioridad a la aprobación definitiva del proyecto de urbanización en el que tiene su base[8].

---

[4] La *STS de 20 de febrero de 1988 (Tol 2349580)* considera en este sentido que no existe infracción formal esencial en el hecho de no incluir en el Presupuesto la cantidad a satisfacer por el Ayuntamiento.

[5] *SSTS de 21 de marzo de 1995 (Tol 1703276) y de 2 de noviembre de 1994 (Tol 1692007).*

[6] *STS de 10 de julio de 1999 (Tol 1699940)* "lo que justifica el establecimiento de contribuciones especiales no es la posibilidad de realizar una obra sino la decisión de ejecutarla, sólo puede determinarse el coste de las mismas cuando existe un proyecto en el que se especifiquen las condiciones de su realización. Sólo así las Asociaciones de contribuyentes están en condiciones de desempeñar las funciones que tienen legalmente encomendadas, entre ellas la de solicitar la ejecución, por sí mismas, de las obras, cuando el proyecto aprobado cuenta con las suficientes previsiones para su ejecución. No quiere esto decir que la Administración haya de considerarse vinculada al proyecto en términos tales que cualquier alteración en el mismo haya de dar lugar a la repetición íntegra del expediente. Esto sólo sucederá cuando la importancia de las modificaciones haga variar sustancialmente los elementos del proyecto sobre el que se tramitó el expediente de aplicación del tributo, cosa que no ocurriría si las modificaciones se mantuvieran dentro de los límites, (...) que permiten el '*ius variandi*' de las Administraciones contratantes". En esta línea la STSJ de Aragón de 2 de abril de 2004 (*Tol 508094*).

[7] *STS de 16 de mayo de 2006 (Tol 942284).* Así, la declaración de nulidad del Proyecto urbanístico, en el que se acordaba la realización de diversas obras y su financiación mediante contribuciones especiales, comunica el vicio de legalidad a la aplicación y exacción de las contribuciones especiales —SSTSJ de Cataluña de 23 de febrero de 2012 (*Tol 2535058*), de 18 de octubre de 2012 (*Tol 2729412*).

[8] STS de 30 de septiembre de 1980 (*Tol 965213*).

1.2. EL HECHO IMPONIBLE

El hecho imponible de un tributo es el elemento que lo identifica y a su vez permite diferenciarlo de las otras categorías tributarias. Del tenor del hecho imponible de las contribuciones especiales regulado en el art. 28 del TRLRHL[9] se constata la necesaria concurrencia de dos presupuestos esenciales para su realización: primero, la obtención por el sujeto pasivo de un beneficio o un aumento en el valor de sus bienes, y el segundo, la realización de una obra pública, o el establecimiento o ampliación de un servicio, de carácter local.

Por tanto, ninguno de los dos elementos por sí solo será suficiente para la realización del hecho imponible. De este modo, no basta con que el sujeto pasivo obtenga un beneficio, sino que se requiere, por un lado, que éste sea consecuencia de una determinada actividad administrativa local —art. 28 TRLRHL—, y por otro lado, se precisa que el beneficio provocado por esta actividad administrativa sea especial[10], es decir, distinto del general, difuso o no divisible que debe provocar toda actividad pública. Igualmente, no bastará la mera realización de una actividad administrativa local para que se realice el hecho imponible, será necesario que la misma provoque un beneficio especial.

En consecuencia, el art. 28 del TRLRHL exige para la realización del hecho imponible una relación o nexo de causalidad entre la ejecución de una determinada actividad administrativa y la obtención del beneficio especial. Sin embargo, la norma no establece esta relación de causalidad de un modo inexorable a modo de presunción *"iuris et de iure"*[11]. De hecho, el TRLRHL no recoge un elenco de actividades cuya realización por el ente local conlleve la exacción de este tributo, además se puede señalar que en la actualidad no existen las contribuciones especiales obligatorias, en nuestro ordenamiento, y, por último, la existencia e intensidad del beneficio especial es una cuestión de hecho, aun cuando en relación con determinados sujetos se pueda presumir, eso sí, *"iuris tantum"* su existencia.

La contribución especial como categoría tributaria, es decir, como modalidad de ingresos públicos, ha sido identificada por la STS de 22 de octubre de 1987 (*Ar. 7339*)

---

[9] Art. 28 del TRLRHL: "Constituye el hecho imponible de las contribuciones especiales la obtención por el sujeto pasivo de un beneficio o de un aumento de valor de sus bienes como consecuencia de la realización de obras públicas o del establecimiento o ampliación de **servicios públicos, de carácter local, por las entidades** respectivas".

[10] Exigencia que se deriva de manera indirecta del art. 28 TRLRHL al relacionarlo con el art. 30 TRLRHL regulador del sujeto pasivo, donde se consideran tales a las personas especialmente beneficiadas.

[11] De existir, ésta se daría en relación con el beneficio o interés general que se entiende siempre presente con la realización de las actuaciones de los entes públicos, prueba de ello sería la limitación máxima de la financiación del total de las obras por contribuciones especiales al 90 por ciento de su importe.

con "el pago obligatorio del coste de la parte divisible de un servicio público primordialmente indivisible, que beneficia especialmente a los inmuebles de una zona, y cuyo importe se satisface de una vez para siempre, aunque pueda ser fraccionado". La idea de justicia subyacente en la exacción de las contribuciones especiales es evitar mediante compensación —a través del pago de la contribución especial— el enriquecimiento injusto[12] que de otro modo obtendrían respecto de la colectividad determinados sujetos especialmente beneficiados. No obstante, este fundamento se convierte en estéril desde el momento en el cual nos encontramos ante un tributo potestativo de las Haciendas Locales, que requiere los previos acuerdos de imposición y de ordenación.

El anterior pronunciamiento del TS nos sirve para distinguir a la contribución especial del impuesto. Ya que el beneficio general y difuso de toda servicio u obra pública se financia mediante el pago de impuestos. Esta situación conlleva, por un lado, que resultará improcedente la exacción de las contribuciones especiales si no concurren las condiciones para materializar las ventajas particulares que puedan reportar tales actuaciones administrativas[13]. Y en segundo lugar, en el caso que concurra esta ventaja particular, será necesario "ponderar el porcentaje del coste de la obra que puede financiarse por contribuciones especiales, estableciéndose un máximo del noventa por ciento sobre aquél que ha de ir decreciendo en la medida en que los intereses particulares implicados en la obra cedan paso a favor de los intereses generales"[14].

Para distinguir esta figura de las tasas resulta especialmente ilustrativo el art. 22 TRLRHL donde se regula su compatibilidad con las contribuciones especiales[15].

1.3. LOS ELEMENTOS SUBJETIVO Y OBJETIVO DEL HECHO IMPONIBLE

El elemento subjetivo del hecho imponible es "la obtención por el sujeto pasivo de un beneficio o aumento del valor de sus bienes" y el elemento objetivo se concreta en que la obtención de tal beneficio sea como consecuencia de "la realización de obras públicas o del establecimiento o ampliación de servicios públicos, de carácter local". Esto evidencia la omisión en la descripción del hecho imponible —art. 28 TRLRHL— del calificativo de especial del beneficio que se genere al sujeto pasivo como consecuencia de tales obras o servicios; sin embargo, este calificativo se recoge en el art. 30 TRLRHL al regular a los sujetos pasivos. Por tanto, se puede afirmar que la exigencia de un bene-

---

[12] I. Merino Jara. "Contribuciones especiales" en la obra colectiva *La reforma de las Haciendas Locales*, Tomo I, Lex Nova, Valladolid, 1991, pág. 173.

[13] *SSTS de 10 de julio de 1998 (Tol 1699787) y de 28 de febrero de 1997 (Tol 193645).*

[14] STS de 21 de junio de 1994 (*Tol 1696697*).

[15] Art. 22 TRLRHL "Las tasas por la prestación de servicios no excluyen la exacción de contribuciones especiales por el establecimiento o ampliación de aquéllos".

ficio especial no se recoge ya en el elemento objetivo —como en disposiciones anteriores—, sino que se integra en el subjetivo.

El *beneficio especial*, más allá de su concreta ubicación se configura en este tributo como presupuesto para su exigibilidad, es un requisito básico para el nacimiento del hecho imponible y la subsiguiente obligación de contribuir[16], constituyendo el fundamento del hecho imponible de las contribuciones especiales[17] y la premisa que legitima la imposición de este tributo y otorga igualmente el carácter de sujeto pasivo a las personas especialmente beneficiadas[18]. Por tanto, el beneficio especial es un factor vertebrador de las contribuciones especiales, no siendo sólo el objeto imponible de éstas, ni un criterio material de justicia para la redacción de las normas de imposición; el beneficio especial, en la regulación de las contribuciones especiales, no sólo muestra su eficacia en el elemento subjetivo, sino en los distintos aspectos del elemento objetivo, en el material —o actividad administrativa—; en el espacial o territorial, en el temporal o devengo y en el cuantitativo[19].

Desde esta perspectiva, la concurrencia o no de un beneficio especial para determinadas personas es una cuestión de hecho[20] que puede afectar no sólo a su existencia sino a la intensidad del mismo, a la hora del reparto justo de la carga tributaria. En consecuencia, en el TRLRHL tanto el hecho imponible, como la condición de sujeto pasivo se hacen depender de un concepto jurídico abierto e indeterminado, cuya determinación exigirá analizar cada caso para comprobar si la actuación municipal provoca o no este beneficio especial, operación analítica que debe apoyarse en la Memoria justificativa del Proyecto de Contribuciones Especiales[21]. Esta apreciación realizada sobre el análisis de la Memoria no sólo tendrá virtualidad para excluir o en su caso incluir el beneficio de determinados sujetos, que determinaría su no sujeción o su sometimiento al gravamen respectivamente[22], sino incluso para indicar la procedencia o no de la exacción de la contribución especial, cuando la obra o servicio local no permite la apreciación de un interés particular diverso del general[23], en cuyo caso nos adentraríamos en el ámbito del impuesto.

---

16   *STS de 11 de abril de 1989.*

17   *STS de 19 de noviembre de 1989 (Tol 2377635).*

18   *STSJ de Madrid de 5 de junio de 1996 (NR. 642/1993).*

19   F. Fernández Marín. "Perfiles jurisprudenciales del beneficio en la contribución especial", *Revista Valenciana de Economía y Hacienda.* nº 1, 2001.

20   *SSTSJ de Galicia de 14 de junio de 1995 (NR. 8373/1993), de 31 de mayo de 1995 (NR. 8245/1993) y de 24 de febrero de 1995 (NR. 7657/1993).*

21   *SSTS de 22 de junio de 1990 (Tol 2382043), de 16 de abril de 1998 (Tol 38682) y de 10 de junio de 2002 (Tol 1701855).*

22   *STSJ de la Comunidad Valenciana de 11 de julio de 1994 (NR. 245/1993).*

23   *SSTSJ de Cataluña de 24 de octubre de 1995 (NR. 956/1992) y de Andalucía de 19 de junio de 2000 (NR. 2183/1997),* en este caso no se consideraba procedente la exacción por estar ante una obra de

Como hemos indicado, la concurrencia del beneficio especial en el sujeto pasivo es una cuestión de hecho, al presumirse *"iuris tantum"* su existencia[24]. De acuerdo con el principio de normalidad probatoria —art. 105 LGT—[25], esto supone que "siempre corresponderá al considerado como sujeto pasivo demostrar que en ese caso particular el beneficio o aumento de valor no se ha producido"[26]. Ahora bien, no sólo debe probarse la no existencia del beneficio, sino que por su naturaleza de tributo de "cupo" también debe probarse por quien lo invoque la existencia de más beneficiados que los señalados por la Administración[27]. En relación con el principio de normalidad probatoria al que acabamos de hacer mención la STS de 10 de noviembre de 2006 (*Tol 1022893*)[28] establece una excepción en su fundamento de derecho séptimo:

> "la sentencia recurrida considera que el *'onus probando'* del incremento de volumen de la prestación de servicios municipales o del beneficio especial o del aumento del valor de los bienes recae sobre el Ente impositor de las contribuciones especiales. La sentencia impugnada invierte, como se ve, la carga de la prueba y la hace recaer sobre la Corporación local que impone las contribuciones especiales. Y así debe ser pues es la Administración impositora de tales contribuciones la que debe probar el beneficio especial o aumento de valor que la obra a sufragar con contribuciones especiales va a representar para los sujetos pasivos del tributo local especial. Las consecuencias desfavorables de la falta o insuficiencia de prueba corresponden a la Administración ya que ésta es la que invoca a su favor las consecuencias jurídicas que integran el supuesto de hecho previsto por la norma. La Administración debe motivar sus acuerdos no con argumentos abstractos o genéricos sino con datos o razones concretas".

---

infraestructura general básica, como era un paseo marítimo (si bien en relación con esta consideración de los paseos marítimos la jurisprudencia no es uniforme en los Tribunales Superiores de Justicia). O la STSJ de Andalucía de 25 de septiembre de 2000 (*Tol 248740*) en relación con la realización de un vial-corredor para comunicar el núcleo del pueblo con una urbanización.

[24] La jurisprudencia del TS —*SSTS de 21 de diciembre de 1981 (Tol 976058) y STS de 5 de mayo de 1982* como recoge la sentencia reproducida en el texto— estableció que ante la falta de previsión legal sobre la verificación del beneficio, ésta ha presumirse por la correspondiente prueba en contrario. En este sentido la *STSJ de Madrid de 5 de junio de 1996 (NR. 642/1993)*.

[25] Art. 105.1 LGT *Carga de la prueba: "En los procedimientos de aplicación de los tributos quien haga valer su derecho deberá probar los hechos constitutivos del mismo".*

[26] *SSTSJ de Cataluña de 26 de abril de 1997 (NR. 2296/1993), de 7 de marzo de 1997 (NR. 1133/1993) y de 24 de octubre de 1995 (NR. 956/1992).*

[27] *STSJ de Castilla y León de 14 de junio de 1995 (NR. 1529/1991).*

[28] La sentencia recurrida era del TSJ de Castilla y León de 17 de mayo de 2001 (*Tol 104275*) la cual declaraba en su fundamento de derecho tercero que "tampoco se ha probado el beneficio especial o el aumento del valor de los bienes —también cuestionado— pese a que, según una constante jurisprudencia, el 'onus probando' de esos extremos recae sobre el Ente impositor —SS. 10 de marzo de 1956, de 30 de mayo de 1960, de 3 de diciembre de 1963, de 9 de mayo de 1964, de 31 de marzo de 1970, de 21 de junio de 1971, de 21 de diciembre de 1972 entre otras— y más aún cuando son discutidos en vía judicial".

1.3.1. El beneficio y el aumento de valor

Aparte de las ideas que sobre estos términos acabamos de dar sería conveniente realizar las siguientes observaciones. Aunque la doctrina y la jurisprudencia se muestran unánimes en torno a la eficacia exaccionadora del beneficio especial y sobre su presunción, esta unanimidad no se exterioriza a la hora de concretar el tipo de beneficio que produce estos efectos, es decir, el problema se plantea en *cuando* debe manifestarse ese beneficio.

En efecto, unas veces se requiere que el beneficio o el aumento del valor se verifique en el momento del devengo de la contribución especial[29] y, en consecuencia, se requiere que el beneficio sea "real, efectivo, y actual"[30], o "efectivo y comprobable"[31], o "real y presente"[32]. Sin embargo, de manera contraria a esta rigidez en la concurrencia del beneficio en el momento del devengo, y con cierto respaldo legal, art. 30.2,d) y art. 32.1,c) *in fine* del TRLRHL, otra línea jurisprudencial ha considerado que este beneficio especial, ni precisa concretarse en magnitudes económicas, ni necesita evidenciarse en una realidad inmediata, bastando con que se origine potencialmente, como sucede cuando, como consecuencia de las obras, determinadas fincas experimenten un aumento de valor aunque el mismo no pueda hacerse efectivo en el momento porque existen circunstancias que impiden su alienabilidad[33]. De este modo, el beneficio concurriría con independencia de que existan aumentos determinados de valor e independientemente del hecho de la utilización de las instalaciones y servicios por los interesados[34], así, será suficiente para considerar su existencia la simple posibilidad de utilización de los servicios derivados de la obra y no con su uso efectivo[35]; basta, por tanto, con la po-

---

[29] *STSJ de Cataluña de 28 de marzo de 1996 (NR. 428/1991).*

[30] *STS de 10 de julio de 1998 (Tol 1699787).*

[31] *SSTSJ de Cataluña de 4 de junio de 1998 (NR. 2865/1993), de 26 de abril de 1997 (NR. 2296/1993), de 7 de marzo de 1997 (NR. 1133/1993),* entre otras.

[32] *SSTSJ de Madrid de 5 de junio de 1996 (NR. 642/1993), de 30 de abril de 1996 (NR. 919/1993), de 5 de diciembre de 1995 (RN. 3248/1989UA).*

[33] SSTS de 29 de noviembre de 1996 (*Tol 192324*), de 25 de enero de 1996 (*NR. 4399/1991*), de 17 de octubre de 1994 (*Tol 1692419*); SSTJ de Galicia de 4 de noviembre de 1996 (*NR. 8353/1994*), de Castilla y León de 14 de septiembre de 1995 (*NR. 646/1992*) y en contra de la línea predominante la de Cataluña de 25 de octubre de 1996 (*NR. 2464/1993*).

[34] *SSTS de 13 de julio de 1985 (Ar. 4085), de 29 de octubre de 1983 (Ar. 5262); de 5 de mayo de 1982 (Ar. 2746), de 5 de abril de 1982 (Ar. 1971); SSTSJ de Murcia de 14 de marzo de 1994 (NR. 1728/1992), de la Comunidad Valenciana de 21 de julio (NR. 2771/1994) y de 15 de enero de 1998 (NR. 663/1995), de Canarias de 1 de julio de 1992 (NR. 635/1990).*

[35] *STSJ de Castilla y León, de 1 de diciembre de 1993 (NR. 284/1991).* STSJ de Andalucía de 17 de febrero de 2014 (*Tol 4344952*).

sibilidad tanto actual como futura de utilización[36]. No obstante, si la falta de utilización es debida a causas ajenas al interesado, está claro que no existe beneficio especial[37].

Para finalizar, la doctrina[38] se ha cuestionado la relación existente entre los términos "aumento de valor de los bienes" y "obtención de un beneficio" aunque existe una coincidencia mayoritaria en considerar al primero incluido en el segundo[39], ahora bien, en ningún caso podrían considerarse cogeneradores simultáneos y por duplicado del nacimiento del hecho imponible[40].

1.3.2. La actividad administrativa

Lo primero que se tiene que señalar es que, a diferencia del TR de Régimen Local de 18 de abril de 1986 en el que se establecía una enumeración de las obras y servicios que originaban el devengo de las contribuciones especiales, en el TRLRHL no se contiene ni siquiera una enumeración ejemplificativa de ellas. Tan sólo el art. 29 TRLRHL se limita a señalar los criterios para que una obra o servicio tenga la consideración de local, con el objeto de permitir su financiación mediante contribución especial o, al menos, en la parte del coste de su ejecución que asuma el ente local.

Ahora bien, si el cumplimiento de las exigencias del art. 29 del TRLRHL —que analizaremos a continuación— es *condictio sine qua non* para la exacción de las contribuciones especiales por los entes locales, no es condición suficiente. En efecto, como hemos señalado es necesario que las obras o servicios sean los causantes de un beneficio especial en los contribuyentes.

Desde esta premisa, se han excluido sistemáticamente por la jurisprudencia de un modo mayoritario, aquellas actividades consistentes en la reparación, el entretenimien-

---

[36] *STS de 21 de junio de 1988 (Ar. 4959), STSJ de Castilla-La Mancha de 24 de abril de 1995 (NR. 1438/1992).*

[37] *STS de 13 de julio de 1985 (Ar. 4085).*

[38] M. Vega Herrero. "Las contribuciones especiales de la Hacienda Local", *Manual de Derecho Tributario Local*, Escola d'Administració Publica de Catalunya, Barcelona, 1987, pág. 182. I. Merino Jara. "Contribuciones especiales", *op. cit.*, pág. 179. De este parecer participa M. J. Fernández Pavés. "Las contribuciones especiales en el Texto Refundido de la Ley de las Haciendas Locales", en *Estudios de Derecho Financiero y Tributario en Homenaje al Profesor Calvo Ortega*, Tomo II, Lex Nova, Valladolid, 2005, pág. 2026.

[39] La jurisprudencia del TS en esta cuestión resulta clara cuando afirma que en ningún caso puede "entenderse por 'beneficio' exclusivamente el aumento del valor en cambio de los bienes, sino cualquier ventaja que se reciba por efecto de la obra, aunque no implique inmediata traducción a magnitudes económicas". *SSTS de 22 de octubre de 1987 (Ar. 7339) y STS de 10 de noviembre de 2006 (Tol 1022893).*

[40] Sobre esta cuestión puede verse F. Fernández Marín. *Estudio jurisprudencial de las contribuciones especiales*, Monografía nº 10 colección Derecho, Universidad de Almería, 1999, pág. 32.

to o la conservación de las obras o servicios locales[41], pues se deben considerar obras que generan gastos inherentes al normal uso y funcionamiento de la obra preexistente y su financiación debe realizarse mediante tasas[42]. Por tanto, se rechazan, inicialmente, como parte no integrante del hecho imponible, a mi juicio desde una errónea identificación, "los supuestos de obras que no sean de primera realización o ejecución, o lo que es lo mismo los conceptos de reparación, reforma, entretenimiento, conservación, mejora o sustitución de las obras o servicios existentes (...), a no ser que consistan en la ampliación de los servicios"[43].

Aun estando de acuerdo con la segunda parte de la igualdad en cuanto actividades a excluir del ámbito del hecho imponible de las contribuciones especiales sin perjuicio del comentario que realizaremos en torno a los términos "ampliación" y "mejora", sin embargo, considero excesivo limitar las actividades que integran el hecho imponible a aquéllas que sean de primera ejecución o establecimiento[44].

Desde esta premisa se ha considerado jurisprudencialmente que será el carácter eminentemente infraestructural de la obra o del servicio público local el que pueda originar la exacción de una contribución especial. Así se ha afirmado que los elementos infraestructurales "por su propia naturaleza, están explicitando la existencia de un claro beneficio para los propietarios de los edificios lindantes con la calle en la que se van a acometer esas obras de urbanización, concurriendo así el hecho imponible que justifica su financiación por el sistema de contribuciones especiales"[45].

Frente a esta argumentación no hay que olvidar que, a pesar de estar ante obras infraestructurales o de primer establecimiento, precisamente por su carácter básico y general, puede que el beneficio que las mismas produzcan en el territorio del ente local exactor sea genérico, difuso y no individualizable, en cuyo caso no surgiría la obligación tributaria de la contribución especial, siendo estas obras financiables mediante impuestos, pues estaríamos ante gastos de inversión[46], no de funcionamiento.

---

[41]   Así, la *STS de 14 de junio de 1997 (Tol 194856)* rechaza la exacción de la contribución especial por no tratarse de "obras de primera implantación".

[42]   *SSTSJ de Castilla-La Mancha de 29 de abril de 1996 (NR. 861/1994) y de 2 de abril de 1996 (NR. 1253/1994),* también de la *Comunidad Valenciana de 17 de octubre de 1996 (NR. 1360/1994).*

[43]   *STSJ de Castilla-La Mancha de 8 de abril de 1996 (NR. 819/1994).*

[44]   STSJ de Andalucía de 16 de junio de 2003 *(NR. 4402/1997).*

[45]   *STSJ de Galicia de 8 de abril de 1994 (NR. 8212/1992).*

[46]   Así ocurre con las obras consideradas como parte integrante de lo que se denomina "sistemas generales o infraestructuras básicas del territorio". *SSTS de 16 de abril de 1998 (Tol 38682) y de 23 de abril de 1998 (Tol 39717)*, no obstante, tenemos que señalar que al respecto la jurisprudencia no es pacífica. Además, otras veces este carácter infraestructural se considera que debe ser tomado en consideración para ponderar la concurrencia del interés público general —que por definición sería mayor— y el especial o particular.

Aquella interpretación estricta se ha ido resquebrajando desde distintos frentes por la jurisprudencia. Así, se ha llegado a considerar que es admisible la exacción de una contribución especial si nos encontramos ante un supuesto de primer establecimiento del objeto de la obra, o aunque no fuera así, si nos encontrásemos ante la ejecución por primera vez de ésta con cargo a los presupuestos municipales[47].

Además, ese planteamiento estricto ignora una situación real, el hecho de que la obra o servicio que provocó en su día el beneficio o aumento del valor, por el transcurso del tiempo se deteriore se haga inútil. Con ello se negaría la posibilidad de usar el expediente de la contribución especial una vez que la obra o el servicio realizado haya sido amortizado. En definitiva, se cerraría la posibilidad de reutilizar la vía de la contribución especial dos o más veces, en determinadas circunstancias, para la realización de una obra o servicio público deteriorado por el tiempo[48], o incluso como admite la

---

[47] *STSJ de Castilla y León de 18 de noviembre de 1997 (NR. 1457/1994 y 2158/1994).* En esta línea se ha señalado, por las SSTS de 7 y 10 de abril de 1997 (*Tol 193240 y Tol 192986*) que "cuando los Ayuntamientos realizan actuaciones urbanísticas en ejecución del Planeamiento aprobado, desarrollando obras de instalaciones y servicios en polígonos y áreas de nueva urbanización, han de hacerlo con pleno sometimiento a la Legislación del Suelo, entre cuyos principios está el de la distribución equitativa de cargas y beneficios para todos los propietarios y en estos casos la financiación de aquellas obras y servicios, cuyo coste ha de recaer sobre estos propietarios del sector de que se trate, han de cubrirse mediante el sistema de *cuotas de urbanización*" y que por contra "las *contribuciones especiales* sirven para financiar una parte de aquellas obras públicas municipales, propias de la actividad ordinaria de los Ayuntamientos, que se realizan en el interior de las poblaciones, los casos urbanos y las áreas consolidadas de edificación, cuando beneficien especialmente a determinadas personas de manera que solo excepcionalmente puede acudirse a su aplicación en zonas de nueva urbanización cuando se realizan otras obras después de concluidas éstas" —que tuvieron que ser financiadas por cuotas de urbanización por los interesados. En este sentido la STSJ de Andalucía de 8 de julio de 2002, donde se analiza la utilización de la contribución especial ante la insuficiencia de los servicios, en este caso, no se puede olvidar la posible culpa in vigilando de la Administración local receptora de tales urbanizaciones, y la dificultad de trasladar la corrección de tales insuficiencias a los contribuyentes vía contribuciones especiales. La STS de 31 de diciembre de 2002 (*Tol 1701621*) establece que "no es posible confundir las cuotas de urbanización, que son ingresos urbanísticos sujetos al módulo de reparto y obediente al fundamental principio de distribución equitativa de los beneficios y cargas derivadas del Planeamiento, con las procedentes por razón del beneficio especial combinado con el general que constituyen la razón de ser de cualquier exacción por el concepto de contribuciones especiales".

[48] En este sentido, resulta muy sugerente la *STSJ de Andalucía de 23 de diciembre de 1996 (NR. 2455/1993)*, en la que centrándose en la idea del beneficio parece admitir la posibilidad de que se exaccionen contribuciones especiales por reparación. Del mismo modo, las *SSTSJ de Madrid de 19 de enero de 1998 (NR. 263/1996) y de la Comunidad Valenciana de 11 de julio de 1994 (NR. 245/1993)*: en la primera se afirma que las obras de renovación y sustitución de alumbrado, alcantarillado y calzadas son susceptibles de generar un beneficio o aumento del valor de los inmuebles afectados, así como unos gastos a la Administración distintos de los que motivaron su instalación que justificarían la exacción de la contribución especial, salvo que se pruebe el carácter innecesario de la sustitución. En la segunda, se admite la exacción de una contribución especial por renovación,

jurisprudencia más reciente que haya quedado obsoleto, no sólo por el paso del tiempo, sino también desde el punto de vista de las nuevas exigencias normativas de garantías y seguridad para el usuario[49].

En relación con la polémica sobre si es constitutiva del hecho imponible de las contribuciones especiales la "mejora" de los servicios[50], o en otras palabras, si el término "mejora" tiene cabida en el de "ampliación de servicios". Este término admite interpretaciones diversas: "la que entiende que una mejora no es sino una ampliación de signo cualitativo aceptada por la Memoria del Proyecto de Ley reguladora de las Haciendas Locales, y la estricta, que defiende que por 'ampliación' debe entenderse únicamente la extensión del servicio o sus redes a lugares a los que antes no alcanzaba" —por tanto, de signo cuantitativo—. Ante el silencio del TS[51], la jurisprudencia de los Tribunales de Justicia en las distintas Comunidades Autónomas no mantiene un criterio único[52].

---

si bien, en el caso concreto no prosperó debido a la no concurrencia, según se deducía de la memoria, de un beneficio especial parar los considerados sujetos pasivos.

[49]   STSJ de Cataluña de 23 de mayo de 2006 (*Tol 1019300*) cuando aclara que "dentro del concepto 'ampliación' cabe no sólo la mejora cuantitativa sino también la cualitativa, y así, por ejemplo, los gastos de sustitución de bombillas fundidas o de farolas derribadas por el viento no pueden ser objeto de contribuciones especiales, sí, en cambio, el aumento de punto de luz —mejora cuantitativa— o la sustitución de lámparas de incandescencia por otras de sodio con mayor poder lumínico y menor consumo —ampliación cualitativa—; debiendo concluirse que aunque en la mera reparación hay inversión, siempre habrá que distinguir entre la simple reparación por deterioro con la renovación, ampliación o mejora que sí constituyen una inversión y, por consiguiente, fundamentan la exacción de contribuciones especiales. La conclusión parece más clara aun si se trata de obras o servicios ya amortizados, por lo que se excluye cualquier idea de reparación, entretenimiento o conservación, y lo mismo debe predicarse en los supuestos en que los anteriores servicios sean incompatibles con los actuales 'standards' y, en particular, con las normas de seguridad mínimamente exigibles (así, alumbrado existente, pero que incumple las normas de seguridad para evitar accidentes de fatales consecuencias), sin que resulte dudoso que en todos esos casos hay, estrictamente, una 'ampliación' del servicio, e incluso un propio 'establecimiento' de uno nuevo acorde con las exigencias del tiempo presente".

[50]   En efecto el término "mejora" ha desaparecido en el TRLRHL —arts. 30; 35; 36 y 132—, no obstante, si se recoge en el art. 32.1.b) TRLRHL al referirse al reparto de la base imponible o cuota en el caso "del establecimiento o mejora del servicio de extinción de incendios".

[51]   El que evita pronunciarse al respecto en la *STS de 10 de noviembre de 2006 (Tol 1022893)*, sentencia dictada en casación de la *STSJ de Castilla y León de 17 de mayo de 2001 (Tol 104275)*

[52]   A favor de la interpretación amplia la *STSJ de Andalucía de 29 de septiembre de 1992 (NR. 1898/1991)* donde se distingue entre simples mejoras, esto es, gasto útil sobre un servicio anterior, y ampliación, definida por la Real Academia como cualquier extensión de algo anterior. Así, las obras originadoras de la imposición no pueden ser calificadas de simples mejoras, en el sentido de un gasto útil sobre un servicio anterior, sino que deben conceptuarse como una auténtica ampliación del servicio, tanto cuantitativa como cualitativamente, por producirse un incremento tanto de la intensidad y potencia como una extensión de los punto de luz e instalaciones. En este sentido, STSJ de Cataluña de 28 de marzo de 2012 (*Tol 2573276*). En contra, la *STSJ de la Comunidad Valenciana de 17 de octubre de 1996 (NR. 1360/1994)*.

De acuerdo con el art. 29.1 TRLRHL *tendrán la consideración de obras y servicios locales los siguientes:*

a) los que realicen las entidades locales dentro del ámbito de sus competencias para cumplir los fines que les están atribuidos, excepción hecha de los que aquéllas ejecuten a título de dueño de sus bienes patrimoniales[53].

De acuerdo con esta letra, las obras y servicios financiables mediante contribución especial serán las que se realicen dentro del ámbito competencial —arts. 25 y ss. LRBRL— de los entes locales, y lógicamente dentro de su ámbito territorial —art. 6 TRLRHL— y que persigan los fines que tales entes tienen atribuidos y produzcan en el sujeto pasivo un beneficio o aumento del valor de sus bienes[54].

En relación con el ámbito competencial territorial podemos realizar las siguientes consideraciones: primero, a pesar de la limitación territorial de las actuaciones de los entes locales, es posible que la obra o el servicio irradie un beneficio más allá del territorio del ente impositor. En este caso, el TS ha considerado que este hecho es indicativo de una mayor concurrencia del interés general sobre el particular y dicha circunstancia se tiene que reflejar a la hora de establecer el porcentaje de la base imponible[55].

En segundo lugar, si nos encontramos ante una obra, cuyo beneficio se extiende a toda la colectividad, por ser estar integrada en los "sistemas generales o infraestructuras básicas del territorio", jurisprudencialmente se ha considerado, bien, que no existe un beneficio especial distinto del general encontrándonos en este caso ante un supuesto de no sujeción, o bien, que esta circunstancia debe tenerse en cuenta para reducir a su mínima expresión el beneficio especial. En consecuencia, es necesario que el beneficio que irradie la obra o servicio sobre el territorio se extienda sobre una parte del mismo, o que, en caso contrario, no resulte beneficiada la colectividad por el igual.

En tercer lugar, es posible que el beneficio se manifieste con distinta intensidad, existiendo distintos grados de beneficios especiales, o en otras palabras, diversas zonas de influencia de la obra o servicio, en función de su proximidad[56]. En consecuencia,

---

[53]   Como nos recuerda la STSJ de Castilla y León de 28 de mayo de 2004 (NR. 3723/1997), el beneficio especial provocado por una obra pública (...) no se produce cuando la obra se realiza en terrenos que no lo son de dominio público. Por otro lado, el art. 29.2 TRLRHL señala que *"no perderán la consideración de obras o servicios locales los comprendidos en el párrafo a) del apartado anterior, aunque sean realizados por organismos autónomos o sociedades mercantiles cuyo capital social pertenezca íntegramente a una entidad local, por concesionarios con aportaciones de dicha entidad o por asociaciones de contribuyentes".*

[54]   En este sentido la *STSJ de Castilla y León de 14 de septiembre de 1995 (NR. 646/1992).*

[55]   *STS de 15 de enero de 1988 (Tol 2360806).*

[56]   *STSJ de Cataluña de 28 de febrero de 2013 (Tol 3724784)* donde se admite "la aplicación de los taxativos módulos legales puede quedar matizada con otros criterios tendentes a conseguir la 'justicia del

puede resultar posible la coexistencia de diversos porcentajes que representen la diversa intensidad con la que concurren el interés general y el especial.

En relación con la competencia material de la entidad local resultan de interés la STSJ de Castilla-La Mancha de 10 de abril de 1995 (*NR. 692/1993*), en la que en relación con una travesía urbana, que era carretera nacional, por aquel entonces, de competencia del MOPU, se entiende que cuando esta ha sido cedida, no es necesaria su previa recepción efectiva para la exacción de contribuciones especiales por el ente local. Por su parte la STS de 20 de septiembre de 1988 (Ar. 7953), anula una contribución especial establecida para la pavimentación de un camino que es vía pecuaria, al ser un bien de dominio público cuya conservación y administración correspondía al Ministerio de Agricultura. Lógicamente lo anterior no impide el establecimiento de una contribución especial sobre caminos rurales de su competencia[57].

b) los que realicen dichas entidades por haberles sido atribuidos o delegados por otras entidades públicas y aquellos cuya titularidad haya asumido de acuerdo con la ley

Sobre esta cuestión se puede traer a colación la STS de 2 de diciembre de 1948 (Ar. 1458), donde se afirma que a estos efectos resulta indiferente que la delegación, en este caso estatal, sea voluntaria o mediando una previa petición de la entidad local.

c) los que realicen otras entidades públicas, o los concesionarios de estos, con aportaciones económicas de la entidad local[58].

En este sentido resultan especialmente reveladoras del alcance de este supuesto la STS de 20 de diciembre de 1996 (*Tol 192209*) cuando señala que "Esta Sala ya ha declarado, en Sentencia de 8 de octubre de 1993, que la ejecución de una obra por otra Administración pública con aportaciones municipales, no la priva del carácter de obra municipal, (...) y también en estos supuestos son aplicables las previsiones generales acerca de la constitución de la Asociación administrativa de contribuyentes y de adopción de acuerdos de imposición y aplicación de obras, por lo que su vulneración determina (...), la nulidad de los acuerdos adoptados".

Y la STSJ de Cataluña de 26 de abril de 1997 (*NR. 2296/1993*) cuando afirma que "ni el sujeto que ejecute las obras ni la titularidad de los terrenos (se refiere a la franja costera de dominio público) en que se lleven a cabo son determinantes a la hora de la

---

reparto', tal sería el de la distancia en caso de posibles beneficios especiales 'zonales'".

[57] Así, las SSTSJ de Andalucía de 21 de febrero (*Tol 2149684*) y de 25 de mayo de 2011 (*Tol 2228935*); de 18 de octubre (*Tol 2093192*) y 10 de diciembre de 2010, de 27 de mayo de 2013 (*Tol 3914259*) y 17 febrero 2014 (*Tol 4244952*), existe beneficio por su ejecución para los colindantes y próximos, pero no colindantes; salvo que se pruebe, en este caso, que no existe tal beneficio STSJ de Andalucía de 27 de diciembre de 2010 (*Tol 2073204*).

[58] Este último apartado del art. 29.1 TRLRHL se debe relacionar con los arts. 31.4 y 35.1 del TRLRHL para su integra comprensión.

imposición de contribuciones especiales, una vez acreditada la aportación municipal y el indudable interés local en aquéllas".

Las SSTSJ de Andalucía de 18 de septiembre de 1995 y de 19 de julio de 1993 se considera que aunque la gestión y recaudación corresponda a otro ente y la obra sea de su competencia, por la mera aportación económica del ente local y la decisión de su financiación mediante contribución especial se requiere la previa adopción de los acuerdos de imposición y ordenación —art. 35.1 TRLRHL— antes del inicio de la obra —art. 34.2 TRLRHL— aunque el ente local no la ejecute.

2. EL SUJETO PASIVO DE LAS CONTRIBUCIONES ESPECIALES

2.1. LA DELIMITACIÓN DEL SUJETO PASIVO

Según el art. 30.1 TRLRHL para ser sujeto pasivo es necesario que concurra en la persona o entidad sin personalidad jurídica del art. 35.4 de la LGT la circunstancia de resultar especialmente beneficiada como consecuencia de la actividad desarrollada por el ente público.

En el art. 30.2 TRLRHL se relacionan supuestos en los que se presumirá "*iuris tantum*" la concurrencia de tal beneficio, relación que no deja de ser un elenco abierto de sujetos. Así, se consideran personas especialmente beneficiadas:

a) En las contribuciones especiales por realización de obras o establecimiento o ampliación de servicios que afecten a bienes inmuebles, sus propietarios.

La jurisprudencia reiteradamente mantiene que se puede considerar especialmente beneficiado, salvo prueba en contrario[59], al propietario del bien inmueble sobre el que repercutan las obras o los servicios realizados por la Administración. Así, se consideran beneficiados los edificios colindantes a tales actuaciones realizadas por la Administración[60], sin que la existencia de un muro[61], o el acceso al mismo por una calle paralela, o la existencia de un acceso previo[62] permitan negar la existencia de este beneficio especial y a veces no sólo a los limítrofes sino también a los próximos[63].

---

[59] STS de 21 de diciembre de 1981 (*Tol 976058*).

[60] Tales como las obras de alumbrado [entre otras SSTS de 24 de octubre de 1991 (Ar. 3139/1992)], de 30 de septiembre de 1991 (*Tol 2428549*); alcantarillado y obras de pavimentación [entre otras SSTS de 30 de enero de 1989 (Ar. 540) y de 14 de mayo de 1987 (Ar. 3602)].

[61] Entre otras, SSTS de 15 de septiembre de 1997 (*Tol 196378*), de 16 de junio de 1996 (Ar. 5655).

[62] STS de 6 de abril de 1993 (*Tol 1685888*) y STSJ de Galicia de 20 de diciembre de 1996 (*NR. 8488/1994*).

[63] STSJ de Castilla y León de 19 de enero de 1999 (*NR. 242/1995*), como consecuencia de la construcción de zonas ajardinadas y aceras.

Este supuesto se refiere únicamente a los propietarios, en consecuencia quedan fuera del mismo los titulares de otros derechos reales o los arrendatarios. No obstante, al referirse a los bienes inmuebles se plantean dudas en relación con los casos de propiedad horizontal[64], de condominio[65], de concesión administrativa[66].

b) En las contribuciones especiales por realización de obras o establecimiento o ampliación de servicios a consecuencia de explotaciones empresariales, las personas o entidades titulares de éstas.

Aquí la doctrina se ha planteado si este supuesto es extensible a los profesionales, al considerarlos integrados implícitamente en él. Sin embargo, a mi juicio esta cuestión carece de importancia, y ello porque el art. 30.1 TRLRHL considera sujeto pasivo a cualquier persona que resulte especialmente beneficiada, donde tendrían cabida los profesionales, y en consecuencia la enumeración del art. 30.2 TRLRHL no es un *numerus clausus*, sino meramente ejemplificativa.

c) En las contribuciones especiales por el establecimiento o ampliación de los servicios de extinción de incendios, además de los propietarios de los bienes afectados, las

---

[64] En los casos de propiedad horizontal será sujeto pasivo la comunidad de propietarios si así se prevé expresamente en los acuerdos de ordenación de la contribución especial, posibilidad avalada por el art. 30.1 TRLRHL —al poder considerar sujeto pasivo a las entidades del art. 35.4 LGT—, pero si no se prevé tal posibilidad en virtud del art. 30.2.a) TRLRHL serán sujetos pasivos los propietarios, y ello con independencia del módulo de reparto elegido (es decir, aunque se escoja los metros lineales de fachada, elemento común, del régimen de la propiedad horizontal) pues aunque la cuota a pagar por el bien inmueble se determine así, el propietario sujeto pasivo contribuirá al pago en la proporción que participe sobre la propiedad total del bien inmueble (elementos privativos y comunes), debiéndose girar en consecuencia tantas liquidaciones como propietarios (esto es como sujetos pasivos). —STS de 19 de abril de 1996 (*NR. 549/1991*); STSJ de Canarias de 26 de abril de 1996 (*NR. 273/1993*); no es este el criterio mantenido por I. Merino Jara. "Contribuciones especiales", *op. cit.*, pág. 196, cuando afirma que "en los supuestos de propiedad horizontal, serán sujetos pasivos o los propietarios de los bienes o la comunidad como tal, dependiendo del criterio de reparto que se adopte, verbigracia, valor catastral de los inmuebles o metros de fachada", no obstante, este planteamiento doctrinal estuvo avalado por algún pronunciamiento jurisprudencial SAT de Valencia de 17 de mayo de 1975.

[65] En el caso de la comunidad de bienes o condominio ésta puede resultar sujeto pasivo según el art. 30.1 TRLRHL, en los mismos términos que en la nota a pie de página anterior, en tal sentido la STSJ de Andalucía de 9 de octubre de 2000 (*NR. 684/1998*). Con anterioridad a la LHL de 1988 se negaba esta posibilidad, STS de 30 de septiembre de 1991 (*Tol 2428549*).

[66] Cuando la concesión recaiga sobre un bien inmueble estaremos en la hipótesis del art. 30.2 a) TRLRHL, en este caso se considera sujeto pasivo al ente público propietario del bien inmueble, sin embargo, si la exacción de la contribución especial se fundamenta en el beneficio que las obras reportan a las explotaciones empresariales o industriales —supuesto del art. 30.2 b) TRLRHL— el sujeto pasivo será el concesionario, en este sentido I. Merino Jara. "Contribuciones especiales", *op. cit.*, pág. 197. No obstante, la STS de 11 de junio de 1959 considera al concesionario como propietario temporal, siendo ello bastante para que a efectos de la Contribución especial se señale la proporcionalidad del beneficio entre el derecho del concesionario y el del Ayuntamiento cuando a él reviertan las obras.

compañías de seguros que desarrollen su actividad en el ramo, en el término municipal correspondiente.

La polémica principal en relación con este supuesto recae sobre la mención generalizada que se realiza a los propietarios de los bienes afectados, sin distinguir entre aquéllos que tienen sus bienes asegurados de aquéllos que no. Sin duda, al menos a la hora de valorar el beneficio especial de cada uno, y por tanto la cantidad a satisfacer por cada contribuyente, será claro que resultan más beneficiados estos últimos[67].

d) En las contribuciones especiales por construcción de galerías subterráneas, las empresas suministradoras que deban utilizarlas.

Las empresas serían aquellas suministradoras de agua, gas, electricidad, teléfono, televisión por cable, etc., siempre y cuando se realice una galería subterránea[68], si meramente se entierran los cables, tuberías o canalizaciones no se podrían considerar sujetos pasivos a estas empresas suministradoras[69].

Tanto la anterior letra d) como la c), considera la STSJ de Madrid de 5 de junio de 1996 (*NR. 642/1993*), que la concurrencia de un beneficio especial conlleva el carácter del sujeto pasivo a las personas especialmente beneficiadas, necesariamente se plantea la cuestión de su existencia, y que, a juicio del Tribunal, nuestra legislación no regula salvo los casos concretos de las compañías aseguradoras para la extinción de incendios o compañías suministradoras para la construcción de galerías subterráneas.

Expuesta la delimitación del sujeto pasivo de las contribuciones especiales se ha planteado la posible compatibilidad entre los distintos supuestos recogidos en el art. 30.2 TRLRHL, esto es, si resulta posible que un ente someta a gravamen a un sujeto por la misma obra o servicio, pero por dos conceptos distintos, o si es posible ante una misma obra o servicio que se llame a tributar a dos o más sujetos por distintos conceptos o letras del art. 30.2 TRLRHL. Al respecto resulta de gran interés la STS de 24 de octubre de 1991 (*NR. 667/1990*) dictada en recurso extraordinario de revisión, en ésta sentencia el TS se pronuncia sobre la improcedencia de lo que se denominó contribuciones especiales "mixtas" en la SAT de Granada de 14 de abril de 1988, giradas tanto

---

[67] En este sentido, M. J. Fernández Pavés. "Las contribuciones especiales en el Texto Refundido de la Ley de las Haciendas Locales", *op. cit.*, pág. 2032.

[68] Sobre que se considera galería subterránea la *STSJ de Cataluña de 13 de julio de 2001 (NR. 2704/1997)* aclara que "Proyecto no contempla la construcción de una galería de servicios sino el soterramiento independiente de cada red (electricidad y teléfono) en la acera o la calzada. Pero no la construcción de un túnel o galería al cual puedan tener acceso los empleados para el tendido, inspección y reposición de los cables. Sólo en este último supuesto resulta aplicable el citado precepto que, en el caso de galerías subterráneas, considera personas especialmente beneficiadas a las empresas suministradoras que deban utilizarlas".

[69] *SSTSJ de Cataluña de 14 de julio de 2005 (Tol 804806), de 19 de julio de 2002 (NR. 2750/1998), de 2 de abril de 2002 (NR. 2583/1997).*

al propietario del inmueble como al titular de la explotación industrial o comercial, el arrendatario del local, sentenciando que sólo es posible la atribución a uno de ambos según quien sea la persona especialmente beneficiada en cada caso, recogiendo el parecer de la STSJ de Andalucía de 16 de febrero de 1990[70].

Para terminar con la delimitación de los sujetos pasivos y en relación con la base imponible se ha considerado en las SSTS de 25 de enero de 1996 (*NR. 4399/1991*) y de 12 de abril de 1997 (*Tol 194174*) que la fijación de un porcentaje en una cuantía inferior al noventa por ciento no justifica la autoexclusión del ente impositor de la exacción de la contribución especial, en caso de resultar especialmente beneficiado.

2.2. LA DETERMINACIÓN DEL SUJETO PASIVO

Una vez delimitados los sujetos pasivos de las contribuciones especiales procede concretar sobre quién recae en cada caso concreto la condición de sujeto pasivo. Del art. 33.3 TRLRHL se pone de manifiesto que puede darse una doble determinación del sujeto pasivo durante la tramitación y la culminación del expediente de las contribuciones especiales. Por un lado, la que exige el acuerdo concreto de ordenación de la contribución especial art. 34.3 y 4 TRLRHL, y el contenido de la ordenanza fiscal art. 16.1,a) TRLRHL. En estos preceptos la determinación es cuando menos genérica y, desde luego, provisional, tal y como pone de manifiesto el tenor del art. 33.4 TRLRHL, pues, una vez devengada la contribución especial se procederá a realizar un señalamiento definitivo por los órganos competentes de "los sujetos pasivos, la base y las cuotas individualizadas".

Por tanto, es el devengo el que determina el sujeto sobre el que se presume que recae la condición de persona especialmente beneficiada[71].

Todo ello, sin perjuicio de la correspondiente devolución de oficio por el Ayuntamiento "si los pagos anticipados hubieran sido efectuados por personas que no tienen la condición de sujetos pasivos en la fecha del devengo o bien excedieran de la cuota individual definitiva que les corresponda" —art. 33.5 TRLRHL—, a la vez que se deja

---

[70] De otro parecer I. Merino Jara, "Contribuciones especiales", *op. cit.,* págs. 201 y 202. A juicio del TS "siempre se establece una específica indicación de quién es la persona especialmente beneficiada en cada caso, no regulándose en modo alguno unas contribuciones 'mixtas' que contemplen distintos supuestos allí contemplados de forma simultánea, sino que es preciso considerar como sujeto pasivo a una u otra de las personas o entidades a las que se alude en los distintos apartados (...), en función de las características de las obras o servicios realizados. Si estos últimos afectan a un inmueble únicamente será sujeto pasivo el propietario del mismo, y si las obras y servicios se realizan por razón de explotaciones industriales o comerciales, lo serán las personas o entidades titulares de las mismas; no existe, por ello, razón de compatibilidad o de concurrencia de ambos sujetos pasivos".

[71] SSTS de 20 de junio de 1997 (*Tol 195516*) y de 21 de diciembre de 1981 (*Tol 976058*).

a salvo la posibilidad de la Administración de dirigir la acción de cobro contra quien figure como sujeto pasivo en el acuerdo de ordenación, si no se da cuenta a aquélla en el plazo de un mes[72] de la pérdida de la condición de sujeto pasivo —art. 33.3 TRLHL—.

3. LAS EXENCIONES EN LAS CONTRIBUCIONES ESPECIALES

El TRLRHL no regula expresamente ningún supuesto de exención en relación con las contribuciones especiales. Sin embargo, ello no necesariamente impide que puedan existir al amparo del art. 9.1 TRLRHL[73] y que no se prevea la consecuencia de su existencia en el art. 32.2 TRLRHL al disponer de acuerdo con su naturaleza de tributo de cupo que "las cuotas que puedan corresponder a los beneficiarios (de las exenciones se entiende) no serán distribuidas entre los demás contribuyentes", siendo en consecuencia asumidas por el ente local.

De este modo, y de acuerdo con nuestro derecho positivo resultarán exentas la Iglesia Católica en virtud del acuerdo con la Santa Sede de 3 de enero de 1979 beneficio que posteriormente se extendió a las Entidades Religiosas Evangélicas, Ley 24/1992, a las Comunidades Israelitas de España, Ley 25/1992 y a la Comisión Islámica, Ley 26/1992. La polémica se centra en el alcance de esta exención, no es una exención subjetiva total, sino que su extensión se tamiza en razón de la actividad que se desarrolla, así estará exenta la actividad religiosa o de culto y las dependencias y residencias clericales[74], pero no las dedicas a un Centro de Enseñanza Profesional, a pesar de su carácter benéfico-docente[75], tampoco los edificios destinados a un asilo y a una guardería infantil[76], tampoco los terrenos donde se ubiquen la Escuela de Formación del Profesorado de EGB, un colegio ni la emisora de la cadena COPE[77].

---

[72] La STS de 27 de septiembre de 1991 (*NR. 168/1989*) considera que este deber de comunicación, de dar cuenta a la Administración, sólo se cumple con una notificación específicamente dirigida a operar el cambio de titularidad en el expediente que no puede sustituirse por la declaración tributaria del IIVTNU, ni en la Delegación de Hacienda a los fines de la Contribución Territorial Urbana, pues no puede exigirse a la Administración que ha determinado correctamente al sujeto pasivo en la fecha de iniciación del expediente el deber de estar atenta a la tramitación de todos los expedientes que puedan tramitarse en las distintas dependencias municipales para detectar los posibles cambios en la titularidad que puedan producirse durante la tramitación del expediente.

[73] "No podrán reconocerse otros beneficios fiscales en los tributos locales que los expresamente previstos en las normas con rango de ley o los derivados de la aplicación de los tratados internacionales".

[74] STSJ de Madrid de 6 de junio de 1996 (*NR. 470/1994*) admite una interpretación amplia.

[75] STS de 19 de noviembre de 1984 (*Tol 224545*).

[76] STSJ de Castilla y León de 17 de mayo de 1996 (*NR. 303/1994*).

[77] STSJ de Asturias de 12 de junio de 1997 (*NR. 2507/1994*).

4. LOS ELEMENTOS DE CUANTIFICACIÓN DE LAS CONTRIBUCIONES ESPECIALES

4.1. LA BASE IMPONIBLE DE LAS CONTRIBUCIONES ESPECIALES

Según dispone el art. 31 del TRLRHL la base será como *máximo* el 90 por ciento[78] del *coste soportado* por la entidad por la realización de la obra o el establecimiento o ampliación del servicio.

Lo primero que interesa destacar es la descoordinación existente con el hecho imponible fundamentado sobre el beneficio o aumento del valor de los bienes del sujeto pasivo y la concreción de la base imponible en el 90 por ciento del coste soportado por la obra.

En efecto la base imponible no se identifica con el beneficio especial particular de un contribuyente, ni tampoco con el beneficio especial global de todos los contribuyentes beneficiados de manera especial por las obras o servicios[79]. Esta descoordinación ha provocado que se llegue a identificar el reparto justo de la carga tributaria, el pago de la cuota tributaria, que como veremos se hace en relación con el beneficio especial concreto del particular, con el coste de la obra que le afecta.

Ahora bien, de ello no se puede entender que cada contribuyente debe pagar sólo la parte del coste soportado de la obra o servicio adyacente a su bien inmueble. Como nos recuerda la STS de 27 de febrero de 1990 (*Tol 2402821*) "el beneficio especial que justifica el pago del tributo no se deriva de la parte de las obras colindantes con su fachada, sino de la totalidad de las obras realizadas"[80]. Debiéndose excluir, en consecuencia, la parte del coste de las obras que no les afecta ni directa ni indirectamente, so pena de incurrir en desviación de poder[81]. En este sentido, pero en relación con la ejecución de obras distintas —de alumbrado y de pavimentación— realizadas en distintas calles pero tramitadas en un único expediente "repercutiendo de forma unitaria el coste de dichas obras, no cabrá duda de la arbitrariedad del procedimiento seguido, pues no puede costear un interesado las obras de otra calle que no le suponen ningún beneficio"[82].

Sin embargo, sí se admite la identificación directa entre beneficio y coste de la ejecución de la obra, desde una perspectiva diversa, esto es cuando no se puede considerar su-

---

[78]   Diferente criterio es el art. 8.2 LOFCA, cuando contempla a la contribución especial como recurso de la hacienda autonómica, dispone que por contribuciones especiales no se puede recaudar más del coste de la obra o del establecimiento o ampliación del servicio.

[79]   I. Merino Jara, "Contribuciones especiales", *op. cit.,* pág. 215.

[80]   En este sentido las STSJ de Castilla-La Mancha de 10 de abril de 1995 (*NR. 692/1993*) y de Castilla y León de 28 de octubre de 1993 (JT. 804).

[81]   STSJ de La Rioja de 24 de abril de 1998 (*NR. 310/1996 y 838/1996*).

[82]   STSJ de la Comunidad Valenciana de 17 de octubre de 1996 (*NR. 1360/1994*).

jeto pasivo de contribuciones especiales a quien no manifiesta beneficio alguno, es decir, al particular que cubrió a su costa y ejecutó, de acuerdo con el proyecto del Ayuntamiento, la parte de la obra adyacente a su propiedad (o que se pueda aprovechar estando ya ejecutada)[83]. De este modo se identifica el coste de la obra, ya pagado y, lógicamente, no presupuestado en la obra o servicio, con el beneficio o, mejor dicho, su ausencia[84].

El porcentaje del 90 por ciento del coste soportado supone reconocer que un 10 por ciento de la obra o servicio público local, al menos, redunda en beneficio de la colectividad, ya que por definición toda obra pública tiende a la satisfacción del interés general —es un fin implícito en ésta—, y por tanto no es susceptible de financiarse por contribuciones especiales. Por tanto, en la obra o servicio público susceptible de financiación por contribuciones especiales siempre se dará una presencia de intereses o beneficios, el general y el especial, lo que obliga a ponderar[85] su concurrencia. La estimación de la presencia del beneficio especial la debe realizar el ayuntamiento en el correspondiente expediente de aplicación de las contribuciones especiales. Esta estimación debe ser motivada, a pesar de reconocerse jurisprudencialmente la dificultad de tal apreciación.

La previsión normativa del 90 por ciento como máximo, no habilita al Ayuntamiento para fijar arbitrariamente la cuantía a financiarse por contribuciones especiales en dicho porcentaje, cualquiera que sea la clase y naturaleza de la obra. Antes al contrario, es un recordatorio constante de la obligación del Ayuntamiento de estimar y apreciar de modo discrecional, y por tanto motivadamente, cual es el beneficio general que va a recibir la colectividad y cuál es el beneficio especial de determinadas personas[86]. Por tanto, si a la hora de fijar tal porcentaje «no existe la suficiente motivación ello determina la nulidad del Acuerdo de Imposición y Ordenación»[87] En consecuencia, el porcentaje resultante de una mera operación aritmética entre los distintos porcentajes previstos por la entidad local no estará suficientemente motivado[88]. No obstante, corresponderá la carga de la prueba de su arbitrariedad al contribuyente[89].

Tal ponderación debe hacerse obra por obra, con lo que no se puede justificar el porcentaje del 90 por ciento en el hecho de que las contribuciones especiales no se exigieron en otras obras realizadas anteriormente por el mismo ente local[90].

---

[83] STSJ de Cataluña de 26 de octubre de 2001 (*50036/2002*).

[84] STS de 30 de septiembre de 1988 (*Tol 2360520*).

[85] SSTS de 21 de junio de 1994 (*Tol 1696697*) y de 12 de abril de 1997 (*Tol 194174*).

[86] SSTS de 22 de junio de 1990 (*Tol 2382043*) y 2 de julio de 1997 (*Tol 195112*).

[87] STS de 29 de junio de 2016 (*Tol 5776403*).

[88] STS de 14 de mayo de 1997 (*Tol 195521*).

[89] STS de 3 de febrero de 2004 (*Tol 352565*).

[90] STS de 2 de julio de 1997 (*Tol 195112*).

El porcentaje de la ponderación de intereses debe ser único para cada obra, a no ser que se justifique, en determinadas zonas de la actuación municipal, una concurrencia del interés general mayor que en otras, y ello como exigencia del principio de proporcionalidad que debe regir las contribuciones especiales[91]. A pesar de lo anterior, no se admite la existencia de distintas bases imponibles —distintos porcentajes—fundamentadas en una diferenciación entre una partida y otra integrante del coste[92].

Tampoco, se admite que el porcentaje sea distinto en función del contribuyente, ni siquiera existiendo un pacto con el ente público impositor[93].

Desde otra perspectiva se ha considerado que son *circunstancias objetivas* para reducir a su mínima expresión la parte de la obra atribuible al exclusivo beneficio de los colindantes y por lo tanto lo financiable mediante contribución especial, cuando nos encontremos ante una vía interurbana, para cuya ejecución los colindantes cedieron gratuitamente una franja de terrenos[94]. Sin embargo, también se ha afirmado por el TS que el carácter más o menos básico o de sistema general de una obra nunca podrá eliminar el beneficio especial[95], si bien, se ha afirmado que en estos supuestos sería irreconciliable con el principio de proporcionalidad la asignación de un porcentaje superior al 50 por ciento para el beneficio particular[96]. A pesar de ello, ante este tipo de obras —sistemas generales o infraestructuras básicas del territorio—, jurisprudencialmente se ha postulado otro tipo de solución, considerándose que el beneficio es general y que por tanto estaríamos ante un supuesto de no sujeción[97].

---

[91] SSTS de 16 de abril de 1998 (*Tol 1551636*), de 21 de junio de 1994 (*Tol 1696697*), de 8 de marzo de 1994 (*Tol 1696545*) y de 13 de septiembre de 1993 (*Tol 1688964*).

[92] SSTS de 10 de julio de 1997 (*Tol 194593*), de 2 de julio de 1997 (*Tol 195112*), de 27 de diciembre de 1996 (*Tol 191805*).

[93] STS de 27 de febrero de 1997 (*Tol 193686*) considera que "sería completamente anormal que obligaciones nacidas de contratos o pactos privados pudieran trascender y cumplirse mediante la adopción de porcentajes distintos de aplicación de las contribuciones especiales, adoptados por los Entes locales", sin perjuicio de que el Ente impositor pueda exigir por vía contractual su cumplimiento, pero nunca a través del expediente de las contribuciones especiales.

[94] SSTS de 18 de marzo de 1996 (*Tol 188114*) y de 15 de enero de 1988 (*Tol 2360806*). Aunque la sustitución de unos servicios mediante la "reurbanización" pueda justificar la exacción de la contribución especial, sin embargo, no justifica la fijación del porcentaje en el 90 por ciento, tiene que ser menor cuando los servicios eran preexistentes —STSJ de Cataluña de 7 de julio de 2006 (*Tol 1035340*).

[95] SSTSJ de Cataluña de 9 de junio de 1998 (*NR. 2179/1993*) y de 26 de octubre de 1998 (*NR. 794/1996*).

[96] SSTS de 9 de febrero de 1994 (*Tol 1694011*) y de 6 de mayo de 1994 (*Tol 1689895*), SSTSJ de la Comunidad Valenciana de 1 de diciembre de 1993 (*NR. 429/1991*), de Cataluña de 7 de marzo de 1997 (*NR. 1133/1993*) y de 25 de enero de 1999 (*NR. 856/1993, 1158/1993, 1380/1993 y 1464/1993*) y de Cantabria de 12 de junio de 1997 (*NR. 39/1996*).

[97] SSTS de 16 de abril de 1998 (*Tol 38682*) y de 23 de abril de 1998 (*Tol 39717*); STSJ de Cataluña de 24 de octubre de 1995 (*NR. 956/1992*) que considera que la obra del paseo marítimo es de infraestructura general básica y, por tanto, no concurre un beneficio especial.

El señalamiento del porcentaje no supone que el beneficio particular concreto de un sujeto pasivo se manifieste con la misma intensidad que la del resto de sujetos especialmente beneficiados, antes al contrario, en la relación interna de los sujetos pasivos debe observarse el principio de que cada uno de ellos soporte la contribución en proporción equivalente al beneficio obtenido[98]. Sin duda el mejor momento para diferenciar la carga tributaria y lograr su justo reparto entre los sujetos pasivos en función de la intensidad de sus respectivos beneficios será la cuota tributaria[99].

Por último, en relación con el porcentaje, indicar que aunque el coste final de la obra o del establecimiento o ampliación del servicio diverja del presupuestado, el porcentaje no puede variarse sin razonamiento alguno una vez aprobado el acuerdo de ordenación[100].

Obviamente, si las obras o servicios, de una u otra forma ya existían, "el beneficio especial nunca podrá ser igual que para el supuesto de servicios previos inexistentes, de la misma manera que el aumento de valor de las propiedades afectadas tampoco será el mismo"[101].

Del art. 31 TRLRHL se desprende que la base imponible no es sino el resultado de las siguientes operaciones: primero, determinar el *coste total* de la obra o servicio, segundo, determinar el *coste soportado* por la Administración y en tercer lugar, aplicar sobre el coste efectivamente soportado el porcentaje señalado dentro del límite máximo del 90 por ciento.

El coste total, que es el coste presupuestado tiene la consideración de una mera previsión[102], de tal modo que si el coste real fuera mayor o menor el cálculo de las cuotas se

---

[98] STS de 12 de abril de 1997 (*Tol 194174*).

[99] Así se considera que "el importe de las contribuciones especiales se repartirá entre las personas beneficiadas, en función de los módulos que razonablemente permitan medir el beneficio especialmente individualizado" STS de 2 de julio de 1997 (*Tol 195112*), en contra la STSJ de la Rioja de 24 de abril de 1998 (*NR. 310/1996 y 838/1996*) y la STS de 30 de septiembre de 1988 (*Tol 2360520*) que consideran que el beneficio se mide en la base imponible, al identificarlo con el coste que efectivamente es atribuible a cada sujeto.

[100] STS de 20 de febrero de 1988 (*Tol 2348262*).

[101] STSJ de Cataluña de 12 de marzo de 2009 (*Tol 1587945*).

[102] Sobre su carácter provisional, SSTS de 15 de noviembre de 1997 (*Tol 196323*), de 14 de noviembre de 1989 (*Tol 2374679*) y de 6 de junio de 1989 (*Tol 2373130*). Así, la STSJ de Cataluña de 22 de mayo de 2009 (*Tol 1593385*) recuerda como "El Tribunal Supremo viene subrayando la existencia de un cierto margen de variación en las cuotas de las contribuciones especiales respecto a su previsión inicial, admitiendo su modificación en función de los datos ciertos y reales del coste de la obra, que sólo se conoce de modo indubitado cuando se ha finalizado ésta. La STS de 22 de diciembre de 1979 admitió incluso la modificación de la liquidación definitiva por variaciones urbanísticas en los terrenos afectados como consecuencia de las obras, o por compensaciones del valor de terrenos aportados por los contribuyentes, o por subvenciones recibidas que disminuyen el coste soportado

realizará sobre este último originándose, respectivamente, un ingreso complementario o una devolución del exceso.

El coste total se integra por las partidas que a continuación señalaremos[103], si bien, no resultan de inclusión obligatoria[104].

a) El coste real de los trabajos periciales, de redacción de proyectos y de dirección de obras, planes y programas técnicos.

b) El importe de las obras a realizar o de los trabajos de establecimiento o ampliación de los servicios.

En la STS de 16 de mayo de 1967 (*Tol 4304329*) se afirma que el ente local debe elegir entre los proyectos el más adecuado, aunque resulte ser el más caro. Desde esta perspectiva será nula la liquidación que se derive de la inclusión en la base imponible de una partida de un proyecto que no fue debidamente aprobado —STS de 10 de junio de 1981 (*Tol 975861*)—.

A efectos de la determinación del coste de la obra o del servicio, por tanto, de la base imponible y de la cuota, resulta conveniente analizar la compatibilidad entre esta obra y la realizada por el contribuyente. La STS de 17 de octubre de 1994 (*Tol 1692419*) considera que la obra, incluso ilegal, realizada por el particular podría afectar al coste de ejecución de las obras, disminuyéndolo, si ésta le reportase alguna utilidad. Para que cualquier obra realizada por un particular pretenda compensarse con la cuota de la contribución especial es preciso: primero, un concurso de voluntades debidamente

---

por la Entidad Local. (...). Por tanto, cabrá la alteración de las cuotas por variaciones en el beneficio especial recibido por los sujetos pasivos a consecuencia de las propias obras que originan la contribución especial, pero no, como destacó la STS de 26 de abril de 1993, a consecuencia de obras distintas, aunque provoquen esa variación de valor en los terrenos".

[103] En este sentido la STSJ de Baleares de 8 de marzo de 2002 (*Tol 174658*) considera inadmisible la inclusión como partida de la base imponible de un concepto no previsto en la normativa como "los gastos de tramitación administrativa", el coste de formación del expediente de fijación de las contribuciones especiales.

[104] STS de 14 de septiembre de 1993 (*Tol 1684480*), en la que se afirma que la no inclusión de una partida como el valor de los terrenos a expropiar tan sólo significa que la Administración asume su coste, del mismo modo que si decide aplicar un porcentaje inferior al 90 por ciento, "pero ni ello implica merma alguna de los derechos de los contribuyentes, que lógicamente habrán de abonar una cuota inferior ni impide que el expediente alcance su finalidad, proporcionando al Ayuntamiento la parcial financiación de la obra correspondiente al acuerdo de imposición". En el mismo sentido, pero en relación con los intereses de la letra e) la STSJ de Cataluña de 20 de julio de 2001 (*NR. 1415/1997*). Por tanto, para que tengan eficacia frente al contribuyente tales partidas deben reflejarse en la base imponible, sin que pueda justificar su omisión el desconocimiento del justiprecio [SSTS de 6 de junio de 1989 (*Tol 2373130*), de 30 de marzo de 1990 (*Tol 2391293*)], ni dicha omisión pueda suplirse mediante la tramitación a posteriori de un expediente de contribución especial con el sólo fin de cubrir el coste específico de una partida [STS de 3 de abril de 1990 (Ar. 2774)]. En contra parece manifestarse la STS de 25 de mayo de 1987 (Ar. 3822), donde se estima incorrecta la base imponible que no incluye todos los conceptos enumerados en el art. 28. 2, c) del RD 3250/1976, precedente del art. 31 TRLRHL.

formalizado entre el contribuyente y la Administración, según las reglas de la contribución administrativa, segundo, que la obra se realice bajo inspección técnica municipal y, tercero, que la obra sea anterior a la determinación del coste de la obra[105].

c) El valor de los terrenos que hubieren de ocupar permanentemente las obras o servicios salvo que se trate de bienes de uso público, de terrenos cedidos gratuita y obligatoriamente a la entidad local, o de inmuebles cedidos en los términos establecidos en el art. 145 de la Ley 33/2003, de 3 de noviembre, del Patrimonio de las Administraciones Públicas.

Dentro de esta letra se incluyen las cantidades satisfechas por la expropiación de terrenos[106], sin que se puedan integrar los intereses de demora determinados en el procedimiento de justiprecio de la expropiación de los terrenos[107].

No se integrarán en este letra, ni por tanto en el presupuesto de la obra, el valor de los viales ocupados para abrir una calle, pues tienen la consideración de cedidos de manera gratuita y obligatoria[108].

d) Las indemnizaciones procedentes por el derribo de construcciones, destrucción de plantaciones, obras o instalaciones, así como las que procedan a los arrendatarios de los bienes que hayan de ser derruidos u ocupados

e) El interés del capital invertido en las obras o servicios cuando las entidades locales hubieran de apelar al crédito para financiar la porción no cubierta por las contribuciones especiales o la cubierta por éstas en caso de fraccionamiento general de aquéllas[109].

En cuanto al coste soportado por la Administración, por tal se entiende, según el art. 31.5 TRLRHL "la cuantía resultante de restar a la cifra del coste total el importe de las subvenciones o auxilios que la Entidad local obtenga del Estado o cualquier otra persona, o entidad, pública o privada"[110].

---

[105] STS de 26 de enero de 1976 (Ar. 222) y en este sentido la STS de 30 de septiembre de 1988 (*Tol 2360520*).

[106] Entre otras muchas la STS de 6 de junio de 1989 (*Tol 2373130*).

[107] Habida cuenta de la naturaleza de intereses resarcitorios de los mismos y que sólo, en principio, pueden ser imputados a la Administración expropiante según la legislación relativa a la expropiación forzosa —STS de 20 de marzo de 1997 (*Tol 194446*)—. En este sentido, la STSJ de la Comunidad Valenciana de 19 de septiembre de 2005 (*Tol 763435*), ya que éste deriva bien de la pasividad del Jurado, bien de la pasividad del beneficiario de la expropiación —en el caso el ayuntamiento—, lo que en ningún caso puede perjudicar a terceros. Véase la nota a pie de página 104, además, debemos señalar que no se debe confundir el valor de los terrenos a ocupar —valor provisional—, con el justiprecio.

[108] SSTS de 4 de junio de 1998 (Tol *1100434*), de 18 de octubre de 1997 (*Tol 196781*), de 10 de mayo de 1990 (*Tol 2379932*), 21 de junio de 1988 (Ar. 4961).

[109] Sobre los intereses de capitales ajenos invertidos en la parte no financiada por contribuciones especiales STS de 13 de septiembre de 1993 (*Tol 1688964*), STSJ de Cataluña de 20 de julio de 2001 (*NR. 1415/1997*).

[110] De este modo resulta improcedente la liquidación de la contribución especial que aplica una subvención de la Diputación provincial en primer lugar al coste soportado por el ayuntamiento y sólo

Si la subvención o auxilio procediera de un contribuyente de las contribuciones especiales, nos encontraríamos ante la hipótesis del art. 31.6 TRLRHL, en este caso, su importe no minoraría la base imponible, sino que se destinaría, en primer lugar, a la reducción de la propia cuota del sujeto, si el auxilio excediera de la cuota, el exceso se aplicará proporcionalmente en la minoración de las cuotas de los restantes contribuyentes[111].

Hasta aquí las consideraciones realizadas en torno a la base imponible de las contribuciones especiales que podríamos calificar general. Sin embargo, el art. 31.4 TRLRHL regula un supuesto específico, cuando nos encontramos ante las obras y servicios del art. 29.1.c) TRLRHL, es decir, cuando las obras se realicen por entidades distintas de la entidad impositora o por concesionarios de aquéllas, pero con aportaciones de ésta. La base imponible se determina en función de las aportaciones realizadas por la entidad impositora, de acuerdo con su coste, sin que en ningún caso se pueda cuantificar por encima del 90 por ciento del coste soportado.

4.2. LA CUOTA TRIBUTARIA

La cuota tributaria no resulta de aplicar a la base imponible un tipo de gravamen, sino que resulta de un reparto proporcional o de equidad[112] de la base imponible[113].

Esta proporcionalidad se tiene que manifestar en la relación existente entre el importe de la cuota y el grado de beneficio, como exigencia de la finalidad propia de este tributo que no es sino "compensar parcialmente, según el grado de preponderancia del interés público y privado, el coste financiero de las obras públicas o establecimiento de los servicios públicos que, efectivamente, producen un beneficio especial al sujeto pasivo"[114].

---

después a la reducción de las cuotas de los demás contribuyentes, cuando el coste de la subvención necesariamente a de minorar el coste de la obra. SSTS de 25 de enero de 1993 (*Tol 1686452*) y de 6 de junio de 1979 (Ar. 2374).

[111] Por los efectos del art. 31.6 TRLRHL, a mi juicio, su regulación sistemática debería haberse realizado en el art. 32 relativo a la cuota y no en el 31 relativo a la base imponible.

[112] SSTS de 30 de septiembre de 1991 (*Tol 2428549*), de 30 de septiembre de 1988 (*Tol 2360520*) y de 21 de junio de 1988 (Ar. 4961).

[113] STS de 14 de mayo de 1987 (Ar. 3602): "La base impositiva, constituida por el coste total de las obras o la proporción que se establezca, según los casos, ha de ser trasformada en las correspondientes cuotas, como elemento principal de la deuda tributaria mediante la utilización de ciertos criterios o 'bases' objetivas, cuya doble finalidad consiste en asegurar su 'clara determinación' y 'la justicia en el reparto'". También la STS de 6 de junio de 1989 (*Tol 2373130*).

[114] STS de 19 de noviembre de 1989 (*Tol 2372679*) y SSTSJ de la Comunidad Valenciana de 1 de diciembre de 1993 (*NR. 429/1991*) y de Madrid de 23 de abril de 1997 (*NR. 1739/1995*).

Por ello, la proporcionalidad debe analizarse en relación con todos los sujetos beneficiados especialmente por las obras o servicios que originan la contribución especial[115], y en consecuencia, el módulo elegido tiene que ser de aplicación a todos los sujetos beneficiados[116].

Estos dos requisitos hacen que la proporcionalidad actúe como límite de la discrecionalidad de la Administración local para escoger un módulo de reparto o su aplicación aislada o conjunta con otros, sin que entre ellos exista una preferente aplicación[117]. Esta elección discrecional, como resulta lógico, debe motivarse y es susceptible de fiscalización por los tribunales[118], a la par que debe soportar los necesarios controles[119]: el primero, fundamentar la elección en estudios e informes rigurosos[120], sin que pueda ser válido el criterio de elección amparado en la «práctica habitual», pues la propia esencia de este tributo excluye la aplicación de normas generales para todas las obras del municipio[121] el segundo, es el principio de justicia en el reparto, de tal modo que todos los especialmente beneficiados sean gravados en una proporción igual a la del beneficio obtenido[122].

---

[115] Así, la STS de 7 de noviembre de 1989 (*Tol 2371587*) afirma que para determinación de la existencia de la proporcionalidad "no pueden tomarse como términos de comparación dos edificios colindantes, sino que ha de hacerse con la totalidad de los beneficiados por las obras". SSTS de 7 de diciembre de 1994 (*Tol 1696651*), de 25 de enero de 1996 (*NR. 4399/1991*) y de 29 de junio de 2016 (*Tol 5776403*).

[116] SSTS de 17 de febrero de 1997 (*Tol 192844*), de 21 de junio de 1993 (*Tol 1678673*), de 25 de enero de 1996 (*NR. 4399/1991*): "En el supuesto ahora examinado la elección por parte del Ayuntamiento como módulo de reparto del volumen edificable de las diversas fincas colindantes con la vía pública urbanizada, que pudiera haber sido acertado para distribuir el coste de las obras entre la relación de sujetos especialmente beneficiados por ellas confeccionada por aquella Corporación, no lo es si tenemos en cuenta lo antes argumentado, puesto que la inclusión de terrenos de RENFE, que no son en la actualidad edificables, imponen la búsqueda de otro módulo de reparto que permita su aplicación a todos los terrenos afectados".

[117] SSTS de 23 de octubre de 1995 (*NR. 1844/1991*) y de 30 de septiembre de 1991 (*Tol 2428549*). No obstante, en el caso de elección entre varios módulos corresponde al ayuntamiento la ponderación de la aplicación de cada uno de ellos, en este sentido véase J. I. Rubio de Urquía. *Ley Reguladora de las Haciendas Locales*, Abella, Madrid, 1989, pág. 168.

[118] SSTS de 27 de febrero de 1990 (*Tol 2402821*); de 28 de enero de 1993 (*Tol 1685676*), de 8 de marzo de 1994 (Tol 1696545), de 24 de octubre de 1994 (*Tol 1692930*), de 7 de diciembre de 1994 (*Tol 1696651*), de 25 de enero de 1996 (*NR. 4399/1991*).

[119] STS de 17 de febrero de 1997 (*Tol 192844*).

[120] STS de 17 de mayo de 1997 (*Tol 194490*).

[121] STS de 29 de junio de 2016 (*Tol 5776403*).

[122] Este es un principio "muy difícil de plasmar en formulaciones abstractas pero que puede traducirse como la necesidad de que en cada caso concreto cada una de las fincas especialmente beneficiadas por las obras contribuyan a su financiación en un porcentaje que represente la proporción de su beneficio en relación con las demás" SSTS de 7 de diciembre de 1994 (*Tol 1696651*), de 25 de enero de 1996

No obstante, la elección de la Administración sobre los módulos debe prevalecer en tanto no se acredite su arbitrariedad, lo que no sucederá si no se acredita por el sujeto pasivo la justicia de la aplicación de otros módulos para conseguir un reparto más justo y equitativo de la carga tributaria[123]. Ya que, como se ha reconocido, "ningún sistema", esto es, la elección de un módulo u otro, ya sea de un modo separado o conjunto "garantiza la inexistencia de pequeñas desigualdades de trato" entre los distintos sujetos especialmente beneficiados a la hora de determinar su cuota[124].

A pesar de que el módulo resulte aplicable a todos los sujetos pasivos, sin embargo, no siempre esta circunstancia será suficiente para producir un reparto justo de la carga. La jurisprudencia para calificar el reparto de la carga como justo, no sólo se limita a observar si se ha aplicado correctamente, y de manera objetiva el módulo elegido, sino que abunda en otros criterios de justicia material, en algunos casos, próximos a la idea de *capacidad económica*[125]; así, la aplicación de los módulos de reparto no sólo ha de responder a la justicia del reparto, sino que han de excluir que su aplicación a una finca concreta resulte manifiestamente injusta[126]. También, la inequidad en el reparto de la carga tributaria puede deberse, no por la incorrecta elección de tal o cual módulo de reparto, sino a la indebida, e inmotivada, amalgama en un solo expediente, y con tratamiento fiscal idéntico, de contribuciones especiales, de actuaciones, intervenciones, obras y mejoras de muy distinto alcance, cuya confusión conduce a un reparto globalmente inequitativo que afecta a la validez del acuerdo de imposición y ordenación[127].

El art. 32.1 TRLRHL señala que la base imponible de las contribuciones especiales se repartirá entre los sujetos pasivos teniendo en cuenta la clase y naturaleza de las obras y servicios con sujeción a las reglas de las letras a, b y c de este apartado. Del contenido de este apartado 1 se puede destacar que "no resulta una estricta correlación entre la

---

(*NR. 4399/1991*), de 12 de abril de 1997 (*Tol 194174*), de 10 de julio de 1997 (*Tol 194643*), de 17 de mayo de 1997 (*Tol 194490*). Desde esta perspectiva se considera no apropiado establecer una reducción 50 por ciento sobre el módulo elegido valor catastral por el hecho de que determinados tipos de viviendas no tienen fachada a la calle cuando la obra es un colector de aguas pluviales —STSJ de la Comunidad Valenciana de 10 de mayo de 2002 (*NR. 2839/98*).

[123] SSTS de 27 de febrero de 1990 (*Tol 2402821*), de 24 de octubre de 1994 (*Tol 1692930*).

[124] SSTSJ de la Comunidad Valenciana de 11 de julio de 1994 (*NR. 2621/1992*), de Cataluña de 4 de junio de 1998 (*NR. 2865/1993*).

[125] SSTSJ de la Comunidad Valenciana de 21 de septiembre de 1998 (*NR. 4821/1995*) y de 15 de enero de 1998 (*NR. 663/1995*), de La Rioja de 28 de febrero de 1998 (*NR. 1042/1996*), de Canarias de 1 de julio de 1992 (*NR. 635/1990*), de Baleares de 8 de abril de 1994 (*NR. 286/1993*), de Asturias de 4 de septiembre de 1992 (*NR. 407/1991*). Sobre estas sentencias puede verse F. Fernández Marín. "Estudio jurisprudencial de las contribuciones especiales", *op. cit.*, págs. 64 y 65.

[126] SSTSJ de Cataluña de 12 de julio de 2021 (*Tol 8609399*) y 7 de junio de 2022 (*Tol 9159598*).

[127] SSTSJ de Cataluña de 12 de julio de 2021 (*Tol 8609399*) y 7 de junio de 2022 (*Tol 9159598*). Véase el texto al que se refiere la nota a pie de página núm. 92.

naturaleza de las fincas objeto del tributo o de la clase y naturaleza de las obras o servicios realizados con el módulo de reparto elegido, pues todos los que ofrece el precepto pueden aplicarse conjunta o separadamente por la Administración en atención a las circunstancias de cada caso"[128].

a) Con carácter general se aplicarán conjunta o separadamente, como módulos de reparto, los metros lineales de fachada de los inmuebles, su superficie, su volumen edificable, y el valor catastral a efectos del Impuesto sobre Bienes inmuebles.

La cuestión fundamental que nos tenemos que plantear es si el elenco de módulos recogidos en esta letra es un *numerus clausus*. La jurisprudencia al respecto no mantiene un criterio único.

Su consideración como una relación cerrada de módulos ha sido asumida por la STS de 6 de febrero de 1998 (*Tol 1699620*), al anular una liquidación de contribución especial que había tomado como módulo "promedio de consumo de agua" para la construcción de un colector de aguas en una zona industrial, a juicio del tribunal estamos ante un verdadero "numerus clausus"[129] que no es posible ampliar con otro sistema de distribución cualquiera que sea la naturaleza de las obras y servicios que se pretenden financiar, aunque hipotéticamente se tratará de fórmulas más equitativas, pues todas las alegaciones sólo tiene valor de "*lege ferenda*" pero no pueden servir para fundar la violación de un texto legal claro, ni para revocar la sentencia que lo aplicó "correctamente". Este planteamiento ha sido reiterado en la STS de 10 de junio de 2002 (*Tol 1701855*).

Sin embargo, desde una perspectiva teleológica, la finalidad de conseguir un reparto justo y equitativo de la carga tributaria que se corresponda en definitiva con el beneficio especial realmente obtenido por el sujeto pasivo, permitiría entender posible, en primer lugar, la aplicación de otros módulos no previstos en el art. 32 TRLRHL y, en segundo lugar, la aplicación corregida de aquellos módulos al combinarlos con otros elementos.

Respecto de la primera posibilidad, se puede traer a colación la STS de 29 de junio de 1989 (Ar. 5517) que parece admitir esta interpretación teleológica, al considerar que no es ilegal el módulo aplicado por el Ayuntamiento a pesar de no estar autorizado en la normativa, del cual incluso se afirma "que podría alcanzar una adecuada complementación para el caso de los locales de negocios valorando la importancia del negocio

---

[128] STS de 24 de octubre de 1994 (*Tol 1692930*). Desde esta perspectiva, en relación con el módulo metros lineales de fachada, se ha considerado inequitativo y desproporcionado, que en su caso se le computen a efectos contributivos los metros lineales de dos fachadas de su nave industrial que dan a calles diferentes, ya que si la *ratio legis* del tributo es el beneficio especial que la obra o servicio implantado provoca al contribuyente, es evidente que el mismo beneficio se obtiene a este respecto —acceso del abastecimiento del agua y al alcantarillado— por el titular de una finca con fachada a una sola calle o a más de una.

[129] A favor de esta interpretación, I. Merino Jara. "Contribuciones especiales", *op. cit.*, pág. 230.

desenvuelto en cada uno de ellos"[130]. Además, esta primera posibilidad se podría fundamentar en la propia expresión utilizada en el texto normativa "con carácter general", si la enumeración fuese taxativa no se alcanza a entender su significado[131].

En relación con la segunda posibilidad, desde esta perspectiva finalista, la STS de 14 de mayo de 1998 (*Tol 110020*) permite una vez escogido el módulo de reparto, en el caso metros de superficie, modificar el importe a satisfacer en función del grado de urbanización que ya tuvieran los inmuebles afectados —y no por tanto del volumen edificable— señalando que si bien ésta "no deja de ser una solución poco frecuente, pero, inicialmente, no parece opuesta al principio de justa distribución de las cargas urbanísticas"[132].

En relación con el módulo "*volumen edificable*", la STS de 17 de febrero de 1997 (*Tol 192844*) considera válida la utilización del volumen de edificabilidad de un Plan General de Ordenación Urbana que se estaba tramitando en el momento de adopción del acuerdo de imposición[133], si bien se condiciona su efectiva aplicación al respeto del principio de equitativa distribución de las cargas tributarias, hecho que no se cumple cuando "hay volúmenes no ya edificables, sino edificados y consolidados —que no han sido tenidos en cuenta en el expediente liquidatorio del tributo—, originándose así un incuestionable beneficio para los titulares de los mismos" al no estar contemplados en el nuevo Plan, lo que determina la necesaria "búsqueda de otro módulo que permita su aplicación a todas las fincas beneficiadas". Por el contrario, en la STS de 31 de octubre de 1987 (Ar. 7453) se anula una liquidación de la contribución especial que utilizó como módulo el volumen de edificabilidad si este resulta modificado con posterioridad en un Plan, se entiende aprobado con anterioridad al devengo de la contribución especial.

---

[130]   En esta línea la STSJ de Galicia de 16 de febrero de 2001 (*NR. 7277/1997*) que admite como módulo "la unidad de acometida". Además en la STS de 22 de diciembre de 2001 (*Tol 130447*) no corrige la utilización por la sentencia recurrida del módulo "aprovechamiento urbanístico", la STSJ de Aragón de 5 de octubre de 2001 (*NR. 105/1998*) considera apropiado el módulo "toma de agua".

[131]   Desde esta perspectiva al STSJ de Aragón de 30 de septiembre de 1998 (*Tol 390465*) admite como posible módulo a "los metros cuadrados urbanizables". No obstante, cabría interpretar que la letra a) es de aplicación en todos los casos en los que resulten especialmente beneficiados sujetos distintos a los que se refieren las letras b) y c) del art. 32.1 TRLRHL, que no son sino los sujetos del art. 30.2 c) y d) TRLRHL, a favor de esta interpretación I. Merino Jara. "Contribuciones especiales", *op. cit.,* págs. 229 y 230, si bien reconoce la dificultad de aplicar los módulos de la letra a) del art. 32.1 TRLRHL, pensados para los bienes inmuebles y por tanto a repartir entre sus propietarios, a los sujetos previstos en el art. 30.2 b) TRLRHL, esto es a los empresarios y profesionales.

[132]   Sobre los criterios de corrección de los módulos elegidos, pueden verse las SSTSJ de Asturias de 4 de septiembre de 1992 (JT. 392), de la Comunidad Valenciana de 15 de enero de 1998 (*NR. 663/1995*).

[133]   En este sentido las SSTS de 26 de abril de 1996 (Ar. 3531), de 1 de abril de 1996 (Ar. 3122) y 18 de enero de 2000 (*Tol 1712564*).

Otras veces se ha permitido atender a la vez a las superficies edificadas y edificables, debiéndose poner en contraste ambas para optar por la mayor de ellas STSJ de La Rioja de 31 de julio de 1996 (*NR. 641/1993*)[134].

Por último, destacar como la STS de 21 de junio de 1993 (*Tol 1678673*) considera que el módulo de volumen edificable es aplicable, a un suelo no urbanizado y dedicado al cultivo, si es suelo urbanizable programado, ya que en el Plan General de Ordenación se establece el volumen de edificabilidad. La STS de 10 de junio de 2002 (*Tol 1701855*), aclara que por volumen edificable no se puede entender el número de plantas[135].

En relación con el módulo *valor catastral*, se ha admitido la utilización del valor catastral de un ejercicio posterior al que se habría señalado en el acuerdo de imposición de la contribución especial, al no ser posible la utilización de este último por causas no imputables al Ayuntamiento y por ser el valor catastral utilizado una simple consecuencia de un aumento lineal de las valoraciones anteriores, no suponiendo su utilización una alteración de las cuotas individuales.

Por último, dejar señalado que la aplicación de los módulos de esta letra a) presentan alguna peculiaridad en relación con los bienes inmuebles situados en una esquina, chaflán o entre dos o más calles[136].

b) Si se trata del establecimiento y mejora del servicio de extinción de incendios, podrán ser distribuidas entre las entidades o sociedades que cubran el riesgo por bienes sitos en el municipio de la imposición, proporcionalmente al importe de las primas recaudadas en el año inmediato anterior. Si la cuota exigible a cada sujeto pasivo fuera superior al cinco por ciento del importe de las primas recaudadas por éste, el exceso se trasladará a los ejercicios sucesivos hasta su total amortización.

Como hemos señalado con anterioridad los sujetos especialmente beneficiados por estas obras pueden ser tanto las compañías aseguradoras como particulares, este hecho hace que la doctrine considere que esta regla de la letra b) se aplique a las primeras, siendo de aplicación, aún ante este tipo de servicio, los criterios de la letra a) cuando estemos ante contribuyentes que sean meros particulares.

---

[134] De este modo, aún tratándose de inmuebles actualmente edificados no bastaba, sin más el cómputo de esa edificación ya presente que habría de ceder ante la futura de que fuera susceptible el inmueble, si resultaba mayor.

[135] El módulo "volumen edificable" no es lo mismo que el del número de plantas, "pues aunque ellos afecte al final al volumen, este último es un concepto tridimensional, directamente relacionado con las especificaciones urbanísticas del planeamiento aplicable y que se expresa de manera diferente que la simple determinación del número de pisos autorizados, en cada uno de los cuales puede haber diferentes superficies y altura de techos".

[136] Al respecto pueden verse las SSTSJ de Galicia de 24 de febrero de 1995 (*NR. 7656/1993*), de Cataluña de 4 de junio de 1998 (*NR. 2865/1993*), de La Rioja de 31 de julio de 1996 (*NR. 641/1993*).

c) En el caso de las obras a que se refiere el apartado 2.d) del artículo 30 de esta ley, el importe total de la contribución especial será distribuido entre las compañías o empresas que hayan de utilizarlas en razón al espacio reservado a cada una o en proporción a la total sección de aquéllas, aun cuando no las usen inmediatamente.

Antes de finalizar con la cuota tributaria de las contribuciones especiales es preciso señalar que, una vez elegido y aplicado el módulo, a éste no se le pueden atribuir valores distintos a no ser que se den causas debidamente justificadas[137]. Así, la determinación del valor del módulo ha de ajustarse al coste repartible de la correspondiente obra y al número de unidades de módulo operantes, por lo que no cabe utilizar un valor distinto al que resulte de una operación aritmética de división, donde el dividendo será el coste repartible y el divisor el número de unidades del módulo[138]. En lógica consecuencia el valor a tener en consideración para la fijación del valor del módulo será el importe a satisfacer por los sujetos pasivos y no el coste total (ni el soportado) por la Administración, ya que, si para el "cálculo de las cuotas individuales se parte del coste total de las obras, ello producirá el resultado contradictorio de que el sujeto pasivo contribuya en una cantidad mayor de la que el propio Ayuntamiento ha fijado como cuantía de la contribución especial"[139].

Una vez determinada la cuota, nos recuerda el art. 31.6 TRLRHL, que si hay sujetos pasivos que hayan otorgado una subvención o auxilio a la obra o servicio su importe se destinará a compensar la cuota de la respectiva persona o entidad, y el exceso si lo hay reducirá a prorrata las cuotas de los demás sujetos pasivos. En ningún caso esta situación puede considerarse como un supuesto de exoneración del impuesto ni tampoco de no sujeción como entendió la STS de 10 de junio de 1998 (*NR. 5880/1992*).

La cuota individual definitiva, según la STS de 26 de mayo de 1993 (Roj: STS3392/1993), puede ser susceptible de rectificación, tanto si la modificación se debe al régimen urbanístico de algunos terrenos, que alterasen la equidad en el sistema de reparto, como si son consecuencia del abono por compensación del valor de los terrenos aportados o de subvenciones. Incluso cabe su rectificación como consecuencia de los auxilios y subvenciones del art. 31.5 TRLRHL, que eran desconocidos o no se habían recibido al momento de la determinación inicial del

---

[137] STS de 8 de junio de 1988 (*Tol 2357272*). Piénsese en el caso de las exenciones, art. 32.2 TRLRHL. En esta línea se admite un importe distinto en la STSJ de Baleares de 25 de febrero de 2000 (JT. 213), donde al módulo metros lineales en una misma obra se le atribuye un distinto valor porque parte de la misma recibió una subvención de un ente público, no pudiéndose extender su importe al total de la obra.

[138] STSJ de La Rioja de 23 de marzo de 1993 (*NR. 34/1992*).

[139] STS de 14 de mayo de 1998 (*Tol 110020*).

coste efectivamente soportado. Sin embargo, no cabrá su rectificación como consecuencia de los perjuicios derivados de otras obras.

5. EL DEVENGO DE LAS CONTRIBUCIONES ESPECIALES

Las contribuciones especiales se devengan cuando las obras se hayan ejecutado o el servicio haya comenzado a prestarse. No obstante, si las obras fueran fraccionables, el devengo se producirá cuando se haya ejecutado cada tramo o fracción —art. 33.1 TRLRHL—.

Por tanto, será el momento de la finalización de la obra o del inicio de la prestación del servicio, el que determine el nacimiento de la obligación tributaria[140], la normativa aplicable[141] siendo irrelevante el momento en que se aprobó el proyecto de obras. Del mismo modo sucede para la determinación del sujeto pasivo[142], o para la aplicación correcta de un módulo de reparto[143].

En definitiva, el devengo de las contribuciones especiales se produce cuando la obra pública local ha sido ejecutada definitivamente. Para considerar que ello ha sido así basta con la simple recepción provisional de la misma por el ente exactor[144].

---

[140] En la STS de 30 de enero de 1989 (Ar. 567) se anula una liquidación girada antes de haberse acabado la obra ya que "la obligación tributaria no nace hasta el momento en que las obras se hayan ejecutado, salvo los supuestos de pagos anticipados". No obstante, M. A. Llamas Labella entiende que las contribuciones especiales se adoptan para y no por la realización de obras y servicios y en consecuencia considera que el devengo se produce con el acuerdo de realización de las obras. M. A. Llamas Labella. *Las contribuciones especiales*, Zaragoza, 1973, pág. 160.

[141] STSJ de Castilla y León de 28 de febrero de 1997 (*NR. 1211/1993*).

[142] SSTSJ de Canarias de 18 de julio de 1994 (*NR. 595/1991*) y de Aragón de 28 de septiembre de 1992 (*NR. 1505/1991*).

[143] Así se debe atender a la realidad existente en el devengo, aunque con posterioridad se produzca una reducción en las unidades del módulo elegido STS de 30 de abril de 1987 (Ar. 2678).

[144] STSJ de Madrid de 13 de septiembre de 1996 (*NR. 644/1994*) "es la recepción provisional de las obras la que determina su entrega al uso o servicio correspondiente y la que provoca la fijación del devengo en esta modalidad tributaria. Así es, el hecho imponible de las contribuciones especiales está constituido por la obtención de un beneficio por el sujeto pasivo o por el incremento de valor que experimenten sus bienes como consecuencia de la ejecución de la obra, y así no puede considerarse que el incremento en el valor del bien se produjera meses después de su recepción provisional, sino al producirse ésta y en tal momento el recurrente no había adquirido el inmueble, y por ende no tenía la condición de sujeto pasivo". En este sentido las SSTS de 27 de abril de 1992 (*Tol 1678254*) y de 17 de octubre de 1984 (Ar. 4970). De este parecer F. Clavijo Hernández. "Las contribuciones especiales", en la obra colectiva *Tratado de Derecho Financiero y Tributario Local*, Marcial Pons y Diputació de Barcelona, Madrid, 1993, pág. 568.

6. EL PAGO DE LAS CONTRIBUCIONES ESPECIALES

6.1. EL FRACCIONAMIENTO O APLAZAMIENTO DE LA CUOTA DE LA CONTRIBU-CIÓN ESPECIAL

En relación con las contribuciones se recogen dos supuestos, uno genérico y de aplicación a solicitud de parte, y otro específico y de aplicación automática.

El primero de general aplicación, consiste en un derecho reconocido al contribuyente en el art. 32.2 TRLRHL de que una vez determinada la cuota a satisfacer y notificadas individualmente a cada sujeto pasivo, la Corporación podrá conceder a instancia del sujeto pasivo el fraccionamiento o aplazamiento de ésta por un plazo máximo de cinco años[145].

El segundo supuesto, recogido en el art. 32.1.b) del TRLRHL, prevé un caso específico de fraccionamiento, cuando la cuota exigible a cada sujeto pasivo por el establecimiento y mejora del servicio de extinción de incendios, fuera superior al 5% del importe de las primas recaudadas por aquél, el exceso se trasladará a los ejercicios sucesivos hasta su total amortización.

6.2. EL PAGO ANTICIPADO DE LA CONTRIBUCIÓN ESPECIAL

Con carácter general la obligación de pago de las contribuciones especiales no surgirá hasta el momento de su devengo. No obstante, la necesidad de liquidez para la ejecución de las obras posibilita a la entidad local la exigencia de un pago anticipado, una vez aprobado el acuerdo concreto de imposición y ordenación, en función del importe del coste previsto para el año siguiente[146]. En consecuencia, su exacción puede realizarse con anterioridad al devengo, pero en ningún caso con anterioridad a la adopción del acuerdo de imposición y ordenación de la contribución especial, ya que sin tales acuerdos no existe el menor sustento legal para exigir una deuda tributaria que ni se ha devengado ni se puede devengar[147]. De este modo, se considera que la exigibilidad del pago anticipado está condicionada a que conste en el expediente la determinación de los gastos previstos y para el periodo de una anualidad[148], como nos recuerda el art. 33.2 TRLRHL en ningún caso se podrá exigir una nueva anualidad sin que hayan sido ejecutadas las obras para las que se exigió el correspondiente anticipo.

---

[145]   Por los que se devengarán los correspondientes intereses de demora de acuerdo con lo dispuesto en el art. 10.1 TRLRHL.

[146]   Si las obras tienen una duración inferior al año nada impediría exigir íntegramente su importe como pago anticipado a los contribuyentes, aun cuando no se hallan ejecutado STSJ de Andalucía de 14 de septiembre de 2001 (*NR. 1811/1997*).

[147]   STSJ de Andalucía de 23 de febrero de 1998 (*NR. 755/1994*).

[148]   STSJ de Castilla y León de 3 de mayo de 1995 (JT. 649).

La jurisprudencia entiende que la exigencia del pago anticipado debe acordarse por el pleno[149].

Al ser exigibles, con las limitaciones señaladas, con anterioridad a la finalización de las obras y al ser cuantificados, por tanto, de un modo estimativo sobre un coste presupuestado de las obras, se ha afirmado correctamente que estamos "ante actos notificados que no constituyen liquidaciones definitivas, pues éstas sólo pueden girarse cuando se tenga conocimiento puntual de todo el coste de la obra en atención a las partidas que, según la Ley, deban y puedan ser objeto de tal consideración, por financiar obras que beneficien de un modo especial a determinadas personas. Este coste, de una manera exacta, sólo puede determinarse por la entidad local al terminar la ejecución de las obras de que traen causa, momento en el que debe procederse a regularizar los pagos anticipados con las cuotas concretas y ciertas que correspondan a cada uno de los contribuyentes. Este momento es el que las normas denominan como devengo del tributo y respecto del cual deben apreciarse todas las circunstancias determinantes de los sujetos, cuantía, etc., de la obligación de pago"[150].

El pago anticipado una vez producido el devengo tiene la consideración de entrega a cuenta —art. 33.4 TRLRHL—, de tal modo que si este pago se realizó por quien no tiene la condición de sujeto pasivo en el momento del devengo, o si su importe excede de su cuota definitiva individual, se practicará una devolución de oficio —art. 33.5 TRLRHL—. A pesar de esta relación entre el pago a cuenta y la liquidación definitiva, la STS de 6 de noviembre de 1997 (*NR. 1052/1992*) afirma que una vez prescrito el derecho de la Administración a exigir la exacción del pago anticipado, estos no pueden reclamarse dentro del importe total de la cuota definitiva que deba satisfacer el sujeto pasivo considerando que esta afirmación no queda desvirtuada por el hecho de que el momento del devengo se produzca cuando la obra se ha ejecutado y/o decepcionado, declarándose la nulidad parcial de la cuota definitiva, quedando reducida su virtualidad a la diferencia entre la cuantía total y las correspondientes a los pagos anticipados prescritos.

7. LA GESTIÓN TRIBUTARIA DE LAS CONTRIBUCIONES ESPECIALES

El procedimiento de imposición y ordenación de las contribuciones especiales se regula en los arts. 15 a 19 del TRLRHL, común para todos los tributos potestativos, y en los arts. 34 y 35 del TRLRHL de un modo más específico.

---

[149] SSTS de 17 de febrero de 2004 (*Tol 615047*) y 24 de febrero de 2004 (*Tol 615063*), y la STSJ de Navarra de 22 de diciembre de 1998 (JT. 1787).

[150] STSJ de Aragón de 28 de septiembre de 1992 (*NR. 1505/1991*).

7.1. LOS ACUERDOS DE IMPOSICIÓN Y DE ORDENACIÓN DE LA CONTRIBUCIÓN ESPECIAL

La exacción de las contribuciones especiales, como tributo potestativo, precisa la previa adopción —según el procedimiento descrito en el art. 17 TRLRHL— por la entidad local de los acuerdos de imposición y de ordenación[151], que debe de ser adoptado de manera simultánea[152] —según el art. 16.1 párrafo 3º TRLRHL—. En consecuencia, ambos acuerdos deben adoptarse inexcusablemente cada vez que se quiera establecer una contribución especial, tanto el de imposición por motivos obvios, como el de ordenación, aún en el caso en que existiera con carácter previo una Ordenanza Fiscal general de contribuciones especiales, debe por tanto aprobarse un acto de ordenación específico aunque su contenido acabe remitiéndose a dicha Ordenanza[153].

Estos acuerdos deben ser adoptados por el Pleno del Ayuntamiento —por mayoría de sus miembros[154]— y no por el Alcalde, ni por su delegación por el Teniente de Alcalde[155].

Tales acuerdos son esenciales y, por tanto, su ausencia o bien la omisión de algún requisito fundamental en su tramitación conlleva la nulidad de todos los acuerdos y actuaciones posteriores.

Estos acuerdos deben ser previos[156], como ya hemos indicado, a la realización de la obra o del establecimiento del servicio que deba costearse mediante contribuciones

---

[151]   Art. 34.1 y 3 TRLRHL.

[152]   Sin embargo, la STSJ de Galicia de 27 de febrero de 1998 (*NR. 8652/1995*) admite que "nada impediría a la Corporación en pleno adoptar dicho acuerdo de imposición, aun sin ordenanza, o como fue el caso con una ordenanza aprobada provisionalmente, pero para que dicho acuerdo de imposición pueda ser considerado como simultáneo acuerdo de ordenación, de inexcusable adopción, no bastaban los escuetos términos en que fue adoptado, al no hacer referencia a aquellos datos de obligada consignación, no quedando salvada tal omisión por la referencia que dicho acuerdo contiene a la Ordenanza modificada, con carácter provisional en aquella misma ocasión, pues desde el punto de vista jurídico, hasta en tanto, la aprobación de dicha modificación pasase aquellos trámites de publicación, impugnación y publicación definitiva, no tenía existencia jurídica, por lo que ya se concluye que la ordenación concreta de aquellas contribuciones precisaba de un posterior acto o acuerdo de ordenación".

[153]   Art. 34.3 TRLRHL.

[154]   SSTS de 14 de marzo de 1998 (*Tol 1699251*), de 15 de diciembre de 1997 (*Tol 197219*), de 12 de diciembre de 1997 (*Tol 196032*), de 20 de noviembre de 1997 (*Tol 196851*).

[155]   SSTS de 4 de diciembre de 1997 (*Tol 196762* y *Tol 196270*), de 3 de diciembre de 1997 (*Tol 195900* y *Tol 197031*) y de 19 de noviembre de 1997 (*Tol 196548*).

[156]   Resulta interesante ver como la STSJ de Galicia de 26 de febrero de 2001 (*NR. 7270/1997*) aclara que el inicio del proceso de expropiación no es una fase de ejecución de las obras financiadas por contribución especial, y ello a pesar de que el importe de las expropiaciones forman parte de su base imponible.

especiales —art. 34.2 TRLRHL[157]—. La cuestión es si deben ser definitivos o basta que sean provisionales para que la obra se pueda ejecutar[158].

El Tribunal Supremo[159] ha establecido la siguiente doctrina en torno a las fases y actos administrativos (con su contenido y requisitos) que, cronológicamente, según los ars. 28 a 36 TRLRHL deben seguir y adoptar los Ayuntamientos para la exacción de las contribuciones especiales:

Primero, el *Acuerdo de Imposición (provisional).* Dado el carácter de tributo potestativo de las contribuciones especiales, este acto tiene como objeto principal el de manifestar la voluntad del ente local de aplicar una contribución especial. Mediante este acto se decide exigir respecto de determinadas obras o del establecimiento o ampliación de un servicio, el reparto, en el porcentaje que se establezca, del coste de dichas obras y actuaciones.

A pesar de ello no es un acto totalmente libre, sino que debe ser objeto de motivación sobre todo cuando con anterioridad por el ente local no se han girado contribuciones especiales por obras similares[160].

Ahora bien, el contenido de este acto de imposición no es a juicio de la jurisprudencia meramente declarativo de la voluntad de la exacción del tributo, sino que también en él, se debe fundar y justificar que las actuaciones de la administración local benefician especialmente a determinadas personas físicas o jurídicas o las entidades del art.

---

[157] La adjudicación de la obra no puede ser previa a la adopción de estos acuerdos STSJ de Madrid de 11 de septiembre de 2001 (JUR 57930).

[158] De la doctrina del TS que vamos a analizar seguidamente en el texto, se infiere el necesario carácter definitivo de los acuerdos de imposición y ordenación. La STSJ de Extremadura de 20 de marzo de 1997 (*NR. 2556/1994*) mantiene que "dicha ejecución únicamente se ajustará a derecho, de cara a la exacción de la contribución especial de referencia, si ha sido precedida de la adopción de dichos acuerdos con carácter definitiva", sin embargo, la STSJ de Madrid, de 2 de febrero de 1998 (*NR. 539/1996*), considera que no existe ejecución anticipada de obras cuando éstas se realicen con carácter previo a la aprobación de los acuerdos definitivos, pero con posterioridad a su aprobación provisional que adquirió carácter definitivo al no haberse presentado reclamación contra el mismo, en este sentido, si bien en relación con la anterior normativa, la STSJ de Castilla y León de 10 de junio de 1994 (*NR. 177/1991*) que considera que "el acuerdo de aprobación inicial del expediente de aplicación de las obras ha de estimarse suficiente, pues la Ley no distingue entre aprobación inicial y definitiva, no debiéndose hacer distinciones donde la Ley no las hace".

[159] SSTS de 7 de marzo de 2007 (*Tol 1059083*), de 17 de febrero de 2004 (*Tol 615047*), donde se hace referencia a otras sentencias del Alto Tribunal donde se ha ido fijando esta doctrina, así, SSTS de 16 de enero de 1996 (*Tol 189614*), de 18 y 20 de noviembre de 1997 (*Tol 196793* y *Tol 196851*), de 4 de diciembre de 1997 (*Tol 196270*), de 18 de abril de 1998 (*Tol 1699299*), de 8 de abril de 1999 (*Tol 1700186*), de 11 de marzo y de 23 de septiembre de 2002 (*Tol 162868* y *Tol 1702209*) y especialmente la de 15 de junio de 2002 (*Tol 1702307*).

[160] STSJ de la Comunidad Valenciana de 17 de octubre de 1996 (*NR. 1360/1994*).

35.4 LGT —en definitiva que nos encontramos ante un supuesto que se integra en el hecho imponible de contribuciones especiales—.

También, en este acto se debe motivar el porcentaje del reparto, resultante de la adecuada ponderación entre el beneficio especial y el beneficio general de la colectividad.

Este acto debe hacer referencia, con menciones precisas, al acuerdo de realización de las actuaciones públicas, se tiene que identificar la obra o servicio a ejecutar[161], si bien, no resulta necesario que se detalle el coste de la actuación, ni los criterios o módulos de reparto, que son cuestiones que deben ser tratadas en el acuerdo provisional de ordenación que se debe aprobar simultáneamente al de Imposición.

Segundo, el acuerdo de ordenación (provisional) tiene un contenido más amplio y se integra en principio por las exigencias de los arts. 34.3 y 16 del TRLRHL[162]:

a) El coste previsto de realización de las obras o del establecimiento o ampliación de los servicios con el detalle preciso que permita su correcto conocimiento y aplicación del porcentaje. Esto es haciendo referencia a las partidas que integran el coste soportado según el art. 31.2 TRLRHL, aun cuando sea una mera previsión —art. 31.3 TRLRHL—[163].

b) La base imponible (cantidad a repartir entre los beneficiarios)[164]: del coste total se restan las subvenciones o auxilios a los que hace referencia el art. 31.5 TRLRHL[165],

---

[161] En este sentido se pronunció la STSJ de Baleares de 15 de septiembre de 1998 (*NR. 1189/1995*).

[162] La falta del contenido de cualquiera de los dos preceptos provoca la nulidad del acuerdo de ordenación. El art. 16 del TRLRHL establece un contenido adicional, se ha planteado si el mismo debe reflejarse en el acuerdo concreto de ordenación o si, en cambio, su omisión se salvaría con una remisión a la Ordenanza General de Contribuciones Especiales, al respecto la STS de 4 de diciembre de 1997 (*Tol 196270*) considera que el art. 34.3 TRLRHL exige un contenido mínimo (determinación del coste previo de las obras, de la cantidad a repartir entre los beneficiarios y de los criterios de reparto), en todo lo demás puede remitirse a la Ordenanza General de las Contribuciones especiales, si ésta no existiera también en el acuerdo de ordenación se debería reflejar el contenido del art. 16 TRLRHL.

[163] Sin que sea necesario que conste el detalle de las diferentes partidas, que ya constan en el proyecto técnico —STSJ de Cataluña de 1 de marzo de 2001 (*NR. 63/2000*).

[164] La reducción de la base imponible, como modificación de la ordenación que es debe someterse a la misma tramitación que la seguida para la ordenación inicial, esta obligación no sólo es exigible cuando se produzca un aumento —STS de 23 de junio de 2003 (*Tol 293967*)—.

[165] Las SSTS relativas a esta cuestión incluyen también como partidas que minoran la base imponible las que se integran en el art. 31.6 TRLRHL, sin embargo, como ya hemos señalado estas muestran su eficacia sobre la cuota del propio sujeto que otorga el auxilio o subvención, sólo en el caso en que esta se haga cero y haya un excedente, éste reducirá a prorrata, las cuotas de los demás sujetos pasivos. En principio se podría pensar que este excedente puede ser tratado como una reducción de la base imponible que al repartirse entre los restantes sujetos pasivos produce el efecto previsto en las cuotas de los sujetos pasivos. Sin embargo, no siempre será así, en el caso en el que en el expediente de las contribuciones especiales haya sujetos exentos, en este caso aplicar el exceso del auxilio en la reduc-

y sobre esta diferencia se aplicará el porcentaje que en ningún caso puede superar el 90 por ciento.

c) Relación de sujetos pasivos de la contribución especial. Esta necesidad y obligación jurídica se deduce del art. 33.2 y 3 TRLRHL que permite exigir el pago anticipado de las contribuciones especiales una vez aprobado el acuerdo de imposición y de ordenación y que prevé expresamente que en el acuerdo de ordenación figure como sujeto pasivo quien lo era en el momento de la aprobación de la contribución especial aunque no lo sea en el momento del devengo[166].

d) Criterios de reparto. Son los índices o módulos que se utilizan para distribuir o repartir la base imponible.

e) Cuotas singulares. Contenido lógico una vez que se tiene la relación de contribuyentes, la base imponible y los criterios de reparto.

f) Exposición al público y publicación del Acuerdo de Ordenación provisional.

De acuerdo con el art. 17 TRLRHL los acuerdos provisionales de establecimiento (imposición) y de ordenación se expondrán en el tablón de anuncios de la entidad durante un plazo mínimo de treinta días, dentro del cual los interesados podrán examinar el expediente y presentar las *reclamaciones* que estimen oportunas. Plazo además en el que se permite la constitución de la asociación administrativa de contribuyentes.

También se exige su publicación en el Boletín Oficial de la Provincia o el de la Comunidad Autónoma uniprovincial, además las Diputaciones, entidades supramunicipales y ayuntamientos con una población superior a 10.000 habitantes lo harán en un diario de los de mayor difusión de la provincia o de la Comunidad Autónoma uniprovincial.

Finalizado el plazo de exposición pública los entes locales adoptarán los acuerdos definitivos —aprobación, modificación, derogación— que procedan previa resolución de las reclamaciones presentadas. Si estas no se hubiesen presentado, se entiende definitivamente adoptado el acuerdo, hasta entonces provisional, sin necesidad del acuerdo plenario. En todo caso, los acuerdos definitivos —incluyendo los que han adquirido tal condición de modo automático— tendrán que ser publicados en el boletín oficial correspondiente, sin que puedan tener eficacia jurídica hasta dicho momento[167]. De donde se deduce que no es necesaria la notificación individual de tales acuerdos.

---

ción o minoración de la base imponible de la contribución especial, no reduciría a prorrata la cuota de los sujetos pasivos sujetos y no exentos que son precisamente por ello los que tienen cuota.

[166] A pesar de que esta exigencia parece estar en contradicción con el tenor de los arts. 34.3 y 33.4 TRLRHL.

[167] Se ha afirmado que no "es admisible el criterio de que la ausencia de reclamaciones frente a al publicación de las cuotas provisionales pueda exonerar a la Corporación de publicar la aprobación definitiva (siquiera sea automática), trámite de cuyo cumplimiento (art. 17.4) se hace depender la posibilidad

¿Cuál es la naturaleza jurídica de los acuerdos de imposición y ordenación?

El Tribunal Supremo ha considerado, en su Sentencia de 29 de noviembre de 2002 (*Tol 1701521*), que estos acuerdos lejos de poderse asimilar a las Ordenanzas Fiscales[168], que son disposiciones generales que afectan con valor normativo a todos los ciudadanos en el ámbito territorial del respectivo municipio, constituyen actos administrativos con destinatario plural, ya que establecen las condiciones en que han de fijarse y exaccionarse los correspondientes tributos entre los obligados a su pago. Frente a los cuales tan sólo vale la "reclamación", no pronunciándose el Alto tribunal sobre la procedencia, o no, de su impugnación indirecta[169]. No obstante, la STSJ de Andalucía de

---

de llevar a cabo el acuerdo" —STSJ de Madrid de 3 de marzo de 1997 (*NR. 917/1994*) y de 30 de mayo de 1997 (*NR. 144/1995*)—, no obstante, también se ha llegado a afirmar que la no publicación del acuerdo definitivo no supone un defecto trascendental para la anulación de las contribuciones —STSJ de Madrid de 2 de febrero de 1998 (*NR. 539/1996*).

[168] La STSJ de Cataluña de 19 de junio de 2008 (*Tol 1375634*), acogiendo a doctrina de la STS de 29 de noviembre de 2002, considera que no queda desvirtuada por el hecho de que determinados pronunciamientos del TS, como la STS de 17 de febrero de 2004 (*Tol 615047*), "al examinar las distintas fases y actos administrativos que deben seguir y adoptar los Ayuntamientos para la exacción de las Contribuciones Especiales, contenga la siguiente indicación 'el Acuerdo de Ordenación (que no es más que una Ordenanza Fiscal específica)'; y ello, por cuanto se trata de un equiparación referida a los requisitos que habrán de cumplir tales acuerdos, a los meros efectos de las formalidades necesarias para su adopción, similares a las establecidas para la aprobación de Ordenanzas Fiscales; sin que, con fundamento en tal aseveración y en defecto de otras especificaciones, pueda sostenerse que el expediente de imposición y ordenación tributaria goce de la naturaleza propia de las disposiciones reglamentarias". El acuerdo de ordenación será recurrible ante el Juzgado de lo Contencioso, a diferencia de las disposiciones reglamentarias locales que se recurrirían ante el Tribunal Superior de Justicia. En este sentido la STSJ de La Rioja de 26 de octubre de 2011 (*Tol 2289708*).
Como Ordenanza Fiscal específica se pronuncian además las SSTS de 7 de marzo de 2007 (*Tol 1059083*), 30 de diciembre de 2008 (*Tol 1441080*); de 26 de marzo de 2009 (*Tol 1499040*) y de 9 de marzo de 2004 (*Tol 408832*), si bien sólo esta última le atribuye "naturaleza jurídica de un acto normativo general y reglamentario". Así, participa de este criterio las SSTJ de Castilla y León de 30 de junio de 2005 (*Tol 673024*); y de 28 de julio de 2005 (*Tol 708045*), además en las SSTSJ de Castilla y León de 5 de abril de 2013 (*Tol 3844931*) y de 21 de julio de 2014 (*Tol 4482344*), se considera que son reclamables ante el Tribunal Superior de Justicia.

[169] El art. 17 TRLRHL regula, de forma conjunta, el procedimiento, tanto del establecimiento, supresión y ordenación de tributos locales, como de las aprobaciones y modificaciones de las Ordenanzas Fiscales de carácter Municipal y si ninguna duda cabe que estas últimas constituyen Disposiciones Generales, por afectar con valor normativo a todos los ciudadanos en el ámbito territorial del respectivo municipio, los actos de ordenación de tributos, por el contrario, son actos administrativos con destinatario plural, ya que establecen las condiciones en que han de fijarse y exaccionarse los correspondientes tributos entre los obligados a su pago, sin que puedan asimilarse a las Ordenanzas. La STSJ de Madrid de 10 de mayo de 2004 (*NR. 136/2003*) en esta línea afirma "El hecho de que la actuación impugnada venga regulada en la Ley de Haciendas Locales juntamente con las Ordenanzas e incluso le aplique la misma exigencia de publicidad que a estas, no la transforma en disposición general ni desvirtúa la condición que el Tribunal Supremo le atribuye de acto administrativo con

24 de marzo de 2003 (*NR. 354/2000*), haciéndose eco de esta postura del TS afirma que "dado su carácter de actos administrativos resulta evidente la imposibilidad de su impugnación indirecta al hilo de la notificación de la liquidación tributaria que de esos acuerdos pueda derivarse". Ahora bien, si son actos administrativos debería poder admitirse su impugnación directa una vez que los mismos sean definitivos[170]. Desde esta perspectiva, entiendo que frente a la aprobación provisional de tales acuerdos sólo cabe la interposición de "reclamaciones", cuya estimación o desestimación, tácita o expresa, no será susceptible de recurso alguno, lo cual puede resultar lógico: primero, atendiendo a la finalidad con la que se regulan: coadyuvar a la formación de la voluntad política en materia de entes locales[171] y en segundo lugar por su naturaleza, éstos son "meros actos trámite irrecurribles de forma separada de la resolución definitiva"[172], en tanto que carecen de eficacia jurídica hasta su publicación —art. 17.4 TRLRHL—.

7.2. LAS LIQUIDACIONES TRIBUTARIAS DE LAS CONTRIBUCIONES ESPECIALES: SU NOTIFICACIÓN Y RECURSOS

Tras la aprobación definitiva de los acuerdos de imposición y de ordenación, según el art. 34.4 TRLRHL, y determinadas las cuotas a satisfacer, éstas serán notificadas individualmente a cada sujeto pasivo[173]. De este precepto se desprende que en este tributo están previstas las liquidaciones provisionales, las cuales no se podrán practicar hasta

---

destinatario plural", en este sentido, la STSJ de Murcia de 13 de noviembre de 2003 (*Tol 352815*), entre otras, considera que no es una disposición de carácter general porque no tiene vocación de quedar incorporado de manera permanente al ordenamiento jurídico y se agota con su aplicación, por lo tanto, es más bien un acto administrativo con una pluralidad de sujetos pasivos afectados. En contra la doctrina de las SSTSJ de Castilla y León de 30 de junio de 2005 (*Tol 673024*) y de 28 de julio de 2005 (*Tol 708045*), que consideran que "nos hallamos ante un acuerdo de imposición y ordenación que goza de la naturaleza jurídica de un acto normativo, general y reglamentario cuya falta de publicación en los términos legales debe llevar, por tanto, inexorablemente, a la fatal consecuencia de su inexistencia, o, con otras palabras, de su carencia de obligatoriedad (en cuanto su publicación según los términos legales es un requisito imprescindible para su entrada en vigor, para su efectividad y aplicabilidad y, en suma, para su autenticidad en el orden de las declaraciones de derechos y deberes respecto de los ciudadanos destinatarios y potencialmente afectados)".

[170] En esta línea se pronunció la STSJ de Murcia de 11 diciembre de 1995 (*NR. 1464/1993*) y STSJ de Aragón de 17 de diciembre de 2002 (*Tol 427427*), en la que se afirma que "los interesados podrán impugnar el propio acuerdo de imposición, el porcentaje del coste a satisfacer por el sujeto pasivo o las cuotas asignadas; es decir, se podrá impugnar íntegramente el acuerdo de ordenación de la liquidación de cuotas". Véase además la nota 173.

[171] SSTSJ de Baleares de 15 de septiembre de 1998 (*NR. 1189/1995*) y de 31 de mayo de 2002 (*NR. 1755/1998*).

[172] STSJ de Aragón de 17 de diciembre de 2002 (*Tol 427427*).

[173] Si éste o su domicilio fuesen conocidos, y, en su defecto por edictos.

que los acuerdos en los que se fundan sean ejecutivos, esto es tras la finalización de su exposición pública, y cuya cuantificación se realiza a partir del presupuesto de la obra, por el momento en que se giran. También resulta que tales liquidaciones provisionales deben ser notificadas, aunque de ello no se desprenda necesariamente una obligación de ingreso inmediato, al no haberse devengado el impuesto con la ultimación de la obra o servicio, salvo que se prevea el pago anticipado.

Lógicamente, la notificación debe realizarse con anterioridad a la ejecución de la obra para evitar la indefensión del contribuyente[174].

Esta notificación individual, ha reiterado la jurisprudencia del TS[175], no puede confundirse ni equiparse con la exposición al público y publicación que exige el art. 17 del TRLRHL que va dirigida a los posibles afectados a los exclusivos efectos de que puedan solicitar la constitución de la asociación administrativa de contribuyentes, como instrumento colectivo de colaboración con la Administración local. Por el contrario las notificaciones individuales de cuotas tienen por finalidad que "los interesados" puedan formular recursos de reposición ante el Ayuntamiento, que versarán no sólo sobre "las cuotas asignadas", sino también sobre "el porcentaje de deban satisfacer las personas especialmente beneficiadas" por las obras y hasta sobre "la procedencia de las contribuciones especiales", objetivos todos ellos de directa fiscalización ciudadana sobre la actuación de la Administración Municipal, que la Ley confiere individualmente a los que están llamados a sufragar una parte importante del coste de aquellas; control que se convertiría en ilusorio si dichas obras estuvieran ya ejecutándose cuando se practica la notificación.

Así, la notificación individual ha de ser considerada necesaria e imprescindible y como garantía tributaria no puede dársele el tratamiento de una mera formalidad burocrática, en la que sea indiferente el momento de su práctica, antes al contrario su tardía realización, al privar en la practica al contribuyente de un derecho reconocido por la Ley, constituye un vicio productor de indefensión y por lo tanto de nulidad insubsanable. En consecuencia, la notificación a la que se hace referencia es a la de las liquidaciones provisionales y su falta no puede ser subsanada por la posterior notificación de la liquidación definitiva[176].

Una vez, que las obras se hayan ejecutado o se haya comenzado a prestar el servicio, se podrá realizar la asignación definitiva de bases y cuotas, girándose y notificándose las correspondientes liquidaciones definitivas —art. 33.1 y 4 TRLRHL—.

---

[174]   SSTS de 8 de abril de 1999 (*Tol 1700186*), de 24 de noviembre de 1997 (Ar. 2609/1998), de 18 de noviembre de 1997 (*Tol 196793*). Véase también la nota a pie de página 153.

[175]   Véase la nota anterior.

[176]   STSJ de Baleares de 31 de mayo (*NR. 1755/1998*), de 29 de mayo (JT. 904), de 24 de mayo de 2002 (JT. 902), de Madrid de 31 de julio de 2002 (*NR. 2518/1998*) y concordantes.

Una vez recibida la notificación el interesado interpondrá, si es el caso, el preceptivo recurso de reposición que podrá versar sobre "la procedencia de las contribuciones especiales, el porcentaje del coste que deban satisfacer las personas especialmente beneficiadas o las cuotas asignadas" —art. 34.4 TRLRHL—.

La "procedencia de la contribución especial", en cuanto que acto impugnable en reposición, debe ser entendida como la no procedencia de la inclusión[177] de un determinado interesado en el expediente de la contribución especial, pero no en cuanto a la consideración de la improcedencia del establecimiento o exacción de la misma[178].

Desde esta perspectiva la doctrina no duda en afirmar que la falta de notificación supone la invalidación de cualquier acto posterior de la Entidad Local encaminada al cobro de la contribución especial, tanto en el caso del pago anticipado como en el caso de la liquidación definitiva[179].

7.3. LA INTERVENCIÓN DE LA ASOCIACIÓN ADMINISTRATIVA DE CONTRIBUYENTES

La asociación administrativa de contribuyentes se regula en los arts. 36 y 37 TRLRHL. Su constitución en la actualidad es voluntaria, sin estar restringida por el presupuesto de la obra o servicio a realizar ni por el número de habitantes. Los tipos de asociación se pueden clasificar atendiendo a su función, la cuál será determinante de su régimen jurídico. Tradicionalmente son tres las funciones que se atribuyen a las asociaciones administrativas de contribuyentes: de gestión, de promoción y de fiscalización.

---

[177] O la exclusión ilícita de otros contribuyentes. La STSJ de la Comunidad Valenciana de 5 de julio de 2001 (*NR. 1898/1996*) afirma que el actor puede impugnar el ámbito subjetivo de quienes están sujetos a las mismas cuando impugna su liquidación, ya que la misma se verá incrementada con lo que debieron soportar los ilícitamente excluidos de dicho ámbito, y ello aunque el acuerdo de ordenación se haya aprobado hace mucho tiempo, sin duda, a mi juicio, esta consideración deriva de la naturaleza de tributo de cupo de la contribución especial.

[178] Resulta de especial interés la STSJ de Murcia de 11 de diciembre de 1995 (*NR. 1464/1993*) en la que se considera que la procedencia de exigir contribuciones especiales por una determinada obra así como el criterio de distribución de la base imponible utilizado por el Ayuntamiento, no pueden discutirse en el recurso deducido contra la liquidación, sino mediante la impugnación directa del acuerdo o los acuerdos que decidan la imposición y ordenación del tributo, lo que ha de hacerse mediante recurso dirigido directamente contra esos acuerdos. No corresponde a la liquidación individual la función de establecer la contribución, el coste de las obras que constituirá la base imponible y el criterio de reparto de esta última, y, por lo mismo, no pueden impugnarse estos extremos mediante el recurso directo que se deduzca contra la liquidación. En esta línea, I. Merino Jara. "Contribuciones especiales", *op. cit.,* pág. 260.

[179] J. L. Rubio de Urquía. *Ley reguladora de Haciendas Locales, op. cit.,* pág. 176; I. Merino Jara. "Contribuciones especiales", *op. cit.,* pág. 259.

Las dos últimas están recogidas en el art. 36 TRLRHL, no obstante, la función de gestión se podría considerar implícita en el art. 29.2 TRLRHL[180].

Así, de forma clara las asociaciones administrativas de contribuyentes presentan dos modalidades en el TRLRHL, según el momento de su constitución y de su finalidad o función:

- las Asociaciones administrativas de contribuyentes previa a la adopción del acuerdo de imposición y ordenación, que estaría formada por los presuntos beneficiarios de la obra o servicio, y tiene por objeto la promoción de la realización de la obra o el establecimiento o ampliación de los servicios —art. 36.1 TRLRHL—, con lo que deberán asumir la parte del coste que corresponda al ente público local.

- las Asociaciones administrativas de contribuyentes posteriores a la adopción de los acuerdos concretos de imposición y ordenación. Ésta no tiene por objeto la promoción de la obra ni, por tanto, se harán cargo de la parte del ente público, a pesar del silencio del TRLRHL sobre la función de esta Asociación se puede afirmar que su finalidad no es otro que la fiscalización de las contribuciones especiales.

De este modo, esta última modalidad de asociación puede discutir, reclamar, proponer, ser oída, intervenir, recurrir; pero en ningún momento tiene competencia para resolver, o modificar el proyecto, porque ello equivaldría a usurpar las competencias del ayuntamiento[181]. En consecuencia, la finalidad de estas asociaciones es "ofrecer a la Administración posibilidades alternativas, o de cooperación a la realización de las obras, que puedan resultar menos gravosas para los mismos"[182]. El ámbito del control muestra un doble plano: por un lado, control de los contratos, transacciones o cuentas y, por el otro, control de la adecuación de la obra al proyecto, calidad de los materiales empleados[183].

Para hacer efectivo este control se exige que la Corporación, antes de la adopción del acuerdo de imposición y de ordenación, haya aprobado definitivamente el proyecto

---

[180]   Cuando dispone que tienen la consideración de obras y servicios locales las obras del apartado 1 del art. 29 TRLRHL aunque *sean realizadas por asociaciones de contribuyentes*, sobre la función de ejecución directa y completa de las obras por la asociación de contribuyentes, aunque en relación con la normativa anterior pueden verse las SSTS de 22 de junio de 1987 (Ar. 4913), de 17 de abril de 1996 (Ar. 3471) y de 16 de enero de 1998 (*Tol 1699625*). En contra de esta posibilidad, I. Merino Jara. "Contribuciones especiales", *op. cit.,* pág. 264.

[181]   STS de 30 de mayo de 1964 (*Tol 4328270*).

[182]   STSJ de Madrid de 18 de junio de 1996 (JT. 939).

[183]   SSTS de 31 de enero de 1979 (*Tol 965992*), de 30 de enero de 1989 (Ar. 566), de 9 de septiembre de 1985 (Ar. 6212), de 7 de diciembre de 1985 (Ar. 6028), también las SSTS de 16 de noviembre de 1979 (*Tol 973680*), de 28 de marzo de 1979 (*Tol 965827*), de 11 de abril de 1977 (Ar. 1553), de 2 de octubre de 19751 (Ar. 3343), de 2 de febrero de 1973 (Ar. 4198), de 30 de marzo de 1970 (*Tol 4274928*).

y el presupuesto cuya ejecución justifica la imposición de contribuciones especiales. En relación con el "*ius variandi*" y el correspondiente control de la Asociación, se ha considerado que realizar una modificación de detalle de un proyecto aprobado y tratar de imponer su coste como contribución especial supone obrar con desviación de poder extralimitándose el Ayuntamiento en sus funciones —STS de 18 de abril de 1998 (*Tol 1699196*)—. Por su parte la STSJ de Cataluña de 15 de enero de 1997 (JT. 189) trata de delimitar el ámbito del "*ius variandi*", para evitar la arbitrariedad, de este modo entiende que "las ampliaciones de partidas ya existentes puedan tenerse como implícitamente contenidas en el proyecto que, por sí solo no puede prever todas la incidencias o imprevistos que forzosamente han de ir surgiendo durante la realización de las obras; en cambio en modo alguno puede seguirse el mismo criterio para las obras no contempladas en el proyecto (...) porque sobre ellas los interesados no han tenido ocasión de pronunciarse ni ha existido expediente alguno, ni de las obras ni tributario" de igual manera acontece "sobre el aumento del coste motivado por utilizar un tipo de material distinto al previsto en el proyecto de obras".

La constitución de la asociación administrativa de contribuyentes —art. 37 TRLRHL— exige la conformidad de la mayoría absoluta de los contribuyentes, si representan, al menos, dos tercios de las cuotas que deban satisfacerse por la contribución especial. El momento de la constitución de la Asociación del art. 36.2 TRLRHL que será durante la exposición al público del acuerdo provisional de ordenación —30 días, art. 17.1 TRLRHL— impide la determinación del quórum necesario para la constitución. La Asociación del art. 36.1 TRLRHL tendrá que estar constituida, por su propia finalidad con carácter previo a la aprobación provisional del acuerdo de ordenación.

En relación con la exposición pública del acuerdo de ordenación, la STSJ de Valencia de 7 de julio de 1998 (*NR. 3113/1995*) considera que es necesario la mención expresa en ella de la posibilidad de constitución de la asociación administrativa de contribuyentes[184], sin ser preceptiva la notificación individual de esta posibilidad a los interesados[185].

---

[184] En este sentido, entre otras, las SSTSJ de Castilla-La Mancha de 5 de febrero de 2001 (JT. 521) de 15 de abril de 2002 (JT. 173175) "la razón es clara: dentro del concepto de seguridad jurídica y de la tutela de derechos de naturaleza tributaria, se prevé esta figura para que se puedan articular en debida forma los derechos de los contribuyentes, máxime en una materia como las contribuciones especiales, donde por definición se parte de una actuación de oficio de la Administración —la que sea—, sin petición anterior del administrado y sin que se devengue el tributo por manifestación de riqueza alguna ni operaciones del tráfico económico. Responde, pues, a una finalidad garantista de los derechos particulares de los ciudadanos, cifrada igualmente en los arts. 69.1 y 72 de la Ley de Bases de Régimen Local". STSJ de Aragón 31 de octubre de 2001 (Ar. 454) considera que la falta de mención al derecho a constituirse en Asociación Administrativa debe analizarse desde la perspectiva del art. 63.2 Ley 30/1992. En contra, la STSJ de Balares de 25 de febrero de 2000 (JT. 213).

[185] STSJ de Cataluña de 18 de julio de 2002 (JT. 1734).

También la omisión de la publicidad del acuerdo con incumplimiento del citado artículo 17.2 de la Ley 39/1988 (complementario del 34 y 36.2 de la misma), puede determinar la imposibilidad de la constitución de la Asociación administrativa de contribuyentes y, en consecuencia, la nulidad de las actuaciones, en cuanto, con la comentada y parcial publicidad del acuerdo de imposición y ordenación de las CE, se ha impedido el libre y completo potencial ejercicio, por parte de los mismos, del régimen especial de "colaboración ciudadana" STS de 9 de marzo de 2004 (*Tol 408832*).

La falta de constitución, en dicho período, por causas ajenas a su voluntad, tiene importantes efectos como consecuencia de las funciones atribuidas a éste tipo de Asociación[186], de tal modo que la imposibilidad de su constitución o su constitución tardía[187] supone la nulidad del acuerdo de imposición y, por tanto, la imposibilidad de financiar una obra o servicio mediante contribuciones especiales[188].

8. BIBLIOGRAFÍA

Clavijo Hernández, F. "Las contribuciones especiales", en la obra colectiva *Tratado de Derecho Financiero y Tributario Local*, Marcial Pons y Diputació de Barcelona, Madrid, 1993.

Fernández Marín, F. *Estudio jurisprudencial de las contribuciones especiales*. Monografía nº 10 Colección Derecho, Universidad de Almería, 1999.

---

[186] Así sucede cuando no se delimita correctamente los sujetos afectados, al hacer referencias genéricas a una determinada "zona" del casco urbano, con lo que solo tuvieron conocimiento de tal condición cuando se le notificó la liquidación tributaria, STS de 16 de abril de 1998 (*Tol 1551636*). La omisión de la relación identificativa de los propietarios afectados, padrón de contribuyentes [sin que las referencias contenidas, al respecto, en la citada Ordenanza gocen de la adecuada virtualidad concretizadota, pues son única y exclusivamente genéricas, sin la necesaria y precisa especificación —SSTS 17 de febrero de 2004 (*Tol 615047*), de 22 de diciembre de 2006 (*Tol 1028261*)—].

[187] No obstante, la STSJ de 28 de septiembre de 1992 (*NR. 1505/1991*) considera que en la normativa la constitución de las asociaciones administrativas de contribuyentes es facultativa y que no toda irregularidad determina la nulidad de los actos y en consecuencia del procedimiento administrativo, así se considera que no se provoca indefensión si se reabre el plazo por el ayuntamiento para la constitución de una asociación administrativa.

[188] STSJ de Madrid de 18 de junio de 1996 (JT. 939) se "debe decretar la anulación de la liquidación por defecto formal antes aludido, puesto que la ejecución del acuerdo de realización e la obra implica su adjudicación a una empresa antes de la aprobación provisional, y se ha reducido a una mera fórmula inoperante la posibilidad otorgada a los interesados por el art. 36.2, ya que la formación de la Asociación Administrativa en el contemplada ha de posibilitarse durante el período de exposición al público de la aprobación provisional del acuerdo, y antes de su ejecución, con el fin de que puedan ofrecer a la Administración posibilidades alternativas o de cooperación de las obras, que puedan resultar menos gravosas para los mismos. La adjudicación anterior a la aprobación, y la exposición posterior a la adjudicación, suponen la burla de ese derecho que en modo alguno puede calificarse meramente formulario". En este sentido, la STSJ de Aragón de 1 de febrero de 1994 (*Tol 377961*).

Fernández Marín, F. "Perfiles Jurisprudenciales del beneficio en la contribución especial". Revista Valenciana de Economía y Hacienda. Nº1 I/2001.

Fernández Marín, F. "Las contribuciones especiales" en *Derecho Tributario Local*. Atelier, Barcelona, 2008.

Fernández Pavés, M. J. "Las contribuciones especiales en el Texto Refundido de la Ley de las Haciendas Locales", *Estudios de Derecho Financiero y Tributario en Homenaje al Profesor Calvo Ortega*, Tomo II, Lex Nova, Valladolid, 2005.

Llamas Labella, M. A. *Las contribuciones especiales*, Zaragoza, 1973.

Merino Jara, I. "Contribuciones especiales" en *La reforma de las Haciendas Locales*, Tomo I, Lex Nova, Valladolid, 1991.

Rubio de Urquía, J. L. *Ley reguladora de Haciendas Locales*, Abella, Madrid, 1989.

Vega Herrero, M. "Las contribuciones especiales de la Hacienda Local", en *Manual de Derecho Tributario Local*, Escola d'Administració Publica de Catalunya, Barcelona, 1987.

Capítulo XI

LOS PROCEDIMIENTOS TRIBUTARIOS EN EL ÁMBITO LOCAL: GESTIÓN, INSPECCIÓN, RECAUDACIÓN, INFRACCIONES Y SANCIONES

PABLO DE MORA NAVARRO
Técnico Superior de Control Interno
Excmo. Ayuntamiento de Albacete

SUMARIO: 1. INTRODUCCIÓN. 2. LA APLICACIÓN DE LOS TRIBUTOS. LOS PROCEDIMIEN-TOS TRIBUTARIOS. ESPECIALIDADADES EN EL ÁMBITO LOCAL. 2.1. La aplicación de los tributos. 2.1.1. *Principios generales.* 2.1.2. *Normas comunes sobre actuaciones y procedi-mientos tributarios.* 2.1.3. *Especialidades de los procedimientos administrativos en materia tributaria.* 2.1.3.1. Fases de los procedimientos tributarios. 2.1.3.2. Liquidaciones tributarias (art. 101 LGT) 2.1.3.3. Notificaciones tributarias. 2.2. Actuaciones y procedimiento de ges-tión. Especialidades en el ámbito local. 2.2.1. *Disposiciones generales del procedimiento de gestión tributaria.* 2.2.2. *Clases de procedimientos de gestión tributaria. Especialidades en el ámbito local.* 2.2.2.1. Procedimiento para la práctica de devoluciones derivadas de cada tributo. 2.2.2.2. Procedimiento iniciado mediante declaración. 2.2.2.3. Procedimiento de veri-ficación de datos. 2.2.2.4. Procedimiento de comprobación de valores (arts. 134 y 135 LGT). 2.2.2.5. Procedimiento de comprobación limitada (arts. 136 a 140 LGT). 3. ACTUACIONES Y PROCEDIMIENTO DE INSPECCIÓN. ESPECIALIDADES EN EL ÁMBITO LOCAL. 3.1. De-finición y funciones de la inspección. 3.2. Organización de la inspección. 3.3. Facultades de inspección. 3.4. Procedimiento de inspección. 3.5. Especialidades de la inspección en los tributos locales. 4. ACTUACIONES Y PROCEDIMIENTO DE RECAUDACIÓN. ESPECIALI-DADES EN EL ÁMBITO LOCAL. 4.1. Competencia en la gestión recaudatoria. 4.2. Lugar de ingreso de las deudas. 4.3. Formas de extinción de las deudas: el pago. 4.4. Peculiaridades de la recaudación en periodo voluntario. 4.5. Peculiaridades de la recaudación en periodo ejecutivo. 4.6. Procedimiento de apremio. 5. RÉGIMEN SANCIONADOR TRIBUTARIO. 5.1. Normativa aplicable. 5.2. Principios del régimen sancionador tributario. 5.3. Elemento subjetivo de las infracciones. 5.4. Infracciones tributarias. 5.5. Clases de sanciones. 5.6. Tipos de infracciones tributarias más comunes en el ámbito local. 5.7. Cuantificación de las sanciones. 5.8. Extinción de la responsabilidad derivada de las sanciones tributarias. 5.9. Procedimiento sancionador. 6. BIBLIOGRAFÍA.

1. INTRODUCCIÓN

El presente capítulo tiene por objeto el estudio de dos bloques o materias jurídicas diferenciadas. En una primera parte (epígrafes 2, 3 y 4), analizaremos los distintos procedimientos existentes en el ordenamiento tributario local: gestión, inspección y recaudación; teniendo en cuenta las especialidades que singularizan a las Haciendas locales. En una segunda parte (epígrafe 5) abordaremos el estudio del régimen sancionador tributario, los principios que lo inspiran y los tipos de infracciones y sanciones más comunes en la aplicación de los tributos locales.

Para el desarrollo adecuado del presente tema, en primer lugar, debemos diferenciar la potestad tributaria originaria del Estado y la potestad tributaria derivada de las Entidades Locales, con el fin de determinar cuál es la normativa aplicable en el ámbito tributario local.

En efecto, el artículo 133.1 de la Constitución Española[1] reconoce expresamente al Estado la potestad tributaria originaria para establecer tributos. Esta potestad se ejercerá mediante Ley. De esta forma, se garantiza el cumplimiento del principio de legalidad en el orden tributario que exige el artículo 31.3 de la Constitución[2].

Como reflejo y desarrollo de esta potestad tributaria originaria del Estado el sistema tributario local se encuentra regulado, principalmente, en el *Real Decreto Legislativo 2/2004, de 5 de marzo, por el que se aprueba el texto refundido de la Ley Reguladora de las Haciendas Locales* (TRLHL). Mediante esta Ley, el Estado se reserva la regulación normativa de los tributos locales, pero deja en poder de los entes locales su establecimiento, conforme a ley, y la responsabilidad de su exacción; todo ello en el marco del principio de corresponsabilidad fiscal de las Administraciones Públicas.

A su vez, la potestad tributaria de las Entidades Locales está reconocida en la Constitución en el art. 133.2: "*Las Comunidades Autónomas y las Corporaciones locales po-*

---

[1] Artículo 133.1 CE: "La potestad originaria para establecer los tributos corresponde exclusivamente al Estado, mediante ley".

[2] Artículo 31.3 CE: "Sólo podrán establecerse prestaciones personales o patrimoniales de carácter público con arreglo a la ley".

drán establecer y exigir tributos de acuerdo con la Constitución y las leyes". Mediante el reconocimiento de esta potestad normativa, se hacen efectivos los principios de autonomía y suficiencia financiera recogidos en la Carta Europea de Autonomía Local y en los artículos 137, 140 y 142 de la CE.

Se trata de una potestad tributaria derivada, que debe respetar lo dispuesto en la Constitución y las Leyes y que se desarrolla por las Entidades Locales, en su ámbito tributario, a través de las Ordenanzas fiscales reguladoras de sus tributos propios y de Ordenanzas generales de gestión, recaudación e inspección.

Además, junto a esta potestad normativa de carácter reglamentario, las Corporaciones locales pueden emanar disposiciones interpretativas y aclaratorias de las mismas, tal y como recoge expresamente el artículo 106 de la *Ley 7/1985, de 2 de abril, Reguladora de las Bases del Régimen Local* (LBRL)[3].

Para concluir esta introducción, también resulta esencial tener presente la primacía jurídica que representa la normativa estatal en el ámbito de aplicación de los tributos locales, primacía que tiene su reflejo en la *Ley 58/2003, de 17 de diciembre, General Tributaria*. Tal y como señala su exposición de motivos, esta Ley es el *eje central del ordenamiento tributario* y en ella se recogen sus *principios esenciales y se regulan las relaciones entre la Administración tributaria y los contribuyentes*.

Por ello, la Ley General Tributaria será el punto de partida sobre la que se desarrollarán cada uno de los apartados del presente módulo, siendo la normativa jurídica básica sobre la que realizar su traslación y adecuación al ámbito de la Administración Local, teniendo presente las peculiaridades organizativas y de funcionamiento de las haciendas locales.

2. LA APLICACIÓN DE LOS TRIBUTOS. LOS PROCEDIMIENTOS TRIBUTARIOS. ESPECIALIDADADES EN EL ÁMBITO LOCAL

2.1. LA APLICACIÓN DE LOS TRIBUTOS

El artículo 12 del Real Decreto Legislativo 2/2004, de 5 de marzo, por el que se aprueba el Texto Refundido de la Ley Reguladora de las Haciendas Locales (en adelante, TRLRHL) establece que la gestión, liquidación, inspección y recaudación de los

---

3   Artículo 106.1: "Las entidades locales tendrán autonomía para establecer y exigir tributos de acuerdo con lo previsto en la legislación del Estado reguladora de las Haciendas locales y en las Leyes que dicten las Comunidades Autónomas en los supuestos expresamente previstos en aquélla".
Artículo 106.2: "La potestad reglamentaria de las entidades locales en materia tributaria se ejercerá a través de Ordenanzas fiscales reguladoras de sus tributos propios y de Ordenanzas generales de gestión, recaudación e inspección. Las Corporaciones locales podrán emanar disposiciones interpretativas y aclaratorias de las mismas".

tributos locales se realizará de acuerdo con lo prevenido en la Ley General Tributaria (en adelante, LGT) y en las demás leyes del Estado reguladoras de la materia, así como en las disposiciones dictadas para su desarrollo.

Como vemos, la normativa tributaria local, contenida en el TRLRHL, hace una remisión expresa y directa a la LGT en cuanto a la regulación de la gestión, inspección y recaudación de los tributos locales. En particular, la aplicación de los tributos se regula en el Título III de la ley (artículos 83 a 177 LGT).

El Título III se estructura, a su vez, en cinco Capítulos fundamentales que son la base legal de la materia que estudiamos; a saber:

* Capítulo I, principios generales que deben regir en la aplicación de los tributos.

* Capítulo II, que contiene las normas comunes en las actuaciones y procedimientos tributarios, y donde se regulan expresamente las especialidades que le diferencian del procedimiento administrativo común.

* Capítulo III, que configura de forma detallada los procedimientos de gestión tributaria más habituales.

* Capítulo IV, relativo al procedimiento de inspección.

* Capítulo V, en el que se regula el procedimiento de recaudación.

2.1.1. Principios generales

La LGT reguló de una forma muy novedosa, tanto en estructura como en contenido, la denominada "*aplicación de los tributos*".

La aplicación de los tributos comprende todas las actividades administrativas dirigidas a la información y asistencia a los obligados tributarios; así como las actuaciones de los obligados en el ejercicio de sus derechos o en cumplimiento de sus obligaciones; y, fundamentalmente, las actividades dirigidas a la *gestión, inspección y recaudación tributaria*.

La Ley dejó al margen de este concepto al *régimen sancionador tributario*, regulándolo de forma separada en el Título IV, y a las *resoluciones de las reclamaciones económico-administrativas* interpuestas contra los actos dictados por la Administración tributaria, recogidas en el Título V. De este modo, se dio cobertura legal en nuestro ordenamiento a una separación jurídica que ya existía a nivel doctrinal.

2.1.2. Normas comunes sobre actuaciones y procedimientos tributarios

a) Ámbito subjetivo y competencial

La LGT concede una amplia potestad de autoorganización a las distintas Administraciones Tributarias en la aplicación de los tributos. Cada una de ellas deberá establecer una estructura administrativa adecuada para el cumplimiento de este fin. No se atribuyen funciones a órganos específicos, sino que son las propias Administraciones las que deben crear su estructura orgánica particular y han de distribuir los recursos materiales y humanos que consideren necesarios para su desempeño.

En el ámbito de las Corporaciones locales, la potestad de autoorganización está recogida, con carácter general, en el artículo 4.1.a) de la *Ley 7/1985, de 2 de abril, Reguladora de las Bases del Régimen Local* (LBRL, en adelante) [4]. Esta potestad asignada a los Entes locales supuso un importante avance para el pleno desarrollo de la autonomía local destacando, actualmente, la autonomía que tienen atribuida los municipios de gran población que han sido estructurados parcialmente por la propia ley estatal. Así, la *Ley 57/2003, de 16 de diciembre de medidas para la modernización del gobierno local*, introdujo un nuevo título X en la LBRL, y reguló un régimen orgánico específico para los municipios de gran población. En esta nueva estructura cabe destacar la creación de un *Órgano de Gestión Tributaria* encargado, fundamentalmente, de la gestión, liquidación, inspección, recaudación y revisión de los actos tributarios municipales; y un *Órgano para la resolución de las reclamaciones económico-administrativas*, encargado del conocimiento y resolución de las reclamaciones sobre actos de gestión, liquidación, inspección y recaudación, entre otros[5].

En este orden de cosas y siendo la autonomía financiera y tributaria un objetivo al que las Entidades Locales deben intentar alcanzar en su totalidad, existe un elevado número de Corporaciones locales que no tienen los medios económicos, materiales y humanos suficientes para hacer frente a sus competencias en materia de gestión, inspección y recaudación tributarias. Para combatir este tipo de problemas el legislador estatal, en la propia LBRL, reguló distintas soluciones jurídicas.

La primera de ellas consiste en la delegación de funciones en entidades locales de ámbito superior o de sus Comunidades Autónomas respectivas.

La segunda busca fórmulas de colaboración con otras entidades locales, Comunidades Autónomas o el propio Estado, según proceda con arreglo a la Ley (art. 106.3 LBRL)[6].

---

[4] Artículo 4.1 LRBRL: "En su calidad de Administraciones públicas de carácter territorial, y dentro de la esfera de sus competencias, corresponden en todo caso a los municipios, las provincias y las islas: a) Las potestades reglamentarias y de autoorganización".

[5] Artículo 135 LRBRL: "Para la consecución de una gestión integral del sistema tributario municipal, regido por los principios de eficiencia, suficiencia, agilidad y unidad en la gestión, se habilita al Pleno de los ayuntamientos de los municipios de gran población para crear un órgano de gestión tributaria, responsable de ejercer como propias las competencias que a la Administración Tributaria local le atribuye la legislación tributaria".

[6] Artículo 106.3 LRBRL: *"Es competencia de las entidades locales la gestión, recaudación e inspección de sus tributos propios, sin perjuicio de las delegaciones que puedan otorgar a favor de las entidades locales*

b)   Sistema normativo de fuentes

En relación con los procedimientos tributarios, la normativa contenida en la LGT supuso un importante paso en la consecución de la seguridad jurídica en esta materia, integrando las normas generales del derecho administrativo con las normas propias del derecho tributario.

En este sentido, el artículo 97 de la LGT [7] ha establecido, en el ámbito de los procedimientos de aplicación de los tributos, una prelación normativa basada en la propia Ley General Tributaria, en las normas procedimentales dictadas por otras leyes tributarias y en las disposiciones reglamentarias que se dicten en desarrollo de ambas; y aplicando, en defecto de aquéllas y con carácter supletorio, las disposiciones generales sobre los procedimientos administrativos.

De este modo, con la aplicación supletoria del derecho administrativo común en los procedimientos tributarios, se consigue una mayor seguridad jurídica y la integración global del sistema de fuentes evitando lagunas o vacíos legales.

El artículo 97 de la LGT está relacionado directamente con la disposición adicional primera de la *Ley 39/2015, de 1 de octubre, del Procedimiento Administrativo Común de las Administraciones Públicas,* que establece la especialidad en la aplicación de la normativa específica de carácter tributario y el carácter supletorio e integrador de las normas reguladoras del procedimiento administrativo común [8].

2.1.3. *Especialidades de los procedimientos administrativos en materia tributaria*

La Ley General Tributaria ha regulado las especialidades que son inherentes a la materia tributaria, partiendo o teniendo como base la normativa correspondiente al

---

de ámbito superior o de las respectivas Comunidades Autónomas, y de las fórmulas de colaboración con otras entidades locales, con las Comunidades Autónomas o con el Estado, de acuerdo con lo que establezca la legislación del Estado".

[7]   Artículo 97 LGT: *"Las actuaciones y procedimientos de aplicación de los tributos se regularán:*
– Por las normas especiales establecidas en este título y la normativa reglamentaria dictada en su desarrollo, así como por las normas procedimentales recogidas en otras leyes tributarias y en su normativa reglamentaria de desarrollo.
– Supletoriamente, por las disposiciones generales sobre los procedimientos administrativos".

[8]   Disposición adicional primera de la Ley 39/2015.
*"1. Los procedimientos administrativos regulados en leyes especiales por razón de la materia que no exijan alguno de los trámites previstos en esta Ley o regulen trámites adicionales o distintos se regirán, respecto a éstos, **por lo dispuesto en dichas leyes especiales.***
2. Las siguientes actuaciones y procedimientos se regirán por su normativa específica y supletoriamente por lo dispuesto en esta Ley:
*a) Las **actuaciones y procedimientos de aplicación de los tributos en materia tributaria y aduanera, así como su revisión en vía administrativa.** (...)*

procedimiento administrativo común. Las más destacables son las que se indican a continuación:

2.1.3.1. Fases de los procedimientos tributarios

Los procedimientos tributarios quedan estructurados del siguiente modo:

a) Inicio

- De oficio, por parte de los órganos competentes de la Administración Local, en nuestro caso.

- A instancia del obligado tributario, mediante autoliquidación, declaración, comunicación, solicitud o cualquier otro medio previsto en la normativa tributaria.

b) Desarrollo de actuaciones

En el desarrollo de los procedimientos tributarios la Administración debe facilitar a los obligados tributarios, por una parte, el ejercicio de sus derechos y, por otra, el cumplimiento de sus obligaciones.

Sin duda alguna la entrada en vigor de la *Ley 39/2015, de 1 de octubre, del Procedimiento Administrativo Común de las Administraciones Públicas* (en adelante, LPACAP) supuso un enorme avance en la consecución de estos objetivos, fundamentalmente mediante la instauración de la Administración electrónica que ha modernizado el funcionamiento de la Administración tributaria. En coherencia con este contexto, se llevó a cabo una reforma del ordenamiento jurídico público, siendo uno de sus ejes fundamentales las relaciones *"ad extra"* entre las Administraciones y los administrados. La LPACAP ha recogido, a nivel normativo, el gran impacto de las nuevas tecnologías en las relaciones administrativas, en el ejercicio de los derechos de los ciudadanos y sus obligaciones frente a las Administraciones, entre ellas la Administración Tributaria Local. En todo caso, resulta plenamente aplicable a los procedimientos tributarios las normas contenidas en la LPACAP en lo que no contradigan la especialidad tributaria y, en lo que aquí interesa, por su importancia, todos los derechos reconocidos a los ciudadanos en esta norma: el de relacionarse electrónicamente con las Administraciones Públicas, el de comunicarse con las Administraciones Públicas a través de un Punto de Acceso General electrónico de la Administración, el de ser asistidos en el uso de medios electrónicos en sus relaciones con las Administraciones Públicas, etc. La finalidad última ha sido que los ciudadanos, para cumplir sus obligaciones, puedan relacionarse con la Administración por medios electrónicos, mejorando la eficacia, celeridad y simplificación de trámites en la aplicación de los tributos locales. En esta línea de actuación, también es importante que los Ayuntamientos faciliten la información tributaria al contribuyente mediante su publicidad en páginas web oficiales, señalando las clases de tributos exigibles, trámites a seguir, plazos de declaración e ingreso, textos íntegros de las Ordenanzas fiscales. Así lo ha reconocido a nivel legal la Ley 40/2015, de 1 de octubre, regulando expresamente el portal de internet como aquel punto de acceso de carácter público, a través de internet, a la información publicada y, en su caso, a la sede electrónica correspondiente de la Administración[9].

Además de los derechos señalados anteriormente, la LGT regula otros específicos, también contemplados en la normativa administrativa (LPACAP) entre los que podemos destacar el derecho a obtener certificación acreditativa de los documentos presentados, el derecho a obtener copia del expediente administrativo, el derecho al trámite de audiencia y a formular alegaciones.

En particular, el derecho al *trámite de audiencia* es un derecho reconocido a nivel constitucional, y nuestra jurisprudencia lo considera como un trámite esencial para la garantía y defensa de los derechos de los obligados tributarios, por lo que su omisión puede dar lugar a la nulidad del procedimiento si ocasiona indefensión. En este sentido se manifiestan las Sentencias del Tribunal Supremo de 17 de noviembre de 1998, 13 de octubre de 2000, 16 de julio del año 2001 y 21 de mayo de 2002.

No obstante, como especialidad del procedimiento tributario, la LGT permite que se prescinda del trámite de audiencia cuando se suscriban actas con acuerdo o lo determinen las normas reguladoras del procedimiento; siempre y cuando se conceda un trámite de alegaciones posterior a la propuesta de resolución.

En cuanto a la documentación de las actuaciones en los procedimientos tributarios, se deberán formalizar en *comunicaciones, diligencias, informes y otros documentos* previstos en la normativa propia de cada tributo (por ejemplo, las *actas* del procedimiento inspector).

- *Comunicaciones:* Son los documentos a través de los cuales la Administración notifica al obligado tributario el inicio del procedimiento u otros hechos o circunstancias relativos al mismo. También puede servir para emitir requerimientos a cualquier persona o entidad.

- *Diligencias:* Son documentos públicos que se extienden para hacer constar hechos, así como las manifestaciones del obligado tributario o persona con la que se entiendan las actuaciones. Las diligencias no podrán contener propuestas de liquidaciones tributarias.

---

9   Ley **Artículo 39. Portal de internet.**
    *Se entiende por portal de internet el punto de acceso electrónico cuya titularidad corresponda a una Administración Pública, organismo público o entidad de Derecho Público que permite el **acceso a través de internet a la información publicada y, en su caso, a la sede electrónica correspondiente.***

- *Informes:* Pueden ser emitidos de oficio o a petición de terceros. Pueden tener carácter preceptivo (ej.: informes ampliatorios de las actas de disconformidad de los inspectores municipales).

c) Terminación de los procedimientos tributarios

Al igual que en el ámbito del Derecho Administrativo, la LGT regula las siguientes formas de terminación del procedimiento tributario: la resolución, el desistimiento, la renuncia al derecho en que se fundamente la solicitud, la imposibilidad material de continuarlos por causas sobrevenidas y la caducidad; añadiendo dos supuestos nuevos: el cumplimiento de la obligación que hubiera sido objeto de requerimiento o cualquier otra causa prevista en el ordenamiento tributario.

Dada su importancia procedemos a examinar los efectos de las resoluciones en el ámbito tributario y el régimen de actos presuntos derivado del silencio administrativo.

Por mandato legal (art. 103 LGT), la Administración está obligada a resolver expresamente todas las cuestiones que se planteen en los procedimientos tributarios y a notificar dicha resolución a los interesados con arreglo a derecho.

El plazo máximo de resolución será de seis meses con carácter general. No obstante, en el ámbito local, las Ordenanzas reguladoras del procedimiento podrán establecer un plazo inferior, pero nunca superior al plazo de seis meses, dado que solo es admisible cuando así lo disponga una ley o una norma comunitaria europea.

El plazo se contará, a los efectos de entenderlo iniciado:

a) desde la notificación del acuerdo de inicio, en los procedimientos iniciados de oficio.

b) desde la de la fecha de entrada del documento en el registro del órgano competente, en los procedimientos iniciados a instancia de parte.

En cuanto a la fecha final, en ambos casos, será la de notificación de la resolución o la acreditación de un intento de notificación de la misma. Se asimila de este modo la normativa tributaria a lo establecido en el ámbito del Derecho Administrativo Común tras la aprobación de la LPACAP.

En cuanto al régimen de *actos presuntos*, es decir, los efectos del vencimiento del plazo sin que se haya dictado resolución expresa, la LGT habilita a la normativa reguladora de cada procedimiento para que señale las consecuencias derivadas del silencio administrativo. De este modo, en el ámbito local, dada la competencia de los Ayuntamientos en esta materia, sus Ordenanzas podrán regular los efectos positivos o negativos que ocasiona el silencio de la Administración.

Si la Ordenanza no regula expresamente los efectos del silencio, estimatorios o desestimatorios, se aplicará supletoriamente lo dispuesto en la LGT:

a) Procedimientos iniciados a instancia de parte: el silencio será positivo, salvo el derecho de petición, la impugnación de actos o de disposiciones (por ejemplo, la impugnación de una resolución tributaria o de una Ordenanza).

b) Procedimientos iniciados de oficio: el silencio será negativo si supone el reconocimiento o la constitución de un derecho; por otra parte, se entenderá caducado el procedimiento si la resolución pudiera ocasionar efectos desfavorables o de gravamen al obligado tributario.

2.1.3.2. Liquidaciones tributarias

La ley define la liquidación como *el acto resolutorio mediante el cual el órgano competente de la Administración realiza las operaciones de cuantificación necesarias y determina el importe de la deuda tributaria o de la cantidad que, en su caso, resulte a devolver o a compensar de acuerdo con la normativa tributaria.*

Las liquidaciones serán provisionales o definitivas.

La regla general es que las liquidaciones tributarias tendrán carácter *provisional.* Se excepcionan de esta regla y tendrán carácter definitivo, las liquidaciones dictadas en el procedimiento inspector, salvo lo dispuesto en el art. 101.4 LGT[10] y las que establezca la normativa tributaria.

2.1.3.3. Notificaciones tributarias

La regulación jurídica se contiene en los artículos 109 a 112 de la LGT y 114 y 115 del *Real Decreto 1065/2007, de 27 de julio, por el que se aprueba el Reglamento General de las actuaciones y los procedimientos de gestión e inspección tributaria y de desarrollo de las normas comunes de los procedimientos de aplicación de los tributos* (RPGI, en adelante) aplicándose supletoriamente las normas de derecho administrativo común, contenidas fundamentalmente en los artículos 40 a 46 la LPACAP.

---

10   Art. 101.4 LGT. Podrán dictarse liquidaciones provisionales en el procedimiento de inspección en los siguientes supuestos:
a) Cuando alguno de los elementos de la obligación tributaria se determine en función de los correspondientes a otras obligaciones que no hubieran sido comprobadas, que hubieran sido regularizadas mediante liquidación provisional o mediante liquidación definitiva que no fuera firme, o cuando existan elementos de la obligación tributaria cuya comprobación con carácter definitivo no hubiera sido posible durante el procedimiento, en los términos que se establezcan reglamentariamente.
b) Cuando proceda formular distintas propuestas de liquidación en relación con una misma obligación tributaria.
c) En todo caso tendrán el carácter de provisionales las liquidaciones dictadas al amparo de lo dispuesto en el artículo 250.2 de esta Ley

Resumiremos, de forma esquemática, las especialidades en el ámbito tributario:

* Lugar de las notificaciones:

a) Procedimientos iniciados a solicitud del interesado: en el lugar señalado por el obligado tributario o su representante, en su defecto, el domicilio fiscal.

b) Procedimientos iniciados de oficio: en el domicilio fiscal del obligado o su representante, en el centro de trabajo, en el lugar donde desarrolle su actividad o en cualquier otro adecuado a tal fin.

* Ampliación de personas legitimadas para recibir la notificación: empleados de la comunidad de vecinos o de propietarios.

* Notificación por comparecencia, sus características principales son:

a) Sólo se puede acudir a este sistema cuando no ha sido posible notificar al interesado por causas no imputables a la Administración, una vez agotado el procedimiento ordinario de notificación establecido en la ley.

b) La notificación se practicará mediante anuncios en los que se citará al interesado o su representante para ser notificados por comparecencia.

c) La publicación se realizará en el "Boletín Oficial del Estado" y se efectuará los lunes, miércoles y viernes de cada semana. Estos anuncios podrán exponerse asimismo en la oficina de la Administración tributaria correspondiente al último domicilio fiscal conocido.

d) En todo caso, la comparecencia deberá producirse en el plazo de 15 días naturales, contados desde el siguiente al de la publicación del anuncio en el "Boletín Oficial del Estado".

e) Transcurrido dicho plazo sin comparecer, la notificación se entenderá producida a todos los efectos legales el día siguiente al del vencimiento del plazo señalado.

Por último, la Ley 34/2015, recogió un nuevo supuesto de "notificación electrónica" en relación con aquellos sujetos obligados o acogidos a recibir notificaciones a través de medios electrónicos. El régimen para la práctica de las notificaciones a través de medios electrónicos será el previsto en las normas administrativas generales, por lo que en este caso no hay especialidad alguna y resultarán aplicables los artículos 40 y siguientes de la actual LPACAP que establece que las notificaciones se practicarán preferentemente por medios electrónicos y, en todo caso, cuando el interesado resulte obligado a recibirlas por esta vía y se practicarán *mediante comparecencia en la sede electrónica de la Administración u Organismo actuante, a través de la dirección electrónica habilitada única o mediante ambos sistemas, según disponga cada Administración u Organismo*.

2.2. ACTUACIONES Y PROCEDIMIENTO DE GESTIÓN. ESPECIALIDADES EN EL ÁMBITO LOCAL

La antigua Ley 230/1963, de 28 de diciembre, General Tributaria estableció un concepto de gestión tributaria demasiado amplio y poco preciso que ocasionó cierta confusión jurídica y fue objeto de numerosos artículos doctrinales para su concreción. La actual Ley 58/2003, de 17 de diciembre, General Tributaria, supuso un importante cambio en cuanto a la regulación jurídica de la gestión tributaria, estableciendo un alcance más delimitado. De este modo, se ha separado la gestión tributaria propiamente dicha, de las funciones de inspección y recaudación.

Siguiendo esta distinción legal, vamos a partir del estudio de los procedimientos y actuaciones de gestión regulados en la LGT (apartado 2) para luego proceder, de forma separada, a analizar las actuaciones y el procedimiento inspector (apartado 3) y recaudatorio (apartado 4), y la traslación de estos a las haciendas locales.

2.2.1. Disposiciones generales del procedimiento de gestión tributaria

A) Concepto

El artículo 117 señala, a título enunciativo, pero no excluyente, una serie de funciones heterogéneas que engloban el concepto actual de gestión tributaria. La gestión tributaria se define como el ejercicio de diversas funciones administrativas: recepción y tramitación de declaraciones, autoliquidaciones y comunicaciones de datos; devoluciones tributarias; reconocimiento de beneficios fiscales; realización de actuaciones de verificación y comprobación tributaria; información y asistencia a los obligados tributarios y práctica de liquidaciones tributarias, entre otras.

Además, se establece una cláusula de cierre o residual, al considerar dentro del ámbito de la gestión tributaria la realización de cualquier actuación de aplicación de los tributos que no esté integrada expresamente en las funciones de inspección y recaudación.

B) Formas de inicio

El procedimiento de gestión tributaria se iniciará:

- A instancia del obligado tributario: mediante una autoliquidación, comunicación de datos, solicitud o cualquier otra clase de declaración.
- De oficio por la Administración tributaria.

C) Declaraciones tributarias

Se define la declaración tributaria como *todo documento presentado ante la Administración tributaria donde se reconozca o manifieste la realización de cualquier hecho relevante para la aplicación de los tributos.*

Tiene una importancia trascendental en el ordenamiento tributario local, cobrando especial relevancia en los tributos locales. La declaración, como forma de inicio del procedimiento, es el momento en el que el obligado tributario manifiesta a la Administración la realización del hecho imponible o pone en su conocimiento los datos necesarios para que ésta proceda a su posterior liquidación.

De este modo, en los llamados impuestos de cobro periódico mediante recibo, Impuesto sobre Bienes Inmuebles, Impuesto sobre Actividades Económicas e Impuesto sobre Vehículos de Tracción Mecánica, el obligado tributario presenta una declaración en el primer periodo impositivo, dando lugar a una actuación administrativa conducente tanto a la liquidación del impuesto como a su inclusión en el respectivo Padrón, Matrícula o Registro, respectivamente. En los siguientes periodos, en tanto no se modifiquen los datos tributarios inicialmente declarados por el interesado, los Ayuntamientos procederán a gestionar, de oficio, la liquidación del impuesto.

Por su parte, con mayor detalle, el RPGI ha recogido en su artículo 118 las declaraciones tributarias complementarias y sustitutivas de declaraciones anteriores que permiten al obligado tributario complementar o modificar su declaración inicial. Así, son **complementarias** aquellas declaraciones relativas a la misma obligación tributaria y al mismo periodo que otras presentadas con anterioridad. En estas nuevas declaraciones sólo se podrán incluir *nuevos datos* no declarados o *modificar parcialmente* el contenido de las declaraciones anteriormente presentadas. Por otro lado, son declaraciones **sustitutivas** las que se refieran a la misma obligación tributaria y periodo que otras declaraciones presentadas con anterioridad y que las *reemplacen* en su contenido.

D) Autoliquidaciones

La ley define las autoliquidaciones como declaraciones en las que los obligados tributarios, además de comunicar a la Administración los datos necesarios para la liquidación del tributo y otros de contenido informativo, realizan por sí mismos las operaciones de calificación y cuantificación necesarias para determinar e ingresar el importe de la deuda tributaria o, en su caso, determinar la cantidad que resulte a devolver o a compensar.

En el ámbito de los tributos locales, el *Real Decreto Legislativo 2/2004, de 5 de marzo, por el que se aprueba el texto refundido de la Ley Reguladora de las Haciendas Locales* (LRHL, en adelante) regula expresamente la aplicación del régimen de autoliquidación en el Impuesto sobre Actividades Económicas (art. 90.4), en el Impuesto sobre Vehículos de Tracción Mecánica (art. 98.1) en el Impuesto sobre Construcciones, Instalaciones y Obras (art. 103.4), en el Impuesto sobre el Incremento del Valor de los Terrenos de Naturaleza Urbana (art. 110.4) y en las tasas (art. 27.1).

En estos casos se habilita por ley a los Ayuntamientos, salvaguardando el principio de reserva de ley, a incluir el régimen de autoliquidación en la respectiva Ordenanza fiscal reguladora de cada tributo, siendo una potestad de los Ayuntamientos optar por este sistema o por el tradicional de declaración, en función de las necesidades y la operatividad de gestión que se persiga.

No obstante, no es posible la aplicación de este régimen de autoliquidación en el Impuesto sobre Bienes Inmuebles, ni en el Impuesto sobre Actividades Económicas respecto a las cuotas municipales (sólo es posible el sistema de autoliquidación si el sujeto pasivo tributa por cuota nacional o provincial) y tampoco se puede establecer el régimen de autoliquidación en el Impuesto sobre Gastos Suntuarios y en las contribuciones especiales.

La presentación de la autoliquidación produce los siguientes efectos:

a) interrumpe el plazo de prescripción.

b) los datos aportados se presumen ciertos (presunción *iuris tantum*), invirtiendo la carga de la prueba, debiendo ser la Administración la que desvirtúe esa presunción de certeza.

c) supone el cumplimiento por parte del obligado tributario de sus obligaciones tributarias, evitando sanciones si los datos declarados son correctos.

La Ley ha recogido la posibilidad de que el obligado tributario solicite la **rectificación** de las autoliquidaciones presentadas cuando considere que las mismas han perjudicado sus intereses legítimos. Reglamentariamente (RD1065/2007 RPGI) se ha desarrollado el procedimiento de rectificación de autoliquidaciones (artículos 126 y siguientes).

Por último, también se han regulado las **autoliquidaciones complementarias**, que son aquéllas que se refieren a la misma obligación tributaria y periodo que otras presentadas con anterioridad y de las que resulte un importe a ingresar superior o una cantidad a devolver o a compensar inferior al importe resultante de la autoliquidación anterior. La autoliquidación previa subsistirá en la parte no afectada o modificada por la complementaria.

Si bien el régimen de autoliquidación se ha impuesto en los tributos estatales y en los cedidos y se ha ido implantado con firmeza en los tributos locales, no podemos olvidar que el régimen de declaración prevalece, como regla general, en los tributos de cobro periódico mediante recibo, por lo que ambos regímenes tienen su cabida y conviven en nuestras Haciendas locales.

E)   Recargos por presentación extemporánea de declaraciones o autoliquidaciones

Regulados en el artículo 27 de la LGT, estos recargos son prestaciones accesorias que deben satisfacer los obligados tributarios como consecuencia de la presentación de autoliquidaciones o declaraciones fuera de plazo sin requerimiento previo de la Administración.

Este artículo ha sido modificado recientemente por la *Ley 11/2021, de 9 de julio, de medidas de prevención y lucha contra el fraude fiscal*, dándose una nueva redacción a los tipos de recargos aplicables. En particular, el recargo será un porcentaje igual al uno por ciento más otro uno por ciento adicional por cada mes completo de retraso con que se presente la autoliquidación o declaración respecto al término del plazo establecido para la presentación e ingreso y se aplicará sobre el importe a ingresar resultante de las autoliquidaciones o sobre el importe de la liquidación derivado de las declaraciones extemporáneas.

El beneficio que obtiene el obligado tributario que regulariza sin requerimiento previo de la Administración es que se excluirán las sanciones que hubieran podido exigirse y los intereses de demora devengados hasta la presentación de la autoliquidación o declaración.

No obstante, sí se exigirán intereses de demora si la presentación de la autoliquidación o declaración se efectúa una vez transcurridos doce meses desde el término del plazo establecido para la presentación. En estos casos, el recargo será, en todo caso, del quince por ciento, excluyéndose la imposición de sanciones.

2.2.2. Clases de procedimientos de gestión tributaria

Con la Ley 58/2003, General Tributaria, se procedió a realizar una regulación sistemática de los distintos procedimientos de gestión existentes hasta la fecha en el ámbito tributario, en particular, su diseño y estructura se realizó pensando en los tributos estatales.

Partiendo de este diseño y, teniendo en cuenta la remisión normativa del artículo 12 de la LRHL en relación con las Haciendas Locales, examinaremos sucintamente los procedimientos de gestión establecidos en la LGT realizando su adecuación a las singularidades y especialidades de los tributos locales.

La LGT ha recogido en los artículos 123 y siguientes los procedimientos de gestión más comunes en el ámbito tributario, estableciendo un sistema flexible en tanto en cuanto permite el desarrollo reglamentario de otros procedimientos de menor entidad.

Los procedimientos principales, regulados por la LGT son los siguientes:

- Procedimiento de devolución iniciado mediante autoliquidación, solicitud o comunicación de datos
- Procedimiento iniciado mediante declaración.
- Procedimiento de verificación de datos.
- Procedimiento de comprobación de valores.
- Procedimiento de comprobación limitada.

Los procedimientos desarrollados reglamentariamente son los siguientes:

- Procedimientos de rectificación de autoliquidaciones, declaraciones, comunicaciones de datos o solicitudes
- Procedimiento relativo a la ejecución de las devoluciones tributarias
- Procedimiento para el reconocimiento de beneficios fiscales
- Procedimiento relativo a la cuenta corriente tributaria
- Procedimientos de comprobación de obligaciones formales

2.2.2.1. Procedimiento de devolución iniciado mediante autoliquidación, solicitud o comunicación de datos

El procedimiento se inicia mediante:

- la presentación de una autoliquidación de la que resulte cantidad a devolver
- la presentación de una solicitud de devolución
- la presentación de una comunicación de datos.

El procedimiento termina por los siguientes motivos:

- por el acuerdo en el que la Administración reconozca la devolución. En este supuesto, la Administración examina la documentación presentada y si la solicitud fuese formalmente correcta procederá al reconocimiento de la devolución a favor del interesado (126 LGT y 124.1 RPGI).

- por caducidad, cuando se produzca la paralización del procedimiento por causa imputable al obligado tributario durante tres meses.

- por el inicio de un procedimiento de verificación de datos, de comprobación limitada o de inspección. Este supuesto se da cuando la Administración aprecie algún defecto formal en la autoliquidación, solicitud o comunicación, o algún error aritmético o posible discrepancia en los datos o en su calificación, o se aprecien circunstancias que así lo justifiquen. (arts. 127 LGT y 124.2 RPGI).

Se trata de un procedimiento específico para las devoluciones derivadas de la normativa de cada tributo, es decir, las correspondientes a cantidades ingresadas o soportadas *debidamente* como consecuencia de la aplicación del tributo.

Es importante diferenciar este procedimiento del relativo a la devolución de ingresos *indebidos*, regulado en los artículos 221 y siguientes de la LGT, artículos 14 a 20 del RD 520/2005 y 131 y 132 del RPGI, ya que de este último régimen se derivan otras consecuencias distintas (liquidación de intereses de demora, etc.). La diferenciación fundamental entre ingreso *"debido-indebido"* se basa en que, en el primero, sólo procederá la devolución si la normativa propia del tributo así lo ha previsto expresamente.

En cambio, un ingreso se considera indebido cuando se deriva del pago de una deuda tributaria no existiendo razón para su percepción.

La reciente *Ley 11/2021, de 9 de julio, de medidas de prevención y lucha contra el fraude fiscal*, ha establecido el derecho de los obligados tributarios a percibir, de forma automática, los intereses de demora que les correspondan en las devoluciones, señalando que transcurrido el plazo fijado en las normas reguladoras de cada tributo y, en todo caso, el plazo de seis meses, sin que se hubiera ordenado el pago de la devolución por causa imputable a la Administración Tributaria, ésta abonará el interés de demora sin necesidad de que el obligado lo solicite. A estos efectos, el interés de demora se devengará desde la finalización de dicho plazo hasta la fecha en que se ordene el pago de la devolución.

En el ámbito de los tributos locales podemos señalar, a título de ejemplo, los siguientes supuestos de ingresos "*debidos*":

Impuesto sobre Actividades Económicas

El artículo 89.2 LRHL recoge un supuesto específico de devolución en los casos de baja por cese en el ejercicio de la actividad, en el que las cuotas serán prorrateadas por trimestres naturales, excluido aquél en el que se produzca dicho cese. La ley permite que los sujetos pasivos soliciten *la devolución de la parte de la cuota correspondiente a los trimestres naturales en los que no se hubiera ejercido la actividad.*

La forma habitual de pedir la devolución será mediante una solicitud en la que el interesado comunique a la Administración los datos relativos al cese de la actividad.

Impuesto sobre Vehículos de Tracción Mecánica

Al igual que sucede en el IAE cabe la posibilidad de que el obligado tributario solicite la devolución de parte del recibo pagado.

La LRHL regula en su artículo 96.3 la posibilidad de prorratear la cuota del impuesto por trimestres naturales en los casos de primera adquisición o baja definitiva del vehículo y por la baja temporal ocasionada por sustracción o robo.

Si el Ayuntamiento ha establecido en su Ordenanza reguladora el sistema de autoliquidación, entonces el obligado tributario deberá presentar una autoliquidación con cantidad a devolver por importe igual a los trimestres naturales cuya cuota no debe satisfacer con arreglo a la ley.

Impuesto sobre Construcciones, Instalaciones y Obras

En este impuesto encontramos dos supuestos en el que este procedimiento de devoluciones es plenamente aplicable.

El artículo 103 LRHL, establece la necesidad de realizar una "liquidación provisional", aunque en realidad se trata de un ingreso a cuenta, cuando se conceda al interesado la licencia preceptiva o se presente por aquél, la declaración responsable o la comunicación previa.

Como la exigibilidad del impuesto se anticipa a su devengo, puede ocurrir que el obligado tributario, por diversas circunstancias, no llegue a ejecutar la obra proyectada o caduque la licencia sin iniciar las obras. En este supuesto deberá presentar la solicitud de devolución del impuesto ya ingresado a cuenta motivado por la falta de realización del hecho imponible tipificado en el artículo 100 de la citada Ley. Si el impuesto se exige por el régimen de autoliquidación entonces iniciará el procedimiento de gestión tributaria presentando una autoliquidación con cantidad a devolver, por importe igual a la cuota ingresada.

Impuesto sobre Incremento del Valor de los Terrenos de Naturaleza Urbana

También procedería la devolución de las cuotas satisfechas en este impuesto en los casos previstos en el artículo 109.2 de la LRHL para el supuesto en el que *se declare o reconozca judicial o administrativamente por resolución firme haber tenido lugar la nulidad, rescisión o resolución del acto o contrato* que dio origen al devengo del impuesto. El interesado deberá presentar su correspondiente solicitud de devolución.

A diferencia de los supuestos citados anteriormente (devoluciones de ingresos debidos) podemos citar, por su importancia en el ámbito local en los últimos años dado el número de reclamaciones que se han producido, y como ejemplo de devolución de ingresos **indebidos** los derivados de la Sentencia del Tribunal Constitucional 59/2017, de 11 de mayo de 2017, por el que se declaran inconstitucionales y nulos los artículos 107.1, 107.2 a) y 110.4 del TRLRHL, relativos al impuesto de plusvalía (IIVTNU), en la medida que someten a tributación situaciones de inexistencia de incrementos de valor.

En la interpretación de la normativa de devolución de ingresos indebidos y relacionada con las reclamaciones de plusvalía municipales, es muy aclaratoria la reciente Sentencia del Tribunal Supremo nº 43/2022, de 20 de enero de 2022, que señala en su Fundamento de Derecho Tercero:

> 8. En el régimen que tras la declaración de inconstitucionalidad derivada de la STC 59/2017 resulta aplicable, la actual Ley General Tributaria (artículo 221.3, ya citado) es de una precisión extraordinaria: la **devolución de ingresos indebidos** solo podrá realizarse "instando o promoviendo la revisión del acto mediante alguno de los procedimientos especiales de revisión establecidos el artículo 216 y mediante el recurso

extraordinario de revisión regulado en el artículo 244 de esta ley". No son necesarios especiales esfuerzos hermenéuticos para convenir que solo procederá la devolución cuando el acto (firme) de aplicación del tributo en virtud del cual se haya efectuado el ingreso indebido (i) sea nulo de pleno derecho o (ii) se revoque en los términos del artículo 219 de la Ley General Tributaria, en ambos casos —obvio es decirlo— siempre que se cumplan estrictamente las exigencias previstas en esos dos preceptos (...).

Y resolviendo en interés casacional en su Fundamento de Derecho Cuarto lo siguiente:

"a) En el ámbito del Impuesto sobre el Incremento del Valor de los Terrenos de Naturaleza Urbana, **la solicitud de devolución de ingresos indebidos** derivados de liquidaciones firmes como consecuencia de la declaración de inconstitucionalidad contenida en la sentencia del Tribunal Constitucional núm. 59/2017, de 11 de mayo, debe efectuarse por los cauces establecidos en el Capítulo II del Título V de la Ley General Tributaria.

2.2.2.2. Procedimiento iniciado mediante declaración

Como ya expusimos anteriormente, la declaración es una forma de inicio del procedimiento de gestión tributaria fundamental en la Administración Local.

Las características generales de la declaración son, entre otras, las siguientes:

- Se formalizará por escrito y, en caso de haber sido aprobado por la Administración, en el modelo oficial correspondiente.

- Su presentación no implica aceptación o reconocimiento de la procedencia de la obligación tributaria.

- Reglamentariamente, podrán determinarse los supuestos en que sea admisible la declaración verbal o cualquier otra manifestación de conocimiento.

- Los datos contenidos en la declaración se presumen ciertos para el obligado tributario (presunción *iuris tantum*). Hay una inversión de la carga de la prueba, la Administración deberá probar su incorrección para desvirtuar lo declarado.

- Debe ser suscrita por el obligado tributario o su representante.

- Interrumpe el plazo de prescripción del derecho de la Administración a liquidar el tributo (art. 68.1 c LGT).

El efecto más importante que causa la presentación de la declaración es el inicio del procedimiento de gestión tributaria. La declaración deberá contener la manifestación del obligado tributario de la realización del hecho imponible y de los datos necesarios para que la Administración cuantifique la obligación tributaria.

La liquidación que se practique por parte de la Administración será provisional. Esta liquidación deberá notificarse al interesado en el plazo de seis meses contados desde el día siguiente a la finalización del plazo para presentar la declaración.

En caso de ser una declaración extemporánea el plazo comenzará a contarse desde el día siguiente su presentación. Se trata de un plazo de caducidad por inactividad de la Administración, un periodo máximo para que la Administración cuantifique el tributo y notifique la liquidación al obligado tributario. El incumplimiento de este plazo conlleva, por tanto, la terminación del procedimiento de gestión. No obstante, dentro del periodo general de prescripción tributaria de cuatro años, la Administración podrá iniciar de nuevo este procedimiento para liquidar el tributo.

La LGT, de forma novedosa, amplió las facultades que disponía la Administración en este tipo de procedimiento. Así, la Administración podrá utilizar los datos consignados por el obligado tributario en su declaración o cualquier otro que obre en su poder, podrá requerir al obligado para que aclare los datos consignados en su declaración o presente justificante de aquéllos, y podrá realizar actuaciones de comprobación de valores.

Se amplían de este modo las facultades de la Administración para que no tenga que recurrir siempre a los otros procedimientos de comprobación tributaria, más complejos, mejorando la rapidez y eficacia en la gestión de los tributos.

En estos casos, se establece la correlativa garantía para los contribuyentes que dispondrán del correspondiente trámite de alegaciones en relación con la propuesta de liquidación, que será motivada en todo caso.

La naturaleza del procedimiento de gestión tributaria implica la inexigibilidad de intereses de demora al obligado tributario, ya que éste no tiene obligación alguna de ingresar hasta que no se le notifique la liquidación por parte de la Administración.

A partir de ese momento, desde la fecha de notificación de la liquidación, ya serán aplicables los plazos de ingreso del artículo 62 de la LGT.

No obstante, la presentación de la declaración no impide la imposición de sanciones en los casos en que la declaración se haya presentado de forma incompleta o incorrecta, todo ello por aplicación del régimen de infracciones regulado en el art. 192 de la LGT.

El procedimiento terminará:

- por resolución, mediante liquidación provisional practicada por la Administración tributaria, que es la forma normal.

- por caducidad, una vez transcurrido el plazo legal sin que se le haya notificado al obligado la liquidación, como forma excepcional.

Especialidades en los tributos locales

Impuesto sobre Bienes Inmuebles (IBI), Impuesto sobre Actividades Económicas (IAE), Impuesto sobre Vehículos de Tracción Mecánica (IVTM).

Dada su importancia en el ordenamiento tributario local, vamos a describir de forma conjunta y por ser común a ellos, el procedimiento de gestión para los impuestos municipales denominados *de cobro periódico por recibo* que, en nuestro ordenamiento jurídico coinciden con los impuestos de exacción obligatoria para los Ayuntamientos: IBI, IAE, IVTM.

El procedimiento de gestión se inicia, como regla general en estos casos, mediante la presentación de una declaración por parte del obligado tributario.

Esa declaración sirve como base a la Administración para incorporar los datos aportados, una vez comprobados los mismos, en el correspondiente Registro administrativo, llámese Padrón, Censo o Matrícula del impuesto. Posteriormente, cada Ayuntamiento, en su ámbito territorial y competencial propio, realizará las operaciones de cuantificación de la deuda tributaria, notificando la liquidación provisional al obligado tributario, de forma individualizada, y concediéndole el correspondiente plazo de ingreso. Nuestra jurisprudencia ha sentado la doctrina relativa a la necesidad de que la primera notificación se realice de forma individualizada a cada obligado tributario. [11]

En los siguientes periodos impositivos, los Ayuntamientos iniciarán el procedimiento de gestión de oficio, elaborando las correspondientes listas cobratorias a partir de los datos consignados en los Registros, Padrones o Matrículas de cada impuesto. Su exposición pública, que puede ser impugnada y recurrida, equivaldrá a la notificación colectiva de las liquidaciones a todos los obligados.

Por su parte, los Ayuntamientos, deberán regular en sus Ordenanzas fiscales el plazo de ingreso en periodo voluntario de las deudas de notificación colectiva y periódica, plazo que no podrá ser inferior a dos meses.

Con carácter supletorio y en ausencia de su regulación mediante la Ordenanza, el pago deberá realizarse entre los días 1 de septiembre y 20 de noviembre o inmediato hábil posterior (Art. 62.3 LGT).

De este modo, el obligado tributario, tras su declaración inicial no tiene que presentar ninguna declaración adicional, salvo que exista alguna variación en su situación tributaria, con lo que se reducen considerablemente sus obligaciones formales.

A continuación, analicemos por separado las peculiaridades del régimen de declaración en los tributos donde impera este procedimiento:

---

[11] Sentencia del Tribunal Supremo de 19 de diciembre de 2011.

Impuesto sobre Bienes Inmuebles

El régimen tradicional del procedimiento de gestión tributaria iniciado por declaración es plenamente aplicable a esta figura impositiva.

El Impuesto sobre Bienes Inmuebles es un tributo de gestión compartida entre la Administración estatal y la Administración municipal. La gestión del impuesto tiene una doble vertiente, por una parte, la gestión catastral cuya competencia recae en el Estado y que consiste en la formación, revisión y mantenimiento del Catastro; y por otra, la gestión tributaria, propiamente dicha, que corresponde a los Ayuntamientos.

La Sentencia del Tribunal Constitucional de 16 de diciembre de 1999, ha reconocido expresamente la competencia exclusiva del Estado en materia catastral, fundamentada en el título competencial del artículo 149.1.14 de la CE que atribuye al Estado las funciones en la Hacienda general.

Del mismo modo lo ha recogido nuestro legislador en el artículo 4 del Real Decreto Legislativo 1/2004, de 5 de marzo, por el que se aprueba el texto refundido de la Ley del Catastro Inmobiliario, (TRLCI), atribuyendo de forma exclusiva al Estado la formación y mantenimiento del Catastro. Estas funciones se ejercerán por la Dirección General del Catastro, directamente o a través de las distintas fórmulas de colaboración con las diferentes Administraciones, y comprenden, entre otras, la valoración, la inspección y la elaboración y gestión de la cartografía catastral.

Por tanto, mientras que la gestión catastral tiene por objeto principal la determinación del valor catastral de los bienes inmuebles, la gestión tributaria, parte de ese valor catastral, como base imponible del impuesto, y tiene por objeto realizar las actuaciones necesarias para cuantificar el tributo y emitir la correspondiente liquidación provisional que será objeto de notificación al obligado tributario. Se hace imprescindible, por tanto, una coordinación y colaboración adecuada entre ambas Administraciones, para la correcta gestión y aplicación del tributo. En definitiva, la gestión tributaria dependerá de una adecuada gestión catastral.

En cuanto a la obligación de declaración en el IBI, los sujetos pasivos que sean titulares catastrales están obligados a declarar las alteraciones que se produzcan en los bienes inmuebles susceptibles de inscripción catastral que tengan trascendencia a efectos del impuesto. Las variaciones de orden físico, económico o jurídico que se produzcan en los bienes gravados surten efectos en el periodo impositivo siguiente a aquel en el que ocurrieron.

El artículo 13 del TRLCI define estas declaraciones tributarias como aquellos documentos por los que se manifiesta o reconoce ante el Catastro Inmobiliario que se han producido las circunstancias determinantes de un alta, baja o modificación en la descripción catastral de los inmuebles. La declaración tributaria da lugar al inicio del procedimiento de gestión catastral, mediante la incorporación de los datos al Catastro

Inmobiliario. De este modo se determina, la realización del hecho imponible, se identifica el obligado tributario y el valor catastral del inmueble, es decir, la base imponible del impuesto.

Por otra parte, la gestión tributaria, cuya competencia está atribuida al Ayuntamiento, tiene por objeto principal la liquidación y recaudación del impuesto y consistirá, fundamentalmente, en la realización de las actuaciones necesarias para cuantificar la deuda tributaria y su posterior puesta al cobro.

Impuesto sobre Actividades Económicas

El IAE es un tributo de cobro periódico gestionado a través de una matrícula o censo comprensivo de todas las actividades económicas desarrolladas por los obligados tributarios. Los datos que figuran en la matrícula del impuesto son los declarados por los contribuyentes sin perjuicio de las modificaciones que, de oficio, pueda realizar la Inspección de tributos.

Circunscribiéndonos al ámbito local, es decir, a la gestión de las cuotas municipales, se trata de un impuesto de gestión compartida. La gestión censal corresponderá al Estado a través de la Agencia Estatal de Administración Tributaria, mientras que la gestión tributaria será competencia de las Entidades Locales. El artículo 91.1 del TRLHL reconoce la posibilidad de delegación de la gestión censal en Ayuntamientos y Diputaciones Provinciales, entre otros.

Mediante las declaraciones de alta, modificación y cese, el obligado tributario pone en conocimiento de la Administración el inicio de una actividad económica, la variación en alguno de sus elementos tributarios o su finalización, respectivamente. A través de las de las declaraciones tributarias los propios obligados tributarios van formando parte de los censos administrativos facilitando la posterior gestión del tributo.

Iniciado el procedimiento mediante declaración, el mismo concluirá con la notificación al interesado, en su caso, de la liquidación provisional.

Por último, es importante indicar que la LRHL prevé que el impuesto se exija en régimen de autoliquidación para las cuotas provinciales y nacionales, aunque no es posible en las cuotas municipales.

Impuesto sobre Vehículos de Tracción Mecánica

Su gestión corresponde al Ayuntamiento del domicilio que conste en el permiso de circulación del vehículo. Cada Ayuntamiento es titular de un registro en el que figuran los citados vehículos a partir de los datos suministrados por la Jefatura Provincial de Tráfico.

Estarán obligados a presentar una declaración de alta la persona a cuyo nombre conste el vehículo en el permiso de circulación. La declaración de alta se presentará en el correspondiente Registro, en el primer periodo impositivo. El alta se producirá en los casos de primera matriculación del vehículo o de solicitud de la certificación de aptitud para circular.

Asimismo, se deberá presentar una declaración de variación en los supuestos de reforma de los vehículos, transferencia y cambio de domicilio que conste en el permiso de circulación.

Las declaraciones pueden presentarse en la Jefatura Provincial de Tráfico que remitirá la información a los Ayuntamientos para que procedan a su gestión.

Este tributo puede exigirse, si lo dispone la Ordenanza, en régimen de autoliquidación.

Por último, en relación con el *Impuesto sobre Construcciones, Instalaciones y Obras* y el *Impuesto sobre Incremento del Valor de los Terrenos de Naturaleza Urbana*, la LRHL ha previsto tanto el régimen de declaración como de autoliquidación como forma de inicio del procedimiento, imponiéndose este último en la práctica habitual de casi todos los Ayuntamientos.

2.2.2.3. Procedimiento de verificación de datos

Mediante este procedimiento se pretende que la Administración pueda corregir la actuación del contribuyente sobre la base de los datos obrantes en su poder, evitando la tramitación de otros procedimientos más complejos como el de comprobación limitada o el de inspección. Se trata de un procedimiento muy rápido y sencillo en el que se hace una mera comprobación o verificación por la Administración de datos ya existentes.

La Administración puede acudir a este procedimiento cuando la declaración o autoliquidación del obligado tributario adolezca de defectos formales o incurra en errores aritméticos; también cuando los datos declarados no coincidan con los contenidos en otras declaraciones presentadas por el mismo obligado o con los que obren en poder de la Administración tributaria; cuando se aprecie una aplicación indebida de la normativa que resulte patente de la propia declaración o autoliquidación presentada o de los justificantes aportados con la misma; o cuando se requiera la aclaración o justificación de algún dato relativo a la declaración o autoliquidación presentada.

Debido a que la Administración cuenta, en principio, con los elementos de prueba y datos necesarios para la regularización tributaria, se prevé como forma normal de inicio directamente la propuesta de liquidación. Dicha propuesta debe estar suficientemente motivada, concediendo un plazo al interesado para formular alegaciones.

La otra forma de inicio es mediante requerimiento al obligado tributario para que aclare o justifique la discrepancia observada.

En cuanto a su terminación, junto con la subsanación, aclaración o justificación de la discrepancia por parte del obligado tributario, el procedimiento puede finalizar: por resolución (declarando conforme o corrigiendo los defectos advertidos); mediante liquidación provisional; por caducidad (transcurso del plazo de seis meses); o por el inicio de un procedimiento de comprobación limitada o de inspección sobre el mismo objeto del procedimiento.

El Tribunal Económico Administrativo Central en diversas Resoluciones (19/01/2012 o 21/05/2015) analizó los límites del procedimiento de verificación de datos, señalando que este procedimiento se agota en el mero control de carácter formal de la declaración o de la autoliquidación presentada y de su coincidencia con los datos provenientes de otras declaraciones o en poder de la Administración, permitiendo, por tanto, sólo una actividad de comprobación de muy escasa entidad, contemplando la propia LGT otros procedimientos (comprobación limitada o inspección) para las comprobaciones que superan ese marco.

La utilización de este procedimiento, fuera de los límites establecidos taxativamente en la ley, podrá suponer la anulabilidad o nulidad, según los casos, del procedimiento incoado al exceder de su ámbito de aplicación. Esto ocurre en los supuestos en los que la Administración Tributaria inicia un procedimiento de verificación de datos (de forma indebida) en lugar de un procedimiento de comprobación limitada (con mayores garantías para el obligado tributario). Nuestra jurisprudencia ha señalado de forma reiterada que este caso constituye un supuesto de nulidad de pleno derecho. Por todas ellas, destaca la reciente sentencia del Tribunal Supremo: STS 4454/2021 (ECLI:ES:TS:2021:4454). [12]

---

[12] Nuestra reciente jurisprudencia sobre **la utilización del procedimiento de verificación de datos (o, mutatis mutandis, el procedimiento iniciado mediante liquidación) cuando el adecuado era el de comprobación limitada es de una contundencia absoluta: constituye un supuesto de nulidad radical, sin matices**: "Siendo patente por tanto la improcedente utilización del procedimiento de verificación de datos, se plantea a continuación si la consecuencia ha de ser la nulidad de pleno derecho de lo actuado al amparo del artículo 217.1.e) de la LGT por haberse dictado prescindiendo total y absolutamente del procedimiento legalmente establecido para ello. En efecto, existe una utilización indebida del procedimiento de verificación "ab initio" pues la Administración utilizó dicho procedimiento precisamente para una finalidad que el propio artículo 131 prohíbe, con la consiguiente disminución de las garantías y derechos del administrado, y a su salida o resolución, pues en lugar de dar lugar a un procedimiento de comprobación limitada o inspección, se resuelve el fondo del asunto mediante la correspondiente liquidación pronunciándose sobre la actividad económica. Por ello a la pregunta formulada por la Sección Primera sobre "Si la anulación de una liquidación tributaria practicada como desenlace de un procedimiento de verificación de datos, cuando debió serlo en uno de comprobación limitada, integra un supuesto de mera anulabilidad o uno de nulidad de pleno De-

Especialidades en los tributos locales

En el ámbito local, el procedimiento de verificación es muy útil por la agilidad que proporciona y es aplicable a cualquiera de los tributos examinados.

En particular, encontramos un procedimiento similar en el *Impuesto sobre Bienes Inmuebles*. El artículo 13 del Real Decreto Legislativo 1/2004, de 5 de marzo, regula el denominado *procedimiento de subsanación de discrepancias*. Este procedimiento se inicia cuando la Administración tiene conocimiento de la falta de concordancia entre la descripción catastral de los bienes inmuebles y la realidad inmobiliaria; siempre y cuando no se deba al incumplimiento de la obligación de declaración o comunicación exigida por la ley.

La regulación del procedimiento coincide en lo esencial con el regulado en la LGT, dado que el plazo máximo de resolución es de 6 meses, igual sucede con la comunicación de inicio, el plazo de alegaciones y la posibilidad de caducidad del procedimiento.

2.2.2.4. Procedimiento de comprobación de valores

La comprobación de valores es el medio utilizado por la Administración para comprobar el valor de las rentas, productos, bienes y demás elementos de la obligación tributaria.

Se podrá iniciar mediante una comunicación de la Administración o directamente, cuando existan datos suficientes, mediante la notificación conjunta de la valoración y la propuesta de liquidación.

La ley exige que la valoración sea motivada, aunque los obligados tributarios no podrán interponer recurso o reclamación independiente contra la valoración, pero podrán promover la tasación pericial contradictoria que se articula como un medio de defensa contra las valoraciones realizadas por la Administración. Su solicitud o la reserva del derecho a promoverla, determinará que se suspenda automáticamente la ejecución de la liquidación y el plazo para interponer recurso contra ella.

La Ley 34/2015, de 21 de septiembre, introdujo como novedad que la presentación de una solicitud de tasación pericial suspenderá el plazo para iniciar el procedimiento sancionador que se derive de la liquidación controvertida. Si el procedimiento ya se hubiese iniciado se suspenderá el plazo máximo de resolución.

---

recho, con la consecuencia en este segundo caso, conforme a la jurisprudencia del Tribunal Supremo, de la incapacidad de las actuaciones desarrolladas en el procedimiento de verificación de datos para interrumpir el plazo de prescripción del derecho de la Administración a determinar la deuda tributaria mediante la oportuna liquidación" ha de contestarse que la utilización de un procedimiento de verificación de datos, cuando debió serlo de uno de comprobación limitada, **constituye un supuesto de nulidad de pleno derecho**".

La comprobación de valores, como facultad administrativa, puede ejercerse en el transcurso de un procedimiento de gestión específico o en el curso de un procedimiento inspector.

Especialidades en los tributos locales

Este tipo de procedimiento tiene muy poca aplicación al ámbito local. En el *Impuesto sobre Construcciones Instalaciones y Obras*, las comprobaciones van dirigidas a practicar la liquidación definitiva del impuesto determinando con exactitud el coste de ejecución material de la obra realizada. Acudir a la comprobación de valores en este impuesto sería muy residual para aquellos casos en los que la estimación directa no ha podido realizarse por causas ajenas a la voluntad de la Administración y, tan sólo sea posible acudir a una estimación indirecta con los requisitos establecidos por el artículo 53 de la LGT.

2.2.2.5. Procedimiento de comprobación limitada

Este procedimiento ha sido calificado doctrinalmente como un procedimiento a medio camino entre el de verificación de datos y el de inspección, ya que permite a la Administración una comprobación con más medios que en el procedimiento de verificación de datos, pero de menor intensidad y diferentes plazos que en el procedimiento inspector. De este modo, la Administración puede comprobar hechos, actos, elementos, actividades, explotaciones y demás circunstancias determinantes de la obligación tributaria, utilizando los medios detallados en el artículo 136 de la LGT.

Así, la Administración podrá utilizar datos declarados por los obligados tributarios, los que obren en poder de la Administración, los que consten en registros y realizar requerimientos de información a terceros (con excepción de movimientos financieros).

A diferencia del procedimiento inspector, en la comprobación limitada queda excluido el examen de la contabilidad mercantil, así como realizar actuaciones fuera de las oficinas públicas (salvo excepciones).

No obstante, tras la aprobación de la Ley 34/2015 se admite la posibilidad del examen de la contabilidad mercantil cuando el obligado tributario la haya aportado al procedimiento de forma voluntaria sin requerimiento previo de la Administración. Esta modificación normativa viene derivada de la reiterada jurisprudencia que diferenciaba como ámbitos distintos el procedimiento de comprobación limitada, en el plano propio de la gestión tributaria, del procedimiento y actuaciones. Así la Sentencia del Tribunal Supremo, STS 3061/2017 (ECLI:ES:TS:2017:3061), que viene a refrendar lo ya dictaminado en la sentencia de 1 de diciembre de 2011 (casación 1114/2009)[13].

En cuanto a su inicio, este procedimiento es similar a los otros existentes de comprobación en el ámbito de gestión tributaria, por lo que podrá realizarse mediante comunicación notificada al interesado o, si ya se dispone de datos suficientes, mediante la notificación de la propuesta de liquidación.

La tramitación del procedimiento se documentará en comunicaciones y diligencias.

En este procedimiento el interesado debe atender y cumplir con los requerimientos que le haga el órgano de gestión, colaborando con él en el desarrollo del proceso. Se asimila, en este sentido, y en cierto modo al procedimiento de inspección, otorgando al órgano de gestión una verdadera fuerza inquisitiva y comprobatoria de los tributos.

Con carácter previo a la práctica de la liquidación provisional, se deberá comunicar al interesado la propuesta de resolución para que formule alegaciones.

La terminación del procedimiento se produce en los siguientes casos:

a) Por resolución expresa de la Administración tributaria.

b) Por caducidad (seis meses).

c) Por el inicio de un procedimiento inspector, que incluya el objeto de la comprobación limitada.

En cuanto a los efectos que conlleva la regularización, la Ley ha optado por la seguridad jurídica de los obligados tributarios. Así, con carácter general, sobre el objeto de un procedimiento de comprobación limitada no podrá efectuarse una nueva regularización. Se exceptúan los casos en que se descubran, en un procedimiento posterior, nuevos hechos o circunstancias distintas a las realizadas anteriormente y que dieron lugar a la regularización inicial. (art. 140 LGT).

Especialidades en los tributos locales

Este tipo de procedimiento es habitual en los Ayuntamientos que tienen regulado el *Impuesto sobre Incremento del Valor de los Terrenos de Naturaleza Urbana* y, en menor medida, en el control tributario del *Impuesto sobre Actividades Económicas*.

---

[13]   STS 3061/2017 (Fundamento de Derecho Quinto)
"Esta Sala sostiene que a través de la comprobación abreviada se lleva a cabo una comprobación formal de los datos consignados en las declaraciones tributarias, mediante el contraste de estos con los justificantes presentados con la declaración o requeridos por la Administración, así como con los elementos de prueba de que ésta disponga. El cotejo de todos estos elementos puede poner de relieve errores, discrepancias y omisiones. Eso si, las actuaciones de comprobación abreviada no pueden extenderse al examen de la documentación contable de empresarios y profesionales".

Impuesto sobre Incremento del Valor de los Terrenos de Naturaleza Urbana

La comprobación de este impuesto se ve facilitada por la gran información recibida por los Ayuntamientos y que se obtiene de los terceros que intervienen en la realización del hecho imponible. Principalmente, la información viene suministrada por parte de los Notarios que están obligados a poner en conocimiento de los Ayuntamientos las transmisiones sujetas al impuesto que formalicen en escrituras públicas, tal como compraventas, donaciones, herencias. La información se suministra por los Notarios mediante un sistema telemático en el que se vuelcan los datos con trascendencia tributaria en ficheros informatizados. Los Ayuntamientos deben disponer de las correspondientes certificaciones para acceder telemáticamente a ellos.

Dado que los Ayuntamientos tienen en su poder todos o casi todos los datos necesarios para la regularización fiscal de aquellos obligados tributarios que hayan formalizado sus transmisiones en documentos públicos, resulta más conveniente que se inicie un procedimiento de comprobación limitada para aquellos obligados que no hayan declarado o hayan presentado autoliquidaciones no ajustadas a la normativa tributaria, dado que este procedimiento es mucho más rápido y más sencillo que el procedimiento de inspección y con la misma eficacia en cuanto al resultado final.

Este procedimiento se ha visto fuertemente potenciado en el ámbito local tras la modificación de la Ley Hipotecaria (BOP 28-12-2012), que establece que el Registro de la Propiedad no practicará la inscripción de actos o contratos documentos sujetos a este impuesto (escrituras públicas, por ejemplo), si no se acredita la presentación de la declaración o autoliquidación en el Ayuntamiento.

De este modo, cualquier adquirente de un bien inmueble que pretenda inscribirlo en el Registro de la Propiedad, deberá presentar la correspondiente escritura pública en el Ayuntamiento donde se realizó el hecho imponible. El Ayuntamiento, a través de los órganos de gestión puede iniciar un procedimiento de comprobación limitada contra el obligado tributario si no ha procedido a la declaración o autoliquidación del impuesto.

Impuesto sobre Actividades Económicas

Si bien la comprobación limitada en este impuesto es más residual, siendo principalmente realizada por la inspección de tributos, puede resultar conveniente para la comprobación de ciertas actividades económicas del impuesto.

El órgano de gestión puede requerir datos de la actividad a la propia empresa o a los terceros que se relacionen con ella, con el objeto de determinar su adecuada clasificación en la Matrícula del impuesto, la procedencia del disfrute de beneficios fiscales o si los elementos tributarios declarados y determinantes de la cuota de tarifa son correctos.

La problemática puede surgir cuando la Administración necesita determinar, en el lugar de la actividad objeto de comprobación, algunos de los elementos tributarios principales que componen la cuota de tarifa, como son el elemento superficie y la potencia instalada, principalmente. En muchos casos, es necesario examinar *in situ* los locales de negocio de los sujetos pasivos, dado que, en relación con la superficie declarada, los datos catastrales no aportan toda la información necesaria para proceder a la correcta regularización tributaria, ya que hay que diferenciar, de la totalidad de la superficie destinada a la actividad, la parte destinada a la producción específica, los almacenes, las zonas descubiertas, los lugares de aparcamiento, etc.; dado que tributan de forma distinta en función de su destino. Asimismo, se hace necesaria la visita al local de negocio para concretar la maquinaria afecta a la actividad empresarial y así poder calcular la potencia instalada. En estos casos, dado que el órgano de gestión no puede desarrollar sus funciones fuera de la oficina municipal, es conveniente el inicio de un procedimiento inspector, con funciones de comprobación más amplias y que permiten el examen en persona, mediante funcionarios habilitados, del local de negocio de la empresa.

En el resto de los tributos locales, la comprobación limitada irá dirigida, principalmente, a comprobar la realidad del disfrute de bonificaciones y exenciones por parte de los obligados tributarios, sobre la base de los datos declarados inicialmente por aquéllos y lo realmente comprobado por el órgano gestor.

3. ACTUACIONES Y PROCEDIMIENTO DE INSPECCIÓN. ESPECIALIDADES EN EL ÁMBITO LOCAL

El artículo 12.1 del TRLHL establece que la inspección de los tributos locales se realizará de acuerdo con lo dispuesto en la Ley General Tributaria y en las demás leyes del Estado reguladoras de la materia, así como en las disposiciones dictadas para su desarrollo.

Por tanto, la regulación jurídica de la inspección se encuentra contenida en la Ley 58/2003, de 17 de diciembre, General Tributaria, en el Capítulo IV del Título III, siendo directamente aplicable al ámbito tributario local.

Su desarrollo reglamentario se contiene en el Real Decreto 1065/2007, de 27 de julio, por el que se aprueba el *Reglamento General de las actuaciones y los procedimientos de gestión e inspección tributaria y de desarrollo de las normas comunes de los procedimientos de aplicación de los tributos* (RPGI).

La legislación estatal no ha distinguido en la regulación del procedimiento inspector a las distintas Administraciones territoriales, sino que ha establecido un régimen común e igual para todas ellas partiendo de base del sistema estatal.

No obstante, es de destacar en este aspecto, que el artículo 12.2 del TRLHL permite a las entidades locales, mediante sus ordenanzas fiscales, adaptar la normativa relativa a la inspección al régimen de organización y funcionamiento interno propio. Esa adaptación no puede contravenir el contenido material de las normas estatales por lo que, en todo caso, prevalecerá la legislación tributaria contenida en la LGT y el RPGI en caso de conflicto con las normas municipales.

3.1. DEFINICIÓN Y FUNCIONES DE LA INSPECCIÓN

Podemos definir la Inspección de Tributos como aquel órgano perteneciente a la Administración tributaria (estatal, autonómica o local) que es competente para realizar las funciones administrativas propias de la inspección fiscal.

Estas funciones específicas vienen reguladas en el artículo 141 de la LGT. De todas las funciones enumeradas podemos destacar, por su posible aplicación específica en el ámbito de los tributos locales, las siguientes:

- La investigación de los supuestos de hecho de las obligaciones tributarias para el descubrimiento de los que sean ignorados por la Administración (IAE, ICIO, IIVTNU)

- La comprobación de la veracidad y exactitud de las declaraciones presentadas por los obligados tributarios (IAE)

- La realización de actuaciones de obtención de información relacionadas con la aplicación de los tributos.

- La comprobación del cumplimiento de los requisitos exigidos para la obtención de beneficios o incentivos fiscales y devoluciones tributarias. (IBI, IAE, ICIO...)

- La práctica de las liquidaciones tributarias resultantes de sus actuaciones de comprobación e investigación (IAE, ICIO, IIVTNU).

- La realización de actuaciones de comprobación limitada. (IIVTNU, IAE)

3.2. ATRIBUCIÓN DE FUNCIONES INSPECTORAS A LOS ÓRGANOS ADMINISTRATIVOS

Por aplicación directa del artículo 106.3 de la LBRL es competencia de las entidades locales la inspección de sus tributos propios.

A su vez, corresponde a cada Administración tributaria, en nuestro caso a la Administración Local, determinar su estructura administrativa para el ejercicio de la aplicación de los tributos (art. 83.4 LGT).

En desarrollo de este precepto, el RPGI, en su disposición adicional segunda concreta que *los órganos competentes de (...) las **entidades locales** en materia de procedimientos de aplicación de los tributos se determinarán conforme a lo que establezca su normativa específica.*

De este modo, la normativa ha venido a potenciar considerablemente, en el ámbito tributario, los principios de autonomía y de autoorganización de la Administración local. Será cada entidad local la que establezca la estructura orgánica que mejor se adapte a sus circunstancias particulares de carácter económico, de población, de recursos materiales, humanos, etc.

3.2.1. Personal inspector

Corresponde a cada Administración tributaria, determinar en los distintos órganos con funciones inspectoras en cada uno de los puestos de trabajo que tengan a su cargo el desempeño de tales atribuciones y concretar sus características y competencias específicas. El instrumento idóneo para ello será la RPT (relación de puestos de trabajo) de cada Administración.

El RPGI establece una diferenciación importante en cuanto al personal que puede ejercer esas funciones inspectoras.

Regla general: las actuaciones de inspección se realizarán por los funcionarios que desempeñen los correspondientes puestos de trabajo de los Órganos inspectores.

Regla especial: las actuaciones preparatorias y las de comprobación o prueba de hechos con trascendencia tributaria podrán ser llevadas a cabo por personal al servicio de la Administración tributaria que no tenga la condición de funcionario.

En este sentido, es muy importante destacar que las funciones inspectoras propiamente dichas y las sanciones que se deriven de aquéllas deben ser desarrolladas exclusivamente por funcionarios públicos. Así resulta de la aplicación lo dispuesto en el artículo 9.2 del Real Decreto Legislativo 5/2015, de 30 de octubre, por el que se aprueba el texto refundido de la Ley del Estatuto Básico del Empleado Público que señala lo siguiente:

> *"En todo caso, el ejercicio de las funciones que impliquen la participación directa o indirecta en el ejercicio de las **potestades públicas** o en la salvaguardia de los intereses generales del Estado y de las Administraciones Públicas corresponden **exclusivamente a los funcionarios públicos**, en los términos que en la ley de desarrollo de cada Administración Pública se establezca".*

En el mismo sentido se expresa el artículo 92.3 de la Ley 7/1985 (LRBRL) tras la modificación operada por la Ley 27/2013 (LRSAL) relativa al **ejercicio de funciones de autoridad**, que señala que *"Corresponde exclusivamente a los funcionarios de carrera al servicio de la Administración local el ejercicio de las funciones que impliquen la partici-*

*pación directa o indirecta en el ejercicio de las potestades públicas o en la salvaguardia de los intereses generales. Igualmente son funciones públicas, cuyo cumplimiento queda reservado a funcionarios de carrera, **las que impliquen ejercicio de autoridad**, y en general, aquellas que en desarrollo de la presente Ley, se reserven a los funcionarios para la mejor garantía de la objetividad, imparcialidad e independencia en el ejercicio de la función".*

Esta cuestión fue analizada por el Tribunal Constitucional es su sentencia 37/2002, de 14 de febrero de 2002[14].

Como hemos visto anteriormente, quedan exceptuadas las actuaciones preparatorias y de comprobación que tengan carácter previo a los actos propios de inspección que podrán asignarse a otro tipo de personal distinto al personal funcionario.

3.2.2. Competencia

A diferencia de lo que sucede en la inspección a nivel estatal, en la que el Inspector Jefe, que tiene la condición de funcionario, es la persona competente y quien dicta las liquidaciones derivadas de los procedimientos inspectores; en el ámbito local, esta competencia sólo puede desempeñarse por los órganos municipales de gobierno que tienen atribuida por la LBRL capacidad resolutoria. De este modo, en la Administración Local la figura del Inspector-Jefe no es atribuida a un funcionario concreto sino que la ostentan los órganos de gobierno municipales que son los únicos competentes para dictar actos administrativos. Igual sucede con las sanciones que se deriven de las regularizaciones tributarias realizadas en los procesos inspectores. Para delimitar los órganos que, en particular, tienen esta potestad, debemos diferenciar a las entidades que se rigen por el Régimen Común recogido en la LBRL, de las entidades a las que resulta de aplicación el Título X de la citada Ley (Municipios de gran población).

a)   Municipios de Régimen Común.

La competencia para aprobar las liquidaciones tributarias corresponde al Alcalde-Presidente de la Corporación, en virtud de lo dispuesto en el artículo 21.1 letra f) de LBRL, que recoge como competencia del Alcalde la gestión económica municipal y en el apartado s) que le atribuye la competencia residual cuando no se atribuya a otro órgano.

---

[14]   STC 37/2002 "Es más, considerando en su totalidad el art. 92.2 LBRL, (...) el precepto contiene una determinación material que sería, por sí, suficiente de las funciones que han de ser desempeñadas por funcionarios públicos y, a sensu contrario, de las que no pueden ser encomendadas al personal contratado, el cual no podrá ocupar aquellos puestos de trabajo que impliquen el ejercicio de las funciones enumeradas en el primer inciso del art. 92.2 LBRL, esto es, las que impliquen ejercicio de autoridad y las calificadas como necesarias en todas las corporaciones locales, ni las que se exijan para mejor garantía de objetividad, imparcialidad e independencia en el ejercicio de la función pública".

En cuanto a las sanciones que, en su caso, se deriven de las regularizaciones practicadas en un procedimiento inspector, la competencia también corresponde al Alcalde por aplicación del art. 21.1 letra n) (potestad sancionadora).

b)   Municipios de gran población (Título X LBRL).

La competencia para aprobar las liquidaciones tributarias corresponde a la Junta de Gobierno Local, en virtud de lo dispuesto en el artículo 127.1 letra g) de LBRL, que le atribuye la gestión económica municipal. Esta competencia suele estar delegada en la Concejalía de Hacienda para favorecer una mayor agilidad de los procedimientos.

Asimismo, la competencia para la imposición de sanciones que, en su caso, se deriven de las regularizaciones practicadas en un procedimiento inspector, corresponde a la Junta de Gobierno Local por aplicación del art. 127.1 letra l) LBRL (potestad sancionadora).

3.2.3. Desarrollo de las competencias de inspección

Por otra parte, a nivel estructural u organizativo podemos plantear distintas opciones para desarrollar las funciones en el ámbito local de la Inspección de Tributos.

Inspección desempeñada directamente por la Entidad Local

Los Ayuntamientos deberán establecer en sus relaciones de puestos de trabajo u otros instrumentos organizativos similares la denominación de los puestos, los grupos de clasificación profesional, los cuerpos o escalas, en su caso, a que estén adscritos del personal al que se le atribuya la capacidad para desarrollar las funciones inspectoras.

Como regla general el Servicio o Unidad de Inspección estará adscrito al Área de Hacienda (Concejalía de Economía y Hacienda) de cada Ayuntamiento.

El esquema básico de organización da la inspección municipal, a título de ejemplo, sería brevemente el siguiente:

•   Inspector-Jefe.

Los actos administrativos de liquidación derivados de los procedimientos inspectores deberán ser emitidos por la Junta de Gobierno Local o por el Alcalde-Presidente de la Corporación, en función de si se trata o no de un Municipio de gran población del Título X de la LBRL, tal y como hemos examinado anteriormente.

Además, tendrán, entre otras, las siguientes funciones:

•   Aprobar el Plan de Inspección.

•   Fiscalización de las actas con acuerdo, de conformidad y disconformidad firmadas por los inspectores actuarios (en los términos establecido en los arts. 155, 156 y 157 LGT).

- Dictar el acto administrativo de liquidación.

- Autorizar el inicio del procedimiento sancionador.

- Acordar la imposición de las sanciones tributarias.

- Jefe de la Unidad o del Servicio de Inspección Tributaria Local.

La jefatura deberá ser atribuida a personal funcionario municipal (Grupo A, subgrupo A1) y tendrá, entre otras funciones, las de dirección y coordinación del Servicio, supervisión de las actuaciones del personal a su cargo, inspectores, subinspectores y agentes tributarios; control, desarrollo y ejecución del Plan de Inspección; elaboración de la Memoria de actuaciones en la que se recojan las actuaciones realizadas y el grado de cumplimiento de los objetivos que figuran en el plan anual de inspección.

- Inspectores tributarios

A este personal funcionario (normalmente Grupo A, subgrupo A1/A2), le corresponde el desempeño de todas las funciones propias del procedimiento inspector que no estén atribuidas a un órgano superior. Sus actuaciones deberán documentarse en diligencias, comunicaciones, informes y actas.

En el procedimiento sancionador les corresponde la apertura de los expedientes sancionadores, elaborar la propuesta de resolución del procedimiento y elevar la misma a la Junta de Gobierno Local o al Alcalde, en cada caso, para su aprobación.

- Agentes Tributarios

Desarrollan tareas meramente preparatorias o de comprobación, o prueba de hechos o circunstancias con trascendencia tributaria. Estas funciones las realizarán de acuerdo con las órdenes directas del inspector responsable y la supervisión del Jefe del Servicio. Los resultados de sus actuaciones se documentarán en diligencias.

Por último, es destacable reseñar que para los municipios de gran población incluidos en el Título X de la LBRL, se podrán atribuir competencias de inspección al *Órgano de Gestión Tributaria* como un órgano incluido en la estructura del propio municipio, siempre que así lo acuerde el Pleno del Ayuntamiento. Así el artículo 135 señala lo siguiente:

> *1. Para la consecución de una gestión integral del sistema tributario municipal (...) se habilita al Pleno de los ayuntamientos de los municipios de gran población para crear un órgano de gestión tributaria, responsable de ejercer como propias las competencias que a la Administración Tributaria local le atribuye la legislación tributaria.*
>
> *2. Corresponderán a este órgano de gestión tributaria, al menos, las siguientes competencias: a) La gestión, liquidación, **inspección**, recaudación y revisión de los actos tributarios municipales.*

b) Gestión directa: realización de las funciones inspectoras a través de un organismo autónomo

También cabe la posibilidad de que el Ayuntamiento, al amparo de habilitación concedida en el artículo 85.bis de la LBRL, cree un organismo autónomo local especializado en la inspección tributaria, siempre que se acredite que la gestión se realizará de forma más sostenible y eficiente. Su creación, modificación, refundición y supresión corresponderá al Pleno de la entidad local, quien aprobará sus estatutos. Deberán quedar adscritas a una Concejalía, Área u órgano equivalente de la entidad local.

c) Delegación de la inspección en otra Administración

De conformidad con el artículo 106.3 de la LBRL las Entidades locales podrán delegar en las Comunidades Autónomas o en otras Entidades locales en cuyo territorio estén integradas las facultades de inspección.

El acuerdo deberá ser adoptado por el Pleno de la corporación y en él se hará constar el alcance y contenido de la delegación realizada (artículo 7 LRHL).

Hay que advertir que, dado que las actuaciones inspectoras se corresponden con funciones que implican ejercicio de autoridad, queda prohibida, en esta materia, la gestión indirecta o la constitución de sociedades mercantiles de capital social exclusivamente local.

3.2.4. Planificación de las actuaciones inspectoras

Por imperativo legal (art. 160 LGT) las distintas Administraciones tributarias deberán elaborar anualmente un Plan de control tributario, que tendrá carácter reservado.

La planificación comprende tanto las estrategias a seguir como los objetivos generales de las actuaciones inspectoras y se concreta en la elaboración de los planes de inspección.

Los planes de inspección determinarán los sectores económicos, áreas de actividad, operaciones y supuestos de hecho sobre los que desarrollarán sus actuaciones los órganos de inspección. En particular, su importancia estriba en que a través de ellos se establecen, a priori, los obligados tributarios sobre los que iniciar actuaciones inspectoras.

En este sentido, la normativa tributaria pretende ser garante de los derechos de los contribuyentes, potenciando los principios de legalidad, de seguridad jurídica y de interdicción de la arbitrariedad reconocidos por la Constitución Española (art. 9.3 CE).

Estos planes se basarán en los criterios de riesgo fiscal, oportunidad, aleatoriedad y se integrarán, a su vez, en el Plan de control tributario a que se refiere el artículo 116 LGT. Así, el plan o los planes parciales de inspección recogerán los programas de actuación, ámbitos prioritarios y directrices que sirvan para seleccionar a los obligados tributarios sobre los que deban iniciarse actuaciones inspectoras en el año de que se trate.

Como especialidad hay que señalar que el RPGI ha establecido una importante excepción en cuanto a la competencia para la aprobación del plan, que no corresponderá a la entidad local. Esta excepción se concreta en el ámbito de la inspección catastral, siendo competente la Dirección General del Catastro para la aprobación de los planes de inspección (según se regula por la Ley del Catastro Inmobiliario, aprobada por Real Decreto Legislativo 1/2004, de 5 de marzo), ello sin perjuicio de las posibles actuaciones conjuntas que puedan desarrollarse con las entidades locales.

3.3. FACULTADES DE LA INSPECCIÓN

En el desarrollo del procedimiento de inspección, los inspectores municipales tendrán, entre otras, las siguientes facultades:

- Examen de la documentación de los obligados tributarios: declaraciones, autoliquidaciones, contabilidad, ficheros, facturas, bases de datos y archivos informáticos, entre otros (art. 141.1 LGT y 171 RPGI).

- Inspección de bienes, elementos o explotaciones (art. 142.1 LGT).

- Entrada y reconocimiento de fincas, locales de negocio y demás establecimientos donde se desarrollen actividades económicas o explotaciones sometidas a gravamen, existan bienes sujetos a tributación, se produzcan hechos imponibles o supuestos de hecho de las obligaciones tributarias o exista alguna prueba de los mismos. (art. 142.2 LGT y 172 RPGI).

Si la persona bajo custodia se encontrasen los lugares mencionados anteriormente se opusiera a la entrada de los inspectores municipales, entonces se requiere autorización escrita del Inspector Jefe.

Si para el desarrollo de las actuaciones inspectoras se requiere entrada en el domicilio constitucionalmente protegido del interesado, la Inspección deberá obtener el consentimiento de aquél, o en su defecto, autorización judicial.

- En el ejercicio de sus funciones, deberán ser atendidos por los obligados tributarios, que prestarán su colaboración. (art. 142.3 LGT y 173 RPGI).

- Efectuar requerimientos para la comparecencia del obligado tributario. (art. 142.3 LGT).

Como ya hemos analizado el personal que desempeñe las funciones inspectoras tiene la consideración de agentes de la autoridad. (art. 142.4 LGT).

Los funcionarios de la Inspección de Tributos, en el ejercicio de las funciones inspectoras, tendrán la condición de agentes de la autoridad, a los efectos de la responsabilidad administrativa y penal de quienes ofrezcan resistencia o cometan atentado o desacato contra ellos. El personal inspector deberá estar provisto de un carnet que les acredite y que deberá portar y exhibir en sus actuaciones fuera de las oficinas municipales. En él ámbito municipal el carnet deberá estar autorizado y contener la firma del Alcalde-Presidente de la Corporación.

3.4. PROCEDIMIENTO DE INSPECCIÓN

A) Objeto

El artículo 145 de la LGT define el procedimiento de inspección como aquel proceso que tiene por objeto comprobar e investigar el adecuado cumplimiento de las obligaciones tributarias y en el mismo se procederá, en su caso a la regularización de la situación tributaria del obligado mediante la práctica de una o varias liquidaciones.

B) Inicio

Podemos distinguir dos supuestos de inicio del procedimiento de inspección:

- De oficio
- A petición del obligado tributario.

Sin embargo, considerar una forma de inicio del procedimiento inspector la petición realizada por el obligado tributario no es muy preciso. Lo único que prevé la ley es que el obligado tributario que esté siendo objeto de una inspección de carácter parcial pueda solicitar que la inspección tenga carácter general respecto del tributo y, en su caso, periodos afectados (art. 149 LGT). Por tanto, no se trata de una forma de inicio en sentido estricto, sino de una modificación del alcance de las actuaciones que ya han sido iniciadas por la Inspección, por lo que podemos concluir que la única forma de iniciar el procedimiento inspector es de oficio por la Administración.

A su vez, el inicio del procedimiento deberá tener como base o fundamento la ejecución de un Plan de Inspección previamente aprobado o, fuera del ámbito de ese Plan, únicamente como consecuencia de una orden superior o a petición razonada de otros órganos.

La forma de inicio del procedimiento de oficio será la siguiente:

- Mediante comunicación notificada al obligado tributario.
- Sin previa comunicación, mediante personación de la inspección en la empresa, oficinas, dependencias, instalaciones, centros de trabajo o almacenes del obligado tributario o donde exista alguna prueba de la obligación tributaria.

El inicio de las actuaciones da lugar, entre otros, a los siguientes efectos:

- Interrumpe el plazo de prescripción para comprobar y liquidar y para imponer sanciones, aunque el procedimiento sancionador aún no se haya iniciado.

- Todo ingreso presentado con posterioridad al inicio de las actuaciones tendrá carácter de ingreso a cuenta de la futura regularización.

- Se darán por no formuladas las consultas tributarias del obligado.

C) Alcance de las actuaciones

Las actuaciones podrán tener alcance general o parcial. Esta circunstancia deberá hacerse constar al obligado tributario en la comunicación de inicio de actuaciones. Salvo que se indique otra cosa, las actuaciones se entenderán que tienen carácter general (arts. 148 LGT y 178 RPGI).

Tendrán alcance general cuando afecten a la totalidad de los elementos de la obligación tributaria en el periodo objeto de comprobación.

Tendrán carácter parcial, en todo caso, las establecidas reglamentariamente, es decir, las recogidas en el artículo 178.3 del RPGI. [15]

Como hemos visto anteriormente, el obligado tributario podrá solicitar, en el curso de una inspección de carácter parcial, que la misma tenga alcance general. El plazo de la solicitud será de quince días desde la notificación del inicio.

Por otro lado, la ley, reforzando el principio de seguridad jurídica a favor del administrado, ha establecido la imposibilidad de iniciar un nuevo procedimiento de inspección sobre el objeto de una liquidación provisional correspondiente a otro procedimiento ya concluido (salvo las liquidaciones provisionales a que se refiere el artículo 101.4 letra a. LGT).

D) Duración de las actuaciones inspectoras

La Ley 34/2015, de 21 de septiembre, de modificación parcial de la Ley General Tributaria introdujo cambios importantes en las actuaciones y procedimiento de inspección.

En lo que se refiere a la duración del procedimiento estableció los nuevos plazos de las actuaciones, ampliándose el periodo temporal que anteriormente existía. De este modo, se establece como periodo de duración de las actuaciones inspectoras 18 meses, con carácter general.

---

[15] **Artículo 178.3 RPGI.**

3. Las actuaciones del procedimiento inspector tendrán carácter parcial en los siguientes supuestos:

a) Cuando las actuaciones inspectoras no afecten a la totalidad de los elementos de la obligación tributaria en el periodo objeto de comprobación.

b) Cuando las actuaciones se refieran al cumplimiento de los requisitos exigidos para la obtención de beneficios o incentivos fiscales (...).

c) Cuando tengan por objeto la comprobación de una solicitud de devolución (...)

Además, para supuestos de especial complejidad y debidamente tasados en la ley se ha regulado un nuevo plazo de 27 meses.

En este sentido el artículo 150.1 de la LGT (texto redactado por la Ley 34/2015) señala que las actuaciones del procedimiento de inspección deberán concluir en el plazo de:

a) 18 meses, con carácter general.

b) 27 meses, cuando concurra alguna de las siguientes circunstancias en cualquiera de las obligaciones tributarias o periodos objeto de comprobación:

1º. Que la Cifra Anual de Negocios del obligado tributario sea igual o superior al requerido para auditar sus cuentas.

2º. Que el obligado tributario esté integrado en un grupo sometido al régimen de consolidación fiscal o al régimen especial de grupo de entidades que esté siendo objeto de comprobación inspectora.

Cuando se realicen actuaciones inspectoras con diversas personas o entidades vinculadas la concurrencia de las circunstancias previstas en esta letra en cualquiera de ellos determinará la aplicación de este plazo a los procedimientos de inspección seguidos con todos ellos.

A efectos del cómputo adecuado del periodo de duración, la ley indica que el plazo del procedimiento inspector se contará desde la fecha de notificación al obligado tributario de su inicio hasta que se notifique o se entienda notificado el acto administrativo resultante del mismo.

Además, la Ley 34/2015 ha reconocido la posibilidad de la extensión del procedimiento inspector (artículos 150.4 y 150.5) admitiendo varios supuestos:

• ampliación del plazo a solicitud del obligado tributario (60 días naturales)

• ampliación del plazo por incumplimiento de aportar la documentación requerida por la inspección (tres y seis meses, dependiendo de los casos)

La nueva Ley 34/2015 también modificó todo el régimen relativo a la suspensión del procedimiento inspector (artículo 150.3), que ha sido objeto de nueva redacción por la reciente Ley 11/2021, de 9 de julio. [16]

---

[16] **Supuestos de suspensión del procedimiento más importantes:**
a) La remisión del expediente al Ministerio Fiscal o a la jurisdicción competente sin practicar la liquidación de acuerdo con lo señalado en el artículo 251 de esta Ley.
b) La recepción de una comunicación de un órgano jurisdiccional en la que se ordene la suspensión o paralización respecto de determinadas obligaciones tributarias o elementos de las mismas de un procedimiento inspector en curso. (...)

La suspensión finalizará cuando tenga entrada en el registro de la correspondiente Administración Tributaria el documento del que se derive que ha cesado la causa de suspensión, se consiga efectuar la notificación, o se constate la desaparición de las circunstancias determinantes de la fuerza mayor.

En cuanto a la falta de terminación en plazo y el instituto de la caducidad, la ley recoge una excepción a la regla general contenida en el artículo 104.4 letra b) de la LGT, sobre la caducidad de los procedimientos iniciados de oficio por la Administración, ya que, en el ámbito de los procedimientos inspectores, el incumplimiento del plazo de duración *no producirá la caducidad del mismo, que deberá continuar hasta su terminación* (art. 150.6 LGT).

Las consecuencias, no obstante, en relación con las obligaciones tributarias pendientes de liquidar, son las siguientes:

a) No se considerará interrumpida la prescripción como consecuencia de las actuaciones inspectoras desarrolladas.

b) Los ingresos realizados desde el inicio del procedimiento hasta la primera actuación practicada con posterioridad al incumplimiento del plazo de duración del procedimiento tendrán el carácter de espontáneos.

c) No se exigirán intereses de demora desde que se produzca dicho incumplimiento hasta la finalización del procedimiento.

Para concluir, se ha introducido como novedad en la normativa reguladora del plazo de duración de las actuaciones inspectoras el supuesto en el que una resolución judicial o económico-administrativa aprecie defectos formales y ordene la retroacción de las actuaciones inspectoras. En estos casos, la Ley tiene carácter restrictivo en beneficio del obligado tributario y ha establecido que las actuaciones deberán finalizar en el período que reste desde el momento al que se retrotraigan las actuaciones hasta la conclusión del plazo máximo legalmente establecido y, en todo caso, con el límite de seis meses, si este último fuera superior.

E) Lugar de las actuaciones inspectoras

La inspección es la encargada de decidir el lugar donde realizar sus actuaciones y será cualquiera de los siguientes:

a) En el lugar donde el obligado tributario tenga su domicilio fiscal, o en aquel donde su representante tenga su domicilio, despacho u oficina.

b) En el lugar donde se realicen total o parcialmente las actividades gravadas.

---

e) El intento de notificación al obligado tributario de la propuesta de resolución o de liquidación o del acuerdo por el que se ordena completar actuaciones a que se refiere el artículo 156.3.b) de esta Ley.

c) En el lugar donde exista alguna prueba, al menos parcial, del hecho imponible o del presupuesto de hecho de la obligación tributaria.

d) En las oficinas de la Administración tributaria, cuando los elementos sobre los que hayan de realizarse las actuaciones puedan ser examinados en ellas.

e) En los lugares señalados anteriormente o en otros, previa conformidad del obligado, cuando se usen sistemas digitales.

El lugar de realización de actuaciones se hará constar en la correspondiente comunicación notificada al obligado tributario. No obstante, la ley regula la posibilidad de que, sin previa comunicación, la inspección se persone en las empresas, oficinas, dependencias, instalaciones o almacenes del obligado tributario para desarrollar sus actuaciones.

Por último, la ley establece una especialidad relativa al lugar de comprobación de los libros y demás documentos del obligado tributario a que se refiere el artículo 142.1 de la LGT. En este caso, la inspección no puede elegir discrecionalmente el lugar de comprobación ya que la documentación deberá ser examinada en el domicilio, local u oficina, del interesado. No obstante, éste podrá optar por presentar los documentos en las oficinas de la inspección de forma voluntaria.

E) Horario de las actuaciones

Podemos diferenciar el horario dependiendo donde se desarrollen las actuaciones:

- En las oficinas públicas: dentro del horario oficial de apertura al público y, en todo caso, dentro de la jornada de trabajo vigente.

- En los locales del interesado: se respetará la jornada laboral de oficina o de la actividad que se realice en los mismos, con la posibilidad de que pueda actuarse de común acuerdo en otras horas o días.

Fuera de los días y horas señalados con anterioridad, cuando las circunstancias de las actuaciones así lo exijan y esté previsto reglamentariamente.

F) Medidas cautelares

El objetivo de las medidas cautelares es evitar que desaparezcan, se destruyan o se alteren pruebas vinculadas con las obligaciones tributarias.

Clases de medidas a adoptar: precinto, depósito o incautación de las mercancías o productos sometidos a gravamen, así como de libros, registros, documentos, archivos, locales o equipos electrónicos de tratamiento de datos que puedan contener la información de que se trate.

En esta materia rige el principio de proporcionalidad, sin que la Administración pueda adoptar medidas que puedan suponer un perjuicio de difícil o imposible reparación para el obligado tributario. Deberán tener, además, un carácter temporal, por lo que deberán finalizar las mismas si desaparecen las circunstancias que las motivaron.

Corresponderá su adopción al órgano que tramite el procedimiento de inspección, es decir, al inspector actuario, y su ratificación, en el ámbito de la Administración Local, a la Junta de Gobierno Local (municipios de gran población) o al Alcalde u órgano en quien delegue. La ratificación deberá realizarse en el plazo máximo de quince días.

G) Documentación de las actuaciones inspectoras

Las actuaciones inspectoras deberán documentarse en: comunicaciones, diligencias, informes y actas.

En el ámbito del procedimiento inspector tendrán las siguientes peculiaridades:

- Comunicaciones:

Son aquellos documentos mediante los cuales la Inspección de Tributos se relaciona unilateralmente con cualquier persona, física o jurídica, en el desarrollo de un procedimiento tributario.

Mediante ellas se podrán realizar requerimientos o poner en conocimiento de los interesados hechos o circunstancias que se consideren oportunas.

Deberán ser firmadas por duplicado quedando un ejemplar en poder de la Inspección.

- Diligencias:

Son documentos que extiende la Inspección de Tributos para hacer constar hechos o circunstancias relevantes en el curso de un procedimiento inspector. También se documentarán en diligencias las manifestaciones de las personas con las que actúe la inspección.

El Real Decreto 1070/2017, de 29 de diciembre, ha venido a modificar el RPGI, para adecuar esta materia a la administración electrónica, señalando que las diligencias podrán suscribirse mediante firma manuscrita o mediante firma electrónica. Añadiendo que, las diligencias serán firmadas por el personal al servicio de la Administración tributaria que practique las actuaciones y por la persona o personas con quienes se entiendan estas, a las que se les entregará un ejemplar. En el caso de diligencias que se suscriban mediante firma electrónica, la entrega del ejemplar se podrá sustituir por la entrega de los datos necesarios para su acceso por medios electrónicos adecuados.

Las diligencias son documentos preparatorios de las actas de inspección que, en ningún caso, contendrán propuestas de liquidación tributaria.

Las diligencias se extenderán por duplicado, entregándosela al interesado si estuviera presente o remitiéndole una copia en caso contrario.

- Informes:

Dentro de los distintos tipos de informes hay que hacer una breve referencia, por su importancia, a los *informes ampliatorios* de las actas de inspección.

En concreto, estos informes complementan la propuesta de liquidación formalizada en el acta, por lo que deberán contener, esencialmente, los hechos y fundamentos de derecho que apoyen la regularización tributaria.

- Actas:

Las actas son documentos específicos de la Inspección de Tributos. Según se define en el artículo 143 de la LGT las actas *son los documentos públicos que extiende la inspección de los tributos con el fin de recoger el resultado de las actuaciones inspectoras de comprobación e investigación, proponiendo la regularización que estime procedente de la situación tributaria del obligado o declarando correcta la misma.*

Características de las actas:

- son documentos directamente preparatorios de las liquidaciones tributarias derivadas del procedimiento inspector.

- contienen la propuesta de regularización del inspector actuario.

- contra ellas no puede interponerse recurso o reclamación alguna. Sólo podrá ser recurrido el acto administrativo presunto o expreso que contenga la liquidación que de ellas se derive.

- tienen la naturaleza de documentos públicos y hacen prueba de los hechos que motivan su formalización, salvo que se acredite lo contrario.

- los hechos que figuren en el acta y que hayan sido aceptados por los obligados tributarios se presumen ciertos y harán prueba en su contra salvo que demuestren que incurrieron en error de hecho.

- deben ser firmadas por funcionario público en el ejercicio de sus competencias.

- tienen que estar motivadas, expresando los hechos y fundamentos de derecho que justifican la regularización.

Contenido de las actas:

Por aplicación del artículo 153 de la LGT, las actas deberán contener al menos las siguientes menciones:

a) El lugar y fecha de su formalización.

b) El nombre y apellidos o razón social completa, el número de identificación fiscal y el domicilio fiscal del obligado tributario, así como el nombre, apellidos y número de identificación fiscal de la persona con la que se entienden las actuaciones y el carácter o representación con que interviene en las mismas.

c) Los elementos esenciales del hecho imponible o presupuesto de hecho de la obligación tributaria y de su atribución al obligado tributario, así como los fundamentos de derecho en que se base la regularización.

d) En su caso, la regularización de la situación tributaria del obligado y la propuesta de liquidación que proceda.

e) La conformidad o disconformidad del obligado tributario con la regularización y con la propuesta de liquidación.

f) Los trámites del procedimiento posteriores al acta y, cuando ésta sea con acuerdo o de conformidad, los recursos que procedan contra el acto de liquidación derivado del acta, órgano ante el que hubieran de presentarse y plazo para interponerlos.

g) La existencia o inexistencia, en opinión del actuario, de indicios de la comisión de infracciones tributarias.

h) Las demás que se establezcan reglamentariamente.

En desarrollo de este precepto (letra h), el RPGI ha incluido en su artículo 176 una ampliación de ese contenido mínimo. [17]

Hay que hacer especial mención a las regularizaciones tributarias contenidas en las actas y en particular a las propuestas de liquidación contenidas en aquéllas. Como ya hemos visto, las liquidaciones tributarias pueden ser provisionales o definitivas. En concreto, tendrán la consideración de definitivas las practicadas en el procedimiento inspector *"previa comprobación e investigación de la totalidad de los elementos de la obligación tributaria"*, salvo determinados supuestos tasados.

Por tanto, como regla general, las liquidaciones derivadas de procedimientos inspectores tendrán el carácter definitivo, con las siguientes excepciones que se formulan de forma resumida, en cuyo caso, tendrán carácter provisional:

---

[17] **Artículo 176 RPGI.** Contenido de las actas:

a) Nombre y apellidos de los funcionarios que las suscriban.

b) La fecha de inicio de las actuaciones, las ampliaciones de plazo que, en su caso, se hubieran producido y el cómputo de las interrupciones justificadas y de las dilaciones no imputables a la Administración acaecidas durante las actuaciones.

c) La presentación o no de alegaciones por el obligado tributario durante el procedimiento o en el trámite de audiencia y, en el caso de que las hubiera efectuado, la valoración jurídica de las mismas por el funcionario que suscribe el acta. No obstante, cuando se suscriba un acta de disconformidad, la valoración de las alegaciones presentadas podrá incluirse en el informe a que se refieren los artículos 157.2 de la Ley 58/2003, de 17 de diciembre, General Tributaria, y 188.2 de este reglamento.

d) El carácter provisional o definitivo de la liquidación que derive del acta. En el caso de liquidación provisional se harán constar las circunstancias que determinan dicho carácter y los elementos de la obligación tributaria a que se haya extendido la comprobación.

e) En el caso de actas con acuerdo deberá hacerse constar, además de lo señalado en el artículo 155.2 de la Ley 58/2003, de 17 de diciembre, General Tributaria, la fecha en que el órgano competente ha otorgado la preceptiva autorización y los datos identificativos del depósito o de la garantía constituidos por el obligado tributario.

a) Cuando alguno de los elementos de la obligación tributaria se determine en función de los correspondientes a otras obligaciones que no hubieran sido comprobadas, que hubieran sido regularizadas mediante liquidación provisional o mediante liquidación definitiva que no fuera firme (...).

b) Cuando proceda formular distintas propuestas de liquidación en relación con una misma obligación tributaria. (...)

c) En todo caso tendrán el carácter de provisionales las liquidaciones dictadas en relación con aquellos elementos de la obligación tributaria que se encuentren vinculados con un posible delito contra la Hacienda Pública.

Con carácter previo a la formalización de las actas, deberá notificarse al interesado el inicio del trámite de audiencia para que formule las alegaciones que estime conveniente.

Las actas deberán ser firmadas:

- Regla general: por el funcionario actuario y por el obligado tributario.

- Regla especial: sólo por el funcionario actuario, cuando el obligado tributario no supiera o no pudiera firmar, se negase a ello o no compareciera en el lugar y fecha señalados para la firma.

Esta materia ha sido modificada por Real Decreto 1070/2017, de 29 de diciembre, que ha venido a redactar nuevamente el art. 185 del RPGI para adecuarlo a la administración electrónica. En este sentido se establece que las actas podrán suscribirse mediante firma manuscrita o mediante firma electrónica.

En caso de que el acta se suscriba mediante firma manuscrita, de cada acta se entregará un ejemplar al obligado tributario, que se entenderá notificada por su firma. En el caso de que el acta se suscriba mediante firma electrónica, la entrega del ejemplar se podrá sustituir por la entrega de datos necesarios para su acceso por medios electrónicos adecuados.

Si el obligado tributario no hubiera comparecido, las actas deberán ser notificadas conforme lo dispuesto en la Ley 58/2003, de 17 de diciembre, General Tributaria, y se suspenderá el cómputo del plazo del procedimiento inspector desde el intento de notificación del acta al obligado tributario hasta que se consiga efectuar la notificación. Si el obligado tributario compareciese y se negase a suscribir las actas se considerará rechazada la notificación a efectos de lo previsto en el artículo 111 de dicha ley.

Cuando el interesado no comparezca o se niegue a suscribir las actas, deberán formalizarse actas de disconformidad.

Por último, las actas deberán formalizarse en los modelos oficiales aprobados por cada Administración tributaria. En el ámbito de la Administración Local, cada Ayuntamiento debería tener aprobados sus modelos oficiales de actas de inspección, modelos que deberán ser objeto de publicación en el Boletín Oficial de la Provincia que corresponda.

Clases de actas

La Ley 58/2003 introdujo importantes modificaciones en cuanto a la clasificación de las actas.

Podemos agruparlas en función de distintos conceptos:

- según la propuesta de liquidación: provisionales y definitivas
- según su aceptación o no por el obligado tributario: de conformidad o de disconformidad
- según el resultado obtenido: con o sin descubrimiento de deuda
- según la responsabilidad que se derive del acta: con o sin propuesta de sanción
- según su forma de tramitación: actas con acuerdo, de conformidad y de disconformidad.

Vamos a examinar, por su importancia y de forma sucinta, esta última clasificación:

a) **Actas con acuerdo** (arts. 155 LGT y 186 RD 1065/2007).

Las actas con acuerdo están previstas para aquéllos supuestos de especial dificultad en la aplicación de la norma o para la estimación o valoración de elementos de la obligación tributaria de incierta calificación.

Este tipo de actas han sido reguladas por el legislador de forma novedosa para aquéllos supuestos en los que no se puedan cuantificar de forma exacta los datos relativos a la obligación tributaria o cuando se produzcan situaciones que revistan gran complejidad en la aplicación e interpretación de la normativa tributaria.

Por tanto, este tipo de acuerdos tan sólo son posibles cuando exista incertidumbre o gran dificultad para determinar la obligación tributaria respetando, en cualquier caso, el principio de indisponibilidad del crédito tributario por la Administración. El objetivo es reducir la conflictividad existente en el ámbito tributario.

Como garantía jurídica, adicional, se establecen los supuestos tasados por ley en los que resulta procedente firmar este tipo de actas, fuera de los cuales ya no podrán formalizarse (principio de legalidad); por lo que se deduce su carácter excepcional.

Supuestos tasados por Ley (art. 155.1 LGT):

- Cuando la propuesta de regularización deba tener en consideración conceptos jurídicos indeterminados.
- Cuando resulte necesaria la apreciación de los hechos determinantes para la correcta aplicación de la norma al caso concreto.

- Cuando sea necesario realizar estimaciones, valoraciones o mediciones de datos o elementos que no se puedan cuantificar con total exactitud.

Dado que se trata de una transacción entre el actuario y el obligado tributario, la le exige el cumplimiento adicional de ciertos requisitos:

a) Autorización del órgano competente para liquidar, que podrá ser previa o simultánea a la suscripción del acta con acuerdo.

Este control se considera necesario para que el Inspector-Jefe pueda acreditar que los supuestos tasados en la ley concurren para la firma de este tipo de acta.

Esto puede dar lugar a ciertas dificultades de aplicación en la esfera local, donde sería el la Junta de Gobierno Local o el Alcalde o, en caso de delegación el Concejal de Hacienda (órganos políticos y no funcionarios públicos) los que determinarían la procedencia o no de la formalización de estas actas.

b) La constitución de un depósito, aval de carácter solidario de entidad de crédito o sociedad de garantía recíproca o certificado de seguro de caución, de cuantía suficiente para garantizar el cobro de las cantidades que puedan derivarse del acta.

Características especiales.

Este tipo de actas, novedosas en nuestro ordenamiento, tienen los siguientes caracteres:

- Debe contener la cuantificación de la propuesta de sanción, calculada por el actuario.

- El obligado tributario ha de renunciar a la tramitación separada del procedimiento sancionador.

  Esto implica una importante novedad en cuanto a la normativa anterior que venía a distinguir, en todo caso, la existencia de dos procedimientos separados como garantía de los contribuyentes: el inspector y el sancionador.

- La liquidación y la sanción derivadas del acuerdo sólo podrán ser objeto de impugnación o revisión en vía administrativa por el procedimiento de declaración de nulidad de pleno derecho.

  De nuevo se aprecia una merma en las garantías de los contribuyentes, el acta sólo es recurrible por nulidad, a diferencia del resto.

  No obstante, el acta es recurrible en vía contencioso-administrativo.

- La sanción se reduce considerablemente: un 65 por ciento (art. 188.1.a. LGT).

  Lógicamente, éste es el beneficio que obtiene, en compensación, el obligado tributario.

Notificación. Regla general: acto presunto (art. 155.5)

El acuerdo se perfeccionará mediante la suscripción del acta por el obligado tributario o su representante y la Inspección de los tributos.

La liquidación y, en su caso, la sanción, se entenderán producidas y notificadas por el simple transcurso del tiempo, diez días contados desde el siguiente a la fecha del acta.

No obstante, como excepción a esta regla general, cabe la posibilidad que en el citado plazo de diez días, el órgano competente para liquidar dicte acuerdo rectificando errores materiales contenidos en el acta.

b) Actas de conformidad (Arts. 156 LGT y 187 RPGI)

En las actas de conformidad el obligado tributario presta su conformidad a los hechos y a la propuesta de regularización que formule la inspección de los tributos. La conformidad deberá hacerse constar expresamente en el acta.

Características especiales:

El trámite de audiencia al interesado debe concederse con carácter previo y de forma preceptiva con anterioridad a la firma del acta.

Junto con el acta se entregará al interesado el documento de ingreso, en caso de que resulte una deuda a pagar (art. 187.5 RPIG)

El actuario sólo podrá cuantificar la deuda tributaria pero no el importe de las sanciones que, en su caso, deberán tramitarse por separado iniciando el correspondiente procedimiento sancionador.

La sanción que derive del acta, si la hubiere, se reducirá en un 30 por 100 (art. 188.1.b. LGT).

Reducción adicional. Según la nueva redacción dada al artículo 188 de la LGT por la Ley 11/2021, de 9 de julio, de medidas de prevención y lucha contra el fraude fiscal, el importe de la sanción que deba ingresarse por la comisión de cualquier infracción, una vez aplicada la reducción por conformidad (30 por ciento), se reducirá en el 40 por ciento si concurren las siguientes circunstancias:

a) Que se realice el ingreso total del importe restante de dicha sanción, en los plazos establecidos en la LGT.

b) Que no se interponga recurso o reclamación contra la liquidación o sanción.

Notificación. Regla general: acto presunto.

La notificación de la liquidación, como regla general, se entiende producida por el simple transcurso del tiempo: un mes contado desde el día siguiente a la firma del acta. Por ello, en estos casos, el Inspector-Jefe, no necesita confirmar y dictar el acto administrativo de liquidación sino que éste se entenderá producido de acuerdo con la propuesta formulada por el actuario por el transcurso del citado mes según lo expresado en el acta.

Como excepción a esta regla general, la LGT recoge en su artículo 156.3 los supuestos en los que no se entenderá producida la liquidación de forma automática. En estos casos, el órgano competente para liquidar deberá notificar al interesado acuerdo con alguno de los siguientes contenidos:

a) Rectificando errores materiales.

b) Ordenando completar el expediente.

c) Confirmando la liquidación propuesta en el acta.

d) Estimando que en la propuesta de liquidación ha existido error en la apreciación de los hechos o indebida aplicación de las normas jurídicas y concediendo al interesado plazo de audiencia previo a la liquidación que se practique.

No obstante, estos supuestos están pensados para una inspección a nivel estatal o autonómica, donde realmente existe un Inspector-Jefe que supervisa las actuaciones de los inspectores actuarios. En la esfera local, lógicamente, la Junta de Gobierno o el Alcalde-Presidente (Concejalía de Hacienda en caso de delegación) no suelen revisar las actas firmadas por los inspectores municipales, aunque tienen esa facultad legalmente.

c) Actas de disconformidad (Arts. 157 LGT y 188 RPGI).

Cuando el obligado tributario no suscriba el acta, no comparezca o manifieste su desacuerdo con la propuesta de regularización del actuario, se formalizará el acta en disconformidad.

Características especiales:

- Se establece un doble trámite de audiencia, reforzando las garantías del contribuyente: uno previo a la firma del acta y otro posterior a la firma o su notificación, de 15 días, para que el interesado formule alegaciones ante el órgano competente para liquidar.

- Se debe hacer constar expresamente en el acta que el obligado tributario no ha suscrito la misma o ha manifestado su disconformidad con la propuesta de regularización.

- A diferencia de la normativa anterior, a partir de la Ley 11/2021, de 9 de julio, de medidas de prevención y lucha contra el fraude fiscal, el denominado "informe ampliatorio" del acta pasa a tener un carácter opcional y no preceptivo. Este informe figurará junto al acta solo cuando sea preciso completar la información recogida en aquélla.

- El actuario sólo podrá cuantificar la deuda tributaria pero no el importe de las sanciones que, en su caso, deberán tramitarse en procedimiento separado.

- No se aplicará reducción alguna a la sanción que derive del acta.

Notificación: Acto expreso.

La liquidación deberá ser notificada al obligado tributario. Para ello, el órgano competente para liquidar tiene que dictar acto administrativo expreso que deberá ser motivado teniendo en cuenta el acta, el informe y, en su caso, las alegaciones formuladas por el obligado tributario.

El RPGI ha ampliado las facultades que corresponden al órgano competente para liquidar, el cual podrá:

- dictar un acuerdo de rectificación, si considera que en el acta de inspección ha habido un error en la apreciación de los hechos o una indebida aplicación de la norma, otorgando al interesado un plazo de quince días de alegaciones.

- Acordar que se complete el expediente.

En ambos casos, deberá ser notificado el obligado tributario para la defensa de sus intereses.

Al igual que comentamos para el resto de las actas tributarias, en el ámbito local, la posibilidad de rectificar el acta o ampliar el expediente es prácticamente nula, ya que la Junta de Gobierno o el Alcalde no ejercen esa función real de control sobre lo actuado por los actuarios.

3.4. Especialidades de la inspección en los tributos locales

La competencia de cualquier función administrativa, en nuestro caso la inspección, puede desarrollarse por propia competencia o en desarrollo de competencias que pertenecen a otra Administración. En este último caso, caben dos posibilidades:

- Colaboración con la Administración competente; sin que se transfiera la titularidad de la competencia.

- Delegación; en cuyo caso se transfiere la titularidad de la competencia, lo que se materializa en la capacidad para dictar la oportuna liquidación.

Pues bien, en el ámbito local, como hemos expuesto en otros apartados de este módulo, el artículo 106.3 de la LBRL regula, en principio, una competencia autónoma por parte de los Entes locales en relación con la inspección de sus tributos al señalar que *"es competencia de las entidades locales la gestión, recaudación e inspección de sus tributos propios, sin perjuicio de las delegaciones que puedan otorgar a favor de las entidades locales de ámbito superior o de las respectivas Comunidades Autónomas, y de las fórmulas de colaboración con otras entidades locales, con las Comunidades Autónomas o con el Estado, de acuerdo con lo que establezca la legislación del Estado".*

No obstante, esta aparente autonomía en el ejercicio de las funciones de inspección por parte de los entes locales hay que matizarla. La legislación del Estado ha impuesto excepciones a esta regla general. Así, en nuestro ordenamiento jurídico local, podemos distinguir aquellos tributos en los que se reconoce la competencia de inspección como propia de los Ayuntamientos: IVTM, ICIO, IIVTNU; de aquéllos otros en los que se atribuye a la Administración del Estado: IBI (a través de la Dirección General del catastro) e IAE (por la AEAT), y en los que pueden arbitrarse fórmulas de colaboración o delegación con las entidades locales.

Una vez delimitado el elemento subjetivo y competencial en la inspección de los tributos locales, pasemos a analizar las especialidades de cada uno de ellos.

Impuesto sobre Bienes Inmuebles

La inspección catastral de este impuesto es competencia de los órganos de la Administración del Estado, en particular, de la Dirección General del Catastro (art. 4 TRL-CI). No obstante, la ley reconoce la posibilidad que el ejercicio de la inspección puede realizarse directamente por la Dirección General del Catastro o mediante las fórmulas de colaboración que se establezcan con otras Administraciones, entidades y corporaciones públicas.

En este sentido el Real Decreto 417/2006 ha venido a recoger ciertas funciones inspectoras de los Ayuntamientos. Son las "actuaciones de inspección conjunta" y los convenios de colaboración celebrados entre la Dirección General del Catastro y los Ayuntamientos o entidades gestoras del impuesto.

a) Actuaciones de inspección conjunta. Estas actuaciones afectarán exclusivamente a los bienes inmuebles situados íntegramente en el ámbito territorial de cada ayuntamiento o entidad. Serán los Ayuntamientos los que soliciten realizar actuaciones de inspección a la Gerencia del Catastro, designando a los funcionarios competentes para el desempeño de las mismas. Las actuaciones de inspección catastral llevadas a cabo por funcionarios del Ayuntamiento se documentarán en comunicaciones, diligencias y en las denominadas "actas de colaboración en la inspección catastral". Como hemos dicho, se trata de un procedimiento de inspección conjunta Catastro-Ayuntamiento, muy similar al procedimiento de inspección tributaria. En resumen, el inspector municipal que actúa de colaborador, una vez concluido el procedimiento, extenderá la correspondiente *acta de colaboración con la inspección catastral*, en la que incluirá la propuesta de regularización catastral y la conformidad, en su caso, del Inspector-Jefe de la Gerencia del Catastro, que ejerce las funciones de supervisión.

b) Convenios de colaboración. La Dirección General del Catastro puede celebrar convenios de colaboración con los Ayuntamientos en los que se cedan funciones de inspección. En particular, los Ayuntamientos pueden asumir estas competencias por delegación, encomienda de gestión o de forma mixta.

Es importante resaltar que, si la fórmula empleada es la delegación de competencias, serán los propios funcionarios del Ayuntamiento los que actúen como actuarios como si se tratase de un procedimiento de inspección tributaria local, siendo el Alcalde el inspector-jefe a todos los efectos previstos en la normativa catastral.

Impuesto sobre Actividades Económicas

El ejercicio de la función inspectora en el IAE corresponde a los órganos competentes de la Administración tributaria del Estado (art. 91.3 LRHL), en particular, a la Agencia Estatal de Administración Tributaria (AEAT). No obstante, se prevé la posibilidad de delegación de competencias en los Ayuntamientos, Diputaciones, Cabildos o Consejos insulares y de fórmulas de colaboración.

En los municipios, el ejercicio de las funciones de inspección requerirá una previa solicitud de la entidad interesada y el posterior acuerdo de delegación a su favor. El procedimiento de delegación está regulado en el Real Decreto 243/1995, de 17 de febrero y se reserva, exclusivamente, a las cuotas municipales (art. 18.2) [18]. Al no ser una competencia propia municipal, existirá un control de la Administración delegante que se concretará en la necesidad de presentar un informe trimestral de actuaciones y una memoria anual.

Los municipios que cuenten con medios materiales y humanos suficientes deberán intentar conseguir esta delegación de competencias en materia de inspección. Una inspección municipal eficaz conseguirá un aumento en los ingresos en el IAE por dos vías: la primera, derivada de las propias liquidaciones giradas por la inspección en las actas que formalice con los obligados tributarios de este impuesto; la segunda, por las modificaciones que, en ejercicios futuros, se realicen en la Matrícula del impuesto derivadas de sus actas, ya que los censos del impuesto están en constante actualización, favoreciendo los ingresos en fase de gestión.

La inspección municipal comprenderá, en este caso, las actuaciones generales de comprobación e investigación, la práctica de liquidaciones tributarias y la inclusión, exclusión o alteración de datos censales.

En la práctica diaria, la inspección de este impuesto puede realizarse del siguiente modo:

En primer lugar, en el Plan de inspección, habrá que seleccionar los obligados tributarios que van a ser objeto de inspección. El criterio de selección puede ser por cuantía, es decir, contribuyentes con un volumen de negocios elevado; o por sectores de actividad, seleccionando dentro de cada sector a los obligados que no se hallen exentos del impuesto.

---

[18] Art. 18.2 RD243/1995: 1. La inspección del Impuesto sobre Actividades Económicas se llevará a cabo por los órganos competentes de la Administración tributaria del Estado. 2. No obstante, cuando se trate de cuotas municipales, las competencias en materia de inspección del impuesto podrán ser delegadas por el Ministro de Hacienda en los ayuntamientos, diputaciones provinciales, consejos y cabildos insulares, comunidades autónomas y otras entidades reconocidas por las leyes que lo soliciten. Las diputaciones provinciales, consejos y cabildos insulares, comunidades autónomas y otras entidades reconocidas por las leyes harán constar expresamente en la solicitud de delegación de competencias los términos municipales de su ámbito territorial en los que vayan a desarrollar las competencias solicitadas.

Medios utilizados en la inspección:

- Importe neto de la cifra de negocios: declarado por la empresa a efectos del Impuesto sobre Sociedades que es indicativo del volumen de negocios de la empresa.

- Adecuación del epígrafe declarado con la actividad desarrollada: lo primero que hay que examinar es si la empresa está correctamente encuadrada en la Matrícula del impuesto y tributa por la actividad o actividades que realmente ejerce.

- Examen de los elementos tributarios determinantes de la cuota de tarifa. Una vez que la empresa tributa adecuadamente en un epígrafe, la cuota vendrá determinada por aquellos elementos tributarios que son indicativos de su actividad, en particular, dada su importancia, hablaremos del elemento superficie y de la potencia instalada en la empresa.

  a) Superficie de los locales: para su comprobación, la Inspección municipal podrá personarse en el local de negocio y realizar las mediciones de superficie oportunas. La visita es importante también para dilucidar qué clase de actividad se está desarrollando en cada dependencia y a qué se destinan cada una de ellas. Esto es fundamental ya que dependiendo del destino que se le de a las distintas partes del local, la empresa tributará más o menos (por ejemplo: la parte destinada a almacén sólo tributa al 55%, depósitos al aire libre a un 20%, etc.; el destino determina el porcentaje de tributación del elemento superficie).

  También, para determinar las superficies de los locales, se podrá recurrir a los datos que figuren en registros públicos, en particular, son muy precisos los datos que ofrece la Dirección General del Catastro en relación con los inmuebles existentes en el municipio.

  Por último, se puede requerir a la propia empresa para que aporte los planos a escala firmados por técnicos competentes donde figure la superficie del local donde desarrollan su actividad.

  b) Potencia instalada: se podrá realizar la comprobación en el local de la actividad, examinando la maquinaria que se encuentre afecta al proceso industrial.

También se puede requerir al interesado las Hojas de Registro Industrial emitidas por la Consejería de Industria de la Comunidad Autónoma respectiva, en donde se especifica la potencia instalada de toda la maquinaria de la empresa.

Impuesto sobre Vehículos de Tracción Mecánica

La inspección de este impuesto es de competencia municipal y corresponde, en concreto, al Ayuntamiento del domicilio que conste en el permiso de circulación del vehículo (artículo 97 LRHL).

Principalmente, la inspección debe ir encaminada a la clasificación adecuada de cada vehículo en la categoría prevista en la tarifa del impuesto.

También serán objeto de comprobación el disfrute de los distintos beneficios fiscales existentes en el impuesto a favor de los obligados tributarios y su adecuación a la realidad.

Impuesto sobre Construcciones, Instalaciones y Obras

La inspección de este impuesto tiene por objeto practicar la liquidación definitiva que sea procedente una vez comprobado el coste de ejecución material de la construcción, instalación u obra realizada por el obligado tributario.

La Inspección de Tributos municipal es el único órgano competente para comprobar este impuesto ya que es el único que puede practicar liquidación definitiva. Para realizar dicha comprobación, la Inspección tiene en su poder todas las facultades que hemos examinado en este apartado.

En la práctica municipal es importante el examen de la siguiente documentación para proceder a la regularización tributaria:

- Facturas recibidas en relación con la obra realizada. Puede examinarse el Libro registro de facturas recibidas exigido a efectos de IVA; en este libro se pueden comprobar las facturas vinculadas a la obra inspeccionada.

- Albaranes o parte de trabajo.

- Certificaciones de obra. En ellas se suele detallar el porcentaje de obra ejecutada y están visadas por la dirección técnica. Es importante requerir la *certificación última a origen* de la obra realizada, donde se resume el coste de ejecución final.

- Contrato de obra, si lo hubiera. Contiene el precio final de la obra a ejecutar.

- Seguro decenal contratado para la obra (obligatorio: Ley 38/1999, de 5 de noviembre, de Ordenación de la Edificación).

- Acta de recepción de la obra. Este documento contiene, como regla general, la fecha del certificado final de obra (importante a efectos del cómputo del plazo de prescripción), las partes que intervienen (podemos identificar al contratista al que se le podrán exigir datos adicionales y cruzarlos con los aportados por el promotor), el coste de ejecución material...

- Modelo 347 de la AEAT, correspondiente con la *Declaración anual de operaciones con terceras personas*. En este documento se reflejan los importes anuales satisfechos al contratista o terceros que intervienen en la obra.

- Libros de Contabilidad, principal y auxiliar del obligado tributario. Los libros contables son el medio más importante de comprobación del coste de ejecución material. La Inspección examinará los Libros del empresario debidamente legalizados que puedan contener información tributaria: Libro Diario, Libro de Inventario y Cuentas anuales (obligatorios), Libro Mayor (voluntario). En este sentido, es importante estudiar dentro de la contabilidad el asiento de regularización antes del cierre del ejercicio (cuentas del grupo 6 y 7), así como los mayores de las cuentas 600 a 640 (gastos que la empresa habrá ido imputando a la obra en curso).

Las empresas de este sector deben llevar su contabilidad conforme al Plan General de Contabilidad de Empresas Inmobiliarias, aunque en la práctica habitual muchas de ellas no lo hacen. Siguiendo la estructura contable del citado Plan podemos examinar un tipo de cuentas u otras dependiendo la naturaleza del obligado tributario:

a) si la empresa actúa exclusivamente como promotora: la Inspección será más sencilla ya que las certificaciones de obra del contratista se contabilizarán en la cuenta 606, de este modo los gastos de la obra figurarán de forma separada al resto de partidas contables.

b) Si la empresa es a la vez promotora y constructora: en este caso deberemos examinar todas las partidas del grupo 6 (gastos) ya que existirán distintos proveedores que suministren materiales o servicios a la empresa. Además, debemos imputar los gastos del personal de la propia empresa que estén afectos a la obra (partidas 640 y 642, sueldos y salarios y seguridad social). También se pueden comprobar las partidas del grupo 3 (existencias de edificios o promoción en curso). Por último, cuando la empresa lleva varias obras en curso al mismo tiempo, que suele ser lo habitual, la dificultad de determinar el coste final aumenta. En estos casos debemos proceder al examen de facturas individualizadas por obras, a las contabilidades internas de la empresa, si las hubiera, y a cualquier otro medio documental enumerado en los apartados anteriores.

El objetivo final de la Inspección debe ser, en cualquier caso, determinar el coste de ejecución material mediante el procedimiento de estimación directa. Recordemos que la comprobación va dirigida a practicar la liquidación definitiva. No estamos ante una comprobación de valores por lo que, la estimación objetiva no cabe en el curso de este procedimiento inspector, ya que fue la que sirvió de base para practicar la liquidación inicial o ingreso a cuenta del obligado tributario. En cuanto a la estimación indirecta sólo sería posible en los supuestos tasados del artículo 53 de la LGT.

La inspección al regularizar la situación del obligado tributario no podrá imponer sanciones ni liquidar intereses de demora; ello es debido a que corresponde a la propia Administración la obligación de comprobar ese coste de ejecución final. Tan sólo se exceptúa el caso en el que el interesado no hubiera solicitado licencia de obras, es decir, que la Administración desconociese la existencia de la obra, por lo que sería aplicable el tipo de infracción prevista en el artículo 191 o 192 de la LGT, según los casos.

Impuesto sobre el Incremento del valor de los Terrenos de naturaleza Urbana

Como hemos expuesto anteriormente, la inspección de este impuesto se ha visto facilitada por la gran información recibida por los Ayuntamientos de terceros que intervienen en la realización del hecho imponible. Así, están obligados a declarar los adquirentes de bienes inmuebles que pretendan inscribirlos en el Registro de la Propiedad y, principalmente, la información procede de los Notarios, a través de medios telemáticos. Una vez recibidos los ficheros, la Inspección municipal debe proceder al cruce de los datos facilitados por los Notarios con los que tienen en su poder por las declaraciones o autoliquidaciones presentadas por los obligados tributarios en las oficinas de gestión.

Tras la comprobación pertinente mediante filtros informáticos, se seleccionarán a los contribuyentes que no hayan presentado la declaración del impuesto, comunicándoles el inicio de actuaciones inspectoras y procediendo a la regularización tributaria en caso de que se descubra la existencia de deuda sin liquidar.

Dado que la mayoría de las transmisiones sujetas al impuesto se documentan en escrituras públicas, no existirán problemas en cuanto al control tributario de este impuesto local, no obstante, hay que señalar varios supuestos de cierta dificultad:

- transmisiones mortis causa: en este caso el impuesto se devenga en el momento del fallecimiento del causante. El documento público donde se refleja la adjudicación de la herencia del causante, escritura pública de partición, es posterior a dicho fallecimiento y puede transcurrir bastante tiempo hasta su formalización, por lo que la labor de investigación tiene que ir dirigida a controlar el censo de personas fallecidas para comprobar si tienen terrenos de naturaleza urbana en el municipio correspondiente y quiénes son sus herederos legítimos a los que liquidar el tributo devengado. Para ello, la inspección necesitará la colaboración de otros negociados del propio Ayuntamiento, como el de Cementerio o el de Estadística, para saber los contribuyentes que han causado baja por fallecimiento en el término municipal. Una vez que se disponga de ese listado, se deberá comprobar si tenían bienes sujetos al impuesto y si sus beneficiarios han procedido a liquidar el tributo; en caso contrario, se iniciarán actuaciones de inspección.

- Expropiaciones
- Venta judicial en subasta pública

Podemos concluir que la inspección tributaria local se hace necesaria en las Haciendas Locales como un instrumento más en poder de la Administración para conseguir el principio de igualdad y justicia tributaria.

En este sentido, un Servicio de Inspección fiscal local con medios materiales y humanos suficientes es un instrumento idóneo para la consecución de mayores ingresos municipales, tanto por los ingresos obtenidos por la formalización de las correspondientes actas de inspección y sanciones tributarias con cantidades a liquidar, como, fundamentalmente, por el elemento disuasorio que supone disponer de un Servicio de Inspección que evita la defraudación fiscal de los obligados tributarios ante la posibilidad de ser inspeccionados, aumentándose considerablemente la recaudación tributaria en periodo voluntario y mejorando los censos, matrículas y demás registros fiscales que son la base de una mayor recaudación para los Ayuntamientos.

Asimismo, hay que concluir que por aplicación directa del artículo 106.3 de la LBRL es competencia de las entidades locales la inspección de sus tributos propios, siendo la propia Administración Local la competente para determinar la estructura administrativa adecuada para la aplicación de los tributos y, de este modo, la consecución de los principios de igualdad y justicia tributaria y, complementariamente, dotándose de mayores ingresos.

4. ACTUACIONES Y PROCEDIMIENTO DE RECAUDACIÓN. ESPECIALIDADES EN EL ÁMBITO LOCAL

La recaudación tributaria consiste en el ejercicio de las funciones administrativas conducentes al cobro de las deudas tributarias.

El Real Decreto 939/2005, de 29 de julio, por el que se aprueba el Reglamento General de Recaudación (RGR en adelante), ha establecido un concepto jurídico más amplio, definiendo la gestión recaudatoria de la Hacienda Pública como *el ejercicio de la función administrativa conducente al cobro de las deudas y sanciones tributarias y demás recursos de naturaleza pública que deban satisfacer los obligados al pago.*

En conclusión, el procedimiento de recaudación tributaria en el ámbito local, podemos entenderlo como el cauce legal por el que las entidades locales ejercen las funciones y potestades administrativas dirigidas al cobro de sus tributos locales.

Nuestro ordenamiento jurídico ha venido a diferenciar dos periodos de cobro de las deudas tributarias: periodo voluntario y periodo ejecutivo, mediante un procedimiento legalmente establecido.

A continuación, vamos a destacar los aspectos que pueden considerarse comunes tanto a la recaudación en periodo voluntario como en vía ejecutiva y, posteriormente, las peculiaridades de ambos.

Fundamentalmente, analizaremos: la competencia en la gestión recaudatoria, el lugar de ingreso de las deudas, las formas de extinción de las deudas con especial referencia al pago, legitimación, formas de pago, aplazamiento y fraccionamiento del pago y plazos de pago, último aspecto que marca la separación temporal entre un periodo y otro.

4.1. COMPETENCIA EN LA GESTIÓN RECAUDATORIA

Por aplicación directa del artículo 106.3 de la LBRL es competencia de las Entidades Locales la recaudación de sus tributos propios.

Además, el artículo 8 del RGR atribuye a las Entidades Locales y sus organismos autónomos la recaudación de las deudas cuya gestión tengan atribuidas.

De este modo, las corporaciones locales, dentro de su autonomía financiera y respetando la normativa existente en esta materia, tienen una amplia capacidad para regular, mediante sus Ordenanzas Generales y Fiscales, la recaudación de sus tributos propios.

En el ámbito local, la función recaudatoria se atribuye a la Tesorería de los Entes Locales (art. 5 del RD 1174/1987); con la excepción señalada en el art. 92.4 de la LBRL, ya que podrá ser atribuida a miembros de la Corporación o funcionarios sin habilitación de carácter nacional en los supuestos previstos por la ley.

La gestión recaudatoria en el ámbito de las Haciendas públicas locales se llevará a cabo:

a) Directamente por las entidades locales y sus organismos autónomos.

b) Por otros entes territoriales a cuyo ámbito pertenezcan, en virtud de convenios de colaboración o delegación de competencias.

c) Por la Agencia Estatal de Administración Tributaria, mediante convenio para la recaudación.

4.2. LUGAR DE INGRESO DE LAS DEUDAS

En el ámbito de las Haciendas Locales, las deudas tributarias tanto en periodo voluntario como en periodo ejecutivo se ingresarán, principalmente:

a) En las entidades de crédito que presten el servicio de caja. Este servicio es muy frecuente en la Hacienda local; para la prestación de este servicio, deberá existir un acuerdo previo entre la Administración Local y la entidad de crédito. Se caracteriza porque los ingresos se realizan en cuentas restringidas y porque diariamente la entidad debe entregar al órgano de recaudación una relación justificativa de las cantidades ingresadas en esa cuenta y los documentos acreditativos de la deuda.

b) En las entidades colaboradoras. Se trata de un servicio no retribuido que deberá ser autorizado por la corporación local. Los ingresos se han de realizar en las cuentas restringidas abiertas en las entidades colaboradoras que deberán validar el pago realizado. Se atribuye al órgano de recaudación una labor de control, comprobación y seguimiento de las actuaciones realizadas por las citadas entidades.

c) En las cuentas restringidas abiertas en entidades de crédito.

d) En las cajas de los órganos gestores de la recaudación.

4.3. FORMAS DE EXTINCIÓN DE LAS DEUDAS: EL PAGO

El pago es la forma normal de extinción de las deudas tributarias.

También se podrán extinguir por prescripción, compensación, condonación o por los demás medios previstos en las leyes.

El pago puede realizarse en periodo voluntario o en periodo ejecutivo por cualquier persona, tenga o no interés en el cumplimiento de la obligación, *ya lo conozca y lo apruebe, ya lo ignore el obligado al pago* (art. 33 RGR).

La ley es muy flexible en cuanto a la regulación de las distintas formas de pago haciendo una remisión al ámbito reglamentario para que desarrolle esta materia. En cualquier caso, el pago se realizará en efectivo y podrá realizarse mediante el empleo de efectos timbrados cuando así se disponga reglamentariamente. El RGR también reconoce el pago en especie, previa solicitud del interesado y aceptación del órgano de recaudación con arreglo a un procedimiento establecido.

En cuanto al pago en efectivo, el más importante en la Administración Local y en el resto de las Administraciones públicas, la LGT ya estableció como novedad, la posibilidad de que se pudiera efectuar el pago utilizando técnicas y medios electrónicos, informáticos o telemáticos.

El pago en efectivo, a su vez, podrá realizarse mediante:

a) dinero de curso legal (en todo caso)

b) cheque

c) tarjeta de crédito y débito

d) transferencia bancaria

e) domiciliación bancaria

f) cualquier otro que establezca la Entidad Local.

La deuda se entenderá pagada en efectivo cuando se realice el ingreso de su importe en las cajas de los órganos competentes, oficinas recaudadoras o entidades autorizadas para su admisión (art. 61 LGT).

Como se ha indicado anteriormente, el plazo de ingreso marca la separación entre periodo voluntario y ejecutivo, siendo el marco temporal diferenciador de ambos periodos. Dada la importancia de esta materia detallamos brevemente los *plazos de ingreso* que vienen establecidos por el artículo 62 de la LGT.

A) Plazos de ingreso de las deudas en periodo voluntario:

Podemos, a su vez, diferenciarlas del siguiente modo:

- Deudas tributarias resultantes de una *autoliquidación*: plazo establecido en la normativa de cada tributo.

- Deudas tributarias resultantes de *liquidaciones* practicadas por la Administración (art. 62.2 LGT):

    a) Si la notificación de la liquidación se realiza entre los días uno y 15 de cada mes, desde la fecha de recepción de la notificación hasta el día 20 del mes posterior o, si éste no fuera hábil, hasta el inmediato hábil siguiente.

    b) Si la notificación de la liquidación se realiza entre los días 16 y último de cada mes, desde la fecha de recepción de la notificación hasta el día cinco del segundo mes posterior o, si éste no fuera hábil, hasta el inmediato hábil siguiente.

- Deudas de notificación colectiva y periódica:

Según sus normas reguladoras. En su defecto del 1 de septiembre al 20 de noviembre o inmediato hábil posterior, salvo que la Administración tributaria competente establezca otro plazo diferente, que no podrá ser inferior a dos meses.

Los artículos 23 a 25 del RGR regulan la recaudación de deudas de vencimiento periódico y notificación colectiva que, prácticamente, se circunscribe al ámbito de las Haciendas Locales, como hemos visto. La comunicación a los obligados tributarios del periodo de pago se realizará, con carácter general, de forma colectiva mediante la publicación de los correspondientes edictos en el boletín oficial de la provincia y en las oficinas de los ayuntamientos afectados. Esta forma de comunicación es muy importante en el ámbito local dado que los tributos más importantes (IBI, IAE, IVTM) son notificados de esta forma. [19]

---

[19]　Artículo 24. Anuncios de cobranza.

1. La comunicación del periodo de pago se llevará a cabo de forma colectiva, y se publicarán los correspondientes edictos en el boletín oficial que corresponda y en las oficinas de los ayuntamientos afectados. Dichos edictos podrán divulgarse por los medios de comunicación que se consideren adecuados.

2. El anuncio de cobranza deberá contener, al menos:

a) El plazo de ingreso.

b) La modalidad de cobro utilizable de entre las enumeradas en el artículo 23.

B) Plazos de ingreso de las deudas en periodo ejecutivo

Una vez finalizados los plazos del periodo voluntario de pago se inicia el periodo ejecutivo; los plazos de ingreso en este periodo son los siguientes (art. 62.5 LGT):

a) Si la notificación de la providencia se realiza entre los días uno y 15 de cada mes, desde la fecha de recepción de la notificación hasta el día 20 de dicho mes o, si éste no fuera hábil, hasta el inmediato hábil siguiente.

b) Si la notificación de la providencia se realiza entre los días 16 y último de cada mes, desde la fecha de recepción de la notificación hasta el día cinco del mes siguiente o, si éste no fuera hábil, hasta el inmediato hábil siguiente.

Todas las deudas tributarias existentes tanto en periodo voluntario como en periodo ejecutivo podrán ser objeto de aplazamiento o fraccionamiento por el obligado tributario.

De forma sintética, las características generales del aplazamiento o fraccionamiento de pago son las siguientes:

- Debe solicitarse por el obligado tributario, identificando la deuda y los plazos que solicita.

- Deben establecerse las causas que motivan la solicitud y una orden de domiciliación bancaria para los futuros pagos.

- Deben ofrecerse garantías, si resultan procedentes. En este caso, la garantía deberá cubrir el importe de la deuda en periodo voluntario, los intereses de demora que genere el aplazamiento y un 25 por ciento de la suma de ambas partidas. La garantía deberá formalizarse en el plazo de dos meses contados a partir del día siguiente al de la notificación del acuerdo de concesión cuya eficacia quedará condicionada a dicha formalización.

Por su parte, las corporaciones locales tienen gran autonomía normativa para establecer las características de los fraccionamientos y aplazamientos de pago de los tributos locales. En particular, esta materia deberá ser regulada mediante la aprobación de la correspondiente Ordenanza.

Suele ser habitual que las Ordenanzas regulen, dentro de los márgenes señalados por la LGT y el RGR, entre otros, los siguientes aspectos:

---

c) Los lugares, días y horas de ingreso.

d) La advertencia de que, transcurrido el plazo de ingreso, las deudas serán exigidas por el procedimiento de apremio y se devengarán los correspondientes recargos del periodo ejecutivo, los intereses de demora y, en su caso, las costas que se produzcan.

3. El anuncio de cobranza podrá ser sustituido por notificaciones individuales.

- Los plazos de pago concedidos al obligado tributario; que suelen establecerse en función de la cuantía de la deuda cuyo aplazamiento o fraccionamiento se solicita. En general, un mayor importe de deuda supone un periodo de tiempo de pago más largo.

- Modelos de presentación de solicitudes y requisitos exigidos al obligado.

- Clases de garantías exigidas: aval solidario, seguro de caución, etc.

- Dispensa de las garantías a los obligados tributarios. En esta materia el artículo 82.2 de la LGT establece los criterios generales para la dispensa de garantías en los aplazamientos y fraccionamientos de pago. No obstante, deja un margen importante a cada Administración tributaria, entre ellas la Administración Local, para que regulen de forma autónoma cuáles deben ser los requisitos exigidos para esta dispensa. En particular, es trascendental la regulación que cada corporación deberá realizar del importe por debajo del cual no será necesaria la aportación de la garantía correspondiente, esta cantidad deberá especificarse claramente en la Ordenanza reguladora.

4.4. PECULIARIDADES DE LA RECAUDACIÓN EN PERIODO VOLUNTARIO

Tal y como se ha indicado anteriormente, la normativa tributaria ha diferenciado con total nitidez dos periodos de cobro:

a) periodo voluntario, mediante el pago o cumplimiento del obligado tributario en los plazos previstos en el artículo 62 de esta ley.

b) Periodo ejecutivo, mediante el pago o cumplimiento espontáneo del obligado tributario o, en su defecto, a través del procedimiento administrativo de apremio.

En periodo voluntario, podemos destacar las siguientes especialidades:

- Domiciliaciones bancarias

Las entidades locales, por medio de sus Ordenanzas fiscales, suelen establecer el sistema de domiciliación bancaria como medio de pago más idóneo para los tributos de cobro periódico mediante recibo.

En particular, los obligados al pago, podrán domiciliar los recibos en entidades de crédito previa comunicación al órgano de recaudación con dos meses de antelación del comienzo del periodo de cobro. Si ya hubiese transcurrido este plazo, la domiciliación surtirá efectos el ejercicio siguiente.

En otro caso surtirá efectos a partir del periodo de pago voluntario siguiente.

Con las domiciliaciones bancarias se pretende facilitar al contribuyente el cumplimiento de sus obligaciones tributarias y una mejora en la propia eficacia y eficiencia del cobro de las deudas por parte de la Administración.

En relación con las domiciliaciones, el artículo 9.1 TRLRHL ha previsto un beneficio fiscal específico, que se concreta en la posibilidad de que las Ordenanzas fiscales establezcan una bonificación de hasta el 5% de la cuota a favor de los sujetos pasivos que domicilien sus deudas de vencimiento periódico en una entidad financiera, anticipen pagos o realicen actuaciones que impliquen colaboración en la recaudación de ingresos. Como se trata de un beneficio fiscal y cumpliendo el principio de reserva de ley, la bonificación está regulada, como vemos, en el artículo 9.1 de la LRHL, correspondiendo a cada Ayuntamiento la decisión de su aplicación (principio de autonomía financiera).

- Pagos anticipados

También las corporaciones locales pueden reconocer una bonificación de hasta el 5%, en relación con las deudas que los obligados tributarios paguen anticipadamente. Esta posibilidad, prevista en el artículo 9.1 anteriormente expuesto, intenta incentivar el pago por el contribuyente de forma voluntaria, obteniendo la Hacienda Local, además, unos ingresos de forma anticipada. Este beneficio fiscal debe regularse, en todo caso, en las Ordenanzas municipales.

- Plan especial de pagos

Debemos hacer referencia en este apartado, a una nueva modalidad del pago de tributos locales que se ha implantado en muchos Ayuntamientos; se trata del *sistema especial de pagos* o *plan especial de pagos*.

Las Ordenanzas vienen a recoger el pago de tributos de cobro periódico en periodo voluntario de forma fraccionada durante el ejercicio fiscal, facilitando al obligado tributario el pago de la deuda sin exigirle intereses de demora ni garantías. Esta habilitación, relativa a la no exigibilidad de intereses de demora, viene regulada en el artículo 10 del TRLHL permitiendo a las Entidades Locales no exigir intereses en relación con los fraccionamientos y aplazamientos en periodo voluntario de deudas de vencimiento periódico y notificación colectiva[20].

Este sistema especial de pagos se puede utilizar para los principales impuestos locales: IBI, IAE, IVTM y para ciertas tasas de cobro periódico (*entrada de vehículos*, entre otras).

---

[20] "Cuando las ordenanzas fiscales así lo prevean, no se exigirá interés de demora en los acuerdos de aplazamiento o fraccionamiento de pago que hubieran sido solicitados en período voluntario, (...) siempre que se refieran a deudas de vencimiento periódico y notificación colectiva y que el pago total de estas se produzca en el mismo ejercicio que el de su devengo".

Para ello se establece un calendario de pago al que podrán acogerse aquellos obligados que reúnan ciertos requisitos; cada Ayuntamiento a través de su Ordenanza especificará los que considere oportunos.

- Ingresos de deudas de vencimiento periódico y notificación colectiva

Por último, dada la importancia que tienen en las Haciendas Locales los tributos de cobro periódico mediante recibo (IBI, IAE, IVTM) vamos a analizar su recaudación en periodo voluntario. En esta materia, los Ayuntamientos tienen autonomía para establecer el periodo de ingreso que estimen conveniente, con el límite mínimo de dos meses de duración. La comunicación del periodo de cobro se realizará de forma colectiva mediante los denominados *anuncios de cobranza* que se publicarán en el Boletín Oficial correspondiente y en los Ayuntamientos afectados. No obstante, este anuncio puede ser sustituido por notificaciones individuales (art. 24 RGR).

Una de las características más importantes de la recaudación de esta clase de deudas es la posibilidad que tienen los obligados tributarios, recogida en el artículo 25 del RGR, de domiciliar el pago en entidades de crédito. Las domiciliaciones deben ser comunicadas al órgano de recaudación y tendrán validez por tiempo indefinido en tanto no sean anuladas por el interesado, rechazadas por la entidad de crédito o declarada su invalidez por parte de la Administración.

4.5. PECULIARIDADES DE LA RECAUDACIÓN EN PERIODO EJECUTIVO

El periodo ejecutivo, propiamente dicho, se inicia (art. 161 LGT):

a) En el caso de deudas liquidadas por la Administración tributaria, el día siguiente al del vencimiento del plazo establecido para su ingreso en el artículo 62 de esta ley (periodo voluntario de pago).

b) En el caso de deudas a ingresar mediante autoliquidación presentada sin realizar el ingreso, al día siguiente de la finalización del plazo que establezca la normativa de cada tributo para dicho ingreso o, si éste ya hubiere concluido, el día siguiente a la presentación de la autoliquidación.

No se iniciará el periodo ejecutivo:

- Cuando se presente una solicitud de aplazamiento, fraccionamiento o compensación en período voluntario.

- Cuando se interponga un recurso o reclamación en tiempo y forma contra una sanción, hasta que la sanción sea firme en vía administrativa.

La consecuencia fundamental del inicio del periodo ejecutivo es que las deudas podrán ser exigidas por un procedimiento administrativo especial en el que la Administración despliega todas sus prerrogativas para hacer efectivo su crédito. Se trata del procedimiento de apremio sobre el patrimonio del obligado al pago.

Así mismo, el inicio del periodo ejecutivo determinará la exigencia de intereses de demora, de los recargos del periodo ejecutivo y, en su caso, de las costas que ocasionen dicho procedimiento.

El nuevo sistema de recargos introducidos por el artículo 28 de la Ley 58/2003, pretendió incentivar el pago de la deuda en periodo ejecutivo de forma espontánea, por parte de los obligados tributarios, estableciendo unos recargos progresivos, de menor a mayor, potenciando el pago realizado fuera de plazo pero sin intimación de la administración.

Los recargos del periodo ejecutivo son de tres tipos, son incompatibles entre sí y se aplican sobre la totalidad del importe de la deuda no ingresada en periodo voluntario:

- *Recargo ejecutivo*: es del 5 por 100 y se aplicará cuando se satisfaga la totalidad de la deuda no ingresada en periodo voluntario antes de la notificación de la providencia de apremio. No se exigirán intereses de demora devengados desde el inicio del periodo ejecutivo.

- *Recargo de apremio reducido*: es del 10 por 100 y se aplicará cuando se satisfaga la totalidad de la deuda no ingresada en periodo voluntario y el propio recargo antes de la finalización del plazo previsto en el artículo 62.5 LGT (artículo estudiado anteriormente). No se exigirán intereses de demora devengados desde el inicio del periodo ejecutivo.

- *Recargo de apremio ordinario*: es del 20 por 100 y será aplicable cuando no concurran las circunstancias anteriores. Serán exigibles intereses de demora sobre la deuda no ingresada desde el inicio del periodo ejecutivo hasta el pago de la deuda.

4.6. PROCEDIMIENTO DE APREMIO

De la normativa tributaria expuesta hasta ahora podemos concluir que dentro del periodo ejecutivo podemos establecer, a su vez, dos momentos diferenciados; uno relativo al cumplimiento espontáneo por parte del obligado tributario y, otro, a falta de aquél, que da lugar al inicio de un procedimiento administrativo dirigido al cobro forzoso de la deuda tributaria, denominado procedimiento de apremio. Por ello, sólo una vez iniciado el periodo ejecutivo se podrán cobrar las deudas mediante este procedimiento.

El procedimiento de apremio se inicia mediante providencia notificada al obligado tributario. La providencia de apremio es título suficiente para iniciar el procedimiento de apremio. Tiene la misma fuerza ejecutiva que la sentencia judicial para proceder contra los bienes y derechos de los obligados tributarios. La providencia debe tener el siguiente contenido:

- Identificación de la deuda pendiente de cobro.

- Liquidación del recargo correspondiente (art. 28 LGT).

- Requerimiento al interesado para que efectúe el pago de la deuda.

- Advertencia de que, en caso de no realizar el pago, se procederá al embargo de sus bienes.

Los motivos de oposición de la providencia de apremio son supuestos tasados regulados por la ley; por lo que fuera de esos supuestos no cabe interponer recurso alguno. Son los siguientes (art. 167.3 LGT):

a) Extinción total de la deuda o prescripción del derecho a exigir el pago.

b) Solicitud de aplazamiento, fraccionamiento o compensación en período voluntario y otras causas de suspensión del procedimiento de recaudación.

c) Falta de notificación de la liquidación.

d) Anulación de la liquidación.

e) Error u omisión en el contenido de la providencia de apremio que impida la identificación del deudor o de la deuda apremiada.

Notificada la providencia de apremio y finalizado el *periodo de pago apremiado del artículo 62.5 LGT* [21], el procedimiento de apremio entra en la *fase de embargo* de los bienes del obligado tributario.

Debemos diferenciar si la deuda está garantizada o no lo está.

Si no estuviese garantizada se procederá, sin más, al embargo de los bienes.

Si la deuda estuviese garantizada se procederá a ejecutar la garantía por el procedimiento de apremio.

Como excepción la ley prevé la posibilidad de que la Administración, en lugar de proceder a ejecutar de inmediato la garantía, opte por embargar otros bienes. Será posible cuando la garantía no fuese proporcionada a la deuda garantizada o cuando el obli-

---

[21] **Art. 62.5 LGT.** Una vez **iniciado el período ejecutivo y notificada la providencia de apremio**, el pago de la deuda tributaria deberá efectuarse en los siguientes plazos:
a) Si la notificación de la providencia se realiza entre los días uno y 15 de cada mes, desde la fecha de recepción de la notificación hasta el día 20 de dicho mes o, si éste no fuera hábil, hasta el inmediato hábil siguiente.
b) Si la notificación de la providencia se realiza entre los días 16 y último de cada mes, desde la fecha de recepción de la notificación hasta el día cinco del mes siguiente o, si éste no fuera hábil, hasta el inmediato hábil siguiente.

gado lo solicite, señalando bienes suficientes para ello. En este caso, la garantía prestada quedará sin efecto en la parte asegurada por los embargos.

Partiendo del principio de proporcionalidad de la Administración en su actuación dirigida al embargo de bienes y derechos, la cuantía que deberá cubrir el embargo será:

a) El importe de la deuda no ingresada.

b) Los intereses que se hayan devengado o se devenguen hasta la fecha del ingreso.

c) Los recargos del período ejecutivo.

d) Las costas del procedimiento de apremio.

La LGT introdujo una importante novedad en relación con el orden a seguir en el embargo en sintonía con la normativa existente en el ámbito procesal civil (art. 592 LEC). Así, el embargo se realizará teniendo en cuenta la mayor facilidad de enajenación de los bienes y la menor onerosidad de ésta para el obligado tributario.

Además, con carácter prioritario la ley recoge la posibilidad de que la Administración y el obligado tributario lleguen a un acuerdo en relación con los bienes y derechos a embargar.

Con carácter supletorio y, ante la falta del acuerdo, la ley prevé el siguiente orden de embargo:

a) Dinero efectivo o en cuentas abiertas en entidades de crédito.

b) Créditos, efectos, valores y derechos realizables en el acto o a corto plazo.

c) Sueldos, salarios y pensiones.

d) Bienes inmuebles.

e) Intereses, rentas y frutos de toda especie.

f) Establecimientos mercantiles o industriales.

g) Metales preciosos, piedras finas, joyería, orfebrería y antigüedades.

h) Bienes muebles y semovientes.

i) Créditos, efectos, valores y derechos realizables a largo plazo.

Siguiendo este orden se embargarán sucesivamente los bienes o derechos hasta que se presuma cubierta la deuda. La ley reserva en último lugar aquellos bienes para cuya traba sea necesaria la entrada en el domicilio del obligado tributario.

Cada actuación de embargo se documentará en diligencia, que se notificará a la persona con la que se entienda dicha actuación [22].

---

[22] Efectuado el embargo de los bienes o derechos, la diligencia se notificará al obligado tributario y, en su caso, al tercero titular, poseedor o depositario de los bienes si no se hubiesen llevado a cabo con

Contra la diligencia de embargo sólo serán admisibles los siguientes motivos de oposición:

a) Extinción de la deuda o prescripción del derecho a exigir el pago.

b) Falta de notificación de la providencia de apremio.

c) Incumplimiento de las normas reguladoras del embargo.

d) Suspensión del procedimiento de recaudación.

Posteriormente, si la deuda no ha podido ser satisfecha, se procederá a la *enajenación de los bienes embargados,* que se realizará mediante alguno de los siguientes métodos: subasta, concurso, o adjudicación directa.

El acuerdo de enajenación tan sólo será posible impugnarlo cuando las diligencias de embargo se consideren notificadas (art. 112.3 LGT) por no haber sido posible la notificación personal. Se refuerza así la seguridad jurídica del administrado frente a la Administración actuante. Las causas de impugnación son las mismas que las relativas a la diligencia de embargo.

El procedimiento de apremio podrá concluir con la adjudicación de bienes a la Hacienda Pública cuando se trate de bienes inmuebles o de bienes muebles cuya adjudicación le pudiera interesar.

El procedimiento de apremio termina:

a) Con el pago de la cantidad debida.

b) Con el acuerdo que declare el crédito total o parcialmente incobrable, una vez declarados fallidos todos los obligados al pago.

c) Con el acuerdo de haber quedado extinguida la deuda por cualquier otra causa.

5. RÉGIMEN SANCIONADOR TRIBUTARIO

5.1. NORMATIVA APLICABLE

Para situar correctamente el régimen sancionador tributario en el ámbito local es imprescindible partir de lo dispuesto en el artículo 11 del TRLRHL que señala lo siguiente:

---

ellos las actuaciones, así como al cónyuge del obligado tributario cuando los bienes embargados sean gananciales y a los condueños o cotitulares de los mismos. Si los bienes embargados fueran inscribibles en un registro público, la Administración tributaria tendrá derecho a que se practique anotación preventiva de embargo en el registro correspondiente. A tal efecto, el órgano competente expedirá mandamiento, con el mismo valor que si se tratara de mandamiento judicial de embargo. El registrador hará constar por nota al margen de la anotación de embargo la expedición de esta certificación.

*"En materia de tributos locales, **se aplicará el régimen de infracciones y sanciones regulado en la Ley General Tributaria** y en las disposiciones que la complementen y desarrollen, con las especificaciones que resulten de esta ley y las que, en su caso, se establezcan en las Ordenanzas fiscales al amparo de la ley".*

De este modo, las Haciendas Locales se regirán, en cuanto a su régimen sancionador tributario, principalmente por lo dispuesto en la Ley General Tributaria, que es la norma base en la que se ha de subsumir el resto de la normativa de desarrollo que en su caso se dicte.

El régimen sancionador tributario fue objeto de una profunda reforma con la promulgación de la Ley 58/2003, de 17 de diciembre, General Tributaria, que fue seguidamente complementado con su desarrollo reglamentario mediante la promulgación del Real Decreto 2063/2004, de 15 de octubre, por el que se aprueba el Reglamento General del Régimen Sancionador Tributario. Esta es la normativa fundamental que se aplica a las Entidades Locales en este ámbito jurídico.

La potestad sancionadora en material tributaria se regula en el Título IV de la LGT (artículos 178 a 212), de una forma autónoma y separada de la deuda tributaria tanto en los aspectos materiales de tipificación de infracciones y sanciones como en cuanto al procedimiento.

En el capítulo I se enumeran y definen los principios que inspiran el ejercicio de la potestad sancionadora, partiendo de los existentes en materia administrativa con las especialidades propias del ámbito tributario. De este modo el artículo 178 hace una remisión expresa a los principios existentes en Derecho Administrativo que, en particular, serían los establecidos por los artículos 25 a 31 de la Ley 40/2015, de 1 de octubre, de Régimen Jurídico del Sector Público; y una aproximación a los principios generales de Derecho Penal, reconocidos a nivel constitucional.

Además, junto con aquellos principios de carácter general, la LGT regula expresamente los principios de responsabilidad y de no concurrencia dada su trascendencia en el ámbito tributario y por estar directamente relacionados con el elemento subjetivo de las infracciones. Por su importancia procedemos a su breve análisis.

5.2. PRINCIPIOS DEL RÉGIMEN SANCIONADOR TRIBUTARIO: RESPONSABILIDAD Y NO CONCURRENCIA

A) Principio de responsabilidad

El principio de responsabilidad tributaria determina que los hechos cometidos por los obligados tributarios y que sean constitutivos de infracciones tributarias, solo serán sancionados cuando aquéllos sean responsables de los mismos.

El elemento subjetivo, imprescindible en el régimen sancionador, exige, a su vez, la existencia de **culpabilidad** en la conducta, por acción o por omisión.

La jurisprudencia del Tribunal Supremo sobre la exigencia de culpabilidad en las infracciones tributarias y sobre la necesidad de expresar las razones de su apreciación en el acto sancionador puede resumirse en los siguientes términos, por todas la STS 968/2017:

A.- El principio de culpabilidad es una exigencia implícita en los artículos 24.2 y 25.1 CE y expresamente establecida en el artículo 183.1 LGT, lo que viene a significar que no existe un régimen de responsabilidad objetiva en materia de infracciones tributarias y que, para que proceda la sanción, es necesario que concurra en la conducta sancionada dolo o culpa, no pudiendo ser sancionados los hechos más allá de la simple negligencia, como ha señalado el Tribunal Constitucional en las sentencias 76/1990, de 26 de abril y 164/2005, de 20 de junio.

B.- La normativa tributaria presume (presunción de inocencia) que la actuación de los contribuyentes está realizada de buena fe, por lo que corresponde a la Administración la prueba de que concurren las circunstancias que determinan la culpabilidad del infractor en la comisión de las infracciones tributarias.

C.- Debe ser el acuerdo que imponga la sanción el que, en virtud de la exigencia de motivación que impone a la Administración la LGT, refleje todos los elementos que justifican la imposición de aquélla, sin que la mera referencia al precepto legal que se supone infringido sea suficiente para dar cumplimiento a las garantías de todo procedimiento sancionador.

En el mismo sentido se ha expresado nuestro Tribunal en su sentencia 164/2005 al afirmar que *"no se puede por el mero resultado y mediante razonamientos apodícticos sancionar, siendo imprescindible una motivación específica en torno a la culpabilidad o negligencia y las pruebas de las que ésta se infiere"*. Este criterio se ha mantenido de forma constante por el TC en sentencias de 8 de mayo de 1997, 19 de julio de 2005, 10 de julio de 2007 y 3 de abril de 2008, entre otras, en las que se exige una motivación específica en las resoluciones sancionadoras en torno a la culpabilidad o negligencia del contribuyente.

En consonancia con esta doctrina el legislador ha recogido el elemento subjetivo en el ámbito sancionador al definir las infracciones tributarias (artículo 183.1 LGT) y establecer la necesidad de que las acciones u omisiones sean cometidas de forma dolosa o culposa con cualquier grado de negligencia.

A mayor abundamiento, la ley ha regulado, incluso, los supuestos de exoneración de responsabilidad. Es decir, el legislador recoge de forma tasada aquellos casos en los que entiende que, pese haberse producido el hecho tipificado como infracción, no resulta procedente imponer sanción alguna sobre la base de los supuestos contemplados en la norma. Se trata de supuestos excepcionales y tasados por ley, en concreto por el artículo 179.2 de la LGT:

a) Cuando se realicen por quienes carezcan de capacidad de obrar en el orden tributario. En este caso, es importante matizar que será responsable la persona que tenga la condición de representante legal del incapaz.

b) Cuando concurra fuerza mayor. Como ha señalado nuestra jurisprudencia, la fuerza mayor se debe entender como una causa externa, ajena e insuperable para el obligado tributario y no derivada de su propia actividad. Es necesario que la misma sea imprevisible o que aun pudiendo preverse fuese inevitable.

c) Cuando deriven de una decisión colectiva, para quienes hubieran salvado su voto o no hubieran asistido a la reunión en que se adoptó la misma.

d) Cuando se haya puesto la diligencia necesaria en el cumplimiento de las obligaciones tributarias.

No obstante, dado que el concepto de *diligencia necesaria* es un concepto jurídicamente indeterminado, el propio legislador ha venido a delimitar este concepto, entendiendo que se produce este supuesto cuando el obligado tributario haya actuado amparándose en una interpretación razonable de la norma o cuando haya ajustado su actuación a los criterios manifestados por la Administración Tributaria en publicaciones, comunicaciones escritas o consultas.

e) Cuando sean imputables a una deficiencia técnica de los programas informáticos de asistencia facilitados por la Administración tributaria para el cumplimiento de las obligaciones tributarias.

En todos los casos citados anteriormente los obligados tributarios no incurrirán en responsabilidad por las infracciones tributarias cometidas. No obstante, esta exoneración de responsabilidad no excluye la imposición del régimen de recargos del artículo 27 de la propia LGT (recargos por presentaciones extemporáneas).

Por su importancia y la numerosa conflictividad que ha generado analizamos brevemente desde un punto de vista jurisprudencial el apartado d) relativo a la exoneración de responsabilidad por actuar con la "diligencia necesaria" ya que este supuesto no puede aplicarse de forma automática, sino que debe evaluarse y ponderarse en cada caso. Por todas, dada su sistematización, destaca la sentencia del Tribunal Supremo STS 19 de diciembre de 1997 cuya doctrina se ha ido reiterando con el paso del tiempo y que señala lo siguiente:

> *"Aunque es cierto que una consolidada doctrina jurisprudencial excluye la existencia de infracción tributaria, y por lo tanto la procedencia de sanción, de aquellos supuestos en que se produzca una discrepancia sobre las normas jurídicas a considerar —en su alcance, contenido o aplicación al caso controvertido— de suerte que llegue a demostrarse que no hay ánimo de ocultar o evitar a la Administración el conocimiento del hecho imponible del tributo cuestionado, es más cierto que, para que tal doctrina resulte*

viable y aplicable es necesario que la discrepancia interpretativa o aplicativa pueda calificarse de razonable, es decir, que esté respaldada, aunque sea en grado mínimo, por fundamento objetivo. En caso contrario, o sea, de no exigirse ese contenido mínimo de razonabilidad o fundamentación, en todo supuesto de infracción, bastaría la aportación de cualquier tipo de alegación contraria a la sostenida por la Administración para que conductas objetivamente sancionables resultaran impunes. No basta pues que exista una discrepancia jurídica; es preciso, además, que la misma tenga el grado necesario de razonabilidad.

Por ende, la invocación de estas causas no opera de modo automático como excluyentes de la culpabilidad, sino que han de ser ponderadas caso por caso, en función de las circunstancias concurrentes, de tal modo que excluyan la calificación de la conducta como negligente, ya sea por la existencia de una laguna legal, ya por no quedar clara la interpretación de la norma o porque la misma revista tal complejidad que el error haya de reputarse invencible".

B) Principio de no concurrencia

El principio de no concurrencia de las sanciones tributarias viene reconocido en el artículo 180 de la LGT.

En primer lugar, supone la imposibilidad de ser sancionado dos veces por una misma conducta o hecho, según el principio *non bis in idem*. La jurisprudencia exige que exista una identidad de sujeto, hecho y fundamento para la aplicación de este principio. De este modo, en el ámbito tributario, se da preferencia a la sanción penal sobre la administrativa, por lo que si la Administración estima que la conducta puede ser constitutiva de un delito contra la Hacienda Pública, se dará traslado al Ministerio Fiscal quedando suspendido el procedimiento administrativo.

Una vez que actúa la autoridad judicial pueden darse dos supuestos: que exista condena, en cuyo caso no podrá imponerse sanción administrativa; o que no se haya apreciado la existencia de delito, en cuyo caso la Administración tributaria continuará con sus actuaciones y el procedimiento administrativo de acuerdo con los hechos que los tribunales hubiesen considerado probados pudiendo imponer la sanción correspondiente.

Diferente es el supuesto en el que la realización de varias acciones u omisiones sean constitutivas de varias infracciones, en cuyo caso se podrán imponer las sanciones derivadas de cada una de ellas. Aquí existe un concurso real de infracciones, distintas entre sí, por lo que al igual que sucede en el ámbito penal, las mismas son susceptibles de sanciones independientes.

La no concurrencia supone, así mismo, que una misma acción u omisión que deba aplicarse como criterio de graduación o calificación de una infracción no puede ser sancionada como infracción independiente.

También este principio implica la incompatibilidad de los recargos por presentación extemporánea del artículo 27 de la ley con la imposición de sanciones tributarias, ya que aquéllos excluyen a éstas.

Por último, señalar que la ley reconoce expresamente la compatibilidad entre las sanciones tributarias y el interés de demora y los recargos del periodo ejecutivo.

5.3. ELEMENTO SUBJETIVO DE LAS INFRACCIONES

La LGT define a los sujetos infractores como las personas físicas o jurídicas y las entidades del artículo 35.4 de la LGT que realicen las acciones u omisiones tipificadas como infracciones en las leyes.

La ley (art. 181) hace una enumeración no excluyente de quienes pueden tener la condición de sujetos infractores:

a) Los contribuyentes y los sustitutos de los contribuyentes.

b) Los retenedores y los obligados a practicar ingresos a cuenta.

c) Los obligados al cumplimiento de obligaciones tributarias formales.

d) La sociedad dominante en el régimen de consolidación fiscal.

e) Las entidades que estén obligadas a imputar o atribuir rentas a sus socios o miembros.

f) El representante legal de los sujetos obligados que carezcan de capacidad de obrar en el orden tributario.

g) Los obligados tributarios conforme a la normativa sobre asistencia mutua (apartado introducido por el Real Decreto Ley 20/2011, con efectos 1 de enero de 2012).

h) La entidad dominante en el régimen especial del grupo de entidades del Impuesto sobre el Valor Añadido (nuevo supuesto incluido por la Ley 11/2021, de 9 de julio)

En cuanto a los sucesores de los sujetos infractores podemos diferenciar:

• *Sucesores de personas físicas*, en caso de fallecimiento de los infractores. Las sanciones correspondientes a las personas físicas no se transmitirán a sus herederos y legatarios.

• *Sucesores de personas jurídicas* que se hayan disuelto y liquidado. Las sanciones de las sociedades disueltas se transmitirán a sus socios, partícipes o cotitulares hasta el límite del valor de la cuota de liquidación que les corresponda.

El sujeto infractor tendrá la consideración de deudor principal.

Cabe la posibilidad de que concurran varios sujetos infractores en la realización de una misma infracción tributaria, en cuyo caso todos ellos quedarán solidariamente obligados frente a la Administración para el pago de la sanción. Esto implica que si uno de los infractores no realiza el pago en plazo, la Administración, sin necesidad de iniciar un procedimiento de apremio contra aquél, podrá dirigirse directamente e indistintamente contra otro u otros infractores para hacer efectivo el cobro de la sanción.

5.4. INFRACCIONES TRIBUTARIAS

Son infracciones tributarias las acciones u omisiones dolosas o culposas con cualquier grado de negligencia que estén tipificadas y sancionadas como tales en la Ley General Tributaria o en otras leyes.

Como hemos visto, la LGT ha venido a resaltar el carácter subjetivo en la comisión de infracciones, estableciendo que las mismas deben ser realizadas de forma dolosa o culposa para que conlleven la correspondiente sanción.

De forma paralela a la clasificación del Derecho administrativo común, el ordenamiento jurídico tributario estableció, con la aprobación de la LGT, una novedosa clasificación de las infracciones en leves, graves y muy graves (artículo 183.2 LGT).

La ley establece el *principio de calificación unitaria de la infracción* por lo que cada una de las infracciones sólo podrá ser calificada como leve, grave o muy grave. Por ello, cuando en una determinada regularización se aprecie simultáneamente la concurrencia de ocultación, medios fraudulentos u otras causas determinantes la calificación de la infracción, se analizará la incidencia que cada una de estas circunstancias tiene sobre la base de la sanción a efectos de determinar la calificación de la infracción como leve, grave o muy grave. Una vez calificada, la infracción se considerará única y el porcentaje de sanción que corresponda se aplicará sobre toda la base de la sanción.

Para calificar la infracción la ley tiene en consideración estos criterios:

a) ocultación de datos a la Administración

b) utilización de medios fraudulentos

Es importante advertir que los criterios antes señalados, ocultación de datos y uso de medios fraudulentos, son imprescindibles para la **calificación** de la infracción (leve, grave o muy grave), pero **no son criterios de cuantificación o graduación** de la sanción a imponer.

La ley define el criterio de ocultación de datos entendiendo que se produce la misma cuando no se presenten declaraciones o se presenten declaraciones en las que se incluyan hechos u operaciones inexistentes o con importes falsos, o en las que se omitan total o parcialmente operaciones, ingresos, rentas, productos, bienes o cualquier otro dato que incida en la determinación de la deuda tributaria. No obstante, la ley exige un requisito añadido para que se aplique la ocultación y es que la incidencia de la deuda derivada de la ocultación en relación con la base de la sanción sea superior al 10 por ciento.

La consideración o no de la ocultación en un supuesto concreto, es trascendental a la hora de calificar las infracciones tributarias tipificadas en los artículos 191, 192 y 193 de la LGT, que, por otra parte, son las infracciones más frecuentes en el ámbito tributario local. Por su importancia y a efectos aclaratorios podemos diferenciar los siguientes supuestos:

a) Si no hay ocultación: la infracción se calificará en todo caso como leve.

b) Si hay ocultación:

- Si la base de la sanción no supera los 3.000 euros: infracción leve.

- Si la base de la sanción supera los 3.000 euros: infracción grave si no se han empleado medios fraudulentos.

- Si la base de la sanción supera los 3.000 euros: infracción muy grave si se han empleado medios fraudulentos.

Por ello es importante determinar cuándo se considera que el obligado tributario ha utilizado medios fraudulentos. La LGT contempla estos supuestos:

- Las anomalías sustanciales en la contabilidad y en los libros o registros establecidos por la normativa tributaria.

- El empleo de facturas, justificantes u otros documentos falsos o falseados, siempre que la incidencia de los documentos o soportes falsos o falseados represente un porcentaje superior al 10 por ciento de la base de la sanción.

- La utilización de personas o entidades interpuestas cuando el sujeto infractor, con la finalidad de ocultar su identidad, haya hecho figurar a nombre de un tercero, con o sin su consentimiento, la titularidad de los bienes o derechos, la obtención de las rentas o ganancias patrimoniales o la realización de las operaciones con trascendencia tributaria de las que se deriva la obligación tributaria cuyo incumplimiento constituye la infracción que se sanciona.

5.5. CLASES DE SANCIONES

Una vez calificada la infracción hay que determinar la sanción que corresponde imponer con arreglo a la ley (principio de legalidad en el ámbito sancionador).

El artículo 185 de la LGT establece las clases de sanciones tributarias distinguiendo entre *sanciones pecuniarias y sanciones no pecuniarias de carácter accesorio.*

A su vez, las *sanciones pecuniarias* podrán consistir en una multa *fija o proporcional,* en este último caso se calculará mediante la aplicación a la base de sanción un porcentaje determinado.

- *Sanciones pecuniarias de cuantía fija*: Se corresponden con infracciones que no ocasionan un perjuicio económico para la Hacienda Pública.

- *Sanciones pecuniarias de cuantía proporcional:* Son las que se imponen por la comisión de infracciones que ocasionan un perjuicio económico para la Hacienda Pública. Se calcularán aplicando un porcentaje sobre la base de la sanción.

Por su parte, las *sanciones no pecuniarias* sólo pueden imponerse cuando la infracción cometida sea calificada como grave o muy grave. Además, la ley las configura como sanciones de carácter accesorio a las sanciones pecuniarias que se hayan impuesto.

Entre ellas, destaca la pérdida de la posibilidad de obtener subvenciones o ayudas públicas o aplicar beneficios fiscales; la prohibición para contratar con la Administración; o la suspensión del ejercicio de profesiones oficiales, empleo o cargo público.

5.6. TIPOS DE INFRACCIONES TRIBUTARIAS MÁS COMUNES EN EL ÁMBITO LOCAL

A) Infracción por dejar de ingresar la deuda tributaria que debiera resultar de una autoliquidación (art. 191 LGT)

En el ámbito local, el TRLRHL ha establecido la posibilidad de que los Ayuntamientos puedan aprobar, a través de sus Ordenanzas Fiscales, el sistema de autoliquidación como régimen de gestión de ciertos tributos. Así sucede con el IAE (art. 90.4), ICIO (art. 103.4) IIVTNU (art. 110.4) y con las tasas que se especifiquen (art. 27.1).

Por tanto, esta infracción se podría dar en los tributos citados cuando el obligado tributario no presentase la autoliquidación a la que estuviese obligado o la presentada diera lugar a una falta de ingreso de una deuda tributaria.

B) Infracción por incumplir la obligación de presentar de forma completa y correcta declaraciones o documentos necesarios para practicar liquidaciones (art. 192 LGT)

Como hemos estudiado anteriormente, la gestión habitual de los tributos locales tiene como punto de partida las declaraciones de los obligados tributarios relativas a la realización del hecho imponible. Una vez realizada la declaración es la propia Administración Local la que emite las liquidaciones tributarias. Esto sucede en el IBI, IAE, IVTM, ICIO, IIVTNU y las tasas municipales.

De este modo, se hace imprescindible por parte de los Ayuntamientos comprobar que los datos declarados por el obligado tributario son correctos e investigar los no declarados para su descubrimiento y posterior regularización. Este tipo infracción resulta plenamente aplicable a estos tributos y supuestos.

C) Infracción tributaria por solicitar indebidamente devoluciones, beneficios o incentivos fiscales (art. 194)

En particular, por lo que se refiere a las Haciendas Locales, la tipificación de la conducta sancionable más frecuente sería aquella en la que el obligado tributario solicita indebidamente beneficios o incentivos fiscales "mediante la omisión de datos relevantes o la inclusión de datos falsos".

En este sentido, las distintas figuras tributarias locales suelen establecer determinados tipos de bonificaciones o beneficios fiscales para los sujetos pasivos que cumplan determinadas condiciones; así, por ejemplo, en el IBI (bonificaciones obligatorias y potestativas —arts. 73 y 74 TRLRHL—), en el IAE (bonificaciones —art. 88 TRLRHL—), en el IVTM (exenciones —art. 93 TRLRHL—), entre otras. En todos estos casos puede suceder que el obligado tributario *mediante la omisión de datos relevantes o la inclusión de datos falsos* quede exento del pago del tributo o satisfaga un importe menor por la aplicación de exenciones o bonificaciones indebidas, respectivamente.

La infracción será, en este caso, grave y se sancionará con multa pecuniaria fija de 300 euros.

D) Infracción por no presentar en plazo autoliquidaciones o declaraciones sin que se produzca perjuicio económico (art. 198)

En este supuesto la falta de presentación de la autoliquidación o declaración no debe ocasionar un perjuicio económico a la Hacienda Pública. Si se produjese perjuicio económico el tipo de infracción sería la recogida en los artículos 191 o 192 de la LGT, examinados anteriormente.

En los tributos locales puede ocurrir este supuesto, cuando no se comunican a la Administración declaraciones censales por el IAE o por el IBI que, siendo obligatorias, no suponen un perjuicio para la Hacienda local; así, por ejemplo, la omisión de una declaración de alta en el Impuesto sobre Actividades Económicas de un sujeto pasivo exento del pago del impuesto. También sucede en aquellos casos en los que terceros, que no tienen la condición de contribuyentes, no comunican a la Administración la realización del hecho imponible; por ejemplo, en el IIVTNU, la omisión de los Notarios de comunicar la relación de documentos por ellos autorizados en los que se origina el devengo del impuesto (artículo 110.7 TRLHL) o la falta de presentación de la declaración a la que están obligados los donantes y adquirentes de fincas por mandato del art. 110.6 LRHL.

La infracción, en todos los casos será leve. Su cuantía dependerá del tipo de autoliquidación o declaración omitida.

E) Infracción tributaria por resistencia, obstrucción, excusa o negativa a las actuaciones de la Administración tributaria (artículo 203 LGT)

Se entiende que se produce esta circunstancia cuando el sujeto infractor realiza actuaciones dirigidas a dilatar, entorpecer o impedir las actuaciones de la Administración tributaria.

Por ejemplo, no facilitar el examen de documentos, libros, registros, ficheros; negar la entrada en fincas o locales de negocio; las coacciones a los funcionarios, entre otras.

La infracción será *grave*.

Es importante destacar que *esta infracción es independiente* de las que se puedan imponer al obligado tributario por el incumplimiento de otras obligaciones tributarias.

F) Infracción en supuestos de conflicto en la aplicación de la norma tributaria. (artículo 206 bis LGT)

Por último, señalar que la reforma realizada por la Ley 34/2015 de la LGT introdujo (artículo 206 bis), un nuevo tipo de infracción tributaria estableciendo, por primera vez, la posibilidad de sancionar el conflicto en aplicación de la norma cuando se acredite la existencia de igualdad sustancial entre el caso objeto de regularización y aquel o aquellos otros supuestos en los que se hubiera establecido criterio administrativo y éste hubiese sido hecho público para general conocimiento antes del inicio del plazo para la presentación de la correspondiente declaración o autoliquidación.

En el ámbito local, de los distintos supuestos regulados en este artículo podrían resultar de interés por su aplicación práctica los siguientes:

a) La falta de ingreso dentro del plazo establecido en la normativa de cada tributo de la totalidad o parte de la deuda tributaria.

b) La obtención indebida de una devolución derivada de la normativa de cada tributo.

c) La solicitud indebida de una devolución, beneficio o incentivo fiscal.

En estos casos, el legislador ha invertido la carga de la prueba estableciendo que no podrá aplicarse las causas de exoneración de responsabilidad del art. 179 LGT (diligencia debida en el cumplimiento de las obligaciones tributarias, interpretación razonable de la norma) salvo prueba en contrario, lo cual tiene sentido ya que, en general, se trata de supuestos de simulación o de actos y negocios realizados de forma artificiosa para evitar el tributo u obtener un beneficio fiscal o una devolución tributaria.

5.7. CUANTIFICACIÓN DE LAS SANCIONES

Una vez calificada la infracción hay que determinar el importe que resulta procedente imponer al sujeto infractor.

La ley distingue los siguientes criterios de graduación de las sanciones:

- Comisión repetida de infracciones tributarias.
- Perjuicio económico para la Hacienda Pública.
- Incumplimiento sustancial de la obligación de facturación o documentación.
- Acuerdo o conformidad del interesado.

Los criterios de graduación son aplicables simultáneamente.

Existen dos posibles reducciones en las sanciones pecuniarias:

1. Reducción por prestar la conformidad con la propuesta de regularización tributaria.

   1.1. En los procedimientos de inspección:

   a) actas con acuerdo: 65 %

   La nueva modificación operada en el artículo 188 de la LGT por la Ley 11/2021, de 9 de julio, de medidas de prevención y lucha contra el fraude fiscal, ha venido a incrementar la reducción de las sanciones en caso de las actas con acuerdo que han pasado de una reducción del 50 por ciento al 65 por ciento actual, con lo cual el legislador ha querido potenciar la firma de estas actas evitando a la Administración una mayor litigiosidad en sus regularizaciones tributarias.

   b) actas de conformidad: 30 %

   c) cuando se firme un acta de disconformidad y posteriormente se manifieste la conformidad antes de dictarse la liquidación: 30 %.

   1.2. En los procedimientos de gestión tributaria: de verificación de datos o de comprobación limitada. En este caso existe una presunción de conformidad del interesado. La reducción es del 30 %.

2. Reducción por no recurrir ni la liquidación ni la sanción y realizar el ingreso total de la misma en el plazo de periodo voluntario de pago o, en su caso, en los plazos fijados en el acuerdo de aplazamiento o fraccionamiento. La reducción será de un 40 por ciento adicional, aunque no será aplicable a las sanciones que procedan en los supuestos de actas con acuerdo.

Esta reducción se ha visto incrementada tras la aprobación de la Ley 11/2021, de 9 de julio, ya que anteriormente la reducción era tan solo de un 25 por ciento.

5.8. EXTINCIÓN DE LA RESPONSABILIDAD DERIVADA DE LAS SANCIONES TRIBUTARIAS

La LGT establece en su artículo 190 las formas de extinción de las sanciones tributarias:

- Por el pago o cumplimiento.
- Por prescripción del derecho para exigir su pago.
- Por compensación.
- Por condonación.
- Por el fallecimiento de todos los obligados a satisfacerlas.

5.9. PROCEDIMIENTO SANCIONADOR

El ejercicio de la potestad sancionadora se configura de forma separada de la potestad tributaria, salvo contadas excepciones.

El procedimiento que regula su ejercicio se contiene, fundamentalmente, en los artículos 207 a 212 de la LGT y artículos 20 y siguientes del RD 2063/2004; normativa específica que se aplicarán preferentemente. Con carácter supletorio, regirán las normas que regulan el procedimiento sancionador administrativo.

Como regla general, el procedimiento para la imposición de sanciones tributarias se tramitará de forma separada a los de aplicación de los tributos (artículo 208). La Ley 58/2003 viene a confirmar el principio general de separación de procedimientos reconocido anteriormente por la Ley 1/1998 como un derecho o garantía de los contribuyentes y que supuso un importante avance en la seguridad jurídica de los administrados.

Las fases del procedimiento son: iniciación, instrucción y terminación.

A) Iniciación (art. 209 LGT)

- De oficio, mediante notificación del acuerdo del órgano competente.

- Plazo: seis meses desde que se hubiera notificado la liquidación o resolución de los procedimientos iniciados por declaración, verificación de datos, comprobación o inspección. Se trata de un plazo de caducidad, transcurrido el cual ya no podrá iniciarse el procedimiento sancionador.

Este plazo se ha visto modificado por la Ley 11/2021, de 9 de julio, de medidas de prevención y lucha contra el fraude fiscal, ampliándose a seis meses, ya que el anterior tan solo era tres meses. Se pretende evitar la caducidad de los procedimientos sancionadores dando un mayor margen de actuación a la Administración.

B) Instrucción (art. 210 LGT)

En el procedimiento sancionador se ha instaurado el principio de separación de funciones entre el órgano que instruye el procedimiento y el competente para imponer sanciones.

Como regla general, la instrucción se llevará a cabo por los órganos que hayan actuado con carácter previo en el procedimiento de aplicación de los tributos.

No obstante, el Reglamento ha venido a habilitar a las normas propias de cada Administración para que determinen la asignación de competencias en materia sancionadora: "Salvo que una disposición establezca expresamente otra cosa, la atribución de competencias en el procedimiento sancionador será la misma que la del procedimiento de aplicación de los tributos del que derive" (art. 20 RD 2063/2004).

De este modo, las Administraciones locales a través de su instrumento normativo, las Ordenanzas, podrán establecer el órgano competente para instruir el procedimiento sancionador, que en todo caso deberá ser diferente al órgano encargado de su resolución.

En esta fase, tanto el órgano instructor como el interesado pueden incorporar documentos, datos y cualquier elemento de *prueba* al procedimiento. Todos ellos, junto con las alegaciones que hubiese presentado el interesado, serán tenidos en cuenta para dictar la propuesta de resolución.

Se reconoce la posibilidad de adoptar *medidas cautelares* en garantía del procedimiento.

Una vez que el órgano instructor concluya sus actuaciones formulará *propuesta de resolución motivada* que tendrá el siguiente contenido:

a) Hechos y calificación jurídica de los mismos.

b) Tipo de infracción derivada de los hechos, o su inexistencia.

c) Sanción propuesta, especificando los criterios de graduación aplicables.

Notificada la propuesta de resolución, el interesado dispone de un plazo de quince días para formular alegaciones y presentar, en su caso, documentos que considere oportunos.

Tramitación abreviada.

La tramitación abreviada del procedimiento sancionador resulta procedente solo en aquellos casos en los que, en el momento de iniciarse el expediente electrónico se encontrasen en poder del órgano competente todos los elementos que permitan formular la propuesta de imposición de sanción. De este modo, la propuesta se incorporará conjuntamente con el acuerdo de inicio, concediendo al interesado el trámite de quince días de alegaciones.

Si bien se ha cuestionado la posible falta de garantías del procedimiento abreviado para los obligados tributarios, el Tribunal Supremo en STS 3103/2020, de 1 de octubre de 2020 señala, en relación con el artículo 210.5 de la LG, lo siguiente: "en primer lugar, respeta perfectamente el derecho a ser informado de la acusación, de manera, si cabe, más rigurosa, al exigir que en el acuerdo de iniciación del procedimiento sancionador abreviado se incorpore una (mera) propuesta de sanción. En segundo lugar, observa igualmente el derecho de defensa al otorgar al interesado un plazo de 15 días para que alegue cuanto considere conveniente y presente los documentos, justificantes y pruebas que estime oportunos. Y, en tercer lugar, dicho precepto no establece la imposición directa de la sanción sin haber procedido antes a aprobar la liquidación, sino únicamente la instrucción de un procedimiento punitivo, que puede acabar o no con una sanción".

Tramitación conjunta.

Como hemos visto anteriormente, la LGT establece como regla general del procedimiento sancionador su tramitación separada de los procedimientos de aplicación de los tributos de los que derivan (gestión, inspección). No obstante, hay dos excepciones a este principio general: las actas con acuerdo y la renuncia del interesado a la tramitación separada del procedimiento.

1. Actas con acuerdo

Las actas con acuerdo son aquellas que se formalizan en los supuestos tasados por la ley (artículo 155 LGT) dentro de los procedimientos de inspección tributaria y suponen una terminación convencional por acuerdo del actuario y el obligado tributario.

Lo más relevante, por lo que aquí respecta, es que en el cuerpo del acta se debe incluir no sólo la propuesta de regularización fiscal sino también la sanción que se propone.

2. Renuncia del interesado a la tramitación conjunta

La ley ha configurado como un derecho renunciable por parte del interesado la tramitación separada del procedimiento sancionador. Lo que se pretende por el legislador es dar la opción al contribuyente de simplificar ambos procedimientos en uno sólo para que simultáneamente se tramiten los plazos de ingreso y de recurso tanto de la liquidación como de la sanción, ya que se prevé su notificación conjunta.

La renuncia a la tramitación separada deberá ser manifestada por el interesado y por escrito dentro de los plazos señalados en el artículo 26.1 del RD 2063/2004: en los primeros dos meses si nos encontramos en un procedimiento de gestión y de seis meses si se trata de un procedimiento inspector, salvo que las propuestas de regularización se realicen antes de esos plazos en cuyo caso la renuncia deberá ser realizada en el trámite de alegaciones o audiencia, respectivamente. En todo caso, aunque la tramitación se realice de forma conjunta, cada procedimiento deberá concluir con un acto resolutorio distinto.

C) Terminación (art. 211 LGT)

El procedimiento sancionador puede finalizar:

• Por resolución

En ella se determinarán de forma motivada, los hechos, la valoración de la prueba, la infracción cometida, la persona o entidad infractora y la cuantificación de la sanción, especificando los criterios de graduación y las reducciones que sean procedentes.

El artículo 24.3 del Reglamento amplía el contenido mínimo que deben tener las resoluciones [23].

En los supuestos previstos en el artículo 24.2 de Reglamento [24], el órgano competente para imponer la sanción podrá rectificar la propuesta de resolución, en cuyo caso se concederá al interesado un nuevo trámite de alegaciones por plazo de diez días.

Por lo que se refiere al *órgano competente para resolver*, en el ámbito de la Administración Local podemos diferenciar, en primer lugar, en los municipios de régimen común la competencia será del Alcalde-Presidente de la Corporación o Concejal en quien hubiese delegado; en segundo lugar, en los municipios de gran población a los que les resulte aplicable el Título X de la LBRL, será la Junta de Gobierno Local la competente para la imposición de sanciones (art. 127.1) sin perjuicio de su posible delegación. No obstante, si el Pleno de los municipios de gran población hubiera creado el Órgano de Gestión Tributaria a que se refiere el art. 135 de la LBRL, éste sería el competente para la tramitación y resolución de los procedimientos sancionadores, en base al art. 135.2.c) LBRL.

- Por caducidad

El plazo máximo de resolución del procedimiento será de seis meses. Una vez transcurrido este plazo se entenderá finalizado por caducidad y no se podrá volver a iniciar un nuevo procedimiento.

D) Recursos contra sanciones

Del régimen jurídico de recursos regulado en la LGT podemos extraer las siguientes peculiaridades:

El acto de resolución del procedimiento sancionador puede ser objeto de recurso o reclamación independiente (artículo 212 LGT).

---

[23] Artículo 24.3 RD 2063/2004. "En la notificación de las resoluciones se hará constar: a) Los medios de impugnación que pueden ser ejercitados, plazos y órganos ante los que habrán de ser interpuestos. b) El lugar, plazo y forma en que debe ser satisfecho el importe de la sanción impuesta. c) Las circunstancias cuya concurrencia determinará la exigencia del importe de las reducciones practicadas en las sanciones. d) La no exigencia de intereses de demora en los casos de suspensión de la ejecución de sanciones por la interposición en tiempo y forma de un recurso o reclamación administrativa contra ellas. e) Cuando la resolución fuese susceptible de impugnación en vía contencioso-administrativa, se informará de que, en caso de solicitarse la suspensión, ésta se mantendrá hasta que el órgano judicial se pronuncie sobre la solicitud, siempre que el interesado cumpla los requisitos del artículo 29.2 de este reglamento".

[24] Artículo 24.2 RD 2063/2004: "a) Cuando se consideren sancionables conductas que en el procedimiento sancionador se hubiesen considerado como no sancionables. b) Cuando se modifique la tipificación de la conducta sancionable. c) Cuando se cambie la calificación de una infracción de leve a grave o muy grave, o de grave a muy grave".

Si el contribuyente impugna la sanción y la deuda tributaria, se acumularán ambos recursos o reclamaciones, siendo competente para resolver el que conozca la impugnación contra la deuda.

Las actas con acuerdo no se podrán recurrir en vía administrativa, siendo impugnables únicamente ante la jurisdicción contencioso-administrativa.

Se podrá recurrir la sanción sin perder la reducción por conformidad del 40 por ciento (art. 188.1 LGT) si no se impugna la regularización.

La interposición del recurso produce los siguientes efectos: la suspensión automática de las sanciones en periodo voluntario, sin necesidad de aportar garantías; y la inexigibilidad de intereses de demora en vía administrativa.

A diferencia de la sanción, la interposición del recurso no suspenderá de forma automática la deuda tributaria de la que derive la sanción.

E) Conclusiones

Una vez analizado el régimen sancionador tributario podemos concluir como notas características del mismo, en primer lugar la diferenciación fundamental entre la potestad sancionadora y la potestad tributaria, que se regulan de forma autónoma y separada; en segundo lugar la aplicación de los principios generales consagrados en la Constitución (arts. 24 y 25) y en las normas de Derecho administrativo, entre los que destacan los principios de legalidad, tipicidad, presunción de inocencia, proporcionalidad e irretroactividad de las disposiciones sancionadoras no favorables; en tercer lugar, la clasificación tripartita de las infracciones en leves, graves y muy graves, en consonancia con el tipo de infracciones reguladas en el Derecho Administrativo (actualmente contenida en la Ley 40/2015, de 1 de octubre, de Régimen Jurídico del Sector Público); y por último la especial relevancia otorgada al aspecto subjetivo de las infracciones, concretado en los principios de responsabilidad y de no concurrencia, incrementando la seguridad jurídica del administrado con una reducción del nivel de discrecionalidad administrativa en materia sancionadora.

6. BIBLIOGRAFÍA

Aragonés Beltrán, E. "El procedimiento tributario local", en *Nuevo régimen jurídico de los procedimientos tributarios*, Consejo General del Poder Judicial, Madrid, 2005.

Cayón Galiardo, A. "La gestión tributaria en las Haciendas Locales", en *Tributos locales y autonómicos*, Aranzadi, Pamplona, 2006.

Delgado García, A. M. "Gestión e inspección tributaria local", en *Derecho Tributario Local*, Atelier, Barcelona, 2009.

Mancho Rojo, R. *El régimen sancionador tributario y su aplicación a las haciendas locales*, Fundación Asesores Locales, Madrid, 2005.

Mestre García, E. *La Ley General Tributaria y su aplicación a las haciendas locales*, 2ª edición, Fundación Asesores Locales, Madrid, 2004.

Oliver Cuello, R. "Sanciones tributarias en el ámbito local", en *Derecho Tributario Local*, Atelier, Barcelona, 2009.

Rubio Castillo, C. J. "Recaudación tributaria local", en *Derecho Tributario Local*, Atelier, Barcelona, 2009.

CENDOJ. Centro de documentación judicial del Consejo General del Poder Judicial.

Capítulo XII
LA REVISIÓN EN VÍA ADMINISTRATIVA DE LOS ACTOS TRIBUTARIOS EN EL ÁMBITO LOCAL

EDUARDO COSTA CASTELLÁ
Funcionario de carrera de la Administración Local
Letrado Mayor del Excmo. Ayuntamiento de Gandía

SUMARIO: 1. PROCEDIMIENTOS ESPECIALES DE REVISIÓN DE LOS ACTOS DE GESTIÓN TRIBUTARIA Y RESTANTES INGRESOS DE DERECHO PÚBLICO DE LAS HACIENDAS LOCALES. 1.1. Introducción. 1.2. "Normas comunes" a los procedimientos especiales de revisión. 2. LA REVISIÓN DE LOS ACTOS VICIADOS DE NULIDAD DE PLENO DERECHO. 2.1. Objeto. 2.2. Motivos. 2.3. Procedimiento. 2.4. Resolución. 3. DECLARACIÓN DE LESIVIDAD. 3.1. Objeto y naturaleza. 3.2. Procedimiento. 3.3. Resolución. 4. REVOCACIÓN DE LOS ACTOS TRIBUTARIOS. 4.1. Objeto y naturaleza. 4.2. Motivos de revocación y límites. 4.3. Procedimiento. 4.4. Resolución. 5. RECTIFICACIÓN DE ERRORES. 5.1. Objeto y naturaleza. 5.2. Procedimiento. 5.3. Resolución. 6. LA DEVOLUCIÓN DE INGRESOS INDEBIDOS. REMISIÓN. 7. EL SISTEMA DE IMPUGNACIÓN DE ACTOS EN MATERIA TRIBUTARIA DE LAS ENTIDADES LOCALES. 7.1. Su reciente evolución legislativa. 7.2. Pervivencia de la vía económico-administrativa frente a los actos gestión catastral (IBI) y gestión censal (IAE). 7.3. La nueva vía económico-administrativa. 7.4. Los regímenes especiales de impugnación en vía administrativa. Remisión. 8. LA IMPUGNACIÓN EN EL RÉGIMEN ORGANIZATORIO COMÚN: EL RECURSO DE REPOSICIÓN. 8.1. Objeto. 8.2. Plazo de interposición y motivos impugnatorios. 8.3. Legitimación. El escrito de interposición. 8.4. Suspensión del acto impugnado. Tramitación del recurso. 8.5. La resolución del recurso y sus medios de impugnación. 9. LA RECLAMACIÓN ECONÓMICO-ADMINISTRATIVA EN EL ÁMBITO MUNICIPAL. 9.1. Introducción. 9.2. Actos susceptibles de reclamación económico-administrativa. 9.3. El Órgano competente para la resolución de las reclamaciones económico-administrativas. Composición y funcionamiento. 9.4. Procedimientos y motivos de impugnación. 9.5. El Procedimiento ordinario. 9.5.1. *Iniciación.* 9.5.2. *Suspensión del acto impugnado.* 9.5.3. *Tramitación.* 9.5.4. *Terminación.* 9.6. El procedimiento abreviado. 9.7. La Resolución. 9.8. Recursos no jurisdiccionales. 9.8.1. *Improcedencia de los recursos de Alzada.* 9.8.2. *Recurso de anulación.* 9.8.3. *Recurso extraordinario de revisión.* 10. BIBLIOGRAFÍA.

1. PROCEDIMIENTOS ESPECIALES DE REVISIÓN DE LOS ACTOS DE GESTIÓN TRIBUTARIA Y RESTANTES INGRESOS DE DERECHO PÚBLICO DE LAS HACIENDAS LOCALES

1.1. INTRODUCCIÓN

En el ámbito tributario local, se sigue la tradición de nuestro vigente Derecho Tributario, de la necesidad de agotar la vía administrativa previa para poder acudir a los órganos judiciales, conforme con la doctrina del TC, esta exigencia de una vía administrativa previa al contencioso no es un imperativo constitucional, pero tampoco está prohibida, siendo una opción del legislador su mantenimiento o su supresión (STC 275/2005, de 7 de noviembre).

A esta cuestión se dedica el extenso artículo 14 del Real Decreto Legislativo 2/2004, de 5 de marzo, por el que se aprueba el texto refundido de la Ley Reguladora de las Haciendas Locales (en adelante TRLRHL), que en su apartado primero, letra a), refiere los procedimientos especiales de revisión de los actos dictados "en materia de gestión tributaria" (y a los actos de gestión de los restantes ingresos de derecho público en último párrafo del mismo precepto), limitándose a disponer que habrá que estar a lo dispuesto en el artículo 110 de la Ley 7/1985 de 2 de abril (en adelante LRBRL), norma que se limita a establecer el órgano —Pleno de la Entidad local— competente para la declaración de nulidad de pleno derecho y revisión de los actos dictados en vía de gestión tributaria "en los casos y de acuerdo con el procedimiento establecido en los artículos 153 y 154" (de la LGT/63), hoy artículos 216 y siguientes de la Ley General Tributaria de 17 de diciembre de 2003.

Por su parte, en la letra b) del mismo art. 14.1, se dice que "en el ámbito de los tributos locales" la devolución de ingresos indebidos y la rectificación de errores materiales se ajustará a lo dispuesto en los artículos 32 y 220 de la Ley 58/2003, de 17 de diciembre, General Tributaria (en adelante LGT); el primero de esos artículos impone el deber de la Administración de devolver los ingresos indebidos con sus consecuencias y el segundo regula la rectificación de errores. Llama la atención que no remita también al artículo 221 de la misma LGT sobre cuyo contenido ilustra su título: "procedimiento para la devolución de ingresos indebidos", dando a entender que tanto la rectificación de errores materiales como la devolución de ingresos indebidos no son propiamente procedimientos especiales de revisión.

El número dos del artículo 14 TRLRHL incorpora una regulación bastante pormenorizada del recurso de reposición *contra actos de aplicación y efectividad de los tributos y restantes ingresos de derecho público*, régimen específico en materia de hacienda local, frente al recurso potestativo de reposición contemplado en el artículo 52 LRBRL y regulado en la normativa de procedimiento administrativo común, artículos 123 y 124 (así como los arts.112 a 120 de la Ley 39/2015, de 1 de octubre, del Procedimiento

Administrativo Común de las Administraciones Públicas — en adelante LPAC—). La razón descansa en el hecho que en los municipios de régimen común, la resolución del recurso de reposición es el acto que agota la vía administrativa, a diferencia de los municipios de gran población[1].

La anterior normativa se completa con lo dispuesto en la LRBRL, en redacción dada por la Ley de Medidas de Modernización del Gobierno Local, de 16 de diciembre de 2003 que, para los municipios sujetos al régimen organizativo especial denominado "de gran población", nuevo Título X (arts. 121 a 138) supone:

a) Posibilidad a nivel orgánico de crear el Órgano de Gestión Tributaria al que se atribuye, nada menos que "la gestión, liquidación, inspección, recaudación y revisión de los actos tributarios municipales", y

b) Un específico régimen impugnatorio con la introducción de la reclamación económico-administrativa.

En definitiva, la remisión a la LGT comporta estar a lo en ella dispuesto en cuanto a los medios de revisión en vía administrativa de la actividad de gestión tributaria y restantes ingresos de derecho público de los entes locales: a) procedimientos especiales de revisión; b) recurso de reposición y c) reclamaciones económico-administrativas.

Además de los dos medios de impugnación indicados (recurso de reposición y reclamación económico-administrativa), los procedimientos especiales de revisión constituyen medios que habilita la Ley a fin de que la Administración pueda volver sobre sus propios actos, como excepción al principio general de irrevocabilidad de los actos administrativos que no sean de gravamen o desfavorables, y que la LGT concreta en los siguientes:

a. Revisión de actos nulos de pleno derecho (art. 217 LGT, 2 a 6 RGRV).

b. Declaración de lesividad (art. 218 LGT, 7 a 9 RGRV).

c. Revocación (art. 219 LGT y 10 a 12 RGRV).

d. Rectificación de errores (art. 220 LGT y 13 RGRV).

e. Devolución de ingresos indebidos (art. 32 y 221 LGT, 14 a 20 RGRV).

De tal regulación es del caso adelantar las siguientes notas:

– La revisión de oficio y el recurso de lesividad se caracterizan por la legitimación para activarlos, cuya iniciación tan sólo puede decidirla *motu proprio* la Administración (arts. 218 y 219 LGT). La revocación, rectificación de errores y devolu-

---

[1] STSJ Madrid, Sala de lo Contencioso-administrativo, Sección 2ª, Sentencia 557/2014 de 11 jun. 2014, rec. 999/2013, Ponente: De la Cruz Mera, Fátima Blanca, que se remite a la STS de 26 de marzo de 2004, dictada en recurso de casación para la unificación de doctrina, rec. 10.045/1998.

ción de ingresos indebidos, la legitimación es compartida por la Administración y por los interesados.

– Existen diferencias apreciables, entre la regulación de la LGT y la que resulta de la LPAC, tanto en la nulidad de pleno derecho como en la declaración de lesividad.

– Desaparecida la revisión de oficio por anulabilidad, la Administración habrá de declarar lesivos e impugnar ante la jurisdicción contencioso-administrativa todos los actos supuestamente contrarios al ordenamiento jurídico si hubieren sido favorables a los interesados.

– La regulación relativa a la revocación de los actos, es mucho más completa en el artículo 219 LGT que no en las escuetas previsiones de la LPAC, artículos 109.1 y 110.

– Lo dispuesto sobre la rectificación de errores en el art. 220 de la LGT (con su desarrollo en el art. 13 del Reglamento General de Revisión de 13 de mayo de 2005) es igualmente más detallada que en la regulación común (art. 109.2 LPAC).

– La devolución de ingresos indebidos se mantiene regulada en la LGT y en su desarrollo reglamentario como un procedimiento especial de revisión sin que, en rigor, tenga esa naturaleza.

1.2. "NORMAS COMUNES" A LOS PROCEDIMIENTOS ESPECIALES DE REVISIÓN

Se contienen en el Título V de la LGT, dedicado a la revisión en vía administrativa, que abre con un Capítulo dedicado a las "Normas comunes", de entre las que merecen destacarse:

– No serán revisables los actos de cualquier tipo (resoluciones en aplicación de los tributos o sancionadoras, así como las resoluciones de las reclamaciones económico-administrativas) cuando hubieren sido confirmados por resolución judicial firme (art. 218 LGT).

– Prescripciones relativas a la capacidad y representación, prueba, notificaciones y plazos de resolución (art. 214 LGT), así como de la motivación de las resoluciones (art. 215 LGT).

La obligación de motivar los actos administrativos —aunque ciertamente no de todos— constituye una exigencia nada nueva en nuestro ordenamiento jurídico[2]. Con ca-

---

2 Bástenos remitirnos a nuestro trabajo, en la obra *Impugnación y revisión de la actividad de los entes locales, op. cit.*, pp. 726 y ss.

rácter general sobre tal deber y modo de cumplimiento, el art. 35 de la Ley 39/2015, de 1 de octubre, del Procedimiento Administrativo Común de las Administraciones Públicas, (en adelante LPAC), así como en el artículo 88.6 de la misma (motivación *in aliunde*)[3]. La esencia del instituto, radica en que los interesados conozcan las razones de la Administración, la *ratio decidendi* de la decisión administrativa, principalmente al objeto de poder recurrirlos, en su caso, y facilitar el control jurisdiccional de la actuación impugnada.

El artículo 215.1 LGT impone a los procedimientos especiales de revisión, recursos y reclamaciones la obligación de motivarlos, con sucinta referencia a hechos y fundamentos de derecho; previsión que se reitera en los artículos 225.2 LGT, en relación con el recurso de reposición y en el 239.2 LGT, por lo que hace a las resoluciones que dicten los Órganos Económico-Administrativos.

Junto a este deber de motivación de las resoluciones que ponen fin a los procedimientos de revisión, el apartado 2 del Art. 215 LGT, exige motivación en otra serie de actos y trámites.

No podemos soslayar, que a tenor de lo dispuesto en la D.A. Primera.2 de la LPAC, estos procedimientos de revisión en materia tributaria, se rigen por su normativa específica y supletoriamente por LPAC.

2. LA REVISIÓN DE LOS ACTOS VICIADOS DE NULIDAD DE PLENO DERECHO

2.1. OBJETO

El art. 217 LGT lo circunscribe a los "*actos dictados en materia tributaria, así como a las resoluciones de los órganos económico-administrativos que hayan puesto fin a la vía administrativa o que no hayan sido recurridos en plazo*".

Nada dispone en relación a la revisión de oficio de las disposiciones administrativas de carácter general (Ordenanzas fiscales, en la esfera local), resultando de aplicación al ámbito tributario lo dispuesto en el artículo 106.2 de la LPAC, tal y como lo ha declarado la jurisprudencia[4].

---

3   Recuerda la jurisprudencia que en los procedimientos de gran extensión que precisan de varios informes de los servicios técnicos, existe una motivación implícita por referencia a estos informes (STS 15/04/2008, Sección Cuarta, recurso de casación 2176/2006), afirmando la STS de 18/07/2008, que en los actos de trámite el requisito de la motivación debe ser objeto de flexibilización, dado que lo que se persigue es el acopio de material de instrucción.

4   Así lo entendió la STS de 14/01/1999 (RJ 1999, 1193) y a igual conclusión llegó la STS de 28/11/2001 (RJ 2002, 2730), si bien para negar la legitimación de los particulares para instar la revisión respecto de las disposiciones generales.

Cuestión nada pacífica es la de si tan sólo procede frente a "actos favorables" o si permite revisar los actos de gravamen o desfavorables; nótese que ni el artículo 106 LPAC ni el 217 de la LGT son explícitos al respecto. SANTAMARÍA PASTOR[5], sostiene que el procedimiento de revisión sólo es utilizable cuando el acto administrativo tiene un contenido favorable para su destinatario, porque, aunque el artículo 106.1 LPAC no mencione tal requisito, se deduce *a contrario sensu* de lo establecido en el artículo 109.1, al permitir la revocación de los actos de gravamen o desfavorables.

2.2. MOTIVOS

Se concretan taxativamente en el art. 217 LGT[6], que reproduce los del art. 47.1 de la LPAC, señalando los siguientes supuestos: a) —que lesionen derechos y garantía susceptibles de amparo constitucional—, c) —que tengan un contenido imposible— f) —los actos expresos o presuntos contrarios al ordenamiento jurídico por los que se adquieran facultades o derechos cuando carezcan de los requisitos esenciales para su adquisición— y g) —cualquier otro que se establezca expresamente en una disposición de rango legal—.

Sin ánimo de exhaustividad simplemente anotar:

a) La lesión de los derechos y libertades susceptibles de amparo constitucional [concuerda con el art. 47.1 LPAC]. La vulneración de un derecho fundamental por un acuerdo o acto administrativo es determinante del máximo grado de ineficacia, esto es, de la nulidad de pleno derecho, con las consecuencias que le son inherentes[7].

---

5   J. A. Santamaría Pastor. *Principios de Derecho Administrativo General*, Tomo II, 2º edición, Iustel, Madrid, 2009, p. 610.

6   En orden a los motivos que posibilitan este procedimiento nos remitimos a la doctrina contenida en las Sentencias de la Audiencia Nacional, Sala de lo Contencioso-administrativo, Sección 7ª, Sentencia de 26/01/2015, Rec. 582/2010; 26/01/2015, Rec. 69/2014; 19/01/2015, Rec. 82/2014; 19/01/2015, Rec. 84/2014; y TTSSJJ de la Región de Murcia, Sentencia 7/2015, de 19/01/2015, Rec. 340/2011; y Castilla y León (Valladolid), Sentencia 54/2015, de 12/01/2015, Rec. 1933/2011.

7   Repárese en que los artículos de la Constitución que sustentan o fijan nuestro sistema tributario, incluido el artículo 31, quedan fuera de la protección propia de los derechos y libertades recogidos en los artículos 14 a 29 (más el 30). Resulta especialmente significativa a este tenor la STS Sentencia nº 628/2019 de 14/05/2019, Rec. 3457/2017 La circunstancia sobrevenida (derivada de un nuevo marco legal y de la reciente jurisprudencia), no determina que las liquidaciones firmes de IBI giradas con anterioridad incurran en los supuestos de nulidad de pleno derecho previstos en el art. 217.1 a) y e) LGT, pues aquellos actos tributarios -al atenerse a la valoración catastral vigente- no han lesionado derechos fundamentales susceptibles de amparo constitucional, ni han prescindido total y absolutamente del procedimiento legalmente previsto. En el caso, no concurren los motivos de nulidad radical alegados por el contribuyente, en los que sustentaba la pretensión ejercitada, por lo que no es posible anular las liquidaciones firmes giradas a dicho interesado y ordenar la devolución de

b) Que haya sido dictado por órgano manifiestamente incompetente por razón de la materia o del territorio [concuerda con el art. 47.1.b LPAC]. La incompetencia debe ser manifiesta, por razón de la materia o del territorio, pues la jerárquica, es susceptible de convalidación. La incompetencia, pese a su importancia, no determina por sí misma la nulidad del acto administrativo, debe tratarse de la incompetencia manifiesta, ostensible, evidente, que no requiere interpretación jurídica alguna[8].

c) Que tengan un contenido imposible [reproduce el motivo del art. 47.1.c LPAC]. La imposibilidad puede ser física o legal, habiéndose equiparado en algunos casos a la indeterminación, ambigüedad o ininteligibilidad del contenido del acto. Debe tratarse además de una imposibilidad material, originaria, por cuanto que, si se trata de una imposibilidad sobrevenida por pérdida de la cosa o porque la prestación se ha hecho legal o físicamente imposible, no estaríamos ante un supuesto de invalidez, sino de extinción de la obligación.

d) Que sean constitutivos de infracción penal —no sólo delito, — o se dicten como consecuencia de ésta [reproduce el primer inciso del art. 47.1.e LPAC]. La percepción del motivo exige una previa resolución judicial del orden penal, o en su caso, que se resuelva la cuestión prejudicial que se suscite. La STS de 15 de abril de 2004[9] se enfrenta con el acto administrativo que, si bien no es constitutivo de delito, tiene como causa directa un hecho delictivo.

En los supuestos de prescripción de la acción penal se suscita la cuestión de la imprescriptibilidad de que la acción de nulidad. Entendemos que, si el delito ha prescrito, en rigor no puede haber formalmente "infracción penal" y, por consiguiente, no será posible la declaración de nulidad por esta causa.

e) Que se hayan dictado prescindiendo total y absolutamente del procedimiento legalmente establecido para ello o de las normas que contienen las reglas esenciales para la formación de la voluntad de los órganos colegiados[10] [concuerda en

---

ingresos indebidos. [SSTS nº 196/2019, 19/02/2019 (rec nº 128/2016), 276/2019, de 04/03(2019 (rec nº 11/2017) y 443/2019, de 2 de 04(2019 (rec nº 2154/2017)].

[8] Sentencia de la Audiencia Nacional, 14/01/2000 (JT 2000, 200755), así como la STSJ de Andalucía (Sala de Málaga) de 31/01/2000; Comunidad Valenciana de 23/12/2002 (JUR 2003, 74958); Madrid de 04/03/2004 (JT 2004, 894). Por su parte, la STS de 21/06/2004 (RJ 2004, 7272) entiende que no hay transferencia del grado de invalidez de la disposición general a los actos singulares de aplicación, los actos de liquidación dictados al amparo de una disposición general nula de pleno derecho, solo inciden en nulidad absoluta o radical si en ellos concurren las circunstancias previstas en el art. 153 de la LGT (hoy 217).

[9] RJ 2004, 2631.

[10] El defecto de procedimiento, para tener trascendencia invalidante, ha de producir indefensión material, de ello se ocupa la STS, Sección 5ª, de 07/11/2008, Rec. 7738/2004.

el art. 47.1.e) LPAC]. Su aplicación exige que se haya prescindido total y absolutamente del procedimiento establecido, como literalmente expresa la norma. La omisión ha de ser clara, manifiesta y ostensible. Por lo que hace a las normas esenciales para la formación de la voluntad de los órganos colegiados, estas se han concretado en las reglas relativas a la convocatoria, constitución, adopción de acuerdos y acta de las sesiones[11].

La falta de motivación es causa de anulabilidad y no de nulidad[12].

f) Los actos expresos presuntos contrarios al ordenamiento jurídico, por los que se adquieren facultades o derechos cuando se carezca de los requisitos esenciales para su adquisición. La previsión del artículo 217.1.f) LGT coincide con la del artículo 47.1.f) LPAC. Ha de tratarse de un acto atributivo de derechos, contrario al Ordenamiento Jurídico y, además, adolecer de los requisitos esenciales para la adquisición del derecho, esto es, los "presupuestos inherentes a la estructura definitoria del acto". Para que opere la causa de nulidad, se exige que se trate de un acto favorable, declarativo de derechos para el interesado si bien careciendo de los requisitos esenciales para la adquisición del derecho de que se trate, no de cualquier infracción o contrariedad del Ordenamiento Jurídico.

g) Cualquier otro que se establezca expresamente en una disposición de rango legal[13]. Son aquí reconducibles:

– Los actos y disposiciones contrarios a los pronunciamientos de las sentencias judiciales que se dicten con la finalidad de eludir su cumplimiento (supuesto de nulidad contemplada en el Art. 103.4 LJCA).

---

[11] SSTS 13/01/1997 (RJ 1997, 368) y 23/06/1997 (RJ 1997, 5316); STSJ de Extremadura de 4/02/2003 (JUR 2003, 84301); y Valencia de 17/05/2007 (JT 2007, 1129).

[12] Resultan significativas las SSTSJ de Castilla-La Mancha, Sala de lo Contencioso-administrativo, Sección 2ª, Sentencia de 23/01/2014, Rec. 306/2010; Madrid, 22/01/2014, Rec. 1196/2010; Galicia, de 10/02/ 1999 (JT 1999, 427), afirmando que el acto de comprobación de valores adolece absolutamente de falta de motivación y causa indefensión al interesado; es esta una práctica lamentablemente muy generalizada de la Administración tributaria, que ha merecido constantes sentencias estimatorias de recursos contencioso-administrativos de los Tribunales Superiores de Justicia. En relación con la ausencia de firma de la resolución administrativa, son significativas la STSJ de Madrid, de 16/03/1995 (JT 1995, 364) y la de la Audiencia Nacional de 25/02/1997 (JT 1997, 146), doctrina que a su vez modera la STSJ de Cantabria del 7/05/1997 (RJCA 1997, 1008), concluyendo no ser posible asignar a la firma un valor ritual *ad solemnitaten*, hasta el punto de juzgar como inexistente el texto no firmado, máxime cuando en vía administrativa de recurso, el superior jerárquico ha convalidado los posibles vicios formales.

[13] STSJ de la Región de Murcia, Sala de lo Contencioso-administrativo, Sección 2ª, Sentencia 7/2015 de 19/01/2015, Rec. 340/2011.

- Los actos administrativos por los que se adquieran compromisos de gasto u obligaciones por cuantía superior al importe de los créditos autorizados en el estado de gastos; previsión contemplada en el art. 46 de la Ley 47/2003, de 26 de noviembre, general presupuestario y en el art. 173.5 del TRLRHL.

2.3. PROCEDIMIENTO

A tenor del art. 217.2 LGT, el procedimiento de revisión podrá iniciarse (i) mediante acuerdo, bien del órgano que dictó el acto o bien de su superior jerárquico, iniciación de oficio que habrá de notificarse al interesado, o (ii) a instancia del interesado, conforme al concepto que de éste resulta del art. 4 LPAC (art. 4.1 RGRV). En el ámbito local no existe jerarquía entre los órganos de la misma entidad local (alcalde, Pleno y Junta de Gobierno Local), por lo que, en rigor, no resulta de aplicación la iniciación de oficio a propuesta del "superior jerárquico" del órgano del que emana el acto.

En el caso de iniciación a instancia del interesado, como quiera que la LGT no establece plazo alguno máximo, frente al parecer que puede activar en cualquier momento, debemos entender aplicable en el ámbito tributario la previsión del artículo 110 LPAC, limitando las facultades de revisión, que no podrán ser ejercidas cuando por prescripción de las acciones, tiempo transcurrido o por otras circunstancias que pongan de manifiesto que su ejercicio resulte contrario a la equidad, a la buena fe, al derecho de los particulares, o a las leyes[14].

El escrito o solicitud deberá contener los extremos previstos en el art. 2.1 del RGRV: identidad e identificación fiscal del interesado; la determinación del acto administrativo o actuación que se impugna, fecha en que se dictó, identificación el acto administrativo objeto de impugnación, datos que se consideren convenientes y pretensión del interesado, así como el domicilio que se señale en su caso para las notificaciones. Habrá de dirigirse al órgano que dictó el acto cuya nulidad se pretende.

Iniciado el procedimiento por el órgano competente, éste puede admitirlo a trámite o requerir al interesado de subsanación, concediéndole al efecto un plazo de 10 días contados a partir del siguiente al de su notificación. La falta de atención a este requerimiento determinará el archivo de las actuaciones, teniéndose por no presentada la solicitud o escrito (art. 2.2 RGRV).

Cabe la inadmisión a trámite de la solicitud mediante un acuerdo motivado –sin necesidad de recabar dictamen del órgano consultivo- en los siguientes supuestos (art. 217.3 LGT): (i) cuando el acto no sea firme en vía administrativa, (ii) la solicitud no se base en alguna de las causas de nulidad detalladas taxativamente en el art. 217.1 LGT, y,

---

[14] RJ 1990, 8289. En ese sentido se pronuncia también la STS de 17/01/2006 (Rec. 776/2001).

en fin, (iii) cuando la solicitud careciese manifiestamente de fundamento, o (iv) se hubiesen desestimado en cuanto al fondo otras solicitudes sustancialmente iguales. Estas causas son las mismas que, con carácter general, recoge el art. 106.3 LPAC, añadiendo una previsión obvia, que el acto no sea firme.

Puesto que, la inadmisión no requiere dictamen previo del órgano consultivo competente y agota la vía administrativa (art. 217.7 LGT), en las entidades locales cabría presentar frente al mismo, recurso de reposición, entendemos que potestativo (pues no estamos ante una decisión sobre aplicación y efectividad de tributos, aunque ello esté en su origen).

Ni la Ley General Tributaria ni el Reglamento General de Revisión prevén la suspensión del acto a revisar en su caso, como sí lo prevé expresamente la regulación del instituto en la LPAC (artículo 108)[15].

En su tramitación ha de estarse a las prescripciones comunes de todo procedimiento contenidas en la LPAC —de aplicación supletoria D.A 1ª.2—. Prescribe el art. 5 RGRV que el órgano competente para tramitar el expediente lo habrá de determinar la "norma de organización específica".

En las Entidades Locales estaremos a sus normas de auto-organización, si las hubiere y, en última instancia, al art. 21.1.a) LRBRL, que atribuye al Alcalde la dirección del gobierno y la administración municipal en los municipios sujetos al régimen común o, en cuanto se le atribuye la competencia de organización en los municipios de gran población, a tenor del art. 123.1.k) de la LRBRL. Para las provincias, los arts. 33.2.a) y 34.1.a) conducen al mismo resultado (atribución del Presidente de la Diputación en defecto de norma organizativa interna en otro sentido).

El órgano competente para tramitar el procedimiento solicitará del que hubiese dictado el acto una copia cotejada del expediente administrativo, así como un informe sobre los antecedentes del procedimiento que fuesen relevantes para resolver (art. 5 RGRV).

Recibida la documentación se abrirá un período de audiencia por plazo de 15 días, tanto para el interesado como para las restantes personas a las que en su caso el acto en cuestión hubiese reconocido derechos o cuyos intereses resultasen afectados por el mismo, a fin de que puedan alegar y presentar los documentos que estimen pertinentes (art. 5.3 RGRV).

---

[15] No ve obstáculo alguno para entender aplicable a la esfera tributaria la suspensión C. Checa González, si bien no se detiene sobre el régimen aplicable. Opinamos por nuestra parte que cabría proyectar a este procedimiento de revisión lo dispuesto en la normativa tributaria a propósito de la suspensión con ocasión del recurso de reposición. *Vid.* C. Checa González. "Procedimientos especiales de revisión", en *La nueva Ley General Tributaria*, Civitas, 2004, p. 826.

Concluido el trámite de audiencia se formulará la propuesta de resolución, en la forma prevista en la legislación de procedimiento común, elevándola al órgano con atribución para resolver (art. 5.4 RGRV). En defecto de norma específica, una idea general sobre el contenido de la propuesta de resolución la encontramos en el artículo 175 del Reglamento aprobado por RD 2568/1986, de 28 de noviembre, por el que se aprueba el Reglamento de Organización, Funcionamiento y Régimen Jurídico de las Entidades Locales (ROF).

Recibida la propuesta de resolución, se solicitará dictamen al Consejo de Estado u órgano equivalente de la Comunidad Autónoma, si lo hubiese el dictamen que ha de ser favorable (art. 217.4 LGT y art. 6.1 y 2 RGRV), siendo su naturaleza meramente habilitante u obstativa (dictamen del Consejo de Estado nº 165/2005, de 10 de marzo)[16]. La solicitud del dictamen se formalizará conforme con lo dispuesto en el art. 48 LRBRL.

2.4. RESOLUCIÓN

En el ámbito de la Administración del Estado compete al ministro de Economía y Hacienda dictar la resolución que ponga fin al procedimiento, aunque puede haber sido objeto de delegación (art. 6.3 RGRV). En la esfera local, según hemos visto, la competencia en las entidades locales de régimen organizativo común viene atribuida al Pleno, por el art. 110 LRBRL, atribución delegable conforme con los arts. 22.4 y 33.4 LRBRL).

En los municipios de gran población, la cuestión presenta cierta dificultad. Como las normas del Título X de la LRBRL prevalecen sobre las generales de la misma Ley básica (de las que forma parte el art. 110), tal y como prevé la disposición adicional undécima, la revisión de oficio será atribución del Pleno, del Alcalde, o de la Junta de Gobierno Local, porque se liga al órgano que hubiese dictado la resolución a revisar [arts. 123.1.e), 124.4.m) y 127.1.k)].

No es delegable la atribución del Pleno (art. 122.3 LRBRL), sí lo es la del alcalde (art. 124.5 LRBRL), pero no la de la Junta de Gobierno Local (art. 127.2 LRBRL). Sin embargo, es curioso que en estos municipios la atribución parece que podría corresponder a un órgano *a quo*, si han procedido a crear el órgano de Gestión Tributaria, "responsable de ejercer como propias las competencias que a la Administración

---

[16] El propio Consejo de Estado, en su dictamen 165/2005, de 10 de marzo, ha reconocido que el mismo no tiene carácter vinculante, si bien ha de ser favorable a la declaración de nulidad para que ésta se produzca, la Administración podrá no coincidir con ese dictamen favorable y, por ende, desestimar la solicitud; mientras que si el dictamen es contrario a la nulidad, la coincidencia entre el sentido del dictamen y la resolución administrativa será total, por cuanto que sólo habrá declaración de nulidad con dictamen favorable del Consejo de Estado.

Tributaria local le atribuye la legislación tributaria" en ellas se incluye la de "gestión, inspección, recaudación y revisión de los actos tributarios municipales" (art. 135.2.a LRBRL)[17].

El plazo máximo para resolver y notificar la resolución expresa es de un año. Si la iniciación se produjo de oficio contará desde que se notifica el acuerdo de iniciación al interesado, mientras que si se activó a instancia de parte se cuenta desde la presentación de la solicitud. Separándose de lo previsto en el art. 106.5 LPAC, que fija un plazo mucho menor (seis meses), se trata no obstante de una determinación de legislador bastante realista y coherente con la (lamentable) lentitud de la Administración en sus tiempos de respuesta. El transcurso del plazo máximo sin que se hubiese notificado la resolución, como hemos dicho, determina la caducidad del procedimiento iniciado de oficio y la desestimación por silencio administrativo en el caso de haberse iniciado el procedimiento a instancia del interesado (art. 217.6 y 7 LGT)

Nada dispone el art. 217 LGT sobre la posibilidad de reconocimiento de una indemnización a favor del administrado y tampoco se pronuncia sobre ello el RGRV. Ello, no obstante, debe admitirse tal posibilidad por extensión de lo dispuesto en los arts. 32.2 y 34.1 de la Ley 40/2015 de 1 de octubre, de Régimen Jurídico del Sector Público en (adelante LRJSP), pues lo que hace precisamente el artículo 106.4 LPAC, es remitir a esos otros artículos, aplicables desde luego a la responsabilidad patrimonial derivada de actos en materia tributaria.

La resolución expresa o presunta finalizadora del procedimiento, como la inadmisión a trámite, ponen fin a la vía administrativa —art. 217.5— de suerte que no procederá presentar contra ellas recurso de reposición —ni reclamación económico-administrativa en los municipios de gran población—, contrastando la previsión en la Ley (arts. 220.3 y 221.6) que expresamente reseña ser susceptibles de recurso de reposición y de reclamación económico-administrativa tanto las resoluciones relativas a la rectificación de errores, como las dictadas en el procedimiento de devolución de ingresos indebidos. Sólo cabrá naturalmente recurso contencioso-administrativo.

---

17   Sostiene E. Aragonés Beltrán ("La organización económica de los entes locales en la ley de medidas para la modernización del Gobierno local", *Cuadernos de Derecho Local*, número 5, junio 2004, Fundación Democracia y Gobierno Local, p. 91) que en cuanto a la revisión de los actos tributarios municipales, su competencia quedará ceñida a la resolución del recurso de reposición (potestativo en los municipios de gran población) y las cuestiones relativas a la devolución de ingresos indebidos y corrección de errores. Por el contrario, las reclamaciones económico-administrativas serán competencia del órgano previsto en el art. 137, mientras que la declaración de nulidad de pleno derecho seguirá correspondiendo al Pleno de la Corporación, según el art. 110.1 LRBRL, al que se remite el artículo 14 de la LHL, sin que pueda sostenerse una derogación tácita de tales preceptos.

3. DECLARACIÓN DE LESIVIDAD

3.1. OBJETO Y NATURALEZA

Establece la Ley General Tributaria (art. 218)[18] que *"[f]uera de los casos previstos en los artículos 217 y 220, la Administración tributaria no podrá anular en perjuicio de los interesados sus propios actos y resoluciones"*. La referencia al artículo 220 es un tanto impropia, pues contempla el error de hecho que resulte de los propios documentos del expediente, lo que no constituye, en rigor, anulación del acto administrativo.

Podrá la Administración tributaria declarar lesivos para el interés público sus actos y resoluciones favorables a los interesados que incurran en cualquier infracción del ordenamiento jurídico, a fin de proceder a su posterior impugnación en vía contencioso-administrativa. Queda así superada la posibilidad de revisar en vía administrativa los actos tributarios anulables en los términos del art. 154 LGT/63[19]. Para ello, deberán previamente declararlos lesivos para el interés público e impugnarlos en sede jurisdiccional con una doble limitación: (i) no podrá adoptarse transcurridos cuatro años desde que se notificó el acto administrativo en cuestión o (ii) haya operado la prescripción[20].

Se ha sostenido que la declaración de lesividad no es, propiamente, una vía de revisión, sino un procedimiento previo a la revisión, que se producirá en vía contencioso-administrativa, de resultar estimada la pretensión de la Administración[21]. Actúa como presupuesto habilitante para la interposición del ulterior recurso contencioso-administrativo en sede jurisdiccional, sin más valor que el de autorizar la admisión y tramitación del mismo. Compete exclusivamente al órgano jurisdiccional declarar si existe o no lesión a los intereses públicos de carácter económico o de otra naturaleza, concluyendo con la declaración de conformidad o disconformidad a derecho y consiguiente validez o nulidad del acto objeto de recurso.

La referencia a "actos y resoluciones de la Administración Tributaria" (art. 213 LGT) lo es en cuanto a la aplicación de los tributos y los "actos de imposición de san-

---

[18] Sobre este artículo se pronuncian la SAN de 19/072019, Rec. 584/2016 y las SSTSJ de Madrid, Sentencia 1389/2014, de 11/11/2014, Rec. 1253/2012; de Castilla-La Mancha, Sentencia 439/2014, de 10/07/ 2014, Rec. 757/2010; de Andalucía (Granada), 24/02/2014, Rec. 972/2012; de Cataluña, Sentencia de 20/11/2013, Rec. 1164/2010.

[19] Recuérdese que el órgano competente (Ministro o Director General del ramo) podía adoptar esa decisión cuando, previa audiencia del interesado, se estima que el acto hubiere infringido manifiestamente la Ley o también cuando se aportaran nuevas pruebas acreditativas de elementos del hecho imponible íntegramente ignorados por la Administración al dictar el acto objeto de revisión.

[20] Puede verse, con carácter general V. Escuin Palop. *El Recurso Contencioso-Administrativo de Lesividad*, Civitas, Madrid, 2004.

[21] F. Pérez Royo. *Derecho Financiero y Tributario. Parte General*, 13ª edición, Thomson-Civitas, Madrid, 2003.

ciones", así como las resoluciones de los tribunales económico-administrativos (y singularmente de los municipales ex art. 137 LRBRL), como se desprende del apartado 2, *in fine,* de ese artículo 213.

No se contempla la declaración de lesividad de los reglamentos (tampoco lo hace la LPAC), de manera que no se hace viable promover esa declaración de las ordenanzas fiscales, en cuanto que la sanción de estos es siempre la nulidad.

El acuerdo declarando la lesividad constituye presupuesto procesal para la interposición del recurso contencioso-administrativo; cuya ausencia o irregularidad determina la inadmisibilidad del recurso conforme a la letra c) del art. 69 LJCA[22].

Podrán ser objeto de declaración de lesividad los actos y actuaciones de aplicación de los tributos locales, imposición de sanciones tributarias y las resoluciones de los órganos económico-administrativos (art. 213 LGT); actos o resoluciones favorables para el interesado, al tiempo que lesivas para el interés público[23]. De prosperar la revisión del acto declarado lesivo en sede jurisdiccional, la consecuencia será la aprobación de otro acto, incluso gravoso para el interesado, respecto del que fue anulado (el acto revisado resulta favorable para el interesado en comparación con el que nace posteriormente que supondrá mayor carga tributaria)[24].

Debe tratarse de actos favorables o, mejor dicho, en beneficio de los interesados. Que se trate de actos favorables para el interesado no impide que pueda referirse, también, a los actos de gravamen, de manera que se viene entendiendo como suficiente que el resultado de la revisión redunde en perjuicio de los interesados[25].

---

[22] Lo mismo vienen a expresar las SSTSJ de la Comunidad Valenciana de 16/07/2002 (JT 2003, 447) y 28/09/2007 (JT 2008, 52), determinando que la declaración de lesividad no tiene eficacia jurídica por sí misma (tan solo habilita para acudir al proceso) y si en su demanda la Administración no acierta a expresar con claridad la anulabilidad del acto —o actos administrativos— ello no redundará en indefensión de la parte demandada, sino, al contrario, en la desestimación de la demanda y la victoria procesal de los demandados.

[23] Así se ha declarado por las SSTS de 23 marzo 1993 (RJ 1993, 1913), 28 febrero 1994 (RJ 1994, 1465), 28 noviembre 1998 (RJ 1998, 8395), y las SSTSJ de Cantabria de 8 noviembre 2002 (RJCA 2002, 1273) y 13 diciembre 2002 (RJCA 2002, 1256); de Andalucía (Granada) de 27 enero (JT 2003, 293) y 24 de febrero de 2003 (RJCA 2003, 439); de Valencia de 28 de septiembre de 2007 (JT 2008, 52).

[24] *Vid.* J. Argüelles Pinto, en *Comentarios a la Nueva Ley General Tributaria,* Thompson-Aranzadi, Navarra, 2004, pp. 1145 y 1146.

[25] En este orden de cosas es hasta cierto punto curioso que se haya admitido la declaración de lesividad frente a las consultas tributarias que, a juicio primeramente de la Administración, habían incurrido en error de derecho, en razón de los efectos favorables que ella produce para los administrados. Nos referimos a las SSTS 8/06/1992 (RJ 1992, 5374) y 22/07/1994 (RJ 1994, 5971) recaídas a propósito de una rectificación por parte del Ayuntamiento en el Impuesto Municipal sobre el Incremento del Valor de los Terrenos, derivado de avances de la liquidación del Impuesto, que en

Además, han de ser actos "definitivos" (dictamen del Consejo de Estado n°. 1403/2003), esto es, aquellos que suponen la terminación del procedimiento.

A tenor del artículo 43 LJCA, ha desaparecido el doble requisito de lesión (jurídica y económica), que derivaba de la anterior legislación (STS 28 de febrero 1994[26]). Ello no significa que estemos ante un mecanismo u acción en defensa de la mera legalidad[27].

A diferencia de la LPAC (arts. 48 y 107.1), la LGT, en el párrafo segundo de su artículo 218, habla de actos y resoluciones favorables a los interesados "*que incurran en cualquier infracción del ordenamiento jurídico*", de manera que (aunque, por error, la Sección 2ª del Capítulo II del Título IV de la LGT lleva por título "declaración de lesividad de actos anulables") no limita este procedimiento a las causas de anulabilidad del acto. Nada impide a la Administración acudir a esta vía por motivos tanto de nulidad como de anulabilidad, renunciando a prerrogativas en su favor e incrementando la garantía del administrado al residenciar la cuestión en sede jurisdiccional.

3.2. PROCEDIMIENTO

La *iniciación* es de oficio, como adelanta la Exposición de Motivos del RD 520/2005, de 13 de mayo, aprobatorio del RGRV ("El procedimiento de declaración de lesividad, se iniciará siempre de oficio, de acuerdo con lo establecido en el Art. 218 de la LGT") y determina su art. 7; iniciación necesariamente de oficio sobre lo que había insistido la Jurisprudencia del TS de forma unánime desde sus Sentencias de 29 de junio de 1981[28], 3 de mayo de 1991[29] y 18 de enero 1999. Tal acuerdo habrá de adoptarse por el órgano que establezca la norma de organización específica, a propuesta del órgano que dictó el acto o de cualquier otro de la misma Administración Pública.

El art. 21.1, letra l) de la LRBRL atribuye al alcalde la iniciativa para proponer al Pleno la declaración de lesividad en materia de la competencia de la Alcaldía; por su parte, el artículo siguiente, apartado 2° letra k), atribuye al Pleno la declaración de lesividad de los actos del Ayuntamiento. Estamos ante dos supuestos diferenciados:

---

posterior liquidación son objeto de agravación. También se admite la declaración de lesividad frente a los actos tácitos.

[26]   RJ 1994, 1465.

[27]   En palabras de J. Santamaría Pastor, el acto cuya anulación se pretende debe ser efectivamente lesivo para el interés público; en consecuencia, debe tratarse de acto cuya ejecución haya causado o sea susceptible de causar perjuicios distintos y autónomos de los que genera la propia ilegalidad, no necesariamente económicos. (J. Santamaría Pastor. "Principios de Derecho...", *op. cit.*, p. 617).

[28]   RJ 1991, 2805.

[29]   RJ 1991, 4261.

– *Actos y resoluciones de la Alcaldía*. La iniciativa para proponer al Pleno la declaración de lesividad corresponde al Alcalde y habría que entender dentro de ello que el Ayuntamiento en Pleno debe pronunciarse, de aceptarse tal iniciativa, sobre la iniciación y tramitación del procedimiento administrativo.

– *Acuerdos del Ayuntamiento en Pleno*. Si para los actos y resoluciones de la Alcaldía se ha admitido que el órgano que inicia el procedimiento ha de ser el Pleno, con más razón cuando se trate de declarar lesivo un acuerdo de su competencia.

El *plazo para adoptar la declaración* se establece en cuatro años, desde la fecha en se hubiese notificado el acto a declarar lesivo, separándose de la prescripción general del artículo 107.3 LPAC, en que el plazo cuenta desde que se dictara el acto o resolución. Si hubo más de un interesado, entendemos que se contará a partir de la última de las notificaciones practicadas, salvo que pudieran diferenciarse netamente los efectos de la resolución para cada uno, porque, en ese caso, también habrá de diferenciarse en función de cada una de las fechas de las notificaciones respectivas. El acuerdo de iniciación será notificado al interesado (art. 8 RGRV).

En cuanto a la *tramitación*, el art. 8 RGRV remite a la potestad de auto-organización de la Administración, de manera que será competente para tramitar el procedimiento el órgano que, en cada caso, resulte de la concreta norma organizativa.

El precepto instrumentaliza un trámite de comunicación al órgano proponente y al que dictó el acto objeto del procedimiento, para la remisión de una copia cotejada del expediente al órgano competente, por plazo de 10 días a partir de la recepción de la comunicación, acompañada de un informe sobre los antecedentes relevantes para la adecuada resolución. El órgano competente para formular la propuesta de resolución pude solicitar cualquier otro dato, antecedente o informe que se considere necesario (art. 8.2 RGRV).

La exigencia del *trámite de audiencia* resulta tanto del art. 218.2 LGT como del art. 8.3 y 4 RGRV. Recibida copia del expediente y de los informes recabados, se dará audiencia a los interesados por plazo de 15 días, a fin de que puedan alegar lo que a su derecho convenga y presentar cuantos documentos y justificaciones estime pertinentes. La omisión de este trámite en principio no determinaría la nulidad de la declaración de lesividad, siempre y cuando el interesado hubiera podido comparecer y defenderse en sede jurisdiccional (Sentencia de la Audiencia Nacional de 30 de junio de 2004[30]).

Concluido el trámite de audiencia, el órgano que tramita el expediente formulará una *propuesta de resolución* y, una vez evacuada, se solicitará por el órgano instructor

---

[30]   JT 2004, 1250.

un informe del que tenga atribuidas las funciones de asesoramiento jurídico sobre la procedencia de que el acto sea declarado lesivo[31] (art. 8.4 y 5 RGRV).

En las Entidades Locales resulta de aplicación el artículo 54 del Texto Refundido y las Disposiciones Legales vigentes en materia de Régimen Local, cuyo apartado 3° dice: "Los acuerdos para el ejercicio de acciones necesarias para la defensa de los bienes y derechos de las Entidades Locales, deberán adoptarse previo dictamen del secretario, o en su defecto, de la Asesoría Jurídica y, en defecto de ambos, de un Letrado". Como quiera que la declaración de lesividad no deja de constituir lo que la Ley denomina: "ejercicio de acciones necesarias", el informe jurídico previo, naturalmente no vinculante, se hace necesario, debiéndose evacuar, no por cualquier funcionario (por ejemplo, un Técnico de Administración General, generalmente Licenciado en Derecho) sino necesariamente por el secretario de la Entidad Local o bien de la Asesoría Jurídica, y sólo en su defecto, de un Letrado.

Respecto a los denominados municipios de gran población, los artículos 125.5 y 129, nos llevan a entender que el Informe habrá de evacuarlo la Asesoría Jurídica, Órgano necesario distinto de la Secretaría[32].

3.3. RESOLUCIÓN

Mientras que en el ámbito de la Administración General del Estado la declaración de lesividad corresponde al Ministro de Hacienda (art. 218 LGT), en los municipios, provincias y demás entidades locales la declaración de lesividad viene atribuida al Pleno de la Corporación o, en defecto de éste, al órgano colegiado superior de la entidad, por haberse establecido así en el artículo 107.5 LPAC y, en el mismo sentido, en el art. 22.2.k) LRBRL, singularizando las escasas previsiones recogidas en la LRBRL a propósito de la revisión de oficio en general.

En los municipios de gran población, la cuestión se presenta más compleja. Nos inclinamos por entender que será órgano competente el que hubiese dictado el acto objeto de la declaración de lesividad. La LRBRL refiere como atribución específica de cada uno de los tres principales órganos de gobierno y administración no propiamente "la revisión de oficio de los actos", sino algo más amplio: "las facultades de revisión de oficio de sus propios actos y disposiciones de carácter general", que se residencia tanto en el Pleno —art. 123.1, letra l de la LBRL— como en el Alcalde —art.

---

[31]   J. A. Sánchez Pedroche. "El nuevo Reglamento general de desarrollo de la Ley General Tributaria en materia de Revisión en vía administrativa", *Revista de Contabilidad y Tributación. Comentarios y Casos Prácticos*, n°. 269-270, 2005, pp. 100 y ss.

[32]   M. J. Domingo Zaballos. *Comentarios a la Ley Básica de Régimen Local*, Civitas, Madrid, 2005, pp. 2177 y ss.

124.4.letra m—, y en la Junta de Gobierno Local —art. 127.1, letra k)—; en los dos últimos casos con toda precisión, se limita a las "facultades de revisión de oficio de sus propios actos", dado que carecen de potestad reglamentaria, por lo que hay que entender incluidas no sólo las propias que conducen a la declaración de nulidad ex art. 106 LPAC (aquí, art. 217 LGT), sino la declaración de lesividad del art. 107 (en nuestro caso, art. 218 LGT).

De haberse creado el órgano de gestión tributaria del que se ocupa el artículo 135 LBRL, existen dudas sobre la atribución, pues dicho artículo incluye entre las competencias de dicho órgano, "al menos" la revisión de los actos tributarios locales; problema similar al planteado a propósito del órgano competente para decidir la revisión de oficio de los actos nulos y al que no le vemos una solución clara, sin que haya de quedar descartado que la atribución en uno y otro caso corresponda al titular de ese órgano, pues al fin y al cabo derivará de una decisión plenaria en ejercicio de la potestad de autoorganización del Ayuntamiento.

Por lo que respecta a las delegaciones, resulta:

a) *Delegaciones interorgánicas*:

1°) En los municipios de régimen organizativo común, el Pleno puede delegarla en el alcalde y en la Junta de Gobierno Local, ya que el artículo 22.4 LRBRL no incluye la atribución entre las indelegables.

2°) En los municipios sujetos al Título X de la LRBRL que no hubieren creado el órgano del artículo 135 LRBRL, cuando se trate de declarar lesivos acuerdos plenarios, dicho órgano no podrá delegar esa atribución porque la Ley sólo permite transferir el ejercicio de atribuciones en sus comisiones y ello limitado a las expresamente enunciadas [letras d), k), m) y n) del número 2 del artículo 123], entre las que no figura la "b)", las demás atribuciones que le confieran las leyes. Tratándose de declarar lesivos los acuerdos de la Junta de Gobierno Local, esta no podrá delegar la atribución (véase art. 127.2), sí por el contrario podrá delegarla el alcalde (véase art. 124.5).

b) *Delegaciones intersubjetivas*:

Ha de estarse a las reglas sobre delegación de competencias al amparo de lo previsto en los referidos artículos 106.3 LRBRL y 7 TRLRHL.

Caso de declararse la lesividad por el órgano en cada caso competente, se remitirá tal resolución y copia cotejada del expediente, al órgano (o persona) que tenga encomendada la defensa en juicio de la Administración, a fin de proceder a su impugnación en sede jurisdiccional. El artículo 218.3 LGT establece el plazo de tres meses para adoptar la decisión al respecto, de manera que transcurrido dicho plazo sin la adopción del acuerdo expreso, opera la caducidad[33].

A propósito del plazo máximo para resolver, mientras que la LPAC lo establece en seis meses –art. 107.3- la LGT lo reduce a tres meses. Como quiera que el plazo de caducidad comienza a contarse con la fecha del acuerdo de iniciación del procedimiento, del mismo deben excluirse las actuaciones encaminadas a valorar la conveniencia o no de la declaración de lesividad (Sentencia de la Audiencia Nacional de 30/06/2004).

4. REVOCACIÓN DE LOS ACTOS TRIBUTARIOS

4.1. OBJETO Y NATURALEZA

Conforme prevé el art. 219 LGT[34], la Administración puede revocar sus actos de aplicación de los tributos y de imposición de sanciones en beneficio de los interesados de concurrir alguna de las circunstancias tasadas recogidas en su número uno[35], (infracción manifiesta de la ley; improcedencia del acto derivada de circunstancias sobrevenidas o dictados mediando indefensión).

A diferencia del régimen general de revocación de los actos "de gravamen o desfavorables", ex art. 109.1 LPAC (la revocación es posible "en cualquier momento" con los límites del art. 110), en materia tributaria sólo es posible "en tanto no haya transcurrido el plazo de prescripción", como impone el apartado 2 del art. 219 LGT. En rigor, tal previsión conecta con la recogida en el art. 110 LPAC, que prohíbe ejercitar las facultades

---

[33] La SAN de 30/06/2004 (recurso n°. 933/2002) excluye del cómputo del plazo de caducidad el tiempo transcurrido hasta la adopción del acuerdo en que formalmente, se decide iniciar el procedimiento de lesividad, pues las actuaciones producidas con anterioridad no tienen carácter de *"actos administrativos"*, sino de actos previos al procedimiento.

[34] La doctrina del TS viene establecida en la Sentencia 279/2022 de 04/04/2022, Rec. 7052/2019 que fija como criterios interpretativos los expresados en los Fundamentos Jurídicos Segundo y Tercero de la presente sentencia, por remisión a los establecidos en la STS 154/2022, de 09/02/2022(RC 126/2019), y la STS 178/2020, de 14/02/2020 (RC 442/2019). SSTSJ de Cataluña, Sentencia 935/2014 de 13/11/ 2014, Rec. 1123/2011; de Madrid, Sentencia 270/2022 de 2604/2022, Rec. 468/2020; Sentencia 1319/2014 de 28/10/2014 oct. 2014, Rec. 1103/2012, Castilla-La Mancha, Sentencia 459/2014, de 7/07/2014, Rec. 799/2011.

[35] A propósito de la incorporación a la LGT de 2003 de la técnica de la revocación —escribe J. J. Ferreiro Lapatza— se ha recogido con buen criterio esta vía de revisión de oficio, sin que venga caracterizada por la nota de excepcionalidad, más bien al contrario, se posibilita la desaparición de los actos que infrinjan, incluso manifiestamente, el ordenamiento por medio de un procedimiento rápido y sencillo, adquiriendo así el carácter de una vía flexible, rápida y fácil de resolución extrajudicial de conflictos cuya normalización no puede redundar más que en beneficio de los contribuyentes y de la propia Administración tributaria, reduciendo conflictos y procesando una más correcta aplicación de la ley. (J. J. Ferreiro Lapatza. *La nueva Ley General Tributaria*, Marcial Pons, Madrid, 2004, p. 287).

de revisión por prescripción de acciones, plazo de prescripción concretado en los arts. 66 a 70 de la LGT.

En cuanto a los actos tributarios susceptibles de revocación, mientras que el art. 109 LPAC, dispone que son revocables "*los actos de gravamen o desfavorables*", poniendo el acento en el acto en sí mismo considerado, el art. 219 de la LGT abandona la consideración del acto como desfavorable o de gravamen y obliga a la Administración a la revocación del acto "en beneficio del interesado", esto es, permite la revocación siempre que tenga por finalidad mejorar su situación.

El presupuesto de hecho que da cobertura a la revocación de la que nos ocupamos queda vinculado a la "ilegalidad" del acto dictado, que puede ser inicial —en cuyo caso afecta a la validez del acto— o de carácter sobrevenido.

4.2. MOTIVOS DE REVOCACIÓN Y LÍMITES

De acuerdo con el art. 219.1 LGT, los motivos que habilitan la revocación de los actos tributarios en beneficio de los interesados son cualquiera de los tres siguientes:

a) *Infracción manifiesta de la Ley:* tanto en aplicación de las normas generales de procedimiento como del antiguo art. 154 LGT/63, ha venido interpretándose de forma restrictiva, exigiéndose que la infracción sea de "*forma clara, patente e indubitada*". La STSJ de Castilla-León, Sala de Burgos, de 5 de diciembre de 2005, excluye la posibilidad de revocar el acto por un vicio de legalidad ordinaria. El término "Ley" exige que la infracción se predique de un precepto normativo con la categoría de Ley formal y alcance sustantivo[36].

b) Que *circunstancias sobrevenidas pongan de manifiesto la improcedencia del acto tributario:* motivo vago e impreciso, por cuanto las circunstancias podían existir al tiempo de dictarse el acto, pero sin ser entonces conocidas, o pueden sobrevenir posteriormente.

c) La *indefensión del contribuyente en el procedimiento*: la indefensión referida en el art. 219 LGT no es la que determina la infracción del art. 24 CE, pues esta última tiene efectos jurídico-constitucionales que se incardinan en el art. 217.1.a) LGT. Se incluiría aquí la falta del trámite de audiencia[37], si bien esta postura se ve relativizada en los casos en que no se haya causado indefensión material[38].

---

[36]   *Vid.*, asimismo, STS de 23/10/1971 (RJ 1971, 4192).

[37]   STS de 29/09/2005 (RJ 2005, 6990).

[38]   STS 11/07/2003 (RJ 2003, 5433).

A propósito de los *límites de la revocación*, en todo caso la potestad revocatoria, como hemos dicho, cuenta con un primer y fundamental límite: solo se puedan revocar los actos desfavorables para los particulares[39]. Las reglas impeditivas actúan como concretas cautelas legales para evitar un uso incorrecto de la institución, prohibiéndose que al amparo de la revocación: a) se pueda conceder dispensa o exención no permitida por las normas tributarias[40] (art. 219.1 párrafo 2); b) sea contrario al principio de igualdad, el interés público o el ordenamiento jurídico (art. 219.1 párrafo 2 in fine). Se sigue en este particular lo que ya resultaba, con carácter general, del art. 105 de la Ley 30/1992.

En el aspecto temporal, no será posible la revocación cuando haya transcurrido el plazo de prescripción.

4.3. PROCEDIMIENTO

La LGT (a diferencia de la LPAC) se detiene en normar el procedimiento. Mayor detalle en la regulación perfectamente entendible (dicho sea de paso), porque la LPAC es fundamentalmente una ley básica, a diferencia de la de la LGT, producto de varios títulos competenciales activados al propio tiempo por el legislativo estatal (véase su artículo 1).

Se iniciará siempre de oficio, sin perjuicio de que los interesados puedan promoverla mediante escrito que dirijan al órgano autor del acto (art. 219.3 LGT y 10.1 RGRV). Este escrito lo único que hace es dar la opción a la Administración de iniciar el procedimiento, pero no lo inicia. Prueba de ello es que la Administración se limita a quedar enterada, debiendo acusar recibo del escrito; solo en caso de que se decida el inicio del procedimiento deberá notificarlo al interesado promotor del mismo (art. 10.2 RGRV)[41]. En el ámbito de actuación de las Administraciones tributarias locales podrán

---

[39] *Vid.*, a este tenor, C. García Novoa, *La revocación en la Ley General Tributaria*, Aranzadi, Navarra, 2005.

[40] SSTSJ de Cataluña, Sentencia 935/2014, de 13/11/2014, Rec. 1123/2011; Madrid, Sentencia de 19/03/ 2014, Rec. 932/2013; de Andalucía (Sevilla), Sentencia de 11/03/2013, Rec. 695/2011; y SAN, Sala de lo Contencioso-administrativo, Sección 6ª, Sentencia de 18/09/2013, Rec. 344/2011.

[41] La STSJ de Valencia, de 12/02/2000 (JUR 2001, 56212), se inclina por no reconocer legitimación a los interesados para iniciar el procedimiento revocatorio, sin perjuicio de que los escritos que pueda éste dirigir a la Administración se consideren como denuncias a efectos de iniciación de oficio, o más correctamente el ejercicio del derecho de petición. Apunta J. J. Ferreiro Lapatza (*op. cit.*, p. 287) la vía de que se inicie a través de un queja ante el Consejo para la Defensa del Contribuyente, como quiera que trata de un órgano estatal que se creó en su día "para la mejor defensa de los derechos y garantías del ciudadano en sus relaciones con la Administración tributaria del Estado" (art. 1 del RD 2458/1996), manteniéndose en lo fundamental con la regulación vigente, RD 1676/2009, de 13 de noviembre, en particular siendo la primera de sus funciones (art. 3.1) atender las quejas por el funcionamiento de los órganos estatales con competencias tributarias.

encauzarse las quejas —que pueden terminar hipotéticamente con la revocación— a través del órgano correspondiente (de existir), la "Comisión especial de Sugerencias y Reclamaciones" (art. 132 LBRL).

Respecto a la *sustanciación,* acordado el inicio del procedimiento, se comunicará esta decisión al proponente, al órgano competente para la tramitación, así como al que dictó el acto objeto del procedimiento que se pretende revocar. Este último habrá de remitir copia cotejada del expediente al órgano instructor en plazo de 10 días acompañando un informe sobre los antecedentes relevantes para resolver y sobre la procedencia, a su juicio de la revocación.

Cumplido el anterior se abrirá un *trámite de audiencia* a los interesados, por plazo de 15 días, para que puedan presentar alegaciones, documentos y justificantes que estimen pertinentes (art. 11.3 RGRV).

Previsión que resulta de lo dispuesto en el art. 82 LPAC, en concordancia con el apartado m) del art. 34 LGT, que lo configura como derecho de los obligados tributarios, a fin de que puedan alegar lo que a su derecho convenga, presenten los documentos y justificantes que estimen pertinentes. Frente a la afirmación de la innecesaridad del trámite de audiencia cuando la resolución sea favorable a la revocación, conviene significar, que mientras la pretensión de revocación puede resultar beneficiosa para el contribuyente, de ella pueden resultar perjudicados otros interesados, caso de mediar concurrencia de intereses contrapuestos.

Previamente a la formulación de la propuesta de resolución se ha de solicitar informe *"del órgano con funciones de asesoramiento jurídico sobre la procedencia de la revocación"*, preceptivo, pero no vinculante. En las entidades locales no es un informe que propiamente haya de evacuar el secretario de la entidad local, por no incluirse entre las funciones de asesoramiento jurídico al mismo reservadas (art. 3.3 Real Decreto 128/2018, de 16 de marzo, por el que se regula el régimen jurídico de los funcionarios de Administración Local con habilitación de carácter nacional). Por consiguiente, será el secretario (si le corresponde como función complementaria) o será la Asesoría Jurídica, de existir. En los municipios de gran población se habrá de evacuar por la Asesoría Jurídica, órgano necesario ex art. 129 LRBRL, obviamente la propuesta de resolución será dirigida al órgano competente para resolver (art. 11.4 RGRV).

4.4. RESOLUCIÓN

En el ámbito local la determinación del órgano competente para la revocación, por sorprendente que parezca, tiene cierta dificultad. La LRBRL no incluye explícitamente la atribución, ni entre las referidas al alcalde, ni las asignadas al Pleno, lo que nos llevaría, sin más, a entender que corresponde al alcalde (o Presidente de la Diputación y demás Entidades Locales), en atención a la atribución residual [ex artículo 21.1 s) y art. 34.1

o) LRBRL]. Bien mirado, sin embargo, la solución no es tan simple. El artículo 110 de la LRBRL determina que corresponde al Pleno la declaración de nulidad del pleno derecho "y la revisión de los actos dictados en vía de gestión tributaria en los casos y de acuerdo con el procedimiento establecido en los artículos 153 y 154 de la LGT". Ocurre que ese artículo 153 (nulidad de pleno derecho), ha sido sucedido por el artículo 217 de la LGT/ 2003, pero el artículo 154 de la LGT/1963 no tiene su correspondiente en la vigente LGT, que ha eliminado la vía de revocación de ciertos actos por parte de la Administración Tributaria en los términos del artículo 154 de su predecesora. Al aprobar el TRLRHL de 2004 el Gobierno pasó por alto dicha novedad, de manera que su artículo 14.1 remite sin más —en cuanto a los actos dictados en materia de gestión tributaria— a lo dispuesto en el artículo 110 LRBRL con el contenido que conocemos. Por su parte, la vigente LGT determina en el artículo 219.3 que el procedimiento de revocación se iniciará siempre de oficio "[y] será competente para declararla el órgano que se determine reglamentariamente, que deberá ser distinto del órgano que dictó el acto".

El Reglamento de 17 de diciembre de 2003 cumple con el mandato legal, disponiendo (art. 12) que, en el ámbito de competencias del Estado, el acuerdo habrá de adoptarse por el Director General competente, o por el Director del departamento de la Agencia Estatal de Administración Tributaria competente del que dependa el órgano que dictó el acto, y si el acto a revocar procediese de esos órganos, será competente su superior jerárquico inmediato. Desarrollo reglamentario que, en la esfera local, a tenor del artículo 7.1 e) LGT, cumple acometer a la propia Entidad Local, a través de ordenanza fiscal. Se hace difícil, cumplir con el mandato legal, asignar la atribución a un órgano "distinto" del autor del acto administrativo a revocar en las Administraciones de base representativa o corporativa (no de base burocrática, Administración estatal y las autonómicas). Podrá objetarse que el artículo 219.3 no dice que haya de ser un órgano "superior" (como, por cierto, había sugerido el Consejo de Estado al dictaminar el anteproyecto de LGT) sino un órgano "distinto" al que dictó el acto a revocar (en su caso), cuestión no exenta de dificultad. La solución reglamentaria en el ámbito estatal no puede ser extrapolada al ámbito local. Pero el "descuido" del legislador que, como en tantas ocasiones (aun dictando normas básicas o de aplicación plena), no repara en la singularidad de la Administración Local ha de vencerse de algún modo, aunque solo sea para cumplir con el mandato de la seguridad jurídica (artículo 9.3 CE), lo que nos permite apuntar que, mediante Ordenanza, las entidades locales puedan prever lo siguiente:

a) En las entidades locales de régimen organizativo común, la revocación de las resoluciones tributarias de cualquier órgano municipal —sea como competencia propia, sea en ejercicio de delegación— corresponderá al Alcalde o Presidente de la Diputación. Si la resolución proviene del propio Alcalde o Presidente, debiera corresponder al Pleno, al no ostentar atribuciones sobre aplicación de tributos o imposición de sanciones, no existe mayor problema.

b) En los municipios de gran población, la determinación del órgano competente para decidir sobre la revocación debiera obedecer a la misma lógica, si bien en lugar de al Alcalde podría quedar asignada la atribución a la Junta de Gobierno Local, salvo que provenga del propio Alcalde, porque en tal caso correspondería al Pleno; con independencia de que los actos de aplicación de los tributos y de imposición de sanciones tributarias los hubiera adoptado la Junta de Gobierno Local, alguno de sus miembros, de los Directores, Coordinadores Locales, etc., o del órgano de gestión tributaria en caso de haberse creado (art. 135.2.a).

El plazo máximo para adoptar la resolución y proceder a su notificación se fija en seis meses, plazo contado desde la notificación del acuerdo que inicia el procedimiento de revocación. Transcurrido dicho plazo sin que se hubiese llevado a cabo tal notificación se producirá la caducidad del procedimiento (art. 219.4 LGT). La resolución que se dicte en este procedimiento naturalmente habrá de ser motivada "con sucinta referencia a hechos y fundamentos de derecho" (art. 215 LGT).

Las resoluciones dictadas en este procedimiento, "pondrán fin a la vía administrativa" (art. 219.5 LGT); determinación igualmente prevista en el artículo 217.7 para las resoluciones expresas o presuntas o las inadmisiones a trámite de las solicitudes de los interesados de declaración de nulidad de pleno derecho y que contrasta con las previsiones expresas de ser susceptibles de recurso de reposición y de reclamación económico-administrativa tanto las relativas a la rectificación de errores (artículo 220.3), como las dictadas en el procedimiento de devolución de ingresos indebidos (artículo 221.6). Esto pone de manifiesto la voluntad inequívoca del legislador en el sentido de que frente a la decisión de la Administración de revocar o no el acto solo cabe recurso contencioso-administrativo, siendo improcedente tanto el recurso de reposición como la reclamación económico-administrativa. En último extremo será viable el recurso extraordinario de revisión previsto en el art. 244 LGT.

5. RECTIFICACIÓN DE ERRORES

5.1. OBJETO Y NATURALEZA

El art. 14.1.a) TRLRHL remite a la regulación general, art. 220 LGT: el órgano que hubiera dictado el acto o resolución de la reclamación rectificará en cualquier momento, de oficio o a instancia del interesado, los errores materiales, de hecho, o aritméticos, siempre que no hubiere transcurrido el plazo de prescripción.

Tanto el art. 220 LGT como el 13 RGRV, bajo la rúbrica "Rectificación de errores", regulan lo que el art. 156 LGT/63 denominó "rectificación de errores materiales, aritméticos o de hecho". Tal regulación es mucho más completa que la recogida en la ley anterior y también que la general de la LPAC.

Errores materiales o de hecho son los que: *"versan sobre realidades ostensibles, manifiestas, meridianas, indiscutibles e independientes de cualquier opinión, criterio, calificación o interpretación de las normas jurídicas, implicando por sí solas, evidencia del mismo, sin necesidad de razonamientos ni calificaciones jurídicas".* La rectificación del error material no puede afectar al contenido fundamental del acto, sino solo a sus aspectos[42] no determinantes del acto o resolución[43].

No puede orillarse que la regulación traída por la LGT supone una innovación de importancia, como se ha puesto de manifiesto en la doctrina, *"mutación transcendente del procedimiento de rectificación de errores materiales o de hecho que pasa a convertirse en un verdadero procedimiento revisorio, acto para la anulación del acto errado y su sustitución por el correcto, una vez eliminado el yerro"*[44], en cuanto incorpora una particularidad en relación con la regulación de la LGT/1963, ya que en dicha ley una de las circunstancias que hacían viable el recurso extraordinario de revisión frente a los actos de gestión o resoluciones de los tribunales económico-administrativos firmes venía dada por el hecho de que "al dictarlas se hubiera incumplido en manifiesto error de hecho que resulte de los propios documentos incorporados al expediente" [art. 171 letra a)]. Ahora, con buen criterio por su carácter realista, prescribe la ley que, en particular, habrán de rectificarse, por el procedimiento que nos ocupa, los actos y las resoluciones de los tribunales económico-administrativos *"en los que se hubiera incurrido en error de hecho que resulte de los propios documentos incorporados al expediente".* Por su parte, esta circunstancia ya no figura entre las tasadas —art. 244— para activar el recurso extraordinario de revisión contra actos firmes, de manera que se facilita sobremanera la subsanación de errores de esta naturaleza sin necesidad de interponer dicho recurso extraordinario. En cualquier caso, la práctica administrativa —validada por los tribunales— venía siendo permisiva en ese punto, utilizando esta vía de rectificación de errores sin necesidad de considerar exigible la interposición del recurso extraordinario.

---

[42] Sobre este particular nos remitimos a las SSTS nº 456/2012 de 30/01/2012 F.J. 4, 5/02/2009 (rec. nº 3454/2005) 16/02/2009 (rec. 6092/2005), F.J.5° y 18/03/2009 /rec. 5666/2006) F.J 5°, así como las SSTSJ Cataluña Sentencia nº 732/2022 de 02/03/2022, Rec. 1192/2020 y Madrid 22/09/2021, rec. nº 911/2019SSTSJ de Castilla y León (Burgos), Sala de lo Contencioso-administrativo, Sección 2ª, Sentencia 15/2015 de 30 ene. 2015, Rec. 187/2013; de Castilla y León (Valladolid), Sentencia 2690/2014 de 26 dic. 2014, Rec. 241/2013; de Canarias (Santa Cruz de Tenerife), Sala de lo Contencioso-administrativo, Sentencia 231/2014, de 14 nov. 2014, Rec. 158/2011; de Illes Balears, Sala de lo Contencioso-administrativo, Sentencia 559/2014, de 12 nov. 2014, Rec. 10/2014; de Madrid, Sala de lo Contencioso-administrativo, Sección 5ª, Sentencia 1389/2014, de 11 nov. 2014, Rec. 1253/2012.

[43] La STSJ Andalucía (Sala de Granada), Sentencia 684/2017, de 21/03/2017, Rec. 572/2012 hace un esfuerzo por delimitar el sentido de cada uno de los errores, el aritmético y el de hecho

[44] Pérez Torres, E. "Revisión de actos en vía administrativa: nulidad de pleno derecho y declaración de lesividad", en *Estudios sobre la nueva Ley General Tributaria* (dir. Martínez Lafuente), Instituto de Estudios Fiscales, Madrid, 2004, p. 895.

No se trata de una potestad discrecional, atendida la propia literalidad del precepto: el artículo 220 de la LGT emplea el término "rectificará" y no el de "podrá rectificar"; su finalidad es lograr la corrección en la manifestación del derecho y no afectar a la declaración del derecho en sí[45].

En cuanto a su objeto material, puede esta vía utilizarse tanto respecto de actos dictados en vía de gestión, como en vía de reclamación administrativa, ya sean firmes o no, sean declarativos de derecho como de gravamen. Así debe entenderse, por cuanto que la rectificación no se refiere a la aplicación de las normas, sino en la constatación de una equivocación[46].

---

[45] STS de 6/10/1994 (RJ 1994, 7563).

[46] SSTS 26/07/2002 (RJ 2002, 8267) y 20/12/2005 (RJ 2006, 1370), SSTSJ de Castilla la Mancha de 16/07/2007 (JUR 2007, 331996), de 31/10/2007 (JUR 2008, 57115); de Cataluña de 7/06/2007 (JT 2007, 1139); de Madrid de 7/05/2008 (JUR 2008, 214497). Con todo estamos ante materia con una rica casuística que tiene claro reflejo en la Jurisprudencia:

– No se ha considerado como error de hecho: la aplicación o inaplicación de bonificaciones u otros beneficios fiscales [STS 16/12/1992 (RJ 1992, 9690) y 15/12/1993 (RJ 1993, 9327)]; ni tampoco la errónea aplicación de los tipos de gravamen [SSTS 17/06/1995 (RJ 1995, 4707); 27/05/1995 (RJ 1995, 3880) o la de 1/10/1990 (RJ 1990, 820)] ni la cabida de la finca segregada [SAN de 6/07/1993 (RJ 1993, 944)]; tampoco la aplicación de un porcentaje inferior en el cálculo del impuesto de sucesiones [STSJ Andalucía, Sala de Granada, 12/05/2003 (Jur. 182.071)]; ni la base establecida en el levantamiento de un acta de inspección [SAN 25/05/1993 (JT 1993, 629)]; se pronuncia negativamente sobre que no se trata de un error de hecho, el error del sujeto pasivo al darse de alta en el IAE (STSJ Murcia 29/11/2005), así como el error en la comprobación de valores [STSJ Cantabria 1/03/2000 (JT 2000, 462)]; ni la indebida calificación urbanística de un terreno [24/02/1998 (JT 1998, 467)]; la valoración dada a las existencias finales en una dependencia de recaudación o el error en la valoración catastral de un inmueble a efectos del IBI [14/05/1997 (JT 1997, 776)]; ni tampoco el error en la naturaleza jurídica del negocio o contrato [STS 23/05/1989 (RJ 1989, 4057)].

– Por el contrario, se aprecia que se trata de un error de hecho, la designación del órgano competente para conocer de una reclamación [STSJ de Castilla-León 20/04/2001 (Jur. 230.843)]; la consignación de ingresos en la declaración del Impuesto de Sociedades en casilla diferente a la procedente [STSJ Murcia, 4/07/2001 (JT 2001, 1407)], o la errónea declaración de los recurrentes que induce a confusión a la Administración [STSJ Madrid, 14/01/1993 (JT 1993, 69)]. Se estima que hay error de hecho en la extensión superficial de una finca cuando la superficie no se discute y se está simplemente suscitando una controversia sobre la interpretación de la norma jurídica aplicable [16 de abril de 2003 (RJ 2003, 4190)], o la contradicción entre lo declarado en el cuerpo de una resolución y su parte dispositiva [RTEAC de 4/11/1998 (JT 1999, 34)]; la equivocación sufrida en la notificación del valor catastral, concretamente en el primer dígito del valor del inmueble en razón de que excedía de la capacidad del ordenador ó por no recogerse en el programa informático (resoluciones del TEAC de 1/02/1995 y 14/04/1997). Criterios que se reiteran en las SSTSJ Sentencia 73/2021 de 13/01/2021, Rec. 366/2018, Andalucía, Málaga Sentencia núm. 2196/2020 de 17/12/2020, y Sentencia 2090/2020 de 30/11/2020, Rec. 172/2018, Madrid, Sentencia 157/2019 de 19/03/2019, Rec. 774/2017

5.2. PROCEDIMIENTO

El *procedimiento iniciado de oficio* junto al acuerdo de iniciación se notificará al interesado con la propuesta de rectificación, para que pueda formular alegaciones en el plazo de quince días, a partir del siguiente al de la notificación de la propuesta. Se integran, pues, la fase de iniciación y la instrucción o desarrollo. A las previsiones de procedimiento común contenidas en el RD 520/2005, en esta modalidad habría que añadir las siguientes:

- Aunque la LGT no prevé el trámite de audiencia, en el artículo 13 RGRV, con buen criterio, sí se prevé que el acuerdo de iniciación del procedimiento —con la propuesta de rectificación— se pondrá de manifiesto al interesado para que se pueda formular alegaciones en el plazo de 15 días contados a partir del siguiente al de la notificación de la propuesta. Ello, no obstante, se podrá prescindir de tal trámite notificándose directamente al interesado la resolución del procedimiento en el caso de que la rectificación se realizase en su beneficio.

- En la modalidad de procedimiento a instancia del interesado, se prevé la posibilidad de resolución directa por la Administración de "lo que proceda", cuando no figuren en el procedimiento ni sean tenidos en cuenta en la resolución otros hechos, alegaciones o pruebas que los presentados por el interesado, se supone que en el escrito de iniciación. En caso contrario deberá procederse a redactar una propuesta de resolución y notificarla al interesado, para así poder alegar lo que convenga a su derecho en plazo de 15 días a partir del siguiente al de notificación de la propuesta (art. 13 RGRV).

5.3. RESOLUCIÓN

El art. 220.1 LGT establece claramente que la rectificación corresponde llevarla a cabo el "*órgano u organismo que hubiese dictado el acto o resolución de la reclamación*". Esto así, rige en todas las Administraciones tributarias, incluidos los municipios, provincias y demás entidades locales. Previsión lógica y razonable, por cuanto que, en estos supuestos y a diferencia de los casos de anulación, se mantiene la subsistencia del acto una vez subsanado el error, es decir que la corrección no cambia el sentido de la resolución o acuerdo.

Tanto en el caso de iniciación de oficio como a instancia del interesado, la LGT determina que el plazo máximo para notificar la resolución expresa será de seis meses d esde que se presente la solicitud por el interesado o desde que se le comunique el acuerdo de iniciación de oficio del procedimiento (art. 220.2 LGT).

El transcurso del plazo previsto sin que se hubiese notificado resolución expresa producirá (art. 220.2 LGT):

– La caducidad del procedimiento iniciado de oficio sin que ello impida que pueda iniciarse de nuevo otro procedimiento con posterioridad.

– La desestimación por silencio administrativo de la solicitud si el procedimiento se hubiera iniciado a instancia del interesado.

– Sobre su impugnación, es de significar que las resoluciones que se dicten en este procedimiento serán susceptibles de recurso de reposición y de reclamación económico-administrativa (art. 220.3 LGT).

6. LA DEVOLUCIÓN DE INGRESOS INDEBIDOS. REMISIÓN

Entre los deberes de la Administración tributaria, el artículo 32 LGT se ocupa de la devolución de ingresos indebidos a los obligados tributarios, a los sujetos infractores y a los sucesores de unos u otros. Por su parte, el art. 34.1.b) reconoce el derecho de los obligados tributarios a obtener, en los términos previstos en dicha Ley, las devoluciones derivadas de la normativa de cada tributo y las devoluciones de ingresos indebidos que procedan, con abono del interés de demora previsto en el art. 26 de la misma Ley, sin necesidad de efectuar requerimiento al efecto (esto último lo había anticipado el TC en sentencias de 11 de febrero y 15 de septiembre de 1997).

En palabras de MARTÍN QUERALT, LOZANO SERRANO, TEJERIZO LÓ-PEZ y CASADO OLLERO, a la vista de la LGT "se trata de un procedimiento declarativo del derecho, más que propiamente de un procedimiento revisor de la actuación administrativa, pues no se dirige a anular, modificar o rectificar ningún acto previo de la Administración"[47]. En el mismo sentido la práctica totalidad de la doctrina. Para CHECA GONZÁLEZ el procedimiento no es, en realidad, más que un cauce de ejecución de todos los supuestos en los que resulta un derecho de los obligados tributarios a obtener la devolución de los ingresos tributarios efectuados de forma indebida, sin presentar carácter revisor, como se puso de manifiesto en el Informe sobre el borrador del Anteproyecto de la nueva LGT de 23 de enero de 2003[42].

La anterior consideración determina que nos remitamos a al capítulo anterior de esta obra. Baste significar lo que sigue, comenzando por anotar que si bien el artículo 14.1 sólo menciona el artículo 32 de la LGT, como regulación a la que debe ajustarse la devolución de ingresos "en el ámbito de los tributos locales", ello no significa que pueda obviarse en las entidades locales lo dispuesto en la misma Ley General Tributaria a propósito de dicho instituto jurídico, comenzando por el artículo 221; entre otras razones porque ni el TRLRHL de 2004, ni menos la LRBRL de 1985, contienen regulación específica, que sí

---

[47]   J. Martín Queralt, C. Lozano Serrano, J. M. Tejerizo López y G. Casado Ollero. *Curso de Derecho Financiero y Tributario*, Tecnos, Madrid, 2004, p. 521.

es el caso del recurso de reposición, como cuida en especificar la Disposición Adicional 4ª, número uno; precisamente en el número dos de esa misma DA explícitamente se indica ser de aplicación a las entidades locales lo dispuesto en el art. 32.3 LGT, algo innecesario.

La Ley recoge más de un procedimiento de devolución:

a) Uno resulta del art. 31 de la LGT, cuya rúbrica se encabeza con el título "Devoluciones derivadas de la normativa de cada tributo", que viene dedicado a la devolución de las cantidades satisfechas en exceso por lo obligados tributarios pero pagadas conforme a derecho y que finalmente resultan excesivas como consecuencia de la normativa de un determinado tributo, disponiendo de un concreto procedimiento de devolución al que se dedican los arts. 124 y siguientes de la LGT (integrado en la Sección 2ª del Capítulo III, bajo la rúbrica "Procedimientos de gestión tributaria", del Título III).

b) El otro, dedicado a las devoluciones de ingresos indebidos, se contempla en el art. 32 de la LGT, donde entre las obligaciones que la LGT impone a la Administración figura la de proceder a la devolución de los ingresos "que indebidamente se hubieran realizados en el Tesoro Público con ocasión del cumplimiento de sus obligaciones tributarias o del pago de sanciones" instrumentalizando para ello un concreto procedimiento en el art. 221 (dentro de la Sección 5ª del Capítulo II, de Procedimientos especiales de revisión, del Título V)[48].

Por lo que hace al órgano competente para resolver, nada dispone la LGT, órgano con atribución al efecto que nos vendrá determinado en virtud del procedimiento seguido para obtener la declaración del derecho a la devolución. Si lo ha sido a través de un procedimiento general de revisión, recurso administrativo o reclamación administrativa, la competencia obviamente corresponde al órgano que resuelve el recurso o la reclamación, y lo mismo cabe decir cuando se obtenga el reconocimiento a través de un procedimiento de aplicación de tributos o por resolver otro procedimiento establecido en materia tributaria (art. 15 RGRV).

Cuando el procedimiento seguido fuere el específico del artículo 221.1 de la LGT, el artículo 19 del Reglamento determina que la competencia para resolver "corresponderá al órgano de recaudación que se determine en la normativa de organización específica". En la Administración Local el artículo 14.1.c) del TRLRHL, remite a la Ley General Tributaria, citándose expresamente el artículo 32 (aspectos sustantivos) y no curiosamente el artículo 221, que norma el procedimiento de que es desarrollo el artículo 19 del Reglamento. La resolución corresponderá al Alcalde por su atribución residual (artículo 21.1.k), si no se con-

---

[48] La resolución de la Dirección General de Tributos nº. 904/2004 declara plenamente aplicable a las Haciendas Locales la normativa reguladora de la devolución de ingresos indebidos contenida en el art. 155 de la LGT /63, hoy art. 221.

sidera que resulte subsumible en el subapartado que se lee como "desarrollo de la gestión económica". En los municipios de régimen organizativo "de gran población" corresponderá a la Junta de Gobierno Local, si consideramos que la atribución se enmarca dentro del "desarrollo de la gestión económica" y, en otro caso, al Alcalde. Para salir de dudas y en beneficio de la seguridad jurídica, es misión de las bases de ejecución del presupuesto concretar dicho extremo, en toda suerte de entidades locales [*vid.* Art. 165.2.b) TRLRHL].

7. EL SISTEMA DE IMPUGNACIÓN DE ACTOS EN MATERIA TRIBUTARIA DE LAS ENTIDADES LOCALES

7.1. SU EVOLUCIÓN LEGISLATIVA

Hasta la promulgación de la Ley 7/1985, de 2 de abril, Reguladora de las Bases del Régimen Local (LRBRL), las resoluciones de las entidades locales en materia de tributos podían combatirse ante los tribunales del orden contencioso-administrativo (Salas de ese orden existentes en las Audiencias Territoriales, más tarde suprimidas pasando a existir en cada Tribunal Superior de Justicia), si bien, como requisito previo a tal impugnación se exigía reclamación ante los Tribunales Económico-Administrativos y su consiguiente resolución expresa o presunta. Con carácter potestativo y previo a la reclamación económico-administrativa, se admitía la interposición de recurso de reposición. Por consiguiente, el sistema impugnatorio en lo esencial reproducía el propio de los actos tributarios de la Administración estatal.

La LRBRL eliminó la vía económico-administrativa (arts. 108, 113 y Disposición Transitoria décima), justificando tal supresión en el principio de autonomía local ex artículos 137 y 140 de la Constitución, de suerte que los actos tributarios locales —se entendió— no debían ser fiscalizados de legalidad previa por parte de órganos estatales. Supresión de la vía económico-administrativa en materia de tributos locales criticada por parte de la doctrina, al entender más conveniente haberla mantenido, si bien con carácter potestativo.

La entrada en vigor de la LRBRL, artículo 108, supuso que contra los actos de gestión tributaria de las Entidades locales solo cabía interponer recurso de reposición previo al contencioso-administrativo; recurso administrativo que preveía el artículo 52 de la Ley Reguladora de la Jurisdicción Contencioso-Administrativa de 1956 y que constituía un presupuesto procesal necesario para acceder, en su caso, a la vía jurisdiccional.

La Ley 39/1988, de 28 de diciembre, Reguladora de las Haciendas Locales (LRHL), en su artículo 14.4[49] dispuso lo siguiente: "*contra los actos de las Entidades Locales sobre*

---

[49] Sobre la evolución legislativa y jurisprudencial de la cuestión pueden consultarse las SSTS, Sala Tercera, de lo Contencioso-administrativo, Sección 2ª, Sentencia de 14/07/2003, Rec. 10594/1998; de 25/03/ 2003, Rec. 3992/1998; de 19/01/2001, Rec. 5721/1995; Sección 7ª, Sentencia de

aplicación y efectividad de los tributos locales, podrá formularse, ante el mismo órgano que los dictó, el recurso de reposición a que se refiere el artículo 108 de la Ley 7/1985, previo al contencioso-administrativo, en el plazo de un mes, a contar desde la notificación expresa o la exposición pública de los correspondientes padrones o matrículas de los contribuyentes". Particular que se completaba en el apartado 5, al disponer que "*la jurisdicción contencioso-administrativa será la única competente para dirimir todas las controversias de hecho y de derecho que se susciten entre la Entidades Locales y los sujetos pasivos, los responsables y cualquier otro obligado tributario, en relación con las cuestiones a que se refiere la presente Ley*".

La Ley 30/1992, de 26 de noviembre, de Régimen Jurídico de las Administraciones Públicas y Procedimiento Administrativo Común (LRJPAC), deroga el artículo 52 de la Ley de la Jurisdicción de 1956, y suscita la controversia relativa a su carácter preceptivo o potestativo en materia de haciendas locales, derivando en polémica jurisprudencial, de la que se hacen eco la STS de 20 de febrero de 1999[50] y la STC 122/1999, de 28 de junio. Debate al que pone fin la Ley 50/1998, de 30 de diciembre, cuyo artículo 1 modificó los artículos 108 de la LRBRL y 14 de la LRHL, clarificando el carácter obligatorio y preceptivo del recurso de reposición; esto es, no cabrá recurso jurisdiccional directo frente a los actos de gestión tributaria, por precisar una previa respuesta de la Administración, expresa o presunta, para agotar la vía administrativa, tal como exige el art. 25.1 de la Ley 29/1998, como requisito de admisibilidad del recurso contencioso-administrativo

7.2. PERVIVENCIA DE LA VÍA ECONÓMICO-ADMINISTRATIVA EN LOS ACTOS DE GESTIÓN CATASTRAL (IBI) Y GESTIÓN CENSAL (IAE)

Pese a la supresión de la vía económico-administrativa ante los Tribunales Económico-Administrativos estatales, como quiera que a la Administración estatal le corresponde la gestión catastral del IBI y la censal del IAE, siendo competencia de los Ayuntamientos la gestión tributaria de ambos impuestos, los actos de gestión catastral en el IBI y los de gestión censal del IAE son susceptibles de reclamación económico-administrativa ante el TEAR correspondiente, vía necesariamente previa al recurso jurisdiccional. Esto es:

2/06/1999, Rec. 4727/1993; Sección 2ª, Sentencia de 4/10/1995, Rec. 9465/1990; de 14/07/1995, Rec. 32/1995. Así como las SSTSJ de Cataluña, Sala de lo Contencioso-administrativo, Sección 1ª, Sentencia 924/2013 de 26/09/2013, Rec. 7/2013; y Madrid, Sala de lo Contencioso-administrativo, Sección 2ª, Sentencia 557/2014 de 11/06/2014, Rec. 999/2013.

50 RJ 1999, 1221.

a) *La gestión catastral en el impuesto sobre bienes inmuebles*[51]. El art. 78.1, párrafo tercero, de la Ley 39/1988, de Haciendas Locales había establecido que el conocimiento de las reclamaciones que se interpusieran contra los actos aprobatorios de la delimitación del suelo (regulados en el art. 70.2 LRHL), contra las ponencias de valores (reguladas en el art. 70.a LRHL) y contra los valores catastrales (art. 71 LRHL) correspondía a los Tribunales Económico-Administrativos del Estado[52]. Tras la reforma de la LRHL por la Ley 51/2002, de 21 de diciembre, el sistema se mantiene. Previsión que hoy viene a corresponderse con los arts. 12.4 y 29.4 del Texto Refundido de la Ley del Catastro Inmobiliario (RDLeg. 1/2004, de 5 de marzo), y con el art. 91.2 y 4 del TRLRHL y los arts. 4.1.b, 14.4.b y 15.2 del RD 243/1995, de 17 de febrero, por lo que hace a la gestión censal del Impuesto de Actividades Económicas.

Frente a los actos de gestión e inspección catastral del IBI, cabe interponer recurso potestativo de reposición y posterior reclamación económico-administrativa, o acudir directamente a la reclamación económico-administrativa ante el Tribunal Económico-Administrativo competente. Su resolución agota la vía administrativa y deja expedito el posterior recurso contencioso-administrativo; contra los actos administrativos de gestión tributaria (obviamente incluida la recaudación) a cargo del Ayuntamiento, cabe interponer recurso preceptivo de reposición al amparo del artículo 14 del TRLRHL y posterior recurso contencioso-administrativo. Ello sin perjuicio del régimen especial previsto para los municipios de gran población del Título X de la LRBRL, sobre el que nos detendremos más adelante.

b) *Gestión censal en el impuesto sobre actividades económicas.* También en este impuesto tenemos diferenciados los actos municipales de gestión tributaria y la gestión censal a cargo de la Administración Tributaria del Estado (art. 92.4 de la LRHL, hoy art. 91.2 y 4 del TRLRHL). Esta gestión censal comprende la formación y mantenimiento de las matriculas reservada al Estado, en contraste con la gestión tributaria, incluyendo liquidación, inspección y recaudación que en unos casos corresponde a la Administración del Estado y en otros a las entidades locales, como pormenoriza ZAPATA HÍJAR. Actuación de la Administración tributaria estatal cuya impugnación corresponde conocer a los Tribunales Económico-Administrativos del Estado, siendo re-

---

[51] Véanse por todas las SSTSJ de Madrid, Sala de lo Contencioso-administrativo, Sección 9ª, Sentencia 1138/2014 de 6/10/2014, Rec. 1900/2010; de Cataluña, Sala de lo Contencioso-administrativo, Sección 1ª, Sentencia 483/2014 de 3/06/2014, Rec. 296/2013; y Sentencia 483/2014 de 3/06/2014, Rec. 296/2013.

[52] STS de 4/07/2003 (RJ 2003, 6647).

currible la actividad administrativa de los entes locales ante la propia Administración municipal[53].

7.3. LA NUEVA VÍA ECONÓMICO-ADMINISTRATIVA

Finalmente, la Ley 57/2003, de 16 de diciembre, de Medidas de Modernización del Gobierno Local (LMMGL), incorpora a la LRBRL un nuevo Título, el X (comprensivo de los artículos 121 a 138), relativo al "Régimen de organización de los municipios de gran población". Esta regulación viene a reinstaurar la reclamación económico-administrativa, con una diferencia fundamental: de ella conoce un órgano municipal especializado creado al efecto. La Exposición de Motivos de esa ley trata de justificar la medida, insistiendo en que puede constituir un importante instrumento para avanzar y agilizar la defensa de los derechos de los ciudadanos en un ámbito tan sensible y relevante como es el tributario, reducir la conflictividad en vía contencioso-administrativa y aliviar de carga de trabajo a los órganos de la jurisdicción contencioso-administrativa. Aunque no siga el modelo, esta nueva vía se inspira también en el caso especial de Barcelona, con el *Consell Tributari*.

7.4. LOS REGÍMENES ESPECIALES DE IMPUGNACIÓN EN VÍA ADMINISTRATIVA

Con fundamento en específicas previsiones constitucionales, normativa estatal básica sobre régimen local, así como de algún Estatuto de Autonomía de los denominados de nueva generación, resulta el reconocimiento de una serie de regímenes especiales.

Es el caso de las entidades locales navarras, el del municipio de Barcelona, el de las ciudades autónomas de Ceuta y Melilla y, en mucha menor medida, el del Municipio de Madrid[54].

---

[53]   J. C. Zapata Híjar. "Los Procedimientos de Gestión, Recaudación, Inspección y Sancionador en el ámbito Tributario Local" en la obra *Régimen Jurídico de los tributos locales. Especial referencia al catastro y a los órganos de revisión locales,* Estudios de Derecho Judicial, n°. 126, Consejo General del Poder Judicial, Madrid, 2007, pp 166 a 168. La impugnación de los actos de inspección del IAE, suscitó cierta controversia, de la que se hacen eco, por ejemplo, las sentencias de los TSJ de Madrid, de 22/04/1997 (JT 1997, 697) y STSJ de Castilla-León, Burgos, de 24/06/2000 (JT 2000, 1556), que juzgaron preciso utilizar vías de recurso separadas y distintas para los actos de liquidación realizados por la inspección y para los actos de gestión censal contenidos en el acta de inspección. No obstante, la STS de 25/09/2001 (RJ 2001, 7604) zanja la cuestión, disponiendo que en un solo procedimiento de recurso puede impugnarse tanto la parte de gestión censal como la parte de gestión tributaria que incluya el acto de inspección tributaria.

[54]   Nos remitimos al trabajo de M. J. Domingo Zaballos. "Los regímenes especiales de impugnación en vía administrativa de los actos tributarios de las entidades locales", *Tribuna Fiscal*, n° 248, 2011.

8. LA IMPUGNACIÓN EN EL RÉGIMEN ORGANIZATORIO COMÚN: EL RECURSO DE REPOSICIÓN

8.1. OBJETO

A tenor de lo dispuesto en el art. 108 LRBRL, en concordancia con el art. 14.2 del TRLRHL, el objeto del recurso de reposición viene circunscrito a *los actos sobre aplicación y efectividad de los tributos locales, y de los restantes ingresos de Derecho Público de las entidades locales, tales como prestaciones patrimoniales de carácter público no tributarias, precios públicos y multas y sanciones pecuniarias*". Así pues, son impugnables, mediante el recurso de reposición, no solamente los actos dictados por las entidades locales en vía de gestión de sus tributos propios, sino también de los "restantes ingresos de derecho público" (art. 14.2.a TRLRHL), referencia que no figuró en las primeras redacciones de los indicados artículos, siendo introducida por Ley 50/1998, de 30 de diciembre.

A propósito de la expresión —"restantes ingresos de derecho público"—, estos se refieren a las prestaciones patrimoniales de carácter público no tributarias, precios públicos, y multas y sanciones pecuniarias, lo que a su vez obliga a distinguir entre la resolución que pone fin al acto, que sigue su cauce impugnatorio ordinario y su posterior exacción, aplicación y efectividad del ingreso, este es el que debe de ser objeto del régimen de recursos previsto en el art. 108 LRBRL en relación con el 14 TRLRHL.

Sobre este particular volveremos más detenidamente al tratar de las reclamaciones económico-administrativas[55].

8.2. PLAZO DE INTERPOSICIÓN Y MOTIVOS IMPUGNATORIOS

Se establece en un mes, contado desde el día siguiente al de la notificación expresa del acto cuya revisión se solicita, o al de la finalización del período de exposición pública de los correspondientes padrones o matrículas de contribuyentes (art. 14.2.c TRLR-

---

[55]   Las SSTSJ de Cataluña, Sala de lo Contencioso-administrativo, Sección 1ª, Sentencia 924/2013, de 26/09/ 2013, Rec. 7/2013; y Madrid, Sala de lo Contencioso-administrativo, Sección 2ª, Sentencia 557/2014 de 11/06/2014, Rec. 999/2013 Nº de Sentencia: 557/2014, señalan: "Debe partirse de la premisa jurídica de que el recuro de reposición aludido en el art. 108 de la Ley 7/1985, de 2 de abril establece que contra los actos sobre aplicación y efectividad de los tributos locales, y de los restantes ingresos de Derecho Público de las entidades locales, tales como prestaciones patrimoniales de carácter público no tributarias, precios públicos, *y multas y sanciones pecuniarias*, se formulará el recurso de reposición específicamente previsto a tal efecto en la Ley reguladora de las Haciendas Locales. Dicho recurso tendrá carácter potestativo en los municipios a que se refiere el título X de esta ley (municipios de gran población) no tiene carácter potestativo sino preceptivo como indica la sentencia del Tribunal Supremo de 26/03/ 2004, dictada en recurso de casación para la unificación de doctrina, Rec. 10.045/1998".

HL). Por lo que toca al cómputo, hemos de estar a lo previsto en el art. 30.4 LPAC, si bien la referencia a los diversos plazos de interposición según el tipo de deuda ha motivado que la STS de 11 marzo 2004[56] admita la posibilidad de que en los tributos de cobro periódico y notificación colectiva, el mes se compute desde el día siguiente al de la notificación expresa del acto "recibo" cuya revisión se solicita.

La aprobación de las liquidaciones para su notificación colectiva en los tributos de cobro periódico, mediante edictos que así lo adviertan (art. 102.3 LGT), será objeto de comunicación colectiva (anuncios de cobranza a los que alude el art. 24 RGRV). Por ello, el art. 223.1, último párrafo, LGT establece que, cuando se trate de deudas de vencimiento periódico y notificación colectiva "el plazo para la interposición computará a partir del día siguiente al de la finalización del período voluntario de ingreso", *esto es el mismo día en que, conforme con el art. 161 LGT, se inicia el período en ejecutiva, mientras que el art. 14.2. c) TRLRHL, el plazo de un mes cuenta desde el día siguiente al de la finalización del período de exposición pública de los padrones o matrículas de contribuyentes u obligados al pago.*

Por lo que respecta a los *motivos de impugnación*, el art. 14.2.f) TRLRHL, tras indicar que en el escrito de iniciación se harán constar los datos identificativos del recurrente, órgano al que se dirige, acto impugnado, domicilio para notificaciones y el lugar y fecha de interposición, añade: "*se formularán tanto sobre cuestiones de hecho como de derecho*". Como igualmente resulta (se dice explícitamente) del art. 112.1 LPAC, se está determinando —como no podría ser de otro modo en un recurso ordinario— puede fundarse en cualquiera de los motivos de nulidad o anulabilidad a que hace mención la LGT (arts. 217 a 221).

8.3. LEGITIMACIÓN: EL ESCRITO DE INTERPOSICIÓN

A tenor del art. 14.2.d) TRLRHL, *pueden interponer recurso de reposición*: los sujetos pasivos y en su caso, los responsables del tributo: (i) los obligados a efectuar el ingreso de Derecho público de que se trate; así como (ii) cualquier otra persona cuyos intereses legítimos resulten afectados por el acto administrativo de gestión. La legitimación conforme a dicho precepto es más amplia[57] que la contemplada en el art. 232,

---

[56]   RJ 2004, 2531.

[57]   STS de 8/04/1994 (RJ 1994, 3026) y SAN, Sección 6ª, Sentencia de 4/12/2013, Rec. 682/2012, siendo de significar que tal y como lo viene entendiendo mayoritariamente la jurisprudencia del TS y de los Tribunales Superiores de Justicia pudiendo citarse, a este respecto, las sentencias de la Sala Tercera del TS, sección 5ª, de 07/02/2007, Rec. 2946/2003, y de la sección 4ª de 29/06/2007, Rec. 9811/2004. En el FD 3º de esta última sentencia, citando la de 20/09/2004, Rec. 2874/2001, se recuerda que «es ***doctrina jurisprudencial reiterada*** *la de que la Administración no puede desconocer en vía contenciosa la personalidad (hay que entender legitimación) reconocida en vía administrativa,*

que a su vez remite al art. 223.3, ambos de la LGT, negando la legitimación a "los que asuman obligaciones tributarias en virtud de pacto o contrato", postura sobre la que se ha mostrado beligerante la jurisprudencia, al menos en la esfera local[58].

Los recurrentes pueden comparecer por sí mismos o por medio de representante, sin que sea preceptiva la intervención de abogado ni procurador.

El *escrito de interposición*, se basará sobre las cuestiones de hecho y de derecho, acompañando los documentos que justifiquen la pretensión que se ejercita, contendrá los extremos a que hace mención el art. 14.2.f) del TRLRHL. A diferencia de la reclamación económico-administrativa (procedimiento en que el reclamante puede interponerla y reservarse el derecho a formular alegaciones a la vista del expediente), aquí se exige que en el escrito de recurso se formulen las alegaciones de hecho como de derecho, acompañando los documentos que sirvan de base a la pretensión.

Se presentará en la sede del órgano de la entidad que dictó el acto administrativo impugnado o, en su defecto, en las dependencias u oficinas referidas en el art. 16.4 LPAC. Repárese en el carácter anti formalista con que afrontan los tribunales, generalmente, el cumplimiento de este requisito[59].

Si el interesado precisare el expediente de gestión o las actuaciones administrativas para formular sus alegaciones, deberá comparecer a tal efecto ante la *"oficina o dependencia de gestión"* a partir del día siguiente a la notificación del acto administrativo a impugnar y antes de que finalice el plazo de interposición del recurso (art. 14.2. g TRLRHL).

Si del escrito inicial o de las actuaciones resultan otros interesados distintos del recurrente, se les comunicará la interposición del recurso, concediéndoles el plazo de cinco días para que formulen lo que a su derecho convenga.

8.4. SUSPENSIÓN DEL ACTO IMPUGNADO. TRAMITACIÓN DEL RECURSO

El art. 14.2.i) TRLRHL comienza estableciendo la regla general de no suspensión de la ejecución del acto impugnado, con las consecuencias de rigor (recaudación de cuotas o derechos liquidados, intereses o recargos). Después determina expresamente: a) la suspensión automática de los actos de imposición de sanciones tributarias conforme a lo previsto en la Ley General Tributaria; y b) la posibilidad de suspender la ejecución de

aunque no sean coincidentes los términos de la legitimación en vía administrativa con los propios de la vía jurisdiccional.»

[58]   Véase C. Checa González. *"Revisión en vía administrativa: Recurso de reposición y Reclamaciones Económico-Administrativas"*, 2ª edición, Aranzadi, Navarra, 2009, p. 24.

[59]   SSTS 26 septiembre 1998 (RJ 1998, 7255) y 2 julio 2002 (RJ 2002, 6433).

los demás actos mientras se sustancie el recurso. Hemos de entender que la remisión se efectúa al Reglamento General de Revisión, aprobado por Real Decreto 520/2005 de 13 de mayo (RGRV), por consiguiente, con las salvedades que se verán, la regulación de la suspensión de la ejecución de los actos impugnados resultará de lo dispuesto en el art. 224 LGT y, en su desarrollo, por los artículos 39 a 47 RGRV.

La competencia para concederla corresponderá al órgano de la entidad local que hubiese dictado el acto impugnado.

Del juego de los arts. 224 y 233 LGT, resulta que el específico supuesto de suspensión con dispensa total o parcial de garantías cuando de la ejecución pudieran derivar perjuicio de difícil o imposible reparación (previsión equivalente a la de art. 117.2.a LPAC), parece solo aplicable en los procedimientos de recurso ante los municipios de gran población, al venir prevista para cuando medie reclamación económico administrativa y de ser el caso antes en el recurso potestativo de reposición (arts. 224.3 LGT y 25 RGRV). Sin embargo, no vemos inconveniente legal en que pueda aplicarse, el mismo régimen, en los municipios sujetos al régimen común, articulándola a través del recurso de reposición[60].

El art. 224.1 párrafo 3, LGT especifica que si la impugnación afecta a un acto censal relativo a un tributo de gestión compartida, no se suspenderá por ello el cobro de la liquidación, sin perjuicio, que la resolución que se dicte en materia censal afecte a la liquidación abonada, por lo que en tales casos debe recurrirse la liquidación con independencia del acto censal, solicitar su suspensión y esperar a la resolución en cuanto al acto censal[61].

Lo más llamativo de esta bastante completa regulación del recurso de reposición es que, a diferencia de la regulación general (la LPAC nada explícitamente determina, pero se infiere de su artículo 112), la ley cierra la posibilidad de recurrir en vía administrativa la denegación de la suspensión. En efecto, entre las especialidades de este recurso, determina el precepto —artículo 14 apartado 2º, letra i—, que *"las resoluciones deses-*

---

[60] Véanse al respecto las SSTSJ de la Región de Murcia, Sala de lo Contencioso-administrativo, Sección 2ª, Sentencia 5/2015, de 19/01/2015, Rec. 522/2010; de la Región de Murcia, Sala de lo Contencioso-administrativo, Sección 2ª, Sentencia 21/2015, de 19/01/2015, Rec. 576/2011; y Sentencia 852/2014, de 17/11/2014, Rec. 777/2010; de Extremadura, Sala de lo Contencioso-administrativo, Sentencia 1114/2014, de 12/12/2014, Rec. 296/2014; de Castilla-La Mancha, Sala de lo Contencioso-administrativo, Sección 1ª, Sentencia 535/2014, de 31/07/2014, Rec. 631/2011.

[61] SSTSJ de Cataluña, Sala de lo Contencioso-administrativo, Sección 1ª, Sentencia 483/2014, de 3/06/ 2014, Rec. 296/2013; Sentencia 301/2014 de 3/04/ 2014, Rec. 33/2013; 6/03/2014, Rec. 288/2013; 23/01/2014, Rec. 180/2013 y 19/12/2013, Rec. 1223/2010; de Madrid, Sala de lo Contencioso-administrativo, Sección 1ª, Sentencia 364/2014 de 19/05/2014, Rec. 1040/2013; y de Región de Murcia, Sala de lo Contencioso-administrativo, Sección 2ª, Sentencia de 21/03/2014, Rec. 667/2008, entre otras.

timatorias de la suspensión sólo serán susceptibles de impugnación en vía contencioso-administrativa". Previsión que contrasta con el silencio de la LGT y con el artículo 25.11 RGRV, que posibilita que las resoluciones denegatorias de la suspensión se puedan combatir, ello mediante reclamación económico-administrativa ante el "Tribunal" al que corresponda resolver la impugnación del acto cuya suspensión se solicita. Debemos estar a lo dispuesto en el TRLRHL, como resulta claramente de la Disposición Adicional Cuarta de la LGT. No creemos racionalmente justificada esa exclusión de recurso.

Interpuesto recurso contencioso-administrativo contra la resolución del recurso de reposición, la suspensión acordada en vía administrativa se mantendrá, *"siempre que exista garantía suficiente"*, hasta que el órgano judicial resuelva sobre la misma, lo que habrá que hacer con arreglo a los artículos 129 y siguientes[62] de la LJCA. Al igual que ocurre con la problemática anterior, no vemos fácilmente salvable que pueda evitarse la exigencia de garantía (salvo si hablamos de sanciones, claro), porque la remisión a la normativa aplicable a las reclamaciones económico-administrativas sobre la procedencia de la suspensión se hace en el artículo 14.2 TRLRHL con las "especialidades" explícitamente recogidas en el propio artículo; es decir: la competencia del órgano (que enseguida trataremos), la inviabilidad de interponer otro recurso que el contencioso-administrativo contra la decisión sobre la suspensión y el mantenimiento de la suspensión —de haberse acordado— "siempre que existan garantías suficientes".

Poco especifica el extenso artículo sobre la *tramitación* propiamente del recurso. En la letra b) del apartado segundo del artículo 14 TRLHL, determina la atribución de la competencia en favor del órgano que hubiere dictado el acto administrativo impugnado para "conocer y resolver el recurso" y en la letra i) del mismo apartado, se dice que será competente para tramitar la solicitud de suspensión cautelar del acto recurrido el órgano de la entidad local que lo hubiese dictado.

La ley silencia si cabe abrir trámite de prueba. De hecho, al regular el contenido del escrito de recurso (letra F) nada se dice en concreto, más allá de indicar que se podrán presentar los documentos que sirvan de base a la pretensión que se ejercita. Tampoco se prevé el trámite en la regulación del recurso potestativo, artículos 222 a 225 de la LGT, y lo mismo ocurre en los artículos 21 y siguientes del Reglamento General de Revisión. Falta de previsión expresa que no puede llevarnos a negar que pueda abrirse el trámite, de haberse interesado en el mismo escrito de interposición, ya que los extremos que han de hacerse constar en dicho escrito, según indica la letra f) del repetido art. 14.2, lo son con carácter mínimo, sin que se prohíba reseñar otros, incluido la proposición de

---

[62]   A este respecto son significativas las SSTS Sección 2ª, S 1551/2020, 19/11/2020 (Rec. 6226/2018) S 1436/2020, 30/10/2020 (Rec. 4071/2018) S 1307/2020, 15/102020 (Rec. 315/2018) S 638/2020, 03/06/2020 (Rec. 3067/2017) y S 586/2020, 28/05/2020 (Rec. 5751/2017).

prueba cuando resulte necesaria para el esclarecimiento de los hechos en los términos generales de todo procedimiento tributario[63].

Tampoco prevé la ley la necesidad de elevar propuesta de resolución, pero tal exigencia deriva de las reglas generales de procedimiento, incluidas en el ámbito de los procedimientos tramitados por los entes locales; véase a respecto lo previsto en el artículo 175 del ROF, de 28 de noviembre de 1986.

En fin, la ley podría haber previsto que la resolución fuese precedida de informe preceptivo del secretario (y del interventor) de la entidad local. No lo ha hecho y tampoco exige la norma informe previo de la asesoría jurídica, allá donde exista. Otra cosa es que, por el artículo 214 TRLRHL, queda sujeta a la fiscalización de la Intervención de Fondos (en cualquiera de sus modalidades), habida cuenta de que la eventual estimación del recurso supone el reconocimiento y liquidación de derechos de contenido económico en favor del recurrente.

8.5. LA RESOLUCIÓN DEL RECURSO Y SUS MEDIOS DE IMPUGNACIÓN

Será *órgano competente* para resolver aquél que haya dictado o aprobado el acto administrativo impugnado (art. 14.2.b TRLRHL). Con carácter general la competencia vendrá atribuida a favor del alcalde o presidente, sin perjuicio de las delegaciones que este pueda llevar a cabo en favor de otros miembros de la Corporación, puesto que la competencia para aprobar las liquidaciones la ostenta el alcalde u órgano o autoridad en quien éste haya delegado, mediante acto formal dictado al efecto (arts. 21.3 LRBRL, 23.2 TRLRHL y 43 del ROF)[64]. Por consiguiente, si el acto administrativo impugnado se hubiere dictado por delegación, la atribución para conocer y resolver el recurso corresponde al órgano delegado, "salvo que en esta se diga otra cosa" (art. 225.1 LGT).

---

[63] Repárese, para finalizar, en que este recurso de reposición juega el mismo papel que las reclamaciones económico-administrativas frente a los actos tributarios de las Administraciones estatal, autonómicas y algunas entidades locales, procedimiento en el que se contempla la prueba, incluso de oficio (art. 236 LGT y art. 57 RGRV), careciendo de sentido que disponga de inferiores medios de defensa el interesado en las relaciones jurídico-tributarias ante la mayor parte de entes locales que ante las grandes administraciones; y lo mismo, por extensión, que el órgano con atribución para resolver el recurso de reposición esté más limitado (para dar respuesta a todas las cuestiones que plantee el procedimiento) que el Tribunal Económico-Administrativo.

[64] Sobre esta problemática —incluida crítica a la previsión del artículo 115 c) del ROF, RD 2568/1986— véase V. Escuin Palop, en la obra dirigida por el mismo autor y por M. J. Domingo Zaballos, *Impugnación y Revisión de la Actividad de los Entes Locales*, Madrid 2010, p. 306.

Puede darse el caso de que el municipio haya efectuado delegación intersubjetiva a favor de la Diputación, Isla o Comunidad Autónoma; de ser así, la competencia corresponderá al órgano gestor que hubiese dictado el acto.

A propósito del *contenido de resolución* que, naturalmente, habrá de ser siempre motivada (art. 14.2, letra m), se somete a conocimiento del órgano competente para la resolución del recurso no solamente las cuestiones planteadas en el mismo, sino *"todas las cuestiones que ofrezca el expediente, hayan sido o no planteadas en el recurso"* (letra k del art. 14.2). En este segundo caso, antes se habrá debido poner de manifiesto tal circunstancia a los interesados, concediéndoles plazo de cinco días para formular alegaciones. Sobre este particular nótese que en los arts. 223.4 y 237 LGT, regulando el desenlace posible del recurso de reposición y de la reclamación económico-administrativa respectivamente, prohíben la *reformatio in peius*: la anulación del acto objeto de recurso, no puede comportar en ningún momento sustituir éste por otro que resulte más perjudicial para el recurrente. Previsión esta que no aparece en el artículo 14 TRLRHL, pero que vincula también al órgano llamado a resolver el recurso, por constituir un principio general que si recoge el artículo 119.3 LPAC, como mínimo de aplicación supletoria.

El recurso *será resuelto en el plazo máximo de un mes* a contar desde el siguiente a su presentación o, en su caso, desde que se hubiesen formulado alegaciones por terceros interesados en los términos de las letras j) y k) del mismo apartado segundo del art. 14 TRLRHL. Transcurrido el plazo sin que medie resolución se entenderá desestimada, si bien la denegación presunta no eximirá al órgano de su obligación de resolver (art. 14.2.k TRLRHL). Conviene puntualizar que, mientras la letra "l" del art. 14.2 TRLRHL dispone que "El recurso será resuelto en el plazo de un mes a contar desde el día siguiente a su presentación...", la letra "n" de tal precepto añade que: "La resolución expresa deberá ser notificada... en el plazo máximo de diez días desde que aquella se produzca". Por consiguiente, no existe adecuación del precepto ni a la LPAC (artículo 124.2) ni a la LGT (art. 225.3), ya que en ambas leyes el plazo para resolver y notificar (en rigor intentar la práctica de la notificación conforme a Derecho) de un mes es único.

Si la *resolución del recurso es favorable* para el recurrente, se le deberá *reembolsar la garantía que hubiera aportado para obtener la suspensión* de la ejecución del acto impugnado en los términos de los artículos 33 y 34.1.c) LGT. Por el contrario, si la *resolución desestima el recurso total o parcialmente*, a tenor del artículo 233.10 LGT, dará lugar a la *liquidación de intereses* por todo el período de suspensión salvo, a su vez, que se haya incumplido el plazo para resolver, en cuyo caso, los intereses se liquidan en los términos del artículo 26.4 de la citada Ley General Tributaria.

En cuanto a la impugnación de la resolución del recurso de reposición —sea expresa o presunta—, debemos distinguir entre entidades locales sujetas al régimen organizativo común de los municipios sujetos al régimen organizativo de gran población. En las primeras contra la resolución del recurso de reposición, solo cabe el contencioso-administrativo[65]. Por lo que hace a los municipios de gran población, los interesados pueden presentar frente al acto administrativo originario, bien directamente la reclamación económico-administrativa, o bien —con carácter potestativo— recurso de reposición, sin que puedan simultanearse ambos (véanse los arts. 108 y 137.3 LRBRL). De haber formulado ese recurso de reposición potestativo, su resolución habrá de ser objeto de la posterior reclamación económico-administrativa ante el órgano ad hoc.

9. LA RECLAMACIÓN ECONÓMICO-ADMINISTRATIVA EN EL ÁMBITO MUNICIPAL

9.1. INTRODUCCIÓN

El artículo 137 de la Ley Básica de Régimen Local, supuso la instauración en ciertos municipios de un sistema impugnatorio de los actos en materia tributaria distinto del común. Prevé un órgano de existencia obligatoria cuya misión principal le da nombre, la resolución de las reclamaciones económico-administrativas en los municipios de "gran población", teniendo por tales los que resultan de aplicar las reglas (número de habitantes, capitalidad de provincia o de Comunidad autónoma) establecidas en el art. 121. Además, ostenta como funciones propias el informe y propuesta en materia tributaria en caso de ser requerido y del dictamen sobre los proyectos de ordenanzas fiscales[66].

---

[65] SSTSJ de Galicia, Sala de lo Contencioso-administrativo, Sección 4ª, Sentencia 757/2014, de 22 dic. 2014, Rec. 15049/2014; de Castilla-La Mancha, Sala de lo Contencioso-administrativo, Sección 1ª, Sentencia 317/2014, de 15 dic. 2014, Rec. 71/2013; de Canarias (Santa Cruz de Tenerife), Sala de lo Contencioso-administrativo, Sentencia 276/2014, de 28 nov. 2014, Rec. 167/2014; de Canarias (Santa Cruz de Tenerife), Sala de lo Contencioso-administrativo, Sentencia 276/2014, de 28 nov. 2014, Rec. 167/2014; de la Región de Murcia, Sala de lo Contencioso-administrativo, Sección 2ª, Sentencia 523/2014 de 30 jun. 2014, Rec. 96/2014; de la Comunidad Valenciana, Sala de lo Contencioso-administrativo, Sección 3ª, Sentencia de 5 mar. 2014, Rec. 91/2013; de Cataluña, Sala de lo Contencioso-administrativo, Sección 1ª, Sentencia de 16 ene. 2014, Rec. 146/2013.

[66] La no creación de este órgano especial está dando lugar a respuestas distinta a la cuestión relativa a las consecuencias jurídicas que tiene el hecho de que un ayuntamiento no haya adecuado su organización a las previsiones del título X de la LRBRL, incumpliendo, con creces, el plazo de seis meses previsto en la DT 1ª de la Ley 57/2003, mientras que el TSJ de Madrid en Sentencia 955/2010, de 26/07/2010 recurso núm. 34/2010, estima que, en caso de no haberse creado el órgano a que se refiere el art. 137 LRBRL, se aplica el régimen de recursos de los municipios de régimen común, otros estiman lo contrario (Sentencia del Juzgado de lo contencioso-administrativo núm. 1 de Santander 4/2019, de 17/01/2019;

La justificación de esta nueva modalidad de reclamación económico-administrativa se destaca en la Exposición de Motivos diciéndose sobre el nuevo órgano especializado que *"Este órgano puede constituir un importante instrumento para abaratar y agilizar la defensa de los derechos de los ciudadanos en un ámbito tan sensible y relevante como el tributario, así como para reducir la conflictividad en vía económico-administrativa, con el consiguiente alivio de la carga de trabajo a que se ven sometidos los órganos de ésta jurisdicción"*. Los objetivos perseguidos por la Ley en los términos del propio Preámbulo distan de haberse cumplido[67].

9.2. ACTOS SUSCEPTIBLES DE RECLAMACIÓN ECONÓMICO-ADMINISTRATIVA

A tenor del repetido artículo 137 LRBRL, apartado uno, letra a), corresponde al órgano de referencia *"el conocimiento y resolución de las reclamaciones sobre actos de gestión, liquidación, recaudación e inspección de tributos e ingresos de derecho público que sean de competencia municipal"*. A los actos de gestión, liquidación, recaudación e inspección de tributos debe adicionarse los actos sancionadores en materia tributaria (art. 227.3 LGT).

El apartado segundo del mismo art. 227.2 LGT enuncia más particularmente los actos "en materia de aplicación de los tributos" susceptibles de reclamación económico-administrativa. Tras indicar —apartado 3º— ser igualmente susceptibles de reclamación los actos que impongan sanciones, en cuanto a las actuaciones u omisiones de los particulares en materia tributaria, cabe interponer reclamación económico-administrativa frente: a las obligaciones de repercutir y soportar la repercusión prevista legalmente, las relativas a las obligaciones de practicar y soportar retenciones o ingresos a cuenta; expedir, entregar y rectificar facturas, que incumbe a los empresarios y profesionales así como las derivadas de las relaciones entre sustituto y contribuyente (apartado 4º del mismo artículo 227).

---

recurso núm. 271/2018, ello ha determinado que por Auto del TS de 12/01/2022, Rec. 2928/2021, se estime de interés casacional dar respuesta a siguiente cuestión: debe aclararse si, la falta de creación en los municipios de gran población del órgano especializado para resolver las reclamaciones económico- administrativas previsto en el artículo 137 LBRL , determina la nulidad de los actos de gestión, liquidación, recaudación e inspección de los tributos e ingresos de derecho público, que sean de competencia municipal, al privar el Ayuntamiento al contribuyente del derecho a la resolución de su reclamación económico-administrativas por un órgano especializado antes de acudir a la vía judicial.

[67] M. J. Domingo Zaballos. "Regímenes especiales de impugnación en vía administrativa de los actos tributarios de las entidades locales", *op. cit.*

El artículo 227 LGT acota los actos susceptibles de reclamación[68] "en relación con las materias a las que se refiere el artículo anterior", reseñando la aplicación de tributos y la imposición de sanciones tributarias, enunciado que termina con la siguiente materia: "cualquier otra que se establezca por precepto legal expreso".

Situándonos en el ámbito local los artículos 108 LRBRL, 14.2 TRLRHL (reseñan el objeto del recurso de reposición) y el 137 LBRL, determina el objeto de las reclamaciones de suerte que no sólo se conciben frente a los actos relativos a tributos, sino también los dictados sobre *"aplicación y efectividad"* de los *"restantes ingresos de derecho público"*. Expresión la de la letra a) del artículo 137.1 LRBRL técnicamente poco afortunada, como no lo había sido la literalidad del precepto del que trae causa —art. 108 LRBRL— determinando que contra los actos sobre aplicación y efectividad de los tributos locales, *"y de los restantes ingresos de Derecho Público de las entidades locales, tales como prestaciones patrimoniales de carácter público no tributario, precios públicos y multas y sanciones pecuniarias"* procede el recurso de reposición específicamente previsto en la LRHL, recurso que —aclara el mismo artículo— tiene carácter potestativo en los municipios "de gran población". Cabe preguntarse si las resoluciones de la Alcaldía imponiendo sanción de tráfico, aprobando liquidación de cuotas de urbanización o el canon de urbanización (por reseñar sólo algunos ingresos públicos municipales de derecho público), han de combatirse en vía administrativa previa a la contenciosa presentando el recurso de reposición del art. 14 TRLH (en los municipios y demás entidades locales de régimen organizativo común) o la reclamación económico administrativa prescrita en el art. 137 LRBRL (para los municipios sujetos al Título X LRBRL). No, en nuestra opinión[69].

Actos de *"aplicación y efectividad"* de ingresos de Derecho Público, se contrae a los *"actos recaudatorios"*, hacer efectivo en período voluntario o vía ejecutiva el crédito a

---

[68] Véanse a este tenor las SSTSJ de Castilla y León (Valladolid), Sala de lo Contencioso-administrativo, Sentencia 69/2015, de 15/01/2015, Rec. 682/2013; de la Región de Murcia, Sala de lo Contencioso-administrativo, Sección 2ª, Sentencia 991/2014, de 19/12/2014, Rec. 505/2011; y Sentencia 964/2014, de 12/12/2014, Rec. 425/2011; del País Vasco, Sala de lo Contencioso-administrativo, Sección 2ª, Sentencia 625/2014, de 10/12/2014, Rec. 1085/2012; y Sentencia 596/2014 de 27/11/2014, Rec. 1099/2012; de Galicia, Sala de lo Contencioso-administrativo, Sección 4ª, Sentencia 693/2014, de 26/11/ 2014, Rec. 15505/2012; de Madrid, Sala de lo Contencioso-administrativo, Sección 5ª, Sentencia 1200/2014, de 2/10/2014, Rec. 695/2012.

[69] Repárese en que el Reglamento municipal al que remite el nº 5 del artículo 137, en materia de competencias y procedimientos (entre otras), ha de aprobarse "de acuerdo en todo caso con lo establecido en la Ley General Tributaria y en la normativa estatal reguladora de las reclamaciones económico-administrativas". En primer lugar, por consiguiente, el objeto de las reclamaciones nos conduce al artículo 226 y concordantes (incluida la DA undécima) de dicho cuerpo normativo. Preceptos en los que se incluyen como susceptibles de reclamación los actos *recaudatorios* relativos a ingresos de derecho público no tributarios, pero no las resoluciones aprobatorias de tales ingresos.

favor de la entidad local derivado de una exacción, tributaria o no, siempre que sea de derecho público. Así resulta del artículo 135.2 LRBRL, al enunciar las competencias atribuidas al órgano de gestión tributaria, donde con nitidez, diferencia la gestión, liquidación, inspección, recaudación y revisión de los actos tributarios municipales, de *"la recaudación en período ejecutivo de los demás ingresos de derecho público del Ayuntamiento"*.

Se *excluye de la competencia atribuida a este órgano especializado*, las siguientes materias:

– *El conocimiento de la impugnación de Ordenanzas Fiscales.* De una parte, porque la mención a los "actos" de gestión, liquidación, recaudación e inspección de tributos, no incluye la competencia para conocer las impugnaciones de las disposiciones generales o reglamentarias. Algo evidente, ya que, por expresa disposición del artículo 112.3 LPAC, frente a las mismas no cabe recurso alguno en vía administrativa; mandato singularizado, lo que se reitera en relación con las ordenanzas fiscales el artículo 19 TRLHL frente a las que no cabe "otro recurso que el contencioso- administrativo".

– *Reclamaciones o recursos contra los Presupuestos* de los entes locales, sólo susceptibles de recurso contencioso-administrativo directo (art. 171 TRLRHL).

– Tampoco conocerán de todas aquellas *reclamaciones que la Ley prevea se sustancian ante los Tribunales Económico-Administrativos del Estado* (art. 137.6 LRBRL), disposición reiterativa de lo previsto en las letras a y o del art. 14.2 del TRLRHL, que adquiere carta de naturaleza en el ámbito local por lo que atañe a los actos de gestión catastral y censal se refiere, competencia de la Administración Tributaria estatal y frente a los que procede la reclamación económico-administrativa ante los Tribunales Económico-Administrativos del Estado (arts. 11.4 de la Ley del Catastro Inmobiliario y 92.4 TRLRHL).

– No cabe presentar reclamación *cuando los interesados hagan uso de la posibilidad de interponer el recurso de reposición*, tal y como establece el artículo 137.2 LRBRL; recurso que se sustanciará en los términos del art. 14.2 TRLRHL. Será frente a la resolución expresa o presunta del citado recurso de reposición cuando quepa interponer la reclamación económico-administrativa. Resultan de aplicación las reglas del artículo 222.2 LGT, por cuya virtud: a) si el interesado interpusiera recurso de reposición no podrá promover la reclamación económico-administrativa hasta que el recurso se haya resuelto de forma expresa o hasta que pueda considerarlo desestimado por silencio administrativo; b) cuando en el plazo establecido para recurrir se hubiere interpuesto recurso de reposición y reclamación económico-administrativa que tuvieren como objeto el mismo acto, se tramitará el presentado en primer lugar y se declarará inadmisible el segundo.

- Los actos referidos en el art. 227.5 LGT: a) que den lugar a reclamación en vía administrativa previa a la judicial, civil o laboral o pongan fin a dicha vía; y b) los dictados en virtud de una ley (formal) que expresamente los excluya de las reclamaciones económico-administrativas.

- En fin, no son susceptibles de recurso ni de reclamación las *decisiones administrativas o acuerdos sobre revisión de actos nulos de pleno derecho* (art. 217), *revocación* (art. 219) o *declaración de lesividad.*

9.3. EL ÓRGANO COMPETENTE PARA LA RESOLUCIÓN DE LAS RECLAMACIONES ECONÓMICO-ADMINISTRATIVAS. COMPOSICIÓN Y FUNCIONAMIENTO

Nada dice la Ley General Tributaria de 17 de diciembre de 2003 sobre composición de estos órganos, aunque pudo haberlo hecho siendo coetánea su tramitación parlamentaria a la Ley de Modernización del Gobierno Local, de 16 de diciembre de 2003. La Disposición Adicional primera del Reglamento General en materia de Revisión, de 13 de mayo de 2005, determina que los órganos competentes de las comunidades autónomas, de las ciudades de Ceuta y Melilla "o de las entidades locales en materia de los procedimientos regulados en este reglamento" se determinarán conforme a su normativa específica.

Establece el art. 137.4 LRBRL que este órgano especial estará *constituido por un número impar de miembros, con un mínimo de tres.* Por su parte aunque nada diga el precepto referenciado al respecto, se elegirá entre sus miembros a un Presidente, en los términos que resultan de la regulación básica sobre órganos colegiados, artículos 15, 17.1 y 18 LRJSP[70].

La *designación* de los miembros integrantes del citado órgano especializado corresponde al Pleno, con el voto favorable de la mayoría absoluta (la mitad más uno de los miembros que legalmente constituyen el Pleno), que habrá de recaer en personas de reconocida competencia técnica. Es deseable que la competencia técnica lo sea en materia tributaria, con preferencia a la formación jurídica frente a otras, como la económica, dado que estamos ante un órgano "cuasi jurisdiccional", cuya misión fundamental es confirmar o "desautorizar", siempre por razones de legalidad, decisiones administrativas de los órganos de la entidad local.

---

[70] La STC 50/1999, de 6/04, negó el carácter básico de algunas premisas contenidas en la regulación del Capítulo II del Título 2º, de la Ley 30/1992, de 26 de noviembre, "órganos colegiados", entre ellas el artículo 23, relativo a las funciones del Presidente del órgano. Curiosamente se calificó como básico el apartado 1º del artículo 25, exigencia de que los órganos colegiados tengan un secretario (miembro del órgano o persona al servicio de la Administración Pública correspondiente). En cualquier caso, la existencia de Presidente se presupone, en el artículo 26, básico.

Se echa en falta una mayor concreción de los requisitos para formar parte del órgano. De hecho, en el caso de la composición de los Tribunales económico-administrativos estatales, la Disposición Adicional 12ª de la LGT opta por un modelo funcionarial, sólo quienes tengan esa condición pueden formar parte, y sólo podrán actuar como secretarios de dichos órganos los Abogados del Estado; los demás miembros serán funcionarios del Estado, sus organismos autónomos, de la Comunidades Autónomas o también funcionarios de la Administración Local con habilitación de carácter estatal.

Son *causas de cese* de los designados: (i) la renuncia, (ii) condena mediante Sentencia firme por delito doloso y (iii) sanción disciplinaria por falta muy grave o grave, para lo que se atribuye al Pleno la competencia de incoación y resolución del expediente disciplinario, a sustanciar por la normativa aplicable en materia de régimen disciplinario de los funcionarios del Ayuntamiento. Adiciona una última causa: "cuando lo acuerde el Pleno con la misma mayoría que para su nombramiento" (ha de entenderse que, de la exigida para su nombramiento, no de la obtenida en su día). Regulación que no facilita la independencia de los integrantes del órgano, pues bastará con que el Pleno adopte la resolución de cese, sin que el hecho de que la ley obligue a que tal decisión administrativa haya de tomarse mediante el voto de la mitad más uno de los miembros de la Corporación dificulte que se produzca, pues se trata por lo general de la mayoría con que cuenta el Alcalde para mantenerse en el cargo.

Enuncia el artículo 137.5 LRBRL, que el funcionamiento de este órgano "se basará en criterios de independencia, técnica, celeridad y gratuidad".

La *independencia* funcional de estos órganos, resulta del art. 228.1 LGT para los estatales. Sus miembros deben actuar con independencia de criterio a la hora de cumplir sus funciones y sin que, obviamente, queden sujetos a órdenes o directrices de los órganos de gobierno o administración de la Entidad local. En cualquier caso, la regulación del cese, se compadece mal con la independencia que se postula de los integrantes del órgano.

La *celeridad* no deja de ser un eufemismo si nos atenemos al plazo máximo para resolver las reclamaciones sustanciadas por el procedimiento ordinario que se fija en un año, seis meses para el procedimiento abreviado.

El principio de *gratuidad* aparece recogido en el art. 234.4 LGT, precepto que, sin embargo, incorpora una importante matización: "*No obstante, si la reclamación o el recurso resulta desestimado y el órgano económico-administrativo aprecia temeridad o mala fe, podrá exigirse al reclamante que sufrague las costas del procedimiento, según los criterios que se fijen reglamentariamente*"; lo que ha venido a cumplimentar el RGRV en su artículo 51. Determinación a integrar en la reglamentación municipal, con alguna adaptación en consideración al ámbito de actuación y funcionamiento del órgano; señaladamente a propósito de la cuantificación de las costas, que no necesariamente habrá de coincidir con "la aplicación de los importes fijados por Orden del Ministerio de Economía y Hacienda [...]" como determina el nº. 2 de dicho artículo 51.

La Ley remite a una *Reglamento de naturaleza orgánica*, todo lo relativo a la regulación del órgano tal y como se desprende del último inciso de la letra c) del artículo 123.1 LRBRL. Disposición para cuya aprobación habrán de respetarse los términos del artículo 49 LRBRL y su aprobación requerirá el voto favorable de la mayoría absoluta de miembros de la Corporación (art. 123.2 LRBRL), previo informe preceptivo del Secretario General del Pleno (art. 122.5 letra e). Exigiendo que la disposición reglamentaria se acomode y compadezca con la normativa estatal que afecta a los cinco aspectos del art. 137.5, esto es, composición, competencias, organización, funcionamiento y procedimiento.

9.4. PROCEDIMIENTOS Y MOTIVOS DE IMPUGNACIÓN

Las normas generales del procedimiento vienen recogidas en los artículos 234 a 240 de la LGT, complementadas en los artículos 48 a 60 RGRV, con las adaptaciones (limitadas, pero no despreciables, creemos) que lleve a cabo el Reglamento Municipal. Nos referimos a todo lo relativo a la *cuantía* de las reclamaciones[71], el régimen de *acumulación*[72], la expresión del domicilio (art. 50 RGRV), la *motivación* de los actos, o las normas sobre defectos o *invalidez, términos y plazos, información y documentación, recepción y registro* de documentos (arts. 48, 49 y 52 RGRV).

Por lo que hace a la *legitimación*, son de aplicación las normas contenidas en el art. 232 LGT, sin que la reglamentación municipal pueda ampliarla o restringirla:

a) El interés legítimo en vía económico-administrativa viene caracterizado por una inalterabilidad de las posiciones tributarias en los términos del art. 17.4 LGT, que establece el carácter indisponible de la posición de los obligados en las relaciones tributarias[73]. Por el contrario, el art. 232.2 LGT niega la legitimación:

---

[71] Cuantía de la reclamación: arts. 35 y 36 RGRV.

[72] Acumulación: art. 37 del mismo Reglamento.

[73] Los Tribunales han juzgado no ser obstáculo la norma —entonces LGT-1963— para que se reconozca al cónyuge no deudor legitimación para impugnar la diligencia de embargo [STSJ Asturias, 24/11/1995 (JT 1995, 1550)]. Por el contrario, se niega la legitimación al socio para discutir las liquidaciones giradas a la sociedad [STS 29/11/1979 (RJ 1979, 3969)], así como a las asociaciones representativas de intereses del grupo para discutir liquidaciones giradas a los asociados [SSTS 5/05/1980 (RJ 1980, 3985) y 8/04/2002 (RJ 2002, 4091)]; el interés debe ser inmediato, existiendo una serie de supuestos especiales de legitimación como son los interesados parciales, es decir, aquellos cuyo interés solo se ve afectado por una parte del acto o liquidación dictados; los responsables a que hace mención el art. 174.5 LGT, como pueden ser los fiadores, a los que se refiere la STSJ de Andalucía, Sala de Sevilla, de 23 de diciembre de 2004; los interesados concurrentes, cuando una determinada obligación, afecta desigualmente a distintos sujetos en varias situaciones [STS de 22/12/2001 (RJ 2001, 6873)] recogida posteriormente por el TEAC en sus resoluciones de 26/04/2002 (JT 2002, 1655) y 9/02/2001 (JT 2001, 676)].

– A los funcionarios y empleados públicos, salvo en los casos en que inmediata y directamente, se vulnere un derecho que en particular les esté reconocido o resulten afectados en sus intereses legítimos.

– Los particulares que obren por delegación de la Administración o como agentes mandatarios de ella.

– Los denunciantes, a los que el artículo 114.1 LGT niega la condición de interesada en las actuaciones administrativas que se inicien como consecuencia de la denuncia[74].

– Los que asuman obligaciones tributarias en virtud de pacto o contrato.

– Los Organismos u Órganos que hayan dictado el acto impugnado, así como cualquier otra entidad por el mero hecho de ser destinataria de los fondos gestionados mediante dicho acto.

Pueden comparecer en el procedimiento económico-administrativo todos los titulares de derechos e intereses legítimos que puedan resultar afectados por la resolución que hubiera de dictarse (art. 232.3 LGT), comparecencia en el procedimiento iniciado que no implica necesariamente la retroacción de actuaciones. Incumbe al Órgano en cargado de conocer la reclamación notificar a todos los posibles interesados la existencia de la reclamación, dándoles el trámite de audiencia en la medida en que la resolución que se dicte pueda tener eficacia para ellos (art. 239.5 LGT).

En materia de *representación,* en el ámbito económico-administrativo los interesados pueden actuar por sí o por medio de representante, sin que sea necesaria la postulación a través de Procurador ni la asistencia de Letrado (art. 232.4 LGT). Si se pretende intervenir mediante representante, el documento acreditativo de la representación debe acompañar al primer escrito no firmado por el interesado. Los órganos económicos-administrativos quedan vinculados al reconocimiento de la representación que por parte de la Administración se llevó a cabo en la vía previa de gestión, al menos en los casos en que esta representación fue suficiente para la interposición del recurso[75]. En fin, los defectos de representación son siempre subsanables.

Ni la LGT ni el RGRV determinan los extremos que deben contener el escrito de alegaciones (del que hablaremos después) y por ende, los *motivos* que den cobertura a la reclamación. No obstante, el art. 235.2 LGT señala: "asimismo, el reclamante podrá acompañar las alegaciones en que base su derecho". Si nos atenemos al artículo 90.2

---

[74] En este sentido la STS de 9/10/2000 (RJ 2000, 920); SSTSJ de Madrid, Sala de lo Contencioso-administrativo, Sección 6ª, Sentencia de 27/09/2011, Rec. 1821/2007; de Cataluña, Sala de lo Contencioso-administrativo, Sección 1ª, Sentencia de 3(05/2013, Rec. 104/2010, Nº 499/2013; y 15/10/ 2009, Rec. 392/2006, Nº 1009/2009.

[75] SSTS 22/03/2002 (RJ 2002, 3614) y 29/12/2003 (RJ 2003, 2582).

del antiguo Reglamento del Procedimiento Económico-Administrativo, allí se aludía a que se expresará de forma concisa los hechos en que el interesado base su pretensión y los motivos o fundamentos jurídicos de la misma y formulará con claridad y precisión la súplica correspondiente. La reclamación económico-administrativa puede basarse en cualquier infracción del Ordenamiento Jurídico, incluso la desviación de poder; en el caso de que no se impute a la resolución recurrida ninguna infracción del ordenamiento jurídico se impondrá la desestimación del recurso por aplicación del principio de presunción de legalidad de todo acto administrativo. En suma, el interesado puede articular tanto los motivos de nulidad de pleno derecho, como los de anulabilidad, que resultan del art. 217.1 LGT, o bien los del art. 218 de la citada Ley 58/2003, que vienen a coincidir con los que derivan de los artículos 62 y 63 de la Ley 30/1992[76].

9.5. EL PROCEDIMIENTO ORDINARIO

9.5.1. Iniciación

La reclamación económico-administrativa se interpondrá (art. 235 LGT, 52 a 54 RGRV) en el plazo improrrogable de un mes contado, según los casos, desde:

- La notificación del acto expreso.

- Desde el momento en que se produzcan los efectos del silencio administrativo. En cualquier caso, resulta de aplicación la doctrina constitucional ya consolidada (STC 14/2006, de 16 de enero), en el sentido de que, cuando la resolución recurrida fuese un acto administrativo presunto no cabe el plazo de impugnación hasta que el recurrente no realice actuaciones o adopte conducta que ponga de manifiesto su conocimiento del contenido del acto o hasta que no lo recurra; y ello vale tanto en fase administrativa como en lo tocante al acceso a la vía jurisdiccional.

- El día siguiente a la fecha en que quede constancia de la realización u omisión de la retención o ingreso a cuenta, de la repercusión o de la sustitución derivada de las relaciones contribuyente-sustituto.

- Por lo que se refiere a las deudas de vencimiento periódico y notificación colectiva, el plazo se computará a partir del día siguiente al de la finalización del período voluntario de pago (art. 235.1 LGT). Se trata de un plazo distinto del previsto en la letra c) del artículo 14.2 TRLRHL para el recurso de reposición, que se refiere a la finalización del período de exposición pública de los corres-

---

[76] La STS de 2/11/2004 (RJ 2004, 6757), dejó claro que en los recursos ordinarios sólo pueden fundarse en motivos de nulidad o de anulabilidad, a diferencia de los recursos extraordinarios donde solo son admisibles los supuestos tasados en la Ley.

pondientes padrones o matrículas de contribuyentes u obligados al pago. La diferencia carece de justificación; no obstante, hay que estar a la previsión del artículo de la LGT citada atendido el principio de jerarquía normativa[77].

Los contenidos posibles del escrito de interposición, se concretan en (art. 235.2 LGT):

a) Limitarse a solicitar que se tenga por interpuesta la reclamación, con identificación del reclamante, el acto o actuación reclamada, domicilio para notificaciones y órgano ante el que se interpone. Nos encontramos ante un escrito de interposición sin alegaciones en el que la parte se reserva el trámite para la puesta de manifiesto del expediente.

b) Contener o expresar, además, las alegaciones en que base el reclamante su derecho, con renuncia a la formulación del posterior trámite de alegaciones.

c) Expresar las alegaciones de fondo, pero con reserva expresa de poder formular otras tras la puesta de manifiesto del expediente.

El escrito habrá de dirigirse al órgano administrativo que haya dictado el acto reclamable (art. 235.3 LGT) (no ante el propio órgano económico-administrativo, como ocurría con el régimen anterior), aunque tratándose de un órgano especializado integrado en la propia Administración autora del acto, entendemos que bastará con que se dirija al Ayuntamiento, cualquiera que sea la dependencia, la cual deberá remitirlo de oficio al órgano competente.

Interpuesta la reclamación, el órgano que haya dictado el acto objeto de recurso, remitirá el escrito, acompañado necesariamente del expediente, y, potestativamente incorporando un informe si lo considera conveniente a éste órgano especializado (art. 236 LGT); informe que será preceptivo en los supuestos que así lo haya previsto la reglamentación municipal (apartado 3º del artículo 236).

---

[77] La Jurisprudencia ha venido declarando que la reclamación económico-administrativa prematura determina la inexistencia de acto administrativo susceptible de reclamación y justifica su inadmisibilidad [STS 30/04/1998 (RJ 1998, 3317)]. No obstante, la STSJ de Madrid, de 30/09/1993 (RJ 1993, 1170), señala que la reclamación en principio prematuramente entablada, resulta convalidada por el transcurso del plazo para que el acta constituya acto administrativo recurrible. La diferencia entre el escrito de interposición y el contenido del escrito de alegaciones estriba en la finalidad y contenido de uno y otro; la finalidad del escrito de interposición es poner de manifiesto la voluntad del recurrente de impugnar el acto administrativo conforme determina el artículo 235.2 LGT, mientras que el escrito de alegaciones tiene por objeto determinar concretamente el motivo de impugnación del acto pudiendo consistir tal motivo en una cuestión meramente formal en la tramitación del procedimiento de gestión o bien en una cuestión jurídica material, debiendo hacer mención de los hechos y fundamentos jurídicos en los que base su pretensión, así como en qué consiste su pretensión concreta (STS 18/04/1989 [RJ 1989, 3437]).

La LGT añade como importante novedad la posibilidad de que el órgano administrativo que dictó el acto pueda anularlo total o parcialmente antes de la remisión del expediente (art. 235 LGT), siempre que concurran dos circunstancias: a) que el escrito de interposición incluya alegaciones del recurrente, y b) que no se hubiera presentado previamente recurso de reposición. En tal caso, se remitirá al órgano económico-administrativo el nuevo acto dictado junto con el escrito de interposición y sin necesidad de expediente, terminando el procedimiento —como prevé el art. 238—, por satisfacción "extraprocesal" (sic).

Desconfía el legislador de la eficacia de la actuación administrativa ex art. 103.1 de la Constitución, y por eso prevé (último inciso del apartado 3º del repetido art. 235) que cuando el órgano Administrativo no remita el escrito de interposición de la reclamación, bastará que el reclamante presente ante éste copia sellada de dicho escrito, para que la reclamación se pueda sustanciar.

9.5.2. Suspensión del acto impugnado

Sobre la evolución normativa, a propósito de este particular, resulta altamente didáctica la STS de 26/04/2006, Sala 3ª, Secc. 2ª (Rec. 6415/2001), también recogida en otras anteriores del mismo Alto Tribunal, reseñando que la suspensión en vía económico-administrativa ha sufrido desde la Ley de Procedimiento Administrativo de 1958 —que respetó la especialidad de las reclamaciones económico-administrativas— una notable evolución, que ha anticipado los avances de la suspensión en el procedimiento administrativo general.

La Ley 1/1998, de 26 de febrero, de Derechos y Garantías de los Contribuyentes, dispuso en su art. 30, apartado 1, que "el contribuyente tiene derecho, con ocasión de la interposición del correspondiente recurso o reclamación administrativa, a que se suspenda el ingreso de la deuda tributaria, siempre que aporte las garantías exigidas por la normativa vigente, a menos que, de acuerdo con la misma, proceda la suspensión sin garantía".

Por su parte la LGT, al regular en su art. 233 la suspensión de la ejecución del acto impugnado en vía económico-administrativa establece, en su apartado 2, la suspensión automática de la ejecución del acto impugnado si se garantiza el importe de dicho acto exclusivamente con las garantías previstas (depósito de dinero o valores públicos; aval o fianza de carácter solidario de entidad de crédito o sociedad de garantía recíproca o certificado de seguro de caución; fianza personal y solidaria de otros contribuyentes para los supuestos que se establezcan). Cuando el interesado no pueda aportar las garantías necesarias para obtener la suspensión automática, el apartado 3 permite acordar la suspensión previa presentación de otras garantías que se estimen suficientes. Y en el apartado 4 autoriza a suspender la ejecución del acto con dispensa total o parcial de garantías cuando dicha ejecución pudiera causar perjuicios de difícil o imposible reparación. Tratándose de sanciones la misma LGT —art. 212.3— dispone lo siguiente: "La interposición en tiempo y forma de un recurso o reclamación administrativa contra una sanción producirá los siguientes efectos: a) la ejecución de sanciones quedará automáticamente suspendida en período voluntario sin necesidad de aportar garantías hasta que sean firmes en vía administrativa; b) no se exigirán intereses de demora por el tiempo que transcurra hasta la finalización del plazo de pago en período voluntario abierto por la notificación de la resolución que ponga fin a la vía administrativa". A su vez, el art. 233.1, segundo párrafo: establece que "[s]i la impugnación afectase a una sanción tributaria, la ejecución de la misma quedará suspendida automáticamente sin necesidad de aportar garantías de acuerdo con lo dispuesto en el apartado 3 del artículo 212 de esta Ley"[78].

El mantenimiento de efectos de la suspensión lo determina el art. 233.8 en los siguientes términos: "Se mantendrá la suspensión producida en vía administrativa cuando el interesado comunique a la Administración tributaria en el plazo de interposición del recurso Contencioso-Administrativo que ha interpuesto dicho recurso y ha solicitado la suspensión en el mismo. Dicha suspensión continuará, siempre que la garantía que se hubiese aportado en vía administrativa conserve su vigencia y eficacia, hasta que el órgano judicial adopte la decisión que corresponda en relación con la suspensión solicitada".

Como señala la STS de 16 marzo 2006[79], que cita como precedente la de 29 abril 2005[80]: *"la Administración no puede iniciar la vía ejecutiva en tanto la decisión sobre la suspensión penda de los órganos económico-administrativos. Lo mismo cabe decir en los supuestos en que la solicitud de suspensión se produzca en vía judicial. Existiendo una obligación de resolver por parte de la Administración, su inactividad nunca puede perjudicar a la reclamante que ejercita el derecho a solicitar la suspensión sin obtener una respuesta en Derecho por parte de la Administración. Ello conecta directamente con la idea de la tutela cautelar, que impide la ejecutividad del acto administrativo en tanto penda la decisión de una petición de suspensión. Resulta, pues, totalmente improcedente la vía de apremio cuando está pendiente de resolución la solicitud de suspensión de ejecución de la liquidación que sirvió de base para dictarla".*

---

[78] SAN, Sección 7ª, Sentencia de 2/02/2015, Rec. 74/2014; SSTSJ Galicia, Sala de lo Contencioso-administrativo, Sección 4ª, Sentencia 55/2015, de 4/02/2015, Rec. 15140/2014; de Castilla y León (Burgos), Sala de lo Contencioso-administrativo, Sección 2ª, Sentencia 16/2015, de 30/01/2015, Rec. 105/2014; de la Región de Murcia, Sala de lo Contencioso-administrativo, Sección 2ª, Sentencia 72/2015 de 30/01/2015, Rec. 86/2011; y 1022/2014, de 30/12/2014, Rec. 519/2010; de Extremadura, Sala de lo Contencioso-administrativo, Sentencia 1165/2014, de 29/12/2014, Rec. 263/2014.

[79] RJ 2006, 1844.

[80] RJ 4534, 2000.

En definitiva, aparte de lo tratado a propósito de la suspensión de sanciones tributarias, a solicitud del interesado, puede suspenderse la ejecución del acto impugnado en los siguientes supuestos, esquemáticamente:

- Suspensión automática de los actos de contenido económico (art. 233.1 y 2 LGT, 43 RGRV). Las garantías necesarias para obtener la suspensión automática son exclusivamente las referidas a depósito de dinero o valores públicos; aval o fianza de carácter solidario de entidad de crédito; fianza personal y solidaria de otro contribuyente de reconocida solvencia para débitos que no excedan de 1.500 €.

- b) Suspensión con prestación de garantía alternativa (arts. 233.3 LGT, 44 y 45 RGRV). Si el interesado no puede aportar garantía de la relacionada en el apartado anterior, puede solicitar del órgano competente la suspensión previa prestación de otras garantías alternativas como pueden ser la hipotecaria, o la pignoración de derechos.

- c) Suspensión con dispensa total o parcial de garantías (arts. 233.4 LGT, 46 y 47 RGRV). A petición del interesado cuando la ejecución pudiere causar perjuicios de difícil o imposible reparación. Naturalmente la carga de que se den tales circunstancias corresponde al solicitante facilitando el juicio de valor que corresponde al Tribunal.

- d) Suspensión por error aritmético, material o de hecho (arts. 233.5 LGT, 46 y 47 RGRV)[81].

- e) Suspensión de otros actos de contenido no económico (a ello se refieren los arts. 233.10 LGT, 46 y 47 RGRV). Se trata de actos que no tienen por objeto una deuda tributaria o cantidad líquida, como pueden ser, por ejemplo, requerimientos de información o imposición de sanciones no pecuniarias (en tales casos el Tribunal puede suspender su ejecución con dispensa total o parcial de garantía cuando su ejecución puede causar perjuicios de imposible o difícil reparación).

Las anteriores previsiones se complementan con los siguientes particulares:

- Si la reclamación no afecta a la totalidad de la deuda tributaria, la suspensión se referirá a la parte reclamada, debiendo de ingresarse la cantidad que resta (art. 232.6 LGT).

---

[81] El Tribunal puede suspender la ejecución, sin necesidad de aportar garantía cuando se aprecie que el acto tributario ha podido incurrir en error aritmético, material o de hecho, el concepto de error material o de hecho ha sido objeto de abundantes pronunciamientos jurisprudenciales, se caracteriza por ser ostensible, manifiesto e indiscutible, implicando por sí solo la evidencia del mismo, sin necesidad de razonamientos [SSTS 15/10/1984 (RJ 1984, 5099); 27/02/1990 (RJ 1990, 1521) y 28/09/1992 (RJ 1992, 8022)].

- La suspensión se mantendrá durante la sustanciación del procedimiento económico-administrativo en todas sus instancias (art. 232.7 LGT).

- La suspensión producida en el recurso de reposición se mantendrá en la vía económico-administrativa (art. 232.7 LGT).

- Finalizada la vía administrativa, en sede jurisdiccional, se mantendrá la suspensión de la ejecución, a instancia del recurrente, durante el plazo que media entre la interposición del recurso contencioso-administrativo y hasta que por parte del órgano jurisdiccional se decida sobre ella, condicionándose este particular a la vigencia y eficacia de la garantía. Tratándose de sanciones la administración tributaria esperará en todo caso a la decisión judicial (art. 233.8 LGT).

- Si la resolución en vía administrativa desestimase total o parcialmente la reclamación, la cantidad a ingresar devengara intereses de demora por todo el período de la suspensión (art. 233.9 LGT), a excepción de cuando se trate de sanciones, por todo el tiempo que dure el recurso (art. 212.3 LGT), así como en cualquier supuesto cuando se supere el plazo máximo para resolver (art. 26.4 LGT).

- No cabe la suspensión en relación con la ejecución de actos sometidos a recurso extraordinario de revisión (art. 233.11 LGT).

Como ha puesto de manifiesto PÉREZ TORRES[65], se consolidan dos tipos de suspensión. De un lado, (i) la reglada, en la que la garantía constituye el título y no la consecuencia de la suspensión, STS de 22 diciembre 2001[82], porque todos los elementos aparecen predeterminados sin margen posible de valoración o ponderación, confiada a órganos distintos del Tribunal, derecho del contribuyente en el procedimiento recaudación. Distinto es (ii) el régimen de la suspensión a decidir por el Tribunal, institución procesal que exige para su aplicación sopesar conceptos jurídicos indeterminados (suspensión con dispensa total o parcial de garantías cuando la ejecución "pudiera causar perjuicios de difícil o imposible reparación") y que, en expresión del precepto, el Tribunal "podrá suspender..."; suspensión extraordinaria que, si bien parece una potestad discrecional —escribe dicho actor y lo compartimos— resulta tal categoría extraña a la actividad materialmente jurisdiccional propia de vía económico-administrativa, y ello a pesar de que la apreciación de gravedad de los perjuicios o de las posibilidades patrimoniales de afianzamiento exijan esfuerzo valorativo del Tribunal, de manera que tal flexibilidad de los conceptos no autoriza a considerar discrecional el otorgamiento de la suspensión pues no hay opción entre varias soluciones igualmente correctas; y ello así no desconociendo que la suspensión sin garantías en el ámbito tributario sólo procede en supuestos excepcionales (v. gr. STS 9 abril 1999)[83].

---

[82]   RJ 2002, 853.

[83]   E. Pérez Torres. "Revisión de actos en vía administrativa: nulidad de pleno derecho y declaración de lesividad", *op. cit.*, pp. 1571-1572.

9.5.3. Tramitación

A la vista de los artículos 236 y 237 LGT y 55 a 58 RGRV, destacamos lo siguiente:

Recibido y en su caso completado el expediente, el órgano económico-administrativo lo pondrá de manifiesto a los interesados comparecidos. Trámite preceptivo, siempre que no se hubieren formulado alegaciones en el escrito de interposición o, si las hubieran formulado, mediara reserva expresa del trámite. La puesta de manifiesta del expediente lo es por plazo común de un mes, en el que deberá presentarse escrito de alegaciones con aportación de las pruebas oportunas (art. 236.1 LGT)[84].

El *trámite de alegaciones* resulta esencial en el procedimiento, habiéndose llegado a decir que tiene significado análogo al de la demanda en el proceso contencioso-administrativo. No existe el trámite de contestación, sin perjuicio de la posibilidad ya referida, de que se incorpore al expediente un informe del órgano gestor, y sin perjuicio de que el órgano económico-administrativo pueda solicitar la aclaración de las cuestiones que precise.

El *plazo para formular alegaciones* a tenor del art. 236.1 LGT, *es de un* mes[85]. La falta de presentación del escrito de alegaciones, no necesariamente da lugar a la terminación del procedimiento, debiendo tomarse en consideración si el escrito de interposición recoge la pretensión concreta y si el tribunal económico-administrativo carece o no de elementos de juicio suficientes a la vista del expediente[66]. Si aprecia que el acto impugnado no es ajustado a Derecho, acordará la estimación de la misma[86].

---

[84]   SSTSJ de la Región de Murcia, Sala de lo Contencioso-administrativo, Sección 2ª, Sentencia 47/2015, de 26/01/2015, Rec. 560/2011; y Sentencia 42/2015, de 26/01/2015, Rec. 503/2011; SAN, Sala de lo Contencioso-administrativo, Sección 2ª, Sentencia de 4/12/ 2014, Rec. 320/2011; STSJ de Madrid, Sala de lo Contencioso-administrativo, Sección 5ª, Sentencia 1492/2014, de 27/11/ 2014, Rec. 1477/2012; STSJ de Castilla-La Mancha, Sala de lo Contencioso-administrativo, Sección 1ª, Sentencia 708/2014, de 10/11 2014, Rec. 384/2012.

[85]   La STSJ de Murcia de 15 de marzo de 1999 (JT 1999, 801) considera valido0 el escrito de alegaciones presentado el mismo día en que se notifique al interesado por el Tribunal la caducidad del plazo para formular alegaciones. La STS de 1 de febrero de 2005 (RJ 2005, 1383) se inclina por un criterio incluso más flexible y anti formalista, el plazo para formular alegaciones, entendiendo que el principio de preclusión no rige al procedimiento administrativo, por lo que nada le impide que puedan presentarse con posterioridad, siempre y cuando no hubiere recaído resolución.

[86]   A este respecto resulta significativas la STS de 6 de febrero de 1997 (RJ 1997, 768) o la STSJ de Extremadura de 28 de noviembre de 2002 (JT 2002, 1812). En todo caso, si en el escrito de interposición se expresaran los fundamentos de hecho y de derecho, así como la pretensión concreta, el Tribunal deberá resolver aunque no se hubieren formulado alegaciones (arts. 235.2 y 236.5) de la LGT, así como la STSJ de Castilla-León (Sala de Burgos) de 16 de octubre de 2002 (JT 2002, 1721). Sobre esta misma temática enseguida veremos qué nos dice el TC en su sentencia 75/2008, de 23 de junio.

Por lo que se refiere a la *prueba*, el artículo 236.1 LGT indica con el escrito de alegaciones cabrá aportar las pruebas oportunas; de los apartados tercero y cuarto del mismo artículo deriva que cabe proponer la práctica de otros medios de prueba (además de las aportadas por el reclamante), señaladamente testificales y periciales, que "se realizarán mediante acta notarial o ante el Secretario del tribunal o funcionario en quien el mismo delegue", que habrá de extender el acta correspondiente. En cualquier caso vale todo medio de prueba admitido en Derecho, siendo aportada instancia del reclamante o a propuesta del mismo en el escrito de alegaciones. No puede denegarse la práctica de pruebas relativa a hechos relevantes, pero la resolución que concluya la reclamación no entrará a examinar las que no sean pertinentes para el conocimiento de las cuestiones debatidas, en cuyo caso bastará con que dicha resolución incluya una mera enumeración de las mismas y decidirá sobre las no practicadas (art. 236.4 LGT), incluso acordarla de oficio (art. 57.2 y 3 RGRV).

Sobre la posibilidad de exigir *pruebas complementarias* de las ya practicadas en el procedimiento previo ante la Administración, a la vista de este precepto, en línea con lo dispuesto en su predecesor art. 94.4 del Reglamento de 1996, la STSJ de Castilla-La Mancha de 14 diciembre 2009 (Rec. nº 809/06).

Puede prescindirse del trámite de puesta de manifiesto, alegaciones, informes y pruebas, si a la vista de las alegaciones formuladas en el escrito de interposición o de los documentos adjuntados por los interesados resultan acreditados todos los datos necesarios para la adecuada resolución de la reclamación, o éstos puedan tenerse por ciertos, o bien cuando resulte evidente un motivo de inadmisibilidad (art. 236.5 LGT).

Cabe plantear cuestiones incidentales referidas a extremos que, sin constituir el fondo del asunto, estén relacionadas con el mismo o con la validez del procedimiento y cuya resolución constituya requisito previo y necesario para la adecuada tramitación[87]. Para la resolución de las cuestiones incidentales el tribunal podrá actuar de forma unipersonal. La resolución que ponga término al incidente no será susceptible de recurso alguno, sin perjuicio de poder ser discutida cuando se recurra frente a la resolución que agota la vía administrativa en sede jurisdiccional (art. 236.6 LGT).

9.5.4. Terminación

Nos ceñimos a cuanto disponen los artículos 238 a 240 LGT y 59 y 60 RGRV.

El procedimiento económico-administrativo puede concluir de forma normal o anormal. Como formas de *terminación anormal* se contemplan (i) la renuncia, (ii) desistimiento, (iii) caducidad de la instancia y (iv) satisfacción extraprocesal. En todos

---

[87] Cuestiones incidentales, art. 236.3 y 4 LGT y art. 58 RGRV.

esos supuestos —que de concurrir en cada caso los presupuestos de rigor— se resolverá declarando motivadamente el archivo de las actuaciones y finalización del procedimiento; resolución que puede adoptarse a través de un órgano unipersonal (art. 238.2 LGT), susceptible de revisión mediante recurso de anulación (art. 239.6 LGT).

La *forma normal* de finalización del procedimiento, obviamente, será *la resolución*; acto administrativo (aunque con matices propios) que deberá contener los antecedentes de hecho y fundamentos de derecho, decidiendo todas las cuestiones que se susciten en el expediente, hayan sido o no planteadas por los interesados (art. 239.1 y 239.2 LGT). Tiene pues el mismo contenido que una sentencia. Puede ser: (i) estimatoria, (ii) desestimatoria o (iii) declarar la inadmisibilidad.

- La estimatoria podrá anular total o parcialmente el acto impugnado, por razones de derecho sustantivo o por defectos formales; en este último caso se ordenará la retroacción de actuaciones al momento en que se produjeren.

- La desestimatoria pondrá fin al procedimiento, declarando ajustado a derecho el acto impugnado.

- La inadmisibilidad se declarará en los supuestos del artículo 239.4 LGT:

El art. 239.1 LGT recoge explícitamente el deber general de resolver y la prohibición de *non liquet,* al disponer que: "no podrán abstenerse de resolver ninguna reclamación sometida a su conocimiento sin que pueda alegarse duda racional o deficiencia en los preceptos legales"[88]. La obligación de resolver no exige siempre una decisión sobre el fondo del asunto, no siendo incompatible con la inadmisión de las solicitudes de los interesados, tal y como se desprende de la STC de 21 de marzo de 1988 ó de la STC 40/1994.

La motivación garantiza el límite de la arbitrariedad en la resolución, no puede confundirse con la exigencia de congruencia, como lo pone de manifiesto la STS de 28 de febrero de 1996[89] y las que en ella se citan, la congruencia se refiere en el número párrafo del artículo 269.2 de la LGT, cuando indica que las resoluciones [...] "decidirán todas las cuestiones que se susciten en el expediente, hayan sido o no planteadas por los interesados", al tiempo que el artículo 237 establece como límite de la revisión el principio por el que se prohíbe *la reformatio in peius.* Si el órgano especializado en la reclamación

---

[88] SSTSJ de Madrid, Sala de lo Contencioso-administrativo, Sección 5ª, Sentencia 1022/2014, de 24 jul. 2014, Rec. 770/2012; de Cataluña, Sala de lo Contencioso-administrativo, Sección 1ª, Sentencia de 27 mar. 2014, Rec. 61/2011; de Galicia, Sala de lo Contencioso-administrativo, Sección 4ª, Sentencia de 22 jul. 2013, Rec. 15650/2012; de Cantabria, Sala de lo Contencioso-administrativo, Sentencia de 2 jul. 2013, Rec. 311/2012; de Canarias (Santa Cruz de Tenerife), Sala de lo Contencioso-administrativo, Sentencia de 14 mar. 2012, Rec. 90/2010; y de Andalucía (Sevilla), Sala de lo Contencioso-administrativo, Sección 2ª, Sentencia de 19 mayo 2011, Rec. 487/2010.

[89] RJ 1996, 1679.

económico-administrativa decide examinar y resolver cuestiones no planteadas por los interesados, las expondrá a los que estén personados en el procedimiento, a fin de que en el plazo de quince días, puedan formular alegaciones (art. 59 RGRV)[90].

La resolución que se dicte tendrá plena eficacia respecto de los interesados y de aquellos otros a los que se haya notificado la existencia de la reclamación (art. 239.5 LGT).

La *duración del procedimiento se establece en un año*, contado desde la interposición de la reclamación. Creemos que una de las adaptaciones posibles al amparo del artículo 137.5 LRBRL será acortar la duración del procedimiento estableciéndolo, por ejemplo, en seis meses. Transcurrido este plazo sin haberse notificado resolución expresa (sin perjuicio de la obligación de dictar resolución expresa), el interesado puede considerar desestimada su reclamación, residenciando la reclamación en sede jurisdiccional. El transcurso del plazo máximo para resolver y notificar, mediando suspensión, determina que dejen de devengarse intereses de demora (arts. 26.4 y 240.2 LGT).

9.6. EL PROCEDIMIENTO ABREVIADO

Así denominado en la ley, en rigor no se trata propiamente de un procedimiento netamente diferenciado, sino el mismo procedimiento general en versión reducida. La diferencia sustantiva entre ambos procedimientos radica en la resolución por parte de un órgano unipersonal en lugar de por un órgano colegiado. La LGT (art. 231.4) tiene como finalidad descongestionar la sobrecarga de los tribunales económico-administrativos, buscando celeridad en cuestiones cuantitativa y cualitativamente poco importantes.

---

[90] La STC 75/2008, de 23 de junio, se muestra exigente con la obligación de resolver —entrando en el fondo del asunto— a cargo del tribunal económico-administrativo y, por extensión, de los órganos jurisdiccionales contencioso-administrativos. Dicha sentencia termina otorgando el amparo de un recurrente que vio desestimado su recurso contencioso administrativo contra resolución dictada por el TEAR de Asturias —y contra el acuerdo sancionador del que dicha resolución traía causa— sin entrar a examinar los motivos de nulidad de la sanción tributaria impuesta aducidos en la demanda, porque la recurrente no había formulado alegaciones en el procedimiento económico-administrativo, aunque previamente había interpuesto recurso de reposición contra la resolución sancionadora en el que había alegado lo que a su derecho convenía (en concreto, que no había realizado conducta típica infractora). El Tribunal Constitucional critica de la sentencia su *ratio decidendi*, porque —asevera— descansó "en una anticuada concepción del carácter revisor de la jurisdicción contencioso-administrativa extremadamente rígida y alejada de la que se derivaba ya de la Ley de 27 de diciembre de 1956" y que acoge la propia Ley 29/1998, de 13 de julio, concepción que —continúa— "ha producido el resultado de eliminar injustificadamente el derecho constitucional de la recurrente a que un órgano judicial conozca y resuelva en Derecho sobre la pretensión a él sometida". Y termina expresando que, al existir recurso de reposición debidamente argumentado expresamente desestimado por el órgano de la Agencia Tributaria —confirmado mediante desestimación de la reclamación económico-administrativa por el TEAR—, el hecho de que en esa vía económico-administrativa (carga procesal para acceder a la jurisdicción) renunciase a formular alegaciones, no autoriza al órgano judicial a eludir un procedimiento sobre el fondo.

No podemos soslayar que la reglamentación sobre el funcionamiento del órgano y sobre el procedimiento de las reclamaciones, que ha de aprobar el Pleno de la Entidad Local, pueda prever tal procedimiento "de acuerdo en todo caso con lo establecido en la Ley General Tributaria" (art. 137.5 LRBRL). De esos órganos unipersonales que conforme a la LGT habrían de determinarse reglamentariamente, se ha ocupado, en el ámbito de los tribunales económico-administrativos estatales, el artículo 32 del Reglamento de 13 de marzo de 2005. Entendemos que la reglamentación aprobada por cada Ayuntamiento puede limitarse a reseñar que cada uno de los miembros del órgano previsto en el art. 137 LRBRL sea considerado al tiempo "órgano unipersonal".

El artículo 245.1 LGT establece el *ámbito de aplicación* de este procedimiento enunciando una serie de materias o causas tasadas:

a) Cuando la reclamación sea de cuantía inferior a la que se disponga reglamentariamente.

   El art. 64 RGRV la fija en 6.000 € ó 72.000 € si se tratara de reclamaciones contra bases o valoraciones. La citada cuantía puede hacernos pensar en una desnaturalización de la esencia de los tribunales económico-administrativos, caracterizada por su colegiación, al tiempo que adquiere especial relevancia el art. 35 RGRV en orden a la determinación de las cuantías por la suma de los componentes de la deuda tributaria.

b) Cuando se aleguen exclusivamente causas de inconstitucionalidad o ilegalidad de las normas aplicadas.

   Este supuesto no tiene demasiado sentido por cuanto que el órgano administrativo no podrá pronunciarse remitiendo el conocimiento del asunto a la jurisdicción contencioso-administrativa; sonroja tener que esperar seis meses y obtener un pronunciamiento de reenvío a la sede jurisdiccional.

c) Cuando se alegue exclusivamente falta o defecto de notificación.

   Lo que en principio pudieran ser supuestos claros de falta o defecto en la notificación, se complican si nos atenemos al adverbio "exclusivamente", pues las reclamaciones económico-administrativas contienen varios motivos de impugnación, por lo que en tales casos y en aplicación literal del precepto deberían sustanciarse por el procedimiento ordinario.

d) Cuando se alegue exclusivamente insuficiencia de motivación o incongruencia del acto impugnado.

   En cuanto a la motivación hemos de estar a lo dispuesto en el art. 103.3 LGT y, por lo que hace a la incongruencia, la doctrina del TC ha venido señalando que comporta un desajuste entre la resolución y los términos en que las partes formularon sus pretensiones, concediendo más o menos cosa distinta de lo pedido; la incongruencia ha sido sistematizada por la doctrina del TC en tres tipos: incongruencia omisiva o ex silencio; *extra petitum* e incongruencia por error (SSTC 124/2000, de 16 de mayo; 91/1995, de 19 de mayo y 154/1991, de 10 de julio)

e) Cuando se ventilen cuestiones relacionadas con la comprobación de valores.

Cabe cuestionarnos aquí si juega o no el límite cuantitativo del apartado a) del artículo 245.1 LGT. Ante la disyuntiva entendemos que procede sustanciarlas por este procedimiento abreviado al tratarse de un supuesto específico distinto del contemplado para la reclamación de los de cuantía inferior.

Aunque la ley habilitó al reglamento para que pudiera ampliar el ámbito de aplicación del procedimiento abreviado ante órganos unipersonales, cuando concurrieran otras circunstancias, el RGRV no ha incluido ningún otro supuesto. Creemos que legalmente podrían hacerlo las reglamentaciones de las distintas entidades locales, en lo que no pasarían de ser adaptaciones en consideración al ámbito de actuación y funcionamiento del órgano (como permite el art. 137.5 LRBRL). En cualquier caso, piénsese en lo dispuesto por el apartado 3º del artículo 235 LGT y se convendrá que lo suyo sería, en el mayor número de casos, reconducible al procedimiento abreviado, sin que hubiera que llegar, en rigor, a la iniciación del procedimiento económico-administrativo.

Las especialidades respecto del procedimiento ordinario son las siguientes (arts. 245 a 248 LGT, 64 y 65 RGRV):

La reclamación ha de iniciarse mediante escrito que contenga, además de la identificación del reclamante y del acto o actuación contra la que se reclama, el domicilio para notificaciones y el órgano ante el que se interpone y las alegaciones que se formulen junto con la prueba propuesta.

Si el órgano económico-administrativo lo estima necesario, de oficio o a instancia del interesado, convocará la celebración de una vista oral en la que el interesado debe personarse al objeto de fundamentar sus alegaciones.

Se prevé que pueda dictarse resolución, incluso antes de recibir el expediente, si de la documentación aportada por el reclamante resultan acreditados todos los datos necesarios para resolver (art. 247.2 LGT).

El plazo máximo para dictar y notificar la resolución es de seis meses, por lo que se acorta a la mitad frente al procedimiento ordinario. El transcurso del expresado plazo sin notificarle la resolución comporta —al igual que en el procedimiento ordinario— que el interesado pueda considerar desestimada la reclamación a los fines y efectos de interponer el recurso contencioso-administrativo, sin perjuicio de que subsista la obligación de dictar resolución expresa (art. 247.3 LGT).

9.7. LA RESOLUCIÓN

A tenor del artículo 237 LGT, la revisión de los actos susceptibles de reclamación económico-administrativa se extiende a todas las cuestiones que ofrezca el expediente, hayan sido o no planteadas por los interesados, con los límites que resultan de la Jurisprudencia y que pueden concretarse: a) no puede dar lugar a incongruencia alguna en relación con lo solicitado; b) en ningún caso, se podrá empeorar la situación inicial del reclamante (prohibición de la *reformatio in peius*).

Naturalmente es de aplicación en este procedimiento lo dispuesto en el artículo 237 LGT sobre exención de la revisión.

La resolución que dicta el órgano del artículo 137 LRBRL, resolviendo la reclamación a que se refiere la letra a) de su apartado primero, pone fin a la vía administrativa y contra ella sólo cabe interposición de recurso contencioso-administrativo (art. 137.2 LBRL), si bien podrán activarse los recursos que se tratan en el siguiente apartado.

La reclamación ante este órgano, que adoptará alguna de las modalidades a las que hemos aludido en la terminación del procedimiento (y regulada en los arts. 237, 239 y 240 LGT), constituye presupuesto procesal para residenciar en sede contencioso-administrativa el acto impugnado, pues solo su resolución pone fin a la vía administrativa. De no acudirse a éste órgano especializado, el recurso contencioso-administrativo será inadmisible por aplicación del artículo 69.c) LJCA en concordancia con el art. 25.1 de la misma. Conocimiento del recurso contencioso-administrativo que viene atribuido a favor de los Juzgados de lo Contencioso-Administrativo de la provincia, ya se trate de resolución expresa o tácita.

9.8. RECURSOS NO JURISDICCIONALES

9.8.1. Improcedencia de los recursos de alzada

Los artículos 241 y 242 LGT instituyen, respectivamente, dos recursos de alzada (ordinario y para la unificación de criterios respectivamente) que no encuentran encaje en el sistema impugnatorio local, dado que pone fin a la vía administrativa la resolución con la que termina el procedimiento "y contra ella sólo cabrá la interposición del recurso contencioso-administrativo" (art. 137.2 LRBRL). Ello aparte, los recursos de alzada presuponen la existencia de órganos ordenados jerárquicamente, como ocurre entre los Tribunales Económico-Administrativos del Estado, no así en el ámbito local, con un sólo órgano.

Pero el apartado 2 del artículo 137 LRBRL no creemos que sea obstáculo para entender viables los dos recursos que enunciamos a continuación; el "recurso de anulación" porque realmente participa de la naturaleza de procedimiento de nulidad de actuaciones, y el extraordinario de revisión, porque precisamente cabe —en casos muy tasados— contra actos firmes.

9.8.2. Recurso de anulación

Las resoluciones de estos órganos competentes en materia de reclamación económico-administrativa son actos administrativos y frente a ellos caben los procedimientos de revisión de oficio, declaración de lesividad, revocación y rectificación de errores tratados en los primeros capítulos de este Título. No obstante, puede entenderse aplicable el "recurso de anulación" que instituye el artículo 239.6 LGT, y que recuerda y se inspira en el incidente de nulidad de actuaciones judiciales. Procede este recurso exclusivamente en los siguientes casos: a) cuando se haya declarado incorrectamente la inadmisibilidad de la reclamación; b) cuando se hayan declarado inexistentes las alegaciones o pruebas oportunamente presentadas; c) cuando se alegue la existencia de incongruencia completa y manifiesta de la resolución; y d) frente al archivo de las actuaciones en los casos que contempla el artículo 238 LGT (por renuncia o desistimiento del reclamante, la caducidad de la instancia o la satisfacción extraprocesal).

El recurso de anulación —que tiene carácter potestativo— puede interponerse ante el mismo órgano administrativo en el plazo de quince días (a contar desde el siguiente a la notificación de la resolución del tribunal), siendo admisible igualmente frente al acuerdo de archivo de actuaciones por renuncia, desistimiento, caducidad o satisfacción extraprocesal. Se trata de un recurso que tiene "carácter previo, en su caso, al recurso de alzada". Como en el ámbito de nuestro estudio resulta que la resolución del órgano del art. 137 LRBRL pone fin a la vía administrativa sin que quepa otro recurso que el contencioso-administrativo (apartado segundo de dicho artículo), el recurso de anulación nunca será previo al de alzada.

La ley no prevé expresamente que el tribunal económico-administrativo pueda declarar la inadmisibilidad del recurso, pero entendemos factible dicho proceder en el caso de que carezca manifiestamente de fundamento; inadmisión *ad limine*, que naturalmente habrá de motivarse. Caigamos en la cuenta de que en ese caso —dada la inexistencia prácticamente de procedimiento— viene a suponer lo mismo una inadmisión motivada que una resolución desestimatoria a dictar tras la presentación del recurso, sin más trámite[91].

---

[91] En este sentido, la Sentencia de 16 de noviembre de 2009 del TSJ de Castilla-La Mancha (RºNº 711/06 de su Sección 1ª, en la que, tras rechazar que se pudiera tomar en consideración los motivos impugnatorios esgrimidos contra la liquidación tributaria (y contra la desestimación del recurso de reposición que la confirmó). La STC 23/2011, de 14 de mayo impone una interpretación muy generosa del artículo 239.6 de la LGT, habida cuenta, se dice, de que la finalidad perseguida por el recurso de anulación, que es la de evitar la interposición de un ulterior recurso, para nada exige que

9.8.3. Recurso extraordinario de revisión

El recurso extraordinario de revisión[92] previsto ahora en el artículo 244 de la Ley 58/2003, de 17 de diciembre, General Tributaria, como especifica su precepto regulador, puede interponerse exclusivamente contra actos, tanto los de gestión como los resolutorios de reclamaciones, exigiéndose de unos y otros que se trate de actos firmes, posibilitándolo exclusivamente los motivos tasados que también se detallan en la Ley[93].

10. BIBLIOGRAFÍA

Alonso Mas, Mª. J. *Comentarios a la Ley Básica de Régimen Local* (coord. M. J. Domingo Zaballos), Civitas, Madrid, 2013.

Aragonés Beltrán, E. "El Procedimiento Tributario Local", en la obra colectiva *Nuevo Régimen Jurídico de los Procedimientos Tributarios* (dir. J. Díaz Delgado), Estudios de Derecho Judicial, nº. 77, Consejo General del Poder Judicial, Madrid, 2005.

Argüelles Pinto, J. *Comentarios a la Nueva Ley General Tributaria* (coord. R. Huesca Boadilla), Thomson-Aranzadi, Navarra, 2004.

Arnal Suria, S. y González Pueyo, J. Mª. "Comentarios al texto refundido de la Ley Reguladora de las Haciendas Locales", *El Consultor de los Ayuntamientos y Juzgados*, 2005.

Arteagabeitia González, I. "La revisión de actos tributarios en el ámbito de las Haciendas Locales", en la obra colectiva *Manual de revisión de actos en materia tributaria*, Thomson-Aranzadi, Navarra, 2006.

Bosch Cholvi, J. L. "La impugnación de las ponencias de valores y de los valores catastrales. Algunas cuestiones problemáticas", en *VI Congreso Tributario*, CGPJ y AEDAF, Madrid, 2010.

éste quede sometido a la misma limitación de la *cognitio* que afecta a aquél, con lo que ha venido a crearse (por la Sala del TSJ) una causa de no pronunciamiento sobre el fondo del asunto desprovista de base legal.

[92] Este recurso, por su naturaleza, no sólo extraordinaria sino excepcional en cuanto implica desviación de las normas generales, no puede ser utilizado como si de un recurso ordinario se tratara cuando la vía administrativa se ha agotado, ni para reiniciar y reiterar un debate que culminó en sentencia firme ni para reabrir vías de impugnación que quedaron cerradas por haberse utilizado cauces procedimentales inadecuados (Res. TEAC 00/2234/2006, de 12/03/2008).

[93] Efectivamente, la propia naturaleza del recurso de revisión en cuanto recurso extraordinario, que se da por motivos tasados y que tiene la virtualidad de atacar actos de gestión tributaria o resoluciones económico-administrativas "firmes" (STS de 19 de septiembre de 1991), exige, por una parte, que hayan de examinarse con estricto rigor los elementos determinantes del mismo, limitando su alcance a los casos taxativamente señalados por la ley y al contenido de los mismos. (STS de 26 de septiembre de 1988). Y, por otra parte, que no se puedan plantear en él cuestiones de fondo que pudieron ser planteadas a través de los recursos ordinarios.

Chamorro González, J. M. "La Revisión de Actuaciones Administrativas en materia de Tributos Locales", en la obra colectiva *Régimen Jurídico de los tributos locales. Especial referencia al catastro y a los órganos de revisión locales*, Estudios de Derecho Judicial, nº. 126, CGPJ, Madrid, 2007.

Checa González, C. "Procedimientos especiales de revisión", en *La nueva Ley General Tributaria* (dir. R. Calvo Ortega), Civitas, Madrid, 2004.

Checa González, C. *Revisión en vía administrativa: Recurso de Reposición y Reclamaciones Económico-Administrativas,* Thomson-Aranzadi, Navarra, 2009.

Costa Castellá, E. *Comentarios a la Ley de Haciendas Locales*, Tomo I (coord., M. J. Domingo Zaballos) Civitas-Thomson Reuters, Navarra, 2013.

Domingo Zaballos, M. J. *Comentarios a la Ley Básica de Régimen Local*, Civitas, Madrid, 2005.

Domingo Zaballos, M. J. (Coord.). "Los regímenes especiales de impugnación en vía administrativa de los actos tributarios de las entidades locales", *Tribuna Fiscal*, nº 248, 2011.

Domingo Zaballos, M. J. (Coord.). *Comentarios a la Ley de Haciendas Locales*, Civitas-Thomson Reuters, 2ª edición, 2013.

Escuin Palop, V. *El Recurso Contencioso-Administrativo de lesividad*, Civitas, Madrid, 2004.

Fernández Montalvo, R. "Revisión Administrativa de los Actos Tributarios Locales" *Revista de Hacienda Local*, Vol. XXX, nº 88, enero-abril 2000.

Ferreiro Lapatza, J. J. *La nueva Ley General Tributaria*, Marcial Pons, Madrid, 2004.

García Moncó, A. "Recurso de Reposición y reclamaciones económico-administrativas", en *La nueva Ley General Tributaria* (dir. R. Calvo Ortega), Civitas, Madrid, 2004.

García Novoa, C. *La revocación en la Ley General Tributaria*, Aranzadi, Navarra, 2005.

González Pérez y González Navarro. *Comentarios a la Ley de Régimen Jurídico de las Administraciones Públicas y Procedimiento Administrativo* Común, 3ª edición, Thomson-Civitas, Madrid, 2004.

Huesca Boadilla, R. (Coord.). *Comentarios a la Nueva Ley General Tributaria*, Thompson-Aranzadi, Navarra, 2004.

Martín Queralt, J., Lozano Serrano, C., Tejerizo López, J. M., Casado Ollero, G. *Curso de Derecho Financiero y Tributario*, Tecnos, Madrid, 2004.

Martínez Micó, J. J. "La reclamación económico-administrativa y el previo recurso de reposición. Vías específicas de impugnación de los actos tributarios: su configuración actual como presupuesto procesal", *Cuadernos de Derecho Local*, nº 28, 2012.

Moreno González, S. "La revocación en materia tributaria", en *Tratado sobre la Ley General Tributaria*, Tomo II, Thomson Reuters-Aranzadi, Navarra, 2010.

Pedraz Calvo, M. "La Administración local y la vía económico-administrativa", en *Las Haciendas locales: situación actual y líneas de reforma*, Fundación democracia y gobierno local, 2005.

Pérez Royo, F. *Derecho Financiero y Tributario. Parte General*, 13ª edición, Thomson-Civitas, Madrid, 2003.

Pérez Torres, E. "Revisión de actos en vía administrativa: nulidad de pleno derecho y declaración de lesividad", en *Estudios sobre la nueva Ley General Tributaria* (dir. Martínez Lafuente), Instituto de Estudios Fiscales, Madrid, 2004.

Ponce Arianes y Sánchez Pedroche J. A. "El nuevo Reglamento general de desarrollo de la Ley General Tributaria en materia de Revisión en vía administrativa", *Revista de Contabilidad y Tributación. Comentarios y Casos Prácticos*, nº 269-270, 2005.

Ruiz Toledano, J. I. *El nuevo régimen de revisión tributaria comentado*, La Ley, Madrid, 2006.

Santamaría Pastor, J. A. *Principios de Derecho Administrativo General*, Tomo II, 2º edición, Iustel, Madrid, 2009.

Santos de Gandarillas, M. *Garantías del Contribuyente: prescripción y caducidad*, CGPJ, Madrid, 2006.

Vega Borrego, F. A. "El escrito de alegaciones en las reclamaciones económico-administrativas", en *Tratado sobre la Ley General Tributaria*, Tomo II, Thomson-Aranzadi, Navarra, 2010.

VV.AA. *Impugnación y Revisión de la Actividad de los Entes Locales. Teoría y Práctica*, (dirs. M. J. Domingo Zaballos y V. Escuin Palop), Civitas-Thomson Reuters, 1ª edición, Navarra, 2010.

Zapata Híjar, J. C. "Los Procedimientos de Gestión, Recaudación, Inspección y Sancionador en el ámbito Tributario Local" en la obra *Régimen Jurídico de los tributos locales. Especial referencia al catastro y a los órganos de revisión locales*, Estudios de Derecho Judicial, nº. 126, Consejo General del Poder Judicial, Madrid, 2007.

Segunda parte

EL ORDENAMIENTO PRESUPUESTARIO LOCAL. ANÁLISIS INTERNO Y DE ADECUACIÓN AL DERECHO DE LA UE

Capítulo XIII
ESTABILIDAD PRESUPUESTARIA Y SOSTENIBILIDAD FINANCIERA DE LAS ENTIDADES LOCALES

Antonio López Díaz
Catedrático de Derecho Financiero y Tributario
Universidad de Santiago de Compostela

SUMARIO: 1. INTRODUCCIÓN. 2. ANTECEDENTES. 3. LA ESTABILIDAD DE LAS ENTIDADES LOCALES EN LA CONSTITUCIÓN. LA REFORMA DEL Art. 135. 4. ESTABILIDAD Y SOSTENIBILIDAD DE LAS ENTIDADES LOCALES EN LA LEY ORGÁNICA DE ESTABILIDAD PRESUPUESTARIA Y SOSTENIBILIDAD FINANCIERA. 4.1. Estabilidad: la necesidad de equilibrio o superávit. 4.2. La sostenibilidad de las entidades locales. 4.2.1. *Los límites a la deuda pública local.* 4.2.2. *Los límites de morosidad en la deuda comercial.* 4.3. La regla de gasto. 4.4. Otras reglas de especial aplicación a las entidades locales. 4.5. Régimen transitorio. 5. LA SUSPENSIÓN DE REGLAS FISCALES COMO REACCIÓN ANTE SITUACIONES EXCEPCIONALES. 6. BIBLIOGRAFÍA.

1. INTRODUCCIÓN

El principio de estabilidad presupuestaria ha venido constituyendo uno de los pilares esenciales de la Unión Económica y Monetaria (UEM) como garantía de unas cuentas públicas saneadas que sirvan de base a la moneda única. A través de la Resolución del Consejo Europeo sobre el Pacto de estabilidad y crecimiento (PEC)[1] los Estados miembros se comprometen a cumplir el objetivo presupuestario a medio plazo de alcanzar una situación de proximidad al equilibrio o superávit en cada ejercicio económico.

---

[1]   En inglés SGP. La resolución fue acordada en Ámsterdam el 17 de junio de 1997 [Diario Oficial C 236 de 2.8.1997].

Este mecanismo permitió la deseada convergencia hacia la moneda única (2001) pero ya desde muy pronto acusó las dificultades de su cumplimiento en situaciones de crisis económica, lo que sitúo a los Estados miembros y a las Instituciones comunitarias ante la tesitura de poner en funcionamiento los mecanismos correctores. En un primer momento, a raíz de los problemas experimentados en las cuentas públicas de Francia y Alemania principalmente, se llevó a cabo un ajuste de su significado, de tal forma que, sin cambiar el texto del Tratado y del Protocolo anexo, a través de la modificación de los reglamentos de desarrollo se optó pasar de la estabilidad de ejercicio a una estabilidad de ciclo económico, permitiendo situaciones de déficit en momentos de recesión, que se combinarían con resultados de superávit en ejercicios de mayor crecimiento.

La crisis financiera que se desata a partir de 2008 ha impactado profundamente en las cuentas públicas de los Estados miembros, generando déficits y volúmenes de deuda que exceden en mucho de los valores de referencia permitidos. Este desajuste de las cuentas públicas ha dado lugar a un incremento constante de los intereses a satisfacer por la deuda soberana, hasta el punto de forzar la puesta en funcionamiento de mecanismos de rescate en Grecia, Irlanda y Portugal. En este contexto, y en aras de contener dicha presión los Estados han optado por consagrar el principio de estabilidad, inicialmente formulado en normas comunitarias, en el ordenamiento de cada uno de los países miembros, y con el mayor rango normativo posible, para, de esa forma, escenificar el compromiso decidido con el saneamiento de las cuentas públicas.

En esta línea se enmarca la reforma del artículo 135 de la Constitución Española (CE) llevada a cabo en septiembre de 2011 que ha elevado a rango constitucional el principio de estabilidad presupuestaria que, desde 2001, había sido recogido por nuestra legislación ordinaria y, en lo que a las Comunidades Autónomas se refiere, a través de una Ley orgánica.

En las páginas que siguen trataremos de analizar la proyección de dicho principio sobre las Entidades locales, a la luz de la Ley orgánica de estabilidad presupuestaria y sostenibilidad financiera.

2. ANTECEDENTES

La traslación al ordenamiento interno de las reglas de estabilidad presupuestaria formuladas a nivel comunitario[2] se ha llevado a cabo a través de la ley de estabilidad presupuestaria, en cuya vigencia se pueden diferenciar diversas etapas:

---

[2] Para un análisis detallado de la formulación a nivel comunitario del principio de estabilidad presupuestaria pueden verse nuestros trabajos: "La aplicación del principio de estabilidad presupuestaria. La prevalencia de lo económico sobre lo jurídico", *Documentos IEF*, nº 12, 2011; "De la estabilidad a

1) Ley 18/2001, de 12 de diciembre, general de Estabilidad Presupuestaria y la Ley Orgánica 5/2001, de 13 de diciembre, complementaria a la Ley General de Estabilidad Presupuestaria.

Estas leyes implantaron en nuestro ordenamiento interno una formulación de la estabilidad presupuestaria rígida que exigía, para todas las Administraciones, incluidas también las Corporaciones Locales, equilibro o superávit en términos de capacidad de financiación, y de acuerdo con las definiciones contenidas en el Sistema Europeo de Cuentas Nacionales y Regionales. Esta interpretación rígida de la estabilidad, más exigente que la formulada a nivel comunitario que sólo considera excesivo un déficit superior al 3 %, cerraba cualquier posibilidad de utilizar las políticas de gasto con carácter anticíclico, lo que llevó a la revisión de estas en 2006.

2) Ley 15/2006, de 26 de mayo, de reforma de la Ley 18/2001, de 12 de diciembre, General de Estabilidad Presupuestaria[3], y Ley Orgánica 3/2006, de 26 de mayo, de reforma de la Ley Orgánica 5/2001, de 13 de diciembre, complementaria de la Ley General de Estabilidad Presupuestaria.

La reforma de la normativa de estabilidad presupuestaria llevada a cabo en 2006 respondía a dos objetivos fundamentales: De una parte, adaptar la instrumentación del principio de estabilidad presupuestaria a la situación cíclica de la economía para así suavizar sus oscilaciones, y, de otra, incorporar la conocida como *golden rule*, es decir, la posibilidad de que las Administraciones pudieran incurrir en un déficit adicional de hasta el límite máximo del 0,5 % del PIB (0,20 Estado, 0,25 CCAA, y 0,05 EELL) siempre que se destine a programas de inversiones que acrediten un impacto significativo sobre el aumento de la productividad[4].

Centrándonos en la aplicación de la estabilidad a las EELL, la reforma de 2006, previó dos regímenes diferentes:

a) Entidades locales contempladas en el artículo 111 de la LRHL (municipios capitales de provincia o de Comunidad Autónomas o con población de derecho superior a 75.000 habitantes): Estos municipios podían acogerse al

---

la prudencia presupuestaria. El reforzamiento de la disciplina presupuestaria en las normas comunitarias (six pack)", *Documentos IEF,* n° 18, 2012.

[3] Esta ley estuvo en vigor hasta 1 de enero de 2008 siendo derogada por el Real Decreto Legislativo 2/2007, de 2 de noviembre, por el que se aprueba el Texto Refundido de la Ley General de Estabilidad Presupuestaria.

[4] Dichos programas de inversión debían financiarse en una parte significativa, en ningún caso inferior al 30 %, con ahorro. Este límite es independiente del déficit cíclico que se acuerde y de los déficits en que se pudiera incurrir en el período de aplicación de los planes económico-financieros de reequilibrio, pero podrá limitarse en función del volumen y la evolución de la deuda viva.

régimen de estabilidad entendido como equilibrio o superávit a lo largo del ciclo económico, de tal forma que se exigiría superávit en las situaciones en las que la economía crezca por encima de su potencial, que se utilizará para compensar los déficits generados en otras situaciones[5].

En cualquier caso, cuando por la evolución del PIB resultase admisible el déficit, su cuantía máxima se limita al 1 % del PIB, repartiéndose entre los distintos niveles de gobierno, correspondiendo a los municipios mencionados un déficit global máximo del 0,05 %[6]. Dicho déficit máximo, podía incrementarse en el otro 0,05 % si iba destinado a financiar proyectos de inversión, a los que ya nos hemos referido.

b) Todas las demás entidades locales debían presentar, en todo caso, una situación de equilibrio o superávit en términos nominales. Por tanto, las Diputaciones provinciales, los municipios distintos de los contemplados en el artículo 111, y las restantes entidades locales tenían vedada cualquier posibilidad de incurrir en déficit, ni en supuestos de evolución poco favorable del PIB, ni tampoco para financiar proyectos de inversión.

3) El Real Decreto-Ley 8/2011, de 1 de julio, de medidas de apoyo a los deudores hipotecarios, de control del gasto público y cancelación de deudas con empresas y autónomos contraídas por las entidades locales, de fomento de la actividad empresarial e impulso de la rehabilitación y de simplificación administrativa.

Este Real Decreto Ley, ante las dificultades que se estaban viviendo en los mercados de la deuda pública, optó por reforzar el compromiso con la consolidación fiscal introduciendo un regla que limita la evolución del gasto no financiero de las Administraciones públicas para que la evolución de los empleos no financieros, excluidos los intereses de la deuda y las prestaciones por desempleo, no pueda exceder del crecimiento medio de la economía española, considerando como tal la media del crecimiento del PIB nominal de los cinco ejercicios anteriores, el ejercicio corriente y la previsión de los tres ejercicios futuros[7]. Esta regla de gasto en el ámbito local resulta de aplicación

---

5   La DT 1ª de la ley 15/2006 contempla tres escenarios posibles:
    – Si el PIB real crece por debajo del 2 % podrán presentar déficit.
    – Si el PIB real crece entre el 2 y el 3 % deberán presentar equilibrio o superávit.
    – Si el PIB real crece por encima del 3 % necesariamente deberán liquidarse con superávit.

6   Al resto de subsectores corresponderán: 0,20 % al Estado; 0,75 % al conjunto de CCAA; 0,05, completando así un máximo de déficit del 1 %.

7   *Vid.* art. 3 del R.D. Ley 8/2011, que introduce un nuevo artículo 8 bis en el Texto Refundido de la Ley General de Estabilidad Presupuestaria, aprobado por el RD Legislativo 2/2007. Esta regla de gasto estuvo en vigor hasta el 1 de mayo de 2012, fecha en la que entró en vigor la LO 2/2012, de 27 de abril, de Estabilidad Presupuestaria y Sostenibilidad Financiera, que derogó el RD Legislativo 2/2007.

únicamente a los ayuntamientos contemplados en el artículo 111 de la LRHL (capitales de provincia, comunidad autónoma, o con población de derecho superior a 75.000 habitantes), así como a las Diputaciones (art. 135 de la LRHL).

En lo que se refiere a la estabilidad presupuestaria se mantiene el mismo régimen dual previsto para las entidades locales tras la modificación operada por la ley 15/2006.

3. LA ESTABILIDAD DE LAS EE.LL. EN LA CONSTITUCIÓN. LA REFORMA DEL ART. 135

La reforma de la Constitución, aprobada en 2011, se plasmó en la nueva redacción del artículo 135 que pasó de tener únicamente dos apartados[8], dedicados a la emisión de deuda pública y a la previsión de los créditos necesarios para proceder al pago de intereses y capital dentro del estado de gastos del presupuesto, a contener ahora seis, dedicados, además de a los aspectos ya señalados de la deuda pública, a la consagración de la estabilidad presupuestaria, estableciendo límites al déficit estructural y al endeudamiento, así como una remisión expresa a una ley orgánica posterior que desarrolla buena parte de estos aspectos.

Centrándonos una vez más en los aspectos de especial aplicación a las entidades locales[9], la mayor novedad se contiene en el apartado 2 cuando señala:

> 2. El Estado y las Comunidades Autónomas no podrán incurrir en un déficit estructural que supere los márgenes establecidos, en su caso, por la Unión Europea para sus Estados Miembros.
> Una Ley Orgánica fijará el déficit estructural máximo permitido al Estado y a las Comunidades Autónomas, en relación con su producto interior bruto. Las Entidades Locales deberán presentar equilibrio presupuestario.

Se puede afirmar que este es el punto más innovador y relevante de la reforma constitucional, de una parte, porque introduce, por primera vez en nuestro ordenamiento, el concepto de déficit estructural y, de otra, al prescribir el equilibrio presupuestario para las corporaciones locales. También presenta cierta novedad la previsión de circunstan-

---

8   El texto del artículo 135 anterior a la reforma era el siguiente:
     "1.- El Gobierno habrá de estar autorizado por ley para emitir Deuda Pública o contraer crédito.
     2.- Los créditos para satisfacer el pago de intereses y capital de la Deuda Pública del Estado se entenderán siempre incluidos en el estado de gastos de los presupuestos y no podrán ser objeto de enmienda o modificación, mientras se ajusten a las condiciones de la ley de emisión".

9   Para un estudio global de la reforma operada en el artículo 135 de la CE pueden verse: A. López Díaz. "La formulación constitucional de la estabilidad presupuestaria en España", *Revista Española de Derecho Financiero,* nº 157, 2013, págs. 27-72; A. López Díaz y E. Morán Méndez. "El nuevo paradigma europeo y constitucional del déficit y la deuda", *Presupuestos y Gasto Público,* nº 73, 2013, págs. 49-66.

cias excepcionales en las cuales se podrán superar los volúmenes de déficit y de endeudamiento.

Tradicionalmente, como ya se ha señalado, en el ámbito comunitario la concreción del déficit excesivo se efectuaba en el protocolo nº 12 al Tratado, estableciendo un porcentaje máximo sobre el PIB (3 %), pero referido al déficit público nominal de las entidades que componen el sector administraciones públicas. Sin embargo, a partir de la suavización del déficit excesivo tras las reformas de 2005, al referir la estabilidad al ciclo económico, en los documentos comunitarios se fue abriendo camino la idea del déficit estructural, ya que permite una medición más homogénea de los resultados presupuestarios, al depurar la parte de este que puede atribuirse a la coyuntura relacionada con el ciclo. Esta tendencia se plasmó finalmente en el Tratado de estabilidad, coordinación y gobernanza, firmado el 2 de marzo de 2012[10], en cuyo art. 3 se señala que la situación presupuestaria de las administraciones públicas de cada Parte Contratante será de equilibrio o de superávit, considerando respetada dicha norma cuando "el saldo estructural alcanza el objetivo nacional específico a medio plazo, con un límite inferior de déficit estructural del 0,5 % del producto interior bruto a precios de mercado".

La reforma constitucional, al establecer como criterio de estabilidad el déficit estructural, se adelantó a lo que sería el Tratado, recogiendo así el acuerdo político que estaba en la base de este. Este nuevo concepto significa que la necesidad o capacidad de financiación en términos de contabilidad nacional (SEC 2010)[11] debe descomponerse en dos elementos:

a) Saldo estructural: Sería el componente que es independiente del ciclo económico. Es el que existiría en la economía si esta siguiera su trayectoria de crecimiento potencial, es decir, con un nivel máximo de producción sostenible de manera duradera y sin tensiones en la economía.

b) Saldo cíclico: Sería la parte del resultado nominal que viene generada por el ciclo económico. Así en períodos de recesión por la caída de los ingresos y el incremento de ciertos gastos, se genera déficit, mientras que dicho saldo será positivo (superávit) en las ápocas de bonanza.

---

10   Dicho Tratado fue ratificado por España tras la autorización concedida por la Ley orgánica 3/2012, de 25 de julio, y entró en vigor, al haber alcanzado el número requerido de ratificaciones, el 1 de enero de 2013.

11   Reglamento (UE) nº 549/2013 del Parlamento Europeo y del Consejo, de 21 de mayo de 2013, relativo al Sistema Europeo de Cuentas Nacionales y Regionales de la Unión Europea (SEC 2010). Las disposiciones de dicho Reglamento se aplicaron por primera vez a las declaraciones a efectuar a partir de 1 de septiembre de 2014. Este Reglamento sustituye al SEC 95, aprobado por El Reglamento (CE) no 2223/96 del Consejo, de 25 de junio de 1996, relativo al sistema europeo de cuentas nacionales y regionales de la Comunidad.

Aunque es fácil su definición teórica, las complicaciones surgen cuando se trata de estimar, que no medir, dicho déficit estructural, para lo que se han formulado diversas metodologías: Una primera que pasa por estimar directamente los ingresos y gastos que resultarían si el presupuesto se ajustase cíclicamente[12]. La segunda metodología parte de considerar el déficit estructural como el resultado de sustraer del déficit nominal el componente cíclico (DE=DN-DC). Y, para llegar al cálculo del déficit cíclico (DC) se han de dar dos pasos: i) Estimar la posición cíclica de la economía, es decir, el *output gap* o diferencia entre el crecimiento real de la economía y el crecimiento estimado a largo plazo como crecimiento máximo sostenible y sin tensiones. ii) Calcular la relación entre el ciclo económico y el resultado presupuestario, lo que exige tomar en consideración los índices de elasticidad de ingresos y gastos en relación con el nivel de la economía, para determinar el impacto del *output gap* sobre el resultado presupuestario. Esta segunda metodología es la utilizada por la Unión Europea[13], y la que resultará de aplicación en España pues, aunque la CE guarda silencio, a ella nos remite La LOEPSF[14] (art. 11.6), y así se ha desarrollado en la Orden ECC/2741/2012, de 20 de diciembre, de desarrollo metodológico de la Ley Orgánica 2/2012, de 27 de abril, de Estabilidad Presupuestaria y Sostenibilidad Financiera, sobre el cálculo de las previsiones tendenciales de ingresos y gastos y de la tasa de referencia de la economía española[15].

---

[12] Esta primera metodología fue desarrollada por O. Blanchard. *Suggestions for a New Set of Fiscal Indicators,* OECD Economics Department Working Paper, nº 79, 1990.

[13] Sobre la metodología de la Unión Europea puede verse: P. Brandner/L. Diebalek/H. Schuberth. *Structural Budget Deficits and Sustainability of Fiscal Positions in the European Union,* Working paper nº 26, Oesterreichische Nationalbank, 1998; M. Larch/A. Turrini. *The ciclically-adjusted budget balance in EU fiscal policy making: A love at first sight turned into a mature relationship,* Economic Paper 374, European Commission, 2009. Tanto el FMI como la OCDE han desarrollado y aplican sus propias metodologías para la estimación del déficit estructural. Al respecto puede verse: R. Hagermann. *The Structural Budget Balance. The IMF's Methodology,* IMF Working paper 99/95, 1999; C. Giorno/P. Richardson/D. Roseveare/P. Noord. *Potential Output, Output Gaps and Structural Budget Balances,* OECD Economic Studies, nº 24, 1995.

[14] *Vid.* art. 11.6 de la LOEPSF. Relacionado con la metodología del déficit estructural está también el cálculo de las previsiones tendenciales de ingresos y gastos (art. 21) así como la tasa de referencia del crecimiento (art. 12). De acuerdo con la DT 1ª de la LOEPSF dichas metodologías deberían desarrollarse por el Ministerio de Economía y Competitividad, en el plazo de 15 días desde la aprobación de la ley, sin que dicho desarrollo se haya producido todavía. En este sentido debe tenerse en cuenta que el Consejo de Estado, en su informe sobre el proyecto de ley de estabilidad presupuestaria consideraba insuficiente una remisión tan genérica a la metodología de la Unión Europea, sin incluir de forma directa en la ley ninguna precisión sobre la misma.

[15] Como consecuencia de determinados cambios de criterio de la Comisión hecho públicos en el documento "The cyclically-adjusted budget balance used in the EU fiscal framework: an update", publicado con el número 478 en la serie Economic Papers, se ha procedido a la modificación de la Orden mencionada, la cual se ha llevado a cabo mediante Orden ECC/493/2014, de 27 de marzo. La Comisión Europea modificó la metodología de cálculo de los saldos presupuestarios ajustados del

Atendiendo al concepto expuesto, la CE referencia el déficit excesivo en función de la relación entre el déficit estructural y el PIB. Y, a la hora de establecer límites diferencia, de una parte, el Estado y CCAA, y de otra las EELL.

Por lo que se refiere al Estado y CCAA el precepto en cuestión incorpora dos mandatos:

a) No pueden incurrir en déficit estructural que supere los límites establecidos, en su caso, por la UE para los Estados miembros. Hay que pensar que el establecimiento de tales límites puede operarse por dos vías: La fijación de un objetivo específico para los Estados, como ocurrirá, por ejemplo, en los supuestos en que se haya incurrido en déficit excesivo; o, en caso contrario, el fijado con carácter general en las normas (0,5 % del PIB, de acuerdo con el Tratado de estabilidad, coordinación y gobernanza).

b) En segundo lugar, remite a una ley orgánica la cual puede establecer un déficit estructural máximo para el Estado y las CCAA. Ese déficit estructural máximo fijado por la Ley podrá ser igual o inferior, pero nunca superior al establecido en las normas comunitarias. En su versión actual la LOEPSF ha establecido un objetivo de equilibrio estructural con la única excepción de las circunstancias excepcionales también contempladas a nivel comunitario.

La CE, por tanto, no establece directamente un límite al déficit estructural, sino que remite su determinación a la norma comunitaria o a la ley orgánica. Lo novedoso del precepto radica en atribuir al Estado y las CCAA la posibilidad de agotar el máximo de déficit estructural permitido a España por la UE.

En lo que atañe a las EELL, la CE sí introduce un límite concreto al señalar que deberán presentar equilibrio presupuestario. Lo primero que hay que señalar es que este precepto constitucional resulta, cuando menos, mejorable en su redacción, ya que en una interpretación literal podría entenderse que no solo se prohíbe el déficit, sino también el superávit presupuestario. Entendiendo que la voluntad de la norma es proscribir las situaciones de déficit[16], resultaría más correcto, señalar que las entidades locales de-

---

ciclo, sustituyendo en la realización del cálculo la sensibilidad respecto de la brecha de producción que venía utilizando por la semi-elasticidad de los ingresos y gastos públicos también respecto de la brecha de producción. La razón última de sustituir la anterior metodología de cálculo por la actual es, según la Comisión Europea, el aproximar de modo más preciso el concepto de saldo estructural, de modo que éste sea el que se observa cuando la economía está en su nivel potencial. Paralelamente, a este cambio de naturaleza más conceptual, la Comisión Europea ha modificado también las ponderaciones que utiliza para computar la sensibilidad cíclica de los distintos ingresos y gastos que se toman en cuenta para determinar el saldo ajustado del ciclo. Hasta este ejercicio, el período que se tomaba como referencia era el de los años 1995 a 2004 y ahora pasa a ser el de los años 2002 a 2011.

16   Así lo señala, entre otros, A. Martí del Moral. "La constitucionalización del principio de estabilidad presupuestaria", en *Crisis económica y reforma del régimen local,* Civitas, Madrid, 2012, pág. 284.

berían presentar equilibrio o superávit presupuestario, tal como hace, con buen criterio, el art. 11 de la LOEPSF.

Avanzando en la interpretación del límite fijado a las EELL, la duda que plantea dicho precepto es el significado que debe atribuirse al equilibrio, o, en su caso, superávit presupuestario: ¿Se trata de equilibrio o superávit nominales o estructurales? A nuestro entender, el equilibrio o superávit exigido a las EELL lo es en términos estructurales[17] y ello por las siguientes razones:

a) En primer lugar, porque, como ya se ha señalado, tanto la CE como el Tratado de estabilidad, coordinación y gobernanza refieren la estabilidad tomando como referencia el déficit estructural.

b) En segundo lugar, porque así lo exige la coherencia con las otras menciones de este mismo apartado. En efecto, en el párrafo primero de este apartado 2 del artículo 135 se atribuye al Estado y las CCAA la posibilidad de agotar los porcentajes máximos de déficit estructural permitido por las normas comunitarias. Esto requiere que las EELL presenten, cuando menos equilibrio estructural, ya que si lo que se les exigiese fuese equilibrio puramente nominal, en períodos de crecimiento económico podría darse la circunstancia de que ese equilibrio o superávit nominal escondiese un déficit estructural, que, unido al máximo permitido al Estado y CCAA, supondría una violación del límite comunitario, absolutamente inadmisible.

c) Finalmente, creemos que ese es también el sentido que se extrae del análisis de la LOEPSF, aprobada en desarrollo de este precepto. Así, el art. 11. 4 de la LOEPSF señala en el mismo sentido que la CE que "las Corporaciones deberán mantener una posición de equilibrio o superávit presupuestario". Y, para su interpretación sistemática, debe tenerse en cuenta que esa es la plasmación concreta para estos entes del principio de estabilidad presupuestaria que, según el artículo 3.2 de la misma LOEPSF, nos remite a una "situación de equilibrio o superávit estructural".

Este debate, sin embargo, ha perdido parte de su virtualidad, ya que, a pesar de que la Orden ECC/2741/2012 señala expresamente que "el saldo cíclico del conjunto de las Corporaciones Locales se calculará aplicando los mismos procedimientos descritos para las Comunidades Autónomas" y que "a tal fin se utilizarán la brecha de producción nacional y las elasticidades e ingresos y gastos del cuadro 1 de este anexo", en el reparto del saldo cíclico entre los diferentes subsectores no han participado las EELL, a las que se ha atribuido un déficit cíclico de 0 %, lo que genera como consecuencia que para estos entes coincida déficit nominal y déficit

---

[17]   En el mismo sentido A. Martí del Moral señala que "respecto de las Administraciones locales, el artículo 135.2 CE en la última frase indica que las Entidades locales deberán presentar equilibrio presupuestario y ello implica que no pueden incurrir en déficit estructural" (*op. cit.,* pág. 284).

estructural. Aunque es verdad que los ingresos locales son menos sensibles al ciclo que aquellos otros basados en la renta o el consumo, afirmar que el impacto del ciclo es nulo supone negar la evidencia de la pérdida de ingresos, aunque sea menor que en otros niveles de gobierno, y del incremento de gastos que debe afrontar el subsector local.

4. ESTABILIDAD Y SOSTENIBILIDAD DE LAS EELL EN LA LOEPSF

Una vez analizadas las disposiciones constitucionales de especial aplicación a la estabilidad presupuestaria local, corresponde ahora referirse a su plasmación y concreción en la LOEPSF.

4.1. ESTABILIDAD: LA NECESIDAD DE EQUILIBRIO O SUPERÁVIT

En la línea ya apuntada en la Constitución, la LOEPSF establece que las entidades locales deberán presentar equilibrio o superávit que, por las razones ya expuestas, debe ser estructural, lo que significa que en los casos de saldo cíclico negativo (déficit) la necesidad de financiación según criterios del SEC 2010 debe ser igual o inferior al dicho saldo cíclico, mientras que, cuando dicho saldo cíclico resulte positivo (superávit) deberán presentar una capacidad de financiación que sea igual o superior al superávit cíclico.

El ajuste de la estabilidad al ciclo presupuestario, que antes solo se contemplaba para los municipios capitales de provincia o comunidad autónoma, o de más de 75.000 habitantes, ahora se aplica con carácter general a todas las Entidades, pero formulado en términos de equilibrio o superávit estructurales. Esto significa que desparece el régimen dual, de tal forma que, a partir de la reforma de la Constitución y de la LOEPSF, todas las entidades locales aplicarán una misma regla de estabilidad presupuestaria, entendida como equilibrio o superávit estructural.

También desaparece la *golden rule*, no previéndose ahora ninguna posibilidad de déficit adicional con destino a proyectos de inversión. De querer llevar a cabo actuaciones de esa naturaleza, las mismas deben encajarse dentro del resultado estructural establecido como objetivo.

Igualmente debe resaltarse que, a diferencia de lo que ocurre con el Estado y las CCAA, no se contempla la posibilidad de que las entidades locales puedan incurrir en déficits estructurales, en supuestos de catástrofes o recesiones económicas de especial impacto. Ello debe entenderse como que, ante una situación de esa naturaleza, los especiales gastos a que tuviera que hacer frente la entidad local afectada deben cubrirse o con los recursos no financieros propios de la entidad local o con transferencias del Estado o de la Comunidad Autónoma, a los cuales sí se les permite un déficit estructural excepcional para esas situaciones[18].

Finalmente procede referirse a la forma en que se concretará para cada entidad el objetivo de equilibrio o superávit estructural en que se plasma su estabilidad presupuestaria. Los pasos que seguir para determinar la brecha cíclica y el consiguiente componente cíclico del déficit serían los siguientes: i) a partir del cuadro macroeconómico, se estima el crecimiento potencial y la brecha cíclica para la economía nacional; ii) se aplica a la brecha cíclica estimada a esa clase de Administración; iii) a partir de ahí se deriva el componente de saldo cíclico y de saldo ajustado cíclicamente, siempre en función del PIB[19].

A través de este mecanismo se fijarán los objetivos de estabilidad y deuda pública para la Administración Central y también para cada una de las CCAA por decisión del Gobierno, a propuesta del Ministerio de Hacienda y Administraciones Públicas, y previo informe del Consejo de Política fiscal y financiera[20].

Nada se dice, sin embargo, sobre la individualización de tales objetivos de estabilidad y deuda para cada una de las EELL. Lo que a todas luces resulta inviable es que pueda determinarse el componente del saldo cíclico para cada una de ellas en función de su propio PIB, por las dificultades que comportaría la estimación de tales magnitudes para cada uno de esos entes. Por ello pensamos que lo que procederá será lo siguiente:

a) Una vez estimado el componente cíclico para el conjunto de las entidades locales, en un porcentaje del PIB nacional, en el primer semestre de cada año debe establecerse el objetivo de estabilidad en términos de capacidad o necesidad de financiación, de acuerdo con la definición del SEC, tal como dispone el art. 15.1 de la LOEPSF[21], para lo que debe contarse con el informe previo de la CNAL[22]. Para que se dé cumplimiento

---

18 Art. 11.3 de la LOEPSF.

19 Este procedimiento se hace constar en la actualización del programa de estabilidad 2012-2015, pág. 92.

20 Cfr. Art. 16 de la LOEPSF.

21 Señala dicho precepto que: "En el primer semestre de cada año, el Gobierno, mediante acuerdo del Consejo de Ministros, a propuesta del Ministro de Hacienda y Administraciones Públicas y previo informe del Consejo de Política Fiscal y Financiera de las Comunidades Autónomas y de la Comisión Nacional de Administración Local en cuanto al ámbito de las mismas, fijará los objetivos de estabilidad presupuestaria, en términos de capacidad o necesidad de financiación de acuerdo con la definición contenida en el Sistema Europeo de Cuentas Nacionales y Regionales, y el objetivo de deuda pública referidos a los tres ejercicios siguientes, tanto para el conjunto de Administraciones Públicas como para cada uno de sus subsectores. Dichos objetivos estarán expresados en términos porcentuales del Producto Interior Bruto nacional nominal".

22 Para dar cumplimiento a dicho plazo establece la ley que la propuesta del Gobierno debe remitirse a la CNAL antes del 1 de abril de cada año, debiendo emitirse el informe preceptivo en el plazo de 15 días desde su recepción. (Art. 15.1 LOEPSF)

al objetivo de equilibrio o superávit estructural para el conjunto de las entidades locales deben cumplirse los siguientes criterios:

- Si el saldo cíclico fuese negativo, la necesidad de financiación según contabilidad nacional y con relación al PIB debiera ser igual (equilibrio estructural) o inferior (superávit estructural) al porcentaje de déficit cíclico sobre el PIB.

- Si dicho saldo cíclico resultase positivo, la capacidad de financiación de cada entidad, siempre según contabilidad nacional, debiera ser igual (equilibrio estructural) o superior (superávit estructural) al porcentaje de superávit cíclico sobre el PIB.

b) Una vez fijado el objetivo de estabilidad en términos de capacidad o necesidad de financiación/PIB para el conjunto de las entidades locales, es preciso trasladarlo a cada una de dichas entidades. Y aquí surge el inconveniente, que no se presenta para las CCAA, de que no se dispone del PIB correspondiente a cada entidad local, lo que obliga, a nuestro entender, a convertir ese objetivo general (necesidad o capacidad de financiación/PIB) en un objetivo individual determinado como necesidad o capacidad de financiación/Ingresos no financieros. Para ello deben seguirse lo siguientes pasos:

- Determinar la capacidad o necesidad de financiación en términos absolutos a partir de su relación con el PIB.

- Relacionar dicha capacidad o necesidad de financiación en términos absolutos con los ingresos no financieros del conjunto de las entidades locales, obteniendo así el objetivo de estabilidad como un porcentaje sobre los ingresos no financieros.

- Cada entidad local aplicaría dicho porcentaje sobre sus ingresos no financieros para conocer su capacidad de financiación mínima o su necesidad de financiación máxima, según fueran positivos o negativos, con los que daría cumplimiento al principio de estabilidad presupuestaria entendida como equilibrio o superávit estructurales.

Además de tratarse de un mecanismo que ya cuenta con precedentes[23], permitiría que en cada entidad el objetivo de estabilidad estructural y su cumplimiento pudiese ser cuantificado y evaluado por su intervención y, en general, por los órganos encargados

---

[23]   La propia LOEPSF en su D.F. 6º convierte el depósito del 0,2 % del PIB nominal, previsto para las CCAA, en el 2,8 % de los ingresos no financieros cuando se refiere a EELL.
Por otra parte, este es el mecanismo utilizado para determinar que entidades locales, a pesar de presentar déficit, no tienen que elaborar el correspondiente plan económico-financiero. Puede verse en este sentido el acuerdo de la subcomisión de régimen económico-financiero y fiscal de la Comisión Nacional de Administración Local (CNAL) de 22 de mayo de 2012, en relación con la aplicación de la normativa de estabilidad presupuestaria a las liquidaciones de los presupuestos generales de las entidades locales correspondientes al ejercicio 2011.

de su aplicación, al operar sobre magnitudes perfectamente conocidas y medidas, que no estimadas, por cada entidad local.

De todas formas, al igual que ocurría con relación a la determinación del déficit cíclico, la realidad ha venido a simplificar algunas de las dificultades puestas de manifiesto. Y así, el hecho de que se venga fijando un objetivo para las EELL de equilibrio[24], elimina los problemas puestos de manifiesto a la hora de traducir para cada una de dichas entidades y de forma singularizada el objetivo de déficit o superávit al no disponer de PIB municipal.

4.2. LA SOSTENIBILIDAD DE LAS ENTIDADES LOCALES

Señala el art. 4.2 de la LOEPSF, tras la modificación operada por la LO 9/2013, que "se entenderá por sostenibilidad financiera la capacidad para financiar compromisos de gasto presentes y futuros dentro de los límites de déficit, deuda pública y morosidad de deuda comercial conforme a lo establecido en esta Ley, la normativa sobre morosidad y en la normativa europea".

4.2.1. Los límites a la deuda pública local

El artículo 13 de la LOEPSF dispone que "el volumen de deuda pública, definida de acuerdo con el Protocolo sobre Procedimiento de déficit excesivo, del conjunto de Administraciones Públicas no podrá superar el 60 % del Producto Interior Bruto nacional expresado en términos nominales, o el que se establezca por la normativa europea", repitiendo así el límite fijado en el protocolo 12 anexo al TFUE.

Mayor novedad representa el segundo párrafo cuando establece que "este límite se distribuirá de acuerdo con los siguientes porcentajes, expresados en términos nominales del Producto Interior Bruto nacional: 44 % para la Administración central, 13 % para el conjunto de Comunidades Autónomas y 3 % para el conjunto de Corporaciones Locales. Si, como consecuencia de las obligaciones derivadas de la normativa europea, resultase un límite de deuda distinto al 60 %, el reparto de este entre Administración central, Comunidades Autónomas y Corporaciones Locales respetará las proporciones anteriormente expuestas".

---

[24] Así en el Acuerdo del Consejo de Ministros por el que se fijan los objetivos de estabilidad presupuestaria y deuda pública para el conjunto de las Administraciones (2015-2017), se establece un objetivo de estabilidad, como necesidad o capacidad de financiación, para las EELL de 0,0 para los ejercicios 2015, 2016, 2017 (*BOCG, Senado*, de 3 de julio de 2014). Esta misma situación se ha producido en los Acuerdos de 2012 (período 2013-2015) (*BOCG, Senado*, de 25 de julio de 2012) y 2013 (período 2016-2016) (*BOCG, Senado*, de 5 de julio de 2013).

Mediante este precepto se distribuye el límite global de la deuda entre subsectores que componen las Administraciones Públicas (s 13) según el SEC, de tal forma que a las EELL se les fija un límite global de deuda del 3 % del PIB, siempre que el límite establecido para el conjunto de las administraciones sea del 60 % del PIB. Si variase dicho límite global, tal variación debería aplicarse proporcionalmente a los distintos subsectores, de tal forma que las entidades locales siempre tendrían un límite que fuese el 5 % del límite general previsto para todas las Administraciones.

A diferencia de lo que ocurre con las CCAA, donde se establece que para cada una de ellas su límite será también el 13 % de su PIB regional, nada se dice acerca de la determinación del límite de deuda para cada una de las entidades locales. Por ello, ante la necesidad de articular algún mecanismo que permita definir dicho límite individual, podría recurrirse a algo similar a lo utilizado para cuantificar en el ámbito local el límite de déficit individual, para lo que se procede a la conversión del porcentaje de la deuda sobre el PIB en un porcentaje de deuda sobre ingresos no financieros. Sin embargo, dado que existen otros límites al endeudamiento, que toman como referencia su porcentaje con relación a los ingresos corrientes, consideramos que sería más sencilla y cómoda esta opción también para verificar el respeto al principio de sostenibilidad financiera cuyo cálculo se efectuaría tal como se refleja en la tabla 1 que sigue.

Tabla 1: Individualización del límite de deuda para entidades locales en función de los ingresos corrientes

INDIVIDUALIZACIÓN LÍMITE TRANSITORIO 2014	
PIB 2014	1.053.000.000.000
Límite de deuda local en % PIB (2014)	4
Límite de deuda local absoluta	42.120.000.000
Ingresos corrientes 2013	63.462.637.410
Límite deuda en % ING. Corrientes	66,37

INDIVIDUALIZACIÓN LÍMITE DEFINITIVO DEUDA LOCAL	
PIB 2014	1.053.000.000.000
Límite de deuda local en % PIB	3
Límite de deuda local absoluta	31.590.000.000
Ingresos corrientes 2013	63.462.637.410
Límite deuda en % ING. Corrientes	49,78

Fuente: Elaboración propia.

El porcentaje así calculado serviría para valorar el cumplimiento de los dos límites que afectan al endeudamiento en el ámbito local:

a) De una parte, el límite máximo que puede representar la deuda viva a la vista del principio de sostenibilidad financiera.

b) De otra, los límites al endeudamiento previstos con carácter general en la normativa ordinaria y que prohíben el endeudamiento a largo plazo cuando la entidad presente ahorro negativo o un nivel de endeudamiento que exceda del 110 % de los ingresos corrientes[25], descontando el efecto que puedan tener los ingresos afectados[26], requiriéndose, además, autorización del ente que sea titular de la tutela financiera cuando el endeudamiento sea superior al 75 %. Estos límites se excepcionan cuando se trata de operaciones de refinanciación de créditos concertados con anterioridad a la entrada en vigor del Real Decreto Ley 4/2012[27].

---

[25] El RD Ley 20/2011, en su DA 14 ª, prorroga para el ejercicio 2012 este límite en la redacción que, para el ejercicio 2011, le había dado la D.F 5ª de la Ley 39/2010, al artículo 14.2 del RD ley 8/2010 y que fijaba el límite máximo en el 75 %. Posteriormente, la DA 31ª de la Ley 17/2012, de Presupuestos Generales del Estado para 2013, dispuso que "con efectos de la entrada en vigor de esta Ley y vigencia indefinida", la disposición adicional decimocuarta del Real Decreto-Ley 20/2011, de 30 de diciembre, de medidas urgentes en materia presupuestaria, tributaria y financiera para la corrección del déficit público, queda redactada como sigue:

"Las Entidades Locales y sus entidades dependientes clasificadas en el sector Administraciones Públicas, de acuerdo con la definición y delimitación del Sistema Europeo de Cuentas, que liquiden el ejercicio inmediato anterior con ahorro neto positivo, calculado en la forma que establece el artículo 53 del Texto Refundido de la Ley Reguladora de las Haciendas Locales, aprobado por Real Decreto Legislativo 2/2004, de 5 de marzo, podrán concertar nuevas operaciones de crédito a largo plazo para la financiación de inversiones, cuando el volumen total del capital vivo no exceda del 75 por ciento de los ingresos corrientes liquidados o devengados según las cifras deducidas de los estados contables consolidados, con sujeción, en su caso, al Texto Refundido de la Ley Reguladora de las Haciendas Locales y a la Normativa de Estabilidad Presupuestaria.

Las Entidades Locales que tengan un volumen de endeudamiento que, excediendo al citado en el párrafo anterior, no supere al establecido en el artículo 53 del Texto Refundido de la Ley Reguladora de las Haciendas Locales, aprobado por Real Decreto Legislativo 2/2004, de 5 de marzo, podrán concertar operaciones de endeudamiento previa autorización del órgano competente que tenga atribuida la tutela financiera de las entidades locales.

Las entidades que presenten ahorro neto negativo o un volumen de endeudamiento vivo superior al recogido en el artículo 53 del Texto Refundido de la Ley Reguladora de las Haciendas Locales, aprobado por Real Decreto Legislativo 2/2004, de 5 de marzo, no podrán concertar operaciones de crédito a largo plazo".

[26] La DF 18.2 de la Ley 2/2012, modificó la redacción original del RD Ley 8/2010, con efectos desde 1 de julio de 2012, introduciendo la referencia a los ingresos afectados a operaciones de capital (contribuciones especiales, aprovechamientos urbanísticos, multas, etc., afectados al patrimonio municipal del suelo, etc.), para no tenerlos en cuenta ni en el cálculo del ahorro neto, ni en el porcentaje de endeudamiento. Al respecto puede verse la nota informativa sobre el régimen legal aplicable en 2012 a las operaciones de endeudamiento a largo plazo de las EELL. http://www.minhap.gob.es/Documentacion/Publico/DGCFEL/Regimen%20endeudamiento%202012%20%20OVCFEL.bueno.pdf

[27] Así consta en las sucesivas leyes de Presupuestos a partir de 2013. Para el ejercicio de 2015 puede verse la DA 77ª de la Ley 36/2014, de Presupuestos Generales del Estado para 2015.

Por otra parte, la relación entre ambas reglas viene también impuesta por la normativa de estabilidad presupuestaria, pues el artículo 13.5 dispone que la autorización del Estado o de las CCAA a las EELL para realizar operaciones de crédito y emisiones de deuda en cumplimiento de lo dispuesto en el artículo 53 del TRLRHL, deberá tener en cuenta el cumplimiento de los objetivos de estabilidad presupuestaria y de deuda pública.

Finalmente debe tenerse en cuenta que, también con base en el artículo 135 de la CE, el art. 14 de la LOEPSF dispone, de una parte, que los créditos para satisfacer los intereses y el capital de la deuda se entendería siempre incluidos en el estado de gastos de sus presupuestos, no pudiendo ser objeto de enmienda o modificación mientras se ajusten a las condiciones de la ley de emisión, y, de otra, que el pago del capital e intereses gozaran de prioridad absoluta frente a cualquier otro pago. De este precepto cabe extraer las siguientes conclusiones:

- La presunción de que los créditos se encuentran siempre incluidos en el presupuesto de gastos impide que se pueda alegar la falta de crédito para proceder a su abono, sin embargo, no libera del deber de incluir tales partidas en las correspondientes aplicaciones presupuestarias.

- La prohibición de enmiendas o modificaciones debe limitarse a los casos en que los créditos presupuestarios se ajustan a las condiciones de la emisión, tanto en lo que se refiere a amortizaciones como a pago de intereses. Quiere ello decir que sí serían admisibles enmiendas o modificaciones para incrementar o reducir las partidas presupuestarias hasta hacerlas coincidir con las condiciones de la emisión.

- Finalmente, la prioridad absoluta para el pago procede de la reforma del artículo 135 de la CE, haciendo prevalecer los pagos de la deuda sobre cualesquiera otros, y sobreponiéndose a lo que pudiera disponerse en otras normas, si bien deviene de difícil implementación coactiva, para el caso de que la entidad en cuestión decidiera desconocerla. A nuestro entender, y como ya hemos puesto de manifiesto[28], considerando tanto la redacción literal del precepto, como los efectos que genera, pensamos que dicha prioridad solo debe entrar en juego una vez que se han reconocido las obligaciones correspondientes, y de cara a ordenar el pago de estas.

Aún limitado en este sentido, resulta obvio que tal presunción genera una suerte de acreedores privilegiados[29], como son los prestamistas de las Administraciones frente a

---

[28] *Vid.* A. López Díaz. "La formulación constitucional...", *op. cit.*, págs. 62 y 63.

[29] *Vid.* F. De la Hucha Celador. "La reforma del artículo 135 de la Constitución: estabilidad presupuestaria y deuda pública", *Revista Española de Derecho Financiero,* n° 153, 2012, pág. 45.

cualesquiera otros (pensionistas, empleados públicos, o las Administraciones públicas acreedoras por conceptos tributarios etc.) al tiempo que tales deudas gozan de preferencia, por encima de cualquier otro criterio de prioridad como pudiera la antigüedad de las obligaciones. Por todo ello, a partir de la entrada en vigor de esta modificación resultan contrarios a la Constitución, y derogadas por inconstitucionalidad sobrevenida[30], las normas que, como ocurre con el art. 187 de la LRHL[31], establezcan un orden de prioridades no acorde con la prioridad absoluta de la deuda consagrada en el nuevo artículo 135.

Por otra parte, teniendo en cuenta que dentro del sector Administraciones Públicas, se incluyen también, como ya se ha expuesto, entidades de derecho privado (unidades institucionales públicas no de mercado), la prioridad constitucional se impone por su rango frente a otros criterios como los contenidos en la Ley Concursal (arts. 84 y 90 a 92) cuando resultase de aplicación a dichos sujetos[32].

4.2.2. Los límites de morosidad en la deuda comercial

Como ya se ha puesto de manifiesto, los límites de morosidad, juntamente con los referidos a la deuda pública, conforman el principio de sostenibilidad financiera de las Administraciones Públicas, aplicable, por tanto, a las EELL.

---

[30] Sobre la derogación por inconstitucionalidad sobrevenida de normas preconstitucionales vid. STC 4/1981, de 2 de febrero. No puede olvidarse que, como subraya el TC (S 157/2011), "es doctrina uniforme de este Tribunal que 'en el recurso de inconstitucionalidad no se fiscaliza si el legislador se atuvo o no, en el momento de legislar, a los límites que sobre él pesaban, sino, más bien, si un producto normativo se atempera, en el momento del examen jurisdiccional, a tales límites y condiciones.'" (STC 179/1998, de 19 de septiembre, FJ 2, y en el mismo sentido SSTC 135/2006, de 27 de abril, FJ 3, 1/2011, de 14 de febrero, FJ 2 y 120/2011, de 6 de julio, FJ 2). En este caso consideramos que la inconstitucionalidad sobreviene por la modificación del art. 135 de la CE, resultando de aplicación también para este caso la Disposición Derogatoria de la Constitución, lo que habilitaría para que los jueces ordinarios pudieran declarar la derogación de los preceptos contrarios a dicho artículo.

[31] Señala el art. 187 del TRLRHL que "La expedición de las órdenes de pago habrá de acomodarse al plan de disposición de fondos de la tesorería que se establezca por el presidente que, en todo caso, deberá recoger la prioridad de los gastos de personal y de las obligaciones contraídas en ejercicios anteriores". Suerte distinta debe correr a nuestro entender el art. 107 de la LGP pues al establecer que "el Ordenador de Pagos aplicará criterios objetivos en la expedición de las órdenes de pago, tales como la fecha de recepción, el importe de la operación, aplicación presupuestaria y forma de pago, entre otros", recoge una enumeración abierta de criterios que no impide la incorporación de la preferencia absoluta de la deuda de la CE. A idéntico juicio habría que someter las normas de las distintas CCAA reguladoras de su régimen de pagos para determinar su adecuación o no a la CE.

[32] *Vid.* en este mismo sentido: J. García-Andrade Gómez. "La aplicación del principio constitucional de estabilidad presupuestaria a las entidades locales", en *Crisis económica y reforma del régimen local*, Aranzadi, Navarra, 2012, pág. 316.

En cuanto a la implementación de dicho principio y límites, el artículo 13.6 de la LOEPSF dispone que las Administraciones Públicas deberán publicar su período medio de pago a proveedores y disponer de un plan de tesorería que incluirá, al menos, información relativa a la previsión de pago a proveedores, de forma que se garantice el cumplimiento del plazo máximo que fija la normativa sobre morosidad. Las Administraciones Públicas velarán por la adecuación de su ritmo de asunción de compromisos de gasto a la ejecución del plan de tesorería.

Cuando el período medio de pago de una Administración Pública, de acuerdo con los datos publicados, supere el plazo máximo previsto en la normativa sobre morosidad, la Administración deberá incluir, en la actualización de su plan de tesorería inmediatamente posterior a la mencionada publicación, como parte de dicho plan, lo siguiente:

a) El importe de los recursos que va a dedicar mensualmente al pago a proveedores para poder reducir su período medio de pago hasta el plazo máximo que fija la normativa sobre morosidad.

b) El compromiso de adoptar las medidas cuantificadas de reducción de gastos, incremento de ingresos u otras medidas de gestión de cobros y pagos, que le permita generar la tesorería necesaria para la reducción de su período medio de pago a proveedores hasta el plazo máximo que fija la normativa sobre morosidad.

Lo primero que debe resaltarse es el plazo máximo a que se refiere el precepto anterior. Y, por si hubiese dudas, la DA 5ª de la LOEPSF, añadida por la LO 9/2013, dispone que "las referencias en esta ley al plazo máximo que fija la normativa sobre morosidad para el pago a proveedores se entenderán hechas al plazo que en cada momento establezca la mencionada normativa vigente y que, en el momento de entrada en vigor de esta Ley, es de treinta días". Ahora bien, para determinar el momento desde el que se debe contar dicho plazo debe tenerse en cuenta que la L 11/2013, en su DA 7ª, que modifica en este punto la Ley de Contratos del Sector Público, se refiere a la obligación de abonar los pagos en los treinta días siguientes a la aprobación de las certificaciones o de los documentos que acrediten la conformidad de los bienes o servicios con lo establecido en el contrato. De esta forma resultaría que habría un plazo de 30 días desde la recepción del documento para su aprobación y otros 30 desde esa aprobación para proceder a su pago.

De cara al conocimiento del cumplimiento o no de tales límites, se impone la elaboración y comunicación de informes trimestrales, por parte de los Tesoreros o Interventores[33]. Con base en dichas liquidaciones se elaboran los informes sobre cumplimiento

---

33   En este sentido el Art. 4. punto 3, de la Ley 15/2010 de 5 de julio de Modificación de la Ley, por la que se establecen Medidas de Lucha contra la Morosidad en las operaciones comerciales, establece: "Los Tesoreros o en su defecto los Interventores de las Corporaciones Locales, elaboraran trimestralmente un informe sobre el cumplimiento de los plazos previstos en esta Ley para el pago de sus

del período medio de pago a proveedores. En el último publicado en enero de 2023[34], pone de manifiesto que el período medio de pago para el conjunto de Diputaciones y Ayuntamientos con población superior a 75.000 habitantes fue de 54,89 días.

4.3. LA REGLA DE GASTO

Señala el artículo 12 de la LOEPSF que la variación del gasto computable de la Administración Central, de las CCAA y de las Corporaciones Locales, no podrá superar la tasa de referencia de crecimiento del PIB de medio plazo de la economía español. Se formula así, también para las EELL, una regla que trata de limitar la tendencia al incremento del gasto que puede darse en los períodos de crecimiento de la economía, y que puede generar dificultades para su asunción en ejercicios futuros de estancamiento o recesión.

El límite del crecimiento del gasto computable viene determinado por la tasa de referencia de crecimiento del PIB de medio plazo de la economía, la cual debe ser calculada por el Ministerio de Economía y Competitividad de acuerdo con la metodología utilizada por la Comisión Europea[35]. Para el período 2021-2023[36], dicho límite

---

obligaciones, que incluirá necesariamente el número y cuantía global de las obligaciones pendientes, en las que se esté incumpliendo el plazo. En todo caso, dicho informe deberá remitirse al Ministerio de Economía y Hacienda, sin perjuicio de su presentación y debate en el Pleno de la Corporación". Por su parte, el Art. 5, punto 4, de la Ley 15/2010 de 5 de julio, de Modificación de la Ley por la que se establecen Medidas de lucha contra la Morosidad en las operaciones comerciales, establece así mismo: "La Intervención u órgano contable de la entidad local, incorporará al informe trimestral al Pleno, regulado en el artículo anterior, una relación de las facturas o documentos justificativos con respecto a las cuales, hayan transcurridos más de tres meses desde la anotación en el registro de facturas y no se hayan tramitado las correspondientes expedientes de reconocimiento de las obligaciones para el pago".
Sobre el contenido de tales informes y la forma de operar los cálculos exigidos en los mismos puede verse la guía elaborada por el Ministerio.
http://www.minhap.gob.es/Documentacion/Publico/DGCFEL/InstruccionesAplicaciones/GuíaMorosidad.pdf

[34] Puede verse en: https://serviciostelematicosext.hacienda.gob.es/SGCIEF/PMP_NET/aspx/consulta/consulta.aspx?tipoPublicacion=2

[35] La tasa de referencia de la economía española debe recogerse, juntamente con el cuadro macroeconómico, la previsión de evolución del PIB, la brecha de producción y el saldo cíclico del conjunto de las Administraciones públicas distribuido entre sus subsectores, en el informe en el que se evalúa la situación económica, tal como prevé el artículo 15.5 de la LOEPSF.

[36] Acuerdo del Gobierno por el que se fijan los objetivos de estabilidad presupuestaria y de deuda pública para el conjunto de Administraciones Públicas y de cada uno de sus subsectores para el periodo 2021-2023 y el límite de gasto no financiero del Presupuesto del Estado para el año 2021 (BOCG, Congreso de los Diputados de 25 de febrero de 2020).

máximo de crecimiento se ha establecido en 3, 3,2 y 3,3 respectivamente. No obstante, cuando existan planes económico-financieros o de reequilibrio deberá adaptarse dicho crecimiento a la senda establecida en los mismos, prevaleciendo así sobre el objetivo general.

La magnitud cuyo crecimiento se somete al límite de la tasa de referencia del crecimiento del PIB, es el gasto computable, considerando como tal los empleos no financieros definidos en el SEC, de los que se excluyen: a) los intereses de la deuda; b) el gasto no discrecional en prestaciones por desempleo; c) la parte de gasto financiado con fondos finalistas procedentes de la Unión Europea o de otras Administraciones y d) las transferencias a las CCAA y a las EELL vinculadas al sistema de financiación, si bien esta última será de escasa o nula incidencia para las entidades locales.

Aunque la ley se refiere a empleos no financieros en términos del SEC, los cuales comprenderían en sentido estricto únicamente los capítulos I-IV de gastos, ya que las operaciones de capital corresponderían a cuentas de variación netas de activos, bajo la expresión empleos no financieros deben incluirse todos los gastos no financieros, corrientes y de capital, abarcando, por tanto, los capítulos I-VII de gastos, ajustados eso sí, con arreglo a los criterios del SEC 2010[37].

Lo que no explicita la ley es qué dos cifras de empleos no financieros debemos comparar para verificar que su evolución no supera la tasa de crecimiento del PIB. Ese silencio ha sido cubierto por la *Guía para la determinación de la regla de gasto para las Corporaciones Locales*[38], elaborada por la IGAE, donde se establecen los siguientes criterios:

a) Por una parte, dado que la ley se refiere a que tal referencia debe tenerse en cuenta en las distintas fases del presupuesto se tomará la información disponible en cada momento: presupuesto, ejecución o liquidación, referidos al año n.

b) En lo que atañe al otro término de la comparación, el gasto del año n-1, la Guía estipula la comparación con la liquidación del ejercicio, ordenando que cuando la misma no esté disponible, como ocurrirá cuando se trata de verificar el cumplimiento de la regla en relación con el presupuesto, se efectúe una estimación de la misma. Precisamente porque no se comparan magnitudes homogéneas y existen desviaciones entre los

---

[37]   En este sentido los informes de la IGAE sobre operaciones no financieras de las Administraciones en términos de Contabilidad Nacional contemplan empleos no financieros corrientes y de capital incluyendo dentro de estos últimos las siguientes cuentas: P.5: Formación bruta de capital; K.2 Adquisiciones netas de activos no financieros no producidos; D9.E: Transferencias de capital a pagar. http://www.igae.pap.minhap.gob.es/sitios/igae/es-ES/InformesCuentas/Contabilidad/Paginas/contabilidadnacional.aspx.

[38]   http://www.igae.pap.minhap.gob.es/sitios/igae/es-ES/ContabilidadNacional/InformacionGeneral/Documents/Manual_AATT/Regla_de_gasto_CCLL_noviembre_2014.pdf. La última versión es de noviembre de 2014.

presupuestos y la ejecución final y su liquidación, la Guía determina que debe aplicarse un ajuste por grado de ejecución del gasto que aumentará o reducirá los empleos no financieros.

La regla de gasto así formulada establece un techo máximo al gasto no financiero, lo cual no significa que todas las entidades y en todos los casos puedan alcanzar dicho tope máximo ya que, por aplicación de otras normas, el conjunto de los empleos no financieros puede verse constreñidos por debajo de ese tope. Así ocurrirá, por ejemplo, en las siguientes circunstancias:

- Cuando el objetivo de estabilidad presupuestaria fijado requiera un ajuste del gasto que lo sitúe por debajo de tales límites. En función de la evolución de los ingresos no financieros y del PIB será frecuente que en períodos de recesión económica el objetivo de equilibrio o superávit estructural resultará más restrictivo que la regla de gasto, mientras que en ejercicios con crecimiento será la regla de gasto la que limite efectivamente la evolución de los empleos no financieros.

- Cuando resulten de aplicación otras normas, como puede ser el caso del art. 193[39] de la LRHL que puede obligar a reducir el gasto o incluso a aprobar un presupuesto con superávit.

Finalmente debe tenerse en cuenta que los cambios normativos que influyan de forma permanente sobre la recaudación de los ingresos van a afectar al nivel máximo de gasto computable permitido: cuando los cambios generen mayores ingresos permanentes, podrán aumentarse el gasto computable en idéntica cuantía, mientas que cuando se reduzcan de forma permanente los ingresos, también deberá reducirse el gasto computable en el mismo importe[40].

Dentro de los cambios normativos deben incluirse no solo las modificaciones legales, sino también las medidas adoptadas en sus ordenanzas fiscales por las entidades locales (tipos bonificaciones, etc.) que incidan en la recaudación efectiva. E incluso,

---

[39] Señala el art. 193: "1. En caso de liquidación del presupuesto con remanente de tesorería negativo, el Pleno de la corporación o el órgano competente del organismo autónomo, según corresponda, deberán proceder, en la primera sesión que celebren, a la reducción de gastos del nuevo presupuesto por cuantía igual al déficit producido. La expresada reducción sólo podrá revocarse por acuerdo del Pleno, a propuesta del presidente, y previo informe del Interventor, cuando el desarrollo normal del presupuesto y la situación de la tesorería lo consintiesen.
2. Si la reducción de gastos no resultase posible, se podrá acudir al concierto de operación de crédito por su importe, siempre que se den las condiciones señaladas en el artículo 177.5 de esta Ley.
3. De no adoptarse ninguna de las medidas previstas en los dos apartados anteriores, el presupuesto del ejercicio siguiente habrá de aprobarse con un superávit inicial de cuantía no inferior al repetido déficit".

[40] Art. 12.4 LOEPSF.

a nuestro entender, aunque no se trate de una modificación normativa, determinadas actuaciones que conllevan incrementos permanentes de recaudación también deberían ser tomados en consideración. Tal pudiera ser el caso de medidas como la aprobación de nuevos valores catastrales, o su actualización, que inciden directa y de forma permanente en la recaudación de impuestos locales como el IBI deben permitir ese incremento del gasto computable. Concretamente en el caso de las revisiones catastrales debe tenerse en cuenta que por el juego de la reducción de la base imponible que trata de escalar el impacto recaudatorio de tal medida en un período de 10 años[41], debiera permitirse también ese incremento del gasto computable en la parte correspondiente en cada uno de esos 10 ejercicios y en función de los mayores ingresos previstos.

4.4. OTRAS REGLAS DE ESPECIAL APLICACIÓN A LAS EELL

a)   Destino de los ingresos obtenidos por encima de los previstos

Señala el artículo 12.5 de la LOEPSF que "Los ingresos que se obtengan por encima de lo previsto se destinarán íntegramente a reducir el nivel de deuda pública". Aun entendiendo cual es el objetivo del precepto, es decir la reducción del nivel de endeudamiento destinando a ello los mayores ingresos recibidos sobre lo previsto, son muchas las cuestiones que suscita a la hora de su aplicación efectiva.

En primer lugar, cabe cuestionarse la previsión de su aplicación general, sin ningún tipo de requisitos adicionales, tanto para los distintos subsectores, como para entidades en concreto. De esta forma resulta de aplicación tanto a la Administración central como a CCAA y a EELL, a pesar de que los niveles de endeudamiento de unos y otros son sustancialmente diferentes[42]. A pesar de que las EELL presentaban unos porcentajes de deuda solo ligeramente superiores al máximo permitido por la ley (3,64 % a finales de 2014, frente a un límite general de 3 %), pero en todo caso inferiores al objetivo establecido con carácter transitorio, también a ellas se les aplica esta regla destinada a la reducción del endeudamiento.

Y, si nos referimos a entidades en concreto, y de forma especial a las EELL, todas ellas deberán dar cumplimiento al precepto mencionado, con independencia de cuál sea su nivel de endeudamiento, y de si se sitúa o no por encima del objetivo general o del transitorio. A nuestro entender la regla en cuestión debería haberse limitado en su apli-

---

[41]   *Vid.* arts. 67 y 68 del TRLRHL.

[42]   En relación con los datos sobre endeudamiento de los distintos subsectores nos remitimos a lo expuesto en el apartado 2.2.

cación a aquellas entidades que presentaran un nivel de deuda superior al techo máximo permitido, fuese el general, fuese el fijado con carácter transitorio.

Igualmente hay que llamar la atención sobre el mayor coste financiero que se puede derivar del hecho de tener que amortizar deuda viva, que puede presentar unas condiciones financieras mejores (en cuanto a intereses, carencia, plazos, etc.) que las que se deban afrontar en las nuevas operaciones que pudiera formalizar ese mismo ente. Este efecto no deseable podría evitarse si alternativamente a la amortización se contemplase como otra posibilidad la reducción del endeudamiento neto autorizado para el ejercicio.

Entrando ya al análisis más minucioso del precepto resulta preciso concretar que se entiende por ingresos que se obtengan por encima de lo previsto. A nuestro entender es preciso diferenciar entre nuevos ingresos y mayores ingresos. Siguiendo a AR-NAL SURIA/GONZÁLEZ PUEYO[43], y tomando como base lo dispuesto en el art. 36.1 b del RD 500/1990[44], consideramos que nuevos ingresos serían aquellos que se originan por nuevas figuras no contempladas en el presupuesto vigente a través de las previsiones presupuestarios, mientras que mayores ingresos son los que corresponden a las figuras previstas en el presupuesto pero que generan una recaudación superior a la prevista.

Pues bien, partiendo de esa distinción entendemos que el precepto en cuestión no será de aplicación cuando se trate de nuevos ingresos, sino únicamente en los supuestos de mayores ingresos, exigiéndose, que los mismos hayan sido efectivamente recaudados y que no resulten afectados a otro fin, como pudiera ser el caso de las transferencias de capital, subvenciones finalistas, producto de contribuciones especiales, los ingresos obtenidos por la enajenación de terrenos del Patrimonio Municipal del suelo o sustitución del aprovechamiento urbanístico por su correspondiente metálico, y, en general cualesquiera otros cuya afectación derive de una ley o de la decisión de la entidad local a través de acuerdo plenario en lo supuestos previstos en el art. 10.2 del RD 500/1990[45].

---

[43] *Vid*. S. Arnal Suria/J. González Pueyo. *Manual de presupuestos y contabilidad de las Corporaciones Locales,* el Consultor de los Ayuntamientos, 6ª edición, La ley, Madrid, 2007, págs. 385 y 386. En apoyo de su criterio recogen también el criterio de la IGAE manifestado en su Consulta 2/1994, boletín nº 14.

[44] El artículo 36.1.b contempla la financiación de créditos extraordinario o suplementos de crédito "con nuevos o mayores ingresos efectivamente recaudados sobre los totales previstos en algún concepto del presupuesto corriente".

[45] Señala dicho precepto que "solo podrán afectarse a fines determinados aquellos recursos que por su naturaleza o condiciones específicas, tengan una relación objetiva y directa con el gasto a financiar, salvo en los supuestos expresamente establecidos en las leyes". Sobre la afectación y sus efectos *vid*. S. Arnal Suria/J. González Pueyo. *Manual de presupuestos y contabilidad de las Corporaciones Locales,* el Consultor de los Ayuntamientos, 6ª edición, La ley, Madrid, 2007, págs. 783 y ss.

Los mayores ingresos efectivamente recaudados y no afectados deben destinarse, por imperativo de la ley, a la financiación de un crédito extraordinario o un suplemento de crédito para incrementar el capítulo IX del presupuesto de gasto. A nuestro entender, también cabría la posibilidad de que en las bases de ejecución del presupuesto se declarase el carácter ampliable de los créditos para la amortización de la deuda, afectando a dicha ampliación los ingresos efectivamente recaudados por encima de las previsiones del presupuesto[46]. De no llevarse a cabo durante el ejercicio ninguna de las modificaciones apuntadas dichos mayores ingresos formaran parte del remanente de tesorería, debiendo considerarse afectado por su importe a la amortización de la deuda, y financiando mayores amortizaciones en el ejercicio siguiente. Únicamente en el supuesto de que la entidad en cuestión no tuviese deuda o esta fuese inferior a esos mayores ingresos podrían destinarse estos en su totalidad o en el exceso sobre la deuda a financiar cualesquiera otros gastos.

b) Destino del superávit presupuestario

Con el mismo objetivo de reducir la deuda de los entes públicos el art. 32 de la LOEPSF dispone que "1. En el supuesto de que la liquidación presupuestaria se sitúe en superávit, este se destinará, en el caso del Estado, Comunidades Autónomas, y Corporaciones Locales, a reducir el nivel de endeudamiento neto siempre con el límite del volumen de endeudamiento si éste fuera inferior al importe del superávit a destinar a la reducción de deuda"[47].

En principio podrían reproducirse aquí las críticas de carácter general ya señaladas en el apartado anterior por cuanto afecta indistintamente a todos los subsectores y a todas las entidades sin tomar en consideración el nivel de deuda individual, ni los efectos antieconómicos que puede generar.

El supuesto de hecho determinante de la reducción del endeudamiento neto es, en este caso, la liquidación presupuestaria en superávit. Sin embargo, el superávit presupuestario no es ningún recurso que permita financiar un mayor gasto como la mayor reducción del endeudamiento que se pretende en este caso, ya que esa cualidad solo corresponde al remanente de tesorería. Por ello hay que reinterpretar el precepto en el sentido de exigir no solo superávit, sino también un remanente de tesorería para gastos generales positivo.

Concurriendo esa circunstancia dicho remanente positivo debe destinarse a "reducir el endeudamiento neto". Esta última expresión también presenta algunas dudas por cuanto por endeudamiento neto se entiende la diferencia entre los ingresos y gastos del capítulo IX, pasivos financieros, mientras que el precepto en cuestión parece más diri-

---

[46]   Cfr. Art. 178 de la LRHL y art. 39 del RD 500/1990.

[47]   El apartado 1 de dicho artículo fue objeto de nueva redacción por la LO 9/2013.

gido, en la misma línea del referido a los mayores ingresos, a una reducción de la deuda viva de la entidad. En cualquier caso, atendiendo a los términos literales del artículo creemos que puede interpretarse este artículo en el sentido de que, hasta el importe del superávit, el remanente de tesorería para gastos generales positivo debe destinarse a la amortización de la deuda viva o a la reducción del endeudamiento neto autorizado para ese ejercicio, a criterio de la entidad local. De esta forma se evitan las posibles consecuencias antieconómicas referidas en el apartando anterior.

A petición reiterada de los representantes de las entidades locales, la LO 9/2013, añadió una D.A 6ª a la LOEPSF que flexibilizó la aplicación de este artículo 32, al permitir destinar el superávit en todo o en parte, a la realización de inversiones cuando la entidad en cuestión cumpla los siguientes requisitos:

a) Cumplan o no superen los límites que fije la legislación reguladora de las Haciendas Locales en materia de autorización de operaciones de endeudamiento.

b) Que presenten en el ejercicio anterior simultáneamente superávit en términos de contabilidad nacional y remanente de tesorería positivo para gastos generales, una vez descontado el efecto de las medidas especiales de financiación que se instrumenten en el marco de la disposición adicional primera de esta Ley.

Adicionalmente se establece que el gasto así realizado no se computaría a efectos del cumplimiento de la regla de gasto ya expuesta[48].

A raíz de la suspensión de las reglas fiscales, desde el Acuerdo adoptado por el Congreso de los Diputados en sesión de 20 de octubre de 2020, que abarca el art. 32 de la

---

[48] En el año 2014, a los efectos de la aplicación del artículo 32, relativo al destino del superávit presupuestario, se tendrá en cuenta lo siguiente:

a) Las Corporaciones Locales deberán destinar, en primer lugar, el superávit en contabilidad nacional o, si fuera menor, el remanente de tesorería para gastos generales a atender las obligaciones pendientes de aplicar a presupuesto contabilizadas a 31 de diciembre del ejercicio anterior en la cuenta de "Acreedores por operaciones pendientes de aplicar a presupuesto", o equivalentes en los términos establecidos en la normativa contable y presupuestaria que resulta de aplicación, y a cancelar, con posterioridad, el resto de obligaciones pendientes de pago con proveedores, contabilizadas y aplicadas a cierre del ejercicio anterior.

b) En el caso de que, atendidas las obligaciones citadas en la letra a) anterior, el importe señalado en la letra a) anterior se mantuviese con signo positivo y la Corporación Local optase a la aplicación de lo dispuesto en la letra c) siguiente, se deberá destinar, como mínimo, el porcentaje de este saldo para amortizar operaciones de endeudamiento que estén vigentes que sea necesario para que la Corporación Local no incurra en déficit en términos de contabilidad nacional en dicho ejercicio 2014.

c) Si cumplido lo previsto en las letras a) y b) anteriores la Corporación Local tuviera un saldo positivo del importe señalado en la letra a), éste se podrá destinar a financiar inversiones siempre que a lo largo de la vida útil de la inversión ésta sea financieramente sostenible. A estos efectos la ley determinará tanto los requisitos formales como los parámetros que permitan calificar una inversión como financieramente sostenible, para lo que se valorará especialmente su contribución al crecimiento económico a largo plazo.

LOEPSF el destino del superávit y del RTGG, salvo las excepciones comprendidas en los reales decretos mencionados, es de libre disposición conforme a los usos que permite el TRLRHL, por lo que la entidad local no está obligada a amortizar deuda. Por otra parte, no resulta necesario minorar el importe del RTGG con el correspondiente al del superávit, pues ambos son de libre disposición.

c) Límite de gasto no financiero

Señala el artículo 30 que "el Estado, las Comunidades Autónomas y las Corporaciones Locales aprobarán, en sus respectivos ámbitos, un límite máximo de gasto no financiero, coherente con el objetivo de estabilidad presupuestaria y la regla de gasto, que marcará el techo de asignación de recursos de sus Presupuestos". Este límite de gasto no financiero tiene que situarse por debajo del menor de los dos techos máximos que deben tenerse en cuenta: el derivado del principio de estabilidad que requiere equilibrio o superávit estructural y el que resulte de la aplicación de la regla de gasto ya mencionada. Aunque en su formulación concreta dependerá de cómo influyan los ciclos económicos en la evolución de los ingresos no financieros y del PIB, todo hace pensar que en períodos de crecimiento será la regla de gasto la que funcione como tope, mientras que en épocas de recesión seguramente será inferior el límite marcado por el objetivo de estabilidad.

Aunque nada se dice expresamente, creemos que debe ser el Pleno de la Corporación el que apruebe ese límite máximo que marcará el techo de asignación de los recursos en sus Presupuestos. Por otra parte, y a diferencia de lo que ocurre en las CCAA, donde se prescribe su comunicación al Consejo de Política Fiscal y Financiera antes del 1 de agosto, nada se dice sobre el trámite que debe darse al límite fijado por cada una de las Corporaciones Locales, lo que nos lleva a entender que permanecerá en el ámbito de la propia entidad.

Para aplicar lo previsto en el párrafo anterior, además será necesario que el período medio de pago a los proveedores de la Corporación Local, de acuerdo con los datos publicados, no supere el plazo máximo de pago previsto en la normativa sobre morosidad.

3. Excepcionalmente, las Corporaciones Locales que en el ejercicio 2013 cumplan con lo previsto en el apartado 1 respecto de la liquidación de su presupuesto del ejercicio 2012, y que además en el ejercicio 2014 cumplan con lo previsto en el apartado 1, podrán aplicar en el año 2014 el superávit en contabilidad nacional o, si fuera menor, el remanente de tesorería para gastos generales resultante de la liquidación de 2012, conforme a las reglas contenidas en el apartado 2 anterior, si así lo deciden por acuerdo de su órgano de gobierno.

Los requisitos formales, así como los parámetros que permiten calificar una inversión como financieramente sostenible, fueron regulados por el Real Decreto-Ley 2/2014.

Esta disposición fue prorrogada sucesivamente para los ejercicios 2015, 2016, 2017, 2018, 2019 y 2020. Finalmente, por Resolución de 10 de septiembre de 2020 que publica el Acuerdo del Congreso de los Diputados por el que deroga el Real Decreto-ley 27/2020, de 4 de agosto, se deja sin efecto la prórroga para 2020.

d) Fondo de contingencia

El fondo de contingencia aparece contemplado en el artículo 31 de la LOEPSF[49] como una dotación diferenciada y destinada a atender necesidades no discrecionales y no previstas en el Presupuesto inicialmente aprobado, tratando de funcionar como el colchón que garantice el cumplimiento de la estabilidad en tales situaciones.

En el caso de las EELL no afecta a todas ellas, sino que solo se exige para las Diputaciones Provinciales y para los ayuntamientos capitales de provincia o CA o con población superior a los 75.000 habitantes, por lo que las demás no deberán dotar dicha aplicación en sus presupuestos.

No establece la ley ninguna cuantía mínima para dicho fondo[50], por lo que, en principio, tal como señala el mismo artículo en su apartado segundo, la misma podrá ser determinada por cada Administración Pública en el ámbito de sus respectivas competencias. Tampoco se precisa su ubicación en la estructura económica del presupuesto local. Mientras que en la estructura presupuestaria del Estado se ha integrado en el capítulo V de gastos, en el ámbito local, una vez modificada la Orden que regula la estructura del presupuesto[51], deberá incluirse en el capítulo 5, artículo 50, concepto 500.

Por último, quedaría también por regular la ejecución presupuestaria con cargo a dicho fondo, así como las modificaciones presupuestarias que pueden afectarle. En este sentido se echa de menos en la ley la limitación a la financiación de las modificaciones de créditos con otros recursos, que son las que dotan de sentido al fondo de contingencia[52].

---

[49] "El Estado, las Comunidades Autónomas y las Corporaciones Locales incluidas en el ámbito subjetivo de los artículos 111 y 135 del texto refundido de la Ley Reguladora de las Haciendas Locales incluirán en sus Presupuestos una dotación diferenciada de créditos presupuestarios que se destinará, cuando proceda, a atender necesidades de carácter no discrecional y no previstas en el Presupuesto inicialmente aprobado, que puedan presentarse a lo largo del ejercicio.
La cuantía y las condiciones de aplicación de dicha dotación será determinada por cada Administración Pública en el ámbito de sus respectivas competencias".
Su precedente habría que buscarlo en el art. 15 de la ley 18/2001, de 12 de diciembre, de estabilidad presupuestaria, en cuyo art. 15 se creaba el fondo de contingencia, si bien únicamente para el Estado.

[50] En el art. 15 de la ley 18/2001, se fijaba una cuantía para el fondo de contingencia del Estado del 2 % del límite de gasto anual del Estado.

[51] La regulación de la estructura presupuestaria de las Entidades locales se contiene en la Orden EHA 3565/2008, de 3 de diciembre (BOE de 3 de diciembre). Dicha Orden ha sido modificada por la Orden HAP/419/2014, de 14 de marzo (BOE 19 de marzo), que ha introducido la regulación específica del Fondo de Contingencia, entre otras cuestiones. Con anterioridad a dicha modificación su dotación venía recogiéndose en el artículo 27, destinado a gastos imprevistos y funciones no clasificadas.

[52] El art. 16 de la ley 18/2001 establecía que las modificaciones de crédito solamente podrían financiarse con el fondo de contingencia o bien con bajas en otros créditos.

4.5. RÉGIMEN TRANSITORIO

La DT 1ª 1. B) de la mencionada LOEPSF establece un régimen transitorio hasta 2020, que se refiere tanto al déficit como a la deuda.

Por lo que se refiere al déficit establece que el "estructural del conjunto de Administraciones Públicas se deberá reducir, al menos, un 0,8 % del Producto Interior Bruto nacional en promedio anual. Esta reducción se distribuirá entre el Estado y las Comunidades Autónomas en función de los porcentajes de déficit estructural que hubiesen registrado el 1 de enero de 2012. En caso de procedimiento de déficit excesivo, la reducción del déficit se adecuará a lo exigido en el mismo". Como se puede apreciar esa reducción se reparte entre el Estado y las CCAA, no mencionándose las EELL, ya que para las mismas se contempla una necesidad de financiación de 0,3 % del PIB en 2012, fijándose como objetivo el equilibrio en términos de contabilidad nacional para todos los ejercicios siguientes[53], sin que, como ya se ha puesto de manifiesto, se impute porcentaje alguna del saldo cíclico a sus resultados.

En lo que atañe a la deuda pública la misma DT establece que debe disminuirse al ritmo necesario para alcanzar el límite previsto en 2020. Adicionalmente, si la economía creciera en términos reales por encima del 2 %, o el empleo superase ese mismo umbral de crecimiento, la deuda del conjunto de las Administraciones debiera reducirse en 2 puntos porcentuales sobre el PIB anualmente. Para las EELL el artículo 13.1 de la LOEPSF ha establecido un límite máximo de deuda del 3 % del PIB, y para lograrlo se han fijado objetivos anuales[54]. Las EELL han conseguido situar su nivel de deuda por debajo del 3 % ya en 2016 (2,9 %), situándose en 2020 en el 2 % teniendo en cuenta que a efectos de tales objetivos no se computan las operaciones correspondientes al mecanismo del pago a proveedores[55]. Ha sido el único subsector de las Administraciones Públicas que ha conseguido cumplir el objetivo establecido en ese régimen transitorio.

---

[53]   https://www.hacienda.gob.es/es-ES/CDI/Paginas/EstabilidadPresupuestaria/InformacionA-APPs/Objetivos-de-Estabilidad-y-L%C3%ADmite-de-Gasto-no-Financiero-del-Estado.aspx.

[54]   Los sucesivos acuerdos del Consejo de Ministros han ido fijando los siguientes objetivos: 4,0%, 2014; 3,9% 2015; 3,0% 2016; 2,9%, 2017; 2,7% 2018 y 2,6%, 2019. https://www.hacienda.gob.es/es-ES/CDI/Paginas/EstabilidadPresupuestaria/InformacionAAPPs/Objetivos-de-Estabilidad-y-L%C3%ADmite-de-Gasto-no-Financiero-del-Estado.aspx

[55]   Vid. DT 4ª de la LOEPSF, añadida por la LO 4/2012. Las cifras y porcentajes de deuda que se ofrecen en el texto si recogen la derivada del mecanismo de pago a proveedores que se eleva a 7.536 millones de euros a diciembre de 2014.

5. LA SUSPENSIÓN DE REGLAS FISCALES COMO REACCIÓN ANTE SITUACIONES EXCEPCIONALES

La normativa comunitaria contempla la posibilidad de habilitar una cláusula de salvaguardia cuando concurren alguna de las siguientes circunstancias: A) un acontecimiento inusual que esté fuera del control de los Estados y que tenga gran incidencia en la situación financiera de las administraciones Públicas y B) una crisis o recesión económica en la zona euro[56].

Pues bien, la situación generada por la COVID-19 reúne ambas circunstancias. No hay duda de que es un acontecimiento inusual y fuera del control de los Estados y con una profunda incidencia en la situación financiera de las administraciones, pero es también evidente que está generando y va a generar una profunda recesión económica en la zona.

En este marco normativo, los Ministros de Hacienda de la UE manifestaron el 23 de marzo su acuerdo con la valoración efectuada por la Comisión, en la mencionada Comunicación de 20 de marzo de 2020, de que concurrían las condiciones para la activación de la cláusula general de salvaguardia a la que nos venimos refiriendo. En la nota de prensa que comunica esa declaración se señala:

> *"La activación de la cláusula garantizará la flexibilidad necesaria para tomar todas las medidas que se requieran a fin de reforzar nuestros sistemas sanitarios y de protección civil y proteger nuestras economías, en particular mediante un estímulo adicional de carácter discrecional y una acción coordinada, concebida por los Estados miembros como consideren, que sea oportuna, temporal y específica.*
> *Los ministros siguen plenamente comprometidos con el cumplimiento del Pacto de Estabilidad y Crecimiento. La cláusula general de salvaguardia permitirá a la Comisión y al Consejo emprender las medidas necesarias de coordinación de políticas dentro del marco del Pacto de Estabilidad y Crecimiento, alejándose de los requisitos presupuestarios que se aplicarían normalmente, para abordar las consecuencias económicas de la pandemia.*
> *El acuerdo de hoy refleja nuestra firme determinación de hacer frente a los desafíos actuales de forma eficaz, restaurar la confianza y apoyar una rápida recuperación".*

Esta declaración iba inicialmente referida al ejercicio de 2020, sin embargo, a finales de septiembre la Comisión notificó por carta a los Estados Miembros que la suspensión de las reglas fiscales en virtud de la cláusula de salvaguardia operaría también en 2021. Posteriormente y ante la invasión de Ucrania por Rusia, la Comisión Europea comunicó la extensión de la cláusula de salvaguarda del Pacto de Estabilidad y Crecimiento

---

[56] La base normativa para esta toma de decisión se encuentra en el art. 5.1 del Reglamento 1466/97, en la redacción introducida por la modificación operada por el Reglamento UE nº 1175/2011, del Parlamento Europeo y del Consejo, de 16 de diciembre. Por su parte, el Tratado de estabilidad, coordinación y gobernanza en la Unión Económica y Monetaria prevé también en su artículo 3,1 c la misma solución.

para el año 2023 y mantiene abiertas las puertas de la política fiscal nacional para hacer frente a las dificultades actuales, continuando el amplio apoyo a la economía, iniciado durante la pandemia, pero tratando de hacerla compatible con el retorno a la sostenibilidad fiscal a medio plazo.

En el ámbito interno, el apartado 4 del art. 135 dispone que "Los límites de déficit estructural y de volumen de deuda pública sólo podrán superarse en caso de catástrofes naturales, recesión económica o situaciones de emergencia extraordinaria que escapen al control del Estado y perjudiquen considerablemente la situación financiera o la sostenibilidad económica o social del Estado, apreciadas por la mayoría absoluta de los miembros del Congreso de los Diputados"[57]

Cuando concurran las circunstancias excepcionales mencionadas, los límites de deuda o volumen de deuda del conjunto del sector Administraciones Públicas, podrán excederse con carácter excepcional, si bien su régimen dependerá de si el límite excedido es el previsto a nivel europeo, o bien el límite más exigente consagrado a nivel interno. Tratándose del límite fijado en normas comunitarias, dicho exceso deberá adecuarse a las exigencias y los procedimientos consagrados en dicha normativa. Por el contrario, cuando los límites que rebasen sean los más estrictos establecidos por la normativa interna, pero sin exceder del máximo previsto en el Tratado, en ese caso, se convierte en una cuestión meramente interna que deberá resolverse según las disposiciones nacionales.

También carácter interno presenta la determinación de qué subsectores de los que conforma las Administraciones públicas pueden incurrir en este déficit excepcional para circunstancias excepcionales. Si bien la CE no incorpora ninguna mención expresa, consideramos que debe aplicarse únicamente a aquellos subsectores para los que se prevé la posibilidad de déficit estructural (Estado o CCAA), dejando fuera de esta posibilidad las EELL, para las que se requiere equilibro presupuestario[58]. Ello debe entenderse como que, ante una situación de esa naturaleza, los especiales gastos a que tuviera que hacer frente la entidad local afectada deben cubrirse o con los recursos no financieros propios de la entidad local, siempre se que mantenga su objetivo de equilibrio estructural, o con transferencias del Estado o de la CA, a los cuales sí se les permite un déficit estructural excepcional para esas situaciones.

Esta apreciación por la mayoría absoluta del Congreso presenta algunos aspectos llamativos: En primer lugar, cabría cuestionar que se haya residenciado dicha apreciación en el Congreso cuando, por su relevancia territorial y su posible incidencia, especialmente en el caso de las CCAA, pudiera resultar más adecuado un pronunciamiento

---

[57] Esta previsión constitucional tiene su plasmación en el art. 11.3 de la Ley orgánica de estabilidad presupuestaria y sostenibilidad financiera.

[58] Así se ha concretado en el art. 11.3 de la LOEPSF. En el mismo sentido se pronuncia A. Jiménez Díaz. *La reforma constitucional...*cit., pág. 17.

del Senado. En segundo lugar, al requerirse mayoría absoluta, la cual coincide con la mayoría necesaria para modificar la ley orgánica que establezca los límites de déficit, el Congreso podrá optar por autorizar ese incumplimiento excepcional, lo cual requerirá la aprobación de planes de reequilibrio, o bien, si además cuenta con la connivencia del Senado, por modificar la Ley orgánica, aumentando el límite de déficit público, sin exceder los máximos establecidos a nivel comunitario, lo que obviaría así la necesidad de planes de reequilibrio. En tercer y último lugar debe tenerse en cuenta que no se atribuye ningún papel a las CCAA, ni individualmente consideradas, ni a través del órgano donde participan para otras decisiones financieras como es el Consejo de Política Fiscal y Financiera[59]. Hasta el extremo de que, aun cuando la catástrofe natural o la situación de emergencia aparezca muy localizada territorialmente, afectando solo a una o algunas CCAA, también la decisión corresponde al Congreso de los Diputados, sin ningún trámite especial donde se pudiera tener en cuenta el parecer de las Comunidades afectadas, sin perjuicio de que las Asambleas legislativas de estas puedan instar el pronunciamiento del Congreso[60].

En este marco, el Congreso de los Diputados, en la sesión del 20 de octubre, aprobó por 208 votos a favor, 1 en contra y 138 abstenciones, excepcionar los objetivos de estabilidad ante una situación extraordinaria y excepcional, como es sin duda esta generada por la pandemia. Este acuerdo se extendió para 2022[61] y 2023[62].

Al concurrir las circunstancias excepcionales mencionadas, y tratándose además de una decisión alineada con la posición de las instituciones comunitarias, se producen los siguientes efectos:

• Quedan sin efecto los límites de déficit y deuda para el conjunto de las Administraciones y para cada uno de sus sectores. Ahora bien, para orientar las decisiones de las diferentes entidades se establecen tasas de referencia tanto para el conjunto de la Administración como para cada uno de los subsectores. Dichas tasas deben permitir retornar a la senda de estabilidad de acuerdo con el plan trazado al efecto.

• Queda también sin efecto la regla de gasto de cara a la elaboración del presupuesto.

---

[59] Esta ausencia de intervención de las CCAA también fue puesta de manifiesto por el Consejo de Estado, al informar sobre el Proyecto de LOEPSF, cuando señala que "en el apartado 3, que concreta las circunstancias excepcionales en que "el Estado y las Comunidades Autónomas" pueden incurrir en déficit estructural, se echa de menos un desarrollo más completo del procedimiento; y, en particular, la previsión de algún trámite de participación de estas últimas, v.gr., a través del Consejo de Política Fiscal y Financiera, cuando se trate de verificar las circunstancias previstas en los apartados b) y c).

[60] De esta misma opinión se muestra F. De la Hucha Celador. "La reforma del artículo 135 de la Constitución: Estabilidad presupuestaria y deuda pública", *Revista Española de Derecho Financiero*, nº 153, 2012, pág. 42.

[61] Acuerdo del Congreso de los Diputados del 13 de septiembre de 2021

[62] Acuerdo del Congreso de los Diputados de 22 de septiembre de 2022

- A pesar de la suspensión de las reglas fiscales, se mantienen las medidas de seguimiento y supervisión de la actividad financiera que se materializan en los deberes de información y transparencia de aplicación a cada uno de los sectores.

- No será necesario aprobar planes económico-financieros para el caso de incumplimiento de reglas en el ejercicio anterior. Y, para el caso de que se hubiese aprobado previamente debe entenderse superado y no constituye una limitación presupuestaria para la entidad. Por la misma razón quedarán sin efecto los acuerdos de no disposición que se derivarán de incumplimientos de liquidación o planes económico-financieros[63].

- Sí se mantienen las reglas que tienen que ver con las obligaciones de las administraciones frente a terceros, como es el caso del período de pago a proveedores.

Si bien la CE no incorpora ninguna mención expresa, consideramos que la suspensión de los límites de déficit y deuda debe aplicarse únicamente a aquellos subsectores para los que se prevé la posibilidad de déficit estructural, (Estado o CCAA), dejando fuera de esta posibilidad las EELL, para las que se requiere equilibro presupuestario[64]. Ello debe entenderse como que, ante una situación de esa naturaleza, los especiales gastos a que tuviera que hacer frente la entidad local afectada deben cubrirse o con los recursos no financieros propios de la entidad local, siempre que mantenga su objetivo de equilibrio estructural, o con transferencias del Estado o de la CA, a los cuales sí se les permite un déficit estructural excepcional para esas situaciones.

Ahora bien, el hecho de que la apreciación de las circunstancias excepcionales no habilite para un déficit estructural de las EELL no significa que no resulte relevante para estas entidades. Además de las consecuencias generales ya enunciadas, existen otros efectos de especial aplicación a las entidades locales[65]:

- Quedan sin efecto las limitaciones establecidas en la normativa de estabilidad (art. 12,5 y 32 de la LOEPSF) en lo referente al destino del superávit a la reducción de la deuda y excepcionalmente a inversiones financieramente sostenibles.

- Las operaciones de endeudamiento se someten a los límites y procedimientos previstos en el régimen general contenido en el TRLRHL y las otras normas

---

[63] *Vid.* M. C. Aparisi Aparisi. "Suspensión de las reglas fiscales: novedades en materia económico-financiera para las entidades locales", *Revista de Derecho Local*, nº 90, 2020. https://revistas.elderecho.com/revistas/derecho_local/numero_90-_noviembre_2020/Suspension-fiscales-novedades-economico-financiera-entidades_11_1570930001.html.

[64] Así se ha concretado en el art. 11.3 de la LOEPSF. En el mismo sentido se pronuncia A. Jiménez Díaz. *La reforma constitucional*, cit., pág. 17.

[65] Sobre estas cuestiones puede verse la Nota de la Federación Española de Municipios y Provincias sobre la suspensión de las reglas fiscales para 2020 y 2021 en las entidades locales. En este mismo sentido, M. C. Aparisi Aparisi, cit.

generales de aplicación[66], sin las limitaciones específicas de la estabilidad presupuestaria.

Como ya se ha señalado, el hecho de que no se establezcan límites de déficit y endeudamiento como tal por la concurrencia de las circunstancias, requiere, si se quiere mantener una actuación coordinada que permita recuperar la senda de estabilidad una vez superadas las dificultades, la formulación de tasas de referencia que deben orientar la aprobación de presupuestos por las distintas entidades[67].

Por otra parte, la LOEPSF establece, refiriéndose a los supuestos de activación de la cláusula de salvaguardia que *en estos casos deberá aprobarse un plan de reequilibrio que permita la corrección del déficit estructural teniendo en cuenta la circunstancia excepcional que originó el incumplimiento (art. 11.3 y 13.3).* Por su parte, el art. 22.2 de la misma ley introduce algunas precisiones mayores señalando:

> 2. *La administración que hubiera incurrido en los supuestos previstos en el artículo 13.3 de esta Ley, presentará un plan de reequilibrio que, además de incluir lo dispuesto en el apartado 2 del artículo 21, recogerá la siguiente información:*
> *a) La senda prevista para alcanzar el objetivo de deuda pública, desagregando los factores de evolución que permiten el cumplimiento de la misma.*
> *b) Un análisis de la dinámica de la deuda pública que incluirá, además de las variables que determinan su evolución, otros factores de riesgo y un análisis de la vida media de la deuda.*

El Gobierno, a través del Ministerio de Hacienda y Función Pública, viene considerado que a dicha exigencia se le da cumplimiento a través de la Actualización del Programa de Estabilidad y su posterior concreción en los planes presupuestario en los PGE.

En la línea propugnada por la AIREF[68], pensamos que ese plan de reequilibrio debe reunir los extremos previstos en los artículos 21,2 y 22,2 de la LOEPSF, y no puede conformarse como una comunicación anual del Gobierno a las instituciones comuni-

---

66   *Vid*. Disposición final 31ª de la Ley de Presupuestos Generales del Estado para 2013.

67   Estas son las tasas de referencia contenidas en el programa de estabilidad remitido a las instituciones comunitarias en 2022.

Procedimiento de Déficit Excesivo

	2021	2021	2022	2023	2024	2025
	Nivel (mill. De euros)			% del PIB		
Capacidad de Financiación						
1. Total Administraciones Públicas (*)	-82.819	-6,9	-5,0	-3,9	-3,3	-2,9
1a. Sin gastos de reestructuración bancaria	-81.521	-6,8	-5,0	-3,9	-3,3	-2,9
2. Administración Central (*)	-73.431	-6,1	-3,8	-3,4	-3,6	-3,2
3. Comunidades Autónomas	-334	0,0	-0,8	-0,1	0,2	0,2
4. Corporaciones Locales (**)	3.271	0,3	0,1	0,2	0,3	0,2
5. Administraciones de Seguridad Social	-12.325	-1,0	-0,5	-0,5	-0,3	-0,2

68   *Vid*, por todos, *Informe sobre la concurrencia de las circunstancias excepcionales a las que hace referencia el artículo 11.3 de la Ley orgánica 2/2012, de 27 de abril, de estabilidad presupuestaria y sostenibilidad financiera,* informe 41/22, 29 de julio de 2022. www.airef.es

tarias, sino que debiera tener un tratamiento interno en el que participaran los entes que integran los distintos subsectores a los que les afectan y una cierta formalización en su aprobación reforzando así su carácter vinculante cara al futuro como pieza esencial para recuperar la senda de la estabilidad, sin perjuicio de su carácter flexible pudiendo ser revisado en función de las circunstancias.

6. BIBLIOGRAFÍA

AIREF, *Informe sobre la concurrencia de las circunstancias excepcionales a las que hace referencia el artículo 11.3 de la Ley orgánica 2/2012, de 27 de abril, de estabilidad presupuestaria y sostenibilidad financiera,* informe 41/22, 29 de julio de 2022.

Aparisi Aparisi, M.C. "Suspensión de las reglas fiscales: novedades en materia económico-financiera para las entidades locales", *Revista de Derecho Local,* nº 90, 2020

Blanchard, O. *Suggestions for a New Set of Fiscal Indicators,* OECD Economics Department Working Paper, nº 79, 1990.

Brandner, P./Diebalek, L./Schuberth, H. *Structural Budget Deficits and Sustainability of Fiscal Positions in the European Union,* Working paper nº 26, Oesterreichische Nationalbank, 1998.

De la Hucha Celador, F. "La reforma del artículo 135 de la Constitución: estabilidad presupuestaria y deuda pública", *Revista Española de Derecho Financiero,* nº 153, 2012.

García-Andrade Gómez, J. "La aplicación del principio constitucional de estabilidad presupuestaria a las entidades locales", en *Crisis económica y reforma del régimen local,* Aranzadi, Navarra, 2012.

Giorno, C./Richardson, P./Roseveare, D./Noord, P. *Potential Output, Output Gaps and Strcutural Budget Balances,* OECD Economic Studies, nº 24, 1995.

Hagermann, R. *The Structural Budget Balance. The IMF's Methodology,* IMF Working paper 99/95, 1999.

Larch, M./Turrini, A. *The ciclically-adjusted budget balance in EU fiscal policy making: A love at first sight turned into a mature relationship,* Economic Paper 374, European Commission, 2009.

López Díaz, A. "La aplicación del principio de estabilidad presupuestaria. La prevalencia de lo económico sobre lo jurídico", *Documentos IEF,* nº 12, 2011.

López Díaz, A. "De la estabilidad a la prudencia presupuestaria. El reforzamiento de la disciplina presupuestaria en las normas comunitarias (six pack)", *Documentos IEF,* nº 18, 2012.

López Díaz, A. "La formulación constitucional de la estabilidad presupuestaria en España", *Revista Española de Derecho Financiero,* nº 157, 2013.

López Díaz, A. y Morán Méndez, E. "El nuevo paradigma europeo y constitucional del déficit y la deuda", *Presupuestos y Gasto Público,* nº 73, 2013.

Martí del Moral, A. "La constitucionalización del principio de estabilidad presupuestaria", en *Crisis económica y reforma del régimen local,* Civitas, Madrid, 2012.

Capítulo XIV
EL RÉGIMEN PRESUPUESTARIO DE LAS ENTIDADES LOCALES

ANTONIO VILLAESCUSA SORIANO

Tesorero de la Excma. Diputación Provincial de Albacete

SUMARIO: 1. CONCEPTO DE PRESUPUESTO Y MARCO NORMATIVO. 2. LOS PRINCIPIOS PRESUPUESTARIOS EN EL ÁMBITO LOCAL. 2.1. Los principios constitucionales del gasto público. 2.2. Los principios jurídico-presupuestarios en nuestro ordenamiento jurídico y su aplicación en el ámbito local. 2.3. Principios de programacion presupuestaria, estabilidad y sostenibilidad de las finanzas públicas. 3. LOS PRESUPUESTOS GENERALES DE LAS ENTIDADES LOCALES: ALCANCE SUBJETIVO Y CONTENIDO. 4. ESTRUCTURA DE LOS PRESUPUESTOS DE LA ENTIDAD Y DE SUS ORGANISMOS AUTÓNOMOS. 4.1. Estados de gastos. 4.2. Estados de ingresos. 4.3. Las bases de ejecución del presupuesto. 4.4. Anexos al presupuesto general. 5. EL CICLO PRESUPUESTARIO LOCAL. 5.1. Elaboración y aprobación del presupuesto. 5.1.1. *El marco presupuestario.* 5.1.2. *Elaboración del Proyecto de Presupuesto.* 5.1.3. *Aprobación del Presupuesto.* 5.1.4. *La prórroga presupuestaria.* 5.1.5. *Las modificaciones presupuestarias.* 5.1.5.1. Modificaciones en los créditos presupuestarios. 5.1.5.2. Modificaciones en las previsiones de ingresos. 5.2. La gestión del presupupestos de las entidades locales. 5.2.1. *Criterios generales de gestión.* 5.2.2. *Los gastos con financiación afectada.* 5.2.3. *El procedimiento de gestión de los ingresos.* 5.3. El cierre y la liquidacion del presupuesto. 5.3.1. *Magnitudes a determinar en la liquidación del presupuesto.* 5.3.2. *Cálculo del resultado presupuestario.* 5.3.3. *Cálculo del remanente de tesorería.* 6. EL CONTROL DEL PRESUPUESTO. 7. BIBLIOGRAFÍA.

1. CONCEPTO DE PRESUPUESTO Y MARCO NORMATIVO

El concepto que se ofrezca de Presupuesto viene determinado necesariamente por la perspectiva de análisis que se adopte (económica, contable, política o jurídica). Desde un punto de vista exclusivamente jurídico, el Presupuesto del Estado puede definirse como el acto legislativo mediante el cual se autoriza el montante máximo de los gastos que el Ejecutivo puede realizar durante un período de tiempo determinado en las atenciones que detalladamente se especifican y se prevén los ingresos necesarios para cubrirlos. A partir de esta definición del Presupuesto del Estado, el Presupuesto de las Entidades Locales puede caracterizarse por constituir un *acto de naturaleza normativa, mediante el que se autoriza la realización del gasto que como máximo se puede realizar y se prevé la cuantía de los ingresos públicos que se espera conseguir en el ejercicio presupuestario, constituyendo, asimismo, una manifestación del control del órgano que ostenta la representación democrática sobre el ejecutivo.*

En este orden de ideas, el artículo 162 del Texto Refundido de la Ley Reguladora de las Haciendas Locales, aprobado por Real Decreto Legislativo 2/2004, de 5 de marzo (en adelante, TRLRHL) define el Presupuesto General de la Entidad Local como "la expresión cifrada, conjunta y sistemática de las obligaciones que, como máximo, pueden reconocer la Entidad y sus organismos autónomos, y de los derechos que prevean liquidar durante el correspondiente ejercicio, así como de las previsiones de ingresos y gastos de las sociedades mercantiles cuyo capital social pertenezca íntegramente a la Entidad local correspondiente". A ello cabe añadir que los consorcios también pueden formar parte del Presupuesto de la Entidad Local, en cuyo caso deberán incluirse en la Cuenta General de la Administración. Así lo estableció la Disposición Final segunda de la Ley 27/2013, de 27 de diciembre, de Racionalización y Sostenibilidad de la Administración Local, que añadió una Disposición Adicional vigésima a la Ley 30/1992, de 26 de noviembre, de Régimen Jurídico de las Administraciones Públicas y del Procedimiento Administrativo Común, en cuyo apartado cuarto se establecía que "los consorcios deberán formar parte de los presupuestos e incluirse en la cuenta general de la Administración pública de adscripción". Tras la entrada en vigor de la Ley 40/2015, de 1 de octubre, de Régimen Jurídico del Sector Público, el régimen jurídico de los consorcios se contempla en los artículos 118 a 127 de la citada Ley. El art. 122.4 de esta dispone que los consorcios deberán formar parte de los presupuestos e incluirse en la cuenta general de la Administración Pública de adscripción.

El Presupuesto constituye una institución basilar para el ejercicio de la autonomía local. En este sentido, la Constitución garantiza la autonomía de los municipios (art. 140 CE) "para la gestión de sus respectivos intereses" (art. 137 CE). No obstante, la realización efectiva del reconocimiento constitucional de la autonomía local hace necesario que las Corporaciones Locales cuenten con "medios suficientes" para financiar las funciones legalmente atribuidas a estos entes (art. 142 CE). Esa suficiencia de medios o suficiencia financiera constituye el presupuesto indispensable "para posibilitar la consecución efectiva de la autonomía local constitucionalmente garantizada"[1].

De acuerdo con el art. 142 de la Constitución, "las Haciendas Locales deberán disponer de los medios suficientes para el desempeño de las funciones que la Ley atribuye

---

[1]   STC 96/1999, FJ 7.

a las Corporaciones respectivas y se nutrirán fundamentalmente de tributos propios y de participación en los del Estado y de las Comunidades Autónomas".

Cabe, pues, concluir que, en relación con las Haciendas Locales, la Constitución garantiza el principio de suficiencia de ingresos y no el de autonomía financiera. Pese a ello, es posible reconocer, y así lo ha hecho el Tribunal Constitucional, que el contenido necesario de la autonomía local constitucionalmente garantizada está conformado por una suficiencia de medios que no sólo comprende la vertiente de los ingresos, sino también la vertiente del gasto público, entendiendo por tal la capacidad genérica para determinar y ordenar, bajo su propia responsabilidad, los gastos necesarios para el ejercicio de sus competencias[2].

Por consiguiente, *las Corporaciones Locales gozan también de autonomía financiera en la vertiente del gasto, es decir, en principio, son competentes para decidir sobre la cuantía y el destino del gasto público local*.

Sin embargo, la reforma constitucional de 2011, que cristalizó en un nuevo art. 135, y la aprobación de la Ley Orgánica de Estabilidad Presupuestaria y Sostenibilidad Financiera (LOEPSF), han incidido de manera directa en todas las fases del ciclo presupuestario local, como consecuencia de la cristalización de los principios de estabilidad presupuestaria y sostenibilidad financiera con el límite del volumen de deuda pública local.

Como se ha analizado en el capítulo anterior, el Derecho originario europeo en materia de coordinación de las políticas presupuestarias ha evolucionado a lo largo de los años y en desarrollo del mismo se han dictado seis normas comunitarias que configuran lo que ha venido a denominarse *six pack*[3]. Dentro de ese paquete normativo destaca la Directiva 2011/85/UE, que define el concepto de "Marco Presupuestario" como el conjunto de instituciones que constituyen la base de las políticas presupuestarias de las

---

[2] STC 233/1999, FFJJ 10, 18 y 22; STC 289/2000, FFJJ 3 a 6; STC 48/2004, FFJJ 10 a 13; STC 168/2004, FFJJ 8 a 10.

[3] Reglamento (UE) 1173/2011, del Parlamento y del Consejo, de 16 de noviembre, sobre la ejecución efectiva de la supervisión presupuestaria en la zona euro; Reglamento 1174/2011, del Parlamento y del Consejo, de 16 de noviembre, relativo a las medidas de ejecución destinadas a corregir los desequilibrios macroeconómicos excesivos en la zona euro; Reglamento 1175/2011, del Parlamento y del Consejo, de 16 de noviembre, por el que se modifica el Reglamento 1466/1997, del Consejo, relativo al esfuerzo de la supervisión de las situaciones presupuestarias y a la supervisión y coordinación de las políticas económicas; Reglamento 1176/2011, del Parlamento y del Consejo, de 16 de noviembre, relativo a la prevención y corrección de los desequilibrios macroeconómicos; Reglamento 1177/2011, del Parlamento y del Consejo, de 8 de noviembre, por el que se modifica el Reglamento 1767/1997, del Consejo, relativo a la aceleración y clarificación del procedimiento de déficit excesivo; Directiva 2011/85/UE, del Consejo, de 8 de noviembre, sobre requisitos aplicables a los marcos presupuestarios de los Estados miembros. Textos (y modificaciones a los mismos) disponibles en http://ec.europa.eu/economy_finance/economic_governance/index_es.htm

Administraciones Públicas (AAPP), en particular, los sistemas de contabilidad presupuestaria y notificación estadística, los sistemas de preparación de previsiones, las reglas fiscales numéricas, los marcos presupuestarios a medio plazo (MPMP) y los mecanismos que regulan las relaciones fiscales entre autoridades públicas de los distintos niveles de las AAPP.

Como consecuencia de este nuevo marco normativo, que actualmente se encuentra en pleno desarrollo, determinados aspectos de la normativa presupuestaria local que, no olvidemos, tiene su origen en la Ley de Haciendas Locales de 1988, se han visto afectados en su esencia, sin perjuicio de que sus textos no hayan sido derogados o sustituidos.

Más aún, el propio concepto de autonomía en materia presupuestaria se ve seriamente cuestionado por la traslación de las políticas presupuestarias derivadas de la normativa europea, hasta el punto de que se ha llegado a afirmar que la primera conclusión que puede extraerse de la incidencia de la normativa comunitaria es "que sobre la base de la competencia exclusiva del Estado para la atribución de competencias a una organización supranacional a través de un Tratado internacional, se deberían revisar las reglas de reparto del poder financiero a nivel interno, ya que algunas de ellas, como la competencia en materia presupuestaria y de gasto público pueden verse vacías de contenido tras la reforma constitucional[4]".

Sin perder de vista la incidencia del Derecho de la UE sobre el régimen presupuestario de las Entidades Locales, cabe también destacar los efectos que sobre dicho régimen tiene la carencia de potestad legislativa de las Corporaciones Locales en un doble sentido: de un lado, el rango y la naturaleza meramente reglamentarios de sus Presupuestos, lo que recorta sus posibilidades de creación e innovación del ordenamiento; de otro lado, dada la reserva de ley para establecer los modos de contraer obligaciones financieras y realizar gastos por las Administraciones públicas (art. 133.4 CE), la regulación de los aspectos centrales del Derecho presupuestario local se fija por entes superiores. Es decir, la normativa presupuestaria a la que habrán de sujetarse las Corporaciones Locales al aprobar y ejecutar su Presupuesto es la establecida por el Estado y, en su caso, por la Comunidad Autónoma.

En la actualidad, y sin perjuicio de las competencias autonómicas sobre la Hacienda Local[5], la normativa estatal reguladora de la institución presupuestaria local está integrada fundamentalmente por los siguientes textos normativos: la Ley Orgánica 2/2012, de

---

[4]   A. Navarro Faure. "El Gobierno económico de la UE y los principios de justicia del gasto público en una hacienda plural", *Crónica Presupuestaria* nº 1, 2013, pág. 121 y ss.

[5]   *Vid.,* sobre esta cuestión, J. Ramos Prieto. "La legislación autonómica de régimen local", en *Serie Claves del Gobierno Local*, nº 10, 2009, Fundación Democracia y Gobierno Local, disponible en http://repositorio.gobiernolocal.es/xmlui/bitstream/handle/10873/914/claves10_07_cap3.pdf?sequence=1

27 de abril, de Estabilidad Presupuestaria y Sostenibilidad Financiera; la Ley 7/1985, de 2 de abril, Reguladora de las Bases del Régimen Local (LBRL); y el Texto Refundido de la Ley Reguladora de las Haciendas Locales (TRLHL), aprobado por Real Decreto Legislativo 2/2004, de 5 de marzo. Asimismo, se mantienen en vigor algunas normas de desarrollo dictadas bajo la vigencia de la Ley 39/1988, de 28 de diciembre, Reguladora de las Haciendas Locales, contenidas en el Real Decreto 500/1990, de 20 de abril, que promulga el denominado Reglamento Presupuestario de las Corporaciones Locales. Cabe también mencionar la Orden EHA 3565/2008, de 3 de diciembre, por la que se aprueba la estructura de los presupuestos de las entidades locales; y la Orden HAP 419/2014, de 14 de marzo, por la que se modifica la Orden anterior.

El expresado marco normativo configura un régimen presupuestario local sustancialmente idéntico al del Estado y presidido por el mandato constitucional de *estabilidad presupuestaria* (art. 135.2 CE), que, en el caso de las Corporaciones Locales se traduce en la exigencia de "mantener una posición de equilibrio o superávit presupuestario" (art. 11.4 LOEPSF).

A este respecto, el Tribunal Constitucional avaló la constitucionalidad de la fijación, por parte del Estado, del objetivo de estabilidad presupuestaria en el ámbito local, atribución que deriva de las competencias exclusivas del Estado en materia de bases de la ordenación del crédito, bases y coordinación de la planificación general de la actividad económica, Hacienda general y Deuda del Estado y bases del régimen jurídico de las Administraciones públicas (art. 149.1.11ª, 13ª, 14ª y 18ª)[6].

En la fijación y cumplimiento de los objetivos de estabilidad presupuestaria adquiere protagonismo la *Comisión Nacional de Administración Local*, que participará, junto al Consejo de Política Fiscal y Financiera de las CCAA, en la elaboración de los preceptivos informes y propuestas relativos al objetivo de estabilidad establecido por el Estado "tanto para el conjunto de las Administraciones Públicas como para cada uno de sus subsectores" (art. 15.1 LOEPSF), y deberá ser informada, por parte del Ministro de Hacienda y Administraciones Públicas, sobre el grado de cumplimiento de los objetivos de estabilidad presupuestaria, de deuda pública y de la regla de gasto (art. 17.5 LOEPSF). Asimismo, dicha Comisión deberá ser informada de las advertencias de riesgo de incumplimiento de las Corporaciones Locales (art. 19.1 LOEPSF), y de los planes económico-financieros que se aprueben en caso de incumplimiento del objetivo de estabilidad presupuestaria, del objetivo de deuda pública o de la regla de gasto (art. 21.1 y 23.4 LOEPSF), así como de los informes elaborados por el Ministro de Hacienda sobre la aplicación de las medidas contenidas en los planes económico-financieros y en los planes de reequilibrio (art. 24.2 LOEPSF).

---

6   STC 134/2011, de 20 de julio, FFJJ 13 y 14.

2. LOS PRINCIPIOS PRESUPUESTARIOS EN EL ÁMBITO LOCAL

Los principios presupuestarios constituyen un conjunto de reglas que disciplinan la institución presupuestaria y que afectan a las distintas fases del ciclo presupuestario, es decir, a la elaboración, aprobación, ejecución y control del presupuesto, tratando de asegurar un proceso adecuado de asignación y ejecución de los recursos públicos. No obstante, tales principios cumplen también en nuestro ordenamiento jurídico otra función muy relevante consistente en actuar como criterios de coordinación en materia presupuestaria entre los distintos entes territoriales (Estado, CCAA y Corporaciones Locales), con la finalidad de procurar que la aplicación del gasto público en todos los niveles territoriales sea homogénea y refleje los objetivos que deben alcanzar todos los entes públicos.

Es frecuente diferenciar los principios presupuestarios en principios políticos —dirigidos a determinar la competencia en materia presupuestaria y asegurar el cumplimiento y su adecuado control—, contables —referidos a la manera de formalizar o presentar contablemente el documento presupuestario—, y económicos —centrados en establecer los criterios de naturaleza económica que deben inspirar las decisiones presupuestarias fundamentales—.

Con la finalidad de facilitar la comprensión de esta cuestión es posible clasificar los principios presupuestarios clásicos (políticos, contables y económicos), de acuerdo con la siguiente tabla:

Principios políticos	Principios contables	Principios económicos
Principio de competencia en materia presupuestaria: reparto de competencia en esta materia entre ejecutivo y legislativo. *Principios de unidad y universalidad*: el presupuesto debe ser uno y recoger la totalidad de los ingresos y gastos del Estado o del ente público de que se trate. *Principio de especialidad*: en la ejecución del presupuesto los recursos deben asignarse exactamente a los objetivos y finalidades fijados en el presupuesto aprobado. *Principio de temporalidad.* El presupuesto debe aprobarse y ejecutarse para un período de tiempo determinado	*Principio de presupuesto bruto*: los ingresos previstos y los gastos autorizados deben recogerse por su importe bruto, sin detracción alguna. *Principio de unidad de caja*: todos los ingresos y los gastos deben centralizarse en una tesorería única. Corolario de este principio es la no afectación de los ingresos públicos a ningún tipo específico de gastos públicos. *Principio de especificación*: los ingresos previstos y los gastos autorizados deben ofrecer datos significativos sobre su procedencia y destino. *Principio de ejercicio cerrado*: el presupuesto debe referirse a un período de tiempo determinado.	*Principio de gestión mínima*: el presupuesto ha de reducirse al mínimo y el mismo camino han de seguir las asignaciones o contribuciones al sector público. *Principio de nivelación o equilibrio presupuestario*: los gastos presupuestados deben estar financiados en su totalidad por los ingresos públicos ordinarios previstos, es decir, el presupuesto no debe presentar déficit inicial. *Principio de neutralidad*: la intervención económica del Estado no debe interferir en la actividad económica de los particulares, alterando su posición en el mercado.

Tales principios (políticos, contables y económicos) pueden adquirir la categoría de principios jurídico-presupuestarios cuando ellos mismos o los postulados que encarnan se incorporan a las normas jurídicas de un Estado. Así pues, los principios jurídico-presupuestarios son la plasmación en el Derecho positivo de los principios políticos, contables y económicos más relevantes[7].

Seguidamente analizaremos el contenido de tales principios jurídico-presupuestarios en el ámbito local, a los que habrá que incorporar, los principios más recientes de programación presupuestaria y el objetivo de estabilidad. No obstante, de forma previa, es preciso hacer una mención, siquiera breve, a los principios constitucionales específicos en materia de presupuesto y gasto público.

2.1. LOS PRINCIPIOS CONSTITUCIONALES DEL GASTO PÚBLICO

Los principios constitucionales pueden definirse, en una primera aproximación, como criterios generales, recogidos en la Constitución, que deben orientar y limitar la actuación de los poderes públicos. Definición que debe hacerse extensible a los principios constitucionales del gasto público, auténticos límites al ejercicio del poder financiero que operan sobre los tres poderes del Estado cuando ejercen a través de sus manifestaciones más genuinas. En consecuencia, cualquier violación de estos principios constitucionales podrá motivar la interposición ante el TC de un recurso o cuestión de inconstitucionalidad contra las leyes o disposiciones normativas con fuerza de ley. Para las normas jurídicas de rango inferior a la ley, la inconstitucionalidad supone la inaplicación por los jueces ordinarios, pues estos no aplicarán los reglamentos o cualquier otra disposición contrarios a la Constitución.

Aunque a continuación se hace hincapié en el análisis de los principios constitucionales que se refieren específicamente al gasto público, resulta pertinente señalar que tales principios no son, desde luego, los únicos criterios que deben orientar y limitar la actuación de los poderes públicos en materia de gasto público. Efectivamente, en la llamada parte orgánica de la Constitución se encuentran principios relativos a la distribución territorial del poder financiero, tales como los principios de autonomía y suficiencia financiera (arts. 133.2, 140, 142, 156, 157), coordinación con la Hacienda estatal y solidaridad entre todos los españoles (art. 156.1 CE), a los que se presta mayor atención cuando se estudia el reparto del poder financiero en materia de gasto público. Por otra parte, debe tenerse en cuenta que, al lado de los principios constitucionales específicos en materia de gasto público, otros muchos principios, aun no siendo específicos de este ámbito, también pueden tener un importante reflejo o incidencia en ella.

---

7 *Vid.*, sobre la clasificación mencionada, J. Pascual García. *Régimen Jurídico del Gasto Público. Presupuestación, ejecución y control,* 5ª edición BOE, 2009, pág. 161 y ss.

Así sucede, por ejemplo, con los principios constitucionales recogidos en el artículo 9.3 de la Carta Magna (principios de legalidad, jerarquía normativa, publicidad de las normas o seguridad jurídica).

A) El principio de justicia material del gasto o asignación equitativa de los recursos públicos

Entrando ya en el análisis de los principios constitucionales específicos del gasto público, el artículo 31.2 de la Constitución establece: "El gasto público realizará una asignación equitativa de los recursos públicos, y su programación y ejecución responderán a los criterios de eficiencia y economía". Este precepto consagra el denominado principio de justicia material del gasto público.

La fórmula del artículo 31.2 CE constituye probablemente la mayor innovación u originalidad de nuestro Texto Constitucional en materia financiera. Su introducción fue reclamada con insistencia, desde mucho antes de la promulgación de la Carta Magna, por un sector de nuestra doctrina y, finalmente, su reconocimiento expreso fue posible gracias a una enmienda defendida por FUENTES QUINTANA durante la tramitación del Proyecto de Constitución en el Senado en los siguientes términos: "La Hacienda no solamente tiene la mano del impuesto para recaudar el conjunto de los fondos que necesita con objeto de satisfacer las necesidades públicas y atender a los gastos, sino la mano del gasto público que completa, como es lógico, la mano de la imposición. Constituye una incoherencia separar estas manos, ya que la Hacienda podría destruir con la mano del gasto público lo que ha construido y edificado con la mano del impuesto. Ingreso y gasto público deberían estar regidos por el mismo principio y de aquí que la enmienda propuesta afirme que el gasto público realizará una asignación equitativa de los recursos públicos"[8].

El tenor del artículo 31.2 CE incorpora dos postulados: de un lado, el principio de equidad en la asignación de los gastos públicos; de otro, el criterio de eficiencia y economía en su programación y ejecución.

No resulta fácil exponer el significado y contenido del principio de asignación equitativa de recursos públicos debido principalmente a la inexistencia en el artículo 31.2 CE de parámetro alguno conforme al que pueda juzgarse cuándo un gasto puede (o no) considerarse justo. Pese a la dificultad de la tarea, a partir de las diferentes aportaciones doctrinales realizadas, puede concretarse el contenido de este principio de la siguiente forma[9]:

---

[8] Diario de Sesiones del Senado, nº 45, 29 de agosto de 1978.

[9] *Vid*. J. Pascual García, *op. cit.*, págs. 137-141, con abundantes referencias bibliográficas.

- En primer lugar, desde una óptica negativa, el principio implica una prohibición del gasto injusto o arbitrario, esto es, el que contradice las aspiraciones sociales y económicas plasmadas en la Constitución y favorece las desigualdades entre ciudadanos y territorios.

- En segundo término, desde un enfoque positivo, la finalidad de la asignación equitativa de los recursos públicos ha de ser, principalmente, la consecución de los objetivos del Estado social y democrático de Derecho (art. 1.1 CE). En concreto, son fines específicos de la distribución del gasto público derivados del art. 31.2 CE, promover que las condiciones para la libertad y la igualdad del individuo y de los grupos en que se integra sean reales y efectivas (art. 9.2 CE) y la efectiva aplicación de los principios rectores de la política social y económica (arts. 39 a 52). El Tribunal Constitucional, en la Sentencia 86/1985, de 10 de julio, al contraponer el art. 31.2 CE con el art. 27.9 CE (relativo a ayudas a los centros docentes), afirmó: "Como vinculación positiva, también, el legislador habrá de atenerse en este punto a las pautas constitucionales orientadoras del gasto público, porque la acción prestacional de los poderes públicos ha de encaminarse a la procuración de los objetivos de igualdad y efectividad de los derechos que ha consagrado nuestra Constitución (arts. 1.1, 9.2 y 31.2, principalmente)" (FJ 3º).

- Finalmente, el Estado social y democrático de derecho debe prestar y organizar una diversidad de servicios públicos para el cumplimiento de sus fines. Debido a la gran variedad de necesidades públicas y al carácter limitado de los recursos públicos, sería excesivo hacer derivar del art. 31.2 de la CE el deber de realizar todo el gasto necesario para la satisfacción total de tales necesidades. Sin embargo, del principio de justicia material del gasto se desprende el deber de los poderes públicos de garantizar un mínimo vital o existencial a los ciudadanos.

En cuanto a la verificación del cumplimiento de este principio, lo cierto es que, como ha señalado la doctrina, el principio de asignación equitativa del gasto público no constituye ningún derecho fundamental para el ciudadano sino, más bien, un mandato al legislador, al que se impone cierta concreción en el contenido de determinadas leyes, así como una guía o elemento eficaz para la interpretación tanto de la Carta Magna, como de la legislación ordinaria. Por su propia naturaleza, este principio opera sobre todo en el momento de adoptar las decisiones de gasto, esto es, al aprobar las leyes que establecen servicios y prestaciones a favor de los ciudadanos. La verificación del grado de cumplimiento de este principio ha de hacerse, fundamentalmente, a través del análisis del contenido de las leyes anuales de Presupuestos Generales del Estado.

Debe asimismo subrayarse que la proclamación constitucional del principio de estabilidad presupuestaria en el artículo 135 CE y el establecimiento de límites explícitos al déficit estructural y al endeudamiento público del conjunto de las Administraciones públicas plantea la delicada y compleja cuestión de la conciliación entre ambos principios constitucionales[10].

Por otra parte, el artículo 31.2 CE ordena también que *la programación y ejecución de los recursos públicos respondan a criterios de eficiencia y economía.*

El significado de estos principios consiste en que las decisiones en materia financiera se tomen con el mejor criterio económico posible y seleccionando las necesidades más prioritarias. Tales principios también se traducen en la necesidad de aplicar procedimientos eficaces en la gestión del gasto público.

Por tanto, la "eficiencia" y la "economía" guardan estrecha relación con la "eficacia" en el análisis de los procedimientos de gestión de los gastos públicos. El criterio de "economía" relaciona los medios empleados con los objetivos perseguidos. La "eficacia" vincula los objetivos buscados con los resultados obtenidos. Finalmente, la "eficiencia" compara los resultados obtenidos con los medios empleados.

La verificación del cumplimiento de estos principios se hará fundamentalmente evaluando las decisiones de gasto público plasmadas en los Presupuestos, así como en su ejecución.

B) El principio de legalidad en materia de gasto público

Por su parte, el principio de legalidad en materia de gasto público, reconocido en los arts. 66.2, 133.4 y 134.6 CE, supone, de un lado, que la regulación de la materia financiera debe hacerse mediante ley (principio de reserva de ley) y conlleva, de otro, el sometimiento al control de legalidad de la actuación administrativa en materia financiera (principio de legalidad administrativa).

En el ámbito del gasto público local esta exigencia del principio de legalidad tiene una amplia proyección: es la Ley la que determina el campo de competencia de la entidad local; cumplimiento de la ley en la elaboración y aprobación de los presupuestos; exigencia de previsión presupuestaria específica; y legalidad en el proceso de ejecución del gasto.

C) El principio de control del gasto público

Aun cuando no está expresamente recogido en la Carta Magna como un principio jurídico, puede infiere de los principios constitucionales de legalidad, eficiencia o economía, además de ser una exigencia inherente al Estado democrático configurado en la Constitución. Requiere de la existencia de elementos que encaucen la actividad pública del gasto por procesos que respeten las formas y los principios establecidos.

---

[10] *Vid.* L. A. Navarro Faure, *op. cit.,* pág. 121 y ss.

2.2. LOS PRINCIPIOS JURÍDICO-PRESUPUESTARIOS EN NUESTRO ORDENAMIENTO JURÍDICO Y SU APLICACIÓN EN EL ÁMBITO LOCAL

Aunque el art. 134 CE se refiere al Presupuesto del Estado, los principios recogidos en este precepto (competencia, unidad, universalidad, anualidad y prórroga) deben proyectarse también en la espera local, y así lo han entendido la LRBRL y el TRLRHL, lo que les lleva a prescribir idénticos principios para los de las Corporaciones Locales, no sólo en su formulación general, sino también admitiendo fórmulas flexibilizadoras de los mismos, como créditos ampliables, transferencias de créditos, incorporación de remanentes, autogeneración de créditos o, en fin, la prórroga presupuestaria y los compromisos plurianuales de gastos.

A) Principio de competencia

Recogido en los artículos 66.2 y 134.1 de la Constitución, tradicionalmente este principio ha venido a determinar la diferente atribución de funciones en materia presupuestaria a los distintos poderes del Estado, correspondiendo al Ejecutivo la elaboración y ejecución del Presupuesto y al Legislativo su aprobación y control. De acuerdo con ello, en el ámbito local será el Presidente de la Corporación Local, informado por la Intervención, el encargado de la elaboración del Presupuesto, en base al art. 168 del TRLRHL, Presupuesto que posteriormente será remitido al Pleno de la Corporación para su aprobación, enmienda o devolución (art. 169 TRLRHL).

La doctrina ha venido cuestionando la vigencia de este principio de distribución de poderes, por la paulatina asunción de competencias por parte del ejecutivo local (presidentes) en las modificaciones presupuestarias[11]. Volveremos sobre esta cuestión más adelante.

B) Principio de universalidad

El principio de universalidad exige que el Presupuesto comprenda la totalidad de los ingresos y los gastos, sin ninguna reserva ni omisión. El TRLRHL, en su artículo 162, alude a este principio al definir los presupuestos generales de las entidades locales como la expresión cifrada, conjunta y sistemática de las obligaciones que, como máximo, pue-

---

[11] En este sentido, la Disposición Adicional Decimosexta de la Ley 7/1985, de 2 de abril, Reguladora de las Bases del Régimen Local (LRBRL), en la redacción dada a la misma por la Ley 27/2013, de Racionalización y sostenibilidad de la Administración Local, precepto recurrido ante el Tribunal Constitucional, señala que:
"1. Excepcionalmente, cuando el Pleno de la Corporación Local no alcanzara, en una primera votación, la mayoría necesaria para la adopción de acuerdos prevista en esta Ley, la Junta de Gobierno Local tendrá competencia para aprobar:
a) El presupuesto del ejercicio inmediato siguiente, siempre que previamente exista un presupuesto prorrogado"

den reconocer la entidad, y sus organismos autónomos, y de los derechos que prevean liquidar durante el correspondiente ejercicio, así como de las previsiones de ingresos y gastos de las sociedades mercantiles cuyo capital social pertenezca íntegramente a la entidad local correspondiente, así como a los consorcios adscritos a cada entidad local.

C) Principio de unidad

Complemento del principio de universalidad resulta el de unidad, según el cual se exige que un sólo Presupuesto englobe todas las previsiones de gastos e ingresos. Así se recoge en el artículo 164 del TRLRHL al establecerse que "las entidades locales elaborarán y aprobarán anualmente un presupuesto general (...)", frente a la existencia histórica de presupuestos extraordinarios, especiales o de inversiones.

Este principio de unidad se refiere a la forma de presentación del Presupuesto, exigiendo que exista un único documento presupuestario, que permita conocer con claridad y rapidez toda la información que sobre la actividad financiera de los entes públicos ofrecen los presupuestos. Por ello, este principio de unidad se opone a la existencia de presupuestos especiales, anejos y/o extraordinarios que sustraigan a determinados entes públicos del bloque de legalidad presupuestaria. Debe indicarse, en este sentido, que la existencia de presupuestos propios de las Comunidades Autónomas y de las Entidades Locales no vulnera este principio de unidad presupuestaria, puesto que su existencia no impide el control político eficaz sobre el gasto público en estos ámbitos, aunque sea necesaria su coordinación con los del Estado (art. 21 LOFCA y 167 TRLRHL). El principio de unidad tiene una motivación política, ya que vela fundamentalmente por asegurar el control de toda la actividad financiera pública por parte del órgano legislativo, permitiendo al mismo tiempo que su decisión la contemple en forma global.

Pues bien, el art. 112.1 de la LRBRL establece que "[l]as entidades locales aprueban anualmente un presupuesto único que constituye la expresión cifrada, conjunta y sistemática de las obligaciones que, como máximo, pueden reconocer, y de los derechos con vencimiento o que se prevean realizar durante el correspondiente ejercicio económico. El Presupuesto coincide con el año natural y está integrado por el de la propia entidad y los de todos los organismos y empresas locales con personalidad jurídica propia dependientes de aquélla". Dicho Presupuesto "único" estará integrado, como aclara el art. 164 del TRLRHL, por el Presupuesto de la propia Entidad, los de los organismos autónomos dependientes de esta, y los estados de previsión de gastos e ingresos de las sociedades mercantiles cuyo capital social pertenezca íntegramente a la entidad local.

D) Principio de anualidad o temporalidad

Reconocido en el art. 164 del TRLRHL, dentro del principio de anualidad presupuestaria se distinguen dos aspectos: de un lado, el principio de anualidad presupuestaria propiamente dicho, o anualidad en la aprobación del Presupuesto, por el que los presupuestos deben aprobarse cada año; y el principio de especialidad temporal o anualidad en la ejecución del Presupuesto, según el cual los presupuestos deben ejecutarse dentro del período del año.

E) Principio de especialidad en el gasto

Concebido como exigencia de que el gasto público se oriente al destino aprobado por el Presupuesto, este principio condensa el sentido de la autorización del Legislativo al Ejecutivo, dado que ésta no se concede en forma genérica e indeterminada sino concretando, para cada finalidad, el montante máximo que puedan alcanzar los fondos dirigidos a cubrirla. Debe partirse de la idea de que los créditos presupuestarios suponen una autorización y a la vez un límite para los entes u órganos encargados de la realización del gasto.

Desde este punto de vista, resulta necesario que el gasto que se autoriza esté suficientemente determinado cualitativa, cuantitativa y temporalmente Se contienen respectivamente en los artículos 172 y 176 del TRLRHL. Se habla, así, de una triple proyección del principio de especialidad, coincidente con la triple limitación que conlleva la consignación de una cifra de gasto como crédito presupuestario.

El *aspecto cualitativo* del principio de especialidad fija la vinculación de cada crédito exclusivamente a la finalidad específica para la que hayan sido autorizados. En palabras del art. 172.1 del TRLRHL, "los créditos para gastos se destinarán exclusivamente a la finalidad específica para la cual haya sido autorizados en el presupuesto general de la entidad local o por sus modificaciones debidamente aprobadas".

Dicho aspecto del principio de especialidad implica que se debe realizar el gasto única y exclusivamente en aquello que autoricen los créditos presupuestarios. En función de ello, la especialidad cualitativa, en sentido positivo, exige que la autorización presupuestaria se realice con la suficiente desagregación, indicando las líneas o finalidades concretas del gasto; y en sentido negativo, proscribe la existencia de los denominados créditos globales o genéricos, en los que no se identifica suficientemente el gasto a llevar a cabo y que la Administración podría utilizar a su arbitrio no estando limitada más que por su montante. No obstante, se prevé legalmente la posibilidad de que pueda acudirse a determinados mecanismos e instituciones que permitan exceptuar la aplicación de esta regla general, modificando así el destino inicialmente establecido para un determinado gasto.

El *aspecto cuantitativo* del principio de especialidad presupuestaria supone una vinculación para la Administración respecto del *quantum* o cantidades de dinero de que se dispone para la ejecución del gasto, en virtud de la autorización conferida por un determinado crédito. Así pues, "los créditos autorizados tienen carácter limitativo y vinculante", tal y como declara el art. 172.2 del TRLRHL, prohibiéndose adquirir compromisos de gasto y obligaciones por cuantía superior al importe de los créditos presupuestarios autorizados en los estados de gastos y declarando nulos de pleno derecho los acuerdos, resoluciones y actos administratives que infrinjan la expressada norma, sin perjuicio de las responsabilidades a que haya lugar.

Por último, el *aspecto temporal* del principio de especialidad presupuestaria tiene como finalidad establecer el momento o período en el que deben realizarse los contenidos cualitativo y cuantitativo en que consiste la autorización para el gasto que todo crédito presupuestario lleva consigo. Este aspecto temporal del principio de especialidad es una concreción, en el ámbito de la efectiva gestión y ejecución del presupuesto, del principio de anualidad presupuestaria, al que ya hemos hecho referencia anteriormente. A grandes rasgos, supone que las autorizaciones de gasto deben ejecutarse dentro del ejercicio para el que resultaron aprobadas, sin perjuicio de que, excepcionalmente, pueda producirse su incorporación al Presupuesto del siguiente ejercicio. En esta línea, el art. 176 del TRLRHL dispone que con cargo a los créditos del estado de gastos de cada Presupuesto solo podran contraerse obligaciones derivadas de adquisiciones, obras, servicios y demás prestaciones o gastos en general que se realicen en el año natural del propio ejercicio presupuestario, si bien, excepcionalmente, podrán imputarse gastos a un ejercicio que correspondan a prestaciones o adquisiciones realizadas en ejercicios anteriores cuando se correspondan a atrasos de retribuciones o se reconozcan por el órgano competente cuando resulten legalmente procedentes.

No obstante, cabe advertir, para finalizar, que el principio de especialidad también experimenta cierta flexibilización en el ámbito local, ya que se prevén normas sobre créditos ampliables (art. 178 TRLHL) y transferencias de créditos (art. 179 TRLHL), entre otras modificaciones posibles.

F) Principio de no afectación de los recursos

El principio de no afectación prohíbe que determinados ingresos se destinen *a priori* a cubrir determinados gastos. Se formula, en el ámbito local, con carácter general en el artículo 165.2 del TRLRHL, con el siguiente tenor: "Los recursos de la entidad local y de cada uno de sus organismos autónomos y sociedades mercantiles se destinarán a satisfacer el conjunto de sus respectivas obligaciones, salvo en el caso de ingresos específicos afectados a fines determinados".

Adicionalmente, la aplicación del *principio de unidad de caja* establecido en el artículo 196 del mismo texto legal supone que la liquidez de todas las entidades locales configura una masa de tesorería única.

G) Principio de Presupuesto bruto

Este principio supone la concreción contable del principio de universalidad. Se refleja en el artículo 165.3 del TRLRHL cuando señala: "Los derechos liquidados y las obligaciones reconocidas se aplicarán a los presupuestos por su importe íntegro, quedando prohibido atender obligaciones mediante minoración de los derechos a liquidar o ya ingresados, salvo que la ley lo autorice de modo expreso".

H) Gasto público limitado

En la actualidad se entiende que el objetivo de limitar políticas económicas pro-cíclicas hace necesario la incorporación de reglas fiscales que, entre otros controles, esta-blezcan límites sobre determinadas partidas del gasto público o sobre el gasto que llevan a cabo determinados niveles de gobierno[12].

En este sentido, la tasa de crecimiento del gasto público[13] no debería exceder nor-malmente de una tasa de referencia de crecimiento potencial del PIB a medio plazo, contrarrestándose los aumentos que excedan de esta tasa con aumentos discrecionales de los ingresos públicos y compensándose las reducciones discrecionales de los ingresos con reducciones del gasto.

I) Equilibrio presupuestario

El principio de equilibrio presupuestario puede considerarse el antecedente históri-co del principio de estabilidad presupuestaria y constituyó uno de los pilares fundamen-tales del pensamiento económico liberal del siglo XIX, puesto que resultaba una garan-tía de la mínima intervención pública del Estado en la vida económica que entonces se propugnaba. A partir de la segunda guerra mundial perdió gran parte de su importancia a causa de la vigencia de la teoría económica keynesiana, que propugnaba una decidida intervención del sector público en la vida económica. La vigencia actual del pensamien-to económico neoliberal ha hecho recuperar al principio de equilibrio presupuestario parte del protagonismo perdido.

En nuestro país, el equilibrio en las cuentas públicas se encontraba expresamente regulado en la normativa de algunas CCAA y era de aplicación general en la esfera local. El artículo 165.4 TRLHL señala, en este sentido, que "cada uno de los presupuestos que se integran en el presupuesto general deberá aprobarse sin déficit inicial".

Sin embargo, este tradicional principio de equilibrio presupuestario tiene una for-mulación más avanzada en el principio de estabilidad presupuestaria. Éste último va más lejos que aquel, puesto que reclama bien el equilibrio financiero o bien el superávit del presupuesto, y no se limita a las fases de elaboración y aprobación, sino que se extien-de a la fase de ejecución y a la posterior liquidación del presupuesto.

La restricción al déficit estructural ha tomado carta de naturaleza constitucional en algunos países de la UE y en España en la reforma el artículo 135 de nuestra carta magna.

---

[12] A. García Serrador. "Teoría General sobre Reglas Fiscales", *Quaderns de Política Econòmica*, n° 8, Sept.-Dic. 2004, págs. 28-29, disponible en http://www.uv.es/poleco

[13] *Vid*. Reglamento (UE) n° 1175/2011.

Con posterioridad a la citada reforma constitucional, el artículo 11.4 de la LOEPSF hace extensiva la aplicación de ese principio no sólo a la fase de aprobación al indicar que señala que "las Corporaciones Locales deberán mantener una posición de equilibrio o superávit presupuestario".

2.3. PRINCIPIOS DE PROGRAMACION PRESUPUESTARIA, ESTABILIDAD Y SOSTENIBILIDAD DE LAS FINANZAS PÚBLICAS

La Ley Orgánica 2/2012 de 27 de abril, de Estabilidad Presupuestaria y Sostenibilidad Financiera (LOEPSF), en desarrollo del artículo 135 de la Constitución Española, ha venido a establecer, para la totalidad de administraciones y entes públicos, los principios rectores a los que deberá adecuarse la política presupuestaria del sector público, orientándola a la estabilidad presupuestaria y la sostenibilidad financiera, como garantía del crecimiento económico sostenido y la creación de empleo.

La citada Ley Orgánica, como garantía del cumplimiento de sus objetivos, establece los procedimientos necesarios para la aplicación efectiva de los principios de estabilidad presupuestaria y de sostenibilidad financiera, en los que se incorpora la participación de los órganos de coordinación institucional entre las Administraciones Públicas en materia de política fiscal y financiera; el establecimiento de los límites de déficit y deuda, los supuestos excepcionales en que pueden superarse y los mecanismos de corrección de las desviaciones; y los instrumentos para hacer efectiva la responsabilidad de cada Administración Pública en caso de incumplimiento, en desarrollo del artículo 135 de la Constitución Española y en el marco de la normativa europea.

Dentro del ámbito de aplicación de la misma se incluyen las Corporaciones Locales y las entidades públicas empresariales, sociedades mercantiles y demás entes de Derecho público dependientes de las administraciones públicas locales que tendrán asimismo consideración de sector público y quedarán sujetos a lo dispuesto en las normas de esta Ley que específicamente se refieran a las mismas.

La LOEPSF viene a definir un marco general en el que se encuadra la elaboración, aprobación y ejecución de los presupuestos locales a los que resultan de aplicación determinados principios.

A) Principio de estabilidad presupuestaria

La elaboración, aprobación y ejecución de los Presupuestos y demás actuaciones que afecten a los gastos o ingresos de los distintos sujetos comprendidos en el ámbito de aplicación de esta Ley se realizará en un marco de estabilidad presupuestaria, coherente con la normativa europea (art. 3 LOEPSF).

El principio de estabilidad presupuestaria se convierte en el marco dentro del cual se desenvuelve la política presupuestaria de todos los Entes públicos y también de los

Entes Locales. Mientras el Estado y las CC.AA. no podrán incurrir en un déficit estructural que supere los márgenes establecidos por la UE para sus Estados miembros, las Entidades Locales deberán presentar una situación de equilibrio o superávit presupuestario (arts. 135.2 CE y 11.4 LOEPSF). Dicho de otro modo, este principio exige la adopción de medidas que permitan la aprobación, ejecución y liquidación del Presupuesto de los Entes Locales en situación de estabilidad presupuestaria, definida como la posición de equilibrio o de superávit computada a lo largo del ciclo económico, dado que la elaboración de los Presupuestos se encuadra en un marco presupuestario a medio plazo (art. 5 LOEPSF) que abarca un período mínimo de tres años, y a través del cual se garantiza una programación presupuestaria coherente con los objetivos de estabilidad presupuestaria y de deuda pública (art. 29.1 LOEPSF).

Como corolario de ese principio, el art. 32 establece la obligación de destinar el superávit en términos del Sistema Europeo de Cuentas (SEC95) a la reducción de deuda.

B) Principio de sostenibilidad financiera

Se define como la capacidad para financiar compromisos futuros dentro de los límites de déficit, deuda pública y morosidad de la deuda comercial (art. 4 LOEPSF), limitando el volumen de deuda pública en relación con PIB al 60% para el conjunto de las AAPP (3% para las EELL).

C) Prioridad absoluta para el pago de la deuda

De acuerdo con lo establecido el artículo 135 de la CE, el art. 14 de la LOEPSF señala que los créditos presupuestarios para satisfacer los intereses y el capital de la deuda pública de las Administraciones se entenderán siempre incluidos en el estado de gastos de sus Presupuestos y no podrán ser objeto de enmienda o modificación mientras se ajusten a las condiciones de la Ley de emisión.

El pago de los intereses y el capital de la deuda pública de las Administraciones Públicas gozarán de prioridad absoluta frente a cualquier otro gasto.

D) Principio de plurianualidad

El artículo 5 de la citada LOEPSF señala la obligatoriedad de la elaboración de los Presupuestos en un marco presupuestario a medio plazo, compatible con el principio de anualidad por el que se rigen la aprobación y ejecución de los Presupuestos, de conformidad con la normativa europea.

E) Principio de transparencia

El art. 6 de la LOEPSF establece la disponibilidad pública de la metodología, supuestos y parámetros considerados para la planificación presupuestaria.

Para las entidades locales se establece la obligación del suministro periódico de información económico-financiera y presupuestaria, exigencia que ha sido desarrollada por Orden HAP/2105/2012 de 1 de octubre.

F) Principio de eficiencia en la asignación y utilización de recursos públicos

De acuerdo con el art. 7 LOEPSF, cualquier actuación que afecte a los ingresos y gastos futuros debe valorar sus efectos y cumplir los objetivos de estabilidad y sostenibilidad financiera.

G) Principio de responsabilidad

El art. 8 LOEPSF establece como criterio general que el Estado no asumirá ni responderá de los compromisos de las Comunidades Autónomas ni de las Corporaciones Locales.

Establece, además, un estricto régimen para el control y la sanción de los incumplimientos mediante medidas preventivas, correctivas y coercitivas que se concretan en:

- *Medidas preventivas*: contenidas en los arts. 18 (medidas automáticas de prevención) y 19 (advertencia de riesgo de incumplimiento) de la LOEPSF, suponen un seguimiento permanente de los datos de ejecución presupuestaria para que al cierre del ejercicio se cumpla el objetivo de estabilidad.

- *Medidas correctivas*: se regulan en los arts. 20 a 24 de la LOEPSF. La constatación del incumplimiento del objetivo de estabilidad presupuestaria, de deuda pública o de la regla de gasto, dará lugar a la adopción de las siguientes:

  - Se limitará el acceso al crédito de las entidades locales de los arts. 111 y 135 del TRLHL (mayores poblaciones y diputaciones) en los supuestos de incumplimiento de los objetivos de estabilidad o deuda, requiriendo en todo caso autorización (art. 20.2).

  - Se obligará a formular un plan económico-financiero que permita en un año el cumplimiento de los objetivos anteriores o de la regla de gasto, en el caso (art. 21).

- *Medidas coercitivas*: reguladas en los artículos 25 y 26 LOEPSF, en caso de persistencia en los incumplimientos podrá considerarse esta circunstancia como gestión gravemente dañosa para los intereses generales, pudiendo procederse a la disolución de los órganos de la Corporación Local incumplidora, de conformidad con lo previsto en el artículo 61 de la Ley 7/1985, de 2 de abril, Reguladora de las Bases de Régimen Local[14].

---

[14]   En el documento "Cambios en los procedimientos del ciclo presupuestario", elaborado por la Autoridad Independiente de Responsabilidad Fiscal, creada por La Ley Orgánica 6/2013, de 14 de

3. LOS PRESUPUESTOS GENERALES DE LAS ENTIDADES LOCALES: ALCANCE SUBJETIVO Y CONTENIDO

Por aplicación del principio de unidad antes analizado, las entidades locales deben aprobar anualmente un Presupuesto único. Así lo establece el artículo 112 de la LR-BRL. Este principio de unidad no lleva implícito que deba existir un estado único donde se incluyan la totalidad de ingresos y gastos del conjunto de entes que integran el ámbito de la entidad local, sino que se concreta en la exigencia del art. 164 del TRLHL de que las entidades locales elaboren y aprueben anualmente un Presupuesto General en el que se integrarán:

a) El Presupuesto de la propia entidad.

b) Los Presupuestos de los organismos autónomos dependientes de ésta.

c) Los estados de previsión de gastos e ingresos de las sociedades mercantiles cuyo capital social pertenezca íntegramente a la entidad local, bien sea directamente o a través de entidades controladas por la entidad local; así como los de las entidades públicas empresariales.

d) Además, desde la Ley 27/2013, también se integrarán los Presupuestos de los consorcios adscritos en los términos señalados anteriormente.

La Ley Orgánica 2/2012 determina que a efectos del cumplimiento de los criterios de estabilidad presupuestaria, deuda pública y regla de gasto deben tomarse en consideración la totalidad de entidades y organismos, cualquiera que sea su naturaleza jurídica, sobre los que la entidad local ejerza su control, salvo que se financien mayoritariamente con actividades de mercado.

Por su parte, el art. 165 TRLHL establece que cada uno de los presupuestos que se integran en el Presupuesto General, atendiendo al principio de estabilidad presupuestaria, se formará con los estados de gastos e ingresos, así como con las bases de ejecución del Presupuesto.

Las bases de ejecución tienen una gran importancia en este ámbito, dado que constituyen un documento en el que se adaptan las disposiciones generales en materia presupuestaria a la organización y circunstancias de la propia entidad, así como aquellas otras necesarias para su acertada gestión, estableciendo cuantas prevenciones se consideren oportunas o convenientes para la mejor realización de los gastos y recaudación de los

---

noviembre, se emite una opinión, al amparo de lo previsto en los artículos 5 y 23 de la citada Ley Orgánica, sobre cambios del ciclo presupuestario referidos, principalmente, a aspectos formales y de transparencia en aspectos relevantes para la correcta evaluación de la información disponible, la aplicación de las normas contables y el funcionamiento de los procedimientos previstos en la normativa de estabilidad presupuestaria.

recursos. No obstante, tales bases de ejecución no podrán modificar lo legislado para la administración económica ni comprender preceptos de orden administrativo que requieran legalmente procedimiento y solemnidades específicas distintas de lo previsto en el Presupuesto. En definitiva, las bases de ejecución constituyen una norma básica de referencia en relación con la autonomía presupuestaria de los municipios.

Adicionalmente a los Presupuestos y estados a los que hemos aludido con anterioridad, el art. 166 del TRLRHL estable un contenido específico que se unirá como anexo al Presupuesto General y que afecta al conjunto de entidades y organismos que lo integran:

a) Los planes y programas de inversión y financiación que, para un plazo de cuatro años, podrán formular los municipios y demás entidades locales de ámbito supramunicipal. De ellos se dará cuenta, en su caso, al Pleno de la Corporación, coincidiendo con la aprobación del Presupuesto, debiendo ser objeto de revisión anual, añadiendo un nuevo ejercicio a sus previsiones.

b) Los programas anuales de actuación, inversiones y financiación de las sociedades mercantiles de cuyo capital social sea titular único o partícipe mayoritario la entidad local.

c) El estado de consolidación del presupuesto de la propia entidad con el de todos los presupuestos y estados de previsión de sus organismos autónomos y sociedades mercantiles.

d) El estado de previsión de movimientos y situación de la deuda comprensiva del detalle de operaciones de crédito o de endeudamiento pendientes de reembolso al principio del ejercicio, de las nuevas operaciones previstas a realizar a lo largo del ejercicio y del volumen de endeudamiento al cierre del ejercicio económico, con distinción de operaciones a corto plazo, operaciones a largo plazo, de recurrencia al mercado de capitales y realizadas en divisas o similares, así como de las amortizaciones que se prevén realizar durante el mismo ejercicio.

El plan de inversiones deberá coordinarse, en su caso, con el programa de actuación y planes de etapas de planeamiento urbanístico, y se completará con el programa financiero, que contendrá:

a) La inversión prevista a realizar en cada uno de los cuatro ejercicios.

b) Los ingresos por subvenciones, contribuciones especiales, cargas de urbanización, recursos patrimoniales y otros ingresos de capital que se prevean obtener en dichos ejercicios, así como una proyección del resto de los ingresos previstos en el citado período.

c) Las operaciones de crédito que resulten necesarias para completar la financiación, con indicación de los costes que vayan a generar.

4. ESTRUCTURA DE LOS PRESUPUESTOS DE LA ENTIDAD Y DE SUS ORGANISMOS AUTÓNOMOS

De acuerdo con el art. 165 del TRLHL el Presupuesto General contendrá para cada uno de los presupuestos que en él se integren:

Los estados de gastos, en los que se incluirán, con la debida especificación, los créditos necesarios para atender al cumplimiento de las obligaciones.

b) Los estados de ingresos, en los que figurarán las estimaciones de los distintos recursos económicos a liquidar durante el ejercicio.

c) Las bases de ejecución que contendrán la adaptación de las disposiciones generales en materia presupuestaria a la organización y circunstancias de la propia entidad.

Siguiendo las previsiones del TRLRHL, el Ministerio de Hacienda y Administraciones Públicas es el órgano competente para establecer con carácter general la estructura de los Presupuestos de las entidades locales, teniendo en cuenta la naturaleza económica de los ingresos y de los gastos, las finalidades u objetivos que con estos últimos se propongan conseguir y de acuerdo con los criterios generales que se establecen en el artículo 167 de la referida Ley.

La actual estructura de los Presupuestos de las entidades locales fue aprobada por Orden del Ministerio de Economía y Hacienda EHA/3565/2008, de 3 de diciembre, con el objetivo de que la estructura de los Presupuestos de estas entidades, así como los criterios de clasificación de sus ingresos y gastos se adaptasen a lo establecido para el sector público estatal, aun teniendo en cuenta las peculiaridades de la actividad financiera de aquellas entidades. Por Orden HAP/419/2014, de 14 de marzo, se modificó (con efectos para los Presupuestos de 2015) la referida Orden de 2008, definiendo los programas de manera más ajustada a lo dispuesto en la Ley Reguladora de las Bases de Régimen Local, tras la entrada en vigor de la Ley 27/2013, de Racionalización y Sostenibilidad de la Administración Local, imponiendo para todos los municipios el deber de presupuestar y contabilizar con el grado de desarrollo suficiente para que se disponga información acerca del gasto generado en cada uno de los servicios previstos en los artículos 25 y 26 de la Ley de Bases de Régimen Local, derogando la estructura simplificada para municipios de menos de 5.000 habitantes.

También la nueva Orden de 2014 incluye como concepto presupuestario independiente el Fondo de Contingencia, que podrá ser utilizado por cualquier entidad local, de forma homogénea con el Estado.

Con carácter general, las disposiciones señaladas determinan que, sin perjuicio de poder clasificar los gastos e ingresos atendiendo a su propia estructura de acuerdo con sus reglamentos o decretos de organización (clasificación orgánica), las entidades locales elaborarán sus presupuestos teniendo en cuenta la naturaleza económica de los ingresos y de los gastos, y las finalidades y objetivos que con estos últimos se pretendan conseguir. La naturaleza (clasificación) económica de los gastos es la respuesta a la pregunta en qué se gasta. En los ingresos esta clasificación se refiere a la naturaleza jurídico-tributaria o no tributaria de los ingresos.

4.1. ESTADOS DE GASTOS

A) Clasificación por programas

Los créditos, entendiendo como tales las previsiones económicas (importes monetarios) de lo que se autoriza a gastar en cada presupuesto[15], se ordenarán según su finalidad y los objetivos que con ellos se proponga conseguir, con arreglo a una clasificación sucesiva en cinco niveles: áreas de gasto, políticas de gasto y grupos de programas, programas y subprogramas.

Establece la Orden de estructura presupuestaria que, desde el punto de vista de su finalidad, el detalle de los créditos se presentará, como mínimo, a nivel de grupos de programas de gasto. No obstante, este detalle se deberá presentar en el nivel de programas de gasto en los casos que se especifican en el anexo I de la citada Orden.

La estructura que se especifica en el anexo I se debe considerar cerrada y obligatoria para todas las entidades locales. No obstante, será abierta a partir del nivel de programas y subprogramas, por lo que podrán crearse los programas y subprogramas que se consideren necesarios cuando no figuren en la estructura que por esta Orden se establece.

> Áreas de Gasto:
> *Área de gasto 1: SERVICIOS PUBLICOS BASICOS*
> Incluye los gastos originados por servicios públicos básicos de prestación obligatoria para las EE LL, con arreglo al artículo 26.1 de la LRBRL.
> Se desarrolla en las siguientes *políticas de gasto:*
> *Política de gasto 13. Seguridad y movilidad ciudadana.* Comprende todos los gastos de los servicios relacionados con la seguridad y movilidad ciudadana y aquellos de protección y defensa civil, actuaciones en caso de calamidades o catástrofes, extinción de incendios, así como las que se refieran a la ordenación del tráfico y del estacionamiento de vehículos.
> *Política de gasto 15. Vivienda y urbanismo.* Se incluyen todos los gastos de los servicios relacionados con la vivienda y el urbanismo, así como de los complementarios de éstos.
> *Política de gasto 16. Bienestar comunitario.* Se imputarán a ella los derivados de la construcción, mantenimiento, conservación y funcionamiento de los servicios de saneamiento, abastecimiento y distribución de agua; recogida, eliminación o tratamiento de basuras; limpieza viaria; cementerios y servicios funerarios; y otros servicios de bienestar

---

[15] La Ley 47/2003, de 26 de noviembre, General Presupuestaria, introduce en su artículo 35, por primera vez en el ordenamiento jurídico español, el concepto "crédito presupuestario" entendiendo por tal "cada una de las asignaciones individualizadas de gasto que figuran en los presupuestos de órganos y entidades (...), puestas a disposición de los centros gestores para la cobertura de las necesidades para las que hayan sido aprobados".

comunitario, entre los que se incluirán en su caso, los gastos correspondientes a mataderos.

Política de gasto 17. Medio ambiente. Se incluirán en esta política de gasto todos los gastos relativos a la protección y mejora del medio ambiente, así como los de protección del medio natural, repoblación forestal, defensa contra incendios forestales, playas, parques y jardines.

Área de gasto 2. ACTUACIONES DE PROTECCIÓN Y PROMOCIÓN SOCIAL

Incluye todos aquellos gastos y transferencias que constituyen el régimen de previsión, pensiones de funcionarios, atenciones de carácter benéfico-asistencial, atenciones a grupos con necesidades especiales y medidas de fomento del empleo.

Se desarrolla en las siguientes *políticas de gasto:*

Política de gasto 21. Pensiones. Pensiones graciables, mejoras de pensiones y pensiones extraordinarias a cargo de la Entidad local a favor de sus empleados públicos.

Política de gasto 22. Otras prestaciones económicas a favor de empleados. Comprende todos los gastos de este tipo, así como los derivados de la acción social a favor de los empleados, excepto las cuotas a cargo del empleador de Mutualidades y Seguridad Social.

Política de gasto 23. Servicios y promoción sociales. Incluye las de promoción de la igualdad de género, promoción y reinserción social de marginados, así la gestión de los servicios sociales, prestación de servicios a personas dependientes y de asistencia social.

Política de gasto 24. Fomento del empleo. Incluye las referidas al fomento y promoción del empleo en acciones propias o en colaboración con otras Administraciones Públicas.

Área de gasto 3. PRODUCCIÓN DE BIENES PÚBLICOS DE CARÁCTER PREFERENTE

Comprende esta área o grupo todos los gastos que realice la entidad local en relación con la sanidad, educación, cultura, con el ocio y el tiempo libre, deporte y, en general, todos aquellos tendentes a la elevación o mejora de la calidad de vida.

Se desarrolla en las siguientes *políticas de gasto:*

Política de gasto 31. Sanidad. Incluyen los gastos que tienen por objeto la prevención y curación de enfermedades, así como el mantenimiento de un estado de inmunidad sanitario en la población.

Política de gasto 32. Educación. Comprende los gastos derivados de la creación, conservación y funcionamiento de centros e instituciones de enseñanzas de todo tipo y sus servicios complementarios.

Política de gasto 33. Cultura. Incluye los gastos originados por los servicios a que se refiere su denominación, incluso los de carácter recreativo.

Política de gasto 34. Deporte. Incorpora los gastos derivados por promoción y difusión deportiva, así como los gastos de creación, conservación y funcionamiento de las instalaciones deportivas de todo tipo.

Área de gasto 4. ACTUACIONES DE CARÁCTER ECONÓMICO

Se integran en esta área los gastos de actividades, servicios y transferencias que tienden a desarrollar el potencial de los distintos sectores de la actividad económica. Se incluirán también los gastos en infraestructuras básicas y de transportes, infraestructuras agrarias, comunicaciones, investigación, desarrollo e innovación.

Política de gasto 41. Agricultura, ganadería y pesca.

Política de gasto 42. Industria y energía.

Política de gasto 43. Comercio, turismo y pequeñas y medianas empresas.

Política de gasto 44. Transporte público. Incluirán los gastos a cargo de las entidades locales destinados al mantenimiento, desarrollo y financiación del servicio de transporte público.

Política de gasto 45. Infraestructuras. Comprende los gastos de toda índole tendentes a la creación, mejora y mantenimiento de las infraestructuras básicas no incluidas en políticas de gasto anteriores. Carreteras locales y caminos vecinales especialmente.

Política de gasto 46. Investigación, desarrollo e innovación. Comprende los gastos de administración infraestructuras, funcionamiento y apoyo destinados a la investigación básica y aplicada, incluso las transferencias a otros agentes con esta finalidad.

Política de gasto 49. Otras actuaciones de carácter económico. Incluye los gastos de gestión, funcionamiento y promoción de los servicios de telecomunicaciones, de la Sociedad de la Información, de la administración electrónica, oficinas de atención y defensa al consumidor

Área de gasto 9. ACTUACIONES DE CARÁCTER GENERAL

Se incluyen en esta área los gastos relativos a actividades que afecten, con carácter general, a la entidad local, y que consistan en el ejercicio de funciones de gobierno o de apoyo administrativo y de soporte lógico y técnico a toda la organización. Recogerá los gastos generales de la Entidad, que no puedan ser imputados ni aplicados directamente a otra área de las previstas en la clasificación por programas.

Política de gasto 91. Órganos de gobierno. Se incluirán las asignaciones e indemnizaciones de los miembros de la corporación; dietas y gastos de viaje y otros de naturaleza análoga. También se imputarán a esta política de gasto los de material y los necesarios para la atención de los órganos de gobierno

Política de gasto 92. Servicios de carácter general. Comprende los gastos de aquellos servicios que sirven apoyan a todos los demás de la entidad local: información, publicaciones, registro y relaciones; desarrollos y soportes informáticos; archivo, administración de personal; elecciones y asesoramiento y defensa de los intereses de la entidad, entre otros.

Política de gasto 93. Administración financiera y tributaria. Se imputarán los gastos generales de los servicios de economía y hacienda; planificación y presupuestos y fiscalidad; control interno y contabilidad y cuentas generales; gestión de la tesorería; gestión del patrimonio; contabilidad patrimonial y rendición de cuentas; gestión, inspección y recaudación de tributos. Asimismo, se incluyen los gastos referentes a la construcción y conservación de edificios oficiales de uso múltiple.

Política de gasto 94. Transferencias a otras Administraciones Públicas. Se imputarán a ésta las transferencias genéricas que la entidad local ordene hacia el Estado o la Comunidad Autónoma, o a favor de otros entes locales relativas a las participaciones en ingresos, cuotas de mancomunidades o consorcios y cualesquiera otras de naturaleza similar.

Área de gasto 0. DEUDA PÚBLICA

Comprende los gastos de intereses y amortización de la Deuda Pública y demás operaciones financieras de naturaleza análoga, con exclusión de los gastos que ocasione la formalización de estas.

B) Clasificación económica

La clasificación económica[16] del gasto agrupará los créditos por capítulos. Se distinguen las operaciones no financieras (capítulos de gasto 1 a 7) de las financieras (capítulos de gasto 8 y 9), subdividiéndose las primeras en operaciones corrientes (capítulos de gasto 1 a 4) y de capital (capítulos 6 y 7).

Atendiendo a su naturaleza económica, los capítulos (1 dígito) se desglosarán en artículos (dos dígitos), y éstos, a su vez, en conceptos (tres dígitos), que se podrán sub-

---

[16]   En la clasificación económica del gasto en los Presupuestos Locales no se contemplaba el capítulo V hasta la reforma de 2014.

dividir en subconceptos (dos dígitos). Adicionalmente, los subconceptos podrán desarrollarse en partidas.

La estructura por conceptos y subconceptos es abierta, por lo que podrán crearse los que se consideren necesarios cuando no figuren en la estructura que establece la Orden. No obstante, en la Orden se tipifican y codifican algunos conceptos y subconceptos obligatorios de general utilización.

Capítulo 1. GASTOS DE PERSONAL

Se aplicarán a este capítulo los gastos de todo tipo de retribuciones en dinero o en especie, fijas y variables, e indemnizaciones a satisfacer al personal. También cotizaciones obligatorias a la Seguridad Social y otras prestaciones y gastos sociales a favor de empleados, los órganos de gobierno y el personal directivo o eventual.

Capítulo 2. GASTOS CORRIENTES EN BIENES Y SERVICIOS

Comprende los gastos en bienes y servicios necesarios para el ejercicio de las actividades de las Entidades locales y de sus organismos autónomos que no produzcan un incremento del capital o del patrimonio y en los en los que se de alguna las siguientes características: ser bienes fungibles; tener una duración previsiblemente inferior al ejercicio presupuestario; no ser susceptibles de inclusión en inventario; y ser gastos previsiblemente reiterativos.

Se incluyen en el artículo 23 las indemnizaciones para resarcir gastos derivados de comisiones de servicio (dietas, gastos de viaje y otras indemnizaciones) y que no tienen la consideración de gastos de personal.

Capítulo 3. GASTOS FINANCIEROS

Este capítulo comprende los intereses, incluidos los implícitos, y demás gastos derivados de todo tipo de operaciones financieras y de deudas contraídas o asumidas, así como los gastos de emisión o formalización, modificación y cancelación de las mismas y diferencias de cambio.

Capítulo 4. TRANSFERENCIAS CORRIENTES

Comprende los créditos para aportaciones a terceros, sin contrapartida directa de los agentes perceptores y con destino a financiar operaciones corrientes por parte de los beneficiarios.

Se incluye también las "subvenciones en especie" de carácter corriente, referidas a bienes (no inventariables) o servicios que se adquieran para su entrega a los beneficiarios en concepto de una. Por artículos se distingue la naturaleza del perceptor.

Capítulo 5. FONDO DE CONTINGENCIA Y OTROS IMPREVISTOS

Comprende este capítulo la dotación al Fondo de Contingencia al que se refiere el artículo 31 de la Ley Orgánica 2/2012, de 27 de abril, de Estabilidad Presupuestaria y Sostenibilidad Financiera, que obligatoriamente han de incluir en sus presupuestos las entidades locales del ámbito subjetivo de los artículos 111 y135 del TRLRHL, para la atención de necesidades imprevistas, inaplazables y no discrecionales, para las que no exista crédito presupuestario o el previsto resulte insuficiente. Las entidades locales no incluidas en aquel ámbito subjetivo aplicarán este mismo criterio en el caso de que aprueben la dotación de un Fondo de Contingencia con la misma finalidad citada.

– Artículo 50. Dotación al Fondo de Contingencia de ejecución presupuestaria.

– Concepto 500. Fondo de Contingencia de Ejecución Presupuestaria.

Capítulo 6. INVERSIONES REALES

Comprende los gastos en los que se prevean incurrir destinados a la creación de infraestructuras y a la creación o adquisición de bienes de naturaleza inventariable necesarios para el funcionamiento de los servicios y aquellos otros gastos que tengan carácter amortizable. Estos bienes deben reunir alguna de las siguientes características: no ser bienes fungibles; tener una duración previsiblemente superior al ejercicio presupuestario; y ser gastos que previsiblemente no sean reiterativos.

Capítulo 7. TRANSFERENCIAS DE CAPITAL

Tienen idéntica consideración que las transferencias corrientes del Capítulo 4, pero en este caso los receptores de los fondos emplean éstos en inversiones reales.

Capítulo 8. ACTIVOS FINANCIEROS

Este Capítulo recoge el gasto que realizan las entidades en la adquisición de activos financieros, cualquiera que sea la forma de instrumentación y su vencimiento. Incluyen los anticipos de sueldos y salarios y demás préstamos al personal, que se recogerán en el Concepto 830, y la constitución de depósitos y fianzas que les sean exigidas a las entidades locales.

Capítulo 9. PASIVOS FINANCIEROS

En este Capítulo se incluyen las cantidades que la entidad local precisa para la amortización y cancelación de deudas contraídas en forma de Deuda Pública, préstamos o anticipos, así como de las que se deriven por devolución de depósitos y fianzas anteriormente recibidas.

C) Definición de aplicación presupuestaria

El artículo 6 de la Orden de estructura presupuestaria señala que la aplicación presupuestaria cuya expresión cifrada constituye el crédito presupuestario vendrá definida, al menos, por la conjunción de las clasificaciones por programas y económica, a nivel de grupos de programas o programa y concepto o subconcepto, respectivamente.

En el caso de que la entidad local opte por utilizar la clasificación orgánica, la aplicación presupuestaria vendrá definida por la conjunción de las clasificaciones orgánica, por programas y económica.

De acuerdo con lo que dispone el artículo 7, el registro contable de los créditos, de sus modificaciones y de las operaciones de ejecución del gasto se realizará, como mínimo, sobre la aplicación presupuestaria, sin perjuicio de que las entidades locales puedan efectuar el seguimiento contable a un mayor nivel de desglose.

D) Créditos iniciales y definitivos

Se entenderá por crédito inicial el asignado a cada aplicación presupuestaria en el presupuesto de la entidad definitivamente aprobado.

Se denominará crédito definitivo el vigente en cada momento que vendrá determinado por el crédito inicial aumentado o disminuido como consecuencia de modificaciones presupuestarias que se hubieran realizado hasta la fecha (artículo 8 de la Orden).

4.2. ESTADOS DE INGRESOS

Las previsiones incluidas en los estados de ingresos del Presupuesto de la entidad local se clasificarán separando las operaciones no financieras (Capítulos1 a 7) de las financieras (Capítulos 8 y 9), subdividiéndose las primeras en operaciones corrientes (Capítulos 1 a 5) y de capital (Capítulos 6 y 7) operaciones corrientes, las de capital.

Atendiendo a su naturaleza económica, los capítulos (1 dígito) se desglosarán en artículos (dos dígitos), y éstos, a su vez, en conceptos (tres dígitos), que se podrán subdividir en subconceptos (dos dígitos). La estructura por conceptos y subconceptos es abierta, por lo que podrán crearse los que se consideren necesarios cuando no figuren en la estructura de la Orden.

Capítulo 1. IMPUESTOS DIRECTOS

En el que se relejan los ingresos tributarios por los impuestos de esta clase que se prevén percibir por la entidad local durante el ejercicio económico de que se trate. Entre ellos se encuentran el Impuesto sobre Bienes Inmuebles, el Impuesto sobre Actividades Económicas, el Impuestos obre Vehículos de Tracción Mecánica —todos ellos obligatorios— y el Impuesto sobre el Incremento del Valor de los Terrenos de Naturaleza Urbana, así como los recargos que resulten exigibles sobre los impuestos directos del Estado, de las Comunidades Autónomas o de otras entidades locales.

Capítulo 2. IMPUESTOS INDIRECTOS

Incluyen aquellos impuestos locales que según las leyes fiscales tienen naturaleza indirecta, como es el Impuesto sobre Construcciones, Instalaciones y Obras (para los municipios que lo tuvieran establecido) y la participación de las entidades de los arts. 111 y 153 del TRLRHL en los impuestos sobre el valor añadido, sobre consumos específicos o impuestos especiales.

Junto a ellos se imputan los recargos que impongan las entidades locales sobre otros impuestos indirectos del Estado, Comunidades Autónomas u otras entidades locales.

Capítulo 3. TASAS Y OTROS INGRESOS

Dentro de este Capítulo figuran, como más representativos, los importes a percibir por tasas tanto por la prestación de servicios como por la utilización de los bienes de dominio público, como los precios públicos, ventas de bienes no inventariables ni desechables, reintegros de ejercicios cerrados, recargos por procedimiento de apremio, multas, indemnizaciones de seguros no de vida, intereses de demora, así como por la redención a metálico.

Se incluyen en este Capítulo determinados ingresos de derecho público referidos a la actividad urbanística que, si bien tienen una naturaleza formalmente corriente, resultan afectos a gastos de inversión o urbanizadores en general, lo que supone su exclusión a la hora de su computo en magnitudes que tratan de determinar la cobertura del gasto corriente mediante ingresos corrientes. Estos ingresos son: contribuciones especiales, canon de urbanización, cuotas de urbanización y aprovechamientos urbanísticos.

Capítulo 4. TRANSFERENCIAS CORRIENTES

Ingresos de naturaleza no tributaria percibidos por las entidades locales sin contraprestación directa por parte de estas, destinados a financiar operaciones corrientes.

Por conceptos y subconceptos, se diferenciarán las transferencias en función de los agentes que las conceden y su carácter genérico o finalista (subvenciones).

Capítulo 5. INGRESOS PATRIMONIALES

Recoge los ingresos de naturaleza no tributaria procedentes de rentas de la propiedad o del patrimonio de las entidades locales, así como los derivados de actividades realizadas en régimen de derecho privado.

Se conceptúan como tales los ingresos derivados de intereses de préstamos concedidos por la entidad local, de dividendos y participaciones en beneficios, de productos de concesiones o de cualquier otra renta de la entidad local que tenga similar consideración.

Capítulo 6. ENAJENACIÓN DE INVERSIONES REALES

Son ingresos que la entidad local espera obtener de la venta de activos inmovilizados de su propiedad, como pueden ser unas parcelas rústicas o urbanas, edificios, patrimonio público del suelo, inversiones inmateriales, y otros bienes del inmovilizado material.

Capítulo 7. TRANSFERENCIAS DE CAPITAL

Tienen la misma consideración que los fondos que se reflejan en el Capítulo 4, pero en este caso la entidad local destina el montante a la adquisición de activos del inmovilizado material o inmaterial.

Por conceptos, se diferenciarán las transferencias en función de los agentes que las conceden. Asimismo, se diferenciarán las que tengan carácter finalista.

Capítulo 8. ACTIVOS FINANCIEROS

Son ingresos que se obtienen por la enajenación de activos financieros, tanto del interior como del exterior, cualquiera que sea la forma de instrumentación y su vencimiento. Comprenden la devolución de depósitos constituidos a favor de terceros y los reintegros de anticipos de sueldos y salarios y demás préstamos al personal.

Incluye este capítulo el artículo 87, "Remanente de tesorería", que recogerá, a lo largo del ejercicio, las aplicaciones a Presupuesto del remanente de tesorería. No constituye un verdadero ingreso presupuestario, en tanto se trata de un recurso financiero derivado de la liquidación del ejercicio anterior que permite, cuando tiene un valor positivo, financiar nuevos gastos sin que exista una cobertura presupuestaria de ingreso del ejercicio.

Capítulo 9. VARIACIÓN DE PASIVOS FINANCIEROS

En este Capítulo se recoge la financiación procedente de la emisión de Deuda Pública y de préstamos recibidos por plazo superior a un año, cualquiera que sea la moneda en la que estén nominados o su naturaleza.

Las operaciones financieras citadas se incluyen por su importe efectivo, minorado, en su caso, por las diferencias negativas que se aplican al concepto 399 de ingresos.

Además, se imputarán los ingresos que se obtengan procedentes de depósitos y fianzas recibidos.

4.3. LAS BASES DE EJECUCIÓN DEL PRESUPUESTO

Como ya se ha advertido, los Presupuestos de las entidades locales contienen, junto con los estados cifrados de gastos e ingresos, las *bases de ejecución*, que cumplen una función análoga al articulado de la Ley de Presupuestos Generales del Estado.

El acto de aprobación de los Presupuestos se presenta como un acto complejo, al incorporar tanto la determinación detallada, estructurada y cuantitativa de gastos e ingresos, como el ejercicio de su potestad de autorganización mediante la aprobación de las bases de ejecución.

Las bases de ejecución contendrán la adaptación de las disposiciones generales en materia presupuestaria a la organización y circunstancias de la propia entidad, así como aquellas otras necesarias para su acertada gestión, estableciendo cuantas prevenciones se consideren oportunas o convenientes para la mejor realización de los gastos y recaudación de los recursos, sin que puedan modificar lo legislado para la administración económica ni comprender preceptos de orden administrativo que requieran legalmente procedimiento y solemnidades específicas distintas de lo previsto para el presupuesto.

Pueden distinguirse en las bases elementos de *contenido necesario*, como la determinación de los niveles de vinculación jurídica de los créditos y la relación expresa y taxativa de los créditos que se declaren ampliables, con detalle de los recursos afectados.

Otros contenidos de las bases tienen naturaleza de *convenientes,* como la forma de tramitación de los expedientes de incorporaciones de créditos; las desconcentraciones o delegaciones en materia de autorización y disposición de gastos; supuestos en los que puedan acumularse varias fases de ejecución del presupuesto de gastos en un solo acto administrativo; la regulación de las transferencias de créditos, estableciendo, en cada caso, el órgano competente para autorizarlas; la tramitación de los expedientes de ampliación y generación de créditos; normas que regulen el procedimiento de ejecución del presupuesto; documentos y requisitos que, de acuerdo con el tipo de gastos, justifiquen el reconocimiento de la obligación; forma en que los perceptores de subvenciones deban acreditar el encontrarse al corriente de sus obligaciones fiscales con la entidad y justificar la aplicación de fondos recibidos; normas que regulen la expedición de órdenes de pago a justificar y anticipos de caja fija; y regulación de los compromisos de gastos plurianuales.

No obstante, el artículo 9 del RD 500/1990 señala que las bases de ejecución del Presupuesto de cada ejercicio podrán remitirse a los reglamentos o normas de carácter general dictadas por el Pleno.

4.4. ANEXOS AL PRESUPUESTO GENERAL

De acuerdo con lo que dispone el RD 500/1990, se unirán como anexos al Presupuesto General:

Los programas anuales de actuación, inversiones y financiación de las sociedades mercantiles de cuyo capital social sea titular único o partícipe mayoritario la Entidad local (art. 166.1 b, TRLRHL). Tales programas comprenderán:

- El estado de inversiones reales y financieras a efectuar durante el ejercicio.

- El estado de las fuentes de financiación de las inversiones, con especial referencia a las aportaciones a percibir de la entidad local o de sus organismos autónomos.

- La relación de los objetivos a alcanzar y de las rentas que se esperan generar.

- Memoria de las actividades que vayan a realizarse en el ejercicio.

El estado de consolidación del Presupuesto de la propia entidad con el de todos los Presupuestos y estados de previsión de sus organismos autónomos y sociedades mercantiles (art. 166.1 c, TRLRHL), de acuerdo con las disposiciones en los artículos 115 a 118 del RD 500/1990.

Los planes de inversión y sus programas de financiación que, en su caso y para un plazo de cuatro años, puedan formular los municipios y demás entidades locales de ámbito supramunicipal, que deberá coordinarse, en su caso, con el programa de actuación y planes de etapas de planeamiento urbanístico, y recogerá la totalidad de los proyectos de inversión que se prevean realizar. Su contenido y gestión se regula en los artículos 13 y siguientes del RD 500/1990.

5. EL CICLO PRESUPUESTARIO LOCAL

Así como en el ámbito estatal y autonómico las distintas fases del ciclo presupuestario se atribuyen al Gobierno (elaboración y ejecución) y al Parlamento (aprobación y control), en la esfera local corresponde al Presidente de la Entidad elaborar y ejecutar el Presupuesto y al Pleno de la Corporación su aprobación y control.

5.1. ELABORACIÓN Y APROBACIÓN DEL PRESUPUESTO

5.1.1. El marco presupuestario

El principio de plurianualidad que consagra la LOEPSF en su artículo 5 obliga a enmarcar la elaboración de los presupuestos en un escenario plurianual, que de acuerdo con las Directivas de la UE se establece en tres años.

Por otra parte, la misma Ley Orgánica en su art. 29 obliga a las Administraciones Públicas a elaborar un marco presupuestario a medio plazo en el que se enmarcará la elaboración de sus Presupuestos anuales y a través del cual se garantizará una programación presupuestaria coherente con los objetivos de estabilidad presupuestaria y de deuda pública.

El contenido viene desarrollado, no de manera taxativa, en el apartado 2 del art. 29, según el cual el marco presupuestario a medio plazo deberá contener:

- Los objetivos de estabilidad presupuestaria y de deuda pública.
- Las proyecciones de las principales partidas de ingresos y gastos, con su evolución tendencial (basadas en políticas no sujetas a modificaciones, como el impacto de las medidas para dicho período).
- Los principales supuestos en los que se basan dichas proyecciones de ingresos y gastos.

Debe entenderse que es el Pleno de la Corporación Local el órgano que debe aprobar el marco presupuestario a medio plazo, dado que su aprobación supone anticipar la evolución de los presupuestos generales de la entidad local de los próximos tres ejercicios.

La Orden HAP/2105/2012, de 1 de octubre, por la que se desarrollan las obligaciones de suministro de información previstas en la LOEPSF, establece en el artículo 6 la obligación de remitir información sobre los marcos presupuestarios a medio plazo en los que se enmarcará la elaboración de los Presupuestos de las entidades locales[17].

De acuerdo con esa Orden Ministerial, las entidades locales, antes del 15 de marzo de cada año, de acuerdo con la información sobre el objetivo de estabilidad presupuestaria y de deuda pública que previamente suministre el Estado, remitirán los marcos presupuestarios a medio plazo en los que se enmarcará la elaboración de sus Presupuestos anuales.

5.1.2. Elaboración del Proyecto de Presupuesto

El RD-Ley 17/2014, de 26 de diciembre, de medidas de sostenibilidad financiera de las Comunidades Autónomas y Entidades Locales y otras de carácter económico, dio nueva redacción al artículo 168 del TRLRHL, señalándose que el Presupuesto de la Entidad Local será formado por su Presidente y a él habrá de unirse la siguiente documentación:

a) Memoria explicativa de su contenido y de las principales modificaciones que presente en relación con el vigente.

b) Liquidación del presupuesto del ejercicio anterior y avance de la del corriente, referida, al menos, a seis meses del ejercicio corriente.

c) Anexo de personal de la Entidad Local.

d) Anexo de las inversiones a realizar en el ejercicio.

e) Anexo de beneficios fiscales en tributos locales conteniendo información detallada de los beneficios fiscales y su incidencia en los ingresos de cada Entidad Local.

f) Anexo con información relativa a los convenios suscritos con las Comunidades Autónomas en materia de gasto social, con especificación de la cuantía de las obligaciones de pago y de los derechos económicos que se deben reconocer en el ejercicio al que se refiere el presupuesto general y de las obligaciones pendientes de pago y derechos económicos pendientes de cobro, reconocidos en ejercicios anteriores, así como de la aplicación o partida presupuestaria en la que se recogen, y la referencia a que dichos convenios incluyen la cláusula de retención de recursos del sistema de financiación a la que se refiere el artículo 57 bis de la Ley 7/1985, de 2 de abril, reguladora de las Bases del Régimen Local.

---

17   Existe una guía para la remisión de la información de los marcos presupuestarios http://www.minhap.gob.es/Documentacion/Publico/DGCFEL/InstruccionesAplicaciones/Gu%C3%ADaMarcos.pdf

g) Un informe económico-financiero, suscrito por funcionario distinto al Interventor, en el que se expongan las bases utilizadas para la evaluación de los ingresos y de las operaciones de crédito previstas, la suficiencia de los créditos para atender el cumplimiento de las obligaciones exigibles y los gastos de funcionamiento de los servicios y, en consecuencia, la efectiva nivelación del presupuesto.

Tras la fase previa indicada, el Presidente formará el Proyecto de Presupuesto General, que comprenderá:

a) El Presupuesto de la entidad con su documentación complementaria.

b) El Presupuesto de cada uno de los organismos autónomos, propuesto por el órgano competente de los mismos, que será remitido a la entidad local de la que dependan antes del 15 de septiembre de cada año, acompañado de la documentación correspondiente.

c) Los estados de previsión de las sociedades mercantiles de capital íntegramente local remitirán a esta entidad, antes del día 15 de septiembre de cada año, sus previsiones de gastos e ingresos, así como los programas anuales de actuación, inversiones y financiación.

El art. 18 del RD 500/1990, en relación con el art. 168 TRLRHL, concreta el contenido de la antedicha documentación:

a) Memoria suscrita por la presidente, explicativa de su contenido y de las principales modificaciones que presente en relación con el vigente.

b) Copia de la liquidación del presupuesto del ejercicio anterior y avance de la del corriente, referida, al menos, a seis meses del mismo, *suscritas, una y otro, por el interventor y confeccionados conforme dispone la instrucción de contabilidad.*

c) Anexo de personal de la entidad local, en que se relacionen y valoren los puestos de trabajo existentes en la misma, *de forma que se dé la oportuna correlación con los créditos para personal incluidos en el presupuesto.*

d) Anexo de las inversiones a realizar en el ejercicio, suscrito por el presidente y *debidamente codificado.*

e) Un informe económico-financiero (que no puede ir firmado por el Interventor), en el que se expongan las bases utilizadas para la evaluación de los ingresos y de las operaciones de crédito previstas, la suficiencia de los créditos para atender el cumplimiento de las obligaciones exigibles y los gastos de funcionamiento de los servicios y, en consecuencia, la efectiva nivelación del presupuesto.

En relación con las operaciones de crédito, se incluirá en el informe, además de su importe, el detalle de las características y condiciones financieras de todo orden en que se prevean concertar y se hará una especial referencia a la carga financiera que pese sobre la entidad antes y después de su formalización.

5.1.3. Aprobación del Presupuesto

La remisión a la Intervención se efectuará de forma que el Presupuesto, con todos sus anexos y documentación complementaria, pueda ser objeto de estudio durante un plazo no inferior a diez días, e informado antes del 10 de octubre, de acuerdo con el artículo 18.4 del RD 500/1990.

Concluirá el expediente con el informe de la Intervención al que alude el artículo 168.4 del TRLRHL. Adicionalmente, se incorporará al expediente, de conformidad con lo dispuesto en el artículo 16.2 del RD 1463/2007, de 2 de noviembre, por el que se aprueba el reglamento de desarrollo de la Ley 18/2001, de 12 de diciembre, de Estabilidad Presupuestaria, en su aplicación a las entidades locales, un informe de la Intervención local que se elevará al Pleno sobre el cumplimiento del objetivo de estabilidad de la propia entidad local y de sus organismos y entidades dependientes.

El informe se emitirá con carácter independiente y se incorporará al previsto en el artículo 168.4 del TRLRHL. En dicho informe el Interventor local detallará los cálculos efectuados y los ajustes practicados sobre la base de los datos de los capítulos 1 a 9 de los estados de gastos e ingresos presupuestarios, en términos de Contabilidad Nacional, según el Sistema Europeo de Cuentas Nacionales y Regionales.

El proyecto se someterá a dictamen de la Comisión informativa correspondiente, que estará integrada por miembros de la entidad local de forma proporcional a la representatividad de los diferentes grupos que la integran. Sus miembros pueden formular propuestas de modificación y votos particulares que serán tenidos en cuenta en la discusión del Pleno, pero su dictamen no tiene carácter vinculante. Todo ello, de conformidad con lo dispuesto en los artículos 82, 123, 125 y 136 del Real Decreto 2568/1986, de 28 de noviembre, por el que se aprueba el Reglamento de Organización, Funcionamiento y Régimen Jurídico de las Entidades Locales.

El Pleno de la entidad adoptará por mayoría simple el acuerdo de aprobación inicial, que será único y habrá de detallar los Presupuestos que integran el Presupuesto General, no pudiendo aprobarse ninguno de ellos separadamente.

La Ley 27/2013, de 27 de diciembre, de Racionalización y Sostenibilidad de la Administración Local incorporó una nueva Disposición Adicional decimosexta en la LRBRL, respecto a la mayoría requerida para la adopción de acuerdos en las Corporaciones Locales, estableciendo que excepcionalmente, cuando el Pleno de la Corporación Local no alcanzara, en una primera votación, la mayoría necesaria para la adopción de acuerdos prevista en la Ley, la Junta de Gobierno Local tendría competencia para aprobar el presupuesto del ejercicio inmediato siguiente, siempre que previamente exista un presupuesto prorrogado. Esta disposición fue declarada inconstitucional por la STC 111/2016, de 9 de junio, por vulneración del principio democrático (FJ 8, letra f).

Aprobado inicialmente el Presupuesto General, se expondrá al público, previo anuncio en el Boletín Oficial de la Provincia o, en su caso, de la Comunidad Autónoma uniprovincial, por 15 días, durante los cuales los interesados podrán examinarlos y presentar reclamaciones ante el Pleno.

Tienen la condición de interesados y, por tanto, pueden presentar reclamaciones contra el Presupuesto, en el plazo de 15 días de exposición al público, por tener legitimación activa (artículo 170.1 del TRLHL):

- Los habitantes en el territorio de la respectiva Entidad local.

- Los que resulten directamente afectados, aunque no habiten en el territorio de la Entidad local.

- Los Colegios Oficiales, Cámaras Oficiales, Sindicatos, Asociaciones y demás Entidades legalmente constituidas para velar por intereses profesionales o económicos y vecinales, cuando actúen en defensa de los que les son propios.

De acuerdo con lo dispuesto en el art. 170.2 del TRLHL, únicamente podrán entablarse reclamaciones:

a) Por no haberse ajustado su elaboración y aprobación a los trámites establecidos en esta ley.

b) Por omitir el crédito necesario para el cumplimiento de obligaciones exigibles a la entidad local, en virtud de precepto legal o de cualquier otro título legítimo.

c) Por ser de manifiesta insuficiencia los ingresos con relación a los gastos presupuestados o bien de estos respecto a las necesidades para las que esté previsto.

El Presupuesto se considerará definitivamente aprobado si, durante el citado plazo, no se hubiesen presentado reclamaciones; en caso contrario, el Pleno dispondrá de un plazo de un mes para resolverlas.

La aprobación definitiva (expresa o tácita) del Presupuesto General por el Pleno de la Corporación habrá de realizarse antes del día 31 de diciembre del año anterior al del ejercicio en que deba aplicarse.

El presupuesto general, definitivamente aprobado, será insertado en el Boletín Oficial de la Corporación, si lo tuviera, y, resumido por capítulos de cada uno de los Presupuestos que lo integran, en el de la Provincia o, en su caso, de la Comunidad Autónoma uniprovincial. Simultáneamente al envío al Boletín Oficial se remitirá copia del Presupuesto General definitivamente aprobado a la Administración del Estado y a la correspondiente Comunidad Autónoma.

El Presupuesto entrará en vigor, en el ejercicio de su anualidad, una vez publicado en el boletín oficial correspondiente.

Una copia del Presupuesto y de sus modificaciones deberá hallarse a disposición del público, a efectos informativos, desde su aprobación definitiva hasta la finalización del ejercicio.

El artículo 171 del TRLHL establece que contra la aprobación definitiva del Presupuesto podrá interponerse directamente recurso contencioso-administrativo, en la forma y plazos que establecen las normas de dicha jurisdicción.

La Ley 29/1998, de 13 de julio, reguladora de la Jurisdicción Contencioso-Administrativa establece en su artículo 46 que el plazo de interposición será de dos meses y el recurso se sustanciarán ante el Tribunal Superior de Justicia de la Comunidad Autónoma.

Señala dicho precepto la necesidad de que el Tribunal de Cuentas deba informar previamente a la resolución del recurso, cuando la impugnación afecte o se refiera a la nivelación presupuestaria.

La interposición de recursos no suspenderá por sí sola la aplicación del presupuesto definitivamente aprobado por la corporación.

5.1.4. La prórroga presupuestaria

Como excepción al principio de anualidad en la aprobación del Presupuestos, el artículo 169.6 TRLRHL establece que, si al iniciarse el ejercicio económico no hubiese entrado en vigor el presupuesto correspondiente, se considerará automáticamente prorrogado el del anterior, con sus créditos iniciales, sin perjuicio de las modificaciones que se realicen conforme a lo dispuesto en los artículos 177, 178 y 179 de esta ley y hasta la entrada en vigor del nuevo Presupuesto. La prórroga no afectará a los créditos para servicios o programas que deban concluir en el ejercicio anterior o que estén financiados con crédito u otros ingresos específicos o afectados.

El régimen jurídico de la prórroga presupuestaria se establece en el artículo 21 del RD 500/1990.

De acuerdo con estas disposiciones, en ningún caso tendrán singularmente la consideración de prorrogables las modificaciones de crédito. Sin perjuicio que el Presupuesto prorrogado pueda ser objeto de cualquiera de las modificaciones previstas por la Ley.

En caso de que una vez ajustados a la baja los créditos iniciales del Presupuesto anterior en función de lo dispuesto en el párrafo precedente (créditos para servicios o programas que deban concluir en el ejercicio anterior o que estén financiados con crédito u otros ingresos específicos o afectados) se obtuviera un margen en relación con el límite global de los créditos iniciales de referencia, se podrán realizar ajustes al alza en los créditos del Presupuesto prorrogado cuando concurran simultáneamente las siguientes circunstancias:

a) Que existan compromisos firmes de gastos a realizar en el ejercicio corriente que correspondan a unas mayores cargas financieras anuales generadas por operaciones de crédito autorizadas en los ejercicios anteriores.

b) Que el margen de los créditos no incorporables, relativo a la dotación de servicios o programas que hayan concluido en el ejercicio inmediato anterior, permita realizar el ajuste correspondiente hasta alcanzar el límite global señalado, aunque sólo se puedan dotar parcialmente los mayores compromisos vinculados al reembolso de las operaciones de crédito correspondientes.

Igualmente se podrán acumular en la correspondiente resolución acuerdos sobre la incorporación de remanentes. En este caso, sin consideración del límite referido y siempre que la naturaleza del gasto y la situación del crédito disponible en el ejercicio finalizado permitan proceder de acuerdo con lo previsto en los artículos 47 y 48 del Real Decreto 500/1990.

En cualquier caso, los ajustes de crédito determinados en los párrafos precedentes deberán ser objeto de imputación a las correspondientes partidas del Presupuesto prorrogado mediante resolución motivada dictada por el Presidente de la Corporación, previo informe del Interventor.

El Presupuesto definitivo se aprobará con efectos de 1 de enero y los créditos en él incluidos tendrán la consideración de créditos iniciales. Las modificaciones y ajustes efectuados sobre el Presupuesto prorrogado se entenderán hechas sobre el Presupuesto definitivo, salvo que el Pleno disponga en el propio acuerdo de aprobación de este último que determinadas modificaciones o ajustes se consideran incluidas en los créditos iniciales, en cuyo caso deberán anularse los mismos.

Aprobado el Presupuesto definitivo, deberán efectuarse los ajustes necesarios para dar cobertura, en su caso, a las operaciones efectuadas durante la vigencia del Presupuesto prorrogado.

5.1.5. Las modificaciones presupuestarias

Una vez aprobado el Presupuesto, durante la gestión cotidiana de las actividades de las entidades locales, puede resultar necesario ajustar las previsiones de los Presupuestos a circunstancias imprevistas en el momento de su elaboración y aprobación. Por esta razón, el TRLRHL en sus artículos 177 a 182 y el RDL 500/1990 en sus artículos 34 a 51 establecen un marco jurídico general para estas modificaciones.

Como señala José Pascual García[18], "la problemática de las modificaciones presupuestarias se circunscribe, en principio, a los estados de gastos (...) es decir, a las que,

---

[18] J. Pascual García, J., *op. cit.*, pág. 439.

con más rigor pudiéramos llamar modificaciones crediticias. Ni los estados de ingresos ni las estimaciones (...) de gastos e ingresos de los presupuestos de explotación y capital ofrecen especiales problemas dado el carácter meramente estimativo de sus previsiones".

En este apartado haremos un recorrido detallado por los diferentes tipos de modificaciones presupuestarias y su régimen jurídico.

5.1.5.1. Modificaciones en los créditos presupuestarios

Las modificaciones de crédito que podrán ser realizadas en los presupuestos de gastos de la entidad y de sus organismos autónomos son los siguientes:

a) Créditos extraordinarios y suplementos de créditos.

b) Ampliaciones de crédito.

c) Transferencias de crédito.

d) Generación de créditos por ingresos.

e) Incorporación de remanentes de crédito.

f) Bajas por anulación.

a) Créditos extraordinarios y suplementos de crédito

Los créditos extraordinarios son aquellas modificaciones del Presupuesto de gastos mediante los que se asigna crédito para la realización de un gasto específico y determinado que no puede demorarse hasta el ejercicio siguiente y para el que no existe previsión presupuestaria en el Presupuesto vigente.

Los suplementos de créditos son aquellas modificaciones del Presupuesto de gastos en los que, concurriendo las mismas circunstancias anteriores en relación con el gasto a realizar, el crédito previsto resulta insuficiente y no puede ser objeto de ampliación.

Los créditos extraordinarios y suplementos de crédito se podrán financiar indistintamente con alguno o algunos de los siguientes recursos:

- Con cargo al remanente líquido de tesorería.

- Con nuevos o mayores ingresos efectivamente recaudados sobre los totales previstos en algún concepto del presupuesto corriente.

- Mediante anulaciones o bajas de créditos de otras partidas del presupuesto vigente no comprometidas, cuyas dotaciones se estimen reducibles sin perturbación del respectivo servicio.

Para gastos de inversión podrán financiarse, además de con los recursos indicados en el apartado anterior, con los procedentes de operaciones de crédito.

Excepcionalmente, y por acuerdos adoptados con el quórum establecido por el artículo 47.3 de la Ley 7/1985, de 2 de abril, se considerarán recursos efectivamente disponibles para financiar nuevos o mayores gastos por operaciones corrientes que sean expresamente declarados necesarios y urgentes, los procedentes de operaciones de crédito en que se den conjuntamente las siguientes condiciones:

a. Que su importe total anual no supere el 5% de los recursos por operaciones corrientes del presupuesto de la entidad.

b. Que la carga financiera (entendida como la suma de los gastos de los capítulos 3 y 9 en relación con los ingresos corrientes capítulos 1 al 5) de la entidad, cualquiera que sea su naturaleza, incluida la derivada de las operaciones en tramitación, no supere el 25% de los expresados recursos.

c. Que las operaciones queden canceladas antes de que se proceda a la renovación de la Corporación que las concierte.

La aprobación de los expedientes por el Pleno se realizará con sujeción a los mismos trámites y requisitos que los presupuestos, debiendo ser ejecutivos dentro del mismo ejercicio en que se autoricen.

En casos de calamidad pública o de naturaleza análoga, de excepcional interés general, serán inmediatamente ejecutivos sin perjuicio de las reclamaciones que contra los mismos se promuevan.

b) Ampliación de créditos

La ampliación de crédito es la modificación al alza del Presupuesto de gastos que se concreta en el aumento de crédito presupuestario en alguna de las aplicaciones que se definan como ampliables expresa y taxativamente en las bases de ejecución del Presupuesto, previo cumplimiento de los requisitos exigidos y en función de la efectividad de recursos expresamente afectados en las bases de ejecución.

c) Transferencia de crédito

La transferencia de crédito es aquella modificación del Presupuesto de gastos mediante la que, sin alterar la cuantía total del mismo, se aumenta el crédito de algunas aplicaciones presupuestarias y se disminuyen los de otras.

Las bases de ejecución del presupuesto deberán establecer el régimen de las transferencias de crédito y el órgano competente para autorizarlas en cada caso. La aprobación de las transferencias de crédito entre distintas áreas de gasto será competencia del Pleno de la Corporación, salvo cuando afecten a créditos de personal (Capítulo 1).

Las transferencias de crédito de cualquier clase estarán sujetas a las siguientes limitaciones:

• No pueden afectar a los créditos ampliables ni a los extraordinarios concedidos durante el ejercicio.

- No podrán minorarse los créditos que hayan sido incrementados con suplementos o transferencias, salvo cuando afecten a créditos de personal.

- No podrán incrementar créditos que, como consecuencia de otras transferencias, hayan sido objeto de minoración, salvo cuando afecten a créditos de personal.

- Tampoco podrán minorarse los créditos incorporados como consecuencia de remanentes no comprometidos procedentes de presupuestos cerrados.

La Ley prevé una inaplicación de las anteriores limitaciones cuando las transferencias se refieran a créditos de los programas de imprevistos y funciones no clasificadas o sean motivadas por reorganizaciones administrativas aprobadas por el Pleno.

En la tramitación de los expedientes de transferencia de crédito, en cuanto sean aprobados por el Pleno, serán de aplicación las normas sobre información, reclamaciones y publicidad aplicables a la aprobación de los presupuestos de la entidad.

d) Generación de créditos

Podrán generar crédito en los estados de gastos de los Presupuestos los ingresos de naturaleza no tributaria derivados de las siguientes operaciones:

a. Aportaciones o compromisos firmes de aportación, de personas físicas o jurídicas, para financiar, juntamente con la entidad local o con alguno de sus organismos autónomos, gastos que por su naturaleza estén comprendidos en los fines u objetivos de estos.

b. Enajenaciones de bienes de la entidad local o de sus organismos autónomos no previstas en el presupuesto en vigor.

c. Prestación de servicios.

d. Reembolsos de préstamos no previstos en el presupuesto.

e. Los importes procedentes de reintegros de pagos indebidos con cargo al presupuesto corriente, en cuanto a la reposición de crédito en la correlativa partida presupuestaria.

En las bases de ejecución del Presupuesto se regulará la tramitación de los expedientes de generación de créditos, no precisando, necesariamente, aprobación plenaria.

Para proceder a la generación de crédito será requisito indispensable:

a. En los supuestos establecidos en los apartados a) y b) anteriores, el reconocimiento del derecho o la existencia formal del compromiso firme de aportación.

b. En los supuestos establecidos en los apartados c) y d), el reconocimiento del derecho; si bien la disponibilidad de dichos créditos estará condicionada a la efectiva recaudación de los derechos.

c. En el supuesto de reintegros de presupuesto corriente, la efectividad del cobro del reintegro.

e) Incorporación de remanentes de créditos

Podrán ser incorporados a los correspondientes créditos de los Presupuestos de gastos del ejercicio inmediato siguiente, los remanentes de crédito no utilizados procedentes de:

- Los créditos extraordinarios y los suplementos de crédito, así como las transferencias de crédito que hayan sido concedidos o autorizados, respectivamente, en el último trimestre del ejercicio.

- Los créditos que amparen compromisos de gasto del ejercicio anterior.

- Los créditos por operaciones de capital.

- Los créditos autorizados en función de la efectiva recaudación de los derechos afectados.

No serán incorporables los créditos declarados no disponibles ni los remanentes de créditos ya incorporados en el ejercicio precedente, salvo cuando el gasto esté financiado por recursos afectos en cuyo caso deberán incorporarse obligatoriamente.

La tramitación de los expedientes de incorporación de créditos deberá regularse en las bases de ejecución del presupuesto.

La incorporación de remanentes de crédito quedará subordinada a la existencia de suficientes recursos financieros para ello, a cuyos efectos se considerarán recursos financieros:

Para cualquier tipo de gasto:

- El remanente líquido de tesorería del ejercicio anterior.

- Nuevos o mayores ingresos recaudados sobre los totales previstos en el presupuesto corriente.

Para los gastos que hubieran tenido financiación afectada:

- Preferentemente, los excesos de financiación y los compromisos firmes de aportación afectados a los remanentes que se pretende incorporar.

f) Baja por anulación

Es la modificación del Presupuesto de gastos que supone una disminución total o parcial en el crédito asignado a una partida del Presupuesto, por disposición del Pleno.

Puede darse de baja por anulación cualquier crédito del Presupuesto de gastos hasta la cuantía correspondiente al saldo de crédito siempre que dicha dotación se estime reducible o anulable sin perturbación del respectivo servicio. Supone la posibilidad de obtener financiación para otros gastos mediante modificaciones vía créditos extraordinarios y suplementos, o para absorber situaciones de déficit (remanentes de tesorería negativos).

g) El Fondo de Contingencia

Una de las novedades importantes que introduce la Ley Orgánica 2/2012, de 27 de abril, de Estabilidad Presupuestaria y Sostenibilidad Financiera, se recoge en su artículo 31, con el título "Fondo de Contingencia", obligatorio para las Diputaciones Provinciales y Ayuntamientos financiados mediante régimen de participación de tributos y voluntario para el resto.

La finalidad de los créditos del citado Fondo es atender posibles gastos imprevistos y no discrecionales. Si bien la cuantía y las condiciones de aplicación de dicha dotación será determinada por cada Administración Pública en el ámbito de sus respectivas competencias, debe señalarse que, en los Presupuestos estatales, por mor de lo dispuesto en la Ley 47/2003, General presupuestaria, su finalidad es exclusivamente la financiación de determinadas modificaciones presupuestarias: las ampliaciones de crédito, los créditos extraordinarios y suplementos de crédito, y las incorporaciones de crédito.

5.1.5.2. Modificaciones en las previsiones de ingresos

Estas modificaciones se producirán como consecuencia de un acto formal que aumente la previsión de los créditos previstos, pero nunca por una mayor recaudación de un ingreso ya previsto.

Tale modificaciones en las previsiones del Presupuesto de ingresos pueden servir como recurso para financiar algunas de las modificaciones de crédito: créditos extraordinarios y suplementos, ampliaciones de crédito, generaciones de crédito e incorporación de remanentes.

5.2. LA GESTIÓN DEL PRESUPUPESTOS DE LAS ENTIDADES LOCALES

5.2.1. Criterios generales de gestión

De conformidad con lo establecido en el artículo 172 del TRLRHL, los créditos para gastos se destinarán exclusivamente a la finalidad específica para la cual hayan sido autorizados en el Presupuesto general de la entidad local o por sus modificaciones debidamente aprobadas.

El control de los créditos presupuestarios no se realiza a nivel de aplicación presupuestaria (órgano, subprograma, concepto económico), sino en un ámbito más amplio denominado "nivel de vinculación jurídica". Las entidades locales podrán establecer en las bases de ejecución la vinculación de los créditos para gastos en los niveles de desarrollo por área de gasto y económico que consideren necesarios para su adecuada gestión, con las siguientes limitaciones:

- Respecto a la clasificación por área de gasto, el propio área.

- Respecto a la clasificación económica: el capítulo.

Así, el carácter limitativo y vinculante de los créditos, se referirá para cada caso a la vinculación jurídica de los créditos y no al nivel de desagregación con el que se haya de presentar el Presupuesto.

El artículo 173 del TRLRHL regula la exigibilidad de las obligaciones de las entidades locales, las prerrogativas que estas tienen para dicho cumplimiento y las limitaciones de los compromisos de gasto, todo ello con el siguiente tenor:

1. Las obligaciones de pago sólo serán exigibles de la hacienda local cuando resulten de la ejecución de sus respectivos presupuestos, con los límites señalados en el artículo anterior, o de sentencia judicial firme.

2. Los tribunales, jueces y autoridades administrativas no podrán despachar mandamientos de ejecución ni dictar providencias de embargo contra los derechos, fondos, valores y bienes de la hacienda local ni exigir fianzas, depósitos y cauciones a las entidades locales, excepto cuando se trate de bienes patrimoniales no afectados a un uso o servicio público.

3. El cumplimiento de las resoluciones judiciales que determinen obligaciones a cargo de las entidades locales o de sus organismos autónomos corresponderá exclusivamente a aquéllas, sin perjuicio de las facultades de suspensión o inejecución de sentencias previstas en las leyes.

4. La autoridad administrativa encargada de la ejecución acordará el pago en la forma y con los límites del respectivo presupuesto. Si para el pago fuere necesario un crédito extraordinario o un suplemento de crédito, deberá solicitarse del Pleno uno u otro dentro de los tres meses siguientes al día de notificación de la resolución judicial.

5. No podrán adquirirse compromisos de gastos por cuantía superior al importe de los créditos autorizados en los estados de gastos, siendo nulos de pleno derecho los acuerdos, resoluciones y actos administrativos que infrinjan la expresada norma, sin perjuicio de las responsabilidades a que haya lugar.

5.2.2. El procedimiento de gestión de gastos

La ejecución de los créditos consignados en el Presupuesto de gastos de las entidades locales se efectuará conforme a lo dispuesto en Los artículos 183 a 185 del TRLRHL (desarrollados por los art. 52 y siguientes del RD 500/1990) y, complementariamente, por las normas que dicte cada entidad y queden plasmadas en las bases de ejecución del Presupuesto.

También afectan a la gestión las disposiciones de carácter administrativo, tributario, patrimonial, de derecho laboral y de derecho privado en las que se desenvuelve el devenir económico y financiero de la actividad de las entidades locales.

La gestión de los Presupuestos de gastos de las Entidades locales y de sus organismos autónomos se realizará en las siguientes fases (artículo 184.1 TRLRHL):

a) Autorización del gasto.

b) Disposición o compromiso del gasto.

c) Reconocimiento y liquidación de la obligación.

d) Ordenación del pago.

De acuerdo con lo dispuesto en el artículo 67 del RD 500/1990, un mismo acto administrativo podrá abarcar más de una de las fases de ejecución del Presupuesto de gastos antes enumeradas. Pudiéndose dar los siguientes casos:

a) Autorización-disposición.

b) Autorización-disposición-reconocimiento de la obligación.

Consecuentemente, el acto administrativo que acumule dos o más fases producirá los mismos efectos que si dichas fases se acordaran en actos administrativos separados.

La posibilidad de ejecutar cualquier gasto presupuestado requiere, además del hecho de su incorporación a un presupuesto vigente, que el crédito de la correspondiente aplicación presupuestaria esté *disponible*.

Dicha disponibilidad viene condicionada por la existencia, en algunos casos, de una afectación del gasto a un ingreso concreto. Específicamente, el apartado 6 del artículo citado condiciona dicha disponibilidad hasta que existan:

a) Documentos fehacientes que acrediten compromisos firmes de aportación, en caso de ayudas, subvenciones, donaciones u otras formas de cesión de recursos por terceros tenidos en cuenta en las previsiones iniciales del presupuesto a efecto de su nivelación y hasta el importe previsto en los estados de ingresos en orden a la afectación de dichos recursos en la forma prevista por la ley o, en su caso, a las finalidades específicas de las aportaciones a realizar.

b) La concesión de las autorizaciones previstas para la concertación de operaciones de crédito.

A) Autorización del gasto

La autorización es el acto mediante el cual se acuerda la realización de un gasto determinado por una cuantía cierta o aproximada, reservando a tal fin la totalidad o parte de un crédito presupuestario.

La autorización constituye el inicio del procedimiento de ejecución del gasto, si bien no implica relaciones con terceros externos a la entidad local.

Dentro del importe de los créditos presupuestados corresponde la autorización de los gastos al Presidente o al Pleno de la Entidad, de acuerdo con las competencias de gestión que se establece en la LRBRL, o a los órganos facultados para ello en los Estatutos de los organismos autónomos de conformidad con la normativa vigente.

Las bases de ejecución del Presupuesto para cada ejercicio recogerán las delegaciones o desconcentraciones que en materia de autorización de gastos se hayan efectuado. En el supuesto de delegaciones o desconcentraciones con carácter permanente bastará una remisión expresa a éstas.

B) Compromiso o disposición o adjudicación del gasto

Sobre una autorización anterior o simultáneamente a la misma, la disposición o compromiso es el acto mediante el cual se acuerda, tras el cumplimiento de los trámites legalmente establecidos, la realización de gastos por un importe exactamente determinado y en relación con un tercero.

La disposición o compromiso es un acto con relevancia jurídica para con terceros, vinculando a la entidad local a la realización de un gasto concreto y determinado tanto en su cuantía, como en las condiciones de ejecución.

En esta fase de la gestión del gasto aparece un proveedor (todavía no acreedor) al que se le encarga, contrata o asigna la realización de una prestación de dar o hacer a favor de la entidad local, por parte del órgano competente (ordinariamente el mismo que realizó el acto de autorización).

C) Reconocimiento y liquidación de la obligación

El reconocimiento y liquidación de la obligación es el acto mediante el cual se declara la existencia de un crédito exigible contra la Entidad, derivado de un gasto autorizado y comprometido, una vez que el tercero ha realizado la prestación de dar o hacer previamente encargada o la existencia de un hecho que genere a favor de un tercero un derecho de naturaleza económica frente a la entidad local. La existencia de esa circunstancia convierte al tercero en un acreedor de la entidad.

Habrá de acreditarse documentalmente ante el órgano competente la realización de la prestación o la existencia del nacimiento de un derecho de cobro a favor del acreedor, de conformidad con los acuerdos que en su día autorizaron y comprometieron el gasto o con la naturaleza del hecho al que el ordenamiento jurídico atribuye el nacimiento del derecho.

El art. 60 del RD 500/90 dispone que corresponderá al Presidente de la entidad local o al órgano facultado estatutariamente para ello, en el caso de organismos autónomos dependientes, el reconocimiento y la liquidación de obligaciones derivadas de los compromisos de gastos legalmente adquiridos.

Para otro tipo de obligaciones se atribuye la competencia al Pleno de la entidad, a quien corresponderá el reconocimiento extrajudicial de créditos, siempre que no exista dotación presupuestaria, las operaciones especiales de crédito, o concesiones de quita y espera.

D) Los gastos plurianuales

El principio de anualidad presupuestaria limita la aplicación de los créditos presupuestarios al año natural de vigencia del presupuesto. Sin embargo, en la práctica, existen circunstancias en las que la prestación de un servicio o la ejecución de una obra se extienden, necesariamente, más allá del ejercicio presupuestario.

Para ello, la normativa presupuestaria, en el ámbito local el artículo 174 TRLHL, establece la posibilidad limitada de adquirir compromisos de gasto contra Presupuestos futuros, de acuerdo con las siguientes limitaciones:

Supuestos de aplicación:

a) Inversiones y transferencias de capital (Capítulos 6 y 7).

b) Contratos de suministros de asistencia técnica y científica, de prestación de servicios, de ejecución de obras de mantenimiento y de arrendamiento de equipos que no puedan ser estipulados o resulten antieconómicos por un año.

c) Arrendamiento de bienes inmuebles.

d) Cargas financieras de las deudas de la entidad local o sus organismos autónomos.

Condiciones de aplicación:

- Su autorización está subordinada al crédito que para cada ejercicio autoricen los respectivos presupuestos.

- Su ejecución ha de iniciarse siempre en el propio ejercicio en que se autoricen.

- Los gastos referidos en los apartados a) y b) anteriores no podrán aplicarse a un número de ejercicios superior a cuatro años.

- Deberán ser objeto de adecuada e independiente contabilización.

Limitaciones cuantitativas de los gastos en ejercicios futuros

En los supuestos de inversiones y transferencias de capital, el gasto que se impute a cada uno de los ejercicios futuros no podrá exceder de la cantidad que resulte de aplicar al crédito del año en que la operación se comprometió, los siguientes porcentajes con carácter general: en el ejercicio inmediato siguiente, el 70 %; en el segundo ejercicio, el 60 %; en el tercer ejercicio, el 50 %; En el cuarto ejercicio, el 50 %. La aplicación de estos límites se hará en todo momento tomando en consideración los niveles de vinculación jurídica de los créditos.

No obstante, para los programas y proyectos de inversión que taxativamente se especifiquen en las bases de ejecución del presupuesto, podrán adquirirse compromisos de gastos que hayan de extenderse a ejercicios futuros hasta el importe que para cada una de las anualidades se determine.

En casos excepcionales el Pleno de la corporación podrá ampliar el número de anualidades, así como elevar los porcentajes a que se ha hecho antes referencia.

5.2.2. Los gastos con financiación afectada

La definición de los denominados "gastos con financiación afectada" se contiene en la Regla 25 de la Instrucción del modelo normal de contabilidad local, aprobada por la Orden HAP/1781/2013, de 20 de septiembre[19].

Según esta disposición, un gasto con financiación afectada es cualquier proyecto de gasto que se financie, en todo o en parte, con recursos concretos que en caso de no realizarse el gasto no podrían percibirse o si se hubieran percibido deberían reintegrarse a los agentes que los aportaron.

Esos recursos concretos pueden tener tanto naturaleza tributaria, como en el caso de la contribución especial, o no tributaria. Dentro de estos últimos se encontrarían las subvenciones finalistas recibidas, las operaciones de crédito y determinados ingresos de derecho público vinculados por ley (urbanísticos o medioambientales, fundamentalmente).

Su existencia quiebra el principio de no afectación anteriormente analizado, por lo que resulta necesario un control específico de los mismos, ya que suponen la vinculación de cada proyecto de gasto a una financiación específica. Esta necesidad deriva especialmente de la circunstancia de que los procesos de gestión de los gastos y sus ingresos afectados pueden no discurrir de forma paralela en el tiempo. Esta situación resulta especialmente delicada cuando dichos flujos económicos se producen en anualidades distintas, teniendo una especial incidencia en la determinación de resultados presupuestarios al cierre del ejercicio.

Así, el RD 500/1990, en su artículo 97, señala que al cierre del Presupuesto el resultado presupuestario deberá, en su caso, ajustarse en función de las diferencias de financiación derivadas de gastos con financiación afectada. Y en su artículo 102 dispone que en los supuestos de gastos con financiación afectada en los que los derechos afectados reconocidos superen a las obligaciones por aquellos financiadas, el remanente de tesorería disponible para la financiación de gastos generales de la entidad deberá minorarse en el exceso de financiación producido.

---

[19]   BOE nº 237, de 3 de octubre de 2013.

La Instrucción de contabilidad citada determina la necesidad de que el sistema contable para el seguimiento y control de los gastos con financiación afectada garantice el cumplimiento de los siguientes fines:

a) Asegurar que la ejecución, en términos económico-presupuestarios, de todo gasto con financiación afectada se efectúe en su totalidad, de modo tal que se cumplan las condiciones que, en su caso, se hubiesen acordado para la percepción de los recursos afectados.

b) Calcular, en la liquidación de cada uno de los Presupuestos a que afecte la realización de los gastos con financiación afectada, las desviaciones de financiación que, en su caso, se hayan producido como consecuencia de desfases, cualquiera que sea su origen, en el ritmo de ejecución del gasto y de los ingresos específicos que los financien.

c) Controlar la ejecución presupuestaria de cada gasto con financiación afectada, tanto la del gasto como la de los ingresos afectados.

Resulta especialmente importante (por sus efectos sobre el resultado presupuestario y el remanente de tesorería a fin de ejercicio) la determinación de las desviaciones de financiación que se regulan en la Regla 29 de la Instrucción.

La desviación de financiación se define como la magnitud que representa el desfase existente entre los ingresos presupuestarios reconocidos durante un periodo determinado, para la realización de un gasto con financiación afectada, y los que, en función de la parte de este efectuada en ese periodo, deberían haberse reconocido, si la ejecución de los ingresos afectados se realizase armónicamente con la del gasto presupuestario.

Las desviaciones de financiación para cada gasto con financiación afectada se calcularán por diferencia entre los derechos reconocidos netos por los ingresos afectados y el producto del coeficiente de financiación, por el total de obligaciones reconocidas netas, referidos unos y otras al periodo considerado.

Las desviaciones de financiación han de calcularse al final del ejercicio a efectos de ajustar el resultado presupuestario y de cuantificar el exceso de financiación afectada producido.

Se distinguen, pues, dos tipos de *desviaciones de financiación*:

Las desviaciones de financiación de ejercicio (que afectan al resultado presupuestario) y que se calcularán para cada gasto y por cada recurso afecto, tomando el importe de las obligaciones totales del gasto y los derechos reconocidos, previstos y reales, relativos a cada uno de los recursos afectos, referidos unas y otros al ejercicio presupuestario.

Las desviaciones de financiación acumuladas (que afectan al valor del remanente de tesorería) se calcularán del mismo modo que las imputables al ejercicio, pero tomando en consideración las obligaciones y los derechos reconocidos desde el inicio de la ejecución del gasto con financiación afectada hasta el final del ejercicio.

5.2.3. El procedimiento de gestión de los ingresos

Es una parte de la gestión presupuestaria que no debe confundirse con la gestión tributaria. Puede definirse como la imputación de los derechos de cobro a favor de las entidades locales como consecuencia de relaciones jurídico-tributarias en las que la entidad local es el sujeto activo, así como la contraprestación por servicios prestados o como consecuencia de actos o negocios jurídicos de naturaleza pública o privada y de carácter oneroso o lucrativo.

El proceso de gestión presupuestaria diferencia tres tipos de operaciones:

a) Compromisos de ingreso derivados de decisiones unilateralmente adoptadas por terceros, personas físicas y jurídicas, para financiar, juntamente con la entidad local o con alguno de sus organismos autónomos, gastos que por su naturaleza están comprendidos en sus fines u objetivos.

b) Reconocimientos de derechos. Definido como el acto que, conforme a la normativa específica (tributaria, administrativa o de derecho privado) hace surgir un derecho de cobro incondicional a favor de la entidad local.

c) Extinción del derecho. Que se producirá ordinariamente por el cobro en efectivo, aunque también podrá producirse por otros modos: cobro en especie, compensación, anulación, prescripción).

A) Reconocimiento de derechos

Ingresos de contraído previo

Cuando existe acto formal en el cual se reconoce el derecho de la entidad local a la percepción de cantidades ciertas.

En el ámbito tributario estaríamos hablando de *ingresos por recibo* cuando se produce una periodicidad en la exigibilidad del tributo, que se gestionan mediante padrones o matrículas formadas por la Administración y elaboradas sobre la base de declaraciones de alta, baja, rectificación o modificación.

Serán *liquidaciones de contraído previo*, aquellas que derivan de actos administrativos que se dictan en las relaciones jurídicas públicas o privadas de la entidad respecto a terceros. En el ámbito tributario se incluyen las liquidaciones formuladas individualmente en base a declaraciones del sujeto pasivo o por actuaciones investigadoras o de comprobación de los órganos competentes.

Reconocimiento de derechos e ingreso simultáneo

Se produce en relación con ingresos recibidos de terceros sin contraído previo. En el ámbito tributario son aquellos supuestos de declaraciones-autoliquidaciones y de otras declaraciones o cobros que no precisen de previa liquidación administrativa.

Un supuesto particular de estas últimas es el de las *autoliquidaciones,* en las que el obligado al pago en el propio acto de la declaración cuantifica la deuda e ingresa el importe de esta.

B) Extinción normal de los derechos reconocidos

Se produce mediante alguno de los siguientes modos:

Cobro, que supone la incorporación material de un activo financiero (en metálico) en el patrimonio de la entidad

Compensación, que implica la disminución de un pasivo equivalente al valor económico del derecho reconocido.

C) Extinción anormal de los derechos reconocidos

Que implican una pérdida patrimonial para la entidad por alguna de las siguientes causas legalmente establecidas:

a) Anulación total o parcial de los efectos de los actos generadores de los derechos reconocidos.

b) Anulación por declaración de insolvencia del deudor.

c) Anulación por prescripción.

D) Reembolso a los interesados de las cantidades ingresadas

Se producirá contra las partidas de ingresos del Presupuesto del ejercicio en que se acuerde, bien como consecuencia de la anulación de un derecho ya ingresado, bien por la existencia de errores o duplicidades.

5.3. EL CIERRE Y LA LIQUIDACION DEL PRESUPUESTO

Como consecuencia del carácter anual del Presupuesto, las entidades locales deben proceder a 31 de diciembre de cada año al cierre y liquidación de este. Así, el artículo 191 del TRLRHL establece que las entidades locales deberán confeccionar la liquidación de su Presupuesto antes del día 1de marzo del ejercicio siguiente.

El Presupuesto de cada ejercicio se liquidará en cuanto a la recaudación de derechos y al pago de obligaciones el 31 de diciembre del año natural correspondiente, quedando a cargo de la Tesorería local los ingresos y pagos pendientes.

La aprobación de la liquidación del presupuesto corresponde al Presidente de la entidad local, previo informe de la Intervención.

De la liquidación de cada uno de los Presupuestos (el de la entidad y los de sus organismos dependientes), una vez efectuada su aprobación, se dará cuenta al Pleno en la primera sesión que celebre. Las entidades locales remitirán copia de la liquidación de sus Presupuestos, antes de finalizar el mes de marzo del ejercicio siguiente al que corresponda, a la Comunidad Autónoma y al centro o dependencia del Ministerio de Hacienda que éste determine.

Como consecuencia del cierre y para realizar la liquidación debe obtenerse del sistema contable la siguiente información:

Respecto del Presupuesto de gastos, y para cada aplicación presupuestaria, los créditos iniciales, sus modificaciones, y los créditos definitivos, los gastos comprometidos, las obligaciones reconocidas netas, y los pagos realizados.

Respecto del Presupuesto de ingresos, y para cada concepto, las previsiones iniciales, sus modificaciones y las previsiones definitivas, los derechos reconocidos y anulados, así como los recaudados netos.

5.3.1. Magnitudes a determinar en la liquidación del Presupuesto

Además de lo anterior y como consecuencia de la liquidación del Presupuesto, deberán determinarse, los siguientes conceptos:

- Los derechos pendientes de cobro y las obligaciones pendientes de pago al 31 de diciembre.
- Los remanentes de crédito.
- El resultado presupuestario del ejercicio.
- El remanente de tesorería.

A) Derechos pendientes de cobro

Son todos aquellos derechos que a 31 de diciembre aún no han sido cobrados o recaudados por la entidad local, reflejando ese derecho y en espera de efectuar el ingreso en la tesorería de la misma.

B) Obligaciones pendientes de pago

Son todas aquellas obligaciones que a 31 de diciembre aún no han podido abonarse por la entidad local, quedando pendiente, y efectuando, en contabilidad, la correspondiente obligación del mismo.

C) Remanentes de crédito

Saldos definitivos no afectados al cumplimiento de las obligaciones por no haberse reconocido las mismas. En definitiva, los remanentes de crédito no son otra cosa que la parte del crédito presupuestario que se encuentra en fase anterior al reconocimiento de la obligación, por lo que en principio viene determinado por la diferencia entre: créditos definitivos menos obligaciones reconocidas.

D) Resultado presupuestario

El resultado presupuestario se regula en los arts. 96 y 97 de RD 500/1990 y en el apartado 10 de las normas de elaboración de las cuentas anuales contenidas en la Instrucción de contabilidad y se define como por la diferencia entre los derechos presupuestarios netos liquidados durante el ejercicio y las obligaciones presupuestarias netas reconocidas durante el mismo periodo.

El importe de los derechos reconocidos netos se obtendrá por diferencia entre los derechos reconocidos y los derechos anulados y cancelados. El importe de las obligaciones reconocidas netas se obtendrá por diferencia entre las obligaciones reconocidas y las obligaciones anuladas

Este resultado presupuestario deberá, en su caso, ajustarse en función de las obligaciones financiadas con remanente de tesorería y de las desviaciones de financiación del ejercicio derivadas de la ejecución de gastos con financiación afectada, como hemos señalado anteriormente.

E) Remanente de Tesorería

El remanente de tesorería se regula en los arts. 101 al 105 de RD 500/1990 y en el art. 24.6 de la Memoria contenida en el Modelo de Cuentas Anuales de la Instrucción de contabilidad. Está integrado por los derechos pendientes de cobro, las obligaciones pendientes de pago y los fondos líquidos, todos ellos referidos al 31 de diciembre del ejercicio y debidamente cuantificados.

5.3.2. Cálculo del resultado presupuestario

El *resultado presupuestario* se calcula a partir de los datos que figuren en la contabilidad de la entidad antes de realizar las operaciones de regularización y cierre del ejercicio.

El *resultado presupuestario ajustado* es la magnitud que se obtiene después de realizar sobre el resultado presupuestario los ajustes en aumento por el importe de las obligaciones reconocidas que se hayan financiado con remanente de tesorería para gastos generales, así como los ajustes también en aumento por el importe de las desviaciones de financiación negativas y en disminución por el importe de las desviaciones de financiación positivas que se hubieran producido en los gastos con financiación afectada durante el ejercicio presupuestario.

5.3.3. Cálculo del remanente de tesorería

El *remanente de tesorería* se cuantifica a partir de los datos que el fin de ejercicio figure en la contabilidad, antes del cierre de esta.

El remanente de tesorería se obtiene como suma de los fondos líquidos más los derechos pendientes de cobro, deduciendo las obligaciones pendientes de pago.

Dentro del remanente de tesorería, el denominado *remanente de tesorería disponible para la financiación de gastos generales* se determina minorando el remanente de tesorería en el importe de los derechos pendientes de cobro que, al fin del ejercicio, se consideren de difícil o imposible recaudación y en el exceso de financiación afectada producido.

El *exceso de financiación afectada* está constituido por la suma de las desviaciones de financiación positivas acumuladas a fin de ejercicio.

Los remanentes de tesorería para gastos generales pueden tener signo positivo o negativo.

Cuando es positivo, el art. 104 del RD 500/1990 señala que el remanente de tesorería positivo constituye un recurso para la financiación de modificaciones de créditos en el presupuesto. En ningún caso el remanente de tesorería formará parte de las previsiones iniciales de ingresos ni podrá financiar los créditos iniciales del Presupuesto de Gastos.

Cuando es negativo, el art. 193 del TRLRHL establece que el Pleno de la Corporación o el órgano competente del organismo autónomo, según corresponda, deberá proceder, en la primera sesión que celebren, a la reducción de gastos del nuevo Presupuesto por cuantía igual al déficit producido.

Si la reducción de gasto no resultase posible se podrá acudir al concierto de una operación de crédito por su importe, siempre que se den las condiciones señaladas en el art. 177.5 del TRLRHL[20].

De no adoptarse ninguna de las medidas anteriores, el Presupuesto del ejercicio siguiente habrá de aprobarse con un superávit inicial de cuantía no inferior al repetido déficit.

---

[20]   Para poder concertar esa operación de crédito deben darse conjuntamente las siguientes condiciones:
a. Que su importe total no supere el 5% de los recursos por operaciones corrientes del presupuesto de la entidad.
b. Que la carga financiera (entendida como la suma de los gastos de los capítulos 3 y 9 en relación con los ingresos corrientes capítulos 1 al 5) de la entidad, cualquiera que sea su naturaleza, incluida la derivada de las operaciones en tramitación, no supere el 25% de los expresados recursos.
c. Que la operación quede cancelada antes de que se proceda a la renovación de la Corporación que la concierte.

Los excesos de financiación que corresponden a las desviaciones de financiación positivas acumuladas al fin del ejercicio constituyen el denominado *remanente de tesorería afectado* a gastos con financiación afectada.

Cuando es positivo, el art. 102.2 del RD 500/1990 indica que la utilización del remante de tesorería afectado a gastos con financiación afectada queda restringida a la financiación de incorporaciones de crédito u otras modificaciones de carácter excepcional, y tan solo para los mismos gastos que generaron el correspondiente exceso de financiación. Al igual que en el remante de tesorería para gastos generales el art. 104 del RD 500/90, establece que:

Este remanente se podrá utilizar solo para la financiación de incorporaciones de crédito u otras modificaciones de carácter excepcional. En ningún caso el remanente de tesorería formará parte de las previsiones iniciales de ingresos ni podrá financiar los créditos iniciales del Presupuesto de Gastos.

La utilización del remanente de tesorería como recurso para la financiación de modificaciones de créditos no dará lugar ni al reconocimiento ni a la liquidación de derechos.

El remanente de tesorería será objeto del oportuno *control contable* que permita determinar en cada momento la parte utilizada para financiar gasto y la parte pendiente de utilizar, que constituye el remanente líquido de tesorería.

La utilización de este remanente ha quedado condicionada por lo dispuesto en el artículo 32 LOEPSF, que establece que en el supuesto de que la liquidación presupuestaria se sitúe en superávit en las Corporaciones Locales (al igual que en el caso del Estado y Comunidades Autónomas) éste se destinará a reducir el nivel de endeudamiento neto.

No obstante, dicha exigencia queda matizada por la Disposición Adicional Sexta de la referida Ley Orgánica (introducida por la Ley Orgánica 9/2013, de 20 de diciembre, de control de la deuda comercial en el sector público), prorrogada por el Real Decreto-Ley 17/2014, de 26 de diciembre, de medidas de sostenibilidad financiera de las comunidades autónomas y entidades locales y otras de carácter económico.

En este sentido, para las Corporaciones Locales que no superen los límites que fije la legislación reguladora de las Haciendas Locales en materia de autorización de operaciones de endeudamiento, presenten en el ejercicio anterior simultáneamente superávit en términos de contabilidad nacional y remanente de tesorería positivo para gastos generales y su período medio de pago a proveedores, de acuerdo con los datos publicados, no supere el plazo máximo de pago previsto en la normativa sobre morosidad (30 días), podrán destinar una parte de su superávit a la financiación de inversiones financieramente sostenibles que se financiarán con el remanente de tesorería para gastos generales.

La modificación introducida a través de la LO 9/2013 se ha prorrogado anualmente hasta 2020. Dicha prórroga se ha dejado sin efecto para 2020 mediante Resolución de

10 de septiembre de 2020, que publica el Acuerdo del Congreso de los Diputados por el que se deroga el Real Decreto-ley 27/2020, de 4 de agosto.

6. EL CONTROL DEL PRESUPUESTO

La legislación local adecúa su sistemática a la tradicional distinción entre control interno (si lo ejercita un órgano encuadrado en la propia estructura del ente gestor) y externo (si el órgano fiscalizador no depende orgánica ni funcionalmente del que gestiona el Presupuesto).

El *control interno* del Presupuesto se basa en el régimen de contabilidad pública a que se someten las Corporaciones Locales (art. 200 TRLRHL), que se ve cumplimentado con la aprobación de Instrucciones de Contabilidad. El control interno se desarrolla por la Intervención de la Entidad[21], bajo la forma de intervención (art. 214 TRLRHL), control financiero en forma de auditoría (art. 220 TRLRHL) y control de eficacia (art. 221 TRLRHL).

El *control externo* compete al Pleno de la Corporación, que recibirá informes periódicos de la Intervención (art. 207 TRLRHL) y al Tribunal de Cuentas, al que se somete la Cuenta General de la Entidad, descrita por el art. 209 TRLRHL y aprobada por el Pleno previo informe de la Comisión Especial de Cuentas de la Entidad y exposición al público (art. 212 TRLRHL). En este sentido, el art. 223.2 TRLRHL recuerda que "a tal efecto, las Entidades locales rendirán al citado Tribunal, antes del día 15 de octubre de cada año, la Cuenta General a que se refiere el art. 209 de la presente Ley correspondiente al ejercicio económico anterior". Eventualmente, también podrá ejercer la función fiscalizadora el órgano de control de cuentas autonómico, cuya competencia se extiende a las Corporaciones Locales del territorio de la Comunidad, si bien, en caso de concurrencia de funciones entre el Tribunal de Cuentas y el órgano de fiscalización autonómico, como recuerda la STC 187/1988, de 17 de octubre, deberán emplearse "las

---

[21] El art. 92 bis, 1 b), de la Ley 7/1985, de 2 de abril, introducido por la Ley 27/2013, declara como funciones públicas necesarias en todas las Corporaciones Locales, cuya responsabilidad administrativa está reservada a funcionarios de administración local con habilitación de carácter nacional, el control y la fiscalización interna de la gestión económico-financiera y presupuestaria, y la contabilidad, tesorería y recaudación. Este precepto ha sido desarrollado por el art. 14 del Real Decreto 1174/1987, de 18 de septiembre, de régimen jurídico de los funcionarios de Administración local con habilitación nacional, que atribuye al Interventor, en las Corporaciones Locales donde exista este puesto de trabajo, o al Secretario-Interventor, en las demás, la responsabilidad administrativa de las funciones de control y fiscalización interna de la gestión económico-financiera y presupuestaria. Vid., sobre las funciones del Interventor en el control interno y externo, el trabajo de M. Fueyo Bros, "Fortalecimiento de la función interventora y del control interno y externo", *El Consultor de los Ayuntamientos*, nº 23, del 15 al 29 de diciembre, 2014, tomo II, págs. 2535 y ss.

técnicas tendentes a reducir a unidad la actuación de unos y otros y a evitar duplicidades innecesarias o disfuncionalidades, que serían contrarios a los criterios de eficiencia y economía enunciados en el art. 31.2 de la Constitución" (FJ 12).

7. BIBLIOGRAFÍA

Collado Yurrita, M. A. y Moreno González, S. "Principios constitucionales del Derecho Financiero. Principios materiales", en *Derecho Financiero y Tributario. Parte General*, 3ª edición, Atelier, Barcelona, 2013.

García Serrador, A. "Teoría General sobre Reglas Fiscales", *Quaderns de Política Econòmica*, nº 8, Sept.-Dic. 2004

González Pueyo, J. M. y Vigo Martín, B. *Manual de Presupuestos y Contabilidad de las Corporaciones Locales*, La Ley-El Consultor de los Ayuntamientos, Madrid, 2014.

Fernández Marín, F. "El ciclo presupuestario", en *Derecho Financiero y Tributario. Parte General*, 3ª edición, Atelier, Barcelona, 2013.

Fueyo Bros, M. "Fortalecimiento de la función interventora y del control interno y externo", *El Consultor de los Ayuntamientos*, nº 23, del 15 al 29 de diciembre, 2014.

Martín Queralt, J; Lozano Serrano, C. Tejerizo López, J. M. Casado Ollero, G. *Curso de Derecho Financiero y Tributario*, 25ª edición, 2014 (lecciones 21 a 25).

Martínez Giner, L. A. (Coord.). *Manual de Derecho Presupuestario y de los Gastos Públicos*, Tirant lo Blanch, Valencia, 2012.

Navarro Faure, A. "El Gobierno económico de la UE y los principios de justicia del gasto público en una hacienda plural", *Crónica Presupuestaria,* nº 1, 2013.

Nocete Correa, F. J. "El Presupuesto: concepto, contenido y funciones. Los principios presupuestarios", en *Derecho Financiero y Tributario. Parte General*, 3ª edición, Atelier, Barcelona, 2013.

Pascual García, J. *Régimen jurídico del gasto público. Presupuestación, ejecución y control*, 5ª edición, Boletín Oficial del Estado, Madrid, 2009.

Ramos Prieto, J. "La legislación autonómica de régimen local", en *Serie Claves del Gobierno Loca*l, Fundación Democracia y Gobierno Local, nº 10, 2009.

Rodríguez Bereijo, A. "La Ley de Presupuestos en la Constitución Española de 1978", en *Hacienda y Constitución*, Instituto de Estudios Fiscales, Madrid, 1979.

Rodríguez Bereijo, A. "Jurisprudencia constitucional y Derecho presupuestario: cuestiones resueltas y temas pendientes", *Revista Española de Derecho Constitucional*, nº 44, 1995.

Saura Quiles, J. J. *Manual de Estabilidad Presupuestaria, Endeudamiento Financiero y Morosidad de las Entidades Locales*, Fundación de Asesores Locales y Diputación de Cádiz, Málaga, 2012.

Capítulo XV
EL RÉGIMEN JURÍDICO DEL ENDEUDAMIENTO DE LAS ENTIDADES LOCALES

JOSÉ ÁNGEL GÓMEZ REQUENA
Profesor Contratado Doctor Interino de Derecho Financiero y Tributario
Centro Internacional de Estudios Fiscales
Universidad de Castilla-La Mancha
JoseAngel.Gomez@uclm.es

SUMARIO: 1. INTRODUCCIÓN. 2. REGULACIÓN PREVIA DEL ENDEUDAMIENTO LOCAL. 3. CLASIFICACIÓN DE LAS OPERACIONES DE CRÉDITO DE LAS ENTIDADES LOCALES. 4. RÉGIMEN DE AUTORIZACIÓN. 5. OBLIGACIONES DE SUMINISTRO DE INFORMACIÓN EN EL ENDEUDAMIENTO LOCAL. 6. LÍMITES AL ENDEUDAMIENTO LOCAL: LOS PRINCIPIOS DE SOSTENIBILIDAD Y PRUDENCIA FINANCIERA. 6.1. El impacto de la estabilidad presupuestaria sobre las haciendas locales. 6.2. El principio de sostenibilidad financiera. 6.3. El principio de prudencia financiera 7. EL PLAN ECONÓMICO-FINANCIERO Y EL PLAN DE REEQUILIBRIO. 8. CONCLUSIONES. 9 BIBLIOGRAFÍA

1. INTRODUCCIÓN

El recurso a las operaciones de crédito es una vertiente más de la actividad financiera de las Administraciones públicas para allegar recursos con los que financiar los gastos derivados del ejercicio de sus competencias. La propia fisonomía de las operaciones de crédito conlleva que los ingresos que entran en la correspondiente hacienda pública se conviertan en un gasto en el corto, medio o largo plazo. Por ello, las operaciones de crédito son figuras de endeudamiento que pueden poner en peligro la sostenibilidad de las cuentas públicas, haciéndose necesario un efectivo control de las operaciones de endeudamiento desde todos los niveles.

Por todos es conocido que el art. 135 de la Constitución Española impone el principio de estabilidad presupuestaria, tal y como exigen las normas de la Unión Europea. La llegada de la pandemia por SARS-CoV-2 y la posterior crisis provocada por la invasión rusa de Ucrania ha obligado a suspender las reglas fiscales para el periodo 2020-2023. Los límites de endeudamiento se ven sustituidos, tal y como dispone la Ley Orgánica 2/2012, de 27 de abril, de Estabilidad Presupuestaria y Sostenibilidad Financiera, por tasas de referencia. Para el ejercicio 2022 se ha estimado un déficit público del conjunto de las Administraciones públicas del 5% del PIB. Sin embargo, para las entidades locales la tasa de referencia es el 0% (en 2021 fue el 0,1%), lo que les obliga a mantener un equilibrio.

En este escenario, la Comisión Nacional de Administración Local expresó en octubre de 2020 que los Ayuntamientos pueden emplear sus remanentes de tesorería para combatir los efectos nocivos sobre la economía y el tejido social que ha provocado la crisis sanitaria del SARS-Cov-2. De esta manera, el superávit de las entidades locales no tiene que emplearse obligatoriamente a la amortización de su deuda. En esta línea, el Real Decreto-Ley 8/2020, de 17 de marzo autorizó a las entidades locales a que el superávit de 2019 fuese empleado para financiar el gasto social, no computando en la regla de gasto. Asimismo, el Real Decreto-Ley 23/2020, de 23 de junio, habilitó a las Administraciones locales a destinar en el ejercicio 2020 el 7% de su superávit de 2019 para financiar gastos de inversión en vehículos eléctricos puros o no contaminantes con etiqueta medioambiental, así como en infraestructuras de recarga, que fuesen a dedicarse a la prestación de servicios públicos de recogida, eliminación y tratamiento de residuos, seguridad y orden público, protección civil, prevención y extinción de incendios y de transporte de viajeros.

Más allá de estas excepciones que son consecuencia del escenario socioeconómico que está ocurriendo, el régimen jurídico de las operaciones de crédito sigue vigente, lo que conlleva importantes restricciones, como tendremos ocasión de estudiar en este trabajo, para las entidades locales.

El artículo 48 del Real Decreto Legislativo 2/2004, de 5 marzo, por el que se aprueba el texto refundido de la Ley Reguladora de las Haciendas Locales (TRLRHL), establece que "las entidades locales, sus organismos autónomos y los entes y sociedades mercantiles dependientes podrán concertar operaciones de crédito en todas sus modalidades, tanto a corto como a largo plazo, así como operaciones financieras de cobertura y gestión del riesgo del tipo de interés y del tipo de cambio". Por su parte, el art. 49 TRLRHL habilita a las entidades locales a recurrir al crédito público y privado para la financiación de sus inversiones y para la sustitución total o parcial de operaciones preexistentes.

El objeto de este trabajo es analizar el régimen jurídico de las operaciones de crédito de las entidades locales. Para ello, se analizarán cuestiones básicas como la clasificación de los tipos de créditos, el régimen de autorizaciones, los umbrales para concertar operaciones de crédito a largo y corto plazo y las consecuencias del incumplimiento del objetivo de equilibrio presupuestario.

2. REGULACIÓN PREVIA DEL ENDEUDAMIENTO LOCAL

El primer antecedente normativo de las operaciones de crédito de las entidades locales lo encontramos en los arts. 49 a 56 de la Ley 29/1988, de 28 de diciembre, reguladora de las Haciendas Locales. Este régimen habilitaba a las Haciendas locales a obtener financiación a través del recurso al endeudamiento y sometía las operaciones a diversos regímenes de autorización, en unos casos del Estado y en otros de las Comunidades Autónomas.

El art. 52 permitía a las entidades locales la concertación de operaciones de tesorería por plazo inferior al año con cualquier entidad financiera para atender sus necesidades transitorias de tesorería, siempre que en su conjunto no superasen el 35% de sus ingresos liquidados por operaciones corrientes en el último ejercicio liquidado.

Cualquier operación de crédito debía venir acordada por el Pleno de la Corporación, previo informe de la Intervención. Se permitía que el presidente de la Corporación aprobase las operaciones siempre que no superasen el 5% de los ingresos liquidados por operaciones corrientes del último ejercicio liquidado y se informe al Pleno en la sesión inmediata.

La normativa original permitía también a las entidades locales, cuando lo estimasen conveniente a sus intereses, conceder su aval a operaciones de crédito para facilitar la realización de obras y prestación de servicios de su competencia a operaciones concertadas por personas o entidades con las que aquellas contratasen obras o servicios, o que explotasen concesiones que revertiesen a la entidad local.

En cuanto al régimen de autorizaciones para las operaciones de endeudamiento se establecía autorización de la Administración central para las operaciones de crédito a formalizar con el exterior y las que se instrumentaran mediante emisiones de deuda o cualquier otra apelación al crédito público. Respecto al resto de operaciones de concertación de créditos y concesión de avales se exigía autorización del Estado, salvo que la Comunidad Autónoma tuviese atribuida la competencia de tutela financiera sobre las entidades locales de su territorio. Por último, se señalaban como operaciones de crédito para las cuales no necesitaban autorización los entes locales. En primer lugar, cuando la cuantía de la operación proyectada no rebasase el 5% de los recursos liquidados de la Entidad por operaciones corrientes, deducidos de la última liquidación presupuestaria practicada; y, en segundo lugar, cuando el crédito se destinase a financiar obras y servicios incluidos en planes provinciales y programas de cooperación económica local debidamente aprobados. Para que esta ausencia de autorización tuviese aplicación era necesario que la carga financiera anual derivada de la suma de las operaciones vigentes concertadas por la Entidad local y de la proyectada, no exceda del 25 por 100 de los recursos de la misma a que en este apartado se ha hecho referencia.

La primera gran reforma del régimen jurídico del endeudamiento local se produjo mediante la Ley 13/1996, de 30 de diciembre, de Medidas Fiscales, Administrativas y del Orden Social. Se introdujeron cambios sobre los preceptos de la Ley 39/1988 en lo referente al régimen de control y fiscalización del gasto público de las entidades locales, adaptándolo al régimen de control de la Administración General del Estado, y se actualizó el régimen de las operaciones financieras concertadas con fijación de mecanismos de control y vigilancia del endeudamiento. Esta reforma fue fruto del elevado déficit público que arrastraron las Haciendas locales en la década de los 80 y 90.

Mediante la reforma señalada, la cual entró en vigor en enero de 1997, se incluyó en el ámbito subjetivo del art. 49 de la Ley 39/1988 a las "sociedades mercantiles de capital íntegramente local", permitiéndoles la entrada también a las operaciones de crédito, público o privado, a medio y largo plazo. De igual manera, se les permitió también a las empresas públicas participadas íntegramente por las entidades locales a concertar operaciones de tesorería, así como, se introdujeron por primera vez nuevos conceptos para controlar el endeudamiento como el ahorro bruto, el ahorro neto y la anualidad teórica de amortización.

Se prohibió que las entidades locales concertasen nuevas operaciones de crédito a medio y largo plazo destinadas a financiar inversiones cuando de la liquidación de su presupuesto se dedujese ahorro neto negativo superior al 2% de los ingresos corrientes liquidados. Si estaba entre el 2% y el 7%, el Pleno debía aprobar un Plan de saneamiento. Respecto a las operaciones de tesorería, se elevó el límite para concertarlas hasta el 35% de los ingresos liquidados por operaciones corrientes en el último ejercicio liquidado. Además, sin presupuesto aprobado, no se podían concertar operaciones de crédito, excepto para financiar inversiones que deriven de expedientes de modificación de crédito. Por su parte, el Presidente de la Corporación, podrá autorizar las operaciones de tesorería cuando no superen el 15% de los ingresos liquidados por operaciones corrientes.

A través de la Ley 66/1997, de 30 de diciembre, de Medidas Fiscales, Administrativas y en el orden social, se introducen ligeras modificaciones para incentivar a las entidades locales a cumplir las obligaciones que contrajesen en sus operaciones de crédito. A estos efectos, se permitió que, excepcionalmente, cuando se prorroguen los presupuestos se pudiesen concertar operaciones de tesorería, dentro de los límites fijados por la normativa, siempre que las concertadas previamente hayan sido reembolsadas y se justifique, así como la contratación de operaciones de crédito a medio y largo plazo para la financiación de inversiones vinculadas a modificaciones de crédito. También se estableció que cuando las operaciones de crédito se garantizasen con hipotecas sobre bienes inmuebles, las anualidades teóricas resultantes no se computasen como cargas financieras a efectos del cálculo del ahorro neto, en proporción a la parte del coste de las inversiones cubiertas con dichas garantías.

La siguiente gran reforma se produce con la Ley 50/1998, de 30 de diciembre, de Medidas Fiscales, Administrativas y del Orden Social, que introduce nuevas limitaciones a la capacidad de endeudamiento de las entidades locales. Esta reforma se produce como consecuencia del Tratado de Maastricht y los compromisos adquiridos por España en el Pacto de Estabilidad y Crecimiento, acordado en 1997, que limitaba el déficit público. Entre los cambios más significativos se destaca la desaparición del concepto carga financiera y su sustitución por el de volumen total del capital vivo de las operaciones de crédito. Por otra parte, se estableció la necesidad de autorización para las operaciones de crédito a largo plazo de cualquier naturaleza incluido el riesgo deducido de avales cuando el volumen total del capital vivo de las operaciones de crédito vigentes a corto y largo plazo excediese del 110% de los ingresos corrientes liquidados o devengados en el ejercicio inmediatamente anterior.

Con la entrada en vigor de la Ley 18/2001, General de Estabilidad Presupuestaria, se introdujeron nuevas y severas limitaciones al endeudamiento local ya que, para las autorizaciones, el organismo autorizante debía tener en cuenta, con carácter preferente, el cumplimiento del principio de estabilidad presupuestaria. Esta normativa estableció también medidas como el plan económico-financiero para corregir situaciones de ahorro neto negativo y desequilibrios. Esta Ley impuso a las entidades locales, así como al resto de Administraciones Públicas, la necesidad de planificar conjuntamente su situación financiera y el equilibrio presupuestario de acuerdo con el Sistema de Cuentas Nacionales y Regionales (SEC)[1].

Por su parte, la Ley 62/2003, de 30 de diciembre, de medidas fiscales, administrativas y del orden social, reformó la expresión "sociedades mercantiles de capital íntegramente local" y lo amplió hasta los organismos autónomos y sociedades mercantiles dependientes.

Finalmente, entró en vigor en nuestro ordenamiento jurídico la vigente regulación a través del TRLRHL en el año 2004, la cual ha sufrido modificaciones que procedemos a estudiar de manera consolidada en los epígrafes siguientes de este trabajo.

3. CLASIFICACIÓN DE LAS OPERACIONES DE CRÉDITO DE LAS ENTIDADES LOCALES

En primer lugar, ha de señalarse que el artículo 52.1 TRLRHL establece que la concertación o modificación de las operaciones de crédito con las entidades financieras de cualquier naturaleza les resultará de aplicación el Real Decreto-Legislativo 2/2000,

---

[1] Cfr. GARCÍA MARTÍNEZ, E., *La estabilidad presupuestaria y el principio de estabilidad presupuestaria en el ámbito de las entidades locales*, Tesis Doctoral Universidad de Alicante, 2018, pág. 100.

de 16 de junio, por el que se aprueba el texto refundido de la Ley de Contratos de las Administraciones Públicas. Hoy en día, esa remisión debe entenderse a la Ley 9/2017, de 8 de noviembre, de Contratos del Sector Público, por la que se transponen al ordenamiento jurídico español las Directivas del Parlamento Europeo y del Consejo 2014/23/UE y 2014/24/UE, de 26 de febrero de 2014.

Sin embargo, la vigente regulación de contratación del sector público excluye expresamente los contratos relativos a servicios financieros relacionados con la emisión, compra, venta o transferencia de valores o de otros instrumentos financieros, así como los servicios prestados por el Banco de España y las operaciones realizadas con la Facilidad Europea de Estabilización Financiera y el Mecanismo Europeo de Estabilidad y los contratos de préstamo y operaciones de tesorería, estén o no relacionados con la emisión, venta, compra o transferencia de valores o de otros instrumentos financieros, tal y como establece el art. 10 Ley 9/2017. Por lo tanto, las normas aplicables al régimen jurídico de las operaciones de crédito serán las comprendidas en el TRLRHL y las normas reglamentarias de desarrollo correspondiente, debiendo publicarse las mismas en los Boletines oficiales correspondientes donde se garantice una concurrencia competitiva de todas las entidades financieras.

Toda operación de concertación o modificación del crédito debe venir acordada con un informe previo de la Intervención, el cual analizará la capacidad de la entidad local para hacer frente, en el tiempo, a las obligaciones que se deriven. Por su parte, los presidentes de las corporaciones locales podrán concertar operaciones de crédito a largo plazo que vengan previstas en el presupuesto con un importe acumulado, dentro de cada ejercicio económico, no superior al 10% de los recursos de carácter ordinario previstos en dicho presupuesto. Podrán también concertar operaciones de crédito a corto plazo cuando el importe acumulado de las operaciones vivas de esta naturaleza, inclusive la nueva, no supere el 15% de los recursos corrientes liquidados en el ejercicio anterior. Si se superasen los umbrales mencionados, la aprobación le competerá al pleno de la corporación local.

El recurso a las operaciones de crédito por parte de las entidades ha de deberse a dos supuestos concretos:

- Para obtener financiación para sus inversiones.
- Para sustituir total o parcialmente operaciones de crédito preexistentes.

En lo que atañe al ámbito subjetivo, el recurso al crédito se permite a los siguientes entes:

- Entidades locales
- Organismos autónomos de las entidades locales
- Demás entes y sociedades mercantiles dependientes que presten servicios o produzcan bienes que no se financien mayoritariamente con ingresos de mercado.

El art. 49.1 TRLRHL les permite acudir tanto al crédito público como al privado, a largo plazo, en cualquiera de sus formas. El artículo 48 TRLRH posibilita que las operaciones de crédito que puedan concertar las entidades locales sean de cualquier modalidad[2]. No obstante, el apartado segundo del artículo 49 ofrece un listado *numerus apertus* de modalidades de crédito. Su propia redacción deja entrever que, entre las diversas modalidades de financiación que existan en el mercado, las entidades locales podrán instrumentarse de la manera que señalamos a continuación.

En primer lugar, se encuentra la emisión pública de deuda. Su procedimiento de emisión se encuentra principalmente regulado en el Real Decreto 705/2002, de 19 de julio, por el que se regula la autorización de las emisiones de Deuda Pública de las entidades locales. Es una fuente de financiación a través de la cual se emiten uno títulos financieros que dan derecho a su suscriptor a un pago futuro a cambio de un precio. Las emisiones de deuda pública de las entidades locales se mecanizan también a través de una oferta pública, en la cual pueden participar cualquier persona interesada. Cada uno de los títulos emitidos representaría una parte proporcional del volumen de deuda pública emitida. La emisión de deuda pública local suele articularse a través de una entidad financiera que, a cambio de una comisión, emprenderá las labores de colocación de dicha deuda en el mercado financiero. El art. 49.3 TRLRHL determina que la deuda pública de las entidades locales y los títulos valores en los que se emitan gozarán de los mismos beneficios y condiciones que la deuda pública emitida por el Estado, entre los que podríamos destacar la necesidad de autorización o su inclusión en la partida de gastos de los presupuestos con carácter prioritario.

En segundo lugar, se hallan los préstamos, los cuales son el mecanismo más habitual a través del que se instrumentan las operaciones de crédito. La forma habitual es suscribirlos con entidades financieras. Consiste en obligarse a devolver, dentro del plazo fijado y al interés pactado, el capital y los intereses devengados al prestamista. La normativa establece en el apartado cuarto del artículo 49 TRLRHL la obligatoriedad de articular mediante préstamos o créditos concedidos por entidades financieras en los supuestos excepcionales previstos en los artículos 177.5 y 193.2 TRLRHL.

El supuesto excepcional del art. 177.5 TRLRHL se refiere a la obtención de recursos extraordinarios para financiar nuevos o mayores gastos que expresamente sean declarados necesarios y urgentes y que las operaciones de crédito cumplan todos los siguientes requisitos:

- Que su importe total anual no supere el cinco por ciento de los recursos por operaciones corrientes del presupuesto de la entidad.

---

2   Este precepto habilita a que se recurra a contratos de *confirming, factoring, leasing* o cualquier otra modalidad de obtención de crédito.

- Que la carga financiera total de la entidad, incluida la derivada de las operaciones proyectadas, no supere el 25% de los expresados recursos.

- Que las operaciones queden canceladas antes de que se proceda a la renovación de la Corporación.

Con relación al artículo 193 TRLRHL, cuando una entidad local liquide su presupuesto con un remanente de tesorería negativo deberá aprobarse inmediatamente un plan de reducción de gastos por cuantía igual al déficit producido. Si la reducción no fuese posible, se podrá acudir a la concertación de una operación de crédito (articulada a través de un préstamo con una entidad financiera) por su importe, cuando se den los requisitos expuestos arriba para el artículo 177.5 TRLRHL.

Por último, el art. 49.2 TRLRHL cierra el ámbito objetivo de las operaciones de crédito con cualquier otra apelación al crédito público o privado y con la conversión y sustitución total o parcial de operaciones preexistentes. No obstante, los apartados sexto, séptimo y octavo del citado artículo aun regulan otro mecanismo de crédito como son los avales.

Los avales públicos emitidos por una entidad local no consisten propiamente en la obtención de financiación como prestatario, sino en actuar como avalista de la entidad que suscribe el préstamo. El aval solo puede prestarse a personas ligadas a la entidad y que presten servicios públicos como contratistas o concesionarios. De esta manera, se consigue dar mayor facilidad a que las entidades locales emprendan obras y servicios de gran tamaño garantizando las obligaciones financieras de las empresas contratistas o concesionarias.

El art. 49.6 TRLRHL determina que las corporaciones locales podrán, cuando lo estimen oportuno a sus interés y con la finalidad de facilitar la realización de obras y prestaciones de servicios de su competencia, conceder avales a las operaciones de crédito, con independencia de su naturaleza, pero siempre de forma individualizada a cada operación, realizadas por personas o entidades con las que aquellas contraten obras o servicios, o que exploten concesiones que acaben revirtiendo en la entidad respectiva. El apartado séptimo permite también a las corporaciones locales a conceder avales a las sociedades mercantiles participadas por personas o entidades privadas en las que la entidad local tenga una participación en su capital social superior al 30%. En estos casos, el aval no puede garantizar un porcentaje del crédito superior al de su participación en la sociedad. Finalmente, el apartado octavo del art. 49 TRLRHL establece que las concesiones de avales estarán sujetas a fiscalización previa y que el importe del préstamo garantizado no podrá ser superior al que hubiere supuesto la financiación directa mediante crédito de la obra o del servicio por la propia entidad.

El art. 50 TRLRHL es un pilar fundamental en la construcción del régimen jurídico del endeudamiento local. Es un elemento más que configura el carácter estricto del recurso al crédito por parte de las entidades locales. Como regla general, es condición necesaria para concertar cualquiera de las modalidades de crédito analizadas anteriormente que la corporación o entidad tengan el presupuesto aprobado para el ejercicio en curso. Esta situación debe acreditarse en el momento en que se suscriba el contrato, la póliza o documento mercantil en el que se soporte la operación ante la entidad financiera correspondiente o el fedatario público que intervenga en la formalización del documento.

Esta regla general tiene una excepción para cuando se produzca la situación de prórroga presupuestaria. En estos casos, únicamente se va a permitir a las entidades locales concertar las dos siguientes operaciones de crédito:

- Operaciones de tesorería, dentro de los límites que fije la ley, siempre y cuando las operaciones concertadas sean reembolsadas y se justifique este extremo en la forma señalada en el párrafo primero del artículo 50 TRLRHL, expuesto anteriormente.

- Operaciones de crédito a largo plazo para financiar inversiones vinculadas directamente a modificaciones de crédito tramitadas en la forma prevista en los artículos 1, 2, 3 y 6 del art. 177 TRLRHL.

Los tipos de operaciones de crédito pueden dividirse, por un lado, en operaciones a corto plazo, cuyo régimen jurídico lo hallamos en el artículo 52 TRLRHL, y, por otro lado, las operaciones a largo plazo, cuyo régimen jurídico se encuentra en el artículo 53 y 54 TRLRHL.

Las operaciones de crédito a corto plazo están diseñadas para atender necesidades transitorias de tesorería y su característica principal es que no pueden exceder de los siguientes parámetros:

- Que su plazo de duración no supere un año, computándose éste de fecha a fecha, sin necesidad de que coincida con el ejercicio presupuestario.

- Que el conjunto de todas las operaciones de crédito a corto plazo no supere el 30% de los ingresos liquidados por operaciones corrientes en el ejercicio anterior, salvo que la operación haya de realizarse en el primer semestre del año sin que se haya producido la liquidación del presupuesto de tal ejercicio, en cuyo caso se tendrá en cuenta la liquidación del ejercicio anterior a este último.

Este tipo de operaciones tiene como finalidad atender necesidades de tesorería transitorias y permite a las entidades locales anticipar un ingreso que iba a producirse en el futuro. Son operaciones extrapresupuestarias puesto que no financian ninguna partida de gasto del presupuesto. Los gastos financieros que originan sí que irían imputadas a la partida de gastos. Sin embargo, computan en el volumen total de deuda viva de la entidad local. Además, no necesitan autorización del Ministerio de Hacienda o del órgano autonómico encargado de la tutela financiera, salvo cuando se decida instrumentar la operación a corto plazo mediante emisiones de deuda o se formalice el crédito con el exterior o entidades financiera no residentes en España.

Las operaciones de crédito a corto plazo pueden ser, entre otras, las siguientes:

- Anticipos que se perciban de entidades financieras, con o sin intermediación de los órganos de gestión recaudatoria, a cuenta de los productos recaudatorios de los impuestos devengados en cada ejercicio económico y liquidados a través de un padrón o matrícula.

- Préstamos y créditos concedidos por entidades financieras para cubrir los desfases transitorios de tesorería.

- Las emisiones de deuda por plazo inferior al año.

Las operaciones de crédito a largo plazo pueden definirse como aquellas que su plazo excede de un año y que no están dedicadas para hacer frente a necesidades transitorias de tesorería. En definitiva, serán todas aquellas operaciones efectuadas por las entidades locales para financiar sus inversiones, modificar las condiciones contractuales o añadir garantías adicionales, conceder avales, o sustituir total o parcialmente operaciones preexistentes.

Su régimen jurídico pivota en torno a fuertes restricciones y su principal diferencia con las operaciones a corto plazo es el sometimiento a un régimen de autorización. En este punto confluyen dos normas a tener en cuenta y que veremos con más detenimiento en el apartado siguiente dedicado a la autorización de las operaciones de crédito: por un lado, el extenso artículo 53 TRLRHL y, por otro lado, la Disposición Adicional decimocuarta del Real Decreto-Ley 20/2011, de 30 de diciembre, de medidas urgentes en materia presupuestaria, tributaria y financiera para la corrección del déficit público.

Los principales requisitos para poder concertar operaciones de crédito a largo plazo son los siguientes:

- En primer lugar, que exista un presupuesto aprobado para el ejercicio económico, con la excepción que hemos señalado más arriba para los supuestos de prórroga presupuestaria.

- En segundo lugar, que el ejercicio anterior se hubiese liquidado con un ahorro neto positivo.

- En tercer lugar, que el saldo de deuda viva pendiente de la entidad local no supere el 110% de los ingresos corrientes liquidados. Por debajo de ese umbral, se fija la posibilidad de recurrir al crédito a largo plazo, pero con un régimen de previa autorización y que desglosaremos en el apartado siguiente.

En este punto es interesante destacar qué es el ahorro neto, puesto que su signo positivo a final de año habilita a la entidad local a concertar operaciones de crédito a largo plazo sin necesidad de autorización alguna por el Ministerio de Hacienda o el organismo autonómico encargado de la tutela financiera.

El art. 53.1 TRLRHL establece que por ahorro neto de las entidades locales y sus organismos autónomos se entiende la diferencia entre los derechos liquidados por los capítulos uno a cinco, ambos inclusive, del estado de ingresos, y de las obligaciones reconocidas por los capítulos uno, dos y cuatro del estado de gastos, minorada en el importe de una anualidad teórica de amortización de la operación proyectada y de cada uno de los préstamos y empréstitos propios y avalados a terceros pendientes de reembolso. En este ahorro neto no se incluyen las obligaciones reconocidas, derivadas de modificaciones de créditos, que hayan sido financiadas con remanente líquido de tesorería.

En el caso de los organismos autónomos de carácter comercial, industrial, financiero o análogo y sociedades mercantiles se considerará ahorro neto los resultados de la actividad ordinaria, excluidos los intereses de préstamos o empréstitos, minorados en una anualidad teórica de amortización.

Cuando el ahorro neto sea negativo, el Pleno de la corporación deberá aprobar un plan de saneamiento financiero a realizar en menos de tres años, donde se adoptarán una batería de medidas de gestión, tributarias, financieras y presupuestarias que permitan, al menos, ajustar a cero el ahorro negativo de la entidad, organismo autónomo o sociedad mercantil.

Por último, resta señalarse el régimen de las garantías que pueden aplicarse al pago de las obligaciones derivadas de las operaciones de crédito, las cuales vienen establecidas en el apartado quinto del artículo 49 TRLRHL.

Las operaciones de crédito a corto plazo pueden garantizarse de las siguientes maneras:

- Cuando se trate de los anticipos de tesorería del art. 51.a) TRLRHL, se garantizará mediante la afectación de los recursos tributarios objeto del anticipo, devengados en el ejercicio económico, hasta el límite máximo de anticipo o anticipos concedidos.

- En las operaciones de préstamo o crédito concertadas por organismos autónomos y sociedades mercantiles dependientes, con avales concedidos por la corporación correspondiente. Cuando la participación social sea detentada por diversas entidades locales, el aval deberá quedar limitado, para cada partícipe, a su porcentaje de participación en el capital social.

- También pueden garantizarse con la afectación de ingresos procedentes de contribuciones especiales, tasas y precios públicos.

Por su parte, las operaciones de crédito a largo plazo pueden garantizarse:

- Con la constitución de garantía real sobre bienes patrimoniales.

- Con los avales sobre operaciones de préstamo o crédito.

- Con la afectación de ingresos procedentes de contribuciones especiales, tasas y precios públicos, siempre que exista una relación directa entre dichos recursos y el gasto a financiar con la operación de crédito.

- Cuando se trate de inversiones cofinanciadas con fondos procedentes de la Unión Europea o con aportaciones de cualquier Administración pública, con la propia subvención de capital, siempre que haya una relación directa de ésta con el gasto financiado con la operación de crédito.

4. RÉGIMEN DE AUTORIZACIÓN

El régimen jurídico que disciplina la autorización para que las Haciendas locales recurran a las operaciones de crédito es una prueba más de las elevadas restricciones y obligaciones formales a las que están expuestas las entidades locales cuando pretenden hacer uso del endeudamiento para financiar sus gastos e inversiones.

El primer elemento a tener en consideración es el de la sostenibilidad financiera, principio basilar de las Haciendas locales. En este sentido, el art. 13.5 LOEPSF establece que la autorización del Estado, o en su caso de la Comunidad Autónoma competente, a las corporaciones locales para que realicen sus operaciones de crédito y emisiones de deuda pública *ex* art. 53 TRLRHL, deberá tener presente el cumplimiento de los objetivos de estabilidad presupuestaria y de deuda pública, así como todos los principios y obligaciones que establece la LOEPSF y que han sido estudiadas en páginas anteriores de este trabajo.

Será preceptiva, en primer lugar, la autorización de los órganos competentes del Ministerio de Hacienda, o de la Comunidad Autónoma a que la entidad local pertenezca que tenga atribuida en su Estatuto la competencia de tutela financiera de los entes locales[3], cuando de los estados financieros que reflejen la liquidación de los presupuestos, los resultados corrientes y los resultados de la actividad ordinaria del último ejercicio, exista un ahorro neto negativo (art. 53.1 TRLRHL)

---

[3] Las Comunidades Autónomas que tienen atribuida la competencia de tutela financiera de las entidades locales de su territorio y que tienen un órgano de tutela financiera específico son Andalucía, Aragón, Principado de Asturias, Castilla y León, Cataluña, Galicia, Comunidad Foral de Navarra, La Rioja, Comunidad Valenciana y País Vasco. En el resto de las Comunidades Autónomas, dicha autorización la emite la Secretaría General de Financiación Autonómica y Local del Ministerio de Hacienda y Función Pública.
El ejercicio de esta tutela financiera tiene por objeto determinar la actuación, control y garantía de los objetivos financieros de las entidades locales, teniendo un control preventivo y otro vigilante del posible cumplimiento o incumplimiento. Cfr. TORREGROSA MIRALLES, L., "La tutela financiera de las entidades locales. Especial referencia a la Comunidad Valenciana", *El Consultor de los Ayuntamientos*, La Ley 1383/2020, nº 1, 2020, pág. 3.

El segundo supuesto en el que existe una autorización preceptiva para la concertación de operaciones de crédito a largo plazo es el establecido en el art. 53.2 TRLRHL y que establece un umbral de endeudamiento a partir del cual la entidad local necesita dicha autorización. Necesitarán de la citada autorización las operaciones de crédito a largo plazo de cualquier naturaleza, incluido el resigo deducido de los avales, cuando el volumen total del capital vivo de las operaciones de crédito vigentes a corto y largo plazo, incluyendo el importe de la operación proyectada, supere el 110 % de los ingreso corrientes liquidados o devengados en el ejercicio inmediatamente anterior o, en su defecto, en el precedente a este último cuando el cómputo haya de realizarse en el primer semestre del año y no se haya liquidado el presupuesto correspondiente a aquel, según las cifras deducidas de los estados contables consolidados de las entidades citadas en el art. 51.1. TRLRHL. Por lo tanto, cuando las entidades locales presenten un volumen de endeudamiento excesivo (superior al 110% de los ingresos corrientes liquidados o devengados en el ejercicio anterior), deberán solicitar autorización para cualquier operación nueva de crédito a largo plazo.

Excepcionalmente, las entidades locales de más de 200.000 habitantes podrán sustituir las autorizaciones mencionadas para los dos supuestos contemplados anteriormente por la presentación de un escenario de consolidación presupuestaria, que deberá ser aprobado por el órgano competente (art. 53.4 TRLRHL). Ese escenario de consolidación presupuestaria contendrá el compromiso de la entidad local, aprobada en Pleno, del límite máximo del déficit no financiero e importe máximo del endeudamiento para cada uno de los tres ejercicios siguientes. Ese plan de consolidación deberá ser aprobado por el organismo competente, previo informe del Ministerio de Hacienda.

Existe un régimen de autorización preceptiva del Ministerio de Hacienda en todos los casos, sean cuales sean los valores de ahorro neto o del volumen de endeudamiento, para las operaciones de crédito a corto y largo plazo, la concesión de avales, y las demás operaciones que modifiquen las condiciones contractuales o añadan garantías adicionales, con o sin intermediación de terceros, en los siguientes dos casos:

- Las que se formalicen en el exterior o con entidades financieras no residentes en España, cualquiera que sea la divisa que sirva de determinación del capital de la operación proyectada, incluidas las cesiones a entidades financieras no residentes de las participaciones, que ostenten entidades residentes, en créditos otorgados a las entidades locales, sus organismos autónomos y los entes y sociedades mercantiles dependientes, que presten servicios o produzcan bienes que no se financien mayoritariamente con ingresos de mercado. Cuando se realicen las operaciones en euro y dentro del espacio territorial de los países pertenecientes a la Unión Europea y con entidades financieras residentes en algunos de los Estados miembros, no se considerará financiación exterior y la autorización preceptiva se sustituirá por una comunicación previa al Ministerio de Hacienda.

- Las que consistan en emisiones de deuda o cualquier otra forma de apelación al crédito público[4].

Por último, es necesario traer a colación la Disposición Adicional Decimocuarta del Real Decreto-Ley 20/2011, de 30 de diciembre, de medidas urgentes en materia presupuestaria, tributaria y financiera para la corrección del déficit público, el cual se encuentra en vigor todavía y que establece unas reglas especiales para la autorización de operaciones de crédito que busquen financiar inversiones. Estas medidas pueden resumirse de la siguiente forma:

En primer lugar, se permite concertar nuevas operaciones de crédito a largo plazo a las entidades locales para la financiación de sus inversiones sin autorización cuando el volumen total del capital vivo no exceda del 75% de los ingresos corrientes liquidados o devengados según las cifras que establezcan los estados contables.

En segundo lugar, cuando las operaciones de crédito a largo plazo se realicen por una entidad local con un volumen de capital vivo situado entre el 75% y el 110% de los ingresos corrientes liquidados o devengados, será necesaria la autorización previa del órgano competente.

En tercer lugar, se prohíbe a las entidades locales que presenten ahorro negativo o un volumen de endeudamiento vivo superior al 110%, la concertación de operaciones de crédito a largo plazo para financiar sus inversiones.

5. OBLIGACIONES DE SUMINISTRO DE INFORMACIÓN

Para la correcta fiscalización de los niveles de endeudamiento de las entidades locales, el legislador estableció lo que se conocen como centrales de información de riesgos y un sistema de suministro de información periódica que debe remitirse al Ministerio de Hacienda.

El art. 28 LOEPSF establece que el Ministerio de Hacienda dispondrá de una central de información, de carácter público, que provea de información sobre la actividad

---

4   Entre los ejemplos de este tipo de emisiones de deuda pública por parte de una entidad local podemos citar las autorizaciones de la Secretaría General de Financiación Autonómica y Local al Ayuntamiento de Barcelona para emitir deuda pública entre 2007 y 2008 por valor de 86 millones y 50 millones de euros, respectivamente:
       – Resolución de 30 de noviembre de 2017, de la Secretaría General de Financiación Autonómica y Local, por la que se autoriza al Ayuntamiento de Barcelona para emitir Deuda Pública por importe máximo de 86.125.000 euros, en la modalidad de Bono Verde y Bono Social.
       – Resolución de 16 de octubre de 2018, de la Secretaría General de Financiación Autonómica y Local, por la que se autoriza al Ayuntamiento de Barcelona para emitir Deuda Pública por importe máximo de 50.000.000 euros, en la modalidad de Bono Sostenible.

económico-financiera de las Administraciones Públicas y que estará a disposición de la Comisión Nacional de Administración Local. Mediante una Orden Ministerial se aprobarán los datos y documentos integrantes de la central de información, los plazos y procedimientos de remisión, incluidos los telemáticos, y toda la información que sea objeto de publicación para conocimiento general, plazos y el modo en que aquellos hayan de publicarse.

Por su parte, el art. 55 TRLRHL establece una central de información de riesgos específica en el Ministerio de Hacienda en la cual se suministrará la información sobre las distintas operaciones de crédito concertadas por las entidades locales y las cargas financieras que supongan. Estos datos se suministrarán por las entidades financieras y las Administraciones públicas. Asimismo, las corporaciones locales deben informar a los órganos competentes del Ministerio de Hacienda sobre el resto de su endeudamiento y cargas financieras, en la forma y con alcance, contenido y periodicidad que se establezca reglamentariamente. El órgano gestor de la central de información de riesgos de las entidades locales es la Dirección General de Coordinación Financiera con las Entidades Locales y a tal efecto se ha establecido una oficina virtual para la coordinación financiera con las entidades locales[5].

El correspondiente desarrollo reglamentario a estas obligaciones de suministro de información lo encontramos en la Orden HAP/1205/2012, de 1 de octubre, por la que se desarrollan las obligaciones de suministro de información previstas en la Ley Orgánica 2/2012, de 27 de abril, de Estabilidad Presupuestaria y Sostenibilidad Financiera. El principal objetivo de esta norma reglamentaria es aumentar la transparencia y le intercambio de información de las Comunidades Autónomas y las entidades locales con el fin de lograr los objetivos de estabilidad presupuestaria y sostenibilidad financiera. En esta orden ministerial se establecen las obligaciones de información y se mejora la calidad de la misma al coordinarla, hacerla comparable y más fiable.

Los artículos 15 a 17 de la citada Orden contienen las obligaciones de suministro de información para las corporaciones locales. A continuación, pasamos a detallar exclusivamente aquellas informaciones de periódico entre cuyo contenido están algunas materias relacionadas con el nivel de endeudamiento y fiscalización de las operaciones de crédito.

En primer lugar, entre las obligaciones anuales de suministro de información, destacan las siguientes:

• Antes del 15 de septiembre de cada año debe enviarse el informe de la intervención sobre la evaluación del cumplimiento del objetivo de estabilidad y del límite de deuda.

---

5   Cfr. RISUEÑO JIMÉNEZ, F., "El endeudamiento financiero de las entidades locales" en MORENO GONZÁLEZ, S. y SÁNCHEZ LÓPEZ, E. (Dirs.), *El ordenamiento tributario y presupuestario local,* Tirant lo Blanch, Valencia, 2016, pág. 764.

- Antes del 31 de enero de cada año ha de remitirse, en primer lugar, los presupuestos aprobados y los estados financieros iniciales de todos los sujetos y entidades comprendidos en el ámbito de aplicación de la Orden, de las inversiones previstas a realizar en ejercicio y en los tres siguientes, con su propuesta de financiación y los estados de previsión de movimiento y situación de la deuda. Si a 31 de enero no hubiese un presupuesto aprobado, deberá remitirse el prorrogado hasta la entrada el vigor del nuevo presupuesto. Y, en segundo lugar, ha de remitirse el informe de la intervención de evaluación del cumplimiento del objetivo d estabilidad presupuestaria y del límite de la deuda.

- Antes del 31 de marzo del año siguiente al del ejercicio liquidado se remitirán, entre otros documentos:

  - Los presupuestos liquidados y las cuentas anuales formuladas por los sujetos y entidades sometidos al Plan General de Contabilidad de Empresas.

  - Las obligaciones frente a terceros, vencidas, líquidas, exigibles no imputadas a presupuesto.

  - La situación a 31 de diciembre del ejercicio anterior de la deuda viva, incluida la amortización.

Respecto a las obligaciones trimestrales de suministro de información, las cuales han de cumplirse antes del último día del mes siguiente a la finalización de cada trimestre del año, destacan las siguientes:

- La actualización de los presupuestos en ejecución con las correspondientes modificaciones ya tramitadas y/o prevista de tramitar hasta final de año.

- Las obligaciones frente a terceros, vencidas, líquidas, exigibles, no imputadas a presupuesto.

- La actualización del informe de la intervención del cumplimiento del objetivo de estabilidad y del límite de la deuda, así como un informe de valoración del cumplimiento de la regla de gasto al cierre del ejercicio.

- Las actualizaciones del Plan de Tesorería y detalle de las operaciones de deuda viva[6].

---

[6] Esta información contendrá, al menos, los siguientes aspectos:
a) Calendario y presupuesto de Tesorería que contenga sus cobros y pagos mensuales por rúbricas incluyendo la previsión de su mínimo mensual de tesorería.
b) Previsión mensual de ingresos.
c) Saldo de deuda viva.
d) Impacto de las medidas de ahorro y medidas de ingresos previstas y calendario previsto de impacto en presupuesto.
e) Vencimientos mensuales de deuda a corto y largo plazo.

Por último, se establece una obligación de suministro de información que no es periódica y va referida a las operaciones de préstamo y emisiones de deuda. Se establece en el artículo 17 de la mencionada Orden Ministerial que en el plazo máximo de un mes, desde que se suscriba, cancele o modifique una operación de préstamo, crédito o emisiones de deuda, en cualquier modalidad, avales y garantías prestados en cualquier clase de crédito, las operaciones de arrendamiento financiero, así como cualesquiera otras que afecten a la posición financiera futura, concertada por las corporaciones locales o sus entidades dependientes, deberá comunicarse al Ministerio de Hacienda las condiciones de la operación y su cuadro de amortización.

En el caso de que se produzca algún incumplimiento en las obligaciones mencionadas con anterioridad, ya sea en lo referido a los plazos, al correcto contenido e idoneidad de los datos requeridos o al modo de envío, el art. 19 de la Orden Ministerial establece que se emitirá un requerimiento de cumplimiento. El requerimiento indicará un plazo, no superior a quince días naturales, para cumplir con la obligación. En caso de que no se atienda en ese plazo el cumplimiento se procederá a dar publicidad al incumplimiento y se adoptarán las medidas automáticas de corrección del art. 20 de la LOEPSF.

6. LÍMITES AL ENDEUDAMIENTO LOCAL: PRINCIPIOS DE SOSTENIBILIDAD Y PRUDENCIA FINANCIERA

Tras la reforma del art. 135 CE del año 2011 y la necesidad de control los niveles de endeudamiento de las Administraciones Públicas surgieron nuevos principios que disciplinan a día de hoy los presupuestos y la actividad financiera de las Administraciones. El principio de sostenibilidad financiera y el de prudencia financiera pretenden disciplinar las políticas presupuestarias.

Ambos principios son una derivada del genérico principio de estabilidad presupuestaria. El principio de estabilidad presupuestaria aparece por primera vez en nuestro ordenamiento jurídico mediante la Ley 18/2001, de 12 de diciembre, General de Estabilidad Presupuestaria. Este principio es clave en la consolidación fiscal de la política económica y que posibilitó el acceso de España a la moneda única en 1999. En este sentido, el equilibrio presupuestario es la piedra angular de la estabilidad macroeconómica que permite el crecimiento de la economía y el empleo. Este principio de estabilidad presupuestaria y su reconocimiento en un texto legal es consecuencia del Pacto de Estabilidad y Crecimiento, acordado en el Consejo de Ámsterdam en junio de 1997. Este

---

f) Calendario y cuantías de necesidades de endeudamiento.

g) Evolución del saldo de las obligaciones reconocidas pendientes de pago tanto del ejercicio corriente como de los años anteriores.

h) Perfil de vencimientos de la deuda de los próximos diez años.

principio limite el uso del déficit público como herramienta de política economía de la Unión Económica y Monetaria, comprometiéndose los Estados miembros a perseguir este objetivo en el medio plazo y lograr un equilibrio o superávit. Desgraciadamente, este mandato tan genérico no llegó a ser cumplido por muchos países de la Unión y acabó aflorando en una crisis de deuda soberana entre el 2008 y 2015.

Los límites al endeudamiento de las entidades locales tienen su origen en los principios señalados y en el objetivo de conseguir unas cuentas públicas saneadas. Sin lugar a dudas, son un importante instrumento de solvencia que ofrecer garantías a los inversores crediticios que compren deuda pública de cualquier Administración Pública española. La constitucionalización de una serie de garantías invita al optimismo de los inversores al ver garantizada la devolución de su inversión.

6.1. EL IMPACTO DE LA ESTABILIDAD PRESUPUESTARIA SOBRE LAS HACIENDAS LOCALES

El principio de estabilidad presupuestaria actúa como un principio rector en la planificación presupuestaria de las Administraciones Públicas, estando constitucionalizado en el art. 135 de nuestra Carta Magna.

Tanto el Estado como las Comunidades Autónomas están obligadas a cumplir los objetivos de déficit estructural y de volumen de deuda pública que establece la Unión Europea. Esos umbrales, los cuales son una transposición de los establecidos en el Derecho de la UE[7], se desarrollan mediante una Ley Orgánica. Asimismo, el art. 135.2 CE obliga a las entidades locales a presentar equilibrio presupuestario.

Se define al equilibrio presupuestario como la situación de equilibrio o superávit, o lo que es lo mismo, cuando las Administraciones Públicas no incurran en ningún déficit estructural[8]. Este principio necesita la articulación del principio de sostenibilidad financiera, el cual está desarrollado en la LOEPSF, para que pueda alcanzarse.

La Carta Magna pone de manifiesto el principio de estabilidad presupuestaria e, indirectamente, el de sostenibilidad financiera. Las presentes reglas fiscales deberán ser controladas por los órganos de la intervención local, con la emisión del correspondiente

---

[7] El Tratado de Estabilidad, Coordinación y Gobernanza en la Unión Económica y Monetaria, firmado en marzo de 2012 por 25 Estados miembros, establece el compromiso de mantener un déficit público por debajo del 3% y el compromiso de reducir en menos de veinte años la deuda pública por debajo del 60%.

[8] LÓPEZ DÍAZ, A., "Estabilidad presupuestaria y sostenibilidad financiera de las entidades locales" en MORENO GONZÁLEZ, S. y SÁNCHEZ LÓPEZ, E. (Dirs.), *El ordenamiento tributario y presupuestario local,* Tirant lo Blanch, Valencia, 2016, pág. 651.

informe que será sometido al Pleno y finalmente enviado al organismo que tenga encomendada la tutela financiera de la entidad local.

La Orden HAP/2105/2012, de 1 de octubre, por la que se desarrollan las obligaciones de suministro de información previstas en la Ley Orgánica 2/2012, de 27 de abril, de Estabilidad Presupuestaria y Sostenibilidad Financiera, establece una serie de obligaciones sobre las entidades locales de suministro periódico de información al Ministerio de Hacienda, entre las que destacan las informaciones sobre el grado de cumplimiento con los objetivos de estabilidad presupuestaria y deuda. Trimestralmente deben remitir desde la intervención local un informe sobre el cumplimiento del objetivo de estabilidad y el límite de deuda, además de la correspondiente valoración del cumplimiento de la regla de gasto al cierre del ejercicio. También, debe ofrecerse cada tres meses las actualizaciones de su Plan de tesorería y detalle de las operaciones de deuda viva[9].

6.2. EL PRINCIPIO DE SOSTENIBILIDAD FINANCIERA

La LOEPSF define el principio de sostenibilidad financiera en el art. 4 como *"la capacidad para financiar compromisos de gasto presentes y futuros dentro de los límites de déficit, deuda pública y morosidad de la deuda comercial conforme a lo establecido en esta Ley, la normativa sobre morosidad y en la normativa europea"*. Por tanto, la sostenibilidad financiera, entendida como el compromiso para asumir gastos presentes y futuros pivota, por una parte, sobre la sostenibilidad de la deuda financiera, la cual se puede concertar en operaciones de crédito con cualquier tipo de entidad financiera o mediante la emisión de deuda en los mercados, y, por otra parte, sobre la deuda comercial que es la que se contrae con los proveedores de la Administración.

Respecto a la sostenibilidad financiera de la deuda comercial, el artículo 4 LOEPSF establece que existe esta situación cuando el período medio de pago a los proveedores

---

[9] Esta información deberá contener:
a) Calendario y presupuesto de Tesorería que contenga sus cobros y pagos mensuales por rúbricas, distinguiendo los pagos incluidos en el cálculo del período medio de pago a proveedores e incluyendo la previsión de su mínimo mensual de tesorería.
b) Previsión mensual de ingresos.
c) Saldo de deuda viva.
d) Impacto de las medidas de ahorro y medidas de ingresos previstas y calendario previsto de impacto en presupuesto.
e) Vencimientos mensuales de deuda a corto y largo plazo.
f) Calendario y cuantías de necesidades de endeudamiento.
g) Evolución del saldo de las obligaciones reconocidas pendientes de pago tanto del ejercicio corriente como de los años anteriores, distinguiendo el importe de las obligaciones pendientes de pago incluidas en el cálculo del período medio de pago a proveedores.
h) Perfil de vencimientos de la deuda de los próximos diez años.

no supere el plazo máximo previsto en la normativa sobre morosidad. Actualmente, la Ley 3/2004, de 29 de diciembre, por la que se establecen medidas de lucha contra la morosidad de las operaciones comerciales, establece, tras su modificación parcial por la Ley 15/2012, de 5 de julio, establece como periodo máximo de pago a los proveedores de la Administración 30 días[10].

Los objetivos fundamentales de la LOEPSF son:

- Garantizar la sostenibilidad financiera de todas las Administraciones Públicas.

- Fortalecer la confianza en la estabilidad de la economía española.

- Reforzar el compromiso de España con la Unión Europea en materia de estabilidad presupuestaria.

Aparte de los principios de estabilidad presupuestaria y sostenibilidad financiera, la presente ley orgánica establece otros principios para conseguir los objetivos citados.

En primer lugar, se encuentra el principio de plurianualidad (art. 5 LOEPSF). Este principio establece que la elaboración de los Presupuestos de las Administraciones Públicas se encuadra en un marco presupuestario a medio plazo compatible con el principio de anualidad para la aprobación y ejecución de los Presupuestos.

En segundo lugar, el principio de transparencia (art. 6 LOEPSF). Este principio exige que la contabilidad de las Administraciones Públicas contenga información suficiente y adecuada para la verificación de su situación financiera, el cumplimiento de los objetivos de estabilidad presupuestaria y de sostenibilidad financiera y la observancia de los requerimientos acordados en la normativa europea

En tercer lugar, el principio de eficiencia en la asignación y utilización de los recursos públicos (art. 7 LOEPSF). Este principio impone que las políticas de gasto público deben encuadrarse en un marco de planificación plurianual y de programación y presupuestación, atendiendo a la situación económica, a los objetivos de política económica y al cumplimiento de los principios de estabilidad presupuestaria y sostenibilidad financiera

En cuarto lugar, el principio de responsabilidad y de lealtad institucional (arts. 8 y 9 LOEPSF). El principio de responsabilidad traslada la responsabilidad a las Administraciones Públicas que incumplan las obligaciones previstas en la LOEPSF y que provoquen o contribuyan a producir el incumplimiento de los compromisos asumidos por España de acuerdo con la normativa europea y los tratados o convenios internacio-

---

[10] Según las últimas estadísticas publicadas sobre el Periodo Medio de Pago (PMP), éste se sitúa en 27,59 días para la Administración Central; en 23,19 días para las Comunidades Autónomas; y en 60,46 días para las entidades locales. El histórico de estadísticas sobre el PMP ponen de relieve un descenso de 5,57 días en las entidades locales respecto al primer trimestre de 2021.

nales. Por su parte, el principio de lealtad institucional obliga a cada Administración a valorar el impacto de sus actuaciones sobre el resto de Administraciones Públicas; a facilitar al resto de Administraciones Públicas la información que precisen sobre la actividad que desarrollen, especialmente las obligaciones de suministro de información y transparencia que imponga la normativa nacional y europea; y cooperar con el resto de Administraciones Públicas.

Con relación a este principio, debe destacarse las obligaciones que han de cumplir las entidades locales en caso de recurrir a mecanismos adicionales de financiación que supongan una quiebra al principio de sostenibilidad financiera. La Disposición Adicional primera de la LOEPSF establece que cuando las entidades locales[11] soliciten al Estado el acceso a medidas extraordinarias o a mecanismos de apoyo a la liquidez, tendrán que acordar con el Ministerio de Hacienda un plan de ajuste consistente con los objetivos de estabilidad presupuestaria y de deuda pública. Para poder acceder a estos mecanismos de financiación, con carácter previo la entidad local deberá aceptar las condiciones particulares en materia de seguimiento y remisión e información y otras condiciones que se determinen en las disposiciones o acuerdos de los mecanismos, así como adoptar medidas de ajuste extraordinarias para cumplir con los objetivos mencionados y con los plazos legales de pago a proveedores[12]. Asimismo, las corporaciones locales deberán remitir anualmente al Ministerio de Hacienda un informe del interventor sobre el estado de ejecución de los planes de ajustes, si bien las entidades locales incluidas en los arts. 111 y 135 TRLRHL deberán presentar este informe con carácter trimestral[13].

6.3. EL PRINCIPIO DE PRUDENCIA FINANCIERA

El principio de prudencia financiera se introduce a través de un nuevo art. 48 bis en el TRLRHL mediante la Disposición Final Primera del Real Decreto-Ley 17/2014, de 26 de diciembre, de medidas de sostenibilidad financiera de las Comunidades Autónomas y Entidades Locales y otras de carácter económico. Es otra derivada del principio

---

[11] Este régimen también es aplicable a las Comunidades Autónomas que recurran a estos mecanismos adicionales de financiación.

[12] Mientras esté en vigor el plan de ajuste acordado con el Ministerio de Hacienda, la entidad local deberá remitir a éste información trimestral sobre los siguientes puntos:
a) Avales públicos otorgados, riesgo vivo total acumulado por los mismos y operaciones o líneas de crédito contratadas identificando la entidad, total del crédito disponible y el crédito dispuesto.
b) Deuda comercial contraída clasificada por su antigüedad y su vencimiento. Igualmente, se incluirá información de los contratos suscritos con entidades de crédito para facilitar el pago a proveedores.
c) Operaciones con derivados.
d) Cualquier otro pasivo contingente.

[13] Estas entidades son: capitales de provincia, de comunidad autónoma o que cuenten con una población de derecho igual o superior a 75.000 habitantes.

de estabilidad financiera y está intrínsecamente relacionado con el objetivo de sostenibilidad financiera que han de adoptar las entidades locales.

Se define en el art. 48 bis TRLRHL como *"el conjunto de condiciones que deben cumplir las operaciones financieras para minimizar su riesgo y costes"*. El primer apartado del artículo 48 TRLRHL sujeta al principio de prudencia financiera todas las operaciones financieras que suscriban las corporaciones locales. La introducción de este principio busca evitar situaciones indeseadas en el acceso al crédito por parte de las entidades locales antes condiciones potencialmente abusivas de las entidades financieras.

Las operaciones que tienen la consideración de financieras son las que tengan por objeto alguno de los siguientes instrumentos financieros:

- Activos financieros: se incluyen los instrumentos de capital o de patrimonio neto de otras entidades, los derechos a recibir efectivo u otro activo financiero de un tercero o de intercambiar con un tercero activos o pasivos financieros en condiciones potencialmente favorables.

- Pasivos financieros: se incluyen las deudas representadas en valores, operaciones de crédito, operaciones de derivados y cualquier otra obligación exigible e incondicional de entregar efectivo u otro activo financiero a un tercero o de intercambiar con un tercero activos o pasivos financieros en condiciones desfavorables.

- La concesión de avales, reavales u otra clase de garantías públicas o medidas de apoyo extrapresupuestario. El órgano competencia que tenga atribuida la tutela financiera de las entidades locales tendrá que autorizar estas operaciones cuando no se ajusten a las condiciones de prudencia financiera.

El desarrollo de las condiciones que deben cumplir las operaciones financieras sujetas a este principio se realiza, actualmente, a través de la Resolución de 4 de julio de 2017, de la Secretaría General del Tesoro y Política Financiera, por la que se define el principio de prudencia financiera aplicable a las operaciones de endeudamiento y derivados de las comunidades autónomas y entidades locales. Asimismo, el art. 48 bis establece que el principio de prudencia financiera también deberá ser aplicado por las corporaciones locales al conjunto de su sector público, entendiendo por tanto que los organismos autónomos y las sociedades mercantiles públicas dependientes de éstas deben regirse por este principio.

Siguiendo la Resolución de 4 de julio de 2017, los instrumentos a través de los que pueden realizar las entidades locales operaciones de endeudamiento son los siguientes: Certificados de deuda bajo ley alemana (*Schuldschein*). Este instrumento alemán es un tipo de deuda en forma de pagaré con un plazo de vencimiento de entre 10 y 15 años; Valores a largo plazo negociables o no, emitidos mediante emisión pública o privada, en mercados mayoristas o dirigidos al segmento minorista; Instrumentos de financiación a corto plazo; Préstamos a largo plazo; Arrendamientos financieros; Las entidades locales podrían recurrir a otros instrumentos, pero se necesitaría autorización excepcional de la Secretaría General del Tesoro y Política Financiera. A estos efectos, la entidad local o sus entidades públicas deben presentar una memoria en la que se detalle la conveniencia financiera de la operación, las causas que justificarían las circunstancias excepcionales y cómo afecta esta situación a su solvencia.

La aplicación del principio de prudencia financiera se canaliza, principalmente, estableciéndose que el coste total máximo de las operaciones de endeudamiento, incluyendo comisiones y otros gastos, no podrá superar el coste de financiación del Estado al plazo medio de la operación incrementado en la diferencia que corresponda según establece el anexo 3 de la Resolución de 4 de julio de 2017. Asimismo, se establecen también ciertas operaciones de contratación financieras que están vetadas a las entidades locales[14].

---

[14] • Operaciones de endeudamiento no instrumentadas en valores que incluyan derivados implícitos en los contratos, incluidas las opciones de amortización anticipada a petición del acreedor financiero, salvo las derivadas del incumplimiento de los contratos de las operaciones de endeudamiento.
• Operaciones con una estructura financiera conlleve un diferimiento de la carga financiera. Las emisiones cupón cero sólo estarán permitidas para plazos iguales o inferiores a 18 meses.
• Operaciones con cláusulas trigger vinculadas a calificaciones crediticias u otras variables económico-financieras que supongan la amortización anticipada de la deuda o un cambio en las condiciones financieras de la misma.
• Operaciones de endeudamiento no instrumentadas en valores derivadas de la subrogación de la Administración General de la Comunidad Autónoma o Entidad Local o de una de sus entidades en contratos financieros de entidades que conforman su sector público que supongan la asunción de deudas previamente garantizadas directa o indirectamente por la propia Administración, en el caso de que dicha subrogación suponga un incremento del coste de la operación preexistente.
• Operaciones de endeudamiento no instrumentadas en valores derivadas de la subrogación de la Administración General de la Comunidad Autónoma o Entidad Local o de una de sus entidades en otras deudas que no tengan naturaleza financiera o que carezcan de garantía directa o indirecta de la Administración correspondiente y cuyo coste se encuentre por encima del coste del endeudamiento al plazo medio equivalente que tenía la Comunidad Autónoma o Entidad Local en la fecha en que se cerró la operación original.
• derivadas de la transformación de deudas no vencidas de naturaleza no financiera de la Comunidad Autónoma o Entidad Local que tengan un coste explícito o implícito, en otras de naturaleza financiera cuyo coste se encuentre por encima del coste del endeudamiento al plazo medio equivalente que tenía la Comunidad Autónoma o Entidad Local en la fecha en que se cerró la operación original.
• Operaciones de endeudamiento no instrumentadas en valores que no prevean la posibilidad de amortización anticipada a solicitud del deudor.
• Operaciones a tipo de interés variable que contengan cláusulas suelo sobre la referencia aplicable, salvo que se le compense a la Comunidad Autónoma o Entidad Local en el diferencial aplicable a la operación por la venta de esa opción suelo a precios de mercado.
• Operaciones de endeudamiento no instrumentadas en valores a tipo de interés variable en las que el euríbor de referencia utilizado no coincida con el periodo de liquidación de intereses, salvo que se recoja en el contrato el ajuste de mercado del margen entre la referencia utilizada y la adecuada al periodo de liquidación de intereses.

No puede pasarse por alto que el desarrollo que se realiza del principio de prudencia financiera a través de la citada Resolución es una intervención a las operaciones de endeudamiento que establecen las entidades locales, limitándose su coste y determinando un amplio listado de prohibiciones. Esta limitación puede suponer una lesión al principio de autonomía de las entidades locales ya que es complicado encontrar en los mercados financieros condiciones que cumplan los requisitos de la Resolución[15].

7. EL PLAN ECONÓMICO-FINANCIERO Y EL PLAN DE REEQUILIBRIO

El cumplimiento de los objetivos de deuda pública y la consecución de unas cuentas públicas equilibradas o con superávit, especialmente a nivel local, es de vital importancia dados los compromisos que España ha adquirido con sus socios europeos. Por ello, la LOEPSF ha establecido una serie de medidas para prevenir y corregir estos escenarios:

- Medidas automáticas de prevención.
- Medidas automáticas de corrección.
- Medidas coercitivas.

En primer lugar, existen una batería de medidas de prevención detalladas en el art. 18 LOEPSF. En primer lugar, exige a las Administraciones públicas hacer un seguimiento de los datos de ejecución presupuestaria y ajustar el gasto público para garantizar que no se incumple el objetivo de estabilidad presupuestaria. Como medida de prevención se establece que cuando la deuda pública se sitúe por encima del 95% de los límites establecidos para cada Administración (recordemos que es el 3% para las entidades locales), las únicas operaciones de endeudamiento que se permitirán realizar serán las de tesorería.

En lo que respecta a las corporaciones locales se determina específicamente que el órgano de la Intervención deberá realizar un seguimiento sobre el cumplimiento del periodo medio de pago a proveedores. En caso de detectarse que el periodo medio de pago supera en más de 30 días el plazo máximo de pago previsto en la normativa contra la morosidad durante dos meses consecutivos, se formulará comunicación de alerta, en el plazo de quince días desde su detección, a la Administración que tuviera atribuida la tutela financiera de la corporación local y a la junta de gobierno de la corporación. El órgano encargado de la tutela financiera podrá establecer las medidas cuantificadas de reducción de gastos, incremento de ingresos u otras medidas de gestión de cobros y

---

[15] Cfr. PONS REBOLLO, M., "El principio de prudencia financiera para las operaciones de endeudamiento de las entidades locales", *El Consultor de los Ayuntamientos,* núm. III, 2022.

pagos, que la Corporación Local deberá adoptar de forma que le permita generar la tesorería necesaria para la reducción de su periodo medio de pago a proveedores. Deberá informarse, en todo caso, al Ministerio de Hacienda.

En segundo lugar, se han establecido medidas correctivas para los supuestos en que se incumpla el objetivo de estabilidad presupuestaria, el objetivo de deuda pública o la regla de gasto. En estos supuestos, el art. 20.2 LOEPSF establece que las corporaciones locales incumplidoras necesitarán autorización del Estado o de la Comunidad Autónoma que tenga atribuida la tutela financiera para realizar todas las operaciones de endeudamiento a largo plazo.

De igual manera, cuando la entidad local incumpla los mencionados objetivos, el art. 21 LOEPSF establece que se deberá formular un plan económico-financiero que permita en el año en curso y el siguiente el cumplimiento de los objetivos o de la regla de gasto. Este plan deberá ser presentado ante los órganos competentes (Ministerio de Hacienda u órgano de la Comunidad Autónoma) en el plazo máximo de un mes desde que se produjese el incumplimiento, debiendo estar aprobados por el Pleno de la Corporación. Los planes económico-financieros se remitirán también a la Comisión Nacional de Administración Local para su conocimiento, dándose la debida publicidad al mismo. El contenido mínimo del plan económico-financiero deberá ser el siguiente:

- Las causas del incumplimiento del objetivo establecido o, en su caso, del incumplimiento de la regla de gasto.

- Las previsiones tendenciales de ingresos y gastos, bajo el supuesto de que no se producen cambios en las políticas fiscales y de gastos.

- La descripción, cuantificación y el calendario de aplicación de las medidas incluidas en el plan, señalando las partidas presupuestarias o registros extrapresupuestarios en los que se contabilizarán.

- Las previsiones de las variables económicas y presupuestarias de las que parte el plan, así como los supuestos sobre los que se basan estas previsiones.

- Un análisis de sensibilidad considerando escenarios económicos alternativos.

Otra de las medidas de corrección que se establecen para los supuestos del art. 11.3 LOEPSF es el plan de reequilibrio, no obstante, su aplicación está diseñada para las únicas Administraciones a las que se les permite suspender las reglas fiscales por los motivos excepcionales del art. 11.3 LOEPSF y 135.4 CE. El plan de reequilibrio deberá contener, por un lado, la senda prevista para alcanzar el objetivo de deuda pública, y por otro lado, un análisis de la dinámica de la deuda pública, además de las variables que determinan su evolución, otros factores de riesgo y un análisis de la vida media de la deuda.

En tercer lugar, se establecen una serie de medidas coercitivas en caso de falta de presentación, falta de aprobación o de incumplimiento del plan económico-financiero o del plan de reequilibrio, que se resumen a continuación:

- Por un lado, aprobar, en el plazo de 15 días desde que se produzca el incumplimiento, la no disponibilidad de créditos y efectuar la correspondiente retención de créditos que garantice el cumplimiento del objetivo establecido.

- Por otro lado, constituir, cuando así se solicite por el Ministerio de Hacienda, un depósito con intereses en el Banco de España equivalente al 0,2% del PIB nominal.

- De no adoptarse las medidas o resultar insuficientes, el Ministerio de Hacienda acordará el envío de una comisión de expertos para valorar la situación económico-presupuestaria.

- El Gobierno o en su caso la Comunidad Autónoma que tenga atribuida la tutela financiera de la corporación, requerirá al presidente de la Corporación Local para que adopte el acuerdo de no disponibilidad, la constitución del depósito obligatorio o la ejecución de las medidas propuestas por la comisión de expertos. En caso de no adoptarse este requerimiento, se aplicarán las medidas forzosas necesarias para obligar a su cumplimiento. La persistencia en el incumplimiento puede llegar a considerarse como gestión gravemente dañosa para los intereses generales y podría procederse a la disolución de la Corporación Local.

8. CONCLUSIONES

La concertación de operaciones de crédito por parte de las entidades locales exige el cumplimiento del principio de prudencia financiera, el cual es una derivación del principio transversal de equilibrio presupuestario y sostenibilidad financiera. Para la aplicación de este principio es determinante la Resolución de 4 de julio de 20217, de la Secretaria General del Tesoro y Política Financiera, con sus correspondientes actualizaciones, la última realizada a través de la Resolución de 6 de octubre de 2022, de la Secretaría General del Tesoro y Política Financiera.

Como regla general, las entidades locales podrán concertar operaciones concertar operaciones de crédito a corto plazo, que no excedan de un año, para atender situaciones de tesorería siempre que en su conjunto no superen el 30% de sus ingresos liquidados por operaciones corrientes en el ejercicio anterior. Por su parte, para la concertación de operaciones de crédito a largo plazo para la financiación de inversiones, la DF 31ª de la Ley 17/2012, de 27 de diciembre, incorpora la autorización del correspondiente órgano de tutela financiera del ente local cuando el volumen total del capital vivo exceda del 75% de los ingresos corrientes y no exceda del 110%. Por su parte, cuando las entidades locales presenten un ahorro neto negativo o un endeudamiento vivo superior al 110% de sus ingresos corrientes liquidados o devengados, tendrán prohibida la concertación de toda operación de endeudamiento a largo plazo.

El régimen jurídico aplicable a las operaciones de crédito de las entidades locales es ciertamente restrictivo, pudiendo poner en tensión al principio de autonomía local y el principio de suficiencia financiera de las Haciendas locales. El régimen sigue inmutable tras las respectivas suspensiones de las reglas fiscales para los ejercicios 2020-2023. No obstante, se ha permitido que ciertas partidas de superávit se destinen a gasto público para paliar los efectos perjudiciales sobre la economía y la sociedad que ha provocado la crisis por el SARS-CoV-2.

9. BIBLIOGRAFÍA

García Martínez, E., *La estabilidad presupuestaria y el principio de estabilidad presupuestaria en el ámbito de las entidades locales,* Tesis Doctoral Universidad de Alicante, 2018.

López Díaz, A., "Estabilidad presupuestaria y sostenibilidad financiera de las entidades locales" en Moreno González, S. y Sánchez López, E. (Dirs.), *El ordenamiento tributario y presupuestario local,* Tirant lo Blanch, Valencia, 2016.

Pons Rebollo, M., "El principio de prudencia financiera para las operaciones de endeudamiento de las entidades locales", El Consultor de los Ayuntamientos, núm. III, 2022.

Risueño Jiménez, F., "El endeudamiento financiero de las entidades locales" en Moreno González, S. y Sánchez López, E. (Dirs.), *El ordenamiento tributario y presupuestario local,* Tirant lo Blanch, Valencia, 2016.

Torregrosa Miralles, L., "La tutela financiera de las entidades locales. Especial referencia a la Comunidad Valenciana", *El Consultor de los Ayuntamientos,* nº 1, 2020.